Sarah J. Maas
Das Reich der sieben Höfe
Silbernes Feuer

Sarah J. Maas schrieb bereits mit sechzehn den ersten Entwurf ihrer Erfolgsreihe ›Throne of Glass‹ und schuf damit die Basis ihrer stetig wachsenden, enthusiastischen internationalen Fangemeinde. Mit ›Das Reich der sieben Höfe‹ und ›Crescent City‹ erklomm sie endgültig die Spitze der Bestsellerlisten. Die Bücher der gefeierten Fantasy-Autorin haben eine Millionenauflage und wurden in 38 Sprachen übersetzt. Die Autorin lebt mit ihrer Familie in New York.

© Beowulf Sheehan

Franca Fritz lebte nach ihrem Abitur zwei Jahre in London, studierte Literaturwissenschaft, Anglistik und Niederlandistik an den Universitäten Köln und Wuppertal sowie der ITV Hogeschool in Utrecht. Sie arbeitet seit 1988 als Übersetzerin und lebt auf der Isle of Man.

Heinrich Koop studierte Geschichte und Niederlandistik an der Universität Köln und der Katholieke Universiteit Nijmegen und besuchte den Zusatzstudiengang Literarisches Übersetzen aus dem Niederländischen an der Universität Münster. Er arbeitet seit 1988 als Übersetzer und lebt auf der Isle of Man.

Sarah J. Maas

DAS REICH DER SIEBEN HÖFE
SILBERNES FEUER

Roman

Aus dem amerikanischen Englisch
von Franca Fritz und Heinrich Koop

dtv

Ungekürzte Ausgabe
5. Auflage 2024
2023 dtv Verlagsgesellschaft mbH & Co. KG, München
© Sarah J. Maas, 2021
Titel der englischen Originalausgabe: ›A Court of Silver Flames‹
2021 erschienen bei Bloomsbury Publishing Plc
This translation is published by arrangement with Bloomsbury Publishing Inc.
All rights reserved.
© der deutschsprachigen Ausgabe:
2021 dtv Verlagsgesellschaft mbH & Co. KG, München
Das Werk ist urheberrechtlich geschützt. Jede Verwertung ist nur mit Zustimmung
des Verlages zulässig. Das gilt insbesondere für Vervielfältigungen, Übersetzungen
und die Einspeicherung und Verarbeitung in elektronischen Systemen.
Umschlaggestaltung: dtv nach einem Entwurf von Carolin Liepins
Umschlagmotive: shutterstock.com/© Ironika; Vera NewSib
© der Landkarte: Virginia Allyn, 2019
Lektorat: Britta Mümmler
Gesetzt aus der Aldus
Satz: C.H.Beck.Media.Solutions, Nördlingen
Druck und Bindung: Druckerei C.H.Beck, Nördlingen
Printed in Germany · ISBN 978-3-423-71922-3

Für alle Nestas da draußen:
Besteigt den Berg.

Und für Josh, Taran und Annie:
Ihr seid der Grund, warum ich meinen Berg besteige.

Das schwarze Wasser an ihren um sich tretenden Füßen war eiskalt.

Nicht wie beißende Winterkälte und auch nicht wie das Brennen von Eis auf nackter Haut. Es war kälter. Intensiver.

Die Art von Kälte, die zwischen den Sternen klaffte, die Kälte einer Welt vor dem Licht.

Die Kälte der Hölle – der wahren Hölle, wie sie erkannte, als sie sich gegen den Griff der starken Hände aufbäumte, die versuchten, sie in diesen Kessel zu stoßen.

Die wahre Hölle, denn dort auf dem Steinboden lag Elain, und es beugte sich ein rothaariger, einäugiger Fae über sie. Über ihre Schwester, aus deren triefnassen, goldbraunen Haaren spitze Ohren hervorragten und deren helle Haut in einem unsterblichen Leuchten schimmerte.

Die wahre Hölle – schlimmer als der tintenschwarze Abgrund, nur wenige Zentimeter von ihren Zehenspitzen entfernt.

Taucht sie unter, befahl der Fae-König mit dem unerbittlichen Gesichtsausdruck.

Und der Klang dieser Stimme – die Stimme des Mannes, der Elain das angetan hatte ...

Sie wusste, dass man sie in den Kessel stoßen würde. Dass sie diesen Kampf verlieren würde.

Dass niemand kommen würde, um sie zu retten: weder die schluchzende Feyre oder deren geknebelter ehemaliger Liebhaber noch ihr am Boden zerstörter neuer Seelengefährte.

Auch Cassian nicht, der gebrochen und blutend auf dem Boden lag. Auch wenn er noch immer versuchte, sich mit zitternden Armen aufzurichten und zu ihr zu kriechen.

Der König von Hybern – er war es, der Elain und Cassian das angetan hatte.

Und ihr.

Das eisige Wasser fraß sich in ihre Haut.

Ein giftiger Todeskuss, so endgültig, dass sie sich mit jeder Faser ihres Körpers dagegen aufbäumte.

Sie würde untergetaucht werden – aber sie würde es nicht widerstandslos hinnehmen.

Das Wasser schien ihre Fußknöchel wie mit Krallen zu packen und sie hinabzuziehen. Sie wand sich und befreite ihren Arm aus dem Griff der Wache.

Und dann streckte Nesta Archeron einen Finger aus und zeigte auf den König von Hybern.

Sie verhieß ihm den Tod, markierte ihn als Ziel.

Hände stießen sie in die Tiefen des Wassers.

Nesta lachte, als sie die Angst sah, die sich in die Augen des Königs schlich, kurz bevor das Wasser sie verschlang.

Am Anfang
Und am Ende
War Dunkelheit
Und sonst nichts

Sie spürte die Kälte nicht, als sie in einem Ozean versank, der keinen Grund hatte, keinen Horizont und keine Oberfläche. Aber sie spürte das Brennen.

Unsterblichkeit war keine heitere Jugend.

Sie glich einem Feuer.

Wie geschmolzenes Erz, das in ihre Adern gegossen wurde und ihr menschliches Blut zum Kochen brachte, bis es nur noch Dampf war – Dampf, der ihre brüchigen Knochen zu heißem Stahl schmiedete.

Und als sie den Mund öffnete, um zu schreien, weil der Schmerz ihr Innerstes zerriss, blieb alles still. An diesem Ort herrschte nichts außer Dunkelheit und Leid und Macht …

Sie würden bezahlen. Sie alle.

Angefangen mit diesem Kessel.

Jetzt sofort.
Mit Klauen und Zähnen stürzte sie sich in die Dunkelheit, zerfleischte, zerriss und zerfetzte.
Und die dunkle Ewigkeit um sie herum erschauderte. Bäumte sich auf. Schlug um sich.
Sie lachte, als die Dunkelheit zurückwich. Lachte mit einem Mund voll roher Kraft, die sie aus der Dunkelheit herausgerissen und verschlungen hatte. Lachte, als sie eine Handvoll Ewigkeit nach der anderen in ihr Herz und ihre Adern stopfte.
Der Kessel zappelte wie ein Vogel in den Pfoten einer Katze. Doch sie weigerte sich loszulassen.
Alles, was er ihr und Elain genommen hatte, würde sie sich zurückholen.
Eingehüllt in schwarze Ewigkeit schlangen sich Nesta und der Kessel umeinander und stürzten brennend durch die Dunkelheit wie ein neugeborener Stern.

Teil 1
Novizin

1

Cassian hob die Faust an die grün lackierte Tür im dämmrigen Hausflur ... und zögerte.

Er hatte mehr Feinde niedergemetzelt, als er zählen konnte, hatte auf zahllosen Schlachtfeldern knietief im Blut gestanden und doch weiter sein Schwert geschwungen, hatte Entscheidungen getroffen, die ihn das Leben fähiger Krieger gekostet hatten, war General, Infanterist und Attentäter gewesen. Und dennoch ... Hier stand er nun und ließ die Hand sinken.

Zögerte erneut.

Das Haus am Nordufer des Flusses brauchte dringend einen neuen Anstrich. Und neue Böden – wenn man davon ausging, wie die Treppenstufen unter seinen Stiefeln geknarzt hatten. Aber wenigstens war es sauber. Für velarianische Verhältnisse zwar noch immer schäbig, aber da es in der Stadt keine Armenviertel gab, wollte das nichts heißen. Er hatte schon in viel schlimmeren Behausungen übernachtet.

Allerdings hatte er nie verstanden, warum Nesta unbedingt hier wohnen wollte. Es leuchtete ihm natürlich ein, dass sie nicht in das Haus der Winde ziehen wollte – es lag zu weit von der Stadt entfernt, und sie konnte weder fliegen noch den Wind teilen. Was bedeutete, dass sie die zehntausend Stufen hinauf- und hinunterlaufen musste. Aber warum dieses Loch, wenn das Stadthaus leer stand? Seit Feyre und Rhys ihr ausladendes Anwesen am Fluss errichtet hatten, stand ihr Stadthaus all ihren Freunden als Bleibe zur Verfügung. Er wusste, dass Feyre ihrer Schwester dort ein Zimmer angeboten hatte, aber Nesta hatte abgelehnt.

Stirnrunzelnd betrachtete er die abblätternde Farbe der Wohnungstür. Durch den ansehnlichen Spalt zwischen Türblatt und Fußboden, durch den sich selbst die fetteste Ratte quetschen konnte, drang kein Laut. Und in dem engen Hausflur hing nicht gerade ein frischer Geruch in der Luft.

Vielleicht hatte er ja Glück und sie war nicht da – schlief möglicherweise unter der Theke irgendeiner zwielichtigen Schenke, in der sie letzte Nacht gelandet war. Aber das wäre vermutlich schlimmer, weil er sie dann erst ausfindig machen musste.

Als Cassian erneut die Faust hob, funkelte sein roter Trichterstein im Schein der alten Feenlichtkugeln, die in die Decke eingelassen waren.

Feigling. Reiß dich endlich zusammen.

Cassian klopfte an die Tür. Dann noch einmal.

Stille.

Fast hätte er vor Erleichterung laut aufgeatmet. Der Großen Mutter sei Dank ...

Schnelle, zielstrebige Schritte ertönten auf der anderen Seite der Tür. Jeder einzelne genervter als der vorherige.

Er legte die Schwingen an, richtete sich auf und platzierte die Füße schulterbreit auseinander. Diese traditionelle Kampfhaltung hatte man ihm in seinen Lehrjahren eingeprügelt, aber inzwischen handelte es sich um einen reinen Muskelreflex. Er wollte lieber nicht darüber nachdenken, warum die Schritte seinen Körper zu dieser Haltung veranlassten.

Die schnappenden Geräusche, mit denen nacheinander vier Schlösser an der Tür entriegelt wurden, hätten ebenso gut von einer Kriegstrommel stammen können.

In Gedanken ging Cassian die Liste der Dinge durch, die er sagen sollte – und vor allem, *wie* er sie laut Feyre sagen sollte.

Die Tür wurde aufgerissen und der Knauf so heftig umgedreht, dass Cassian sich fragte, ob sie sich dabei wohl vorstellte, es sei sein Genick.

Nesta Archeron zog eine finstere Miene. Wenigstens hatte sie die Tür geöffnet.

Sie sah erbärmlich aus.

»Was willst du?«, fragte sie durch den handbreiten Türspalt.

Wann hatte er sie eigentlich das letzte Mal gesehen? Bei der Bootsparty auf dem Sidra am Ende des Sommers? Da hatte sie noch nicht so mitgenommen ausgesehen. Aber vermutlich sah niemand besonders gut aus, wenn er in der Nacht versucht hatte, seinen Verstand mit Wein und Schnaps zu ertränken. Schon gar nicht um ...

»Es ist sieben Uhr morgens«, stellte sie fest und musterte ihn mit diesem graublauen Blick, der ihm jedes Mal aufs Neue auf die Nerven ging.

Sie trug ein Männerhemd. Und sonst *nichts*.

Cassian stützte sich mit einer Hand an den Türpfosten und schenkte ihr ein ironisches Grinsen, mit dem er sie unfehlbar dazu brachte, die Krallen auszufahren. »Harte Nacht?«

Hartes *Jahr* – das hätte es wohl eher getroffen. Ihr schönes Gesicht war blass, wesentlich schmaler als im Jahr vor dem Krieg gegen Hybern, ihre Lippen blutleer, und diese Augen ... Kalt und stechend, wie ein Wintermorgen in den Bergen.

Keine Freude, kein Lachen zeichnete sich in ihrem Gesicht ab.

Sie machte Anstalten, die Tür sofort wieder zu schließen, trotz seiner Hand am Pfosten.

Rasch schob er einen Stiefel in den Türspalt, bevor sie ihm die Finger brechen konnte. Ihre Nasenflügel bebten.

»Feyre möchte, dass du zum Haus kommst.«

»Zu welchem?«, fragte sie und schaute missbilligend auf seinen eingekeilten Fuß. »Sie hat fünf.«

Er verkniff sich eine scharfe Erwiderung. Das hier war kein Schlachtfeld – und er war nicht ihr Gegner. Er sollte sie lediglich zum angegebenen Ort bringen. Und konnte dann nur beten, dass sie das schöne Anwesen, das Feyre und Rhys gerade erst bezogen hatten, nicht in Schutt und Asche legte.

»Zum neuen.«

»Warum holt meine Schwester mich nicht selbst ab?«

Er kannte diesen argwöhnischen Glanz in ihren Augen, sah, wie

sich ihr Rücken leicht versteifte. Nur zu gern wäre er seinem Instinkt gefolgt und hätte sie so lange gereizt, bis sie eine Reaktion zeigte. Seit der Wintersonnenwende hatten sie nur ein paar Worte gewechselt, die meisten auf der Bootsparty letzten Monat:
Aus dem Weg.
Hallo, Nes.
Aus dem Weg.
Gern.
Das war alles – nachdem er sie monatelang kaum gesehen hatte.

Warum war sie überhaupt zu der Party gekommen, wo sie doch wusste, dass sie über Stunden mit ihnen auf dem Wasser festsitzen würde? Wahrscheinlich lag es an Amren, dass sich Nesta überhaupt hatte blicken lassen: Die High Fae hatte offenbar noch immer irgendeine Macht über sie. Aber am Ende des Abends hatte Nesta mit verschränkten Armen ganz vorn in der Schlange gewartet, um möglichst schnell von Bord zu kommen, während Amren am Heck gestanden und vor Wut und Abscheu fast gezittert hatte.

Niemand hatte gefragt, was zwischen den beiden vorgefallen war, nicht einmal Feyre. Kaum hatte das Boot angelegt, war Nesta förmlich davongestürmt, und seitdem hatte niemand mehr mit ihr geredet. Bis heute. Bis zu diesem Gespräch, das ihm vorkam wie das längste, das sie seit der Schlacht gegen Hybern geführt hatten.

»Als High Lady des Hofs der Nacht hat sie alle Hände voll zu tun«, sagte Cassian schließlich.

Nesta legte den Kopf auf die Seite, sodass ihr das goldbraune Haar über die magere Schulter fiel. Bei jedem anderen hätte diese Bewegung nachdenklich gewirkt, aber bei ihr erinnerte sie eher an die Warnung eines Raubtiers, das seine Beute taxierte.

»Und meine Schwester hält es für notwendig, dass ich *sofort* erscheine?«, entgegnete sie mit dieser tonlosen Stimme, die nicht die geringste Gefühlsregung verriet.

»Feyre wusste, dass du dich wahrscheinlich erst frisch machen musst, und wollte dir etwas Zeit lassen. Du wirst um neun erwartet.«

Er wartete auf die Explosion, während Nesta nachrechnete.

Ihre Augen blitzten auf. »Seh ich aus, als würde ich *zwei Stunden* brauchen, um mich zurechtzumachen?«

Er nahm es als Einladung, sie genauer zu betrachten: lange nackte Beine, eleganter Hüftschwung, schmale Taille – ebenfalls viel zu mager – und volle, einladende Brüste, die so gar nicht zu den neuen, scharfen Kanten ihres Körpers passten.

Bei jeder anderen Frau wären diese großen Brüste für ihn wahrscheinlich Anlass genug, ihr sofort den Hof zu machen. Aber schon bei seiner ersten Begegnung mit Nesta war das kalte Feuer in ihren Augen eine andere Art von Versuchung gewesen.

Und jetzt, da sie eine High Fae war, mit aller dazugehörenden Dominanz und Aggression – und ihrem beschissenen, arroganten Verhalten –, ging er ihr möglichst aus dem Weg. Besonders wenn er an das dachte, was während und nach dem Krieg gegen Hybern passiert war. Sie hatte an ihren Gefühlen ihm gegenüber keinen Zweifel gelassen.

»Du siehst aus, als könntest du ein paar ordentliche Mahlzeiten, ein Bad und was Anständiges zum Anziehen gebrauchen«, antwortete er nach einer Weile.

Nesta verdrehte die Augen, nestelte aber am Saum ihres Hemdes.

»Schmeiß diesen erbärmlichen Typ raus und nimm ein Bad, während ich dir einen Tee mache«, sagte Cassian.

Sie musterte ihn mit leicht hochgezogenen Augenbrauen.

Er schenkte ihr ein schiefes Lächeln. »Meinst du, ich könnte den Kerl in deinem Schlafzimmer nicht hören, der gerade versucht, sich leise anzuziehen und durchs Fenster zu fliehen?«

Wie zur Bestätigung drang ein dumpfes Geräusch aus dem Schlafzimmer. Nesta fauchte.

»Ich komm in einer Stunde wieder, um nachzusehen, wie weit du bist.« Cassian legte so viel Schärfe in seine Worte, dass seine Soldaten sich gehütet hätten, ihn zu reizen: Sie wussten, dass er aus gutem Grund sieben Trichtersteine benötigte, um seine Magie unter Kontrolle zu halten. Aber Nesta flog nicht in seinen Legionen, kämpfte nicht unter seinem Kommando und schien sich auch nicht daran zu erinnern, dass er über fünfhundert Jahre alt war und ...

»Spar dir die Mühe. Ich werde rechtzeitig da sein.«

Er stieß sich vom Türpfosten ab und spreizte leicht die Schwingen, während er ein paar Schritte zurücktrat. »Mein Auftrag lautet, dich von Tür zu Tür zu geleiten.«

Ihre Miene verfinsterte sich. »Dann hock dich auf irgendeinen Schornstein und warte gefälligst.«

Er deutete eine Verbeugung an, wagte aber nicht, sie aus den Augen zu lassen. Sie war aus dem Kessel aufgetaucht mit ... Gaben. Beträchtlichen, dunklen Gaben. Aber niemand hatte seit dieser letzten Schlacht gegen Hybern irgendeinen Hinweis darauf gespürt oder gesehen – nicht seit Amren den Kessel zerschlagen hatte und es Feyre und Rhys gelungen war, ihn wieder zusammenzufügen. Auch Elain hatte seitdem keine Anzeichen ihrer früheren Fähigkeiten als Seherin erkennen lassen.

Aber wenn Nesta ihre Kraft behalten hatte und noch immer in der Lage war, ganze Schlachtfelder dem Erdboden gleichzumachen ... Cassian hütete sich davor, sich einem Raubtier als Opfer anzubieten.

»Trinkst du deinen Tee mit Milch oder mit Zitrone?«

Sie schlug ihm die Tür vor der Nase zu.

Und verriegelte dann alle vier Schlösser.

Pfeifend schlenderte Cassian durch den dämmrigen Flur und fragte sich, ob der arme Kerl in der Wohnung tatsächlich durch das Fenster fliehen würde – hauptsächlich vor *ihr*. Dann machte er sich auf die Suche nach etwas Essbarem.

Er würde die Stärkung heute brauchen. Erst recht, wenn Nesta erfuhr, aus welchem Grund ihre Schwester sie sehen wollte.

Nesta Archeron kannte den Namen des Mannes in ihrer Wohnung nicht.

Auf dem Weg ins Schlafzimmer durchforstete sie ihr noch immer vom Wein benebeltes Hirn. Sie schlängelte sich zwischen Bücherstapeln und Klamottenbergen hindurch, während sie sich an glühende

Blicke in der Schenke erinnerte, an heiße Küsse, an den Schweiß auf ihrer Haut, als sie ihn ritt und Lust und Alkohol sie alles vergessen ließen, auch seinen Namen.

Als Nesta jetzt in das schummrige Chaos ihres Schlafzimmers trat, hing der Typ bereits halb aus dem Fenster. Und unten auf der Straße wartete Cassian bestimmt schon darauf, sich seinen jämmerlichen Abgang anzusehen. Ein paar ihrer Bettlaken lagen auf den knarzenden, unebenen Holzdielen, und das nur lose in den Angeln hängende Fenster knallte gegen die Wand. Als der Typ sie hörte, wirbelte er zu ihr herum.

Er war attraktiv, wie die meisten High Fae. Aber für ihren Geschmack ein wenig zu dünn – praktisch noch ein Junge, verglichen mit den Muskelbergen, die sich vorhin an der Tür vor ihr aufgetürmt hatten. Er zuckte zusammen und sein Gesichtsausdruck bekam etwas Gequältes, als er sah, was sie trug.

»Ich ... Das ist ...«

Nesta zog sein Hemd aus, unter dem nichts als nackte Haut zum Vorschein kam. Seine Augen wurden größer, aber der Geruch von Angst blieb – nicht vor ihr, sondern vor dem Fae, den er an der Wohnungstür gehört hatte ... während ihm langsam wieder klar wurde, wer ihre Schwester war. Wer der Seelengefährte ihrer Schwester war. Wer deren Freunde waren. Als ob das irgendeine Rolle spielen würde.

Wie sehr würde seine Angst erst riechen, wenn er erfuhr, dass sie ihn nur benutzt und mit ihm geschlafen hatte, um sich selbst unter Kontrolle zu behalten? Um diese sich windende, schwelende Dunkelheit zu unterdrücken, die sie in sich spürte, seit sie aus dem Kessel aufgetaucht war? Sex, Musik und Alkohol halfen – bis zu einem gewissen Punkt zumindest, wie sie im Laufe des letzten Jahres herausgefunden hatte. Wenigstens konnte sie damit verhindern, dass diese Kraft überkochte, auch wenn sie noch immer spürte, wie sie durch ihr Blut strömte und sich um ihre Knochen schlang.

Sie warf ihm das weiße Hemd zu. »Du kannst jetzt durch die Vordertür raus.«

»Ich ... Ist er weg?«, stammelte er, während er das Hemd überstreifte. Sein Blick wanderte über ihre Brüste, die sich in der kühlen Morgenluft aufgerichtet hatten, und über ihre nackte Haut bis zu der empfindlichen Stelle am Ansatz ihrer Oberschenkel.

»Auf Wiedersehen«, sagte Nesta nur und trottete ins angrenzende Bad mit den verrosteten, tropfenden Hähnen, aus denen aber wenigstens fließend heißes Wasser kam.

Manchmal.

Feyre und Elain hatten sie immer wieder überreden wollen, hier auszuziehen, aber sie hatte ihre Ratschläge ignoriert. Und sie würde auch nichts auf das geben, was man ihr heute mitteilen mochte. Sie wusste, dass Feyre ihr eine Standpauke halten wollte. Vielleicht hing es ja damit zusammen, dass Nesta die horrende Rechnung in der Schenke letzte Nacht auf den Namen ihrer Schwester hatte gehen lassen.

Nesta schnaubte, als sie den eiskalten Wasserhahn aufdrehte. Er ächzte und quietschte, bevor das Wasser in die rissige, fleckige Wanne spritzte.

Das hier war ihre Bleibe. Keine Bediensteten, keine Augen, die jeden ihrer Schritte überwachten und verurteilten. Keinerlei Gesellschaft – es sei denn, sie lud jemanden ein. Und keine neugierigen, angeberischen Krieger, die meinten, sie müssten bei ihr aufkreuzen.

Es dauerte fünf Minuten, bis das Wasser warm genug war, um es einlaufen zu lassen. An manchen Tagen im letzten Jahr hatte sie erst gar nicht so lange gewartet, sondern war einfach in das eiskalte Wasser gestiegen und hatte nichts gespürt – nur die beißende, dunkle Tiefe des Kessels, als er sie ganz und gar verschlang, ihre Menschlichkeit und ihre Sterblichkeit fortriss und sie zu *dem hier* machte.

Sie hatte monatelang gegen die Panik angekämpft, erneut untergetaucht zu werden. Panik, die ihren ganzen Körper erfasst und bis ins Mark erschüttert hatte. Aber sie hatte ihr die Stirn geboten und sich gezwungen, im schmerzhaft kalten Wasser zu sitzen, zitternd und mit klappernden Zähnen. Hatte sich nicht gerührt, bis ihr Körper begriff, dass sie sich in einer Badewanne und nicht im Kessel befand, in ihrer Wohnung und nicht in der Burg jenseits des Meeres, dass sie lebendig war und unsterblich. Auch wenn das für ihren Vater nicht länger galt.

Nein, ihr Vater war Asche im Wind, und an seine Existenz erinnerte nur noch ein Grabstein auf einem Hügel vor der Stadt. Das zumindest hatten ihre Schwestern ihr erzählt.

Ich habe dich vom ersten Augenblick an geliebt, als ich dich in den Armen gehalten habe, hatte ihr Vater in jenen letzten gemeinsamen Momenten zu ihr gesagt.

Lass deine schmierigen Pfoten von meiner Tochter. Das waren seine letzten Worte gewesen, die er dem König von Hybern entgegengeschleudert hatte. Ihr Vater hatte seine letzten Worte an diesen Wurm von einem König verschwendet.

Ihr Vater. Der Mann, der nie für seine Kinder gekämpft hatte. Bis ganz zum Schluss. Als er zu Hilfe gekommen war – um die Menschen und die Fae zu retten, natürlich, aber vor allem seine Töchter. Sie, Nesta.

Was für eine grandiose, lächerliche Verschwendung.

Eine schreckliche, dunkle Kraft floss durch ihre Adern, aber sie hatte nicht gereicht, um den König von Hybern davon abzuhalten, ihm das Genick zu brechen.

Sie hatte ihren Vater zutiefst gehasst, und doch hatte er sie geliebt, aus irgendeinem unerklärlichen Grund. Nicht genug, um sie vor Armut und Hunger zu bewahren. Aber irgendwie hatte seine Liebe gereicht, um auf dem Kontinent eine Armee aufzustellen und mit einem nach ihr benannten Schiff in die Schlacht zu ziehen.

Sie hatte ihren Vater auch in diesen letzten Sekunden noch gehasst. Und dann war sein Genick gebrochen. Doch im Moment seines Todes hatte in seinen Augen keine Angst gestanden, sondern nur diese törichte Liebe zu ihr.

Diese Erinnerung war ihr geblieben – der Ausdruck in seinen Augen. Die Verbitterung in ihrem Herzen, als er für sie gestorben war. Sie hatte in ihr geschwelt und an ihr genagt wie die Macht, die sie tief in sich verborgen hielt, war in ihrem Kopf gewuchert, bis keine eiskalten Bäder sie mehr betäuben konnten.

Sie hätte ihn retten können.
Der König von Hybern trug die Schuld am Tod ihres Vaters. Das wusste sie. Aber sie ebenfalls. Genau wie es ihre Schuld war, dass der Kessel Elain verschleppte, nachdem Nesta ihn ausspioniert hatte. Ihre Schuld, dass Hybern all diese schrecklichen Dinge getan hatte, um sie und ihre Schwester wie Wild zur Strecke zu bringen.

An manchen Tagen hatten schiere Angst und Panik Nestas Körper so fest im Griff, dass sie kaum atmen konnte. Nichts konnte verhindern, dass die schreckliche Macht in ihr immer höher aufstieg. Nichts außer der Musik in diesen Schenken, außer dem Kartenspiel mit Fremden, den unzähligen Flaschen Wein und dem Sex, bei dem sie zwar nichts empfand, der ihr aber einen Moment der Befreiung von all dem Tosen in ihrem Inneren bot.

Nesta wusch sich den Schweiß und die anderen Überreste der letzten Nacht ab. Der Sex war gar nicht schlecht gewesen – sie hatte schon besseren gehabt, aber auch viel schlechteren. Selbst die Unsterblichkeit reichte für manche Männer nicht aus, um die Künste des Schlafzimmers zu erlernen.

Also hatte sie sich diese selbst beigebracht. Hatte sich einen empfängnisverhütenden Tee aus der Apotheke besorgt und war mit dem erstbesten Mann hierhergekommen. Er hatte keine Ahnung gehabt, dass sie noch Jungfrau war, bis er das Blut auf dem Laken entdeckte. Sein Gesicht hatte sich angewidert verzogen, aber dann war ein Anflug von Angst in seine Augen getreten – die Angst, sie könnte ihrer Schwester von einer unbefriedigenden ersten Nacht berichten. Oder deren unausstehlichem Seelengefährten. Nesta hatte sich nicht die Mühe gemacht, dem Typ zu erzählen, dass sie den beiden tunlichst aus dem Weg ging. Besonders Rhysand, der sie in letzter Zeit ebenfalls zu meiden schien.

Nach dem Krieg gegen Hybern hatte Rhysand ihr verschiedene Jobs angeboten. Stellungen an seinem Hof.

Sie hatte alle abgelehnt. Es waren Mitleidsangebote, klägliche Versuche, sie dazu zu bringen, Teil von Feyres Leben zu werden und einer bezahlten Tätigkeit nachzugehen. Aber der High Lord hatte sie nie leiden können, und ihre Unterhaltungen waren bestenfalls unterkühlt verlaufen.

Sie hatte ihm nie gesagt, dass sie aus den gleichen Gründen hier wohnte, aus denen er sie hasste. Warum sie an manchen Tagen kalte Bäder nahm, an anderen zu essen vergaß und das Knacken und Knistern eines Feuers im Kamin nicht ertragen konnte. Und warum sie sich jede Nacht mit Wein, Musik und Vergnügen betäubte. Alles, was Rhysand von ihr dachte, entsprach der Wahrheit – und sie hatte es gewusst, lange bevor er je vor ihrer Tür gestanden hatte.

All diese Angebote machte er ihr nur aus Liebe zu Feyre. Aber Nesta verbrachte ihre Zeit lieber so, wie sie es wollte. Immerhin zahlten die beiden noch.

Plötzlich klopfte jemand so heftig an ihre Tür, dass die ganze Wohnung bebte.

Sie warf einen Blick in Richtung des vorderen Zimmers und überlegte, ob sie so tun sollte, als wäre sie nicht da. Aber Cassian konnte sie hören und riechen. Und wenn er die Tür aufbrach, was sehr wahrscheinlich war, hatte sie nur den Ärger am Hals, das Ganze ihrem knauserigen Vermieter erklären zu müssen.

Also streifte sie das Gewand über, das sie letzte Nacht auf den Boden geworfen hatte, und entriegelte erneut alle vier Schlösser. Sie hatte sie gleich am Tag ihres Einzugs anbringen lassen, und es war praktisch zu einem Ritual geworden, sie jeden Abend zu verriegeln. Selbst, als sie den namenlosen Mann mitgebracht hatte und vollkommen betrunken gewesen war, hatte sie es nicht vergessen.

Als ob sie damit die Dämonen dieser Welt fernhalten könnte.

Nesta machte die Tür weit genug auf, um Cassians überhebliches Grinsen zu registrieren, und ließ sie angelehnt, als sie in die Wohnung zurückmarschierte, um ihre Schuhe zu suchen.

Er schlenderte hinter ihr herein, in der Hand einen Becher mit Tee. Den Becher hatte er wahrscheinlich im Laden an der Ecke geliehen. Oder gleich geschenkt bekommen. Denn die meisten Leute beteten den Boden an, über den er mit seinen schlammigen Stiefeln schritt.

Schon vor dem Krieg gegen Hybern war er in dieser Stadt verehrt worden, aber sein Heldentum und seine Opferbereitschaft – Eigenschaften, denen er seinen Ruf auf dem Schlachtfeld verdankte – hatten ihm danach nur noch mehr Ansehen eingebracht.

Nesta machte seinen Bewunderern keinen Vorwurf, denn sie hatte selbst das Vergnügen und das schiere Grauen erlebt, ihn auf dem Schlachtfeld zu sehen. Noch immer wachte sie nachts schweißgebadet auf, wenn die Erinnerungen zurückkehrten: daran, dass sie nicht hatte atmen können, als er von Feinden bestürmt wurde. Daran, wie es sich angefühlt hatte, als die Macht des Kessels aufwallte. Nesta hatte gewusst, dass der Kessel dort zuschlagen würde, wo ihre Armee am stärksten war, dass er Cassian treffen würde.

Sie hatte es nicht geschafft, die eintausend Illyrianer zu retten, die in dem Augenblick gefallen waren, als sie ihn in Sicherheit gebracht hatten. Auch diese Erinnerung verdrängte sie, so gut sie konnte.

Cassian schaute sich in der Wohnung um und pfiff leise. »Schon mal daran gedacht, eine Putzfrau anzuheuern?«

Nesta betrachtete den kleinen Wohnbereich: eine durchgesessene, dunkelrote Couch, ein rußgeschwärzter, gemauerter Kamin, ein mottenzerfressener, geblümter Sessel, und dann die alte Kochnische, wo sich das schmutzige Geschirr türmte. Wohin hatte sie bloß ihre Schuhe gekickt? Sie verlegte ihre Suche ins Schlafzimmer.

»Etwas frische Luft wäre schon mal ein guter Anfang«, fügte Cassian aus dem anderen Zimmer hinzu. Das Fenster knarzte, als er es aufriss.

Sie fand ihre braunen Schuhe in entgegengesetzten Ecken des Schlafzimmers. Einer davon stank nach verschüttetem Wein.

Nesta hockte sich auf die Bettkante, um sie anzuziehen, und zerrte an den Schnürsenkeln. Sie machte sich nicht die Mühe, den Kopf zu heben, als sich Cassians feste Schritte näherten und er an der Tür stehen blieb.

Er schnüffelte einmal vernehmlich.

»Ich hatte gehofft, du würdest nach jedem Bettgenossen zumindest die Laken wechseln. Aber das macht dir offenbar nichts.«

Nesta band die Schnürsenkel des ersten Schuhs zu. »Was geht dich das an?«

Er zuckte die Schultern, aber seine angespannte Miene strafte die lässige Geste Lügen. »Wenn ich mehrere Männer hier drin riechen kann, dann können deine Begleiter es sicher auch.«

»Das hat bis jetzt aber keinen abgehalten.« Sie band den anderen Schuh zu, während Cassians haselnussbraune Augen sie beobachteten.

»Dein Tee wird kalt.« Seine Zähne blitzten auf.

Nesta ignorierte ihn und suchte weiter das Zimmer ab. Ihr Mantel …

»Dein Mantel liegt vorn an der Wohnungstür auf dem Boden«, sagte er. »Und es ist ziemlich frisch draußen, also nimm einen Schal mit.«

Auch das ignorierte sie. Entschlossen schob sie sich an ihm vorbei – darauf bedacht, ihn nicht zu berühren – und fand ihren dunkelblauen Mantel genau da, wo er gesagt hatte. Dann öffnete sie die Wohnungstür und bedeutete ihm, als Erster hinauszugehen.

Cassian schaute ihr fest in die Augen, während er auf sie zustolzierte, den Arm ausstreckte … und den hellblau-beige gemusterten Schal, den Elain ihr in diesem Frühjahr zum Geburtstag geschenkt hatte, von einem Wandhaken nahm. Als er in den Hausflur trat, wirkte der Schal in seiner Faust wie eine erwürgte Schlange.

Irgendetwas machte ihm zu schaffen. Meistens hielt Cassian ein wenig länger durch, bevor sein Temperament die Oberhand gewann. Vielleicht hing es mit dem zusammen, was Feyre ihr gleich eröffnen würde.

Nestas Magen krampfte sich zusammen, während sie die einzelnen Schlösser verriegelte. Sie war nicht dumm und wusste, dass es seit Kriegsende Unruhen gegeben hatte – sowohl hier in diesen Regionen als auch auf dem Kontinent. Ohne die Barriere der Mauer versuchten einige Fae-Territorien, ihre Gebietsansprüche möglichst weit auszudehnen und herauszufinden, was sie sich im Umgang mit den Menschen herausnehmen konnten. Und Nesta wusste auch, dass diese vier sterblichen Königinnen noch immer in ihrem gemeinsamen Palast hockten und über große, intakte Armeen verfügten.

Die Königinnen waren Monster, ausnahmslos. Sie hatten die goldhaarige Königin, die sie verraten hatte, getötet und eine andere Königin – Vassa – an einen Zauberer-Lord verkauft. Es war nur gerecht, dass der Kessel die jüngste der vier verbliebenen Königinnen in ein altes Weib verwandelt hatte. Zwar in eine unsterbliche Fae, aber in einem verwelkten Körper – als Strafe dafür, dass Nesta dem Kessel die Macht genommen hatte. Dafür, dass sie ihn zerfetzt hatte, als er ihre sterblichen Knochen gebrochen und in etwas Neues verwandelt hatte.

Diese runzlige Königin gab ihr die Schuld und wollte sie töten. Das zumindest hatten die Raben von Hybern behauptet – bevor sie von Bryaxis und Rhysand getötet wurden, weil sie in die Bibliothek im Haus der Winde eingedrungen waren.

In den vierzehn Monaten seit Kriegsende hatte man nicht das Geringste von dieser Königin gehört.

Aber wenn nun eine neue Bedrohung entstanden war ...

Die vier Schlösser schienen Nesta auszulachen, als sie Cassian aus dem Haus und in die geschäftige Stadt folgte.

Das »Flusshaus« war eigentlich ein weitläufiges Anwesen und so neu, sauber und schön, dass Nesta sofort an ihre mit Weinflecken übersäten Schuhe denken musste, als sie durch den hoch aufragenden Marmorbogen in die glänzende, in geschmackvollen Elfenbein- und Sandtönen gehaltene Eingangshalle trat.

Eine imposante Treppe teilte den riesigen Raum. Von der gewölbten Decke hing ein Kronleuchter aus mundgeblasenem Glas, gefertigt von velarianischen Kunsthandwerkern. Das Licht der kugelförmigen Feenlichter spiegelte sich auf dem hellen Parkettboden, nur durchbrochen von großen Kübeln mit Farnen, Holzmöbeln aus Velaris und einer überwältigenden Anzahl von Kunstwerken. Nesta registrierte das alles ohne ein einziges Wort. Kostbare, blaue Teppiche lockerten den makellosen Boden auf, und lange Läufer markierten die Wege in die höhlenartigen Gänge zu beiden Seiten. Ein Läufer erstreckte sich unter dem Treppenbogen hindurch direkt zur Fensterfront auf der anderen Seite, die einen Blick über den Rasen zum Fluss hinunter bot.

Cassian ging nach links – zu den Geschäftsräumen, wie Feyre ihr bei der ersten und einzigen Führung vor zwei Monaten erklärt hatte. Nesta war damals ziemlich angetrunken gewesen und hatte jede Sekunde, jedes einzelne perfekte Zimmer gehasst.

Die meisten Fae kauften ihren Frauen und Seelengefährtinnen teuren Schmuck zur Wintersonnenwende.

Rhys hatte Feyre einen Palast gekauft.

Nein – er hatte das vom Krieg dezimierte Land gekauft und Feyre freie Hand bei der Gestaltung des traumhaften Anwesens gelassen.

Und irgendwie war es Feyre und Rhys tatsächlich gelungen, diesem Haus etwas Gemütliches und Gastfreundliches zu verleihen, dachte Nesta, während sie einem ungewöhnlich stillen Cassian schweigend zu einem der Arbeitszimmer folgte, deren Türen alle einen Spalt offen standen. Das Gebäude war zwar ein regelrechter Koloss, aber trotzdem auch ein Heim. Selbst die Büroeinrichtung wirkte bequem, als könnte man hier bei gutem Essen entspannte, lange Gespräche führen. Jedes einzelne Gemälde hatte Feyre selbst ausgesucht oder gemalt, viele davon Porträts von *ihnen* – ihren Freunden, ihrer ... neuen Familie.

Von Nesta natürlich keine.

Selbst ihr gottverdammter Vater war mit einem Bildnis verewigt, das über der großen Treppe an der Wand hing. Es zeigte ihn und Elain, lächelnd und glücklich, wie in der Zeit, bevor die Welt zu Bruch gegangen war. Sie saßen auf einer Steinbank zwischen leuchtend rosafarbenen und blauen Hortensienbüschen. Im Park ihres ersten Zuhauses, hinter dem wunderschönen Herrenhaus am Meer. Von Nesta und ihrer Mutter fehlte jede Spur.

Und so war es ja auch gewesen: Elain und Feyre, abgöttisch geliebt von ihrem Vater, und Nesta, geschätzt und ausgebildet von ihrer Mutter.

Bereits bei ihrer ersten Besichtigungstour hatte Nesta bemerkt, dass weder sie noch ihre Mutter hier repräsentiert waren. Sie hatte natürlich nichts gesagt, aber das Fehlen ihrer Porträts sprach Bände.

Selbst jetzt noch machte die Erinnerung daran sie wütend, und sie musste fest an der unsichtbaren inneren Leine ziehen, um die schreckliche Kraft, die sie in sich trug, im Zaum zu halten, als Cassian durch die Tür des Arbeitszimmers schlüpfte und wem auch immer dort verkündete: »Sie ist hier.«

Nesta wappnete sich, als sie den holzvertäfelten Raum betrat, aber Feyre lachte nur leise. »Fünf Minuten zu früh. Ich bin beeindruckt.«

»Scheint ein gutes Omen zum Zocken zu sein. Wir sollten zu Rita fahren«, sagte Cassian.

Das Arbeitszimmer ging auf einen üppig bepflanzten Innenhof hinaus. Es war warm und ansprechend, und Nesta hätte möglicherweise sogar zugegeben, dass ihr die deckenhohen Bücherregale und die mit saphirblauem Samt bezogenen Polstermöbel vor dem schwarzen Marmorkamin gefielen ... wenn sie nicht gesehen hätte, wer dort auf sie wartete.

Feyre saß auf der geschwungenen Lehne der Couch. Sie trug einen dicken weißen Pullover und dunkle Leggings.

Rhys – wie üblich in Schwarz, aber heute ohne Schwingen – lehnte mit verschränkten Armen am Kaminsims.

Und Amren, wie immer ganz in Grau, saß mit übereinandergeschlagenen Beinen in einem Ledersessel neben dem prasselnden Feuer und musterte Nesta verächtlich mit ihren rätselhaften, grauen Augen.

Zwischen der Fae und ihr hatte sich vieles verändert.

Für dieses zerrüttete Verhältnis hatte Nesta gesorgt. Bewusst unterdrückte sie jetzt die Erinnerung an den Streit bei der Bootsparty im Spätsommer oder an die Funkstille, die seitdem zwischen ihr und Amren herrschte. Seit damals hatte es keine Besuche in Amrens Wohnung mehr gegeben, keinen Plausch beim gemeinsamen Puzzle und natürlich auch keine Lektionen in Magie. Auch dafür hatte sie gesorgt.

Wenigstens schenkte Feyre ihr ein Lächeln. »Du hattest eine harte Nacht, wie ich gehört habe.«

Nesta schaute von Cassian, der inzwischen in dem Sessel gegenüber von Amren saß, zu dem leeren Platz neben Feyre auf der Couch und schließlich zu Rhys am Kamin. Sie hielt sich kerzengerade, das Kinn vorgereckt, und hasste es, ihren Blicken ausgesetzt zu sein, als sie neben ihrer Schwester auf der Couch Platz nahm. Sie hasste es, dass Rhys und Amren ihre dreckigen Schuhe bemerkten und vermutlich auch den Typ an ihr riechen konnten, obwohl sie ein Bad genommen hatte.

»Du siehst grauenhaft aus«, meinte Amren.

Nesta war nicht so dumm, Amren anzusehen, die jetzt zwar eine High Fae war, aber einst auch etwas ganz anderes. Nicht von dieser Welt. Ihre scharfe Zunge konnte noch immer verletzen.

Wie Nesta besaß auch Amren keine dem Hof entsprechende Magie der High Fae, was ihren Einfluss dort jedoch keineswegs schmälerte. Nestas eigene Kraft als High Fae hatte sich nie gezeigt. Sie besaß nur die Kräfte, die sie dem Kessel geraubt hatte – statt die Fähigkeiten anzunehmen, mit denen der Kessel sie beschenkt hätte, so wie in Elains Fall. Sie wusste nicht, was sie dem Kessel entrissen hatte, während dieser sie ihrer Menschlichkeit beraubte, und sie wollte diese Dinge auch lieber nicht verstehen oder beherrschen. Allein bei dem Gedanken daran krampfte sich ihr der Magen zusammen.

»Aber man kann ja auch schwerlich gut aussehen«, fuhr Amren fort, »wenn man bis zum Morgengrauen unterwegs ist, sich dumm und dämlich säuft und es mit jedem treibt, der einem über den Weg läuft.«

Ruckartig drehte Feyre den Kopf zum Ersten Offizier des High Lords, der mit Amren einer Meinung zu sein schien. Cassian schwieg.

»Ich wusste nicht, dass meine Aktivitäten in euren Zuständigkeitsbereich fallen«, erwiderte Nesta.

Cassian murmelte irgendetwas, das wie eine Warnung klang. Allerdings wusste sie nicht, an wen sie gerichtet war, und es war ihr auch egal.

Amrens Augen leuchteten: ein Überbleibsel der Kraft, die einst in ihr gebrannt hatte. Nesta wusste, dass auch ihre eigene Kraft so strahlen konnte. Aber während sich Amrens Kraft als Licht und Hitze gezeigt hatte, stammte Nestas silbernes Feuer von einem dunkleren, kälteren Ort. Ein alter und doch vollkommen neuer Ort.

»Sie fallen in dem Moment in unseren Zuständigkeitsbereich, in dem du so viel von unserem Gold für Wein vergeudest«, stellte Amren klar.

Vielleicht war sie in der vergangenen Nacht mit der Rechnung doch zu weit gegangen.

Nesta schaute zu Feyre, die leicht zusammenzuckte. »Du hast mich tatsächlich hierherkommen lassen, um mir eine Standpauke zu halten?«

Feyres Augen – ihren eigenen so ähnlich – nahmen einen weicheren Zug an. »Nein, das hier ist keine Standpauke.« Sie warf Rhys einen scharfen Blick zu, der noch immer eisig schweigend am Kamin stand, und schaute dann zu Amren, der die Wut ins Gesicht geschrieben stand. »Ich würde es eher eine Debatte nennen.«

Nesta sprang auf. »Mein Leben geht euch nichts an und es steht auch nicht zur *Debatte*.«

»*Setz dich*«, knurrte Rhys.

Der raue Kommandoton seiner Stimme, diese absolute Dominanz und Macht ...

Nesta erstarrte und kämpfte gegen diesen verhassten Teil ihres Fae-Wesens an, der sich einem solchen Herrschaftsanspruch fügen wollte. Cassian beugte sich in seinem Sessel vor, als wollte er sich einschalten. Sie hätte schwören können, in seinem Gesicht so etwas wie Schmerz zu erkennen. Aber Nesta hielt Rhysands Blick trotzig stand, auch wenn ihre Knie seinem Befehl gehorchen und sich beugen *wollten*.

»Du bleibst hier und hörst zu«, sagte er.

Sie lachte leise. »Du bist nicht mein High Lord. Du hast mir nichts zu befehlen.« Aber sie wusste, wie mächtig er war, hatte es gesehen und gespürt. Noch immer zitterte sie in seiner Nähe.

Rhys witterte diese Angst und verzog den Mund zu einem grausamen Lächeln. »Willst du dich mit mir anlegen, Nesta Archeron?«, fragte er provozierend. Der High Lord des Hofs der Nacht deutete auf den Rasen vor den Fenstern. »Da draußen haben wir jede Menge Platz für eine Prügelei.«

Nesta bleckte die Zähne und brüllte ihren Körper stumm an, *ihren* Befehlen zu gehorchen. Sie würde lieber sterben, als sich ihm zu fügen. Oder irgendeinem von ihnen.

Rhys' Lächeln wurde breiter – er wusste genau, was in ihr vorging.

»Das reicht«, fauchte Feyre Rhys an. »Ich habe dir gesagt, dass du dich raushalten sollst.«

Als er seine mit kleinen Sternen gesprenkelten Augen auf seine Seelengefährtin richtete, wäre Nesta fast auf dem Sofa zusammengebrochen, weil ihre Knie schließlich doch nachgaben. Feyre neigte den Kopf und teilte Rhysand mit bebenden Nasenflügeln mit: »Entweder du gehst oder du bleibst und hältst den Mund.«

Erneut verschränkte Rhys die Arme vor der Brust, schwieg aber.

»Das Gleiche gilt für dich«, knurrte Feyre Amren an. Die Fae brummte beleidigt und schmiegte sich in ihren Sessel.

Nesta setzte sich aufrecht hin und zog keine besonders freundliche Miene, als Feyre sich ihr zuwandte. Ihre Schwester schluckte, bevor sie mit heiserer Stimme sagte: »Wir müssen ein paar Dinge ändern, Nesta. Du – und *wir*.«

Wo zum Teufel steckte Elain?

»Ich übernehme die Verantwortung dafür, dass es so weit gekommen ist und wir uns in dieser Lage befinden. Nach dem Krieg gegen Hybern und allem, was passiert ist, war es ... Du ... Ich hätte da sein und dir helfen müssen, aber leider ... Ich gebe zu, dass es zum Teil meine Schuld ist.«

»*Was* ist deine Schuld?«, zischte Nesta.

»Du«, sagte Cassian. »Du und dein beschissenes Verhalten.«

Das Gleiche hatte er bei der Wintersonnenwende gesagt. Und genau wie damals versteifte sich ihre Wirbelsäule angesichts dieser Unverschämtheit, dieser *Arroganz* ...

»Hör zu«, fuhr Cassian fort und hob beschwichtigend die Hände, »es geht nicht um ein moralisches Versagen, sondern ...«

»Ich verstehe, wie du dich fühlst«, unterbrach Feyre.

»Du hast nicht die *geringste* Ahnung, wie ich mich fühle.«

Feyre ignorierte ihren Protest. »Es wird Zeit, etwas zu ändern. Und zwar sofort.«

»Erspar mir dein selbstgerechtes Getue und halt dich aus meinem Leben raus.«

»Du hast kein Leben«, erwiderte Feyre. »Und ich werde nicht einfach dasitzen und zusehen, wie du dich selbst zerstörst.« Sie legte eine tätowierte Hand auf ihr Herz, als würde sie es wirklich ernst meinen. »Nach dem Krieg beschloss ich, dir Zeit zu geben. Aber das war offenbar die falsche Entscheidung.«

»Ach ja?« Die Worte landeten wie ein Dolch zwischen ihnen.

Bei dieser höhnischen Bemerkung straffte Rhys die Schultern, schwieg aber weiter.

»Es reicht«, sagte Feyre leise und mit zitternder Stimme. »Dein Benehmen, deine Wohnung, all das ... es *reicht*, Nesta.«

»Und wo soll ich hin?«, fragte Nesta in noch immer trotzigem, eisigem Ton.

Feyre schaute zu Cassian.

Ausnahmsweise grinste er nicht. »Du kommst mit mir«, sagte er. »Zum Training.«

2

Cassian hatte das Gefühl, als hätte er einen Pfeil auf einen schlafenden Feuerdrachen abgeschossen.

Nesta, eingehüllt in den abgetragenen blauen Mantel, mit ihren fleckigen Schuhen und dem verknitterten grauen Gewand, musterte ihn abschätzig. »Was?«, fragte sie wütend.

»Nach diesem Treffen ziehst du ins Haus der Winde«, erklärte Feyre und deutete mit dem Kinn nach Osten, in Richtung des in den Fels gehauenen Palasts am anderen Ende der Stadt. »Rhys und ich haben beschlossen, dass du jeden Vormittag mit Cassian in Windhaven, in den illyrianischen Bergen trainieren wirst. Nach dem Mittagessen wirst du in der Bibliothek unterhalb des Hauses arbeiten. Die Wohnung, die Spelunken – damit ist jetzt Schluss, Nesta.«

Nesta ballte die Fäuste, schwieg aber.

Er hätte sich neben sie stellen sollen, statt seiner High Lady zu gestatten, auf Armeslänge mit ihr auf der Couch zu sitzen. Auch wenn Feyre dank Rhys bereits von einem Schutzschild umgeben war – den Cassian bereits beim Frühstück wahrgenommen hatte. *Teil meines Trainingsprogramms*, murmelte Feyre, als Cassian sie nach diesem Schutz gefragt hatte, der so stark war, dass er sogar ihren Duft überdeckte. *Rhys lässt sich von Helion zeigen, wie man wirklich undurchdringliche Schutzschilde erschafft. Und ich habe natürlich das Vergnügen, als Versuchskaninchen zu dienen. Ich soll versuchen, diesen Schild zu durchbrechen, um zu überprüfen, ob Rhys die Anweisungen von Helion richtig befolgt. Der neueste Irrsinn.* Aber ein Irrsinn, der sich als vorteilhaft erweisen konnte – auch wenn sie nicht wussten, was genau Nestas Kräfte gegen gewöhnliche Magie ausrichten würden.

Rhys schien das Gleiche zu denken, und Cassian hielt sich bereit, zwischen die beiden Schwestern zu gehen. Seine Trichtersteine leuchteten warnend auf, und auch Rhysands Kräfte regten sich.

Cassian zweifelte nicht daran, dass Feyre sich gegen die meisten Gegner selbst verteidigen konnte, aber in Nestas Fall ... Er war sich nicht vollkommen sicher, ob Feyre zurückschlagen würde, sollte Nesta diese furchtbare Kraft wirklich gegen sie richten. Und er hasste den Gedanken, dass er nicht wusste, ob Nesta so tief sinken und es tatsächlich tun würde. Dass er diese Möglichkeit überhaupt in Erwägung ziehen musste, weil die Situation eine so schlimme Wendung genommen hatte.

»Ich werde nicht ins Haus der Winde ziehen«, verkündete Nesta. »Und ich werde auch nicht in diesem erbärmlichen Dorf trainieren. Schon gar nicht mit *ihm*.« Sie warf Cassian einen giftigen Blick zu.

»Das steht nicht zur Debatte«, sagte Amren, die bereits zum zweiten Mal innerhalb weniger Minuten ihr Versprechen brach, sich aus der Diskussion herauszuhalten. Die älteste der Archeron-Schwestern besaß zwar ein Talent dafür, alle auf die Palme zu bringen. Aber zwischen Nesta und Amren hatte immer eine Verbindung und ein gegenseitiges Einvernehmen bestanden.

Bis zu ihrem Streit auf dem Boot.

»Das wüsste ich aber«, antwortete Nesta herausfordernd, versuchte allerdings nicht aufzustehen, als Rhys ihr einen kalten, warnenden Blick zuwarf.

»Deine Wohnung wird in diesem Moment ausgeräumt«, teilte Amren ihr mit und zupfte sich eine Fluse von der Seidenbluse. »Deine Kleidung ist bereits zum Haus unterwegs, obwohl ich bezweifle, dass sie sich für das Training in Windhaven eignet.« Bei diesen Worten wanderte ihr Blick über Nestas graues Gewand, das wie ein Sack um ihren mageren Körper hing. Bemerkte Nesta die Sorge in Amrens Blick – und wusste sie, wie selten sich dieser Ausdruck in ihre Augen schlich?

Mehr noch: Begriff Nesta überhaupt, dass dieses Treffen nicht dazu diente, sie zu verurteilen, sondern nur aus Sorge um sie einberufen worden war? Ihre grimmige Miene verriet Cassian, dass sie das Ganze ausschließlich als Angriff auffasste.

»Das könnt ihr nicht machen«, protestierte Nesta. »Ich bin kein Mitglied dieses Hofs.«

»Aber du scheinst keine Skrupel zu haben, das Geld dieses Hofs auszugeben«, konterte Amren. »Im Krieg gegen Hybern hast du als unsere sterbliche Unterhändlerin fungiert. Und da du diese Position nie aufgegeben hast, bist du nach dem Gesetz noch immer ein offizielles Mitglied dieses Hofs.« Auf eine Bewegung ihrer kleinen Hand hin schwebte ein Buch zu Nesta hinüber und sank dann auf die Kissen neben ihr. Das war in etwa das gesamte Ausmaß an Magie, über das Amren inzwischen noch verfügte – herkömmliche, nicht weiter bemerkenswerte Magie der High Fae. »Seite 236, wenn du es überprüfen willst.«

Dafür hatte Amren *Gesetzestexte* durchforstet? Cassian wusste nicht einmal von der Existenz einer solchen Regelung – er hatte den Posten, den Rhys ihm angeboten hatte, angenommen und nicht weiter nachgefragt, was er da akzeptierte. Wichtig war nur, dass Rhys, Azriel und er zusammen sein und ein Heim haben würden, das ihnen niemand mehr nehmen konnte. Niemand außer Amarantha.

Er würde der High Lady, die nur wenige Schritte von ihm entfernt saß, auf ewig dankbar sein: Sie hatte sie alle von Amaranthas Joch befreit, ihm seinen Bruder zurückgegeben und dann Rhys aus der ewigen Dunkelheit geholt.

»Dann will ich dir mal deine Optionen erläutern, Süße«, sagte Amren und reckte das zarte Kinn.

Cassian bemerkte den Blick, den Feyre und Rhys tauschten: der gequälte Gesichtsausdruck seiner High Lady, weil sie Nesta ein Ultimatum stellten, und der kaum gezügelte Zorn in Rhys' Gesicht, weil seine Seelengefährtin deswegen so litt. Diesen Blick hatte er heute schon einmal gesehen – und gehofft, dass es dabei bleiben würde –, und zwar beim Frühstück, als Rhys die Rechnung für Nestas nächtliches Gelage erhalten und laut vorgelesen hatte: mehrere Flaschen teurer Wein, exotische Speisen, Spielschulden … Feyre hatte stumm auf ihren Teller gestarrt, bis die Tränen lautlos auf ihr Rührei getropft waren.

Cassian wusste, dass es schon häufiger Diskussionen und Streit wegen Nesta gegeben hatte. Darüber, ob man ihr Zeit geben sollte, sich selbst zu heilen – worauf zunächst alle gehofft hatten –, oder ob es besser sei einzugreifen. Doch als Feyre am Frühstückstisch zu weinen begann, wusste er, dass es sich um eine Art Kapitulation handelte. Dass sie den letzten Funken Hoffnung aufgegeben hatte. Cassian hatte all sein Training und sämtliche Schrecken wachrufen müssen, die er auf dem Schlachtfeld und jenseits davon erduldet hatte, um zu verhindern, dass sich dieser erdrückende Kummer auch in seinem Gesicht abzeichnete.

Rhys hatte tröstend Feyres Hand gedrückt, bevor er zuerst Azriel und dann Cassian ansah und ihnen seinen Plan erläuterte. Als hätte er ihn schon vor sehr langer Zeit gefasst.

Unterdessen war Elain hereingekommen, die seit Sonnenaufgang in den Gartenanlagen gearbeitet hatte. Mit ernster Miene ließ sie sich von Rhys die Lage erklären, während Feyre kein Wort herausbrachte. Anschließend hatte Rhys Amren aus ihrer Dachwohnung zur anderen Seite des Flusses kommen lassen. Feyre hatte darauf bestanden, dass Amren und nicht Rhys Nesta den Befehl erteilen sollte, um die familiäre Verbindung zwischen Rhys und ihrer Schwester nicht noch weiter zu gefährden.

Cassian glaubte zwar nicht, dass überhaupt eine solche Verbindung existierte, aber Rhys hatte zugestimmt, sich neben Feyre gekniet, ihr die Tränen abgewischt und ihre Schläfe geküsst. Daraufhin waren alle vom Tisch aufgestanden und hatten sich zurückgezogen, um ihrem High Lord und ihrer High Lady etwas Privatsphäre zu gönnen.

Kurz darauf hob Cassian ab, ließ alle Gedanken in seinem Kopf vom Tosen des Windes übertönen, bis sich sein hämmerndes Herz in der kühlen Luft allmählich beruhigte. Das bevorstehende Treffen und das, was danach kommen würde – nichts davon würde einfach werden. Sie waren sich einig gewesen, dass Amren eine der wenigen

Personen war, die zu Nesta durchdringen konnten. Die Nesta zu fürchten schien, wenn auch nur ein wenig. Die irgendwie verstand, was Nesta tief in ihrem Inneren bewegte. Sie war die Einzige gewesen, mit der Nesta nach dem Krieg wirklich geredet hatte. Und es konnte kein Zufall sein, dass sich Nestas Verhalten seit ihrem Streit auf dem Boot vor einem Monat weiter verschlimmert hatte und sie mittlerweile so fürchterlich aussah.

»Option Nummer eins«, setzte Amren jetzt an und hob einen Finger. »Du kannst ins Haus der Winde ziehen, vormittags mit Cassian trainieren und nachmittags in der Bibliothek arbeiten. Du bist keine Gefangene, aber es wird dich niemand in die Stadt fliegen oder den Wind für dich teilen. Wenn du dich unbedingt in der Stadt amüsieren willst, nur zu. Vorausgesetzt, du überwindest die zehntausend Stufen bis nach unten. Und kratzt irgendwo zwei Kupfermünzen zusammen, um dir was zu trinken zu kaufen.« Amrens Augen funkelten herausfordernd. »Wenn du diese Anweisungen befolgst, werden wir in ein paar Monaten noch einmal über deinen zukünftigen Wohnort nachdenken.«

»Und die andere Option?«, knurrte Nesta.

Gütige Mutter, diese Frau – diese Fae. Sie war ja nicht mehr sterblich. Cassian fielen nur sehr wenige Personen ein, die es wagen würden, sich Amren und Rhys zu widersetzen. Jedenfalls nicht, solange sie sich im selben Raum befanden. Und schon gar nicht derart trotzig.

»Du kehrst in die Welt der Menschen zurück.«

Amren hatte ein paar Tage in einem Verlies in der Höhlenstadt vorgeschlagen, aber Feyre war der Meinung gewesen, die Welt der Menschen sei bereits Gefängnis genug für jemanden wie Nesta.

Oder wie Feyre und Elain.

Alle drei Schwestern waren jetzt High Fae und verfügten über beachtliche Kräfte, obwohl nur Feyres Fähigkeiten vollständig freigesetzt waren. Selbst Amren wusste nicht, ob Elains und Nestas Kräfte noch vorhanden waren. Der Kessel hatte ihnen einzigartige Gaben verliehen, die sich von denen anderer High Fae unterschieden: Elain verfügte über seherische Fähigkeiten und Nesta ... Cassian wusste nicht, wie er ihre Gabe bezeichnen sollte. War es überhaupt eine Gabe oder nicht vielmehr etwas, das sie sich genommen hatte? Das silberne Feuer, dieses Gefühl des lauernden Todes, die brutale Kraft, die den König von Hybern vernichtet hatte. Worum auch immer es sich dabei handeln mochte, es existierte jenseits der üblichen Gaben der High Fae.

Ins Land der Menschen konnten sie nicht mehr zurück. Die Sterblichen kümmerte es nicht, dass alle drei Kriegsheldinnen waren, jede auf ihre Art: Sie würden sich entweder nach Kräften von ihnen fernhalten oder sich zu Gewalttaten hinreißen lassen. Nesta konnte zwar theoretisch in diese Welt zurückkehren, aber sie würde dort keine Gemeinschaft finden, die sie aufnahm, keine Stadt, in der man sie akzeptierte. Wo auch immer sie einen Ort zum Leben finden würde: Sie wäre an ihre Behausung gefesselt, aus Angst vor dem Misstrauen der Menschen.

Nesta wandte sich Feyre zu. »Und das sind meine einzigen Optionen?«

»Es ...« Feyre fing sich, bevor sie den Satz mit ... *tut mir leid* beenden konnte, und richtete sich auf. Wurde zur High Lady des Hofs der Nacht, auch ohne ihre schwarze Krone, selbst in Rhys' altem Pullover. »Ganz genau.«

»Du hast nicht das geringste Recht dazu.«

»Ich ...«

Nesta explodierte. »*Du* hast mich in diesen Schlamassel hineingezogen und an diesen schrecklichen Ort geschleppt. *Du* bist der Grund, warum ich so bin, warum ich hier *festsitze* ...«

Feyre zuckte zusammen. Rhys' Wut war förmlich greifbar – eine pulsierende, nachtschwarze Kraft, die Cassian den Magen umdrehte und sämtliche Kriegerinstinkte wachrief, die man ihm eingebläut hatte.

»Es reicht«, sagte Feyre leise.

Nesta blinzelte.

Feyre schluckte, ließ sich aber nicht beirren. »*Es reicht.* Du ziehst hinauf ins Haus der Winde. Du wirst trainieren und du wirst arbeiten, und wenn du noch so viel Gift verspritzt. Du tust, was ich dir sage.«

»Elain muss in der Lage sein, mich jederzeit zu sehen ...«

»Elain hat dem Ganzen bereits vor Stunden zugestimmt. Sie ist gerade dabei, deine Sachen zu packen, damit sie bei deiner Ankunft oben im Haus bereitstehen.«

Nesta fuhr zusammen.

Doch Feyre ließ sich nicht erweichen. »Elain weiß, wie sie sich mit dir in Verbindung setzen kann. Wenn sie dich im Haus der Winde besuchen möchte, kann sie das jederzeit tun. Einer von uns wird sie gern hinaufbringen.«

Die Worte hingen so schwer und endgültig zwischen ihnen, dass Cassian einwarf: »Ich verspreche, dass ich nicht beißen werde.«

Nesta verzog wütend die Oberlippe, als sie ihn ansah. »Ich wette, das war *deine* Idee ...«

»Stimmt«, log er grinsend. »Wir werden uns prächtig amüsieren.«

Wahrscheinlich würden sie sich gegenseitig an die Gurgel gehen.

»Ich will mit meiner Schwester sprechen. Allein«, forderte Nesta.

Cassian schaute zu Rhys, der Nesta taxierte. Er war im Laufe der Jahrhunderte selbst oft Ziel dieses Blicks gewesen und beneidete Nesta nicht im Geringsten. Aber der High Lord des Hofs der Nacht nickte. »Wir warten im Flur.«

Der unausgesprochene Vorwurf, dass sie Nesta – trotz des Schutzschilds um Feyre – nicht weit genug trauen konnten, um sich auch nur aus ihrer unmittelbaren Nähe zu entfernen, ließ Cassian die Hände zu Fäusten ballen. Selbst wenn der vernünftige Teil des Kriegers in ihm zustimmte. Als Nestas Augen aufblitzten, wusste er, dass auch sie es begriffen hatte. Feyres Kiefer zuckte, und er vermutete, dass sie über diesen Seitenhieb nicht erfreut war: So etwas würde Nesta nicht davon überzeugen, dass das alles zu ihrem Besten geschah. Rhys würde seine verdiente Standpauke später erhalten.

Cassian wartete, bis Rhys und Amren aufstanden, und folgte ihnen dann aus dem Raum. Rhys hielt Wort und ging drei Schritte in den Flur, weg von der Tür, die mit einem Schutzzauber gegen Lauscher gesichert war.

Cassian wandte sich an Amren: »Ich wusste gar nicht, dass es Gesetze über die Mitgliedschaft am Hof gibt.«

»Gibt es auch nicht.« Amren zupfte an ihren rot lackierten Fingernägeln.

Er fluchte leise.

Rhys grinste hämisch. Aber Cassian warf stirnrunzelnd einen Blick auf die zweiflüglige Tür und betete, dass Nesta nichts Dummes anstellte.

Nesta hielt ihren Rücken so stocksteif, dass es schmerzte. Nie zuvor hatte sie jemanden so sehr gehasst wie all diese Leute. Vom König von Hybern mal abgesehen. Sie hatten über sie diskutiert, sie für unfähig und zügellos befunden und …

»Wieso kümmert dich mein Verhalten auf einmal? Bis jetzt war es dir doch egal.«

Feyre spielte mit ihrem silbernen, mit Sternensaphiren besetzten Ehering. »Ich habe dir gesagt, dass es mir nicht egal war. Wir … ich meine, wir alle … haben sehr oft darüber gesprochen. Über dich. Wir … ich habe entschieden, dass es das Beste ist, dir Zeit zu geben.«

»Und was hat Elain dazu gesagt?« Ein Teil von ihr wollte es eigentlich gar nicht wissen.

Feyre presste die Lippen zu einem dünnen Strich zusammen. »Es geht hier nicht um Elain. Und soweit ich weiß, hast du sie doch kaum besucht.«

Nesta war nicht bewusst gewesen, dass die anderen jeden ihrer Schritte verfolgten. Sie hatte Feyre nicht erklärt – hatte nie die richtigen Worte gefunden –, warum sie sich so weit von ihnen entfernt hatte. Elain war vom Kessel verschleppt und von Azriel und Feyre gerettet worden. Aber das Gefühl des Entsetzens beherrschte Nesta noch immer, egal ob sie wach war oder schlief: die Erinnerung an jenen Moment, als sie den verlockenden Ruf des Kessels gehört und begriffen hatte, dass er Elain galt – und nicht ihr oder Feyre. An den

Anblick von Elains leerem Zelt und den blauen Mantel auf dem Boden.
Seitdem war alles nur noch schlimmer geworden.

Ihr habt euer Leben und ich habe meines, hatte sie bei der letzten Wintersonnenwende zu Elain gesagt und gewusst, wie sehr sie ihre Schwester damit verletzen würde. Aber sie konnte diese grausamen, markerschütternden Erinnerungen nicht mehr ertragen. Die Erinnerungen an den am Boden liegenden Mantel, an das eisige Wasser des Kessels, an Cassian, der auf sie zugekrochen kam, an das Knacken des Genicks ihres Vaters ...

»Ich hatte gehofft, dass du von selbst den Weg zurückfinden würdest«, sagte Feyre behutsam. »Ich wollte dir Gelegenheit dazu geben, weil du auf jeden loszugehen scheinst, der dir zu nahe kommt. Aber du hast es nicht einmal *versucht*.«

Vielleicht kannst du dich in diesem Jahr ein bisschen mehr anstrengen. Sie hatte noch immer Cassians Worte im Ohr, die er vor neun Monaten zu ihr gesagt hatte – auf einer eisglatten Straße, nur wenige Häuserblocks von hier entfernt.

Anstrengen? Mehr war ihr dazu nicht eingefallen.

Ich weiß, davon hast du noch nie etwas gehört.

In dem Moment war sie vor Wut explodiert. *Wieso sollte ich mich für irgendetwas anstrengen? Man hat mich in eure Welt, an euren Hof verschleppt.*

Dann geh doch woandershin.

Sie hatte ihre Antwort hinuntergeschluckt: *Ich kann nirgendwo anders hin.*

Es war die Wahrheit. Sie wollte nicht in die Welt der Menschen zurückkehren, denn sie hatte sich dort nie wirklich zu Hause gefühlt. Und diese seltsame neue Welt der Fae ... Sie hätte ihren neuen, verwandelten Körper vielleicht akzeptieren können und auch die Tatsache, dass sie jetzt für immer anders und unsterblich war. Doch auch in dieser Welt wusste sie nicht, wo ihr Platz war. Diesen Gedanken versuchte sie immer wieder mit Alkohol, Musik und Glücksspiel zu verdrängen – genau wie die brodelnde Kraft tief in ihrem Inneren.

»Du hast dich lediglich an unserem Geld bedient«, fuhr Feyre fort. »Dem Geld deines Seelengefährten.« Noch ein Seitenhieb – ein Tiefschlag, der Nesta innerlich jubeln ließ. »Vielen Dank, dass du dir trotz deiner Hauseinrichtungsorgie und Einkaufsausflüge Zeit genommen hast, dich an mich zu erinnern.«

»Ich habe in diesem Haus ein Zimmer extra für dich eingeplant und dich sogar *gebeten*, mir beim Einrichten zu helfen. Aber du hast bloß gesagt, ich soll mich verpissen.«

»Warum sollte ich in diesem Haus wohnen wollen?« Wo sie genau sehen konnte, wie glücklich die anderen waren. Wo keiner offenbar auch nur im Entferntesten so unter dem Krieg gelitten hatte wie sie. Sie hatte so kurz davor gestanden, ein Teil dieses Kreises zu werden. Hatte ihre Hände gehalten, als sie am Morgen der letzten Schlacht zusammengekommen und überzeugt gewesen waren, sie alle könnten es überleben.

Doch dann hatte sie am eigenen Leib erfahren, wie gnadenlos all das weggerissen werden konnte. Wie hoch der Preis für Hoffnung, Freude und Liebe tatsächlich war. Das wollte sie nie wieder erleben. Wollte nie mehr ertragen müssen, was sie auf dieser Waldlichtung empfunden hatte, als der König von Hybern lachte und alles voller Blut war. Ihre Kraft hatte nicht ausgereicht, um sie alle an diesem Tag zu retten. Vermutlich bestrafte sie ihre Kraft seitdem dafür, dass sie sie im Stich gelassen hatte, und hielt sie fest in sich verschlossen.

»Weil du meine Schwester bist«, sagte Feyre.

»Ja, und du bringst immer Opfer für uns, deine traurige kleine Menschenfamilie ...«

»Du hast letzte Nacht *fünfhundert Goldmark* ausgegeben!«, platzte es aus Feyre heraus. Sie sprang auf und lief vor dem Kamin auf und ab. »Weißt du überhaupt, wie viel Geld das ist? Weißt du, wie *peinlich* es war, als ich heute Morgen die Rechnung bekam und meine Freunde – meine *Familie* – das alles mitanhören musste?«

Nesta hasste dieses Wort, das Feyre zur Beschreibung ihres Hofs nutzte. Als wäre in der Familie der Archerons alles so armselig gewesen, dass sie sich eine neue hatte suchen müssen. Nesta grub die

Fingernägel in die Handflächen, um sich vom Schmerz in ihrer enger werdenden Brust abzulenken.

»Und nicht nur zu erfahren, wie hoch diese Rechnung war, sondern auch, wofür du das Geld ausgegeben hast ...«, fuhr Feyre fort.

»Ach, dann geht es also darum, dein Gesicht zu wahren ...«

»Es geht darum, welches Licht es auf mich, auf Rhys und auf meinen Hof wirft, wenn meine verdammte Schwester unser Geld für Wein und Glücksspiel ausgibt und rein gar nichts zum Wohl dieser Stadt beiträgt! Wenn wir meine Schwester nicht mal im Griff haben, warum sollten wir dann überhaupt das Recht in Anspruch nehmen dürfen, über irgendwen zu herrschen?«

»Ich bin keine Sache, die du im Griff haben kannst«, erwiderte Nesta eisig. Seit ihrer Geburt war jeder Moment in ihrem Leben von anderen bestimmt worden. Jedes Mal, wenn sie versucht hatte, etwas selbst in die Hand zu nehmen, hatte man ihr einen Strich durch die Rechnung gemacht – und das verabscheute sie noch mehr als den König von Hybern.

»Deshalb wirst du in Windhaven trainieren. Bis du gelernt hast, dich zu beherrschen.«

»Vergiss es.«

»Und ob du dort oben hinziehen wirst! Selbst wenn wir dich fesseln und dorthin schleifen müssen. Du wirst Cassians Lektionen befolgen und alles tun, was Clotho in der Bibliothek von dir verlangt.«

Nesta verdrängte die Erinnerung an die dunklen Gänge dieser Bibliothek und an das uralte Monster, das in deren Tiefe gehaust hatte. Okay, es hatte sie vor Hyberns Kumpanen gerettet, aber ... Sie wollte nicht daran denken.

»Du wirst Clotho und die anderen Priesterinnen dort respektieren«, stellte Feyre klar, »und du wirst ihnen nicht einen einzigen Moment Ärger machen. Deine Freizeit kannst du verbringen, wie du willst. Im Haus.«

Heiße Wut pumpte durch ihre Adern, so laut, dass Nesta das Kaminfeuer, vor dem ihre Schwester auf und ab ging, kaum hören konnte. Sie war froh über das Brüllen in ihrem Kopf. Denn das Knacken der brennenden Holzscheite erinnerte sie so sehr an das brechende Genick ihres Vaters, dass sie es seitdem nicht geschafft hatte, in ihrer Wohnung ein Feuer im Kamin zu entzünden.

»Du hast kein Recht, meine Wohnung auszuräumen, mir meine Sachen wegzunehmen ...«

»Welche Sachen? Ein paar Klamotten und verdorbene Lebensmittel?« Nesta blieb keine Gelegenheit, sich zu wundern, woher Feyre das wusste, denn ihre Schwester fügte hinzu: »Ich lasse das ganze Haus abreißen.«

»Das wagst du nicht.«

»Es ist bereits veranlasst. Rhys hat mit dem Vermieter gesprochen. Das Haus wird abgerissen und als Unterkunft für Familien wiederaufgebaut, die nach dem Krieg aus ihrer Heimat vertrieben wurden.«

Nesta versuchte, ihren stoßweisen Atem in den Griff zu bekommen. Eine der wenigen Entscheidungen, die sie für sich selbst getroffen hatte, wurde ihr einfach genommen. Feyre schien das nicht zu kümmern: Sie war immer ihre eigene Herrin gewesen und hatte seit jeher bekommen, was sie wollte. Und jetzt, so schien es, würde sich für sie auch dieser Wunsch erfüllen. »Ich will dich nie wieder sehen, nie wieder mit dir reden«, schleuderte Nesta ihr entgegen.

»In Ordnung. Du kannst stattdessen mit Cassian und den Priesterinnen reden.«

Feyre ließ sich durch Beleidigungen nicht von ihrem Plan abbringen.

»Ich werde nicht deine Gefangene sein ...«, wehrte Nesta sich weiter.

»Nein. Du kannst dich frei bewegen. Wie Amren gesagt hat: Du kannst das Haus jederzeit verlassen. Wenn du die zehntausend Stufen überwindest.« Feyres Augen funkelten. »Aber ich werde nicht länger dafür bezahlen, dass du dich selbst zerstörst.«

Sich selbst zerstören. Die Stille dröhnte in Nestas Ohren, legte sich über die Flammen und erstickte sie, brachte den unerträglichen Zorn zum Schweigen. Vollkommene, eiskalte Stille. Sie hatte gelernt, mit dieser Stille zu leben, die in dem Augenblick eingesetzt hatte, als ihr Vater gestorben war. Die Stille, die sie erdrückte, seit sie ein paar Tage danach sein Arbeitszimmer in ihrem halb verfallenen Herrenhaus betreten und eine seiner erbärmlichen, kleinen Holzschnitzereien gefunden hatte. Damals hätte sie am liebsten laut geschrien, aber es waren zu viele Leute im Haus gewesen. Also hatte sie sich bis nach dem Treffen mit all den Kriegshelden zusammengerissen und sich erst dann fallen lassen, direkt in diesen lautlosen Abgrund.

»Die anderen warten«, sagte Feyre. »Elain müsste inzwischen fertig sein.«

»Ich will mit ihr sprechen.«

»Sie wird dich besuchen, wenn sie dazu bereit ist.«

Nesta erwiderte den Blick ihrer Schwester.

Feyres Augen glänzten. »Glaubst du, ich weiß nicht, warum du sogar Elain weggestoßen hast?«

Nesta wollte nicht darüber reden. Darüber, dass es *immer* nur sie und Elain gegeben hatte. Aber inzwischen hieß es stattdessen Feyre und Elain. Elain hatte sich für Feyre und all diese Leute entschieden und sie im Stich gelassen. Genau wie Amren – das hatte sie auf dem Boot deutlich gemacht.

Und es war ihr egal, dass im Krieg gegen Hybern auch zwischen Feyre und ihr eine vorsichtige Verbindung entstanden war, weil sie die gleichen Ziele verfolgten: Sie beide wollten Elain beschützen und die Gebiete der Menschen retten. Denn sie hatte erkannt, dass es nur ein Vorwand gewesen war, um das zu übertünchen, was jetzt in ihrem Herzen tobte.

Nesta antwortete nicht auf diese Frage, und auch Feyre schwieg, als sie auseinandergingen.

Es gab nichts mehr, was sie noch verband.

∞ 3 ∞

Cassian beobachtete, wie Rhysand seinen Tee sorgfältig umrührte. Er war Zeuge gewesen, wie Rhys mit der gleichen kalten Präzision ihre Feinde aufgeschlitzt hatte.

Sie saßen im Arbeitszimmer des High Lords, das vom Licht der grünen Glaslampen und einem schweren, eisernen Kronleuchter erhellt wurde. Das zweigeschossige Atrium nahm das nördliche Ende des Geschäftsflügels ein, wie Feyre diesen Bereich des Hauses nannte.

Die untere Ebene des Arbeitszimmers – ausgelegt mit handgeknüpften, blauen Teppichen, die Feyre persönlich in Cesere bei Kunsthandwerkern ausgewählt hatte – war mit zwei Sitzgruppen, Rhys' Schreibtisch und zwei langen Tischen vor den Bücherregalen eingerichtet. Am hinteren Ende des Raums gelangte man über ein kleines Podest in einen breiten erhöhten Alkoven, der von weiteren Büchern flankiert war. In der Mitte stand ein massives Modell ihrer Welt, mitsamt der sie umgebenden Sterne und Planeten und einiger anderer Dinge, die man Cassian einst erklärt hatte, bevor er sie als langweilig abgetan und fortan vollständig ignoriert hatte.

Az war natürlich fasziniert gewesen. Rhys hatte das Modell vor Jahrhunderten persönlich gebaut. Es konnte nicht nur den Stand der Sonne nachbilden, sondern auch die Zeit angeben und ermöglichte es Rhys irgendwie, über die Existenz von Leben jenseits ihrer eigenen Welt nachzudenken – und über andere Dinge, die Cassian ebenfalls sofort wieder vergessen hatte.

Im Zwischengeschoss, das über eine elegante schmiedeeiserne Wendeltreppe direkt links vom Eingang erreichbar war, standen noch mehr Bücher – wahrscheinlich mehrere Tausend – und dazu ein paar Glasvitrinen mit zerbrechlichen Objekten, von denen Cassian sich fernhielt (aus Angst, sie mit seinen »Bärenpranken« zu zerbrechen, wie Mor seine Hände bezeichnete). An den Wänden hingen einige von Feyres Gemälden.

Auch im Untergeschoss fand man viele ihrer Werke – manche hingen im Schatten und waren für so einen Platz bestimmt, andere wurden von dem gleißenden Licht angestrahlt, das sich auf den Wellen des Flusses am Fuß des sanft abfallenden Rasens brach. Die Art und Weise, wie Cassians High Lady ihre Welt einfing, ließ ihn jedes Mal wieder innehalten. Aber manchmal beunruhigten ihn ihre Gemälde auch – denn die Wahrheiten, die sie abbildete, waren nicht immer angenehm.

Er hatte sie ein paarmal in ihrem Atelier besucht und ihr beim Malen zugesehen. Überraschenderweise hatte sie nichts dagegen gehabt. Beim ersten Mal hatte Feyre an der Staffelei gestanden und konzentriert einen abgemagerten Brustkorb gemalt, so dürr, dass er die Rippen zählen konnte. Bei genauerem Hinschauen hatte er ein vertrautes Muttermal auf dem viel zu hageren linken Arm im Bild entdeckt – und dann das gleiche in der Tätowierung auf ihrem ausgestreckten Arm betrachtet, während sie den Pinsel führte. Doch er hatte ihr nur zugenickt, um zu bestätigen, dass er verstanden hatte.

Selbst in den Jahren seiner Armut war er nie so mager gewesen wie Feyre, aber er erkannte den Hunger in jedem Pinselstrich. Die Verzweiflung. Das hohle, leere Gefühl, das diese Grau- und Blautöne sowie das blasse, kränkliche Weiß ihm körperlich vermittelten. Die Hoffnungslosigkeit der schwarzen Grube hinter diesem Brustkorb und Arm. Den Tod, der wie eine Krähe auf Aas lauerte.

In den Tagen danach hatte er sehr oft über dieses Gemälde nachgedacht und darüber, welche Gefühle es in ihm auslöste ... die Tatsache, dass sie alle ihre High Lady fast verloren hätten, bevor sie ihr je begegnet waren.

Rhys rührte nicht länger seinen Tee und legte den Löffel mit furchterregender Bedächtigkeit auf die Untertasse.

Cassian richtete den Blick auf das Porträt hinter dem gewaltigen Schreibtisch seines High Lords. Die goldenen Feenlichtkugeln waren so ausgerichtet, dass es lebendig und strahlend wirkte. Feyres Gesicht – ein Selbstporträt – schien sich über ihn lustig zu machen. Über den Seelengefährten, der ihr den Rücken zuwandte. Damit sie über ihn wachen konnte, hatte Rhys ihm einmal erklärt.

Cassian betete, dass die Götter über *ihn* wachen würden, als Rhys einen Schluck Tee trank und dann fragte: »Bist du bereit?«

Cassian lehnte sich in seinem Sessel zurück. »Ich habe schon zuvor junge Krieger dazu gebracht, sich unterzuordnen.«

Rhys' veilchenblaue Augen funkelten. »Nesta ist kein Grünschnabel, der seine Grenzen auslotet.«

»Ich werde schon mit ihr fertig.«

Rhys starrte auf den Tee in seiner Tasse.

Cassian kannte diesen ernsten, beunruhigend gelassenen Gesichtsausdruck.

»Du hast in diesem Frühjahr gute Arbeit geleistet, als du die Illyrianer wieder auf Linie gebracht hast.«

Cassian wappnete sich innerlich. Schließlich hatte er diese Unterredung schon lange erwartet – seit er vier Monate bei den Illyrianern verbracht, Zwistigkeiten zwischen Kriegstruppen beigelegt und dafür gesorgt hatte, dass man sich um die Familien kümmerte, die im Krieg Väter, Söhne, Brüder und Ehemänner verloren hatten. Sie sollten wissen, dass jemand für sie da war, der ihnen zuhörte und ihnen half, aber gleichzeitig nicht vergessen, dass sie jeden Versuch eines Aufstands gegen Rhys teuer bezahlen würden.

Das Blutritual im letzten Frühjahr hatte die Schlimmsten unter ihnen ausgemerzt – auch den Unruhestifter Kallon, dessen Arroganz sein schlampiges Training nicht hatte kompensieren können, als er nur wenige Meilen von den Felshängen des Ramiel entfernt niedergemetzelt worden war. Die Tatsache, dass Cassian bei der Nachricht seines Todes erleichtert aufgeatmet hatte, hatte ihn noch eine Weile beschäftigt, aber kurz darauf hatten die Unruhen unter den Illyrianern aufgehört. Seitdem hatte Cassian ihre Reihen wieder geschlossen, die Ausbildung der Rekruten überwacht und sichergestellt, dass die erfahrenen Krieger auch für einen potenziellen nächsten Kampf noch in Form waren. Wenigstens hatten die Illyrianer etwas, worauf sie sich konzentrieren konnten, während sie ihre dezimierten Truppen wieder aufstockten – denn Cassian wusste, dass er ihnen über gelegentliche Inspektionen und Ratsversammlungen hinaus nicht mehr viel bieten konnte.

Die Illyrianer waren also friedlich – zumindest so friedlich, wie es eine Kriegergesellschaft sein konnte, die regelmäßig trainierte. Worauf Rhys großen Wert legte: nicht nur, weil ein Aufstand eine Katastrophe gewesen wäre, sondern auch wegen des Gesprächs, das jetzt garantiert folgen würde.

»Ich glaube, es ist an der Zeit, dass du größere Aufgaben übernimmst.«

Cassian verzog das Gesicht. Da war es.

Rhys lachte leise. »Du willst mir doch nicht weismachen, du hättest nicht gewusst, dass die Zeit bei den Illyrianern nur ein Test war?«

»Eigentlich hatte ich genau das Gegenteil gehofft«, brummte er und presste seine Schwingen an den Körper.

Rhys grinste, setzte dann aber rasch wieder eine ernste Miene auf. »Nesta ist jedenfalls kein Test. Sie ist ... anders.«

»Ich weiß.« Er hatte es gesehen, noch bevor sie erschaffen worden war. Und nach diesem furchtbaren Tag in Hybern ... Er hatte die Worte des Knochenschnitzers im Gefängnis nie vergessen.

Was, wenn ich dir verrate, was der Fels und die Dunkelheit und das Meer mir zuflüstern, Herr des Gemetzels? Dass sie vor Angst erschauerten auf der Insel am anderen Ende des Ozeans. Dass sie zitterten, als sie erschien. Dass sie etwas nahm ... etwas Kostbares. Dass sie es mit ihren Zähnen herausgebissen hat.

Was hast du an jenem Tag in Hybern erweckt, Prinz der Bastarde?

Diese Frage hatte ihn in mehr Nächten aus dem Schlaf hochschrecken lassen, als er es sich eingestehen wollte.

Cassian zwang sich zu einer Antwort. »Seit dem Krieg haben wir kein Anzeichen ihrer Kräfte gesehen. Soweit wir wissen, sind sie verschwunden, als der Kessel zerbrach.«

»Vielleicht ruhen sie auch nur, da der Kessel jetzt schläft und bei

Drakon und Miryam in Cretea gut versteckt ist. Aber sie könnten jeden Moment wiedererwachen.«

Ein kalter Schauer lief Cassian über den Rücken. Er vertraute dem Prinzen der Seraphim und der halb menschlichen Frau, dass sie den Kessel sicher unter Verschluss hielten. Aber weder sie noch sonst irgendjemand würde seine Kraft kontrollieren können, sollte er jemals wieder erwachen.

»Sei wachsam«, sagte Rhys.

»Du klingst, als hättest du Angst vor ihr.«

»Stimmt.«

Cassian blinzelte.

»Was glaubst du wohl, warum ich heute Morgen dich losgeschickt habe, um sie abzuholen?«, fragte Rhys und zog eine Augenbraue hoch.

Cassian schüttelte den Kopf und musste lachen. Rhys grinste, verschränkte die Hände hinter dem Kopf und lehnte sich in seinem Sessel zurück.

»Du musst häufiger auf den Trainingsplatz, Bruder«, teilte Cassian seinem Freund mit und taxierte dessen muskulösen Körper. »Du willst doch sicher nicht, dass deine Seelengefährtin irgendwelche weichen Stellen an dir entdeckt.«

»Glaub mir: Wenn ich bei ihr bin, findet sie nichts Weiches an mir«, antwortete Rhys, und Cassian lachte erneut.

»Wird Feyre dich für deine Worte von vorhin in den Hintern treten?«

»Ich habe den Bediensteten bereits den Rest des Tages freigegeben – sobald du dich mit Nesta auf den Weg zum Haus hinauf gemacht hast.«

»Vermutlich kann das Personal euch oft streiten hören.« Tatsächlich zögerte Feyre nicht, Rhys die Meinung zu sagen, wenn er zu weit gegangen war.

»Ich mache mir keine Sorgen darum, dass sie unsere Streitigkeiten hören – darum geht es nicht«, antwortete Rhys und grinste vielsagend.

Cassian erwiderte sein Grinsen, obwohl er dabei einen Stich verspürte, der etwas von Eifersucht hatte. Natürlich missgönnte er den beiden ihr Glück nicht, ganz im Gegenteil. Wie oft hatte er die Freude im Gesicht seines Bruders gesehen und sich gerührt abwenden müssen? Schließlich hatte Rhys viel zu lange auf diese Liebe gewartet und sie mehr als verdient. Er hatte sich immer wieder aufgerappelt, um für diese Zukunft mit Feyre zu kämpfen. Für das hier.

Aber manchmal, wenn Cassian den Ring an seinem Finger, das Porträt hinter seinem Schreibtisch und dieses Haus sah, dann ... spürte er, was ihm selbst fehlte.

Die Uhr schlug halb elf und Cassian erhob sich. »Viel Spaß beim Nichtstreiten.«

»Cassian.«

Der Ton in der Stimme seines Bruders ließ ihn innehalten.

Rhys sah ihn ruhig und bedächtig an. »Du hast gar nicht gefragt, welche größeren Aufgaben ich für dich vorgesehen habe.«

»Ich hatte angenommen, Nesta sei groß genug«, antwortete er ausweichend.

Rhys warf ihm einen wissenden Blick zu. »Du könntest mehr sein.«

»Ich bin dein General. Reicht das nicht?«

»Reicht es dir denn?«

Ja, hätte er fast geantwortet, zögerte dann aber.

»Ich sehe, dass du zögerst«, sagte Rhys. Cassian überprüfte rasch seinen mentalen Schutzschild, stellte jedoch fest, dass er intakt war. Rhys grinste wie eine Katze. »Dein Gesicht verrät noch immer alles, Bruder«, erklärte Rhys, aber seine Belustigung schwand schnell. »Az und ich haben berechtigten Grund zu der Annahme, dass die sterblichen Königinnen wieder etwas planen. Du musst der Sache auf den Grund gehen und dich darum kümmern.«

»Tauschen wir etwa die Rollen und Az führt ab jetzt die Illyrianer an?«

»Stell dich nicht dumm«, entgegnete Rhys kühl.

Cassian verdrehte die Augen. Aber sie wussten beide, dass Azriel

Illyrien eher auflösen und vernichten würde, als dem Land zu helfen. Der Versuch, ihren Bruder davon zu überzeugen, dass die Illyrianer es wert waren, gerettet zu werden, sorgte zwischen ihnen dreien noch immer für Streit.

»Azriel hat schon mehr um die Ohren, als er zugeben will«, fuhr Rhys fort. »Ich werde ihm nicht noch mehr Verantwortung aufbürden. Es wird ihm helfen, wenn du diese Aufgabe übernimmst.« Rhys lächelte ihn herausfordernd an. »Und wir alle werden sehen, aus welchem Holz du wirklich geschnitzt bist.«

»Du willst, dass ich spioniere?«

»Man kann auch anders an Informationen kommen, als durch Schlüssellöcher zu spähen, Cass. Az ist kein Höfling. Er agiert aus den Schatten. Aber ich brauche jemanden, der öffentlich sichtbar ist – ich brauche *dich*. Mor wird dir die Einzelheiten erläutern. Sie kommt irgendwann im Laufe des Tages aus Vallahan zurück.«

»Ich bin aber auch kein Höfling. Das weißt du genau.« Allein bei der Vorstellung drehte sich ihm der Magen um.

»Hast du etwa Angst?«

Cassian ließ die Trichtersteine auf seinen Handrücken aufleuchten. »Also soll ich mich um diese Königinnen *und* um Nesta kümmern?«

Rhys lehnte sich zurück. Sein Schweigen bestätigte die Frage.

Cassian schritt auf die geschlossene Flügeltür zu und hätte am liebsten geflucht. »Dann stehen uns ein paar lange Monate bevor.«

Er war fast an der Tür, als Rhys leise sagte: »Dir auf jeden Fall.«

»Hast du die Lederkluft aus dem Krieg noch?«, fragte Cassian Nesta zur Begrüßung, als er in die Eingangshalle stolzierte. »Die wirst du morgen brauchen.«

»Ich habe dafür gesorgt, dass Elain sie einpackt«, antwortete Feyre von der Treppe, ohne ihre Schwester anzusehen, die mit steifem Rücken am Fuß der Treppe stand.

Er fragte sich, ob seine High Lady das Verschwinden des Personals bereits bemerkt hatte. Aber das geheimnisvolle Lächeln in ihren Augen verriet ihm, dass sie durchaus darüber Bescheid wusste. Und auch über das, was sie in wenigen Minuten erwartete. Den Göttern sei Dank, dass er von hier fortkam. Wahrscheinlich würde er bis zum Meer fliegen müssen, um Rhys nicht zu hören. Oder seine Kraft nicht zu spüren, wenn er ... Cassian bremste sich, bevor er den Gedanken zu Ende denken konnte. Seine Brüder und er waren schon lange nicht mehr die dummen Jungen von einst, die jedes weibliche Wesen vögelten, das Interesse gezeigt hatte, oft im gleichen Zimmer. Sie waren inzwischen erwachsene Männer, und das war auch gut so.

Nesta verschränkte nur die Arme vor der Brust.

»Wirst du den Wind teilen, um uns zum Haus hinaufzubringen?«, fragte er Feyre.

Die Antwort kam von Mor hinter ihm. »Ich übernehme das.« Sie zwinkerte Feyre zu. »Sie hat eine besondere Verabredung mit Rhysie.«

Cassian grinste, als Mor aus dem Wohnbereich trat. »Ich dachte, du würdest erst später zurückkommen.« Er breitete die Arme aus und drückte sie dann fest an seine Brust. Mors hüftlange, goldene Haare dufteten nach dem kalten Ozean.

Sie erwiderte seine Umarmung. »Ich wollte nicht bis zum Nachmittag warten. Vallahan ist bereits tief verschneit. Ich brauchte ein wenig Sonne.«

Cassian hielt sie auf Armeslänge von sich, um ihr schönes Gesicht zu betrachten, das ihm so vertraut war wie sein eigenes. Aber in ihren braunen Augen lag Sorge. »Was ist los?«

Feyre schien die Anspannung ebenfalls zu bemerken, denn sie erhob sich.

»Nichts«, behauptete Mor und warf sich das Haar über die Schulter.

»Lügnerin.«

»Ich werde es euch später sagen«, räumte Mor ein und schaute zu Nesta. »Du solltest morgen die Lederkluft anziehen. Wenn du in Windhaven trainierst, wirst du sie gegen die Kälte brauchen.«

Nesta warf Mor einen gelangweilten, eisigen Blick zu.

Doch Mor schenkte ihr nur ein strahlendes Lächeln.

Feyre hielt das für einen guten Moment, um beiläufig dazwischenzugehen. Rhys' Schutzschild, der sie umgab, war noch immer hart wie Stahl. »Wir geben dir heute etwas Zeit, um dich im Haus einzurichten und deine Sachen auszupacken. Ruh dich aus, wenn du willst.«

Nesta schwieg.

Cassian fuhr sich mit der Hand durch die Haare. Möge der Kessel sie bewahren! Rhys erwartete politische Schachzüge von ihm, wo er noch nicht mal mit einer Situation wie dieser fertig wurde.

Mor grinste, als könnte sie seine Gedanken von seinem Gesicht ablesen. »Ich gratuliere zu deiner Beförderung«, sagte sie und schüttelte den Kopf. »Cassian der Höfling. Dass ich das noch erleben darf.«

Feyre lachte leise. Aber Nesta sah ihn überrascht und argwöhnisch an.

»Trotzdem noch immer ein unehelich geborener Niemand, keine Sorge«, warf er schnell ein, bevor sie ihm zuvorkommen konnte.

Nesta presste die Lippen zu einem dünnen Strich zusammen.

Dann wandte sich Feyre an sie: »Wir sprechen uns bald wieder.«

Erneut gab Nesta keine Antwort. Sie schien überhaupt nicht mehr mit Feyre reden zu wollen. Aber wenigstens kam sie freiwillig mit.

Halb freiwillig.

»Wollen wir?«, fragte Mor und öffnete die Arme.

Nesta blickte zu Boden. Ihr Gesicht war blass und hager, ihre Augen glühten vor Zorn.

Cassian fing Feyres Blick auf, der ihm alles vermittelte, worum sie ihn bat.

Nesta ging an ihr vorbei, hakte sich bei Mor unter und starrte auf einen Punkt an der Wand.

Mor schaute ihn fragend an, aber Cassian reagierte nicht darauf. Nesta starrte zwar stur geradeaus, aber er wusste, dass sie alles sah, hörte und abschätzte, was um sie herum vorging. Also hakte er sich einfach auf Mors anderer Seite ein und zwinkerte Feyre zu, bevor sie zu dritt in den Wind und die Dunkelheit verschwanden.

Mor teilte den Wind und trug sie hinauf in den Himmel über dem Haus der Winde.

Bevor sie das flaue Gefühl nach dem plötzlichen Absacken in ihrem Magen registrieren konnte, befand sich Nesta in Cassians Armen, der die Schwingen ausgebreitet hatte und mit ihr auf die steinerne Veranda zuflog. Es war lange her, dass er sie so gehalten hatte, dass sie die Stadt von so hoch oben gesehen hatte.

Er hätte sie beide hier hinaufbringen können, erkannte Nesta, als er landete und Morrigan ihnen zum Abschied zuwinkte, bevor sie verschwand. Die Vorschriften des Hauses waren simpel: Dank des starken Schutzschildes konnte niemand durch das Teilen des Windes direkt hineingelangen. Man musste entweder die zehntausend Stufen zu Fuß überwinden oder den Wind teilen und erschreckend tief bis auf die Veranda hinunterspringen – wobei man sich sehr wahrscheinlich einige Knochen brach. Oder man teilte den Wind bis zum Rand des Schutzschilds und flog dann das letzte Stück mit jemandem hinein, der Schwingen hatte. Aber das Gefühl von Cassians Armen um ihren Körper ... Nesta hätte es lieber riskiert, auf die Veranda zu springen und sich die Knochen zu brechen. Zum Glück dauerte der Flug nur ein paar Augenblicke.

In dem Moment, als ihre Füße die ausgetretenen Steine berührten, schob sie ihn von sich weg. Cassian ließ es geschehen, faltete seine Schwingen und blieb an der Brüstung stehen. Unter und hinter ihm funkelte das nächtliche Velaris. Sie hatte im letzten Jahr viele Wochen hier verbracht – in dieser schrecklichen Zeit nach ihrer Verwandlung zur Fae – und Elain um ein Zeichen von Lebensmut angefleht. Hatte kaum geschlafen aus Angst, Elain könnte über diese Veranda hinaustreten, sich zu weit aus einem der unzähligen Fenster lehnen oder sich einfach diese zehntausend Stufen hinunterstürzen.

Diese Erinnerungen beim Anblick der Stadt schnürten ihr die Kehle zu – das glitzernde Band des Flusses Sidra in der Tiefe, der rote Palast, der direkt in den Felshang des flachen Berges gebaut war.

Nesta vergrub die Hände in den Taschen und wünschte, sie hätte die warmen Handschuhe mitgenommen, die Feyre ihr gereicht hatte. Ein Angebot, das sie abgelehnt hatte. Zumindest durch ihr Schweigen, denn nach der Unterredung im Arbeitszimmer hatte sie kein Wort mehr mit ihrer Schwester gewechselt. Nicht zuletzt deshalb, weil sie sich vor den Worten fürchtete, die ihr möglicherweise über die Lippen kommen würden.

Einen langen Moment standen Nesta und Cassian einfach nur da und starrten einander schweigend an.

Der Wind zerrte an seinem schulterlangen, dunklen Haar, aber er hätte genauso gut auf einer Sommerwiese stehen können, denn er zeigte keinerlei Reaktion auf die Kälte – die so hoch über der Stadt noch viel schneidender war. Nesta hatte Mühe, nicht laut mit den Zähnen zu klappern.

»Du wirst in deinem alten Zimmer wohnen«, sagte Cassian schließlich.

Als hätte sie irgendeinen Anspruch auf diesen Ort. Auf überhaupt irgendetwas.

»Mein Zimmer ist ein Stockwerk darüber«, fuhr er fort.

»Wozu muss ich das wissen?« Die Worte schnellten förmlich aus ihrem Mund.

Er ging auf die Glastür zu, die ins Innere des Berges führte. »Falls du schlecht träumst und jemanden brauchst, der dir eine Geschichte vorliest«, antwortete er mit einem angedeuteten Lächeln. »Vielleicht aus einem dieser schmutzigen Bücher, die du so magst.«

Ihre Nasenflügel bebten. Aber sie ging durch die Tür, die er für sie aufhielt, und hätte fast erleichtert geseufzt bei der gemütlichen Wärme, die sie in den Gängen aus rotem Stein empfing. Ihre neue Unterkunft. Ihr Schlafplatz.

Doch dieser Ort war kein Zuhause, genauso wenig wie ihre Wohnung. Genauso wenig wie das elegante neue Haus ihres Vaters ein Zuhause gewesen war. Oder das Cottage oder das prächtige Herrenhaus davor. *Zuhause* war für sie ein Fremdwort.

Aber sie kannte dieses Geschoss im Haus des Windes gut: links das Esszimmer, rechts die Treppe, die zu ihrem Zimmer ein Geschoss tiefer und in den Wirtschaftsbereich darunter führte. Und zur Bibliothek ganz weit unten.

Im Grunde war es ihr egal, wo man sie unterbrachte, aber sie mochte die kleine private Bibliothek auf ihrer Etage. Dort hatte sie die »schmutzigen Bücher« entdeckt, wie Cassian sie nannte. Während der ersten Wochen hatte sie ein paar Dutzend davon verschlungen, weil sie dringend einen Rettungsanker brauchte, um nicht zu zerbrechen, um nicht laut zu schreien beim Gedanken daran, was mit ihrem Körper geschehen war, mit ihrem Leben – und mit Elain, die weder essen noch sprechen oder überhaupt irgendetwas tun wollte.

Elain, die mittlerweile irgendwie zu der *Angepassten* geworden war.

In den Monaten vor und während des Kriegs war Nesta einigermaßen zurechtgekommen. Sie hatte sich auf diese Welt eingelassen, auf diese Menschen, und allmählich eine Zukunft gesehen. Bis der König von Hybern und der Kessel sie gejagt hatten. Bis sie begriffen hatte, dass alle, die ihr etwas bedeuteten, benutzt wurden, um sie zu verletzen, zu zermürben, in die Falle zu locken. Bis zu dieser letzten Schlacht, als sie nicht verhindern konnte, dass tausend Illyrianer starben, und sie nur einen hatte retten können.

Ihn. Sie würde es wieder tun, wenn sie dazu gezwungen war. Und da sie das wusste ... Auch diese Wahrheit konnte sie nicht ertragen.

Cassian steuerte auf die Treppe zu und strahlte mit jeder Bewegung unbeirrbare Arroganz aus.

»Ich brauche keine Begleitung zu meinem Zimmer.« Es spielte keine Rolle, dass sein Zimmer ebenfalls auf dem Weg nach unten lag. »Ich kenne mich hier aus.«

Er warf ihr über seine muskulöse Schulter ein breites Grinsen zu und stieg zielstrebig die Treppe hinunter. »Ich wollte nur sichergehen, dass du heil ankommst, bevor ich es mir gemütlich mache.« Er deutete mit dem Kinn auf den Treppenabsatz und den offenen Bogengang, der zu dem Korridor mit seinem Zimmer führte. Was Nesta nur deshalb wusste, weil sie während der ersten Wochen als High Fae wie ein Geist durch diesen Palast gewandelt war.

»Az hat das Zimmer zwei Türen weiter«, fügte Cassian hinzu. Sie erreichten ihre Etage und er stolzierte durch den Gang. »Aber du wirst ihn wahrscheinlich nicht zu Gesicht bekommen.«

»Ist er hier, um mich auszuspionieren?« Ihre Worte prallten vom roten Mauerwerk ab.

»Er wohnt lieber hier oben als im Flusshaus«, antwortete Cassian kurz.

Damit waren sie schon zu zweit. »Warum?«

»Keine Ahnung. So ist Az nun mal – er braucht Raum für sich.« Cassian zuckte die Schultern, und das Feenlicht in den Wandleuchtern fiel golden auf den Scheitelpunkt seiner Schwingen. »Er wird für sich bleiben, also sind wir beide die meiste Zeit allein.«

Sie wagte nicht, etwas zu erwidern. Nicht bei allem, was diese Aussage beinhaltete. Allein – mit Cassian. Hier.

Cassian blieb vor einer vertrauten Rundbogentür aus Holz stehen. Er lehnte sich an den Türpfosten und beobachtete jeden ihrer Schritte.

Nesta wusste, dass das Haus Rhys gehörte und der High Lord nicht nur Cassians Leben, sondern auch das aller anderen in seinem inneren Kreis finanzierte. Und genau damit konnte sie Cassian jetzt am schnellsten verärgern und tief verletzen: indem sie dafür sorgte, dass er an seiner Arbeit zweifelte und sich fragte, ob er es überhaupt verdiente, hier zu sein. Der Impuls stieg in ihr auf wie eine Welle, und jedes Wort zielte darauf ab zu verletzen. Diese Gabe hatte sie schon immer gehabt – falls man es so nennen konnte. Und dennoch war es kein Fluch, jedenfalls nicht immer. Diese Fähigkeit hatte ihr oft gute Dienste geleistet.

Er schaute sie prüfend an, als sie vor der Tür ihres Zimmers stehen blieb. »Okay, heraus damit, Nes.«

»Nenn mich nicht so.« Sie ließ die Worte wie einen Köder vor ihm baumeln. Ließ ihn annehmen, sie sei verletzlich.

Doch er stieß sich vom Türpfosten ab und legte die Schwingen an. »Du brauchst was Warmes zu essen.«

»Ich will nichts.«

»Warum nicht?«

»Weil ich keinen Hunger habe.«

Es entsprach der Wahrheit. Ihr Appetit war das Erste, was nach der Schlacht verschwunden war. Nur ihr Instinkt und gelegentliche gesellschaftliche Anlässe, bei denen sie den Anschein erwecken wollte, als wäre ihr alles scheißegal, sorgten dafür, dass sie etwas aß.

»Ohne etwas im Magen wirst du das Training morgen nicht eine Stunde durchstehen.«

»Ich trainiere nicht an diesem schrecklichen Ort.« Sie hatte Windhaven vom ersten Augenblick an gehasst, dieses kalte, öde Heerlager voller humorloser, mürrisch dreinblickender Leute.

Der Trichterstein auf Cassians linkem Handrücken schimmerte, legte sich dann wie ein rotes Lichtband um die Türklinke und drückte sie hinunter. Die Tür öffnete sich knarrend, bevor das Band wie Rauch verschwand. »Du hast einen Befehl erhalten und auch eine Alternative, solltest du ihn nicht befolgen. Wenn du ins Land der Menschen zurückwillst, tu dir keinen Zwang an.«

Dann geh doch woandershin.

Wahrscheinlich würde er sie von dieser aufgeblasenen Morrigan wie ein Gepäckstück über die Grenze werfen lassen. Und Nesta würde es darauf ankommen lassen, aber … sie wusste, dass sie dabei den Kürzeren ziehen würde. Der Krieg hatte kaum dazu beigetragen, dass die Menschen den Fae gegenüber freundlich gesinnt waren.

Sie konnte nirgendwohin. Elain hatte hier einen Platz und eine Aufgabe gefunden, auch wenn sie noch so sehr um das Leben trauerte, das sie mit Graysen gehabt hätte. Sie kümmerte sich um die Gärten von Feyres Palast am Fluss und half anderen Bewohnern von Velaris, ihre zerstörten Gärten neu anzulegen. Es war eine Aufgabe, die ihr Freude machte, und sie hatte *Freunde*: diese beiden geisterhaften Erscheinungen, die in Rhysands Haushalt arbeiteten. Aber solche Dinge waren ihrer Schwester schon immer leichtgefallen. Hatten sie außergewöhnlich gemacht.

Hatten dafür gesorgt, dass Nesta bis zum Äußersten ging, damit Elain nichts geschah. Und das hatte der Kessel ebenso erfahren müssen wie der König von Hybern.

Ein altes, schweres Gewicht zog sie hinunter, das sie am liebsten vergessen hätte. »Ich bin müde.« Ihre Worte klangen matt.

»Dann ruh dich heute noch aus«, sagte Cassian mit etwas sanfterer Stimme. »Mor oder Rhys bringen uns morgen nach dem Frühstück hinauf nach Windhaven.«

Nesta schwieg.

»Wir fangen langsam an«, fuhr er fort. »Zwei Stunden Training, dann Mittagessen, und danach wirst du wieder zurückgebracht und triffst dich mit Clotho.«

Sie hatte nicht mehr die Energie, noch weitere Fragen zum Training oder zu der Arbeit in der Bibliothek mit der Hohepriesterin zu stellen. Ihr war alles egal. Sollten Rhysand, Feyre, Amren und Cassian doch ihren Willen bekommen und glauben, es würde auch nur das Geringste bedeuten, wenn sie diesen Mist hier mitmachte.

Schweigend schob sie sich an Cassian vorbei und betrat ihr Zimmer. Aber sie spürte seinen Blick, der jeden ihrer Schritte verfolgte, bis sie die Tür hinter sich zugeschlagen hatte. Blinzelnd hielt sie inne, geblendet vom grellen Licht, das durch die Fensterfront auf der anderen Seite des Zimmers fiel. Das Geräusch von Stiefelabsätzen auf Stein verriet ihr, dass er gegangen war.

Erst als seine Schritte vollständig verhallt waren, nahm sie das Zimmer richtig wahr. Seit ihrem letzten Besuch hatte sich nichts verändert – nur die Verbindungstür zu Elains alter Suite war jetzt verschlossen. Der weitläufige Raum bot Platz für ein riesiges Pfostenbett an der linken Wand sowie eine kleine Sitzecke mit Sofa und zwei Sesseln rechts von ihr. Ein offener Kamin aus elegantem dunklem Marmor nahm fast die ganze Wand vor der Sitzecke ein, und der kühle Steinboden war mit Teppichen und Läufern bedeckt.

Aber all das zählte nicht zu den Dingen, die sie an diesem Zimmer so mochte. Nein, es war das, was sie jetzt vor sich sah: die Fensterfront, von der aus man die ganze Stadt, den Fluss, die Ebenen und das funkelnde Meer dahinter überblicken konnte. Dieses ganze Land und all diese Leute, alles so weit entfernt. Als schwebte dieser Palast in den Wolken. An manchen Tagen war der wirbelnde Nebel hier oben so dicht gewesen, dass er den Blick auf alles in der Tiefe versperrt hatte ... und so nah, dass sie mit den Fingern hätte hineingreifen können.

Aber jetzt drifteten keine Nebelschwaden vorbei. Durch die Fenster fiel das grelle Sonnenlicht eines wolkenlosen Frühherbsttages. Sekunden vergingen. Wurden zu Minuten.

Ein vertrautes Tosen baute sich in ihren Ohren auf. Diese schwere Leere zerrte an ihr, als hätte eine Feengestalt ihre knochigen Finger um ihren Fußknöchel geschlungen und würde sie unter eine dunkle Oberfläche ziehen. So unerbittlich, wie man sie in dieses ewige, eisige Wasser des Kessels gestoßen hatte.

Nestas Körper entfernte sich und wurde ihr fremd, als sie die schweren, grauen Samtvorhänge zuzog und den Raum Stück für Stück in Dunkelheit tauchte. Sie ignorierte die drei Taschen und die zwei Truhen neben der Kommode, steuerte nur auf das Bett zu und schaffte es gerade noch, ihre Schuhe abzustreifen, bevor sie unter die weiße Daunendecke und die Steppdecke schlüpfte, die Augen schloss und atmete.

Und atmete.

Und atmete.

4

Mor hatte bereits einen Tisch im Café am Flussufer besetzt und einen Arm über die Rückenlehne ihres schmiedeeisernen Stuhls gelegt, während der andere elegant auf ihren übereinandergeschlagenen Knien ruhte. Cassian hielt wenige Schritte vor den zahlreichen Tischen am Uferpfad inne und lächelte bei ihrem Anblick: Sie hatte das Gesicht der Sonne zugewandt, ihre offenen Haare umgaben ihre Wangen wie flüssiges Gold und ein Lächeln umspielte ihre vollen Lippen.

Sie genoss die Sonne sichtlich. Seine Freundin – seine Schwester, genau genommen – ließ sich keinen Sonnenstrahl entgehen, selbst fünfhundert Jahre nachdem sie das Gefängnis, das sie ihr Zuhause genannt hatte, und die Ungeheuer, die sich ihre Familie schimpften, hinter sich gelassen hatte. Als ob die ersten siebzehn Jahre ihres Lebens in der Dunkelheit der Höhlenstadt sie noch immer wie Az' Schatten umwaberten.

Cassian räusperte sich, als er sich ihrem Tisch näherte, und schenkte dabei den anderen Gästen oder Passanten, die ihn mit offenem Mund anstarrten oder winkend grüßten, ein Lächeln. Als er Mor erreichte, grinste sie breit und ihre braunen Augen funkelten belustigt.

»Nicht«, sagte er warnend, faltete die Schwingen hinter die Stuhllehne und hob die Hand in Richtung des Cafébesitzers. Der kannte ihn inzwischen so gut, dass er wusste, dass Cassian damit um ein Glas Wasser bat – kein Tee und kein Gebäck wie für Morrigan.

Mor lächelte so umwerfend, dass es ihm den Atem verschlug. »Darf ich mich nicht daran erfreuen, dass mein Freund von seinen Fans angehimmelt wird?«

Cassian verdrehte die Augen und dankte dem Cafébesitzer leise, als im nächsten Augenblick eine Karaffe Wasser und ein Glas vor ihm auftauchten.

»Ich kann mich an eine Zeit erinnern, als du diese Aufmerksamkeit in der Öffentlichkeit genossen hast«, bemerkte Mor, nachdem der Besitzer ihren Tisch verlassen hatte und sich wieder um seine anderen Gäste kümmerte.

»Damals war ich jung und ein arroganter Blödmann.« Beim Gedanken daran, wie er nach siegreichen Schlachten oder gelungenen Missionen herumstolziert war und geglaubt hatte, das Lob von Fremden zu verdienen, krümmte er sich innerlich. Viel zu lange hatte er sich diesen Schwachsinn gestattet. Erst auf dem Weg durch dieselben Straßen nach Rhys' Gefangennahme – nachdem Rhys so große Opfer zum Schutz der Stadt gebracht und Cassian die Angst und Enttäuschung in so vielen Gesichtern gesehen hatte – war ihm klar geworden, was für ein Idiot er gewesen war.

Mor räusperte sich, als wüsste sie, in welche Richtung sich seine Gedanken bewegten. Sie besaß zwar nicht Rhys' Fähigkeiten, aber sie hatte lange genug am Hof der Albträume gelebt, um jede noch so geringe Änderung in einem Gesichtsausdruck zu erkennen. An diesem schrecklichen Hof konnte schon ein einzelnes Blinzeln den Unterschied zwischen Leben und Tod bedeuten, hatte sie ihm einmal erklärt. »Hat sie sich eingelebt?«, fragte sie.

Cassian wusste, wen sie meinte. »Sie ruht sich aus.«

Mor schnaubte.

»Nicht.« Seine Aufmerksamkeit richtete sich auf den glitzernden Fluss nur wenige Schritte entfernt. »Bitte fang nicht davon an.«

Mor nippte an ihrem Tee – ein Abbild eleganter Unschuld. »Wir täten besser daran, Nesta direkt an den Hof der Albträume zu schicken. Dort würde sie garantiert gedeihen.«

Cassian biss die Zähne zusammen, getroffen von der Beleidigung und der Wahrheit in ihren Worten. »Das ist genau die Art von Leben, von dem wir sie fernzuhalten versuchen.«

Mor taxierte ihn mit einem kurzen Wimpernschlag. »Du leidest darunter, sie so zu sehen.«

»Ich leide unter dieser ganzen Geschichte.« Diese Art von Beziehung hatten Mor und er schon immer gehabt: schonungslose Offenheit, ganz gleich, wie harsch die Wahrheit auch sein mochte. Seit dem Moment, als sie zum ersten und einzigen Mal miteinander schliefen ... als er zu spät erfuhr, welche schrecklichen Konsequenzen sie vor ihm verborgen hielt. Als er ihren zerschlagenen Körper sah und wusste, dass er trotz ihrer Lüge ihm gegenüber an ihrem Schicksal beteiligt gewesen war.

Cassian holte tief Luft und schüttelte die blutgetränkte Erinnerung ab, die selbst fünf Jahrhunderte später noch auf ihm lastete.

»Ich leide darunter, dass Nesta sich ... so entwickelt hat. Dass sie und Feyre sich ständig in den Haaren liegen. Dass Feyre deshalb Kummer hat ... und Nesta ebenfalls, das weiß ich genau. Ich leide darunter, dass ...« Er trommelte mit den Fingern auf den Tisch, nippte dann an seinem Wasser. »Ich möchte nicht darüber reden.«

»Okay.« Eine leichte Brise bauschte den hauchdünnen Stoff von Mors dunkelblauem Gewand auf.

Ein weiteres Mal bewunderte er ihr perfektes Gesicht. Nach den katastrophalen Auswirkungen ihrer gemeinsamen Nacht, nach dem anschließenden Streit mit Rhys und der Begegnung mit Azriel, der auf seine eigene, stille Weise unendlich wütend gewesen war, hatte Cassian jedes weitere Verlangen nach Mor im Keim erstickt. Er hatte seine Lust in Zuneigung verwandelt und alle romantischen Gefühle für sie in familiäre Empfindungen. Aber trotzdem konnte er ihre pure Schönheit noch immer bewundern – so wie er jedes Kunstwerk bewundern würde. Auch wenn er wusste, dass Mors Inneres noch viel lieblicher und atemberaubender war als ihr Äußeres.

Er fragte sich, ob sie das wusste.

Schließlich trank er einen weiteren Schluck Wasser und bat: »Erzähl mir, was in Vallahan passiert ist.« Das uralte Fae-Land in den Bergen auf der anderen Seite des Nordmeers hatte bereits vor dem Krieg mit Hybern für Unruhe gesorgt und war im Laufe der Jahrtausende sowohl Feind als auch Verbündeter von Prythian gewesen. Welche Rolle Vallahans leicht aufbrausender König und sein stolzes

Volk in dieser neuen Weltordnung spielen würden, stand noch nicht fest. Allerdings schien dabei viel von Morrigans häufigen Besuchen als Rhys' Botschafterin am dortigen Hof abzuhängen.

Mor schloss die Augen. »Sie wollen den neuen Vertrag nicht unterzeichnen.«

»Verdammt.« Rhys, Feyre und Amren hatten Monate an der Aufsetzung dieses Vertrags gearbeitet, gemeinsam mit ihren Verbündeten an anderen Höfen. Helion, High Lord des Tageshofs und Rhys' engster Verbündeter, hatte am meisten dazu beigetragen. Helion Zauberhammer war ungeschlagen, wenn es um großspurige Arroganz ging – vermutlich hatte er seinen Spitznamen selbst erfunden. Aber ihm standen Tausende von Bibliotheken zur Verfügung, die er alle für die Ausfertigung des Vertrags genutzt hatte.

»Ich habe Wochen an diesem verdammten Hof verbracht«, knurrte Mor und stocherte in ihrem Gebäckstück. »Hab mir den Arsch abgefroren, versucht, ihnen den kalten Hintern zu küssen, aber das Königspaar lehnt den Vertrag ab. Ich bin nur deshalb früher zurückgekommen, weil ich wusste, dass es keinen Zweck hat, noch länger auf eine Unterschrift zu drängen. Schließlich sollte meine Zeit an ihrem Hof als Freundschaftsbesuch gelten.«

»Und warum wollen sie nicht unterschreiben?«

»Weil diese blöden sterblichen Königinnen Ärger bereiten – ihre Armeen sind noch immer nicht aufgelöst. Die Königin von Vallahan hat mich sogar gefragt, welchen Sinn ein Friedensvertrag hätte, wenn ein weiterer Krieg – dieses Mal gegen die Menschen – die Landesgrenzen weit über den Bereich der Mauer hinaus verlegen könnte. Ich habe nicht den Eindruck, dass Vallahan an Frieden interessiert ist. Oder daran, sich mit uns zu verbünden.«

»Dann wollen die Vallahaner also einen weiteren Krieg, um ihr Gebiet auszuweiten?« Nach dem Krieg vor fünf Jahrhunderten hatten sie bereits mehr Land annektiert, als ihnen eigentlich zustand.

»Sie langweilen sich«, erklärte Mor und verzog angewidert das Gesicht. »Und die Menschen sind trotz ihrer Königinnen schwächer als wir. Ein Einfall ins Land der Menschen verspricht leichte Beute. Und Montesere und Rask denken vermutlich ähnlich.«

Cassian schaute zum Himmel hinauf und seufzte schwer. Davor hatten sie sich während des letzten Kriegs am meisten gefürchtet: dass diese drei Länder sich mit Hybern verbünden. Denn in dem Fall hätte nicht die geringste Überlebenschance bestanden. Und obwohl Hyberns König inzwischen tot war, herrschte unter diesen Völkern noch immer großer Unmut. Möglicherweise würde man in Hybern erneut eine Armee aufstellen. Und wenn diese sich mit Vallahan zusammentat, wenn Montesere und Rask sich ihnen anschlossen mit dem gemeinsamen Ziel, den Menschen noch mehr Land abzunehmen ... »Du hast Rhys bereits informiert.« Keine Frage, sondern eine Feststellung.

Mor nickte. »Deshalb bittet er dich, Nachforschungen anzustellen und herauszufinden, was die sterblichen Königinnen vorhaben. Ich nehme mir ein paar Tage frei, bevor ich nach Vallahan zurückkehre – aber Rhys muss unbedingt in Erfahrung bringen, auf welcher Seite die Königinnen dabei stehen.«

»Also sollst du Vallahan davon überzeugen, keinen weiteren Krieg anzuzetteln, und ich soll das Gleiche bei den sterblichen Königinnen erreichen?«

»Du wirst nicht mal in die Nähe der Königinnen kommen«, sagte Mor unverblümt. »Aber nach allem, was ich in Vallahan beobachtet habe, führen sie irgendetwas im Schilde. Wir können uns jedoch nicht erklären, was genau. Oder warum die Menschen so dumm sein sollten, einen Krieg anzuzetteln, den sie nicht gewinnen können.«

»Dafür bräuchten sie etwas in ihrem Arsenal, das ihnen einen Vorteil garantieren würde.«

»Und genau das sollst du herausfinden.«

Cassian tippte unruhig mit dem Stiefel auf die Steine des Gehwegs. »Also überhaupt kein Druck.«

Mor leerte ihre Teetasse. »Das Leben eines Höflings dreht sich nicht ausschließlich um elegante Kleidung und opulente Feste.«

Cassian runzelte die Stirn. Eine Weile saßen sie in einvernehmlichem Schweigen da, während der Wind über den Fluss strich, die Gäste um sie herum sich angeregt unterhielten und Besteck auf Geschirr klirrte. Mor überließ ihn seinen Gedanken und widmete sich wieder ihrem Sonnenbad.

Schließlich setzte Cassian sich auf. »Es gibt eine Person, die diese Königinnen in- und auswendig kennt. Die uns einen Einblick verschaffen kann.«

Mor öffnete die Augen und beugte sich leicht vor, sodass ihre Haare ihr Gesicht umfingen wie ein goldener Strom. »Ach ja?«

»Vassa.« Bisher hatte Cassian nicht viel mit der verstoßenen sterblichen Königin zu tun gehabt – die einzige gute Königin unter den Überlebenden, die von den anderen Königinnen verraten und an einen Zauberer-Lord verkauft worden war. Dieser mächtige Zauberer hatte sie mit einem Fluch belegt, der die Königin am Tag zu einem Feuervogel und in der Nacht zu einer Frau machte. Und damit hatte sie noch Glück gehabt. Die andere aufständische Königin in ihrer Mitte war dem Attor übergeben worden. Der sie, nur wenige Brücken von ihrem jetzigen Sitzplatz entfernt, auf einem Laternenpfahl aufgespießt hatte.

Mor nickte. »Sie ist möglicherweise in der Lage, dir zu helfen.«

Cassian stützte die Ellbogen auf den Tisch. »Lucien lebt bei Vassa. Und Jurian. Er ist doch unser Botschafter im Land der Menschen. Soll er sich darum kümmern.«

Mor biss erneut in ihr Gebäckstück. »Lucien ist nicht mehr hundertprozentig zu trauen.«

Cassian starrte sie an. »Was?«

»Obwohl Elain hier ist, steht er Jurian und Vassa inzwischen sehr nahe. Mittlerweile lebt er freiwillig bei ihnen … und nicht nur als unser Botschafter. Sondern als ihr Freund.«

Rasch ging Cassian in Gedanken alles durch, was er bei seinen Begegnungen mit Lucien nach dem Krieg gehört und beobachtet hatte. Und versuchte, sich in Rhys' und Mors Haut zu versetzen. »Lucien hat ihnen monatelang dabei geholfen, die Hintergründe für Prythians Herrschaftsansprüche über Teile der menschlichen Länder zu verstehen«, sagte er. »Das bedeutet, dass seine Berichte über Vassa nicht unvoreingenommen sein können.«

Mor nickte ernst. »Lucien mag gute Absichten haben, aber jeder seiner Berichte fällt vermutlich zu ihren Gunsten aus, selbst wenn er sich dessen gar nicht bewusst ist. Wir brauchen jemanden außerhalb ihres kleinen Kreises, der Informationen sammelt und uns Bericht erstattet.« Sie aß das letzte Stück ihres Gebäcks. »Und da kommst du ins Spiel.«

Okay. Das ergab durchaus Sinn. »Warum haben wir uns nicht schon früher mit Vassa in Verbindung gesetzt?«

Mor winkte ab, obwohl die Schatten in ihren Augen die lässige Geste Lügen straften. »Weil wir erst jetzt alle Puzzleteile zusammengefügt haben. Aber du solltest unbedingt mit ihr reden. Und zwar so schnell wie möglich.«

Cassian nickte. Er hatte nichts gegen Vassa, obwohl ein Treffen mit ihr bedeutete, dass er auch mit Lucien und Jurian reden musste. Mit Ersterem konnte er leben, aber mit Letzterem … Es spielte keine Rolle, dass Jurian auf ihrer Seite gekämpft hatte. Dass der menschliche General, der fünf Jahrhunderte lang Amaranthas Gefangener gewesen war, nach seiner Erschaffung durch den Kessel Hybern aufs Kreuz gelegt und Cassian und seiner Familie geholfen hatte, den Krieg zu gewinnen. Cassian konnte den Mann noch immer nicht leiden.

Langsam stand er auf, beugte sich vor und fuhr Mor freundschaftlich durch die glänzenden Haare. »Du fehlst mir.« Sie war in letzter Zeit oft fort gewesen und bei ihrer Rückkehr hatte jedes Mal ein Schatten über ihren Augen gelegen, den er nicht deuten konnte. »Du weißt doch, dass wir dich warnen würden, falls Keir sich hier blicken lässt.« Dieses Arschloch von Vater hatte den Gefallen, den Rhys ihm schuldete, noch immer nicht eingefordert: ein Besuch in Velaris.

»Eris hat mir etwas Zeit verschafft.« Ein ätzender Ton schwang in ihrer Stimme mit.

Cassian hatte es nicht glauben wollen, aber er wusste, dass Eris als Zeichen seines guten Willens Rhysand in seinen Kopf eingeladen hatte. Damit Rhys selbst sehen konnte, warum Eris Keir davon überzeugt hatte, seinen Besuch in Velaris auf unbestimmte Zeit zu verschieben. Eris war der Einzige, der einen derartigen Einfluss auf Morrigans machthungrigen Vater besaß. Und es war noch immer unbekannt, was Eris Keir im Tausch für die Verschiebung seines Besuchs geboten hatte. Zumindest Cassian war es ein Rätsel. Rhys wusste es vermutlich. Und Mors blassem Gesicht nach zu urteilen ... vielleicht war sie ebenfalls eingeweiht. Eris musste ein großes Opfer gebracht haben, um Mor den Besuch ihres Vaters zu ersparen – den dieser vermutlich für einen Termin geplant hatte, der ihr größtmögliches Leid zufügen würde.

»Aber es ist mir egal.« Mor machte eine abschätzige Handbewegung. Cassian konnte erkennen, dass etwas anderes an ihr nagte. Allerdings würde sie es ihm erst dann verraten, wenn sie dafür bereit war.

Er trat um den Tisch herum und drückte ihr einen Kuss auf den Scheitel. »Ruh dich aus.« Und dann schoss er in den Himmel hinauf, noch bevor sie etwas darauf antworten konnte.

Nesta erwachte ruckartig, umgeben von völliger Dunkelheit. Von einer Dunkelheit, wie sie sie seit Jahren nicht mehr erlebt hatte. Seit jener Zeit in der windschiefen Hütte, die zu einem Gefängnis und zu einem Höllenort geworden war.

Sie richtete sich auf, griff sich mit den Händen an den Hals, schnappte keuchend nach Luft. War das alles nur ein Fiebertraum in einer Winternacht gewesen? War sie noch immer in dieser Hütte, noch immer dem Hungertod nahe, bettelarm und verzweifelt ...?

Nein. Die Luft im Raum war warm, und sie lag ganz allein in ihrem Bett, statt sich wie in früheren Eisnächten Wärme suchend an ihre Schwestern zu drängen und um den begehrten Platz in der Bettmitte zu streiten ... oder in heißen Sommernächten um den kühleren Bettrand.

Und obwohl sie so abgemagert war wie damals während dieser bitterkalten Wintermonate, hatte sie jetzt einen neuen Körper. Den kraftvollen Körper einer Fae. Zumindest war er einmal kraftvoll gewesen.

Müde rieb sie sich das Gesicht und schlüpfte aus dem Bett. Der Fußboden war gewärmt, nicht wie die eiskalten Holzdielen in ihrer alten Hütte.

Nesta ging zum Fenster, zog die Vorhänge auf und blickte hinab auf die dunkle Stadt in der Tiefe. Goldene Lichter markierten den Verlauf der Straßen, tanzten auf dem gewundenen Fluss. Dahinter erhellte nur das silberne Licht der Sterne die Ebene vor dem kalten, finsteren Ozean. Ein Blick hinauf zum Himmel lieferte ihr keinerlei Hinweise, wie weit die Nacht fortgeschritten war. Und als sie angespannt den Atem anhielt und in die Stille lauschte, wurde ihr klar, dass alle Anwesenden in diesem Haus noch schliefen. Alle drei.

Wie lange hatte sie bereits geschlafen? Cassian und sie waren gegen elf Uhr vormittags hier eingetroffen und sie war kurz danach ins Bett gefallen. Sie hatte den ganzen Tag noch nichts zu sich genommen und ihr Magen knurrte. Doch sie ignorierte ihn, lehnte die Schläfe gegen die kühle Fensterscheibe und ließ das Sternenlicht sanft über ihren Kopf, ihr Gesicht, ihren Hals schweifen. Stellte sich vor, seine schimmernden Finger würden über ihre Wange streichen, so wie ihre Mutter einst ihre Wange gestreichelt hatte. Ausschließlich ihre Wange.

Meine Nesta. Elain wird eines Tages aus Liebe und um ihrer Schönheit willen heiraten, aber du, meine kluge, kleine Königin ... du wirst eines Tages als Eroberin den Bund der Ehe eingehen.

Ihre Mutter würde sich im Grabe umdrehen, wenn sie wüsste, dass Nesta Jahre später kurz davor gestanden hatte, den willensschwachen Sohn eines Holzfällers zu heiraten, der untätig zugesehen hatte, wie sein Vater seine Mutter schlug. Der nach dem Ende ihrer Verbindung versucht hatte, seine dreckigen Pfoten an sie zu legen. Und sich mit Gewalt das zu nehmen, was sie ihm nicht freiwillig angeboten hatte.

Nesta hatte sich bemüht, Tomas zu vergessen. Wie oft hatte sie sich schon gewünscht, der Kessel hätte ihr diese Erinnerungen zusammen mit ihrer Menschlichkeit genommen. Aber Tomas' Gesicht besudelte immer wieder ihre Träume. Ihre Gedanken bei Tag. Noch immer konnte sie seine rauen, brutalen Hände an ihrem Körper spüren, den metallischen Geschmack seines Bluts in ihrem Mund schmecken.

Langsam löste sie sich vom Fenster und betrachtete erneut die weit entfernten Sterne. Fragte sich förmlich, ob sie zu ihr sprechen wollten.

Meine Nesta, hatte ihre Mutter sie immer genannt, sogar noch auf dem Totenbett, ausgezehrt und bleich vom Typhus. *Meine kleine Königin.*

Nesta hatte sich einst an diesem Titel erfreut. Und ihr Bestes getan, um dessen Versprechen gerecht zu werden. Sie hatte ein opulentes Leben geführt, das ihr in dem Moment zwischen den Fingern zerronnen war, als die Gläubiger das Haus gestürmt und all ihre sogenannten Freunde sich als neidische Feiglinge mit aufgesetztem Lächeln entpuppt hatten. Nicht ein Einziger hatte angeboten, die Familie Archeron vor der drohenden Armut zu bewahren. Sie hatten sie allesamt den Wölfen zum Fraß vorgeworfen – drei Kinder und einen gebrochenen Mann.

Also hatte Nesta sich selbst in einen Wolf verwandelt. Sich mit unsichtbaren Zähnen und Klauen bewehrt und gelernt, schneller, härter und tödlicher zuzuschlagen als jeder andere. Hatte es sogar genossen. Doch als der Moment kam, den Wolf abzulegen, hatte sie feststellen müssen, dass er auch sie mit Haut und Haaren verschlungen hatte.

Die Sterne funkelten über der Stadt, als würden sie Nestas Gedanken bestätigen. Nesta ballte die Hände zu Fäusten und kletterte wieder ins Bett.

Verdammt, vielleicht hätte er nicht einwilligen sollen, sie hierherzubringen.

Cassian lag hellwach in seinem riesigen Bett, das groß genug war, um drei ausgewachsenen illyrianischen Kriegern samt Schwingen

Platz zu bieten. In den vergangenen fünfhundert Jahren hatte sich der Raum um ihn herum kaum verändert. Gelegentlich murrte Mor, dass sie das Haus der Winde neu gestalten wollte, aber ihm gefiel dieses Zimmer so, wie es war.

Das Geräusch einer klappernden Tür hatte ihn aus dem Schlaf gerissen und ihn mit rasendem Puls nach dem Messer auf seinem Nachttisch greifen lassen. Zwei weitere lagen unter seiner Matratze. Dazu kamen die Dolche über dem Türrahmen sowie jeweils ein Schwert unter dem Bett und in einer der Kommodenschubladen. Und das war nur seine persönliche Waffensammlung – die Große Mutter allein wusste, was Az alles in seinem Zimmer versteckt hatte.

Vermutlich hatten Az, Rhys, Mor und er in den letzten fünf Jahrhunderten im Haus der Winde genügend Waffen deponiert, um eine kleine Armee damit auszustatten. Inzwischen hatten sie so viele Messer, Dolche und Schwerter versteckt und wieder vergessen, dass man immer damit rechnen musste, beim Platznehmen auf einem Sofa von einer der Waffen in den Hintern gepikt zu werden. Und das Gros war wahrscheinlich kaum noch mehr als rostiges Eisen in Lederscheiden.

Aber die Waffen in seinem Schlafzimmer hielt er penibel sauber. Kampfbereit. Das Messer glänzte im Schein der Sterne, während seine Trichtersteine rot flackerten und den Korridor auf der anderen Seite seiner Zimmertür sondierten.

Aber er konnte keine Gefahr feststellen. Die neuen Schutzschilde waren nicht von Feinden überwunden worden. Vor über einem Jahr waren Hyberns Soldaten in das Haus eingedrungen und hatten Feyre und Nesta in der Bibliothek um ein Haar zu fassen bekommen. Diesen Moment hatte er nicht vergessen – das Entsetzen in Nestas Gesicht, als sie ihm mit ausgestreckten Armen entgegengelaufen war.

Aber das Geräusch in der Eingangshalle … Azriel, erkannte er in der nächsten Sekunde.

Die Tatsache, dass er die Tür überhaupt gehört hatte, verriet ihm, dass Az ihn über seine Rückkehr informieren wollte. Selbst wenn er jetzt kein Gespräch suchte, sollte Cassian wissen, dass er in der Nähe war.

Und nun stand Cassian hier und starrte zum Himmel hinauf, während seine Trichtersteine erneut schlummerten und das Messer wieder in der Scheide auf dem Nachttisch ruhte. Die Position der Sterne deutete darauf hin, dass es nach drei Uhr morgens sein musste. Bis zum Morgengrauen würden noch Stunden vergehen. Am besten legte er sich wieder schlafen – der morgige Tag würde ohnehin sehr hart werden.

Wie als Antwort auf seine stumme Bitte raunte plötzlich eine sanfte Männerstimme in seinem Kopf: *Warum bist du so spät noch wach?*

Cassian sondierte den Himmel vor seinen Fenstern, als könnte er Rhys dort sehen. *Die gleiche Frage kann ich dir stellen.*

Rhys lachte leise. *Ich hab dir ja gesagt, dass ich mich bei meiner Seelengefährtin vielfach entschuldigen musste.* Einen Moment herrschte Stille, dann fügte er in selbstgefälligem Tonfall hinzu: *Wir legen gerade eine Pause ein.*

Cassian musste lachen. *Gönn der armen Frau doch etwas Schlaf.*

Sie war es, die diese Runde initiiert hat. Aus jedem Wort sprach pure männliche Befriedigung. *Aber du hast meine Frage nicht beantwortet.*

Warum schnüffelst du mir zu dieser späten Stunde nach?

Ich wollte mich vergewissern, dass alles in Ordnung ist. Nicht meine Schuld, dass du schon wach warst.

Cassian seufzte leise. *Keine Sorge. Nesta ist direkt nach unserer Ankunft ins Bett gegangen. Ich vermute, dass sie noch immer schläft.*

Ihr seid doch vor elf angekommen.

Ich weiß.

Und jetzt ist es Viertel nach drei in der Früh.

Ich weiß.

Die darauffolgende Stille war so vielsagend, dass Cassian hinzufügte: *Misch dich nicht ein.*

Das würde mir im Traum nicht einfallen.

Eigentlich hatte Cassian keine Lust auf dieses Gespräch – nicht um drei Uhr morgens und schon gar nicht zum zweiten Mal an einem Tag. *Ich melde mich morgen Abend und werde über den Ablauf der ersten Lektion berichten.*

Die bedeutungsvolle Stille auf Rhys' Seite ließ sich wieder nicht ignorieren. Doch dann meinte sein Bruder: *Mor wird euch morgen nach Windhaven bringen. Gute Nacht, Cass.*

Das Gefühl von Rhysands dunkler Präsenz in seinem Kopf verebbte und ließ ihn kalt und frierend zurück.

Morgen früh erwartete ihn ein Schlachtfeld, wie er noch keines gesehen hatte. Cassian fragte sich, wie viel von ihm am Abend noch unversehrt sein würde.

⚘ 5 ⚘

»Wenn du das nicht isst, wirst du es in ungefähr dreißig Minuten bereuen.«

Nesta saß am langen Tisch im Esszimmer und schaute von ihrem Teller mit Rühreiern und der Schüssel mit dampfender Hafergrütze auf. Noch immer nicht richtig ausgeschlafen, erwiderte sie scharf: »Kommt nicht infrage.«

Cassian machte sich über seine Portion her, die fast doppelt so groß war wie ihre. »Du hast die Wahl: entweder das hier oder gar nichts.«

Nesta verharrte reglos auf ihrem Stuhl. Sie war sich jeder Bewegung in ihrer Lederkluft nur allzu bewusst: wie es sich anfühlte, Hosen zu tragen, wie sehr ihre Schenkel und ihr Hintern dabei zur Schau gestellt wurden. Zum Glück war Cassian zu sehr mit der Lektüre eines Berichts beschäftigt gewesen, um zu sehen, wie sie sich ins Esszimmer geschlichen und auf ihren Platz gesetzt hatte. Jetzt warf sie einen Blick in Richtung Tür, in der Hoffnung, dass dort ein Dienstbote auftauchen würde.

»Ich nehm eine Scheibe Toast.«

»Die liefert dir nur für zehn Minuten Energie und danach bist du total am Ende.« Cassian deutete mit dem Kinn auf die Hafergrütze. »Gieß etwas Milch dazu, um das Ganze schmackhafter zu machen.« Doch bevor sie danach fragen konnte, ergänzte er: »Keinen Zucker.«

Nesta umklammerte den Löffel. »Als Strafe?«

»Nein. Zucker spendet dir ebenfalls nur für kurze Zeit Energie. Danach folgt unweigerlich ein rapider Abbau deiner Kräfte.« Er schaufelte sich einen Löffel Rührei in den Mund. »Du musst dafür sorgen, dass deine Energiereserven den ganzen Tag lang auf einem gleichmäßig hohen Niveau bleiben. Zuckerhaltige Lebensmittel oder Weißbrot schenken dir nur einen kurzen Kraftschub. Mageres Fleisch,

Vollkornprodukte sowie Obst und Gemüse dagegen machen relativ lange satt.«

Nesta trommelte mit den Fingernägeln auf die glatte Tischplatte. Sie hatte schon mehrere Male hier gesessen, mit Mitgliedern von Rhysands Hof. Heute, da sie nur zu zweit waren, fühlte sich der Tisch fast unanständig groß an. »Hast du vor, noch über andere Bereiche meines Alltags zu bestimmen?«

Cassian zuckte die Schultern und aß ungerührt weiter. »Gib mir einfach keinen Grund, noch weitere auf die Liste zu setzen.«

Arrogantes Arschloch.

Erneut deutete Cassian auf die Speisen vor ihr. »Iss.«

Nesta schob den Löffel in die Schüssel, führte ihn aber nicht zum Mund.

»Wie du willst.« Cassian vertilgte seine Hafergrütze und widmete sich dann wieder den Rühreiern.

»Wie lange wird die heutige Lektion dauern?« Die Morgendämmerung hatte einen klaren Himmel gebracht, aber Nesta wusste, dass die illyrianischen Berge ihr eigenes Wetter hatten. Und dass dort möglicherweise schon der erste Schnee gefallen war.

»Die Lektion dauert zwei Stunden, wie ich ja bereits gestern gesagt habe. Bis zum Mittagessen.« Cassian stellte die Schüssel auf den Teller und legte das Besteck hinein. Die Teile verschwanden in der nächsten Sekunde, abgeräumt durch die Magie des Hauses. »Und erst dann gibt es wieder etwas zu essen.« Demonstrativ warf er einen Blick auf ihre Speisen.

Nesta lehnte sich auf ihrem Stuhl zurück. »Erstens: Ich werde nicht an dieser *Lektion* teilnehmen. Und zweitens: Ich hab keinen Hunger.«

Seine braunen Augen blitzten. »Dadurch, dass du nichts isst, bringst du deinen Vater nicht zurück.«

»Das hat nichts damit zu tun«, fauchte sie. »Rein gar nichts.«

Cassian stützte die Unterarme auf den Tisch. »Jetzt lassen wir mal den Schwachsinn. Glaubst du, ich hätte das, was du durchmachst, noch nicht erlebt? Hätte all das nicht längst am eigenen Leib erfahren? Und es bei denen, die ich liebe, gesehen? Du bist nicht die Erste und du wirst nicht die Letzte sein. Deinem Vater ist etwas wirklich Schreckliches widerfahren, Nesta, aber ...«

Blitzschnell sprang Nesta auf. »Du weißt *gar nichts*.« Sie konnte das Zittern, das sie – ob aus Zorn oder aus welchem Grund auch immer – erfasste, nicht verhindern. Aufgebracht ballte sie die Hände zu Fäusten. »Behalt deine beschissene Meinung für dich!«

Cassian blinzelte wegen des Kraftausdrucks und vermutlich auch wegen der heißen Wut in ihrem Gesicht. Dann fragte er: »Wer hat dir beigebracht, so zu fluchen?«

Nesta ballte die Fäuste noch stärker. »Ihr alle hier. Ihr habt die unflätigste Sprache, die ich je gehört hab.«

Belustigung spiegelte sich in Cassians Augen, aber seine Lippen blieben zu einem dünnen Strich zusammengepresst. »Ich werde meine beschissene Meinung für mich behalten, wenn du etwas isst.«

Nesta warf ihm den giftigsten Blick zu, zu dem sie fähig war.

Doch Cassian wartete nur. Unbeweglich wie der Berg, in dessen Hang das Haus der Winde gebaut war.

Nach einer Weile setzte Nesta sich wieder, nahm die Schüssel, schaufelte sich einen Löffel klumpiger Hafergrütze in den Mund und hätte fast gewürgt – so eklig schmeckte die Pampe. Aber sie zwang sich, sie hinunterzuschlucken. Dann nahm sie einen weiteren Löffel und noch einen, bis die Schüssel leer war. Anschließend zog sie den Teller mit Rühreiern zu sich heran.

Cassian verfolgte jeden einzelnen Bissen.

Als sie auch diesen Teller geleert hatte, stapelte sie klirrend Geschirr und Besteck und erwiderte unverwandt seinen Blick, während sie erneut aufstand und auf ihn zuging. Oder vielmehr auf die Tür hinter ihm.

Cassian erhob sich ebenfalls.

Nesta hätte schwören können, dass er den Atem anhielt, als sie an ihm vorbeischritt – so dicht, dass sie ihn mit dem Ellbogen hätte berühren können. »Ich freu mich schon darauf, dass du den Mund hältst«, säuselte sie zuckersüß. Dann steuerte sie auf die Tür zu, mit einem breiten Grinsen im Gesicht. Doch eine Hand an ihrem Arm hielt sie fest.

Cassians Augen funkelten. Rotes Licht strömte aus dem Trichterstein auf der Hand, die sie gepackt hielt. Ein selbstgefälliges, spöttisches Lächeln umspielte seine Lippen.

»Freut mich, dass du für diese Spielchen bereit bist, Nesta.« Seine Stimme senkte sich zu einem tiefen Grollen.

Angesichts dieser Stimme, der Herausforderung in seinen Augen und seiner schieren Nähe und Größe begann ihr Herz zu rasen. Sie konnte nichts dagegen tun, hatte nie etwas dagegen tun können. Einst hatte sie ihm allein deswegen gestattet, seine Nase an ihren Hals zu drücken und ihre Kehlgrube zu lecken. Hatte ihm gestattet, sie in der letzten Schlacht zu küssen. Obwohl es sich kaum um einen Kuss gehandelt hatte – zu mehr war er in seinem verwundeten Zustand nicht fähig gewesen. Und dennoch hatte dieser sanfte Kuss sie bis ins Mark getroffen.

Ich bereue nichts, außer dass uns keine Zeit vergönnt war. Dass ich keine Zeit mit dir verbringen durfte, Nesta. Ich werde dich finden, in der nächsten Welt. Im nächsten Leben. Und dann werden wir Zeit haben. Das verspreche ich.

Diese Momente durchlebte sie wieder und wieder – häufiger, als sie zugeben wollte. Der Druck seiner Finger, als er ihr Gesicht umfasst hatte ... wie sich sein Mund angefühlt und geschmeckt hatte ... seine blutigen, aber sanften Lippen.

Sie konnte es einfach nicht ertragen.

Cassian sah sie unverwandt an, lockerte aber den Griff um ihren Arm.

Nesta zwang sich, nicht zu schlucken. Kühlte ihr aufwallendes Blut durch schiere Willenskraft wieder auf Eiseskälte ab.

Ein weiteres Mal spiegelte sich Belustigung in seinen Augen, doch er gab sie frei. »Du hast fünf Minuten, dann brechen wir auf.«

Nesta gelang es, einen Schritt zurückzutreten. »Du bist ein Rohling.«

Er zwinkerte ihr zu. »Durch und durch.«

Ihr gelang ein weiterer Schritt. Wenn sie sich weigerte, das Haus zu verlassen, würden Cassian, Morrigan oder Rhys sie einfach nach Windhaven hinaufschleifen. Aber wenn sie es ablehnte, überhaupt irgendetwas zu tun, würden sie sie ohne Zögern irgendwo im Land der Menschen aussetzen. Diese Erkenntnis bewirkte, dass sie die Schultern straffte. »Fass mich nie wieder an.«

»Ist notiert.« Doch seine Augen blitzten noch immer.

Nesta spürte, wie ihre Finger sich wieder krümmten, und wählte ihre nächsten Worte mit Bedacht, so als wollte sie ein Messer werfen. »Wenn du glaubst, dass dieses schwachsinnige Training dazu führt, dass du in mein Bett steigen kannst, dann irrst du dich gewaltig.« Sie schwieg einen Moment und fügte dann mit einem feinen Lächeln hinzu: »Eher lass ich einen Straßenköter unter die Laken.«

»Keine Angst, das Training wird nicht dazu führen, dass ich in dein Bett steige.«

Nesta lachte leise und triumphierend und stolzierte in Richtung Treppe, als er ihr nachrief: »Es wird dazu führen, dass du in *mein* Bett steigst.«

Wütend fuhr sie herum. »Eher verrotte ich!«

Cassian schenkte ihr ein spöttisches Lächeln. »Abwarten.«

Sofort suchte sie nach weiteren scharfen, verletzenden Worten, doch sein Grinsen wurde nur noch breiter. »Jetzt bleiben dir noch drei Minuten bis zum Aufbruch.«

Nesta überlegte, ob sie den nächstbesten Gegenstand nach ihm werfen sollte – eine Vase auf einem niedrigen Podest neben der Tür. Aber es würde ihm zu große Genugtuung bereiten, wenn sie ihm auf diese Weise zeigte, wie sehr er ihr unter die Haut gegangen war. Also zuckte sie nur die Schultern und verließ den Raum. Langsam. Vollkommen unbeeindruckt von ihm und seiner großspurigen, unerträglichen Prahlerei.

Sie würde in *sein* Bett steigen – na klar doch.

Diese Lederhosen würden ihn umbringen. Ihm brutal und unerbittlich den Rest geben.

Cassian hatte nicht vergessen, welchen Anblick Nesta während des Kriegs in der illyrianischen Lederkluft geboten hatte – ganz im Gegenteil. Aber im Vergleich zu seinen Erinnerungen ... Gütige Mutter im Himmel!

Als sie an ihm vorbeigeschritten war – mit kerzengeradem Rücken und ohne die geringste Eile, wie eine High Lady, die über ihren Haushalt wachte –, hatten ihm die Worte gefehlt. Cassian wusste, dass er sie diese Runde hatte gewinnen lassen. Dass er in dem Moment die Oberhand verloren hatte, als sie die Schulter gezuckt und ihren Weg in den Korridor fortgesetzt hatte, nicht ahnend, welchen Anblick sie bot. Und welche Wirkung dieser Anblick auf ihn hatte: Er hatte an nichts mehr denken können als an seine primitivsten Urtriebe.

Um sich wieder zu beruhigen, hatte er die vollen drei Minuten benötigt, die Nesta im Untergeschoss verbracht hatte. Die Große Mutter allein wusste, dass er sich heute schon mit zahlreichen Dingen beschäftigen musste – nicht nur mit Nestas Training, sondern auch mit allen anderen Problemen. Da konnte er keinen Gedanken daran verschwenden, ihr die Hosen vom Leib zu schälen und jeden Zentimeter dieses umwerfenden Hinterns zu bewundern. Er durfte sich keine derartigen Ablenkungen leisten. Aus einer Million Gründen.

Aber verdammt – wann hatte er zum letzten Mal eine befriedigende Nummer geschoben? Definitiv nicht mehr seit dem Krieg. Vielleicht lag es noch länger zurück ... als Feyre sie von Amaranthas Herrschaft befreit hatte. Beim Kessel, das letzte Mal war im Monat vor Amaranthas Untergang gewesen, oder? Mit dieser Fae, die er bei Rita kennengelernt hatte. In einer Gasse neben der Schenke. Gegen eine Ziegelsteinmauer gepresst. Schnell und schmutzig und nach wenigen Minuten vorbei, da weder die Fae noch er an irgendetwas anderem interessiert waren als an schneller Befriedigung.

Das lag jetzt über zwei Jahre zurück. Seitdem hatte er ausschließlich seine Hand benutzt. Er hätte sich um dieses Bedürfnis kümmern sollen, bevor er das Zusammenleben mit Nesta unter einem Dach für eine gute Idee hielt. Sie war verletzt und haltlos. Da konnte sie es definitiv nicht gebrauchen, dass er ihr hinterherhechelte. Ihren Arm wie ein Tier packte, unfähig, sich von ihr fernzuhalten. Sie wollte nichts mit ihm zu tun haben. Das hatte sie bei der letzten Wintersonnenwende deutlich gesagt.

Ich dachte, ich hätte unmissverständlich klargemacht, was ich von dir will.

Absolut gar nichts.

Ihre Worte hatten etwas Wesentliches in ihm zerstört – den letzten Widerstand, die letzte Hoffnung, dass all das, was sie im Krieg durchgemacht hatten, möglicherweise zu etwas Positivem führen würde. Die Hoffnung, dass sie sich auch für ihn entschieden hatte, als er ihr während seiner letzten Atemzüge seine Liebe gestanden und sie ihn mit ihrem Körper geschützt und sich zum Sterben neben ihn gelegt hatte.

Eine dämliche Hoffnung. Er hätte es besser wissen müssen. Also hatte er in der Nacht der Wintersonnenwende – als er begriff, dass sie nur bei der Feier erschienen war, um das von Feyre versprochene Geld zu kassieren, und nichts mit ihm zu tun haben wollte – das über Monate liebevoll ausgesuchte Geschenk in den überfrorenen Sidra geworfen und sich anschließend auf die aufflammenden Unruhen unter den Illyrianern konzentriert. Und sich in den darauffolgenden neun Monaten von ihr ferngehalten. In jener eisigen Nacht hätte er fast den Fehler gemacht, ihr zu erlauben, ihm das Herz aus der Brust zu reißen. Aber das würde ihm nicht wieder passieren. Nur über seine Leiche.

Endlich tauchte Nesta auf, die Zöpfe wie eine geflochtene Tiara um den Kopf gelegt. Er zwang sich, keinen Blick auf den Bereich unterhalb ihres Halses zu werfen. Auf den zur Schau gestellten Körper. Sie musste das verlorene Gewicht dringend zurückgewinnen und ein paar Muskeln aufbauen, aber ... diese verdammte Lederkluft.

»Gehen wir«, sagte er mit rauer, kalter Stimme – dem Kessel sei Dank.

Im nächsten Moment landete Mor auf der Veranda jenseits der

Terrassentüren, als wäre der Sturz aus fast zehn Metern Höhe kein Problem. Vermutlich machte es ihr tatsächlich nichts aus, dachte Cassian.

Mor hüpfte von einem Fuß auf den anderen, rieb sich die Arme, biss die Zähne zusammen und warf ihm einen düsteren Blick zu, als wollte sie sagen: *Hierfür bist du mir verdammt viel schuldig, Arschloch.*

Nesta zog eine finstere Miene, streifte aber ihren Mantel über – jede Bewegung anmutig und ohne Eile – und ging schließlich zu Mor. Cassian würde sie beide auf die andere Seite der Schutzschilde fliegen, worauf Morrigan den Wind teilen und sie nach Windhaven transportieren konnte.

Wo er irgendwie einen Weg finden musste, Nesta zum Trainieren zu bringen.

Aber glücklicherweise wusste Nesta, dass sie heute wenigstens ein Minimum an gutem Willen zeigen musste – was bedeutete, dass sie den Ausflug nach Windhaven über sich ergehen ließ. Sie hatte sich schon immer auf diese Form emotionaler, mentaler Kriegsführung verstanden. Nesta hätte einen hervorragenden General abgegeben. Was möglicherweise eines Tages auch noch geschehen würde.

Cassian war sich jedoch nicht sicher, ob es eine gute Idee wäre, Nesta in diese Art Waffe zu verwandeln. Bevor man sie gegen ihren Willen zu einer High Fae gemacht hatte, hatte sie mit dem Finger auf den König von Hybern gezeigt und ihm den Tod prophezeit. Monate später hatte sie seinen abgeschlagenen Kopf wie eine Trophäe in die Höhe gehalten und ihm in die toten Augen gestarrt. Und wenn der Knochenschnitzer die Wahrheit gesagt hatte: dass man sie nach dem Auftauchen aus dem Kessel fürchten müsse … Verdammt.

Cassian machte sich nicht die Mühe, seinen Mantel überzustreifen, als er die Terrassentüren aufriss, die frische, kühle Herbstluft einatmete und auf Mors weit ausgebreitete Arme zuging.

Obwohl die Berge rund um Windhaven noch nicht eisverkrustet oder schneebedeckt waren, schlug Nesta direkt nach der Ankunft eine bittere Kälte entgegen. Morrigan zwinkerte Cassian kurz zu und schenkte Nesta einen warnenden Blick, bevor sie wieder verschwand.

Nesta schaute sich um. Zu ihrer Rechten erhoben sich mehrere kleine Steinhütten und dahinter entdeckte sie ein paar neu errichtete Wohnbauten aus frisch geschlagenem Holz. Das Heerlager hatte sich in ein Dorf verwandelt. Doch unmittelbar vor ihr lagen die Kampfplätze – direkt an der flachen Bergkuppe, bis zum Rand mit Waffen, Gewichten und Trainingsequipment ausgestattet. Nesta hatte keine Ahnung, worum genau es sich bei den zahlreichen Waffen handelte. Sie konnte nur die wichtigsten benennen: Schwerter, Dolche, Pfeil und Bogen, Schilde, Speere und eine brutal wirkende Stachelkugel an einer Kette ...

Auf der anderen Seite des Dorfs sah man schwelende Feuergruben. Dichte Rauchwolken trieben zu den Pferchen mit Vieh: Schafe, Schweine und Ziegen. Alle zottelig, aber gut genährt. Und natürlich liefen jede Menge Illyrianer herum. Ein paar Frauen kümmerten sich um dampfende Töpfe und Pfannen über den Feuergruben – und hielten inne, als Cassian und Nesta auftauchten. Das Gleiche galt für die Dutzende von Kriegern in den Kampfringen. Niemand schenkte ihnen ein Lächeln.

Ein breitschultriger, untersetzter Mann, der Nesta bekannt vorkam, steuerte auf sie zu, flankiert von mehreren jüngeren Männern. Sie hatten die Schwingen fest angelegt, vermutlich um als Einheit marschieren zu können. Doch als sie vor Cassian stehen blieben, spreizten sie sie leicht.

Cassians Schwingen befanden sich in ihrer »lässigen« Haltung, wie Nesta es nannte: nicht weit gespreizt, aber auch nicht eng angelegt. Eine Haltung, die eine perfekte Mischung aus Lässigkeit, Arroganz, Kampfbereitschaft und Macht ausstrahlte.

Der Mann mit dem vertrauten Gesicht heftete den Blick auf sie. »Was hat *die* hier verloren?«

Nesta schenkte ihm ein geheimnisvolles Lächeln. »Hexerei.«

Sie hätte schwören können, dass Cassian leise fluchte, bevor er erwiderte: »Ich darf dich daran erinnern, Devlon, dass Nesta Archeron die Schwester unserer High Lady ist und ihr deshalb Respekt gebührt.« In seinen Worten schwang so viel Schärfe mit, dass selbst Nesta einen Blick auf Cassians steinerne Miene warf. Diesen unnachgiebigen Tonfall hatte sie seit dem Krieg nicht mehr gehört. »Sie wird hier trainieren«, fügte er hinzu.

Nesta wünschte sich nichts mehr, als ihn über den nächsten Felsrand zu stoßen.

Devlon zog ein saures Gesicht. »Alle Waffen, die sie anfasst, müssen anschließend vergraben werden. Werft sie auf einen Stapel.«

Nesta blinzelte.

Doch Cassian blähte die Nasenflügel. »Kommt nicht infrage.«

Devlon schnupperte an ihr, worauf seine Kumpane hämisch feixten. »Blutest du, Hexe? Falls ja, ist es dir nicht gestattet, auch nur eine einzige Waffe anzufassen.«

Nesta zwang sich, einen Moment innezuhalten. Und darüber nachzudenken, wie sie diesen Mistkerl ein paar Nummern kleiner machen konnte.

»Das ist ein veralteter Aberglaube«, entgegnete Cassian mit bemerkenswert fester Stimme. »Sie kann die Waffen anfassen, ob sie nun ihren Zyklus hat oder nicht.«

»Mag sein, aber die Waffen werden trotzdem vergraben«, sagte Devlon.

Einen Moment herrschte Stille.

Nesta registrierte, dass sich Cassians Miene verfinsterte, während er Devlon von oben herab betrachtete. Doch dann fragte er abrupt: »Wie machen sich die neuen Rekruten?«

Devlon öffnete den Mund und schloss ihn wieder. Seine Augen blitzten wütend, weil Cassian ihm die Auseinandersetzung verweigert hatte. »Gut«, fauchte er und wandte sich ab, dicht gefolgt von seinen Soldaten.

Cassian presste die Lippen zu einem dünnen Strich zusammen, und Nesta wappnete sich, genoss die Aussicht darauf, dass er Devlon jetzt fertigmachen würde.

Doch er knurrte nur »Komm mit!« und marschierte in Richtung eines leeren Trainingsplatzes.

Als Devlon wütend über die Schulter in Nestas Richtung starrte, warf sie ihm einen kühlen Blick zu und folgte dann Cassian. Allerdings konnte sie spüren, dass der Illyrianer seine glühenden Augen auf ihren Rücken geheftet hatte.

Cassian steuerte nicht auf eines der zahlreichen Waffengestelle im Trainingsbereich zu, sondern ging schnurstracks weiter, bis zum letzten Trainingsplatz, stemmte die Hände in die Hüften und wartete auf sie.

Aber sie würde einen Teufel tun und sich zu ihm gesellen. Sie entdeckte einen verwitterten Felsbrocken in der Nähe der Waffengestelle, der vom harschen Klima glatt geschliffen war, oder von unzähligen Kriegern, die sich darauf niedergelassen hatten – so wie Nesta jetzt. Die eisige Kälte des Gesteins biss ihr durch die dicke Lederkluft in die Haut.

»Was machst du da?« Cassians attraktives Gesicht war zu einem fast raubtierartigen Ausdruck verzogen.

Nesta legte die Fußknöchel übereinander und arrangierte ihren Mantel wie die Schleppe eines langen Gewands. »Ich hab's dir ja gesagt: Ich werde nicht trainieren.«

»Steh auf.« Nie zuvor hatte er sie derart herumkommandiert.

Steh auf, hatte sie an jenem Tag vor dem König von Hybern geschluchzt. *Steh auf.*

Nesta starrte ihm in die Augen. Zwang sich selbst zu einer distanzierten, unbewegten Miene. »Ich nehme offiziell am Training teil, Cassian, aber du kannst mich nicht zwingen, auch nur einen Finger zu rühren.« Sie deutete auf den matschigen Boden. »Von mir aus kannst du mich durch den Dreck schleifen, aber das ändert gar nichts.«

Die Blicke der Illyrianer hagelten wie Steine auf sie herab. Cassian nahm eine drohende Haltung ein. Gut. Sollte er doch mit eigenen Augen sehen, was für eine Vergeudung, was für ein Jammerlappen sie geworden war.

»Steh *verdammt noch mal* auf«, knurrte er leise.

Devlon und seine Truppe waren zurückgekehrt, angezogen von ihrem Streit, und sammelten sich am Rand des Kampfplatzes. Aber Cassians braune Augen blieben unbeirrt auf Nesta geheftet.

Und darin flackerte eine stumme Bitte.

Steh auf, flüsterte eine dünne Stimme in Nestas Kopf. *Demütige ihn nicht auf diese Weise. Gib diesen Arschlöchern nicht die Genugtuung, dabei zuzusehen, wie du ihn zum Narren hältst.*

Aber ihr Körper weigerte sich. Sie hatte ihren Standpunkt klargemacht und jetzt einfach nachzugeben ... ihm oder sonst irgendjemandem ...

Ein angewiderter Ausdruck zeichnete sich auf seinem Gesicht ab. Enttäuschung. Wut.

Gut. Auch wenn tief in ihrem Inneren etwas zerbrach, konnte sie die Erleichterung nicht unterdrücken.

Cassian wandte sich von ihr ab, zog das Schwert aus der Lederscheide auf seinem Rücken und begann dann mit seinem morgendlichen Training. Ohne sie noch eines Wortes oder Blickes zu würdigen.

Sollte er sie doch hassen. Das war ohnehin besser so.

6

Sämtliche Schritte und Bewegungsabläufe, die Cassian vollführte, wirkten anmutig, tödlich und präzise. Nesta musste sich zwingen, ihn nicht mit offenem Mund anzustarren.

Sie war noch nie in der Lage gewesen, den Blick von ihm abzuwenden. Vom Moment ihrer ersten Begegnung an hatte sie ein ausgeprägtes Bewusstsein für seine Gegenwart entwickelt – egal wo. Und so sehr sie sich auch bemüht hatte: Es war ihr nicht gelungen, dieses Gefühl abzustellen oder auszublenden.

Geh!, hatte er sie angefleht, als er im Sterben lag.

Ich kann nicht, hatte sie schluchzend geantwortet. *Ich kann nicht.*

Sie hatte keine Ahnung, wohin die Nesta von damals verschwunden war. Es gelang ihr einfach nicht, sie wiederzufinden.

Und auch jetzt, als sie auf diesem Felsblock saß und zu den wogenden Kiefern am Berghang starrte, beobachtete sie Cassian aus dem Augenwinkel, nahm seine anmutigen Bewegungen wahr, seinen schnellen, gleichmäßigen Atem und sein geschmeidiges, vom Wind zerzaustes Haar.

»Eifrig bei der Arbeit, wie ich sehe.«

Morrigans Stimme lenkte Nestas Blick von den Bergen und dem Krieger ab, der so sehr Teil von ihnen zu sein schien. Die atemberaubend schöne High Fae trat neben sie, die braunen Augen bewundernd auf Cassian gerichtet. Von Devlon und seinen Anhängern fehlte jede Spur, als wären sie vor langer Zeit verschwunden. Waren wirklich erst zwei Stunden vergangen? »Er ist attraktiv, nicht wahr?«, bemerkte Mor sanft.

Nestas Rücken versteifte sich, als sie die Wärme in ihrer Stimme erkannte. »Das weiß er auch.«

Aber in Morrigans Augen spiegelte sich nicht die geringste Belustigung, als sie ihren Blick auf Nesta richtete. »Warum bist du nicht da draußen?«

»Ich mache eine Pause.«

Morrigan musterte Nestas Gesicht und sie registrierte, dass es weder verschwitzt noch gerötet war und sich kaum Haare aus dem Zopfkranz gelöst hatten. »Weißt du, ich hätte dafür gestimmt, dich ohne Umwege ins Land der Menschen zu verfrachten.«

»Und ob ich das weiß.« Nesta weigerte sich, aufzustehen und die Herausforderung anzunehmen. »Wie gut, dass es auch Vorteile hat, Feyres Schwester zu sein.«

Morrigan verzog den Mund. Hinter ihr hatte Cassian sein Training beendet. Dunkles Feuer schwelte in ihren Augen. »Ich habe einst viele Leute wie dich gekannt.« Ihre Hand wanderte zu ihrem Bauch. »Du verdienst den Vertrauensvorschuss nicht, den gute Männer wie er dir geben.«

Nesta war sich dessen nur allzu bewusst. Und sie wusste genau, welche Art von Leuten Morrigan meinte: die Mitglieder des Hofs der Albträume in der Höhlenstadt. Feyre hatte ihr zwar nicht die ganze Geschichte erzählt, aber Nesta kannte die wichtigsten Einzelheiten: die Ungeheuer, die Morrigan gefoltert und brutal misshandelt hatten, bis sie schließlich den Wölfen vorgeworfen wurde.

Nesta lehnte sich zurück und stützte sich auf ihre Hände, spürte den kalten Stein durch die Handschuhe. Sie öffnete den Mund, um etwas zu sagen, aber Cassian war zu ihnen getreten, außer Atem und schweißglänzend. »Du bist früh dran.«

»Ich wollte mal schauen, wie es so läuft.« Morrigan wandte ihren glühenden Blick von Nesta ab. »Sieht nach einem langsamen Trainingsbeginn aus.«

»Das kann man wohl sagen«, meinte Cassian und fuhr sich mit den Fingern durch die Haare.

Nesta biss die Zähne so fest zusammen, dass es wehtat.

Dann streckte Morrigan ihm eine Hand entgegen und schließlich Nesta die andere, ohne sie jedoch anzusehen. »Wollen wir?«

Morrigan war eine selbstgerechte Wichtigtuerin. Der Gedanke wütete in Nestas Kopf, als sie in der unterirdischen Bibliothek im Haus der Winde stand. Eine eitle, selbstgerechte Wichtigtuerin.

Nach ihrer Rückkehr hatte Cassian kein Wort mehr mit ihr gewechselt. Aber sie hatte auch nicht abgewartet, ob er ihr vorschlagen würde, gemeinsam zu Mittag zu essen. Stattdessen war sie direkt in ihr Zimmer gegangen und hatte ein heißes Bad genommen, um ihre durchgefrorenen Knochen zu wärmen.

Als sie aus dem Bad kam, hatte jemand einen Zettel unter ihrer Tür hindurchgeschoben. In markanten Buchstaben war darauf zu lesen, sie solle um eins in der Bibliothek erscheinen. Keine Drohungen, kein Versprechen, dass man sie ins Land der Menschen schicken würde. Als wäre es ihm egal, ob sie gehorchte oder nicht.

Tja, es war ihr zumindest gelungen, ihn schneller zu brechen, als sie erwartet hatte.

Also hatte sie sich in die Bibliothek aufgemacht, aber nicht, weil sie seinen oder Rhysands Befehlen folgen wollte, sondern weil die Alternative – in ihrem Zimmer zu hocken, wo nur das Tosen in ihrem Kopf die Stille erfüllte – nicht minder unerträglich war.

Das letzte Mal war sie vor über einem Jahr hier unten gewesen. An jenem schrecklichen Tag, an dem Hyberns Attentäter eingedrungen waren und Feyre und sie bis in das dunkle Herz der Bibliothek verfolgt hatten. Jetzt blieb sie auf dem Treppenabsatz stehen und blickte über den Rand der Steinbrüstung in die dunkle Tiefe hinab. Zwar schlummerte keine uralte Kreatur mehr in dieser Dunkelheit, aber sie wirkte noch immer beklemmend. Und tief auf ihrem Grund lag der Ort, an dem Cassian gelandet war und die Arme nach ihr ausgestreckt hatte. Nackte Wut hatte in seinem Gesicht gestanden, als er gesehen hatte, wie verängstigt und entsetzt sie gewesen war …

Sie schob den Gedanken beiseite, drängte das Zittern zurück, das sie durchfuhr, und konzentrierte sich auf die Gestalt hinter dem Schreibtisch, die fast völlig hinter hohen Bücherstapeln verschwand. Die Hände der Frau waren völlig zertrümmert. Es ließ sich nicht beschönigen: Die Knochen waren verdreht und geschwollen, die Finger schief und abstehend ... Feyre hatte ihr einmal erzählt, die Priesterinnen in dieser Bibliothek hätten in ihrem Leben – gelinde gesagt – einiges durchstehen müssen.

Nesta wollte lieber nicht wissen, was man Clotho, der Hohepriesterin der Bibliothek, alles angetan hatte. Die Zunge herausgeschnitten und dann absichtlich so geheilt, dass der Schaden nie wieder rückgängig gemacht werden konnte. Männer hatten sie gequält und ...

Hände drückten sie nach unten, tief hinein in das eiskalte Wasser – lachende, höhnische Stimmen.

Ein brutales männliches Gesicht, das in Erwartung der Trophäe grinste, die gleich aus dem Wasser gezogen werden würde ...

Sie konnte es nicht verhindern. Konnte Elain nicht retten, die schluchzend auf dem Boden hockte. Konnte auch sich selbst nicht retten. Niemand kam zu ihrer Rettung, und diese Männer würden tun, was sie wollten. Ihr Körper gehörte nicht länger ihr, würde nicht mehr lange menschlich sein ...

Nesta zwang sich, ihre Gedanken wieder auf die Gegenwart zu richten und die Erinnerung zu verdrängen.

Clotho saß reglos da, das Gesicht unter einer hellen Kapuze verdeckt, als hätte sie die Gedanken in Nestas Kopf gelesen und wüsste, wie oft die Erinnerung an diesen Tag in Hybern sie aus dem Schlaf riss. Der himmelblaue Stein im Stirnreif über der Kapuze flimmerte wie ein Trichterstein im dämmrigen Licht, als sie ein Stück Pergament über den Tisch schob.

Du kannst heute damit anfangen, die Bücher im dritten Geschoss einzuräumen. Du erreichst es über die Rampe hinter mir. Dort findest du einen Wagen mit Büchern, die alphabetisch nach Autoren einsortiert werden müssen. Wenn kein Autor angegeben ist, leg das Buch zur Seite und bitte kurz vor Feierabend jemanden um Hilfe.

Nesta nickte. »Wann ist denn Feierabend?«

Mithilfe ihrer Handgelenke und Handrücken zog Clotho eine kleine Uhr zu sich heran. Und zeigte mit einem wulstigen Fingerknöchel auf sechs Uhr.

Fünf Stunden Arbeit. Das konnte sie schaffen. »Gut.«
Clotho betrachtete sie erneut. Als könnte sie die aufgepeitschte See in ihr erkennen, die sie keine Sekunde in Ruhe lassen und ihr keinen Moment Frieden gönnen wollte.
Nesta senkte den Blick und zwang sich, langsam auszuatmen. Doch während die Luft durch ihre geöffneten Lippen entwich, drang gleichzeitig wieder diese vertraute Schwere ein.
Ich bin wertlos, ich bin nichts ... Beinahe hätte sie es laut gesagt. Sie wusste nicht, warum diese Worte in ihr aufstiegen. *Ich hasse alles an mir. Und ich bin so unendlich müde. Ich bin es leid, überall sein zu wollen, nur nicht in meinem eigenen Kopf.*
Sie wartete auf ein Zeichen von Clotho, auf irgendetwas, das ihr zeigte, dass sie ihre Gedanken gehört hatte. Doch die Priesterin deutete nur auf die Geschosse der Bibliothek über und unter ihnen. Eine stumme Aufforderung, sich an die Arbeit zu machen.
Mit schweren Schritten ging Nesta zur Rampe.

Ihre Aufgabe war nicht besonders schwierig, erforderte aber genügend Konzentration, um die Zeit schnell vergehen zu lassen und ihren Geist zu entspannen.

Niemand näherte sich ihr, während sie durch die Regalreihen ging, mit dem Finger über Buchrücken fuhr und nach dem richtigen Platz suchte. Mindestens drei Dutzend Priesterinnen arbeiteten, forschten und heilten hier unten – obwohl es fast unmöglich war, sie zu zählen, da sie alle die gleichen hellen Roben trugen und die meisten ihr Gesicht unter der Kapuze verborgen hielten. Diejenigen unter ihnen, die ihre Kapuze nicht hochgezogen hatten, schenkten ihr ein zaghaftes Lächeln.

Die Bibliothek war ihr Heiligtum, das Rhysand ihnen errichtet hatte. Ohne ihre Erlaubnis kam niemand hier hinein. Was bedeutete, dass sie mit ihrer Anwesenheit einverstanden waren – aus welchem Grund auch immer.

Als das silberhelle Läuten einer Glocke sechsmal durch die weitläufigen Regalreihen hallte, vom obersten Geschoss bis hinunter in die schwarze Grube, fühlten sich Nestas Finger vom Staub wie ausgetrocknet an. Einige der Priesterinnen erhoben sich von ihren Plätzen an den Schreibtischen, andere blieben auf ihren Stühlen sitzen.

Nesta fand Clotho an dem Schreibtisch vor, an dem sie bereits mittags gesessen hatte. Nahm sie jemals ihre Kapuze ab? Vermutlich zum Baden. Aber bekam irgendjemand jemals ihr Gesicht zu sehen?

»Ich bin für heute fertig«, verkündete Nesta.

Clotho schob wieder einen Zettel über den Schreibtisch.

Danke für deine Hilfe. Wir sehen dich dann morgen.

»In Ordnung.« Nesta steckte den Zettel ein.

Aber Clotho hob eine entstellte Hand. Staunend sah Nesta zu, wie plötzlich ein Füllfederhalter über einem Blatt Papier schwebte und dann zu schreiben begann.

Zieh etwas an, das staubig werden darf. Du wirst dir sonst dieses schöne Gewand ruinieren.

Nesta betrachtete das graue Gewand, das sie übergestreift hatte.

»In Ordnung«, sagte sie erneut.

Ein weiteres Mal bewegte sich der Füller, der irgendwie mit Clothos Gedanken verbunden zu sein schien. *Es ist schön, dich kennenzulernen, Nesta. Feyre spricht voller Lob von dir.*

Nesta wandte sich ab. »Niemand kann Lügner leiden, Priesterin.«

Sie hätte schwören können, ein leises, amüsiertes Schnauben unter der Kapuze zu hören.

Cassian erschien nicht zum Abendessen.

Nesta hatte sich in ihrem Zimmer nur rasch den Staub von Händen und Gesicht gewaschen und war dann mit knurrendem Magen förmlich nach oben gesprintet. Doch das Esszimmer war leer – auf dem Tisch lag nur ein Gedeck. Sie würde wohl allein essen müssen.

Nachdenklich betrachtete sie den Sonnenuntergang, die von goldenem Licht überflutete Stadt in der Tiefe. Im Raum herrschte völlige Stille, nur durchbrochen vom Rascheln ihres Gewands und dem Knarren ihres Stuhls.

Warum überraschte sie Cassians Abwesenheit? Schließlich hatte sie ihn in Windhaven gedemütigt. Wahrscheinlich saß er mit seinen Freunden im Flusshaus und ließ sich lauthals darüber aus, dass sie einen anderen Weg finden mussten, um mit ihr fertigzuwerden.

Ein Teller mit Essen erschien vor ihr und landete lieblos auf dem Tisch. Sogar das Haus hasste sie.

Nesta zog eine finstere Miene. »Wein.«

Nichts passierte. Dann hielt sie ihr Glas demonstrativ in die Höhe. »*Wein.*«

Noch immer nichts. Sie trommelte mit den Fingernägeln auf die Tischplatte. »Hat man dir gesagt, du sollst mir *keinen* Wein geben?«

Jetzt redete sie schon mit einem Haus! Ein neuer Tiefpunkt.

Scheinbar als Antwort auf ihre Frage füllte sich das Glas mit Wasser.

»Sehr lustig«, zischte Nesta in Richtung des Rundbogens in ihrem Rücken.

Mürrisch betrachtete sie die Speisen: ein halbes, mit Rosmarin und Thymian gewürztes Brathuhn, Kartoffelpüree mit reichlich Butter und grüne Bohnen mit Knoblauch.

Diese Stille. Sie toste in ihrem Kopf, im ganzen Raum.

Wieder trommelte sie mit den Fingern auf den Tisch.

Lächerlich. Diese ganze Geschichte, diese selbstherrliche Einmischung in ihr Leben, einfach *lächerlich*.

Nesta stand auf und ging in Richtung Ausgang. »Behalte deinen Wein. Ich hol mir selbst welchen.«

7

Da die Magie der Mauer den Zugang zum Land der Menschen nicht mehr verhinderte, teilte Mor den Wind und brachte Cassian sofort nach Sonnenuntergang zu dem Gut, das für Jurian, Vassa und offenbar auch für Lucien zu einem Zuhause und zum Hauptquartier geworden war. Selbst über ein Jahr nach dem Krieg waren die Verwüstungen auf dem Anwesen noch deutlich sichtbar: gefällte Bäume, karge Felder, auf denen noch immer nichts wuchs, und eine trostlose, eintönige Weite, die das graue Steinhaus wie einen zufälligen Überlebenden erscheinen ließ. Im Schein des Mondes wirkte diese Öde noch leerer, die Baumstümpfe schimmerten silbern und die Schatten in der pockennarbigen Landschaft schienen unendlich tief.

Cassian wusste nicht, wem das Haus einst gehört hatte, und seine neuen Bewohner offenbar auch nicht. Feyre hatte ihm erzählt, sie würden sich selbst die »Schar der Verbannten« nennen. Cassian schnaubte, als er sich daran erinnerte. Als Mor ihn vor der hölzernen Rundbogentür abgesetzt hatte, grinste sie auf eine Art und Weise, die ihm verriet, dass sie ihm auch dann nicht helfen würde, wenn er sie regelrecht anflehte. Danach war sie verschwunden. Nein, Mor wollte sehen, wie er den Höfling gab – genau, wie Rhys es von ihm verlangt hatte.

Er hatte eigentlich nicht vorgehabt, schon heute mit seiner Mission zu beginnen, aber nach dem katastrophalen Trainingsversuch mit Nesta hatte er den Drang verspürt, etwas zu tun. Irgendetwas.

Nesta hatte genau gewusst, welchen Mist sie da abzog, als sie sich weigerte, von dem Felsblock aufzustehen. Welchen Eindruck ihr Verhalten auf Devlon und die anderen gaffenden Arschlöcher machen würde. Sie hatte es gewusst und es trotzdem getan. Daher hatte er Nesta nur am Haus des Windes abgesetzt und war sofort zu einer verlassenen Klippe am Meer geflogen, wo das Tosen der Brandung die Gluthitze in seinen Adern gemildert hatte. Und anschließend war er im Flusshaus gewesen, um sein Versagen einzugestehen. Aber Feyre hatte nur gekocht vor Wut über Nestas Verhalten und Rhys hatte ihm einen amüsierten Blick zugeworfen.

Amren hatte schließlich gesagt: *Soll sie sich ihr eigenes Grab schaufeln, Junge. Dann reichst du ihr eine helfende Hand.*

Ich dachte, genau darum hätte sich das gesamte letzte Jahr gedreht, hatte er entgegnet.

Lass die Hand ausgestreckt. Mehr hatte Amren nicht gesagt.

Kurz darauf hatte er Mor aufgesucht und ihr erklärt, dass sie ihn hierherbringen müsse. Und jetzt stand er mit erhobener Faust vor der Holztür, die sich öffnete, noch bevor er anklopfen konnte.

Luciens vernarbtes, attraktives Gesicht erschien, das sirrende Goldauge auf ihn gerichtet. »Ich hatte doch so ein Gefühl, dass noch jemand kommt.«

Als Cassian das Haus betrat, knarrten die Holzdielen unter seinen Stiefeln. »Bist du gerade erst eingetroffen?«

»Nein«, antwortete Lucien, und Cassian registrierte die Anspannung seiner Schultern unter der dunkelgrauen Jacke, die drückende Stille, die jeder Stein des Hauses ausstrahlte. Er prägte sich den Grundriss ein, für den Fall, dass er sich den Weg zu einem Ausgang erkämpfen musste. Was angesichts des Unmuts, den Lucien ausstrahlte, als er auf einen Torbogen zu ihrer Linken zuging, gar nicht so abwegig erschien.

»Eris ist hier«, sagte Lucien, ohne sich umzudrehen.

Cassian ließ sich nichts anmerken. Er griff nicht nach dem Messer an seinem Oberschenkel, obwohl er nur mit Mühe die Erinnerung an Mors zerschundenes Gesicht unterdrücken konnte. Die Erinnerung an die Nachricht, die an ihren Bauch genagelt gewesen war, ihren nackten Körper, den man wie Unrat an der Grenze des Herbsthofs abgeladen hatte. Das verdammte Schwein hatte sie dort gefunden und *zurückgelassen.* Sie war an der Schwelle des Todes gewesen und ... Das, was Cassian eines Tages mit ihm vorhatte, ging weit über die Schmerzen hinaus, die man jemandem mit einem Messer zufügen konnte. Eris' Qualen würden Wochen andauern. Monate. Jahre.

Daran änderte auch die Tatsache nichts, dass Eris Keir überredet hatte, seinen Besuch in Velaris zu verschieben, offenbar aus einem letzten Rest von Güte, der noch in ihm steckte. Es kümmerte Cassian auch nicht, dass Rhys etwas in Eris gesehen hatte, das ihm vertrauenswürdig erschien. All das war ihm vollkommen egal. Er richtete seine Aufmerksamkeit auf den rothaarigen Mann, der in dem überraschend extravaganten Wohnzimmer am prasselnden Kaminfeuer saß. Er wusste genug über ihn, um ihn als Feind einzustufen und sorgfältig im Auge zu behalten.

Eris saß lässig in einem goldenen Sessel, die Beine übereinandergeschlagen, sein blasses Gesicht das Inbild höfischer Arroganz.

Cassian ballte die Hände zur Faust. Bei jeder Begegnung mit diesem Scheißkerl in den vergangenen fünf Jahrhunderten hatte er gegen die blinde Wut ankämpfen müssen, die ihn bei seinem bloßen Anblick packte.

Eris wusste das ganz genau. »Cassian«, sagte er und lächelte.

Luciens Goldauge blinzelte klickend. Es las Cassians Wut, während ihn sein noch intaktes rotbraunes Auge warnend anblitzte.

Der High Fae war zusammen mit Eris aufgewachsen. Er hatte mit der Grausamkeit von Eris und Beron fertigwerden müssen und damit, dass seine Geliebte von seinem eigenen Vater abgeschlachtet worden war. Aber Lucien hatte gelernt, einen kühlen Kopf zu bewahren.

Okay. Rhys hatte Cassian gebeten, diesen Auftrag zu übernehmen. Also sollte er wie Rhys denken, wie Mor ... und die Wut beiseiteschieben. Cassian gab sich einen Augenblick und registrierte vage, dass Vassa etwas sagte. Er hatte die beiden Menschen im Raum zwar bemerkt, dann aber fast vergessen: den braunhaarigen Krieger Jurian und die rothaarige junge Königin.

Wenn Rhys und Mor hier wären ... Sie würden in Eris' Gegenwart kein Wort verlieren. Würden so tun, als handelte es sich um einen reinen Freundschaftsbesuch, weil sie sich nach der Situation im Land der Menschen erkundigen wollten. Selbst wenn Eris höchstwahrscheinlich ihr Verbündeter war.

Nein, Eris *war* ihr Verbündeter. Rhys hatte mit ihm verhandelt, mit ihm gearbeitet. Eris hatte seinen Teil der Vereinbarungen zu jeder Zeit eingehalten. Rhys vertraute ihm. Genau wie Mor, trotz allem, was passiert war. Irgendwie. Also sollte Cassian ihm vermutlich auch vertrauen.

Ihm schwirrte der Kopf. Es gab so vieles zu berücksichtigen. Auf dem Schlachtfeld gelang ihm das, aber diese Psychospiele und Lügengeflechte ... Warum nur hatte Rhys ihn darum gebeten? Im Umgang mit den Illyrianern war er direkt gewesen, hatte ihnen die Hölle beschrieben, die sie bei einer Rebellion erwartete, und war zur Stelle gewesen, sobald sie Hilfe brauchten. Aber das ließ sich nicht im Geringsten mit dem hier vergleichen.

Cassian blinzelte und registrierte, was Vassa gesagt hatte: *General Cassian. Welche Freude.*

Er verneigte sich flüchtig vor der Königin. »Eure Majestät.«

Jurian hüstelte, und Cassian schaute zu dem menschlichen Krieger hinüber. Einstmals menschlich? Teilweise menschlich? Er wusste es nicht. Jurian war von Amarantha zerstückelt worden, sein Bewusstsein irgendwie in seinem Auge eingesperrt, das sie in einen Ring eingefasst und fünfhundert Jahre getragen hatte. Bis Hybern seine verbliebenen Knochen dazu benutzt hatte, seinen Körper wiederherzustellen und dieses Wesen in die Gestalt zurückzuversetzen, die auf den Schlachtfeldern des längst vergangenen Kriegs einst Armeen angeführt hatte. Wer war Jurian jetzt? *Was* war er?

Von seinem Platz auf einem albern rosafarbenen Sofa an der hinteren Wand des Zimmers meinte Jurian: »Es steigt ihr nur zu Kopf, wenn du sie so nennst.«

Vassa richtete sich auf. Ihre kobaltblaue Jacke bildete einen scharfen Kontrast zu ihrem rotgoldenen Haar. Von den drei Rotschöpfen in diesem Raum gefiel Cassian ihre Färbung am besten: der goldene Ton ihrer Haut, die großen, schrägen, blauen Augen, eingerahmt von dunklen Wimpern und Augenbrauen, und das seidige rote Haar, das sie inzwischen schulterlang trug.

»Ich *bin* eine Königin«, teilte Vassa Jurian mit.

Eine Königin bei Nacht und ein Feuervogel bei Tag, von den anderen sterblichen Königinnen an einen Zauberer-Lord verkauft. Er hatte sie verzaubert und dazu verdammt, sich jeden Tag im Morgengrauen in einen Vogel aus Feuer und Asche zu verwandeln. Cassian hatte mit seinem Besuch bis zum Sonnenuntergang gewartet, um sie in ihrer menschlichen Gestalt anzutreffen. Es war wichtig, dass sie sprechen konnte.

Jurian legte einen Fußknöchel aufs Knie. Seine schlammigen Stiefel wirkten stumpf im Licht des Feuers. »Nach meiner letzten Information gehört dir dein Königreich nicht mehr. Bist du überhaupt noch eine Königin?«

Vassa verdrehte die Augen und sah dann Lucien an, der sich neben Jurian aufs Sofa setzte. Als hätten die Fae-Männer ähnliche Streitigkeiten schon einmal geklärt. Aber Luciens Aufmerksamkeit galt Cassian. »Bist du mit Neuigkeiten gekommen oder mit Befehlen?«

Cassian, der sich Eris' Gegenwart nur allzu bewusst war, hielt seinen Blick auf Lucien geheftet. »Als unserem Botschafter erteilen wir dir Befehle.« Er deutete mit dem Kinn auf Jurian und Vassa. »Aber wenn du in Gesellschaft deiner Freunde bist, machen wir nur Vorschläge.«

Eris schnaubte. Cassian ignorierte ihn und wandte sich wieder Lucien zu. »Wie läuft es am Frühlingshof?«

Eines musste er Lucien lassen: Der Mann verstand es, mühelos zwischen seinen drei Rollen zu wechseln – Botschafter des Hofs der Nacht, Verbündeter von Jurian und Vassa sowie Kontaktperson zu Tamlin – und sich trotzdem makellos zu kleiden.

Luciens Gesicht verriet nichts darüber, wie es Tamlin und seinem Hof ging. »Gut.«

Cassian wusste nicht, warum er erwartet hatte, Neuigkeiten über den High Lord des Frühlingshofs zu erfahren. Diese teilte Lucien nur Rhys mit – unter vier Augen.

Erneut schnaubte Eris belustigt über Cassians hilflose Gesprächsversuche, bis Cassian schließlich nicht mehr anders konnte und sich an ihn wandte. »Was machst du hier?«

Eris blieb völlig gelassen. »Vor ein paar Tagen sind mehrere Dutzend meiner Soldaten zu einer Patrouille in meinen Gebieten aufgebrochen und seitdem nicht mehr gesehen worden. Aber wir haben keinerlei Hinweise auf Kämpfe gefunden, und selbst meine Jagdhunde konnten sie über ihren letzten bekannten Standort hinaus nicht aufspüren.«

Cassian runzelte die Stirn. Er wusste, dass er sich nichts anmerken lassen sollte, aber ... Diese Hunde waren die besten in ganz Prythian und besaßen ihre eigene Magie. Grau und geschmeidig wie Rauch, schnell wie der Wind, konnten sie jede Beute erschnüffeln. Sie waren so begehrt, dass der Herbsthof verboten hatte, sie über seine Grenzen hinaus zu verschenken oder zu verkaufen, und so teuer, dass nur Adlige sie sich leisten konnten. Und da immer nur wenige gezüchtet wurden, war es extrem schwierig, auch nur einen in die Hände zu bekommen. Aber Eris besaß gleich zwölf, soweit Cassian wusste.

»Ist keiner der Soldaten in der Lage, den Wind zu teilen?«, hakte Cassian nach.

»Nein. Die Einheit zählt zwar zu meinen kampferprobtesten, aber keiner der Soldaten tut sich in Sachen Magie oder Zucht hervor.«

Das Wort *Zucht* wurde Cassian mit einem Grinsen entgegengeschleudert. Arschloch.

»Eris ist hier, weil er wissen wollte, ob ich vielleicht eine Erklärung dafür habe, warum es zwischen seinen Soldaten und den Menschen möglicherweise zu Auseinandersetzungen gekommen ist«, sagte Vassa. »Seine Hunde haben seltsame Gerüche am Tatort gefunden, also dort, wo die Soldaten verschleppt wurden. Die Gerüche schienen menschlich zu sein, waren aber irgendwie ... merkwürdig.«

Cassian musterte Eris mit hochgezogener Augenbraue. »Du glaubst also, eine Gruppe von Menschen könnte deine Soldaten töten? Dann können sie so kampferprobt ja wohl nicht sein.«

»Kommt auf den Typ Mensch an«, warf Jurian finster ein. Vassas Miene zeigte keine Regung.

Cassian verzog das Gesicht. »Entschuldige. Ich ... Es tut mir leid.« Ganz der Höfling.

Doch Eris zuckte nur die Schulter. »Ich glaube, dass viele Parteien ein Interesse daran haben, einen weiteren Krieg anzuzetteln – und das hier könnte der Auslöser sein. Aber vielleicht steckt ja dein Hof dahinter. Ich würde es Rhysand zutrauen, dass er den Wind teilt, meine Soldaten verschwinden lässt und dann eine mysteriöse Fährte legt, um uns abzuschütteln.«

Cassian schenkte ihm ein boshaftes Grinsen. »Wir sind Verbündete, erinnerst du dich?«

Eris grinste auf die gleiche Weise zurück. »Aber immer.«

Doch Cassian konnte sich nicht länger zurückhalten. »Vielleicht hast du deine Soldaten ja selbst verschwinden lassen – falls sie überhaupt verschwunden sind – und erfindest das Ganze nur aus dem gleichen schwachsinnigen Grund, den du gerade vorgebracht hast.«

Eris lachte leise, doch bevor er etwas erwidern konnte, mischte Jurian sich ein. »Zwischen den Menschen ist es euretwegen zu Spannungen gekommen. Aber soweit wir wissen und von Lord Graysens Truppen erfahren haben, halten sich die Menschen an die alten Demarkationslinien und haben kein Interesse daran, Ärger zu machen.«

Die Worte *Noch nicht* hingen unausgesprochen im Raum.

Würde er mit der Frage nach den sterblichen Königinnen verraten, dass Rhys sich für sie interessierte? Das Gespräch hatte sich in diese Richtung entwickelt, also konnte er sie beiläufig erwähnen, ohne preiszugeben, dass sie der eigentliche Grund seines Besuchs waren ... Verdammt, ihm schwirrte der Kopf. »Was ist mit deinen ... deinen Schwestern?«, fragte er Vassa. »Könnten sie etwas damit zu tun haben?«

Sofort heftete Eris seinen Blick auf ihn und Cassian unterdrückte einen Fluch. Vielleicht hatte er doch zu viel verraten. Er wünschte, Mor wäre hier. Selbst wenn das bedeutete, dass sie mit Eris in einem Raum sein musste ... Nein, diese Qual würde er ihr ersparen.

Vassas himmelblaue Augen verdüsterten sich. »Wir wollten tatsächlich gerade darüber sprechen«, teilte sie Cassian mit. »Du hast die gleichen Gerüchte gehört wie wir. Sie regen sich wieder jenseits des Meeres und sind scheinbar bereit, uns Ärger zu machen.«

»Die eigentliche Frage ist doch, ob sie wirklich so dumm sind«, meinte Jurian.

»Sie sind alles andere als dumm«, widersprach Lucien und schüttelte den Kopf. »Aber einen menschlichen Geruch am Tatort zu hinterlassen, ist ein so offensichtlicher Hinweis, dass es kaum eine von ihnen gewesen sein dürfte.«

»Jede noch so kleine ihrer Handlungen ist wohlbedacht.« Vassa sah zu der Fensterfront mit Blick auf das zerstörte Land. »Obwohl ich nicht weiß, warum sie deine Soldaten gefangen nehmen sollten«, sagte sie zu Eris, der jedes Wort sorgfältig abzuwägen schien. »Auf dem Kontinent leben genügend andere Fae. Warum also sollten sie sich die Mühe machen, das Meer zu überqueren und eure zu verschleppen? Warum nicht die des Frühlingshofs? Tamlin würde zum jetzigen Zeitpunkt sowieso nicht merken, wenn jemand fehlt.«

Lucien zuckte zusammen, und Cassian runzelte die Stirn, obwohl er bei der Vorstellung, dass das Arschloch litt, normalerweise schadenfroh gegrinst hätte. Wenn tatsächlich ein Krieg bevorstand, dann brauchten sie Tamlin und seine Truppen. Sie mussten kampfbereit sein. Rhys hatte Tamlin regelmäßige Besuche abgestattet, um sicherzugehen, dass er nicht nur auf ihrer Seite war, sondern auch die nötigen Führungsqualitäten besaß.

Wie Rhys es geschafft hatte, den High Lord des Frühlingshofs nicht umzubringen, war Cassian allerdings noch immer ein Rätsel. Aber genau aus diesem Grund war Rhys High Lord und Cassian seine Klinge.

Sollte er jemals den Namen des menschlichen Mistkerls erfahren, der sich an Nesta vergriffen hatte, würde er ihm gnadenlos nachsetzen. Er hatte noch immer ein Gespräch im Hinterkopf, das er vor vielen Jahren mit Nesta geführt hatte, als sie noch Mensch war. Als sie sich bei seiner Berührung versteifte, hatte er gewusst – die Angst an ihr gerochen, in ihren Augen gesehen und *gewusst* –, dass ein Mann sie verletzt oder es zumindest versucht hatte. Sie hatte ihm nie Genaueres erzählt, aber ihre Weigerung, den Namen dieses Mannes zu verraten, war Bestätigung genug gewesen. Er hatte oft darüber nachgedacht, wie er ihn töten würde, wenn Nesta ihm ihr Einverständnis signalisierte. Ihm die Haut abzuziehen, wäre ein guter Anfang.

Seine Freunde würden verstehen, was ihn dazu trieb, so weit zu gehen. Ein geschleiftes illyrianisches Lager war alles, was übrig geblieben war, als er sich zum ersten und einzigen Mal zu einer solchen Wut hatte hinreißen lassen. Und jetzt hatte Rhys ihn dazu bestimmt, den Höfling zu spielen. Die Klinge beiseitezulegen und stattdessen Worte zu benutzen. Was für eine Farce.

»Ich nehme an, dadurch sollen Spannungen und Misstrauen unter uns gesät werden, um unseren Zusammenhalt zu schwächen«, sagte Eris und richtete sich auf.

»Hybern wäre so vorgegangen«, pflichtete Jurian ihm bei. »Er könnte ihnen das ein oder andere beigebracht haben.« Bevor Nesta ihn enthauptet hatte.

»Die Königinnen brauchen keine Nachhilfe«, wandte Vassa ein. »Sie beherrschen die Kunst des Verrats bereits sehr gut, bevor sie jemals mit Hybern in Verbindung traten. Und sie sind schon mit größeren Monstern als ihm fertiggeworden.«

Cassian hätte schwören können, Flammen in ihren blauen Augen aufblitzen zu sehen.

Jurian und Lucien starrten sie an – der eine mit völlig undurchdringlicher Mine, der andere eher gequält. Cassian unterdrückte seine Überraschung. Er hätte vor seiner Ankunft jemanden fragen sollen, wie viel Zeit Vassa blieb, bis sie gezwungen war, zum Kontinent zurückzukehren. Zu diesem Zauberer-Lord an einem entlegenen See, der über ihr Schicksal bestimmte und ihr nur vorübergehend erlaubt hatte, sich zu entfernen – im Rahmen einer Vereinbarung, die Feyres Vater getroffen hatte.

Feyres Vater ... und Nestas Vater. Cassian verdrängte die Erinnerung an den Moment, als man ihm das Genick gebrochen hatte. An

Nestas Gesicht in dem Augenblick. Und dann beschloss er, alle Vorsicht in den Wind zu schießen, und fragte: »Welche der Königinnen würde etwas so Kühnes tun?«

Vassas goldenes Gesicht blickte ernst. »Briallyn.«

Die einst junge, einst menschliche Königin, die der Kessel in eine High Fae verwandelt hatte. Aber in seinem Zorn über das, was auch immer Nesta ihm genommen hatte, hatte der Kessel Briallyn bestraft. Ja, er hatte sie zu einer Unsterblichen gemacht – aber zu einer verhutzelten Alten. Dazu verdammt, auf Jahrtausende hin alt zu sein. Briallyn hatte aus ihrem Hass auf Nesta und ihrem Verlangen nach Rache kein Geheimnis gemacht. Sollte sie etwas gegen Nesta unternehmen, würde er die Königin eigenhändig töten.

Cassian versuchte, das brüllende Tier in seinem Kopf zu überwinden, das bereits jeden Muskel seines Körpers straffte und bald nur noch mit blutiger Gewalt besänftigt werden könnte.

»Ganz ruhig«, sagte Lucien.

Cassian knurrte.

»*Ruhig*«, wiederholte Lucien, und sein rotbraunes Auge leuchtete flammend auf.

Die Flamme, die überraschende Dominanz darin, traf Cassian wie ein Stein am Kopf und riss ihn aus seinem Verlangen, gnadenlos alles zu töten, was eine Bedrohung für …

Die anderen starrten ihn an. Cassian rollte die verkrampften Schultern zurück und spreizte seine Schwingen. Er hatte zu viel preisgegeben, ihnen allen wie ein dummer Junge zu viel von sich gezeigt.

»Setz deinen Schattensänger darauf an, Briallyn aufzuspüren«, befahl Jurian mit ernster Miene. »Wenn sie eine Truppeneinheit von Fae-Soldaten gefangen genommen hat, müssen wir erfahren, wie ihr das gelungen ist. Und zwar schnell.« Aus seinen Worten sprach der General, der Jurian einst gewesen war.

Cassian wandte sich an Vassa: »Glaubst du wirklich, Briallyn würde so etwas tun? So etwas Offensichtliches? Möglicherweise will uns nur jemand dazu bringen, sie zu verfolgen.«

»Wie soll sie überhaupt so schnell hierhergekommen und wieder verschwunden sein?«, wunderte sich Lucien. »Eine Ozeanüberquerung dauert Wochen. Dazu müsste sie den Wind teilen können.«

»Diese Königinnen *können* den Wind teilen«, sagte Jurian. »Wie etwa im Krieg, schon vergessen?«

»Aber nur, wenn mehrere von uns zusammen sind«, stellte Vassa klar. »Und es handelt sich nicht um das Teilen des Windes, wie bei den Fae, sondern um eine andere Kraft. Die in etwa der gleicht, mit der die sieben High Lords ihre Kräfte vereinen können, um Wunder zu wirken.«

Verdammt.

»Ich weiß aus sicherer Quelle, dass sich die anderen drei Königinnen in alle Winde zerstreut haben«, behauptete Eris. Cassian speicherte die Information ab – und die Frage, die sie aufwarf: Woher wusste Eris das? »Briallyn lebt seit Wochen allein im Palast der Königinnen. Auch schon, bevor meine Soldaten verschwanden.«

»Dann kann sie also doch nicht den Wind teilen«, folgerte Cassian. »Und noch einmal: Wäre sie wirklich so dumm, so etwas zu tun, obwohl die anderen Königinnen fort sind?«

Vassa zog eine finstere Miene. »Ja. Dass sie nicht mehr da waren, war ein Hindernis weniger bei der Verwirklichung ihrer Ziele. Aber sie würde so etwas nur tun, wenn jemand mit immenser Macht hinter ihr steht. Jemand, der sie vermutlich wie eine Marionette dirigiert.«

Selbst das Feuer schien leiser zu knistern.

Luciens Auge klickte. »Wer?«

»Du fragst dich, wer in der Lage wäre, eine Truppeneinheit von Fae-Soldaten auf der anderen Seite des Meeres verschwinden zu lassen? Wer Briallyn die Macht verleihen könnte, den Wind zu teilen – oder wer es für sie übernehmen würde? Wer ihr helfen und ihr den Mut verleihen könnte, so etwas zu tun? Dann denk mal an Koschei.«

Cassian erstarrte, als sich die Erinnerungen zusammenfügten wie bei einem von Amrens Puzzlespielen. »Der Zauberer, der dich eingesperrt hat, heißt Koschei? Meinst du den ... den Bruder des Knochenschnitzers?« Alle Anwesenden starrten ihn erstaunt an. »Der

Knochenschnitzer hat mir gegenüber mal einen Bruder erwähnt, einen echten Unsterblichen und Todesgott. Der hieß Koschei.«

»Ja«, bestätigte Vassa leise. »Koschei ist – war – der ältere Bruder des Knochenschnitzers.«

Lucien und Jurian sahen sie überrascht an. Aber Vassas Blick blieb auf Cassian gerichtet – ein Blick voller Furcht und Hass, als wäre es ihr zuwider, den Namen des Mannes auszusprechen.

»Koschei ist kein gewöhnlicher Zauberer«, fuhr sie mit heiserer Stimme fort. »Er ist wegen eines uralten Zaubers an den See gebunden. Weil er einst überlistet wurde. Er tut alles, um freizukommen.«

»Warum wurde er eingesperrt?«, fragte Cassian.

»Die Geschichte ist zu lang, um sie jetzt zu erzählen«, antwortete sie ausweichend. »Aber es genügt zu wissen, dass Briallyn und die anderen mich an ihn verkauft haben. Er brachte sie mit Worten dazu, die er an ihren Höfen verbreitete und in die Winde flüsterte.«

»Er ist noch immer dort«, sagte Lucien vorsichtig. Lucien war dort gewesen, wie Cassian sich erinnerte. War mit Nestas Vater zu diesem See gereist, an dem Vassa gefangen gehalten worden war.

»Ja«, sagte Vassa, und aus ihren Augen sprach Erleichterung. »Aber Koschei ist so alt wie das Meer – älter.«

»Manche behaupten, er sei der Tod in Person«, murmelte Eris.

»Das weiß ich nicht, aber man nennt ihn Koschei den Ewigen, denn ihn erwartet kein Tod. Er ist wahrhaftig unsterblich. Und er weiß über alles Bescheid, was Briallyn uns gegenüber einen Vorteil verschaffen könnte.«

»Und du glaubst, Koschei würde all dies nicht aus Mitleid mit den sterblichen Königinnen tun, sondern nur, um sich selbst zu befreien?«, hakte Cassian nach.

»Gewiss.« Vassa blickte auf ihre Hände und bewegte die Finger. »Ich fürchte mich davor, was passiert, wenn er sich jemals von dem See befreien sollte. Wenn er sieht, dass diese Welt an der Schwelle einer Katastrophe steht, und erkennt, dass er sich zu ihrem Herrscher aufschwingen könnte, falls er nur hart genug zuschlägt. Wie er es vor langer Zeit schon einmal versucht hat.«

»Das sind Legenden aus der Zeit vor unseren Höfen«, wandte Eris ein.

Vassa nickte. »Das ist alles, was ich während meiner Zeit als seine Sklavin erfahren habe.«

Lucien starrte aus dem Fenster – als könnte er den See über einen Ozean und einen Kontinent hinweg wahrnehmen. Als würde er sein Ziel anvisieren.

Aber Cassian hatte genug gehört. Er wartete nicht darauf, dass die anderen sich von ihm verabschiedeten, sondern hastete durch die Tür und zur Eingangshalle. Er hatte gerade einmal zwei Schritte ins Freie gemacht und die frische Nachtluft eingeatmet, als er Eris' Stimme hinter sich hörte.

»Du gibst einen furchtbaren Höfling ab.«

Cassian drehte sich um und sah, wie Eris die Eingangstür zuzog und sich dagegenlehnte. Sein Gesicht wirkte im Mondlicht blass und versteinert.

»Was weißt du?«, fragte Eris.

»Genauso wenig wie du«, antwortete Cassian wahrheitsgemäß – eine Wahrheit, von der er hoffte, dass Eris sie für eine Täuschung hielt.

Eris prüfte schnuppernd die Nachtluft und lächelte dann. »Sie hatte keine Lust, hereinzukommen und kurz Hallo zu sagen?«

Cassian hatte keine Ahnung, wie er Mors noch in der Luft hängenden Duft wahrnehmen konnte. Vielleicht hatten Eris und seine Rauchhunde mehr gemein als gedacht. »Sie wusste nicht, dass du hier bist.«

Eine Lüge. Mor hatte Eris' Anwesenheit vermutlich gespürt. Cassian würde ihr die Qual ersparen, hierher zurückkommen zu müssen, und sich stattdessen von Rhys abholen lassen. Er würde ein paar Stunden nach Norden fliegen – bis er in Rhys' Machtbereich war – und ihm dann einen Gedanken senden.

Eris' langes rotes Haar wehte im Wind. »Was auch immer du tust und untersuchst, ich will dabei sein.«

»Warum? Und die Antwort lautet: Nein.«

»Weil ich den Vorteil brauche, den Briallyn durch das besitzt, was Koschei ihr gesagt oder gezeigt hat.«

»Um deinen Vater zu stürzen.«

»Weil mein Vater Briallyn bereits seine Truppen versprochen hat ... ihr und dem Krieg, den sie anzetteln will.«

»Was?« Cassian starrte ihn an.

Eris musterte ihn mit belustigter Miene. »Ich wollte Vassa und Jurian deshalb auf den Zahn fühlen.« Seltsamerweise erwähnte er seinen Bruder nicht. »Aber offenbar wissen sie nicht viel darüber.«

»Erklär mir verdammt noch mal, was du damit meinst, dass Beron seine Truppen Briallyn *versprochen* hat.«

»Genau das, was ich gesagt habe. Er hat Wind von ihren Absichten bekommen und sie vor ein paar Monaten in ihrem Palast aufgesucht. Ich bin hiergeblieben, habe aber meine besten Soldaten mitgeschickt.« Cassian verzichtete darauf, eine höhnische Bemerkung darüber zu machen, dass Eris seinen Vater nicht begleitet hatte – besonders als ihm die Bedeutung der letzten Worte dämmerte.

»Das waren nicht zufälligerweise dieselben Soldaten, die verschwunden sind, oder?«

Eris nickte ernst. »Sie sind mit meinem Vater zurückgekehrt, waren danach aber irgendwie ... anders. Distanziert und merkwürdig. Kurz darauf sind sie verschwunden – und meine Hunde haben bestätigt, dass die Gerüche vor Ort die gleichen sind wie die auf den Geschenken, die Briallyn geschickt hat, um sich bei meinem Vater einzuschmeicheln.«

»Du hast die ganze Zeit gewusst, dass sie dahintersteckt?« Cassian deutete auf das Haus und die drei anderen darin.

»Hast du etwa gedacht, ich würde all diese Informationen einfach so ausplaudern? Vassa musste mir bestätigen, dass Briallyn zu so etwas in der Lage ist.«

»Warum sollte sich Briallyn mit deinem Vater verbünden, nur um deine Soldaten zu entführen?«

»Genau das würde ich gern herausfinden.«

»Was sagt Beron dazu?«

»Er hat keine Ahnung. Du weißt, wie ich zu meinem Vater stehe. Und diese unheilige Allianz, die er mit Briallyn eingegangen ist, wird uns nur schaden. Uns *allen*. Das Ganze wird sich zu einem Fae-Krieg um die Herrschaft entwickeln. Also will ich selbst Antworten finden, statt mich mit dem zufriedenzugeben, was mein Vater mir verkaufen will.«

Cassian taxierte den Fae ernst. »Also gehen wir gegen deinen Vater vor.«

Eris schnaubte. »Ich bin der Einzige, dem mein Vater von seiner neuen Gefolgschaft erzählt hat. Wenn der Hof der Nacht etwas unternimmt, wird mich das entlarven.«

»Du machst dir also mehr Sorgen über das, was Briallyns Bündnis mit Beron für dich bedeuten könnte, als um den Rest von uns.«

»Ich will nur den Herbsthof gegen seine schlimmsten Feinde verteidigen.«

»Warum sollte ich dich dabei unterstützen?«

»Weil wir tatsächlich Verbündete sind.« Eris' Lächeln bekam etwas Wölfisches. »Und weil ich mir nicht vorstellen kann, dass dein High Lord es gern sehen würde, wenn ich andere Territorien um Hilfe gegen Briallyn und Koschei bitte. Wenn ich sie daran erinnere, dass die Allianz mit Briallyn ganz einfach durch die Herausgabe einer gewissen Archeron-Schwester gesichert werden könnte. Glaub ja nicht, mein Vater hätte nicht auch schon daran gedacht.«

Cassian sah rot vor Zorn. Diese Schwäche hatte er schon zuvor gezeigt. Hatte Eris sehen lassen, wie viel Nesta ihm bedeutete und was er alles tun würde, um sie zu beschützen.

Idiot, verfluchte er sich. *Dummer, nutzloser Idiot.*

»Ich könnte dich hier und jetzt umbringen und mir damit alle Sorgen vom Hals schaffen«, sinnierte Cassian. Er hatte es genossen, den High Fae in jener Nacht auf dem Eis mit Feyre und Lucien windelweich zu prügeln. Und er hatte ohnehin schon Jahrhunderte darauf gewartet, ihn zu töten.

»Dann würde es ganz sicher zu einem Krieg kommen. Mein Vater würde direkt zu Briallyn gehen – und zu Koschei, nehme ich an –

und sich dann an die anderen unzufriedenen Territorien wenden. Ihr würdet sprichwörtlich von der Landkarte verschwinden, da der Hof der Nacht zwischen den anderen Territorien aufgeteilt wird, wenn Rhysand und Feyre sterben, ohne einen Erben zu hinterlassen.«

Cassian biss die Zähne zusammen. »Dann bist du also mein Verbündeter, ob ich will oder nicht?«

»Endlich versteht der Rohling.« Cassian ignorierte den Spott. »Ganz richtig. Ich will alles wissen, was du weißt. Ich werde dir von allem berichten, was mein Vater mit Blick auf Briallyn unternimmt. Also schick deinen Schattensänger aus. Und wenn er zurückkehrt, komm zu mir«, forderte Eris.

Cassian starrte ihn mit gerunzelter Stirn an. Ein höhnisches Lächeln umspielte Eris' Mundwinkel, und bevor er den Wind teilte, um wie ein Geist in die Nacht zu verschwinden, fügte er hinzu: »Bleib dabei, Schlachten zu schlagen, General, und überlass das Herrschen denen, die wissen, wie man das Spiel spielt.«

8

Nesta machte sich erst gar nicht die Mühe, zum Weinkeller oder in die Küche zu gehen, da sie mit Sicherheit abgeschlossen waren. Aber sie wusste, wo sich die Treppe befand, und dass zumindest diese eine Tür nicht verschlossen sein würde.

Noch immer wütend riss sie die schwere Eichentür auf und spähte die steilen, engen Stufen der Wendeltreppe hinunter. Jede Stufe dreißig Zentimeter hoch.

Insgesamt zehntausend. Und immer im Kreis. Nur hin und wieder bot ein Fensterschlitz ein wenig frische Luft und das flüchtige Gefühl von Fortschritt.

Zehntausend Stufen zwischen ihr und der Stadt – und dann mindestens eine halbe Meile vom Fuß des Bergs zur nächsten Schenke, wo sie seliges Vergessen erwartete.

Zehntausend Stufen.

Sie war kein Mensch mehr. Dieser High-Fae-Körper konnte das schaffen. Sie konnte das schaffen.

Sie schaffte es nicht.

Zuerst traf sie der Schwindel. Im Kreis, immer weiter im Kreis, die Augen nach unten gerichtet, um einen Sturz zu vermeiden, der ihr sämtliche Knochen brechen würde. In ihrem Kopf drehte sich alles.

Ihr leerer Magen rebellierte.

Aber sie konzentrierte sich und zählte jede einzelne Stufe. *Siebzig. Einundsiebzig. Zweiundsiebzig.*

Wenn sie an einem der schmalen Fenster vorbeikam und hindurchschaute, schien die Stadt dort unten kaum näher gerückt zu sein. Ihre Beine begannen zu zittern, und ihre Knie hatten Mühe, sie aufrecht zu halten, mussten nach jeder steilen Stufe das Gleichgewicht suchen. Nur das Geräusch ihres eigenen Atems und ihrer tastenden Schritte erfüllte den engen Treppenschacht. Vor sich sah sie nur den endlosen, perfekten Bogen der Mauer, immer gleich und nur durchbrochen von den viel zu wenigen Fenstern.

Im Kreis, immer weiter im Kreis ...
Sechsundachtzig. Siebenundachtzig ...
Hinab, immer weiter hinab ...
Einhundert.
Sie blieb stehen. Kein Fenster in Sicht, die Mauer kam näher, die Stufen bewegten sich ... Nesta lehnte die Stirn an die rote, kühlende Steinwand und atmete tief durch.

Noch neuntausendneunhundert Stufen.

Vorsichtig stützte sie sich mit der Hand an der Wand ab und setzte ihren Weg nach unten fort.

Erneut schwirrte ihr der Kopf und ihre Beine begannen zu zittern.

Sie schaffte weitere elf Stufen, bevor ihre Knie so plötzlich nachgaben, dass sie fast ausgerutscht wäre. In letzter Sekunde konnte sie sich noch mit der Hand an der unebenen Mauer festhalten.

Die Treppe drehte sich, alles drehte sich, und irgendwann konnte sie nicht anders, als die Augen zu schließen.

Ihr stoßweiser Atem prallte von den Steinwänden ab. Und in der Stille war sie dem, was ihr Geist ihr zuflüsterte, schutzlos ausgeliefert. Sie konnte die letzten Worte ihres Vaters nicht ausblenden.

Ich habe dich vom ersten Augenblick an geliebt, als ich dich in den Armen gehalten habe.

Bitte, hatte sie den König von Hybern angefleht. *Bitte.*

Er hatte ihrem Vater trotzdem das Genick gebrochen.

Nesta biss die Zähne zusammen, holte keuchend Luft. Dann öffnete sie die Augen und streckte ein Bein aus, um eine weitere Stufe zu überwinden. Aber ihre Beine zitterten so stark, dass sie sich nicht weitertraute.

Als sie schließlich umkehrte, gestattete sie sich nicht, darüber nachzudenken oder wütend zu werden. Sie wollte die Niederlage nicht spüren. Ihre Beine protestierten, aber sie zwang sie die Stufen hinauf.

Und wieder im Kreis, immer weiter im Kreis.

Immer weiter hinauf, einhundertelf Stufen.

Auf den letzten dreißig Stufen kroch sie fast auf allen vieren. Sie bekam kaum noch Luft. Ihr Mieder war durchgeschwitzt und die Haare klebten an ihrem feuchten Nacken. Verdammt, welche Vorteile hatte das Dasein als High Fae denn, wenn sie nicht mal das hier schaffte? Die spitzen Ohren gefielen ihr inzwischen. Der unregelmäßige Zyklus, von dem Feyre ihr gesagt hatte, er sei schmerzhaft, hatte sich sogar als ein Segen erwiesen. Denn Nesta war froh, sich deswegen nur zweimal im Jahr Sorgen machen zu müssen. Aber wozu sollte all das gut sein, wenn sie diese Treppe nicht überwinden konnte?

Sie konzentrierte sich auf ihre Füße, statt auf die gewundene Wand und das Schwindelgefühl, das sie erzeugte.

Dieses verhasste Haus. Dieser schreckliche Ort.

Sie schnaufte, als endlich die Eichentür über ihr zu sehen war. Ihre Finger gruben sich so fest in die Steinstufen, dass die Kuppen schmerzten. Die letzten Stufen musste sie sich auf dem Bauch hinaufziehen. Dann hatte sie endlich den Gang erreicht.

Und dort landete sie mit dem Gesicht voran vor Cassian, der grinsend an der Wand lehnte.

Cassian hatte etwas Abstand gebraucht, bevor er ihr wieder gegenübertreten konnte.

Nach seiner Rückkehr hatte er Rhys und die anderen sofort auf den neuesten Stand gebracht. Seine Informationen waren mit mürrischen, finsteren Mienen aufgenommen worden. Azriel hatte vorgeschlagen, Briallyn auszukundschaften, während Amren überlegte, welche Kräfte und Ressourcen die Königin und Koschei wohl besitzen mochten, wenn sie Eris' Soldaten tatsächlich so leicht gefangen nehmen konnten.

Und dann hatte Rhys Cassian einen neuen Auftrag vor die Füße geknallt: Behalte Eris im Auge. *Abgesehen davon, dass er auf dich zugekommen ist, bist du mein General. Eris befehligt Berons Trup-*

pen. *Bleib mit ihm in Verbindung.* Cassian hatte widersprechen wollen, aber als Rhys einen vielsagenden Blick auf Azriel warf, musste Cassian nachgeben. Az hatte schon zu viel um die Ohren. Cassian konnte mit diesem Dreckskerl Eris auch allein fertigwerden.

Eris will einen Krieg vermeiden, der ihn bloßstellen würde, hatte Feyre vermutet. *Wenn Beron sich auf Briallyns Seite stellt, wäre Eris gezwungen, sich zwischen seinem Vater und Prythian zu entscheiden. Das zerbrechliche Gleichgewicht, das er hergestellt hat, würde bröckeln. Er will handeln, wenn es in seine Pläne passt. Und das eine bedroht das andere.*

Aber niemand hatte sagen können, was die größere Bedrohung für *sie* darstellte: Briallyn und Koschei oder Berons Bereitschaft, sich mit ihnen zu verbünden. Während der Hof der Nacht versucht hatte, für einen dauerhaften Frieden zu sorgen, hatte der Mistkerl sich nach Kräften bemüht, einen weiteren Krieg anzuzetteln.

Nach einem ungewöhnlich stillen Abendessen war Cassian wieder hinauf zum Haus geflogen. Die Eichentür zu den Stufen hatte offen gestanden und er hatte noch Nestas Duft wahrnehmen können.

Also hatte er gewartet und die Minuten gezählt.

Es hatte sich gelohnt.

Der Anblick, wie sie sich mit schweißüberströmtem Gesicht keuchend die letzten Stufen hinaufschleppte, hatte einen ansonsten beschissenen Tag wieder wettgemacht.

Nesta lag noch immer ausgestreckt auf dem Boden, als sie zischte: »Wer auch immer diese Treppe entworfen hat, war ein Monster.«

»Kannst du dir vorstellen, dass Rhys, Az und ich sie als Kinder zur Strafe hinauf- und hinuntersteigen mussten?«

Ihre Augen blitzten gereizt auf – gut. Besser als die eiskalte Leere. »Warum?«

»Weil wir jung und dumm waren und die Grenzen eines High Lords testen wollten, der kein Verständnis für Streiche und Nacktheit in der Öffentlichkeit hatte.« Cassian deutete mit dem Kinn Richtung Treppe. »Auf dem Weg nach unten wurde mir so schwindlig, dass ich Az auf den Kopf gekotzt habe. Daraufhin hat er Rhys bekotzt und Rhys hat sich selbst vollgekotzt. Das Ganze hat sich im Hochsommer abgespielt, und als wir uns wieder auf den Weg nach oben machten, war die Hitze unerträglich. Wir stanken erbärmlich, und der Gestank der Kotze auf den Stufen war inzwischen so unbeschreiblich, dass wir uns erneut übergeben mussten, als wir darüberstiegen.«

Er hätte schwören können, dass ihre Mundwinkel kurz nach oben zuckten.

Bei der Erinnerung an diesen Tag musste er selbst grinsen, auch wenn seine Brüder und er anschließend wieder hinuntergemusst hatten, um alles aufzuwischen.

»Wie viele Stufen hast du geschafft?«

»Einhundertelf.« Nesta blieb weiter liegen.

»Erbärmlich.«

Sie presste ihre Finger auf den Boden, aber ihr Körper rührte sich nicht. »Dieses bescheuerte Haus wollte mir keinen Wein einschenken.«

»Ich hab mir schon gedacht, dass das der einzige Grund ist, der dich dazu bringen würde, zehntausend Stufen zu riskieren.«

Wieder presste sie ihre Finger auf den Steinboden.

Cassian schenkte ihr ein schiefes Lächeln. »Du kannst wohl nicht aufstehen.«

Nesta drückte die Arme durch, aber sie knickten ihr weg. »Flieg doch gegen einen Felsen.«

Cassian stieß sich von der Wand ab. Er war mit drei Schritten bei ihr, griff ihr unter die Arme und zog sie hoch. Doch Nesta starrte ihn grimmig an. Und wurde noch wütender, als sie schwankte und er sie festhalten musste, damit sie das Gleichgewicht bewahrte.

»Ich wusste ja, dass du nicht in Form bist«, sagte er und trat einen Schritt zurück, als klar war, dass sie nicht umfallen würde. »Aber nur einhundert Stufen? Wirklich?«

»Zweihundert, wenn man die nach oben mitzählt«, knurrte sie.

»Trotzdem erbärmlich.«

Sie bog den Rücken durch und reckte das Kinn.

Lass deine Hand ausgestreckt.
Cassian zuckte die Schultern und wandte sich in Richtung Treppe, die zu seinen Räumen führte. »Wenn du es satthast, schwach wie ein wimmerndes Kätzchen zu sein, dann komm zum Training.« Er warf einen Blick über die Schulter. Nesta keuchte noch immer, das Gesicht rot vor Wut. »Und nimm daran teil.«

Nesta saß am Frühstückstisch, dankbar, dass sie ihr Zimmer kurz nach Sonnenaufgang verlassen und sich auf den Weg hinauf zum Esszimmer gemacht hatte. Für den sie dank ihrer steifen, pochenden Beine doppelt so lange gebraucht hatte wie sonst.

Als sie aus dem Bett gekrochen war, hatte sie die Zähne zusammenbeißen müssen und einen Schwall von Flüchen ausgestoßen. Danach war alles nur noch schlimmer geworden: sich hinunterbeugen, die Beine in die Hose schieben, der Gang ins Bad, sogar das Öffnen der Tür. Es gab keine Stelle an ihren Beinen, die nicht wehtat. Also hatte sie ihr Zimmer schon früh verlassen, um Cassian nicht die Genugtuung zu schenken, sie mit schmerzverzerrtem Gesicht ins Esszimmer humpeln zu sehen.

Das Problem war natürlich, dass sie sich nicht ganz sicher war, ob sie stehen konnte.

Deshalb hatte sie sich mit ihrem Frühstück reichlich Zeit gelassen. Sie würgte gerade ihre Hafergrütze hinunter, als Cassian durch die Tür stolzierte, ihr einen Blick zuwarf und süffisant grinste. Er wusste es. Aus irgendeinem Grund wusste das arrogante Arschloch Bescheid.

Sie wollte gerade eine schnippische Bemerkung machen, als Azriel hereinspazierte. Nesta straffte den Rücken beim Anblick des Schattensängers, dessen Gestalt Dunkelheit umwogte. Azriel war einfach wunderschön. Selbst mit diesen vernarbten Händen und den Schatten, die ihn wie Rauch umgaben, hatte Nesta ihn immer als den attraktivsten der drei Männer empfunden, die sich als Brüder bezeichneten.

Cassian ließ sich auf dem Stuhl ihr gegenüber nieder und sofort erschien sein Frühstück vor ihm. »Guten Morgen, Nesta«, sagte er betont heiter.

Sie lächelte ihn ebenso zuckersüß an. »Guten Morgen, Cassian.«

Azriels haselnussbraune Augen tanzten, aber er schwieg, während er sich voller Anmut neben Cassian niederließ und auch vor ihm ein Teller mit Speisen erschien.

»Ich habe dich eine ganze Weile nicht gesehen«, wandte Nesta sich an ihn. Sie konnte sich tatsächlich nicht mehr an das letzte Mal erinnern.

Azriel aß eine Gabel Rührei, bevor er antwortete. »Gleichfalls.« Der Schattensänger deutete mit dem Kinn auf ihre Kleidung. »Wie läuft das Training?«

Cassian warf ihm einen scharfen Blick zu.

Nesta schaute zwischen den beiden hin und her. Es konnte gar nicht sein, dass Azriel nichts vom gestrigen Training wusste. Vermutlich hatte Cassian auch aus seiner Schadenfreude über ihr Treppendebakel keinen Hehl gemacht.

Sie trank einen Schluck Tee. »Das Training ist fantastisch. Total spannend.«

Azriels Mundwinkel zuckten. »Ich hoffe, du machst meinem Bruder nicht das Leben schwer.«

»Ist das eine Drohung, Schattensänger?«, fragte sie und stellte ihre Teetasse ab.

Cassian ließ sich Zeit und trank seine Tasse vollständig aus.

»Ich brauche nicht auf Drohungen zurückzugreifen«, entgegnete Azriel gelassen. Die Schatten wanden sich um ihn wie zum Angriff bereite Schlangen.

Nesta lächelte ihn an und erwiderte seinen Blick. »Ich auch nicht.«

Dann lehnte sie sich auf ihrem Stuhl zurück und teilte Cassian, der sie beide stirnrunzelnd musterte, von oben herab mit: »Ich will lieber mit ihm trainieren.«

Sie hätte schwören können, dass Cassian zusammenzuckte. Interessant.

Azriel hustete in seinen Tee.

»Ich glaube, du wirst feststellen, dass Az noch weniger nachsichtig ist als ich«, sagte Cassian und trommelte mit den Fingern auf den Tisch.

»Bei diesem hübschen Gesicht?«, säuselte sie. »Das kann ich kaum glauben.«

Azriel zog den Kopf ein und konzentrierte sich auf sein Frühstück.

»Du willst mit Az trainieren? Nur zu«, sagte Cassian knapp. Einen Moment lang wirkte er nachdenklich, und dann leuchteten seine Augen auf, als er hinzufügte: »Obwohl ich ja bezweifle, dass du eine Lektion bei ihm überleben wirst. Du schaffst es ja noch nicht mal, hundert Stufen hinunterzugehen, ohne am nächsten Tag einen solchen Muskelkater zu haben, dass du kaum vom Stuhl aufstehen kannst.«

Nesta stellte die Füße fest auf den Boden. Er würde jeden noch so geringen Schmerz in ihrem Gesicht erkennen können, wenn sie aufstand. Aber sie wollte ihm nicht zeigen, dass er recht hatte …

Azriel beobachtete sie beide, während Nesta die Hände auf den Tisch legte, ein Wimmern unterdrückte und dann abrupt aufstand.

Cassian schaufelte sich noch mehr Rührei in den Mund. »Es zählt nicht, wenn deine Hände die meiste Arbeit übernehmen.«

Nesta zog eine verächtliche Miene, obwohl sie vor Schmerz fast aufgejault hätte. »Ich wette, das siehst du nachts bestimmt ganz anders.«

Azriels Schultern bebten vor unterdrücktem Lachen. Cassian legte seine Gabel hin, schaute sie gereizt an, und seine Stimme senkte sich um eine Oktave, als er antwortete: »Steht das etwa in einem deiner schmutzigen Bücher? Dass es nur nachts passiert?«

Nesta brauchte einen Augenblick, bis die Worte zu ihr durchdrangen. Und sie konnte die heiße Röte nicht aufhalten, die ihr ins Gesicht schoss, konnte den Blick nicht von seinen starken Händen abwenden. Obwohl Azriel sich jetzt auf die Lippen biss, um nicht zu lachen, konnte sie sich nicht zurückhalten.

»Es könnte jederzeit passieren – im Morgengrauen, beim Baden oder nach einem langen, harten Trainingstag«, sagte Cassian mit sarkastischem Grinsen.

Es entging ihr nicht, dass er die Worte *lang* und *hart* besonders betonte.

Nesta wand sich innerlich. Doch als sie auf die Tür zuging, ließ sie sich nicht das Geringste anmerken. »Klingt, als hättest du eine Menge Zeit, Cassian«, sagte sie mit einem angedeuteten Lächeln.

»Du sitzt ganz schön in der Scheiße«, bemerkte Azriel auf der kühlen Veranda, während Nesta ihren Mantel holte.

»Ich weiß«, murmelte Cassian. Er hatte keine Ahnung, wie es passiert war, dass er sich zuerst über Nesta lustig gemacht und sie anschließend mit seinen Anzüglichkeiten verspottet hatte. Nur um sich dann vorzustellen, wie ihre Hand ihn packte und auf und ab fuhr, auf und ab ... Er wusste, dass Az die Veränderung seines Dufts deutlich wahrgenommen hatte. Wie seine Haut zu eng geworden war, als sie seinen Namen aussprach, sein Schwanz so hart, dass er sich schmerzhaft an den Knöpfen seiner Hose rieb.

Er konnte es an den Fingern einer Hand abzählen, wie oft sie ihn mit seinem Namen angesprochen hatte. Und die Vorstellung dieser einen Hand führte ihn wieder zu ihrer Hand, die ihn hart und wild umfasste, genau so, wie er es mochte ...

Cassian sog die frische Morgenluft durch zusammengebissene Zähne ein, um sich zu beruhigen. Konzentrierte sich auf das liebliche Lied des Morgenwinds. Der Wind rund um Velaris war immer angenehm und sanft – ganz anders als die grausame und unerbittliche Herrin, die über den Gipfeln von Illyrian herrschte.

Az lachte leise, während ihm die Brise die dunklen Haare zerzauste. »Braucht ihr beiden da oben eine Anstandsdame?«

Ja. Nein. Ja. »Ich dachte, das wärst du.«

Az warf ihm einen anzüglichen Blick zu. »Ich bin mir nicht ganz sicher, ob ich allein ausreiche.«

Cassian zeigte ihm den Mittelfinger. »Viel Glück heute.«

Az würde bald aufbrechen, um Briallyn auszuspionieren – das

hatte Feyre letzte Nacht beschlossen. Auch wenn Rhys Cassian gebeten hatte, sich um die sterblichen Königinnen zu kümmern, würde es Az zufallen, sie zu überlisten.

Azriels haselnussbraune Augen schimmerten im Morgenlicht. Er drückte Cassian die Schulter, und seine Hand war wie ein warmes Gewicht gegen die Kälte. »Dir auch viel Glück.«

Cassian hatte keine Ahnung, wieso er angenommen hatte, dass Nesta heute mit ihm trainieren würde. Sie saß auf genau demselben Felsblock wie am Tag zuvor und rührte sich nicht.

Als Mor erschienen war, um für sie den Wind zu teilen und sie zum Lager zu bringen, hatte er sich so weit unter Kontrolle gehabt, dass er sich nicht mehr vorstellte, wie sich Nestas Hände anfühlen würden, und darüber nachgedacht, welche Lektionen sie heute durchnehmen sollten. Er hatte eine Stunde für das Training eingeplant und wollte sie dann im alten Haus von Rhys' Mutter zurücklassen, während er eine Routinekontrolle der illyrischen Kriegsverbände vornahm. Er wollte sehen, welche Fortschritte sie bei der Neuformierung ihrer Truppen machten.

Allerdings hatte er nicht vor, ihnen gegenüber zu erwähnen, dass sie vielleicht schon bald in die nächste Schlacht fliegen würden – je nachdem, was Az in Erfahrung brachte.

Auch Nesta hatte er nichts von alldem gesagt. Vor allem über Eris hatte er geschwiegen. Sie hatte ihre Verachtung für die Fae-Reiche mehr als deutlich gemacht. Und er wollte verflucht sein, wenn er ihr noch eine verbale Waffe an die Hand gab. Denn sie konnte vermutlich direkt durch ihn hindurchsehen und würde erkennen, wie sehr ihm bewusst war, dass all diese politischen Intrigen und Machenschaften seine Fähigkeiten bei Weitem überstiegen.

Und er zwang sich, erst gar nicht darüber nachzudenken, ob es klug war, sie eine Stunde hier oben allein zu lassen.

»Wieder das gleiche Spiel?«, fragte Cassian jetzt und ignorierte, dass jedes Arschloch im Lager ihn beobachtete. Sie beide. Nesta.

Nesta betrachtete ihre Fingernägel. Der Wind hatte Strähnen aus ihren geflochtenen Haaren gelöst, und sie umklammerte die Knie, damit ihr Körper der Kälte möglichst wenig Angriffsfläche bot.

»Dir wäre nicht so kalt, wenn du aufstehen und dich bewegen würdest«, sagte er.

Sie schlug lediglich einen Fußknöchel über den anderen.

»Aber wenn du die nächsten zwei Stunden auf diesem Felsen sitzen und frieren willst, bitte.«

»Okay.«

»Okay.«

»*Okay.*«

»Toll, Nes.« Er warf ihr ein verächtliches Grinsen zu, von dem er wusste, dass es sie auf die Palme brachte. Dann schritt er in die Mitte des Trainingsplatzes, konzentrierte sich nur noch auf seinen Atem und zog sich an den ruhigen, sicheren Ort in seinem Geist zurück, während sein Körper die üblichen Bewegungsabläufe vollführte, so wie bereits seit fünf Jahrhunderten.

Die ersten Schritte dienten dazu, seinen Körper daran zu erinnern, dass er gleich arbeiten würde. Cassian streckte sich, atmete tief durch und konzentrierte sich auf die verschiedenen Regionen, von den Zehen bis zu den Spitzen seiner Schwingen. Um jede Faser seines Körpers aufzuwecken.

Danach wurde es schwieriger.

Cassian überließ sich Instinkt, Bewegung und Atem und nahm die Fae, die ihn von ihrem Felsblock aus beobachtete, nur noch vage wahr.

Lass deine Hand ausgestreckt.

Als Cassian eine Stunde später atemlos das Training beendete, sah er zu seiner Genugtuung, dass Nesta vor Kälte ganz steif gefroren war. Aber sie hatte sich ja auch nicht ein einziges Mal gerührt.

Er wischte sich den Schweiß von der Stirn und bemerkte, dass ihre Lippen schon eine bläuliche Färbung angekommen hatten. So ging das nicht. Entschlossen deutete er auf das Haus von Rhys' Mutter. »Warte da drin. Ich muss noch etwas erledigen.«

Sie reagierte nicht.

Cassian verdrehte die Augen. »Entweder du bleibst die nächste Stunde hier draußen hocken oder du gehst rein und wärmst dich auf.«

So stur war sie doch nicht ... oder?

Glücklicherweise fuhr genau in diesem Moment ein eisiger Windstoß durch das Lager, und Nesta bewegte sich endlich Richtung Haus. Dort war es tatsächlich warm und ein Feuer knisterte im rußigen Kamin, der einen großen Teil des Hauptraums einnahm. Feyre oder Rhys musste das Haus für sie vorbereitet haben. Cassian hielt Nesta die Tür auf und sie rieb sich bereits beim Betreten die Hände.

Langsam schaute sich Nesta um, registrierte den Küchentisch vor den Fenstern, die kleine Sitzecke im anderen Teil des Zimmers, die schmale Treppe hinauf zu der offenen Empore und den beiden Schlafzimmern. Eins dieser Zimmer hatte seit seiner Kindheit Cassian gehört – das erste Zimmer, die erste Nacht unter einem festen Dach.

Dieses Haus war das erste richtige Heim, das Cassian je gehabt hatte. Er kannte jeden Kratzer und jeden Splitter, jede Kerbe und jeden Brandfleck, alles mit Magie konserviert. Dort drüben, diese Kerbe am Fuß des Geländers – da hatte er sich den Kopf angeschlagen, als Rhys ihn bei einer ihrer unzähligen Raufereien umgehauen hatte. Dieser Fleck auf der alten roten Couch – der stammte von verschüttetem Bier, als die drei mit sechzehn zum ersten Mal allein im Haus und sternhagelvoll gewesen waren. Rhys' Mutter hatte einen ihrer seltenen Besuche bei ihrem Seelengefährten in Velaris gemacht – und Cassian war zu betrunken gewesen, um den Fleck zu entfernen. Selbst Rhys, der eine Mischung aus Bier und Branntwein intus hatte, war es nicht gelungen, ihn mit seiner Magie zu beseitigen. Die drei hatten die Sofakissen neu angeordnet, um das Malheur vor Rhys' Mutter zu verbergen, doch sie hatte ihn bei ihrer Rückkehr am nächsten Morgen sofort entdeckt.

Cassian deutete mit dem Kinn auf den Küchentisch. »Da du ja so gut sitzen kannst, warum machst du es dir nicht bequem?« Als Nesta nicht antwortete, drehte er sich um und sah, dass sie vor dem Kamin stand, die Arme fest vor der Brust verschränkt. Das flackernde Licht des Feuers tanzte in ihrem schönen Haar. Sie schaute ihn nicht an.

Schon als Mensch hatte sie immer sehr ruhig dagestanden, doch seit ihrer Verwandlung zur High Fae hatte sich diese Ruhe noch verstärkt. Nesta starrte ins Feuer, als würde es ihrer brennenden Seele etwas zuflüstern.

»Was ist los?«, fragte er.

Sie blinzelte, als würde ihr erst jetzt bewusst, dass er noch da war.

Ein Scheit im Feuer knackte und sie zuckte heftig zusammen. Nicht überrascht, sondern ängstlich.

Sein Blick wanderte von ihr zum Scheit und wieder zurück. Wo war sie in den letzten Minuten gewesen? Welche Schrecken hatte sie vor ihrem inneren Auge gesehen? Ihr Gesicht war bleich geworden und Schatten umwölkten ihre blaugrauen Augen. Er kannte diesen Ausdruck, hatte ihn so oft gesehen und gespürt, dass er es schon nicht mehr zählen konnte.

»Im Dorf sind ein paar Läden«, bot er an, plötzlich verzweifelt auf der Suche nach etwas, das ihr diese Leere nehmen würde. »Wenn du keine Lust hast, hier zu warten, könntest du sie dir ja mal ansehen.«

Nesta reagierte noch immer nicht. Also ließ er es gut sein und trat schweigend aus dem Haus.

9

Eine Glocke klingelte über der Tür des kleinen, angenehm warmen Ladens, als Nesta eintrat. Der Dielenboden aus Kiefernholz war gebohnert und glänzte, und hinter der Theke aus dem gleichen Holz führte eine offene Tür in ein Hinterzimmer. Kleidungsstücke für Männer und Frauen waren an Schaufensterpuppen ausgestellt oder lagen ordentlich gefaltet auf Verkaufstischen aus.

Eine Fae erschien hinter der Theke. Ihre dunklen Zöpfe glänzten im Licht, und sie hatte elegante, scharfe Züge, die im Kontrast zu ihren vollen Lippen standen. Die schräg geschnittenen Augen und die hellbraune Haut ließen vermuten, dass sie aus einer anderen Region stammte, vielleicht vom Hof des Morgens.

»Guten Morgen«, sagte die Fae mit fester Stimme. Ihre Augen wirkten offen und klar. »Kann ich helfen?«

Falls sie Nesta erkannte, ließ sie es sich nicht anmerken. Nesta deutete auf ihre Lederkluft. »Ich suche nach etwas Wärmerem als dem hier. Da geht die Kälte durch.«

»Ah«, sagte die Fae und warf einen Blick durch die Tür auf die leere Straße. Fürchtete sie, jemand könnte Nesta hier drinnen sehen? Oder wartete sie auf weitere Kundschaft? »Die Krieger sind alle zu dumm und stolz, um sich über ihre Lederkluft zu beschweren. Sie behaupten, sie würde sie wunderbar warm halten.«

»Sie ist relativ warm«, räumte Nesta ein und musste darüber lächeln, dass die Fae die illyrianischen Krieger als *dumm und stolz* bezeichnet hatte. Als wäre sie von den Männern im Lager genauso wenig beeindruckt wie Nesta. »Aber die Kälte setzt mir trotzdem zu.«

»Hmmm.« Die Fae hob die Klappe an der Theke hoch, betrat den eigentlichen Verkaufsraum und musterte Nesta von Kopf bis Fuß.

»Ich verkaufe keine Kampfausrüstungen, aber ich frage mich, ob wir nicht eine mit Schaffell gefütterte Lederkluft anfertigen lassen könnten.« Sie deutete auf die Straße. »Wie oft trainierst du denn?«

»Ich trainiere nicht. Ich bin ...« Nesta suchte nach den richtigen Worten. Ehrlich gesagt, kam sie sich gerade wie eine erbärmliche Drückebergerin vor. »Ich sehe nur zu«, sagte sie schließlich leicht beschämt.

»Ah.« Die Augen der Fae funkelten. »Gegen deinen Willen hierhergebracht worden?«

Das ging sie zwar nichts an, aber Nesta antwortete: »Es gehört zu meinen Pflichten am Hof der Nacht.«

Sie wollte sehen, ob die Fae neugierig war und sie wirklich nicht erkannte. Ob sie Nesta für einen elenden Nichtsnutz hielt.

Die Fae legte den Kopf auf die Seite und ihr Zopf rutschte über die Schulter ihres einfachen, selbst gewirkten Gewands. Ihre Schwingen zuckten und zogen Nestas Blick auf sich. Sie waren mit Narben übersät, was bei den Fae eher ungewöhnlich war. Azriel und Lucien gehörten zu den wenigen, die Narben hatten – beide von so schrecklichen und traumatischen Erlebnissen, dass Nesta es nie gewagt hatte, danach zu fragen. Und wenn diese Fae ebenfalls damit gezeichnet war ...

»Meine Schwingen wurden gestutzt«, sagte die Fae. »Mein Vater war ein ... traditionsbewusster Mann. Er glaubte, Frauen sollten sich um die Familie kümmern und im Haus bleiben. Ich war anderer Meinung. Aber am Ende setzte er sich durch.«

Scharfe, knappe Worte. Sie wusste von Feyre, dass Rhys' Mutter beinahe ein ähnliches Schicksal erlitten hatte. Nur die Ankunft von Rhys' Vater hatte verhindert, dass man ihr die Schwingen stutzte. Sie war ihm als seine Seelengefährtin offenbart worden und hatte die unglückliche Verbindung nur aus Dankbarkeit für ihre unversehrten Schwingen ertragen.

Diese Fae hatte offenbar nicht so viel Glück gehabt.

»Das tut mir leid.« Nesta trat von einem Fuß auf den anderen.

Die Frau winkte ab. »Es spielt keine Rolle mehr. Dieser Laden hält mich so auf Trab, dass ich an manchen Tagen völlig vergesse, dass ich jemals fliegen konnte.«

»Gibt es keinen Heiler, der sie wiederherstellen könnte?«

Als sich die Miene der Frau verfinsterte, bereute Nesta ihre Frage. »Das ist sehr kompliziert – all die Verbindungen zwischen Muskeln, Nerven und Sehnen. Außer dem High Lord des Morgens würde es wohl niemand hinkriegen.« Thesan war ein Meister der Heilkraft, erinnerte sich Nesta – Feyre trug diese Kraft auch in ihren Adern und hatte angeboten, sie bei Elain nach ihrer Verwandlung zur High Fae anzuwenden, um sie aus ihrer Erstarrung zu lösen.

Nesta verbannte die Erinnerung an dieses blasse Gesicht und die leeren braunen Augen.

»Jedenfalls kann ich bei meinen Lieferanten nachfragen, ob sich die Lederkluft wärmer machen lässt«, fuhr die Fae eilig fort. »Es könnte ein paar Wochen, vermutlich sogar einen Monat dauern, aber ich gebe Bescheid, sobald ich etwas höre.«

»Das wäre toll. Vielen Dank.« Ein Gedanke schoss ihr durch den Kopf. »Ich ... Wie viel wird die gefütterte Kluft kosten?« Sie hatte kein Geld.

»Du arbeitest doch für den High Lord, oder? Ich kann die Rechnung nach Velaris schicken.«

»Nein, ich ...« Nesta wollte nicht zugeben, wie tief sie gesunken war – nicht gegenüber dieser Fremden. »Eigentlich brauche ich gar keine wärmere Kleidung.«

»Ich dachte, Rhysand bezahlt euch alle gut.«

»Ja, schon, aber ich bin ...« Also gut. Wenn die Fae geradeheraus sein konnte, dann konnte sie es auch. »Aber mir hat er den Geldhahn zugedreht.«

In den Augen der Fae spiegelte sich Neugier. »Warum?«

Nesta versteifte sich. »Ich kenne dich nicht gut genug, um diese Frage zu beantworten.«

Die Fae zuckte die Schultern. »Okay. Trotzdem kann ich ja mal nachfragen und einen Preis aushandeln. Wenn du da draußen frierst, solltest du nicht leiden.« Und dann fügte sie noch spitz hinzu: »Egal, was der High Lord denken mag.«

»Ich glaube, ihm wäre es am liebsten, wenn Cassian mich dort oben von der Klippe stoßen würde.«

Die Fae schnaubte, streckte Nesta aber eine Hand entgegen. »Ich bin Emerie.«

Nesta nahm die Hand und merkte erstaunt, wie fest die Fae zudrückte. »Nesta Archeron.«

»Ich weiß«, sagte Emerie und gab Nestas Hand frei. »Du hast den König von Hybern getötet.«

»Ja.« Das war nicht zu leugnen. Und sie brachte es nicht fertig, zu lügen und zu behaupten, sie würde sich überhaupt nichts darauf einbilden.

»Gut.« Emeries Lächeln war von gefährlicher Schönheit. »Gut«, sagte sie erneut. Alles an dieser Fae strahlte etwas Stählernes aus – nicht nur ihr kerzengerader Rücken und ihr energisches Kinn, sondern auch ihre Augen.

Nesta wandte sich zur Tür und zögerte, unsicher, wie sie mit dieser offenen Anerkennung umgehen sollte, während so viele andere entweder Ehrfurcht, Angst oder Zweifel gezeigt hatten. »Danke für deine Hilfe.«

Es war seltsam, so höfliche und normale Worte auszusprechen. Noch dazu gegenüber einer Fremden.

Mehrere Männer, Frauen und herumlaufende Kinder starrten Nesta an, als sie hinaus auf die Straße trat. Ein paar scheuchten ihre Kinder weiter. Nesta begegnete ihren Blicken mit kühler Gleichgültigkeit.

Ihr habt recht, eure Kinder vor mir zu verstecken, wollte sie sagen. *Ich bin das Monster, vor dem ihr euch fürchtet.*

»Die gleiche Aufgabe wie gestern?«, fragte Nesta Clotho zur Begrüßung, noch immer halb durchgefroren vom Aufenthalt im Lager, das sie nur zehn Minuten zuvor verlassen hatte.

Cassian hatte nach der Rückkehr ins Haus von Rhysands Mutter kaum ein Wort gesprochen; seine Züge verrieten die Anspannung über das, was er in den anderen illyrianischen Dörfern erledigt haben mochte. Morrigan hatte genauso mürrisch geschaut, bevor sie sie zum Haus der Winde zurückbeförderte. Cassian hatte Nesta auf der Veranda wortlos abgesetzt, sich dann zu Mor umgedreht und die blonde Schönheit innerhalb weniger Sekunden hinauf in den frischen Wind getragen.

Es hätte ihr nichts ausmachen sollen, ihn mit einer anderen Fae in den Armen davonfliegen zu sehen. Was für ein Unsinn, dass sie bei diesem Anblick eine solche körperliche Anspannung empfand. Schließlich hatte sie ihn wieder und wieder weggestoßen, und er hatte keinen Grund anzunehmen, dass sie es nicht auch so meinte. Und sie wusste doch, dass ihn und Morrigan eine gemeinsame Vergangenheit verband und sie vor langer Zeit ein Liebespaar gewesen waren.

Sie hatte den Blick abgewandt und war dann durch das Esszimmer ins Haus gegangen, wo eine Schüssel Bohnensuppe mit Schweinefleisch auf sie wartete. Eine stumme, fürsorgliche Gabe.

»Ich habe keinen Hunger«, hatte sie dem Haus knapp mitgeteilt, bevor sie in die Bibliothek gestiefelt war.

Jetzt wartete sie, während Clotho eine Antwort auf ein Blatt Papier schrieb und es dann über den Tisch schob.

Im fünften Geschoss sind Bücher einzusortieren.

Nesta spähte über die Brüstung neben Clothos Schreibtisch und zählte im Stillen die Geschosse ab. Fünf war ... sehr weit unten. Nicht innerhalb des ersten Rings tiefer Dunkelheit, aber im Halbdunkel direkt darüber. »Da unten lebt doch nichts mehr, oder? Ist Bryaxis etwa zurückgekommen?«

Clothos verzauberte Feder bewegte sich wieder. *Bryaxis hat niemandem von uns je etwas zuleide getan.*

»Warum eigentlich nicht?«

Die Feder kratzte über das Papier. *Ich glaube, Bryaxis hatte Mitleid mit uns. Unsere Albträume wurden Wirklichkeit,* bevor *wir hierherkamen.*

Es kostete Nesta Mühe, nicht auf Clothos entstellte Hände zu schauen oder zu versuchen, einen Blick auf die Schatten unter ihrer Kapuze zu werfen.

Die Priesterin fügte noch etwas hinzu: *Ich kann dich für ein höheres Geschoss einteilen.*

»Nein«, entgegnete Nesta heiser. »Ich komme schon zurecht.«

Damit war es beschlossene Sache. Eine Stunde später hockte Nesta in verstaubter Lederkluft an einem leeren Holztisch und brauchte dringend eine Pause. Wieder erschien die Schüssel mit Bohnensuppe vor ihr.

Sie blickte hinauf zur Decke weit über ihr. »Ich sagte, ich *habe* keinen Hunger.«

Ein Löffel tauchte neben der Schüssel auf, gefolgt von einer Serviette.

»Das kannst du dir sparen.«

Dann landete ein Glas Wasser neben der Suppe.

Nesta verschränkte die Arme und lehnte sich auf ihrem Stuhl zurück.

»Mit wem redest du?«

Die helle weibliche Stimme ließ Nesta herumwirbeln, und sie erstarrte, als sie eine Priesterin im Gewand einer Novizin zwischen zwei Regalen stehen sah. Ihre Kapuze war zurückgeschlagen und Feenlicht tanzte in ihren glatten, glänzenden, kastanienbraunen Haaren. Ihre großen smaragdgrünen Augen wirkten klar und leuchteten wie sonst nur der Stein über der Kapuze einer Priesterin. Nase und Wangen waren mit Sommersprossen übersät, als hätte sie jemand wahllos verteilt. Sie war jung – fast ungestüm, mit schlanken, eleganten Gliedmaßen. High Fae und dennoch ... Nesta konnte sich nicht erklären, warum sie das Gefühl hatte, dass da noch etwas anderes war. Irgendein Geheimnis unter dem hübschen Gesicht.

Nesta deutete auf die Suppe und das Wasser, die allerdings inzwischen verschwunden waren. Finster blickte sie zur Decke hinauf, zu dem Haus, das die Frechheit besaß, sie zu ärgern und anschließend wie eine Verrückte dastehen zu lassen. Dann wandte sie sich der Priesterin zu: »Mit niemandem.«

Die Novizin hievte die fünf Bände hoch, die sie auf dem Arm trug. »Bist du für heute fertig?«

Nesta schaute zu dem Wagen mit Büchern, die sie noch nicht einsortiert hatte. »Nein. Ich mache nur eine kurze Pause.«

»Du arbeitest doch erst seit einer Stunde.«

»Ich wusste nicht, dass jemand meine Zeit stoppt.« Nesta machte keinen Hehl aus ihrem Unmut. Sie hatte sich heute bereits mit einer Fremden unterhalten und das Mindestmaß an Anstand erfüllt. Zu einer zweiten Unbekannten nett zu sein, überforderte sie.

Die Novizin ließ sich jedoch nicht beirren. »Wir haben nicht jeden Tag jemand Neues in unserer Bibliothek.« Sie legte die Bücher auf Nestas Wagen. »Die hier können auch einsortiert werden.«

»Ich unterstehe keinen Novizinnen.«

Die Priesterin richtete sich zu ihrer vollen Größe auf, die etwas über dem Durchschnitt der weiblichen Fae lag. Eine knisternde Energie umgab sie, auf die Nestas Kraft mit einem Brummen reagierte. »Du bist hier, um für die Bibliothek zu arbeiten«, sagte sie mit gleichbleibend ruhiger Stimme. »Nicht nur für Clotho.«

»Du sprichst ziemlich salopp über deine Hohepriesterin.«

»Clotho legt keinen Wert auf Rangordnung. Sie ermutigt uns dazu, sie bei ihrem Namen zu nennen.«

»Und wie heißt du?« Nesta würde sich auf jeden Fall bei Clotho über das Verhalten dieser unverschämten Novizin beschweren.

Die Augen der jungen Fae funkelten belustigt, als wüsste sie über Nestas Plan Bescheid. »Gwyneth Berdara.« Es war ungewöhnlich, dass eine Fae ihren Familiennamen angab. Selbst Rhys benutzte seinen Namen nicht, soweit Nesta wusste. »Aber die meisten nennen mich Gwyn.«

Im Geschoss über ihnen gingen zwei Priesterinnen schweigend an der Brüstung vorbei, die Köpfe unter den Kapuzen gesenkt und mit mehreren Büchern auf dem Arm. Nesta hätte schwören können, dass eine von ihnen kurz nach unten schaute.

Gwyn folgte ihrem Blick. »Das sind Roslin und Deirdre.«

»Woher weißt du das?« Mit den aufgesetzten Kapuzen sahen die Frauen fast vollkommen gleich aus, bis auf ihre Hände.

»Aufgrund ihres Geruchs«, antwortete Gwyn trocken und wandte sich den Büchern zu, die sie auf den Wagen gelegt hatte. »Hast du vor, sie ins Regal zu stellen, oder muss ich sie woanders hinbringen?«

Nesta musterte Gwyneth. Es bestand durchaus die Möglichkeit, dass die Priesterinnen, die hier unten lebten, nicht wussten, wer sie war. Was sie getan hatte und welche Kraft sie in sich trug. »Ich kümmere mich darum«, stieß sie zwischen zusammengebissenen Zähnen hervor.

Gwyn strich sich die Haare hinter die spitzen Ohren. Auch ihre Hände waren mit Sommersprossen bedeckt, die wie kleine Rostflecken aussahen. Falls die Novizin noch Spuren eines Traumas aufwies, so waren sie unter ihrem Gewand verborgen. Aber Nesta wusste nur zu gut, dass diese Wunden unsichtbar sein und dennoch so tief und schlimm vernarben konnten wie körperliche Verletzungen.

Und allein diese Erinnerung veranlasste Nesta zu einem sanfteren Ton. »Ich kümmere mich sofort darum.« Vielleicht hatte sie doch noch ein wenig von ihrer Anstandsquote zu erfüllen.

Gwyn bemerkte die Veränderung. »Ich brauche dein Mitleid nicht.« Die Worte klangen scharf und so klar wie ihre blaugrünen Augen.

»Es ist kein Mitleid.«

»Ich bin seit fast zwei Jahren hier. Aber ich habe mich nicht so weit von anderen entfernt, dass ich nicht merken würde, wenn sich jemand daran erinnert, *warum* ich hier bin, und dann sein Verhalten entsprechend ändert.« Gwyn presste die Lippen zu einem dünnen Strich. »Man braucht mich nicht zu verhätscheln. Es reicht, ganz normal mit mir zu reden.«

»Ich bezweifle, dass es dir gefallen würde, wie ich mit den meisten Leuten rede«, sagte Nesta.

Gwyn schnaubte. »Versuch's mal.«

Nesta runzelte die Stirn und knurrte: »Geh mir aus den Augen.«

Gwyn grinste so breit, dass ihre Zähne aufblitzten und ihre Augen funkelten. »Ha, du bist gut.« Sie drehte sich wieder zu den Bücherstapeln um. »Wirklich gut.« Dann verschwand sie in der Dunkelheit.

Nesta starrte ihr eine Weile lang nach und fragte sich, ob sie sich das Ganze nur eingebildet hatte. Zwei freundliche Unterhaltungen an einem Tag: Sie wusste nicht, wann so etwas das letzte Mal passiert war.

Eine weitere Priesterin mit hochgeschlagener Kapuze kam vorbei und nickte ihr kurz zu.

Dann breitete sich wieder Stille um sie herum aus – als wäre Gwyn ein Sommersturm gewesen, der herangeweht und ebenso schnell wieder verschwunden war. Seufzend nahm Nesta die Bücher, die Gwyn auf den Wagen gelegt hatte.

Mehrere Stunden später stand Nesta staubig, erschöpft und schließlich doch hungrig vor Clothos Schreibtisch. »Morgen die gleiche Prozedur?«

Bist du nicht zufrieden mit deiner Arbeit?, schrieb Clotho.

»Das wäre ich, wenn deine Novizinnen mich nicht wie eine Dienerin herumkommandieren würden.«

Gwyneth erwähnte, dass sie dir begegnet ist. Sie arbeitet für Merrill, meine rechte Hand, die eine äußerst anspruchsvolle Gelehrte ist. Falls Gwyneth ihre Bitte schroff formuliert hat, lag das an der Dringlichkeit ihrer Arbeit.

»Ich sollte ihre Bücher einräumen, nicht neue bringen.«

Andere Gelehrte brauchen diese Werke. Aber es ist nicht meine Aufgabe, das Verhalten meiner Novizinnen zu erklären. Wenn dir Gwyneths Auftrag nicht gefallen hat, dann hättest du es ihr sagen sollen.

»Das habe ich«, erwiderte Nesta zornig. »Sie ist echt anstrengend.«

Manche könnten das Gleiche von dir behaupten.

Nesta verschränkte die Arme. »Ja, manche.«

Sie hätte wetten können, dass Clotho unter ihrer Kapuze lächelte, aber die Priesterin schrieb: *Gwyneth hat wie du eine eigene Ge-*

schichte ... *voller Tapferkeit und Überlebenswillen. Ich möchte dich bitten, ihr keine schlechten Absichten zu unterstellen.*

Eine Säure, die sich sehr nach Reue anfühlte, brannte in Nestas Adern. Sie schob die Empfindung beiseite.»Wenn du meinst. Und die Arbeit ist in Ordnung.«

Clotho ging nicht darauf ein und schrieb lediglich: *Gute Nacht, Nesta.*

Nesta stapfte die Treppe hinauf und betrat das Haupthaus. Bis auf den Wind, der klagend durch die Korridore zu pfeifen schien, und das Knurren ihres Magens herrschte Stille.

Glücklicherweise war niemand in der privaten Bibliothek, als sie durch die Flügeltür trat und sich beim Anblick der gefüllten Regale, des Sonnenuntergangs über der Stadt und des golden dahinfließenden Sidra sofort entspannte. Sie setzte sich an den Schreibtisch vor der Fensterfront und sagte zu dem Haus:»Du wirst bestimmt nicht reagieren, aber jetzt würde ich gern diese Suppe essen.«

Nichts passierte. Nesta schaute seufzend zur Decke. Na toll. Ihr Magen rebellierte, als wollte er ihre Organe verschlingen, wenn sie nicht bald etwas zu essen bekam.

»Bitte«, fügte sie gequält hinzu.

Die Suppe erschien, daneben ein Glas Wasser, gefolgt von einer Serviette und einem silbernen Löffel. Im Kamin erwachte knisternd ein Feuer, aber Nesta sagte rasch:»Kein Feuer. Nicht nötig.«

Sofort erloschen die Flammen, doch die Feenlichter im Raum leuchteten jetzt heller.

Nesta griff gerade nach dem Löffel, als sich ein Teller mit frischem, knusprigem Brot materialisierte. Als wäre das Haus eine fürsorgliche Glucke.

»Danke«, sagte sie in die Stille hinein und begann gierig zu essen.

Die Feenlichter flackerten einmal auf, als wollten sie sagen: *Gern geschehen.*

10

Nesta aß, bis sie keinen Bissen mehr hinunterbekam. Das Haus der Winde schien ihr mehr als bereitwillig zu Diensten zu sein und hatte ihr nicht nur die Suppe zweimal nachgefüllt, sondern sogar noch ein großes Stück Schokoladenkuchen zum Nachtisch auf den Tisch gezaubert.

»Hat Cassian den genehmigt?« Sie nahm die Gabel und stach sie lächelnd in den glänzenden, saftigen Kuchen.

»Definitiv nicht«, sagte er an der Tür. Nesta wirbelte herum und musterte ihn finster. »Aber iss nur«, fügte er hinzu und deutete auf den Kuchen.

Sofort legte Nesta die Gabel zurück auf den Tisch. »Was willst du?«

Cassians Blick schweifte durch die Familienbibliothek. »Warum isst du hier?«

»Ist das nicht offensichtlich?«

Er grinste so breit, dass seine strahlend weißen Zähne aufblitzten. »Das einzig Offensichtliche ist, dass du Selbstgespräche führst.«

»Ich spreche mit dem Haus. Was eine erhebliche Verbesserung gegenüber den Gesprächen mit dir ist.«

»Das Haus gibt keine Antwort.«

»Genau.«

Cassian schnaubte. »Punkt für dich.« Er stolzierte durch den Raum und betrachtete den Kuchen, den sie noch immer nicht anrührte. »Redest du wirklich … mit dem Haus?«

»Du nicht?«

»Nein.«

»Es hört auf mich«, beharrte sie.

»Natürlich. Es ist verzaubert.«

»Es hat mir sogar unaufgefordert Essen in die Bibliothek gebracht.«

Seine Augenbrauen wanderten nach oben. »Warum?«

»Was weiß ich, wie eure Feenmagie funktioniert.«

»Hast du ... irgendwas *getan*, damit es sich so verhält?«

»Wenn du, so wie schon Devlon, von mir wissen willst, ob ich irgendeine Hexerei angewendet habe, dann lautet die Antwort: Nein.«

Cassian lachte leise. »Das habe ich zwar nicht gemeint, aber okay. Das Haus mag dich. Glückwunsch.« Sie knurrte, als er sich über sie beugte, um nach der Gabel zu greifen, und versteifte sich angesichts seiner Nähe. Doch sie schwieg, als er sich ein Stück des Kuchens in den Mund schob und ein genüssliches Brummen ausstieß, das ihr bis in die Knochen drang. Und dann nahm er noch eine Gabel voll.

»Das ist eigentlich mein Kuchen«, protestierte sie und schaute zu ihm hoch, während er kaute.

»Dann nimm ihn mir weg«, forderte er sie auf. »Ein einfaches Entwaffnungsmanöver würde reichen, weil mein Körperschwerpunkt nicht im Gleichgewicht ist. Außerdem bin ich durch diesen köstlichen Kuchen abgelenkt.«

Nesta fixierte ihn grimmig.

»Alles Dinge, die du in den Lektionen mit mir lernen würdest, Nes«, fuhr er fort und nahm eine dritte Gabel voll. »Deine Drohungen wären sehr viel beeindruckender, wenn du sie untermauern könntest.«

Wütend trommelte sie mit den Fingern auf den Schreibtisch, warf einen Blick auf die Gabel in seiner Hand und stellte sich vor, sie würde sie ihm in den Oberschenkel rammen.

»Auch das könntest du tun«, sagte er, da er ihrem Blick folgte. »Ich könnte dir beibringen, alles in eine Waffe zu verwandeln. Sogar eine Gabel.«

Sie bleckte die Zähne, aber Cassian legte die Gabel mit betonter Präzision wieder auf den Tisch, überließ ihr die andere Hälfte des Kuchens und verließ den Raum.

Nesta las den herrlich erotischen Liebesroman, den sie in einem Regal der privaten Bibliothek gefunden hatte, bis ihre Lider so schwer wurden, dass nur eiserner Wille sie noch offen halten konnte. Dann trottete sie durch den Gang zu ihrem Zimmer und fiel aufs Bett, ohne sich die Mühe zu machen, sich auszuziehen.

Mitten in der Nacht wachte sie frierend auf, stieg benommen aus der Lederkluft und schlüpfte mit klappernden Zähnen unter die Decke.

Einen Augenblick später loderte ein Feuer im Kamin.

»Kein Feuer«, befahl sie und es verschwand wieder.

Sie hätte schwören können, dass sich eine vorsichtige Neugier um sie herumwand. Zitternd wartete sie darauf, dass ihre Körpertemperatur die Laken wärmte.

Mehrere Minuten vergingen und plötzlich wurde das Bett warm. Aber nicht durch ihren nackten Körper, sondern durch irgendeinen Zauber. Auch die Luft erwärmte sich, als hätte sie jemand in den Raum gehaucht. Nesta zitterte nicht länger und sie schmiegte sich in die wohlige Wärme. »Danke«, murmelte sie.

Das Haus reagierte, indem es die Vorhänge schloss. Und noch bevor diese nicht mehr nachschwangen, war Nesta bereits eingeschlafen.

Elain war verschleppt worden. Von Hybern. Vom Kessel, der gesehen hatte, wie Nesta ihn beobachtete – und sie wiederum beobachtet hatte. Der gesehen hatte, wie sie mithilfe von Knochen und Steinen in die Zukunft schaute, und dafür gesorgt hatte, dass sie es bereute.

Sie hatte das getan. Ihnen allen das angetan. Dadurch, dass sie ihre Kräfte geweckt und sie eingesetzt hatte. Und das würde sie sich selbst nie verzeihen, niemals ... Elain würde ganz sicher gefoltert, ihr Körper und ihre Seele in Stücke gerissen werden.

Ein Riss spaltete die Welt.

Ihr Vater stand vor ihr. Ihr Vater mit seinen sanften braunen Augen, in denen noch immer die Liebe zu ihr stand, als das Licht in ihnen erlosch ...

Ruckartig schreckte Nesta aus dem Schlaf. Übelkeit überkam sie, als sie die Finger in die Laken krallte. Tief in ihren Eingeweiden, in ihrer Seele, zuckte und wand sich etwas, suchte einen Weg nach draußen, einen Weg in die Welt ...

Nesta drängte diese Kraft in sich zurück, trampelte sie nieder, schlug sämtliche geistigen Türen vor ihr zu.

Traum, knurrte sie. *Traum und Erinnerung. Verschwindet.*

Die Kraft in ihren Adern murrte, gehorchte aber.

Das Bett war inzwischen so heiß, dass Nesta die Decken wegstieß und sich mit den Händen über das schweißgebadete Gesicht fuhr.

Sie brauchte etwas zu trinken. Irgendetwas, um das alles wegzuspülen. Rasch zog sie sich an, ohne ihren Körper richtig zu spüren. Es kümmerte sie nicht, wie spät es war oder wo sie sich befand, denn sie konnte nur an das Hindernis denken, das sie von der nächsten Schenke trennte.

Die Tür zu den zehntausend Stufen war bereits geöffnet, die Feenlichter im Gang fast vollständig gedimmt. Ihre Stiefel schrammten über die Steine, als sie auf die Tür zuging und sich umschaute, ob auch niemand ihr folgte.

Mit zitternden Händen begann sie den Abstieg.

Im Kreis, immer weiter im Kreis.

Ich habe dich vom ersten Augenblick an geliebt, als ich dich in den Armen gehalten habe.

Hinab, immer weiter hinab.

Dieser uralte Kessel, der ein Auge geöffnet und sie hypnotisch angestarrt hatte.

Dieser Kessel, der sie in seine Tiefen hinabgezogen hatte, in den Abgrund der Schöpfung, und sie förmlich ausgehöhlt hatte, trotz ihrer Schreie ...

Im Kreis hinab, genau wie der Kessel sie hinuntergezogen und mit seiner entsetzlichen Kraft zerquetscht hatte ...

Übelkeit stieg in ihr auf und mit ihr ihre Kraft. Im nächsten Moment rutschte sie aus.

Sie hatte nur den Bruchteil einer Sekunde, um sich an der Mauer festzuhalten, und es gelang ihr nicht. Sie knallte mit den Knien auf die Stufen, dann mit dem Gesicht, und stürzte gnadenlos in die Tiefe. Prallte gegen Mauern, überschlug sich, rollte Stufe um Stufe weiter hinunter.

Blindlings streckte sie eine Hand aus und ihre Nägel krallten sich in den Stein. Funken stoben auf, während sie laut aufschrie und sich festhielt.

Die Welt drehte sich nicht länger. Ihr unaufhaltsamer Sturz in die Tiefe war verhindert.

Keuchend blieb sie auf den Stufen liegen. Jeder rasselnde Atemzug schnitt ihr in die Lunge. Dann schloss sie die Augen, dankbar für die Stille und die völlige Bewegungslosigkeit.

Und in der Stille setzte der Schmerz ein, breitete sich brüllend in ihrem ganzen Körper aus.

Der durchdringende, metallische Geschmack von Blut erfüllte ihren Mund, und etwas Feuchtes und Warmes lief an ihrem Hals herab. Ein kurzes Schnüffeln verriet ihr, dass es sich ebenfalls um Blut handelte.

Und ihre Fingernägel, mit denen sie sich in die Steinstufen gekrallt hatte ...

Nesta blickte blinzelnd auf ihre Hand. Also hatte sie tatsächlich Funken gesehen. Ihre Finger waren in den Stein eingegraben, der glühte, als würde eine Flamme in ihm brennen. Keuchend riss sie ihre Hand zurück und sofort erlosch das Leuchten.

Aber ihre Fingerabdrücke blieben: vier Furchen in der Trittfläche, eine einzelne Einbuchtung in der Setzstufe, in die sie ihren Daumen hineingedrückt hatte.

Eiskalte Angst durchströmte sie, zwang sie auf die Beine und mit schmerzenden Knien nach oben. Fort von diesem Abdruck, der sich für immer in den Stein eingebrannt hatte.

»Na, wer hat den Kampf gewonnen?«, fragte Cassian am nächsten Morgen, als sie wieder auf dem Felsblock saß und ihm bei seinen Übungen zusah.

Beim Frühstück hatte er sie nicht nach dem blauen Auge, der Schnittwunde am Kinn oder danach gefragt, warum sie sich so steif bewegte. Und auch Mor hatte bei ihrer Ankunft kein Wort verloren. Die Tatsache, dass die Blutergüsse und Wunden überhaupt noch zu sehen waren, verriet Nesta, wie schlimm der Sturz gewesen sein musste. Aber dank ihrer High-Fae-Heilkräfte war sie bereits auf dem Weg der Besserung.

Als Mensch hätte sie das Ganze wohl nicht überlebt. Vielleicht hatte der Fae-Körper ja doch Vorteile. In dieser Welt der Monster kam es einem Todesurteil gleich, ein Mensch und schwach zu sein. Ein solcher Körper war ihre beste Überlebenschance.

Cassians Schweigen hatte nur während der ersten Trainingsstunde angehalten. Keuchend und schweißüberströmt stand er jetzt in der Mitte des Platzes.

»Welcher Kampf?« Sie betrachtete ihre zerschundenen Fingernägel. Sie waren völlig ruiniert, trotz des ... was auch immer es gewesen war, mit dessen Hilfe sie sich festgehalten hatte. Sie wollte dem keinen Namen geben, weigerte sich, es überhaupt zur Kenntnis zu nehmen. Bis zum Sonnenaufgang hatte sie es erfolgreich unterdrückt.

»Der Kampf zwischen dir und der Treppe.«

Nesta warf ihm einen grimmigen Blick zu. »Keine Ahnung, wovon du redest.«

Cassian trainierte weiter, zog sein Schwert und vollführte eine Abfolge von Bewegungen, die offenbar alle dazu dienten, einen Gegner in zwei Teile zu spalten. »Na ja, ich rede davon, dass du um drei Uhr nachts dein Zimmer verlässt, um dich in der Stadt volllaufen zu lassen, und es dabei so eilig hast, dass du dreißig Stufen runterfällst, bevor du deinen Sturz bremsen kannst.«

Hatte er die Stufe mit dem Handabdruck gesehen?

»Woher weißt du das?«

Er zuckte die Schultern.

»*Bespitzelst* du mich etwa?« Noch bevor er antworten konnte, zischte sie: »Du hast mich bespitzelt und mir nicht geholfen?«

Erneut zuckte Cassian die Schultern. »Du bist nicht weiter hinabgestürzt. Andernfalls wäre irgendwann jemand gekommen, um dich aufzufangen.«

Sie fauchte ihn an.

Doch er grinste nur und machte eine einladende Handbewegung. »Willst du mitmachen?«

»Ich sollte *dich* diese Treppe hinunterstoßen.«

Mit einer eleganten Bewegung schob Cassian das Schwert in die Scheide auf seinem Rücken. Fünfhundert Jahre Training – er musste dieses Schwert so oft gezogen und wieder in die Scheide geschoben haben, dass die Bewegung in sein motorisches Gedächtnis eingegraben war.

»Und, was ist jetzt?«, fragte er, und seine Stimme bekam einen scharfen Unterton. »Wenn du schon diese herrlichen Schrammen hast, kannst du genauso gut behaupten, du hättest sie vom Training, und nicht von einem erbärmlichen Sturz.« Nach einem Moment fragte er: »Wie viele Stufen hast du dieses Mal geschafft?«

Sechsundsechzig. Doch Nesta erwiderte nur: »Ich trainiere nicht.«

Am Rand des Trainingsplatzes standen erneut Krieger, die sie beobachteten. Zuerst hatten sie Cassian zugesehen, zum Teil voller Ehrfurcht, zum Teil mit neiderfüllten Blicken. Niemand bewegte sich so wie er, nicht einmal annähernd. Aber jetzt spiegelte sich in ihren Augen Belustigung.

Im letzten Jahr noch hätte sie diese Kerle zur Rede gestellt und sie in der Luft zerrissen. Sie hätte ihnen etwas von dieser furchtbaren Kraft gezeigt, die sie in sich trug – damit sie auch wirklich glaubten, sie sei eine Hexe, die sie und ihre Nachkommen auf tausend Generationen hin verfluchen würde, wenn sie Cassian noch einmal beleidigten.

Nesta streckte die Beine aus und stützte sich mit ihren aufgerissenen Handflächen auf dem Stein ab. »Viel Spaß bei deinen Übungen.«

Cassian erstarrte, streckte dann aber erneut die Hand aus. »Bitte.«

Dieses Wort hatte sie noch nie aus seinem Mund gehört. Es war wie ein Seil zwischen ihnen. Er würde ihr entgegenkommen – sie den

Machtkampf gewinnen lassen und seine Niederlage eingestehen, wenn sie nur von diesem Felsblock aufstand.

Sie ermahnte sich, aufzustehen und diese ausgestreckte Hand zu ergreifen. Aber sie konnte nicht. Konnte ihren Körper nicht dazu bringen, sich zu erheben.

Seine haselnussbraunen Augen leuchteten flehend in der Morgensonne und der Wind spielte in seinen dunklen Haaren. Als wäre er aus diesen Bergen gemacht worden, aus Wind und Stein. Er war wunderschön. Nicht so wie Azriel und Rhys, sondern auf eine ungeschliffene Art – wild und unbeugsam.

Bei ihrer ersten Begegnung mit Cassian hatte sie ihre Augen nicht von ihm abwenden können. Ihr ganzes Leben lang war sie von Jungen umgeben gewesen, und dann war plötzlich ein Mann aufgetaucht. Alles an ihm hatte diese selbstbewusste, arrogante Männlichkeit ausgestrahlt – berauschend und überwältigend. Und viele Monate lang hatte sie nur das Verlangen verspürt, ihn zu berühren, zu riechen und zu schmecken. Dieser Stärke nahe zu sein, mit allem, was sie war. Denn sie wusste, dass er niemals schwanken, niemals zögern und sich niemals sperren würde.

Aber das Licht in seinen Augen wurde schwächer, als er die Hand langsam senkte.

Sie verdiente seine Enttäuschung. Verdiente seinen Groll und seinen Abscheu. Auch wenn dadurch etwas Lebenswichtiges aus ihr herausgeschnitten wurde.

»Dann eben morgen«, sagte Cassian. Den Rest des Tages redete er kein Wort mehr mit ihr.

11

Die Tür der privaten Bibliothek war verschlossen. Nesta rüttelte an der Klinke, aber sie ließ sich nicht bewegen.
»Öffne die Tür«, sagte sie leise.
Das Haus ignorierte sie.
Erneut versuchte sie, die Klinke hinunterzudrücken, und lehnte sich mit der Schulter gegen das Türblatt. »*Öffne die Tür.*«
Nichts.
Sie rammte ihre Schulter gegen das Holz. »*Mach sofort die Tür auf!*«
Das Haus weigerte sich zu gehorchen.
Keuchend biss sie die Zähne zusammen. Sie hatte mehr Bücher als gestern einzuräumen gehabt, denn offenbar hatten die Priesterinnen von Gwyn gehört, Nesta sei jetzt ihr Laufmädchen.
Also hatten sie ihr ihre Folianten auf den Wagen gepackt. Und einige hatten sie auch gebeten, ihnen Bücher zu bringen. Nesta hatte ihrer Bitte entsprochen, und sei es nur, weil die Suche nach den verlangten Bänden sie an neue Orte in der Bibliothek brachte und ihre Gedanken ablenkte. Doch als die Uhr sechs geschlagen hatte, war sie erschöpft, staubig und hungrig gewesen. Sie hatte das Sandwich ignoriert, das das Haus ihr am Nachmittag hingestellt hatte, und es damit wahrscheinlich so verärgert, dass es ihr jetzt den Zutritt zur Privatbibliothek verweigerte.
»Ich will doch nur eine schöne, warme Mahlzeit und ein gutes Buch«, knurrte Nesta und rüttelte erneut an der Türklinke. »Bitte.«
Keine Reaktion.
»*Dann eben nicht.*« Sie stürmte durch den Korridor, und der Hunger trieb sie ins Esszimmer, wo Cassian und Azriel vor ihren Mahlzeiten saßen.

Das Gesicht des Schattensängers wirkte ernst, sein Blick misstrauisch. Cassian, der mit dem Rücken zu ihr saß, versteifte sich nur, zweifellos vorgewarnt durch ihren Geruch oder ihre energischen Schritte.

Schweigend marschierte Nesta zu einem Stuhl in der Mitte des Tischs. Als sie ihren Platz erreichte, erschienen zunächst Besteck und Teller, dann das Essen. Aber Nesta hatte das Gefühl, wenn sie den Teller nahm, um damit auf ihr Zimmer zu verschwinden, würde das Haus ihn ihr aus den Händen zaubern, noch bevor sie die Tür erreicht hätte. Immer noch schweigend, setzte sie sich, nahm ihre Gabel und machte sich über das Rinderfilet mit gebratenem Spargel her.

Cassian räusperte sich und wandte sich an Azriel: »Wie lange wirst du fort sein?«

»Ich weiß es nicht.« Die Augen des Schattensängers schauten Nesta durchdringend an, bevor er hinzufügte: »Vassa hatte recht mit ihrer Vermutung, dass irgendetwas ganz und gar nicht stimmt. Die Situation dort ist so gefährlich, dass es klüger wäre, wenn ich weiter hierbleibe und nur hin- und herpendle.«

Trotz ihrer geweckten Neugier stellte Nesta keine Fragen. Vassa – sie hatte die verzauberte sterbliche Königin seit Kriegsende nicht mehr gesehen. Seit die junge Frau ihr zu erzählen versucht hatte, wie *wunderbar* Nestas Vater sich verhalten habe, wie er ihr, Vassa, ein echter Vater gewesen sei, wie er ihr zu dieser vorübergehenden Freiheit verholfen habe und so weiter und so fort. Bis Nesta es kaum noch ausgehalten hatte und ihr Blut zu kochen begann bei dem Gedanken, dass ihr Vater für jemand anderes als ihre Schwestern und sie so viel Mut aufgebracht hatte. Dass er der Vater gewesen war, den sie gebraucht hatte – aber für jemand anderes. Er hatte ihre Mutter sterben lassen, als er sich weigerte, seine Handelsflotte nach einem Heilmittel für sie auszusenden, war verarmt und hatte seine Töchter hungern lassen, dann aber beschlossen, für diese Fremde zu kämpfen? Für diese jämmerliche Königin, die mit einer traurigen Geschichte von Verrat und Verlust hausieren ging?

Dieses Etwas tief in Nestas Innerem regte sich, aber sie ignorierte es, unterdrückte es, so gut sie konnte ohne die Hilfe von Musik, Sex oder Wein. Sie trank einen Schluck Wasser und kühlte damit ihre Kehle und ihren Bauch. Dann musste das eben reichen.

»Was hat Rhys dazu gesagt?«, fragte Cassian mit vollem Mund.

»Was glaubst du wohl, wer darauf bestanden hat, dass es zu riskant für mich sei, da drüben einen Stützpunkt einzurichten?«

»Beschützerischer Mistkerl.« Aber in Cassians Worten schwang Zuneigung mit.

Erneut breitete sich Stille aus. Azriel deutete mit dem Kopf auf Nesta. »Was ist denn mit dir passiert?«

Sie wusste, dass er das blaue Auge meinte, das endlich abschwoll und verblasste. Ihre Hände und das Kinn waren verheilt, genau wie die Blutergüsse an ihrem Körper. Aber das blaue Auge hatte eine grünliche Tönung angenommen und würde erst morgen früh wieder ganz normal aussehen. »Nichts«, sagte sie, ohne Cassian anzuschauen.

»Sie ist die Treppe runtergefallen«, sagte Cassian, den Blick ebenfalls abgewandt.

Azriels Schweigen sprach Bände, bevor er fragte: »Hat dich jemand ... gestoßen?«

»Arschloch«, knurrte Cassian.

Nesta hob die Augen gerade weit genug von ihrem Teller, um die Belustigung in Azriels Blick zu sehen, auch wenn kein Lächeln seinen sinnlichen Mund umspielte.

»Ich habe ihr vorhin schon gesagt: Wenn sie trainieren würde, könnte sie zumindest mit den blauen Flecken prahlen«, fuhr Cassian fort.

Azriel trank bedächtig einen Schluck Wasser. »Warum trainierst du nicht, Nesta?«

»Weil ich nicht will.«

»Warum nicht?«

»Spar dir die Mühe, Az«, murmelte Cassian.

»Ich trainiere nicht in diesem elenden Dorf«, sagte sie und funkelte ihn zornig an.

Cassian blickte genauso zornig zurück. »Du hast einen *Befehl* erhalten. Du kennst die Konsequenzen. Wenn du bis zum Ende dieser Woche nicht von diesem verdammten Felsblock runterkommst, habe ich keinen Einfluss mehr darauf, was danach mit dir passiert.«

»Dann willst du mich also bei deinem geschätzten High Lord verpetzen? Der große, harte Krieger braucht den mächtigen Rhysand, um seine Schlachten zu schlagen?«, höhnte sie.

»Rede verdammt noch mal nicht in diesem Ton von Rhys«, schnauzte Cassian.

»Rhys ist ein Arschloch«, fauchte Nesta. »Ein arrogantes, aufgeblasenes *Arschloch*.«

Azriel lehnte sich zurück. Seine Augen glühten vor Wut, doch er schwieg.

»Schwachsinn«, knurrte Cassian, und die Trichtersteine auf seinen Handrücken leuchteten wie rubinrote Flammen. »Du weißt, dass das *Schwachsinn* ist, Nesta.«

»Ich hasse ihn!«

»Gut. Er hasst dich auch«, konterte Cassian. »Alle hassen dich. Warst du darauf aus? Dann gratuliere ich dir – du hast es geschafft.«

Azriel seufzte genervt.

Cassians Worte prasselten auf sie ein, trafen sie tief in ihrem Inneren und verletzten sie schwer. Ihre Finger krümmten sich zu Krallen und kratzten über den Tisch, als sie schnaubte: »Und jetzt wirst du mir vermutlich sagen, dass du die einzige Person bist, die mich nicht hasst. Dass ich dafür so etwas wie Dankbarkeit empfinden und deshalb mit dir trainieren soll.«

»Ich sage dir nur eins: *Mir reicht's*.«

Nesta blinzelte – das einzige Zeichen von Überraschung, das sie zuließ.

Azriel versteifte sich, als wäre auch er überrascht.

Aber sie ging auf Cassian los, bevor er noch etwas hinzufügen konnte. »Heißt das auch, dass du mir nicht mehr hinterherhechelst? Denn es wäre wirklich eine *Erleichterung* zu wissen, dass du es endlich kapiert hast.«

Cassians muskulöse Brust hob und senkte sich merklich, und sie sah, wie er schluckte. »Wenn du dich selbst zerfleischen willst, bitte schön. Schlag um dich, so viel du willst.« Er stand auf, obwohl sein Teller noch halb voll war. »Das Training sollte dir helfen und keine Bestrafung sein. Ich verstehe einfach nicht, warum du das *nicht kapierst.*«

»Ich habe dir gesagt, dass ich in diesem elenden Dorf nicht trainiere.«

»Okay.« Cassian stolzierte hinaus. Seine stampfenden Schritte verhallten im Gang.

Nesta schenkte Azriel ein Lächeln, das eher an Zähnefletschen erinnerte. Doch Azriel saß vollkommen reglos da und betrachtete sie schweigend. Als könnte er alles in ihrem Kopf und in ihrem verletzten Herzen sehen. Und das konnte sie keine Sekunde länger ertragen. Sie stand auf und verließ ebenfalls den Raum, ihr Essen kaum angerührt.

Wütend kehrte sie in die Bibliothek zurück. Die Lichter brannten so hell wie am Tag und ein paar Priesterinnen wanderten noch durch die Geschosse. Ihr Wagen war wieder mit Büchern gefüllt, die einsortiert werden mussten. Niemand sprach mit ihr, und auch sie redete mit niemandem, während sie ihre Arbeit verrichtete. Nur die tosende Stille in ihrem Kopf leistete ihr Gesellschaft.

Amren hatte sich geirrt. *Lass deine Hand ausgestreckt* war vollkommener Schwachsinn, wenn die Person, der man sie entgegenstreckte, einem die Finger abbeißen konnte.

Cassian saß auf dem Plateau des Bergs, in den das Haus der Winde hineingebaut war, und blickte hinab auf den Trainingsplatz. Über ihm glitzerten die Sterne und eine frische Herbstbrise flüsterte von buntem Laub und kalten Nächten. Velaris in der Tiefe war ein buntgoldenes Funkeln, das sich wie ein Regenbogen an den Sidra schmiegte.

Er hatte noch nie bei irgendetwas versagt. Nicht auf diese Weise.

Und er war so zuversichtlich, so töricht hoffnungsvoll gewesen, dass er nicht geglaubt hatte, sie würde sich wirklich weigern. Bis heute, als er sie auf diesem Felsblock gesehen und gewusst hatte, dass sie eigentlich aufstehen wollte, aber diesen Instinkt in sich blockiert hatte. Er hatte gesehen, wie sie sich selbst diesen stählernen Willen aufzwang.

»Du bist doch sonst nicht der grüblerische Typ.«

Cassian zuckte zusammen und drehte den Kopf zur Seite. Neben ihm saß Feyre. Ihre Füße baumelten in der Luft und ihr goldbraunes Haar wurde vom Wind zerzaust, während sie auf den Trainingsplatz hinabschaute. »Bist du hergeflogen?«, fragte Cassian.

»Nein, den Wind geteilt. Rhys meinte, du würdest ›laut denken‹.« Ein Lächeln umspielte Feyres Mundwinkel. »Ich dachte, ich sehe mal nach, was los ist.«

Seine High Lady war wieder von einem feinen Schutzwall umgeben, mit bloßem Auge nicht erkennbar, aber glitzernd vor Kraft. Cassian deutete mit dem Kopf darauf. »Warum schützt Rhysie dich noch immer mit diesem eisernen Schild?« Das Ding war stark genug, um ganz Velaris Schutz zu bieten.

»Weil er eine alte Nervensäge ist«, sagte Feyre, lächelte aber sanft. »Er probiert dauernd aus, wie das Ganze funktioniert, und ich habe noch nicht herausgefunden, wie ich mich davon befreien kann. Aber da die Königinnen jetzt wieder eine Bedrohung darstellen und Beron ebenfalls mitmischt und Koschei möglicherweise die Fäden in der Hand hält, ist Rhys glücklich und zufrieden über den Schutzschild.«

»Diese verdammten Königinnen sind echt ein Problem«, knurrte Cassian. »Hoffentlich findet Az heraus, was sie wirklich vorhaben. Oder zumindest, was Briallyn und Koschei planen.«

Rhys überlegte noch immer, wie er auf Eris' Forderung reagieren sollte. Cassian ging davon aus, dass er bald entsprechende Befehle erhalten würde. Und dann würde er sich mit dem Arschloch herumschlagen müssen. Von General zu General.

»Irgendwie fürchte ich mich vor dem, was Azriel herausfinden könnte«, gestand Feyre und stützte sich auf ihre Hände. »Mor bricht morgen wieder nach Vallahan auf. Auch das macht mir Sorgen. Dass sie mit noch schlimmeren Nachrichten über deren Absichten zurückkommt.«

»Wir werden uns darum kümmern.«

»Da spricht der echte General.«

Cassian stupste mit einer Schwinge gegen Feyres Schulter – eine zwanglose, liebevolle Geste, die er sich gegenüber einer Frau aus der illyrianischen Gemeinde niemals herausgenommen hätte. Illyrianer reagierten schon an guten Tagen fast krankhaft, wenn es darum ging, wer ihre Schwingen berührte. Die Berührung von Schwingen außerhalb des Schlafzimmers, des Trainings oder eines Kampfs auf Leben und Tod war ein gewaltiges Tabu. Aber Rhys kümmerte sich nicht darum und Cassian hatte die Berührung gebraucht. Er brauchte immer körperlichen Kontakt, wie er inzwischen wusste. Vermutlich deshalb, weil er in seiner Kindheit verdammt wenig körperliche Nähe erfahren hatte.

Feyre schien sein Bedürfnis nach einer beruhigenden Berührung zu verstehen, denn sie fragte: »Wie schlimm ist es?«

»Schlimm.« Mehr konnte er nicht eingestehen.

»Aber sie geht doch in die Bibliothek?«

»Sie ist heute Abend wieder dorthin zurückgekehrt. Soweit ich weiß, läuft sie noch immer da unten rum.«

Feyre dachte darüber nach und schaute auf die Stadt. Seine High Lady sah so jung aus – Cassian vergaß immer, wie jung sie wirklich war, wenn man bedachte, was sie in ihrem Leben schon alles durchgemacht und erreicht hatte. Mit einundzwanzig hatte er noch gesoffen, sich geprügelt und herumgevögelt, sich um nichts und niemanden geschert und nur den Ehrgeiz gehabt, der fähigste illyrianische Krieger seit Enalius zu werden. Feyre dagegen hatte mit einundzwanzig bereits ihre Welt gerettet, ihren Seelengefährten gefunden und wirkliches Glück erlebt.

»Hat Nesta gesagt, warum sie nicht trainieren will?«

»Weil sie mich hasst.«

Feyre schnaubte. »Nein, Cassian. Nesta hasst dich nicht. Glaub mir.«

»Aber sie verhält sich definitiv so.«
»Nein, tut sie nicht«, widersprach Feyre und schüttelte den Kopf. Ihre Worte klangen so gequält, dass er die Stirn runzelte.
»*Dich* hasst sie auch nicht«, sagte er leise.
Feyre zuckte die Schultern. Die Geste versetzte ihm einen schmerzhaften Stich. »Eine Weile habe ich das auch gedacht. Aber jetzt bin ich mir nicht mehr so sicher.«
»Ich verstehe nicht, warum ihr beiden nicht einfach …« Er suchte nach den richtigen Worten.
»Miteinander auskommt? Euch benehmt? Einander zulächelt?« Feyres Lachen klang hohl. »So war es schon immer zwischen uns.«
»Warum?«
»Keine Ahnung. Ich meine, zwischen uns und unserer Mutter. Sie interessierte sich nur für Nesta. Mich hat sie ignoriert und Elain war für sie kaum mehr als eine Anziehpuppe. Aber Nesta gehörte *ihr*. Und unsere Mutter hat dafür gesorgt, dass wir das wussten. Oder es war ihr so egal, was wir dachten oder taten, dass sie sich nicht die Mühe gemacht hat, es vor uns zu verbergen.« Verbitterung und ein anhaltender Schmerz lagen in diesen Worten. Dass eine Mutter ihren Kindern so etwas antun konnte … »Doch als wir verarmten, als ich mit der Jagd anfing, wurde es noch schlimmer. Unsere Mutter war fort und unser Vater nicht wirklich anwesend. Er war nicht für uns da. Also gingen Nesta und ich uns ständig an die Gurgel.« Feyre fuhr sich mit den Händen übers Gesicht. »Ich bin zu erschöpft, um jetzt ins Detail zu gehen. Das Ganze ist ein einziges verworrenes Durcheinander.«
Cassian verkniff sich die Bemerkung, dass die beiden Schwestern einander offenbar brauchten – dass Nesta Feyre vermutlich viel mehr brauchte, als ihr klar war. Und er sagte auch nicht, dass diese Schwierigkeiten zwischen den beiden Frauen ihn mehr schmerzten, als er zum Ausdruck bringen konnte.
Feyre seufzte. »Ich habe mit dieser langen Erklärung nur sagen wollen, dass ich weiß, wie es aussähe, wenn Nesta dich hassen würde. Sie hasst dich nicht.«

»Nach dem, was ich heute Abend zu ihr gesagt habe, vielleicht doch.«

»Azriel hat es mir erzählt.« Feyre fuhr sich erneut übers Gesicht. »Ich weiß nicht, was ich tun soll. Wie ich ihr helfen kann.«

»Sie ist erst drei Tage hier und ich bin schon mit meinem Latein am Ende«, gestand er.

Eine Weile saßen sie schweigend nebeneinander, umspielt vom Wind. Tief unten stieg Dunst vom Sidra auf, unter den sich Rauchfahnen aus zahllosen Kaminen mischten.

»Was sollen wir also tun?«, fragte Feyre.

Er wusste es nicht. »Vielleicht kann die Arbeit in der Bibliothek etwas an ihrem Zustand ändern.« Aber schon in dem Moment, als ihm die Worte über die Lippen kamen, hörten sie sich falsch an.

Feyre schien es genauso zu empfinden. »Nein, dort kann sie sich nur in der Stille zwischen den Regalen verstecken. Die Bibliothek sollte ein Gegengewicht zum Training sein.«

Er rollte die Schultern. »Tja, sie meinte, sie würde nicht in diesem *elenden Dorf* trainieren. Also stecken wir in einer Sackgasse.«

Erneut seufzte Feyre. »Sieht ganz so aus.«

Plötzlich hielt Cassian inne. Er blinzelte und spähte dann hinunter auf den Trainingsplatz.

»Was ist?«

Er schnaubte. »Natürlich – ich hätte es wissen müssen!« Als Feyre ihn fragend ansah, beugte er sich vor, um ihr einen Kuss auf die Wange zu geben. Er hatte sich ihrem Gesicht auf wenige Zentimeter genähert, als seine Lippen auf kalten Stahl trafen. Richtig – der Schutzschild. »Diese starke Sicherung ist verrückt.«

Feyre strich ihren dicken cremefarbenen Pullover glatt. »Genau wie Rhys.«

Cassian schnupperte und versuchte vergeblich, ihren Duft zu riechen. »Hat er etwa auch deinen Duft abgeschirmt?«

»Das ist alles Teil desselben Schilds. Helion hat es ernst gemeint, als er ihn als undurchdringlich bezeichnete«, erklärte Feyre grinsend.

Trotz allem musste Cassian ebenfalls grinsen. Er erinnerte sich daran, wie er ihr im Esszimmer des Hauses unter ihnen zum ersten Mal begegnet war – dem Mädchen, das seine High Lady werden sollte. Damals war sie so furchtbar dünn gewesen, so hohläugig und abwesend, dass er sämtliche Selbstbeherrschung hatte aufbringen müssen, um nicht zum Frühlingshof zu fliegen und Tamlin in Stücke zu reißen.

Cassian schüttelte den Gedanken ab und konzentrierte sich stattdessen auf das, was er da unten sah.

Noch ein letztes Mal. Er würde es noch ein letztes Mal versuchen.

12

Nesta stand auf dem Trainingsplatz, der sich oberhalb des Hauses der Winde befand, und zog eine mürrische Miene. »Ich dachte, wir würden nach Windhaven hinaufgebracht.«

Cassian schritt über die Strickleiter, die auf dem Boden ausgelegt war, und rückte eine Sprosse gerade. »Kurzfristige Planänderung.« Als sie am Morgen ins Esszimmer gekommen war, hatte nichts mehr in seinem Gesicht an die rot glühende Wut vom Vortag erinnert. Azriel war schon fort, aber Cassian hatte kein Wort über den Grund verloren. Vermutlich hing es irgendwie mit den Königinnen zusammen, dem Gespräch am gestrigen Abend nach zu urteilen.

Nach dem Frühstück hatte sie dann nach Morrigan Ausschau gehalten, aber sie war nicht erschienen. Und Cassian hatte sie hierhergeführt, ohne auf dem Weg mit ihr zu sprechen.

Alle hassen dich. Die Worte hatten in ihrem Kopf nachgeklungen wie eine Glocke, die nicht aufhören wollte zu läuten.

»Mor ist zurück nach Vallahan«, erklärte er endlich, »und Rhys und Feyre sind beschäftigt. Es ist also niemand da, um den Wind zu teilen und uns nach Windhaven zu bringen. Wir werden heute hier trainieren.« Er deutete auf den leeren Platz, wo niemand sie beobachtete. »Nur du und ich, Nes«, fügte er mit einem spöttischen Grinsen hinzu, bei dem sie schlucken musste.

Nesta hatte am gestrigen Abend gesagt, sie werde nicht im Dorf trainieren, und Cassian war bewusst geworden, dass sie das schon öfter gesagt hatte. *Nicht in diesem elenden Dorf.* Es hätte ihm schon vor Tagen auffallen sollen, zumal er es besser wusste.

Nesta mochte bereit sein, dem König von Hybern persönlich die Stirn zu bieten, aber sie war unglaublich stolz. Sie würde lieber sterben, als dumm zu erscheinen oder sich angreifbar zu machen. Würde lieber stundenlang im schneidenden Wind auf einem eiskalten Felsblock sitzen, als vor allen wie eine Närrin dazustehen. Besonders vor arroganten Kriegern, die nur darauf warteten, sich über eine Frau lustig zu machen, die versuchte, so wie sie zu kämpfen.

Ihm war es egal, wo sie trainierte, solange sie nur endlich damit begann. Wenn sie sich heute weigerte, wusste er nicht mehr, was er tun sollte.

Die Morgensonne brannte und kündigte einen warmen Tag an. Cassian zog seine Lederjacke aus und krempelte die Hemdsärmel hoch. »Nun?«, fragte er und schaute ihr ins Gesicht.

»Ich ...«

Bei ihrem Zögern wurde ihm auf einmal die Brust ganz eng. Aber er unterdrückte diese Hoffnung und krempelte langsam auch den anderen Ärmel hoch. Ob sie bemerkte, dass seine Hände leicht zitterten?

Tu so, als wäre alles normal. Verschreck sie nicht.

Hier konnte sie sich mit ihrem hübschen Hintern nirgendwo niederlassen. Die Liegestühle, in denen sich Amren – und manchmal auch Mor – gern sonnte, hatte er bereits weggeräumt.

Als Nesta am Eingang stehen blieb, hörte Cassian sich sagen: »Lass uns einen Handel abschließen.«

Ihre Augen blitzten auf. Man schlug unter Fae nicht leichtfertig einen Handel vor. Er wusste, dass Feyre Nesta bei ihrem ersten Besuch bereits darüber aufgeklärt hatte. Als eine Art Vorsichtsmaßnahme. Nestas skeptischem Blick nach zu urteilen, erinnerte sie sich offenbar gut an Feyres Warnung: Ein Fae-Handel war durch Magie gebunden und wurde mit Tinte in die Haut eingebrannt. Die Tinte würde erst verblassen, wenn der Handel abgeschlossen war. Und wenn er nicht eingehalten wurde ... konnte die Magie fürchterliche Rache üben.

Cassian gab sich ganz ungezwungen. »Wenn du jetzt eine Stunde trainierst, schulde ich dir einen Gefallen.«

»Ich brauche keinen Gefallen von dir.«

»Dann nenne mir deinen Preis.« Er hatte Mühe, sein rasendes Herz zu beruhigen. »Eine Stunde Training – für was immer du willst.«
»Das ist aber ein Kuhhandel für dich.« Sie kniff die Augen zusammen. »Ich dachte, du wärst ein General. Solltest du da nicht besser verhandeln können?«

Seine Mundwinkel zuckten. Zumindest kämpfte sie nicht gegen ihn an. »Für dich habe ich keine Strategien.«

Sie musterte ihn weiter skeptisch. »Alles, was ich will?«

»Alles«, antwortete er und fügte dann ironisch hinzu: »Alles – außer du befiehlst mir, mich vom Himmel zu stürzen und mir den Schädel zu zertrümmern.«

Statt des erwarteten Lächelns verwandelten sich ihre Augen in kleine Eiszapfen. »Glaubst du wirklich, dazu wäre ich fähig?«

»Nein«, sagte er, ohne zu zögern.

Sie presste die Lippen zusammen, als würde sie ihm nicht glauben. Und ihm fiel auf, dass ihre Augen rot gerändert waren. Wie lange hatte sie letzte Nacht in der Bibliothek gearbeitet? Aber es war vermutlich nicht klug, sie zu fragen, warum sie so lange aufgeblieben war. Diesen Kampf würde er sich für einen anderen Zeitpunkt aufheben. Vielleicht in einer Stunde.

Wieder musterte sie ihn, und Cassian zwang sich, still zu stehen, offen und harmlos zu wirken und nicht den Eindruck zu erwecken, als würde er ihr sein Herz auf bloßen Händen entgegenstrecken.

»Okay«, sagte sie schließlich. »Sagen wir einfach, es geht um einen Gefallen. Welcher Art auch immer.«

Es war gefährlich, dem zuzustimmen. Tödlich. Dumm. Doch er nickte. »Ja.«

Er streckte die Hand aus. Ein letztes Mal.

Lass deine Hand ausgestreckt.

»Ein Handel.« Er erwiderte ihren stählernen Blick. »Du trainierst eine Stunde mit mir und ich schulde dir einen Gefallen. Welcher Art auch immer.«

»Einverstanden.« Sie schlug ein und sie schüttelten einander fest die Hand.

Magie knisterte zwischen ihnen und Nesta zuckte keuchend zurück.

Cassian ließ die Magie in sich hineindonnern wie eine in Panik geratene Herde galoppierender Pferde. Er stand es durch. Worin auch immer ihre Kraft bestand, sie machte den Handel noch intensiver, noch herausfordernder.

Dann musterte er seine Hände und seine Unterarme, suchte nach einer Tätowierung, die zu seinen illyrianischen Zeichen für Glück und Ruhm hinzugekommen war. Nichts.

Aber sie musste irgendwo sein.

Er streifte sein Hemd ab und ließ den Blick über die muskulösen Flächen seines Oberkörpers wandern.

Nichts.

Dann ging er auf den schmalen Spiegel zu, der an der einen Seite des Platzes lehnte und in dem er seine Technik überprüfen konnte, wenn er allein trainierte. Er blieb davor stehen, drehte sich um und schaute über die Schulter auf seinen tätowierten Rücken.

Direkt in der Mitte der illyrianischen Tätowierung, die sich sein Rückgrat hinabschlängelte, prangte etwas Neues. Ein achtzackiger Stern, dessen Kompasspunkte sich in scharfen Linien über die Furche seines Rückens zogen und mit den illyrianischen Tätowierungen dort verwoben waren. Der Ost- und der Westpunkt des Sterns verlief jeweils direkt zu seinen Schwingen, wo Schwarz in Schwarz überging. Er wusste, dass ein solcher Stern auch Nestas Rücken zierte, und versuchte, nicht an ihre nackte Haut zu denken, als er sich zu ihr umdrehte.

Nestas Augen waren jedoch nicht auf den Spiegel gerichtet.

Nein – sie fixierten seinen Torso, seine Brust, seine Bauchmuskeln und seine nackten Arme. Der Puls in ihrer Kehlgrube pochte sichtlich.

Cassian wagte es nicht, sich zu bewegen, als ihre Augen sich auf die Muskeln richteten, die v-förmig an seinem Hosenbund zusammenliefen. Als diese Augen dunkler wurden, ihre Wimpern flatterten und Röte ihre blasse Haut überzog.

Sein Blut wurde heiß und seine Haut spannte sich über Knochen und Muskeln, als spürten sie die Berührung ihrer blaugrauen Augen, die wie Finger über seinen Bauch strichen. Und tiefer.

Er hütete sich, eine spöttische Bemerkung zu machen. Wenn er sie verärgerte, würde sie sich nicht nur weigern zu trainieren – Handel hin oder her: Sie würde auch aufhören, ihn so anzusehen.

Langsam bewegte sich ihr Blick seinen Körper hinauf, hielt an den definierten Brustmuskeln und der illyrianischen Tätowierung inne, die sich über seine Haut schlängelte, und wanderte dann seinen linken Arm hinunter. Für den Bruchteil einer Sekunde spannte er die Muskeln. »Bist du bereit?«, brachte er mit belegter Stimme hervor.

Beim Kessel – er wusste, dass diese Frage mehr als nur eine Bedeutung enthielt.

Dem Schimmern in ihren Augen nach zu urteilen, war ihr das ebenfalls nicht entgangen. Aber sie straffte die Schultern. »In Ordnung. Ich schulde dir eine Stunde Training.«

»Allerdings.« Cassian brachte seinen Atem unter Kontrolle und unterdrückte dieses brüllende Verlangen in seinem Inneren. Dann ging er in die Mitte des Platzes, entschied sich aber dagegen, sein Hemd wieder überzustreifen. Denn es war ein warmer Tag und seine Haut glühte inzwischen förmlich.

Er deutete auf die Stelle neben sich und schenkte ihr sein breitestes Grinsen. »Dann zeig mal, was du draufhast, Archeron.«

Ein Handel – mit Cassian. Nesta wusste nicht, warum sie eingeschlagen und zugelassen hatte, dass diese Magie zwischen ihnen entstanden war und sie gezeichnet hatte, aber …

Alle hassen dich.

Vielleicht hatte sie sich nur deshalb auf diesen Wahnsinn eingelassen. Sie hatte keine Ahnung, welchen Gefallen sie von ihm verlangen würde, aber … Okay. Dieser Trainingsplatz mit den hohen Mauern, wo nur der Himmel ihr Zeuge war – hier konnte sie es auf einen Versuch ankommen lassen.

Es spielte keine Rolle, dass Cassians Anblick ohne Hemd schon fast unanständig war, selbst bei all den Narben, die seine goldbraune Haut überzogen. Die auf seinem linken Brustmuskel war besonders erschreckend – und sie wusste, dass er sich diese Wunde nicht im Krieg gegen Hybern zugezogen hatte. Sie wollte gar nicht wissen, welche Verletzung so schlimm gewesen war, dass sie auf seinem schnell heilenden Körper eine solche Narbe hinterlassen hatte. Zumal alle Hinweise auf die verheerende Wunde, die er während des Kriegs erlitten hatte, verschwunden waren. Davon waren nur straffe Muskeln und Haut zurückgeblieben.

Ehrlich gesagt hatte er so viele Muskeln, dass sie sie gar nicht alle zählen konnte. Muskeln auf seinen verdammten Rippen – sie hatte gar nicht gewusst, dass man dort welche haben konnte. Und die, die sich in seine Hose hinein erstreckten, wie ein goldener Pfeil, der genau auf das zeigte, was sie wollte ...

Nesta schüttelte den Gedanken ab und ging auf Cassian zu, der in der Mitte des Platzes stand. Er grinste wie ein Dämon.

Gut einen Meter von ihm entfernt blieb sie stehen, spürte die warme Morgensonne auf ihren Haaren und Wangen. So nah war sie ihm lange nicht mehr gekommen, jedenfalls nicht ohne Streit oder heftige Diskussion.

Cassian rollte seine kräftigen Schultern und seine große Tätowierung folgte der Bewegung. »Gut. Wir fangen mit den Grundlagen an.«

»Schwerter?« Sie zeigte auf das Waffenregal vor der Mauer links vom Torbogen, der zur Treppe führte.

»Schwerter müssen noch warten. Zuerst musst du lernen, deine Bewegungen und dein Gleichgewicht zu kontrollieren. Bevor du überhaupt ein Übungsschwert aus Holz in die Hand nimmst, musst du die dafür erforderliche Kraft und das Körperbewusstsein entwickeln.« Er schaute auf ihre geschnürten Stiefel. »Füße und Atmung.«

»Füße?«, fragte sie blinzelnd.

»Besonders deine Zehen.«

Er meinte es vollkommen ernst. »Was ist mit meinen Zehen?«

»Du musst lernen, wie du dich am Boden festhältst und dein Gewicht ausbalancierst – das ist die Grundlage für alles andere.«

»Ich soll meine Zehen trainieren?«

Er lachte leise. »Hast du wirklich gedacht, es geht direkt mit Schwertern und Pfeilen los?«

Arrogantes Arschloch. »Meine Schwester hast du sofort damit trainieren lassen.«

»Deine Schwester besaß bereits Fertigkeiten, die du nicht hast, und außerdem fehlte ihr kostbare Zeit für ein ausgiebiges Training.«

Feyre hatte diese Fertigkeiten auf der Jagd erworben, als sie Nahrung für die Familie beschaffen musste. Nesta war in der warmen Sicherheit des Hauses geblieben und hatte Feyre allein in den Wald ziehen lassen. Dabei hatte sie Dinge gelernt, die ihr geholfen hatten, die High Fae und ihre Schrecken zu überleben, aber ... Feyre besaß diese Fertigkeiten nur, weil sie gezwungen gewesen war, sich zu behaupten. Weil Nesta nicht aufgestanden war und es an ihrer Stelle übernommen hatte.

Jetzt sah sie, dass Cassian sie aufmerksam beobachtete. Als hätte er diese Gedanken gehört und könnte spüren, wie schwer sie auf ihr lasteten.

»Feyre hat mir beigebracht, wie man mit Pfeil und Bogen umgeht.« Nur ein paar Lektionen vor langer Zeit, aber Nesta erinnerte sich. Eines der wenigen Male, als Feyre und sie an einem Strang gezogen hatten.

»Nicht mit einem illyrianischen Bogen.« Cassian zeigte auf ein Gestell mit massiven Bögen und Köchern neben dem Spiegel. Die Bögen waren fast so hoch wie eine ausgewachsene Frau. »Ich habe erst als erwachsener Mann die Kraft besessen, überhaupt einen zu spannen.«

Nesta verschränkte die Arme und trommelte mit den Fingern auf ihren Bizeps. »Dann soll ich also eine Stunde hier draußen damit verbringen, mit meinen Zehen zu wackeln?«

Cassians grinste erneut breit. »Genau.«

Irgendwann begann Nesta zu schwitzen. Die Füße taten ihr weh und ihre Beine fühlten sich wie Pudding an.

Sie hatte die Stiefel ausgezogen und war ein paar Schrittfolgen mit Cassian durchgegangen. Dabei hatte sie sich darauf konzentriert, ihre Zehen einzurollen, ihr Gleichgewicht zu finden – und sich zum Affen gemacht. Zumindest war niemand da, der sehen konnte, wie sie auf einem Bein stand, gleichzeitig die Hüfte schwenkte und das andere Bein nach hinten in die Luft streckte. Oder wie sie sich auf zwei Holzstangen stützte und sich mit den Füßen von Stange zu Stange schwang. Wie sie in die Hocke ging – vollkommen falsch, wie sich herausstellte, weil sie ihr Gewicht zu stark verlagerte und den Rücken zu sehr krümmte.

Alles simple, dämliche Übungen. Und alles Übungen, bei denen sie kläglich versagte.

Cassian schien nicht im Geringsten beeindruckt, als sie aus der Hocke aufstand, in der sie hatte verharren müssen, während sie mit ausgestreckten Armen einen Holzstab über den Kopf hielt. »Steh gerade auf, mit dem Kopf zuerst.«

Nesta gehorchte.

»Nein.« Er bedeutete ihr, wieder in die Hocke zu gehen. »Mit dem Kopf zuerst. Mach den Rücken nicht krumm und beug dich nicht nach vorn. Ganz gerade nach oben.«

»Das tue ich doch.«

»Du machst einen Buckel. Stemm die Füße auf den Boden. Krall dich mit den Zehen fest, wenn du den Kopf aufrichtest ... Ja, so.«

Sie funkelte ihn finster an, als sie aufstand.

»Okay, noch einen guten Versuch, dann ist die Stunde vorbei«, sagte Cassian nur.

Keuchend folgte sie seiner Aufforderung. Ihre Knie zitterten und ihre Oberschenkel brannten vor Schmerzen. Als sie fertig war, stützte sie sich auf den Stab, den sie über den Kopf gehalten hatte. »War's das?«

»Es sei denn, du willst einen Handel für eine zweite Stunde mit mir abschließen.«

»Du willst mir wirklich zwei Gefallen schulden?«

»Klar, wenn du dann hierbleibst und die Lektion beendest.«

»Ich weiß nicht, ob ich noch mehr von diesen Dehnübungen schaffe.«

»Dann machen wir ein paar Atemübungen und anschließend Abwärmen.«

»Was ist das?«

»Dehnen.« Er grinste. Als sie den Mund zu einem Protest öffnete, kam er ihr zuvor und erklärte: »Damit soll dein Herzschlag wieder auf normales Tempo gebracht und der Muskelkater in Grenzen gehalten werden, den du später haben wirst.«

Da er nicht in herablassendem Ton mit ihr sprach, fragte sie: »Und was sind Atemübungen?«

»Genau das, wonach es klingt.« Er legte eine Hand auf seinen Magen, direkt auf diese waschbrettartigen Muskeln, und atmete lange und kräftig ein, um die Luft dann wieder langsam auszustoßen. »Wenn du kämpfst, kommt deine Stärke aus vielen Quellen, aber der Atem ist eine der größten.« Er deutete auf den Stock in ihrer Hand. »Wirf ihn vorwärts ... so als würdest du jemanden mit einem Speer aufspießen.«

Sie zog die Augenbrauen hoch, folgte aber seiner Aufforderung. Die Bewegung war unbeholfen und nicht besonders elegant.

Er nickte nur. »Jetzt mach das noch mal, aber atme dabei ein.«

Die Bewegung war deutlich schwächer.

»Und jetzt noch einmal, aber atme beim Werfen *aus*.«

Sie brauchte ein paar Sekunden, um ihre Atmung zu regulieren, doch sie gehorchte und stieß den Stock vorwärts, während sie ausatmete. Kraft fuhr durch ihren Arm und ihren Körper.

Blinzelnd betrachtete Nesta den Stock. »Ich konnte den Unterschied deutlich spüren.«

»Es ist alles miteinander verbunden. Atem, Gleichgewicht und Bewegung. Muskelmassen wie diese ...« Er tätschelte seinen absurd definierten Magenbereich. »... nutzen überhaupt nichts, wenn man nicht weiß, wie man sie einzusetzen hat.«

»Und wie lernt man dann, seinen Atem zu kontrollieren?«
Erneut lächelte er und seine haselnussbraunen Augen strahlten in der Sonne. »So.«

Damit begann eine weitere Abfolge von Bewegungen, die alle so verdammt einfach aussahen, als er sie demonstrierte, aber fast unmöglich zu koordinieren waren, als Nesta versuchte, sie nachzumachen. Trotzdem konzentrierte sie sich auf ihre Atmung, auf die Kraft darin, als wären ihre Lungen die Blasebälge eines großen Schmiedefeuers.

Die Sonne stieg höher, überquerte den Trainingsplatz und zog die Schatten mit sich.

Einatmen. Ausatmen. Atemzüge, die von einem Ausfallschritt, einer Kniebeuge oder dem Balancieren auf einem Bein begleitet wurden. Es handelte sich um die gleichen Übungen, die sie in der ersten Stunde gemacht hatte, die sich jetzt aber durch die fokussierte Atmung ganz anders anfühlten.

Einatmen, ausatmen, ein und aus, Körper und Geist im Fluss, hoch konzentriert.

Cassians Kommandos waren bestimmt, aber sanft und ermutigend, ohne zu nerven. *Halten, halten, halten – und ausatmen. Gut. Noch einmal. Noch einmal. Noch einmal.*

Es gab keine Stelle an ihrem Körper, die nicht schweißgebadet war und vor Anstrengung zitterte, als er sie bat, sich auf der anderen Seite des Platzes auf eine schwarze Matte zu legen. »Abwärmen«, sagte er, kniete sich auf den Boden und klopfte auf die Matte.

Nesta war zu müde, um zu widersprechen, warf sich förmlich auf die Matte und starrte in den Himmel.

Das Firmament wölbte sich wie eine blaue Schale in die Ewigkeit. Die Sonne brannte auf ihrem schweißüberströmten Gesicht. Wolkenfetzen drifteten durch das strahlende Blau, ihr gegenüber völlig gleichgültig.

Ihr Geist war so klar geworden wie dieser Himmel, Nebel und erdrückende Schatten waren verschwunden. »Fliegst du gern?« Sie wusste nicht, wo diese Frage herkam.

Er schaute zu ihr hinunter. »Ich liebe es.« Die Worte klangen ehrlich und offen. »Fliegen ist Freiheit, Freude und Herausforderung.«

»Ich habe mich mit einer Ladenbesitzerin in Windhaven unterhalten, der man die Schwingen gestutzt hat.« Sie wandte die Augen vom Himmel ab und sah ihn an. Seine Gesichtszüge wirkten angespannt. »Warum tun Illyrianer so etwas?«

»Um ihre Frauen unter ihre Kontrolle zu bringen«, antwortete Cassian mit unterdrücktem Zorn. »Es handelt sich um eine alte Tradition. Rhys und ich haben versucht, sie auszumerzen, indem wir sie für illegal erklärten, aber Veränderungen brauchen eine Weile bei den High Fae. Bei sturen Eseln wie den Illyrianern dauert es noch länger. Emerie – mit der du vermutlich gesprochen hast, denn sie ist die einzige Frau, die einen Laden besitzt – war jemand, der durch die Maschen gerutscht ist. Das Ganze geschah während Amaranthas Herrschaft und damals ist ... eine Menge Scheiße passiert.«

Seine Augen verfinsterten sich, und Nesta wusste, dass es nicht nur an dem lag, was Emeries Vater der Fae angetan hatte, sondern auch an der Erinnerung an diese fünfzig Jahre. An die Schuld.

Nesta nickte und erwiderte nur: »Abwärmen.« Als wollte sie ihn davor bewahren, diese Erinnerungen erneut zu durchleben, und die unberechtigte Schuld aus seinen Augen verbannen.

»Du klingst so eifrig.«

Sie fing seinen Blick auf. »Ich ...« Sie schluckte. Hasste sich selbst, weil sie ins Stocken geraten war. Schließlich presste sie die Worte heraus: »Das Atmen sorgt dafür, dass mein Kopf nicht mehr so ...« Grausam. Elend. Unglücklich. »... laut ist.«

»Ah.« Verständnis erhellte sein Gesicht. »Das kenne ich.«

Einen Moment lang schaute sie ihm in die Augen und beobachtete, wie der Wind in seinem schulterlangen Haar spielte. Der Instinkt, diese schwarzen Locken zu berühren, ließ sie die Handflächen auf die Matte pressen, als müsste sie sich körperlich zurückhalten.

»Okay.« Cassian räusperte sich. »Abwärmen.«

Sie hatte es gut gemacht. Verdammt gut.

Nesta beendete das Abwärmen und streckte sich auf der schwarzen Matte aus, als müsste sie sich wieder zusammensetzen und ihre Kräfte sammeln.

Cassian gab ihr Zeit, stand auf und ging zu dem kleinen Tisch rechts neben dem Torbogen. »Du musst so viel Wasser trinken, wie du kannst«, sagte er und füllte zwei Gläser aus dem Krug, der auf dem Tisch stand. Dann kehrte er zu ihr zurück und trank einen großen Schluck.

Nesta blieb liegen, Arme und Beine entspannt, die Augen geschlossen. Ihre Haare und ihre schweißbedeckte Haut glänzten im Sonnenlicht. Er konnte nicht verhindern, dass sich ihm ein Bild aufdrängte: Vor seinem inneren Auge sah er sie so in seinem Bett liegen, befriedigt und vollkommen entspannt vor erfüllter Lust.

Er musste schlucken. Sie öffnete ein Auge, setzte sich langsam auf und nahm das Wasser, das er ihr reichte. Trank es in einem Zug aus. Offenbar merkte sie, wie durstig sie war, denn sie stand auf. Er sah ihr nach, wie sie zum Krug ging und ihr Glas zweimal füllte, bevor sie es abstellte.

»Du hast mir noch nicht gesagt, was du für die zweite Trainingsstunde haben willst«, sagte er schließlich.

Sie warf einen Blick über die Schulter. Ihre Haut war auf eine Art rosig, wie er es sehr, sehr lange nicht gesehen hatte, und ihre Augen leuchteten. Sie hatte gesagt, das Atmen habe ihr geholfen. Sie beruhigt. Als er die Veränderung in ihrem Gesicht sah, glaubte er ihr. Was passieren würde, sobald das Hochgefühl abebbte, musste man abwarten. Kleine Schritte, sagte er sich. Kleine Schritte.

»Die zweite Stunde geht aufs Haus«, sagte Nesta.

Sie lächelte nicht, blinzelte nicht einmal, aber Cassian grinste. »Wie großzügig von dir.«

Nesta verdrehte die Augen, jedoch ohne die übliche Giftigkeit. »Ich muss mich umziehen, bevor ich in die Bibliothek gehe.«

Als sie in den Bogengang trat, der zur Treppe führte, platzte Cassian heraus: »Das gestern Abend habe ich nicht so gemeint – dass alle dich hassen.«

Ihre blaugrauen Augen wirkten kalt. »Aber es stimmt.«

»Nein, es stimmt nicht.« Cassian wagte sich einen Schritt näher heran. »Du bist hier, weil wir dich *nicht* hassen.« Er räusperte sich und fuhr sich mit der Hand durch die Haare. »Ich wollte, dass du das weißt. Dass wir ... dass *ich* dich nicht hasse.«

Sie schien seine Bemerkung abzuwägen, die Aussage in seinen Augen. Wahrscheinlich stand dort mehr, als klug war. Doch nach einem Moment erwiderte sie leise: »Und ich habe dich auch nie gehasst, Cassian.« Dann ging sie durch die Tür ins Haus, so als hätte sie ihn nicht mitten ins Herz getroffen – zuerst mit ihren Worten und dann beim Aussprechen seines Namens.

Erst als sie verschwunden war, stieß er den Atem aus, den er die ganze Zeit angehalten hatte.

13

Sie starb fast vor Hunger. Das war der einzige Gedanke, der sie beschäftigte, während sie Buch für Buch einsortierte. Und die Tatsache, wie sehr sie unter Muskelkater litt. Ihre Oberschenkel brannten bei jedem Schritt, den sie die Rampe der Bibliothek hinauf- und hinunterging. Und wenn sie ein Buch hochheben und an seinen Platz stellen musste, fühlten sich ihre Arme unerträglich steif an.

So ein heftiger Muskelkater – nur von Dehn- und Atemübungen! Sie mochte sich gar nicht vorstellen, wie es ihr nach dem Training ergehen würde, das Cassian täglich absolvierte. Es war erbärmlich, dass sie so schwach war und keinen einzigen Schritt tun konnte, ohne vor Schmerz das Gesicht zu verziehen.

»Abwärmen, von wegen«, knurrte sie und wuchtete einen Wälzer in die Höhe. Sie warf einen Blick auf den Titel und stöhnte. Das Buch gehörte auf die andere Seite dieses Geschosses – ein gut fünfminütiger Fußmarsch durch den zentralen Innenhof und dann einen endlosen Korridor entlang. Es würde sie nicht überraschen, wenn ihre pochenden Beine ihr auf halber Strecke den Dienst versagten.

Ihr Magen knurrte. »Um dich kümmere ich mich später«, teilte sie dem Buch mit und überflog die anderen Titel, die noch auf dem Wagen lagen. Glücklicher- oder unglücklicherweise musste keines von ihnen in der Abteilung einsortiert werden, in die der Wälzer gehörte. Es wäre unglaublich anstrengend gewesen, den Wagen den ganzen Weg bis dorthin ziehen zu müssen. Also nahm sie besser nur den einen Band mit, selbst wenn sich der Aufwand dafür eigentlich nicht lohnte.

Nicht, dass sie etwas Besseres mit ihrer Zeit vorgehabt hätte. Ihrem Tag. Ihrem Leben.

Die Klarheit, die sie dort oben auf dem Trainingsplatz empfunden hatte, vernebelte sich langsam wieder, und die Ruhe und Gelassenheit, die sie in ihrem Kopf verspürt hatte, war wie Rauch verpufft. Nur wenn sie sich bewegte, konnte sie ihre Gedanken in Schach halten.

Nesta fand das Fach, das sie als Nächstes zum Einsortieren brauchte – ziemlich weit oben im Regal und kein Hocker in Sicht. Sie stellte sich auf die Zehenspitzen, was ihre Beine kreischend protestieren ließ, aber an das Fach kam sie dennoch nicht heran. Dabei war sie für eine Frau eher groß und überragte Feyre um gut fünf Zentimeter. Ächzend versuchte sie, das Buch mit den Fingerspitzen hineinzuschieben, die Arme so weit wie möglich hochgestreckt.

»Oh, gut. Du bist es«, sagte eine vertraute, weibliche Stimme am Ende der Regalreihe. Nesta drehte sich um und sah, dass Gwyn mit schnellen Schritten auf sie zukam. Sie trug einen Stapel Bücher auf dem Arm und ihr kupferfarbenes Haar schimmerte im gedämpften Licht.

Nesta machte sich nicht die Mühe, eine freundliche Miene zu ziehen, als sie wieder auf die Füße sank.

Gwyn legte den Kopf zur Seite, als hätte sie erst jetzt begriffen, wobei sie Nesta gestört hatte. »Kannst du keine Magie benutzen, um das Buch oben ins Regal zu stellen?«

»Nein.« Die Antwort fiel kühl und mürrisch aus.

Gwyn zog die Augenbrauen zusammen. »Willst du mir etwa erzählen, dass du alles *von Hand* eingeräumt hast?«

»Wie denn sonst?«

Gwyns blaugrüne Augen verengten sich. »Du besitzt doch Kräfte, oder?«

»Das geht dich nichts an.« Es ging niemanden etwas an. Sie besaß keine der üblichen Gaben der High Fae. Ihre Kraft – dieses *Ding* – war ihr vollkommen fremd. Grotesk.

Aber Gwyn zuckte nur die Schultern. »Wie du meinst.« Sie ließ ihre Bücher direkt in Nestas Arme fallen. »Die können zurück.«

Nesta schwankte unter dem Gewicht des Stapels und funkelte sie wütend an.

Doch Gwyn ignorierte ihren Blick und sah sich um, bevor sie mit leiser Stimme fragte: »Hast du Band 7 von Lavinias *Der Große Krieg* gesehen?«

Nesta kramte in ihrem Gedächtnis. »Nein. Ist mir nicht begegnet.«

»Er steht nicht an seinem Platz«, sagte Gwyn stirnrunzelnd.

»Dann hat ihn jemand anderes.«

»Das hatte ich befürchtet.« Gwyn seufzte theatralisch.

»Wieso?«

»Ich arbeite für jemanden, der sehr ... anspruchsvoll ist«, antwortete Gwyn in verschwörerischem Flüsterton.

Nesta erinnerte sich. Ein Jemand namens Merrill, wie Clotho ihr vor ein paar Tagen erzählt hatte. Ihre rechte Hand. »Ich habe den Eindruck, du magst die Person nicht besonders?«

Gwyn lehnte sich gegen eines der Regale und verschränkte mit einer Lässigkeit die Arme vor der Brust, die so gar nicht zu ihrem Priesterinnengewand passen wollte. Auch dieses Mal hatte sie ihre Kapuze nicht aufgesetzt und trug auch keinen blauen Stein über der Stirn. »Ehrlich gesagt betrachte ich viele der Frauen hier zwar als meine Schwestern, aber es gibt ein paar, die ich nicht gerade als ›nett‹ bezeichnen würde.«

Nesta schnaubte.

Gwyn schaute noch einmal die Regalreihen entlang. »Du weißt, warum wir alle hier sind.« Schatten verdunkelten ihre Augen – die ersten, die Nesta dort sah. »Wir alle haben etwas durchgemacht, das ...« Sie rieb sich die Schläfen. »Deshalb *hasse* ich es, auch nur ein schlechtes Wort über meine Schwestern zu sagen. Aber Merrill ist unangenehm. Zu allen. Selbst zu Clotho.«

»Wegen dem, was sie erlebt hat?«

»Ich weiß es nicht. Ich weiß nur, dass ich Merrill zugeteilt wurde, um für sie zu arbeiten und ihr bei ihren Forschungen zu helfen, und wahrscheinlich habe ich dabei einen klitzekleinen Fehler gemacht.« Sie verzog das Gesicht.

»Was für einen Fehler?«

Gwyn stieß einen Seufzer in die Dunkelheit über ihnen. »Gestern sollte ich Merrill Band 7 von *Der Große Krieg* bringen, zusammen mit einem Stapel anderer Bücher, und ich hätte schwören können, dass ich ihr das Buch ins Regal gelegt hatte. Aber als ich heute Morgen in ihrem Büro war, ist mir aufgefallen, dass es sich stattdessen um Band 8 handelte.«

Nesta verzichtete darauf, die Augen zu verdrehen. »Und das ist schlimm?«

»Merrill bringt mich um, wenn sie es heute nicht lesen kann.« Gwyn trat unruhig von einem Fuß auf den anderen. »Und das könnte jeden Augenblick passieren. Sobald ich Gelegenheit dazu hatte, habe ich mich auf die Suche gemacht, aber das Buch steht nicht im Regal.« Sie hörte auf zu zappeln. »Aber selbst wenn ich das Buch finde, würde sie sehen, wie ich es gegen das andere austausche.«

»Und du kannst es ihr nicht einfach sagen?« Gwyn konnte das mit dem Umbringen nicht ernst meinen. Obwohl man so etwas bei den Fae nie wissen konnte – auch wenn diese Bibliothek ein Ort des Friedens war.

»Du meine Güte, nein. Merrill akzeptiert keine Fehler. Das Buch sollte da sein. Ich habe ihr *gesagt*, es sei da und ... ich habe es vermasselt.« Das Gesicht der Priesterin wurde so blass, dass sie fast krank wirkte.

»Warum ist das denn so wichtig?«

Gefühle spiegelten sich in diesen auffälligen Augen. »Weil ich es hasse zu scheitern. Ich *kann nicht* ...« Gwyn schüttelte den Kopf. »Ich will nicht noch mehr Fehler machen.«

Nesta wusste nicht, wie sie das verstehen sollte, und erwiderte deshalb nur: »Ah.«

»Diese Frauen haben mich aufgenommen«, fuhr Gwyn fort. »Haben mir Schutz geboten, mich geheilt, mir eine Familie gegeben.« Erneut verdüsterten sich ihre großen Augen. »Ich ertrage es nicht, sie zu enttäuschen. Erst recht nicht jemanden, der so anspruchsvoll ist wie Merrill. Selbst wenn es trivial erscheinen mag.«

Bewundernswert – auch wenn Nesta das nur ungern zugab. »Hast du diesen Berg seit deiner Ankunft je verlassen?«

»Nein. Wenn wir einmal hier sind, verlassen wir ihn erst, wenn die Zeit zum Aufbruch gekommen ist – zurück in die Welt, meine ich. Obwohl einige von uns auch für immer bleiben.«

»Und nie wieder das Tageslicht sehen? Nie die frische Luft spüren?«

»Wir haben Fenster in unseren Schlafsälen.« Als Nesta sie verwirrt musterte, erklärte sie: »Sie sind auf der Bergseite verzaubert. Nur der High Lord weiß davon, schließlich sind es seine Zauber. Und jetzt weißt du es auch.«

»Aber ihr geht nie ins Freie?«

»Nein, nie«, antwortete Gwyn.

Nesta wusste, dass sie das Gespräch hier beenden konnte, doch sie fragte: »Und was macht ihr in der Zeit, wenn ihr nicht in der Bibliothek seid? Übt ihr da eure ... Religion aus?«

Gwyn stieß ein leises Lachen aus. »Zum Teil. Wir ehren die Große Mutter und den Kessel und die Herrschenden Kräfte. In der Morgen- und Abenddämmerung sowie an allen Feiertagen halten wir eine Messe ab.«

Nesta musste skeptisch das Gesicht verzogen haben, denn Gwyn schnaubte. »Es ist gar nicht so langweilig. Die Messen sind wunderschön und die Lieder so heiter wie in einem Konzert.«

Das hörte sich allerdings ziemlich interessant an.

»Ich mag die Abendmessen«, fuhr Gwyn fort. »Die Musik hat mir schon immer am besten gefallen. Nicht hier, meine ich. Ich war eine Priesterin – noch Novizin –, bevor ich hierherkam.« Nach einem Moment fügte sie etwas leiser hinzu: »In Sangravah.«

Der Name kam Nesta bekannt vor, aber sie wusste ihn nicht einzuordnen.

Gwyn schüttelte den Kopf. Ihr Gesicht war so bleich, dass die Sommersprossen deutlich hervorstachen. »Ich muss zurück zu Merrill, bevor sie sich wundert, wo ich bleibe. Und mir irgendeine Erklärung ausdenken, um meine Haut zu retten, wenn sie das gewünschte Buch nicht im Stapel findet.« Sie deutete mit dem Kinn auf die Bücher auf Nestas Arm. »Danke dafür.«

Nesta nickte nur, und dann war die Priesterin mit dem kupferbraunen Haar verschwunden.

Es gelang ihr nur leise ächzend und stöhnend, zu ihrem Wagen zurückzukehren, obwohl es ihr nach der langen Unterhaltung im Stehen unglaublich schwergefallen war, sich wieder in Bewegung zu setzen. Ein paar Priesterinnen huschten in den Geschossen über und unter ihr lautlos vorbei. In der ganzen Bibliothek herrschte vollkommene Stille – Gwyn war die Einzige, die für etwas Farbe und Geräusche sorgte.

Würde sie den Rest ihres unsterblichen Lebens hier unter der Erde eingesperrt verbringen? Es war eine Schande. Okay, wenn man bedachte, was Gwyn durchgemacht haben musste – was all diese Frauen durchgemacht und überstanden haben mussten –, ließ es sich verstehen. Aber trotzdem eine Schande.

Nesta wusste nicht, warum sie ihren nächsten Schritt unternahm. Warum sie wartete, bis niemand mehr in ihrer Nähe war, und dann in die gedämpfte Bibliothek hinein fragte: »Kannst du mir einen Gefallen tun?«

Sie hätte schwören können, ein Zittern der Staubpartikel und des Dämmerlichts wahrzunehmen, ein gewecktes Interesse. Also fragte sie: »Kannst du mir Band 7 von *Der Große Krieg* bringen? Von einer gewissen Lavinia.« Das Haus hatte kein Problem damit, ihr Essen zu schicken – vielleicht konnte es auch das Buch für sie finden.

Erneut war sich Nesta sicher, ein interessiertes Stutzen zu spüren, gefolgt von einer plötzlichen Leere. Und im nächsten Moment landete mit einem dumpfen Knall ein Buch auf ihrem Wagen, mit grauem Ledereinband und silberner Aufschrift. Nesta lächelte. »Danke.« Eine sanfte, warme Brise streifte an ihren Beinen entlang, wie eine Katze, die sich zur Begrüßung an ihren Besitzer schmiegt.

Als die nächste Priesterin vorbeikam, sprach Nesta sie an. »Entschuldigung.«

Die Frau blieb so abrupt stehen, dass ihre hellen Gewänder um sie herumwogten. Der blaue Stein an ihrer Kapuze schimmerte im sanften Feenlicht. »Ja?« Ihre Stimme war weich und hauchig. Lockiges, schwarzes Haar schaute unter ihrer Kapuze hervor und dunkelbraune Haut schimmerte auf ihren schönen, zarten Händen. Wie Clotho hatte auch sie ihre Kapuze hochgeschlagen.

»Merrills Büro – wo finde ich das?« Nesta deutete auf den Wagen hinter sich. »Ich habe ein paar Bücher für sie, aber ich weiß nicht, wo sie arbeitet.«

»Drei Stockwerke weiter oben, im zweiten Geschoss, am Ende des Gangs rechts.«

»Vielen Dank.«

Die Priesterin eilte weiter, als wäre selbst dieser kurze Moment des sozialen Austauschs schon zu viel gewesen.

Aber Nesta blickte zum Geschoss weiter oben hinauf.

Ihr schmerzender, steifer Körper machte es ihr nicht gerade leicht, sich heimlich anzuschleichen, aber glücklicherweise begegnete ihr niemand auf dem Weg nach oben. Sie klopfte an die verschlossene Holztür.

»Herein.«

Nesta betrat einen rechteckigen, zellenartigen Raum, mit einem Schreibtisch im hinteren Teil und Bücherregalen an den langen Wänden. Links neben dem Schreibtisch stand eine schmale Pritsche mit einer ordentlich gefalteten Decke und einem Kissen darauf. Als schaffte es die Priesterin, die mit dem Rücken zu Nesta saß, manchmal spätabends nicht mehr in den Schlafsaal.

Keine Spur von Gwyn. Nesta fragte sich, ob Merrill sie bereits wegen ihres sogenannten Versagens weggeschickt hatte.

Langsam ging Nesta ein paar Schritte weiter in den Raum hinein und inspizierte rasch das Regal zu ihrer Rechten. »Ich bringe die bestellten Bücher«, sagte sie schließlich.

Die Frau war über ihre Arbeit gebeugt. Das Kratzen ihrer Feder erfüllte den Raum. »Gut.« Sie drehte sich nicht einmal um. Nesta überflog das andere Regal.

Da – Band 8 von *Der Große Krieg*. Nesta hatte einen lautlosen Schritt darauf zu gemacht, als der Kopf der Priesterin ruckartig hochfuhr. »Ich habe keine weiteren Bücher bestellt. Und wo ist Gwyneth? Sie hätte schon vor einer halben Stunde zurück sein sollen.«

»Wer ist Gwyneth?«, fragte Nesta, so ausdruckslos und dümmlich, wie sie nur konnte.

Jetzt drehte Merrill sich um und Nesta schaute in ein überraschend junges Gesicht – das noch dazu atemberaubend schön war. Alle High Fae waren schön, aber Merrill ließ sogar Mor farblos erscheinen.

Ihre Haare waren so weiß wie frisch gefallener Schnee und hoben sich deutlich von der hellbraunen Haut ab. Dann blinzelten ihre Augen, die in der Farbe des Abendhimmels schimmerten. Als müsste sie sich auf das Hier und Jetzt konzentrieren. Ihr Blick wanderte über Nestas Lederkluft und ihre geflochtenen Haare, auf denen kein Stein zu sehen war. Dann fragte sie in forderndem Ton: »Wer bist du?«

»Nesta.« Sie hievte die Bücher auf ihrem Arm in die Höhe. »Man hat mir gesagt, ich soll dir die hier bringen.«

Band 8 von *Der Große Krieg* lag nur wenige Zentimeter von ihr entfernt im Regal. Sie brauchte lediglich die linke Hand auszustrecken, ihn herauszuziehen und gegen Band 7 oben auf dem Stapel auf ihrem Arm auszutauschen.

Merrill kniff ihre bemerkenswerten Augen zusammen. Sie sah so jung aus wie Nesta, verströmte aber eine gereizte Stimmung. »Wer hat dir diese Anweisungen erteilt?«

Nesta blinzelte und stellte sich so dumm, wie sie nur konnte. »Eine Priesterin.«

Merrill presste die vollen Lippen zu einem dünnen Strich zusammen. »*Welche* Priesterin?«

Gwyn hatte recht mit der Einschätzung dieser Frau. Dass man sie ihr zugeteilt hatte, schien eher eine Strafe als eine Ehre zu sein. »Keine Ahnung. Ihr tragt ja alle diese Kapuzen.«

»Das ist die heilige Kleidung unseres Ordens, Mädchen. Nicht *diese Kapuzen.*« Merrill wandte sich wieder ihren Papieren zu.

Weil sie wusste, dass es die High-Fae ärgern würde, fragte Nesta: »Dann hast du diese Bücher also nicht bestellt, Roslin?«

Merrill warf ihre Feder hin und fletschte die Zähne. »Du hältst mich für *Roslin*?«

»Man hat mir aufgetragen, diese Bücher zu Roslin zu bringen, und jemand meinte, das hier sei ihr Büro.«

»Roslin ist im *vierten* Geschoss. Ich bin im *zweiten*«, stellte sie klar, als beinhaltete das irgendeine Hierarchie.

Erneut zuckte Nesta die Achseln. Das Ganze bereitete ihr inzwischen ein diebisches Vergnügen.

Merrill kochte vor Wut, drehte sich aber wieder zu ihrer Arbeit um. »Roslin«, murmelte sie. »Die unerträgliche, dumme Roslin mit ihrem *endlosen* Geplapper.«

Verstohlen streckte Nesta eine Hand in Richtung des Regals links neben ihr aus.

Merrill warf den Kopf herum und Nesta zog blitzschnell ihre Hand wieder zurück. »Stör mich nie wieder«, knurrte Merrill und zeigte auf die Tür. »Verschwinde und schließ die Tür hinter dir. Und wenn du diese dumme Gwyneth siehst, sag ihr, sie soll *unverzüglich* hier erscheinen.«

»Verzeihung«, sagte Nesta – unfähig, die Verärgerung in ihren Augen zu verbergen. Aber Merrill hatte sich bereits wieder zu ihrem Schreibtisch umgedreht.

Jetzt oder nie.

Ein Auge auf die Priesterin geheftet, streckte Nesta erneut den Arm aus.

Sie hustete, um das Geräusch zu übertönen, das sie beim Austauschen der Bücher verursachte. Und als Merrill sich ein weiteres Mal zu ihr umdrehte, achtete Nesta darauf, nicht zum Regal zu schauen. Wo jetzt Band 7 von *Der Große Krieg* stand. Band 8 lag oben auf dem Stapel in Nestas Armen.

Nesta spürte ihren rasenden Herzschlag in jeder Faser ihres Körpers.

»Was willst du noch hier? *Verschwinde*«, zischte Merrill.

»Verzeihung.« Nesta verbeugte sich, ging hinaus und zog die Tür hinter sich zu. Erst als sie auf dem stillen Gang stand, gestattete sie sich ein Lächeln.

Sie fand Gwyn auf die gleiche Weise, wie sie Merrill gefunden hatte: Sie fragte eine Priesterin. Diese war jedoch stiller und verschlossener als die andere – so zittrig und nervös, dass Nesta sie mit ihrer sanftesten Stimme ansprach und auf dem Weg zum Lesebereich im ersten Geschoss das bedrückende Gefühl dieser Begegnung nicht abschütteln konnte. Der gedämpfte, höhlenartige Raum war von Gwyns sanftem Gesang erfüllt, während sie von Tisch zu Tisch eilte und die Stapel der Bücher durchsah, die dort abgelegt waren. Offenbar versuchte sie verzweifelt, den verschwundenen Band zu finden.

Nesta wusste nicht, zu welcher Sprache die Worte aus Gwyns heiterem Lied gehörten, aber einen kurzen Moment erlaubte sie sich, der klaren, anmutigen Stimme zuzuhören, die mit geschmeidiger Leichtigkeit anstieg und abfiel.

Gwyns Haar schien bei ihrem Gesang noch heller zu leuchten, und ihre Haut strahlte ein verlockendes Licht aus, das jeden Zuhörer in seinen Bann ziehen musste.

Aber Merrills Warnung klirrte störend durch die Schönheit von Gwyns Stimme und Nesta räusperte sich. Gwyn wirbelte zu ihr herum und das Leuchten verblasste, auch wenn ihr sommersprossiges Gesicht sich vor Überraschung aufhellte. »Hallo«, sagte sie.

Wortlos streckte Nesta ihr Band 8 von *Der Große Krieg* entgegen. Gwyn keuchte auf.

»Das Buch war falsch einsortiert worden«, sagte Nesta und schenkte ihr ein verschmitztes Lächeln. »Ich habe es gegen das richtige ausgetauscht.«

Gwyn schien glücklicherweise sofort zu verstehen und presste das Buch wie einen Schatz an ihre Brust. »Danke. Du hast mich gerade vor einer schrecklichen Standpauke bewahrt.«

Fragend betrachtete Nesta den Einband. »Worüber forscht Merrill eigentlich?«

Gwyn runzelte die Stirn. »Über viele Dinge. Merrill ist brillant. Schrecklich, aber brillant. Bei ihrer Ankunft hier war sie besessen von Theorien zur Existenz anderer Reiche – anderer Welten, die wie Schichten übereinanderliegen, ohne voneinander zu wissen. Besessen von der Frage, ob es nur eine, nämlich unsere Existenz gibt oder ob sich Welten überlagern und denselben Raum einnehmen können, aber durch Zeit und jede Menge andere Dinge voneinander getrennt sind – Dinge, die ich dir nicht erklären kann, weil ich sie selbst nicht verstehe.«

Nesta zog die Augenbrauen hoch. »Wirklich?«

»Einige Philosophen glauben, dass es elf solcher Welten gibt. Andere vermuten, dass es sogar 26 sind, die letzte davon die Dimension der Zeit ...« Gwyn senkte die Stimme und fuhr im Flüsterton fort: »Ehrlich gesagt habe ich mir ein paar ihrer ersten Forschungsergebnisse angesehen, und mir haben nur vom Lesen ihrer Theorien und Formeln schon die Augen wehgetan.«

»Das kann ich mir vorstellen«, lachte Nesta leise. »Aber jetzt erforscht sie ein anderes Thema?«

»Ja, dem Kessel sei Dank. Sie erstellt eine umfassende Geschichte der Walküren.«

»Der *was*?«

»Der Walküren – ein Clan von Kriegerinnen aus einem anderen Gebiet. Sie waren noch bessere Kämpfer als die Illyrianer. Aber im Gegensatz zu diesen bildeten sie kein eigenes Volk. Der Name Walküre war nur ein Titel. Sie setzten sich aus allen Arten von Fae zusammen und wurden meist von Geburt oder früher Kindheit an rekrutiert. Ihr Training durchlief drei Stufen: Novizin, Klinge und schließlich Walküre. Es galt in ihrem Land als größte Ehre, diesen Status zu erreichen. Ihr Gebiet existiert nicht mehr, es ist in anderen aufgegangen.«

»Und die Walküren sind ebenfalls verschwunden?«

»Ja«, seufzte Gwyn. »Jahrtausendelang gab es Walküren. Aber der Krieg – der vor fünfhundert Jahren – löschte die meisten von ihnen aus. Und die wenigen Überlebenden waren so alt, dass sie schon bald gebrechlich wurden und starben. Vor Scham, so will es die Legende. Sie sorgten dafür, dass sie starben, statt die Schande der verlorenen Schlacht zu ertragen, in der ihre Schwestern gefallen waren.«

»Ich habe noch nie von ihnen gehört.« Nesta wusste wenig über die Geschichte der Fae. Einerseits, weil es sie bisher nicht interessiert hatte, und andererseits, weil man in der Welt der Menschen nichts darüber lernte.

»Die Geschichte der Walküren und ihrer Trainingsmethoden wurde überwiegend mündlich überliefert. Alle noch existierenden Berichte stammen von Historikern, Philosophen oder Handelsvolk auf der Durchreise, die ihre Erlebnisse niedergeschrieben haben. Es sind nur wenige Informationsbrocken, verteilt auf verschiedene Bücher. Keine Primärquellen, bis auf ein paar kostbare Schriftrollen. Merrill hat es sich vor Jahren in den Kopf gesetzt, alles über die Walküren in einem Band zusammenzutragen. Ihre Geschichte, ihre Trainingstechniken und so weiter.«

Nesta öffnete den Mund, um noch weitere Fragen zu stellen, aber irgendwo hinter ihnen läutete eine Glocke. Gwyn versteifte sich. »Ich bin schon viel zu lange weg. Merrill wird toben.« Das konnte Nesta nur bestätigen. Gwyn hastete zur Rampe jenseits des Lesebereichs, hielt aber noch einmal inne und warf einen Blick über die Schulter. »Sie würde allerdings noch viel mehr toben, wenn sie das falsche Buch bekommen hätte.« Sie schenkte Nesta ein schnelles Grinsen. »Danke. Ich stehe in deiner Schuld.«

Nesta trat von einem Fuß auf den anderen. »Nicht der Rede wert.« Gwyns Augen funkelten. Doch bevor Nesta auf das Aufleuchten der Emotionen darin reagieren musste, sprintete die Priesterin bereits mit wehendem Gewand in Richtung von Merrills Arbeitszimmer.

Nesta schaffte es in ihr Zimmer, ohne vor Erschöpfung zusammenzubrechen. Oder von Merrill zur Rede gestellt zu werden, weil Nesta sie reingelegt hatte. Beides betrachtete Nesta als eine große Leistung.

Auf dem Schreibtisch stand eine warme Mahlzeit – Fleisch, Brot und gemischtes Gemüse –, über die sie sich sofort hermachte. Das anschließende Aufstehen war eine Qual, aber irgendwie schaffte sie es ins Bad, wo bereits ein heißes Schaumbad auf sie wartete.

Nesta musste ihre ganze Konzentration aufbringen, um in die Wanne zu steigen, und seufzte erleichtert, als die wohlige Wärme sie umfing. Sie blieb so lange im Wasser liegen, bis ihr Körper sich entspannt hatte und sie sich wieder bewegen konnte. Anschließend sank sie in die angewärmten Laken, ohne sich die Mühe zu machen, ein Nachthemd überzustreifen.

In dieser Nacht versuchte sie nicht, die Treppe hinunterzugehen, und wurde auch nicht von Albträumen aufgeschreckt. Sie schlief und schlief, obwohl sie hätte schwören können, dass irgendwann ihre Tür aufschwang und ein vertrauter, verlockender Duft den Raum erfüllte. Träge streckte sie eine Hand danach aus, aber da war er schon wieder verschwunden.

14

Cassian stand auf dem Trainingsplatz und versuchte, nicht ständig in Richtung des leeren Torwegs zu starren.

Nesta war nicht zum Frühstück erschienen. Das hatte er durchgehen lassen, denn zum Abendessen gestern war sie ja auch nicht mehr gekommen, weil sie vollkommen fertig ins Bett gefallen war. Nackt. Zumindest fast.

Er hatte nichts gesehen, als er den Kopf durch ihre Tür schob – zumindest nichts, was seinen Verstand derart verwirrt hätte, dass er zu nichts mehr zu gebrauchen war. Ihre nackte Schulter hatte genug angedeutet. Einen Moment hatte er überlegt, sie zu wecken und darauf zu bestehen, dass sie etwas aß. Aber dann hatte sich das Haus eingeschaltet. Ein Tablett mit mehreren leeren Tellern war neben der Tür erschienen. Als wollte das Haus ihm zeigen, wie viel Nesta gegessen hatte. Als wäre es *stolz* darauf, dass es sie dazu gebracht hatte, so viel zu verdrücken.

»Gute Arbeit«, hatte er ins Leere hinein gemurmelt, und das Tablett war wieder verschwunden. Er musste Rhys später unbedingt mal fragen, ob das Haus zu Empfindungen fähig war. Das hatte sein High Lord in fünf Jahrhunderten kein einziges Mal erwähnt.

Wenn er an die schmutzigen Dinge dachte, die er in seinem Zimmer, in seinem Bad … in so vielen Räumen hier getan hatte. Verdammt! Die Vorstellung, das Haus könnte ihm dabei *zugesehen* haben … Der Kessel möge ihn bei lebendigem Leib sieden!

Also hatte Cassian Nesta bis nach dem Frühstück durchschlafen lassen, in der Hoffnung, das Haus werde ihr auch diese Mahlzeit aufs Zimmer bringen. Was jedoch bedeutete, dass er keine Ahnung hatte, ob sie erscheinen würde. Sie hatte gestern einen Handel mit ihm abgeschlossen, und heute war er hier, um herauszufinden, ob sie zumindest auftauchen würde. Beweisen würde, dass ihr Training gestern kein Ausnahmefall gewesen war.

Die Minuten verrannen.

Gut möglich, dass er ein Narr gewesen war, als er hoffte, eine Lektion könnte ausreichen ...

Gedämpftes Fluchen erfüllte das Treppenhaus hinter dem Bogengang, begleitet von Schritten, die über den Boden zu schlurfen schienen. Er wagte nicht zu atmen, während ihre Flüche näher kamen. Zentimeter um Zentimeter. Als bräuchte sie sehr, sehr lange, um die Treppe hinaufzusteigen.

Und dann kam sie ins Blickfeld, stützte sich mit einer Hand an der Mauer ab und verzog das Gesicht zu einer so elenden Grimasse, dass Cassian lachen musste.

Nesta musterte ihn finster.

Doch er sagte nur erleichtert: »Ich hätte es wissen müssen.«

»*Was* hättest du wissen müssen?« Sie blieb etwa eineinhalb Meter vor ihm stehen.

»Dass du zu spät kommen würdest, weil du solchen Muskelkater hast, dass du die Treppe nicht hochsteigen kannst.«

Sie zeigte auf den Bogengang. »Ich bin doch hier, oder?«

»Stimmt.« Er zwinkerte ihr zu. »Das lasse ich als Teil deiner Aufwärmübungen gelten. Um die Muskeln in deinen Beinen zu lockern.«

»Ich muss mich hinsetzen.«

»Und damit riskieren, dass du nicht wieder hochkommst?« Cassian grinste. »Auf keinen Fall.« Er deutete auf den Platz neben sich. »Dehnübungen.«

Nesta knurrte, nahm aber ihre Position ein.

Und als Cassian ihr die Bewegungsabläufe erklärte, hörte sie zu.

Zwei Stunden später lief Nesta der Schweiß in Strömen über den Körper, aber die Schmerzen ließen allmählich nach. Auf ihre Klagen in der ersten halben Stunde hatte Cassian nur erwidert: *Du musst die Milchsäure aus deinen Muskeln herausbekommen – sie verursacht die Schmerzen.* Was zum Teufel auch immer er damit gemeint hatte ...

Jetzt ließ sie sich keuchend auf die schwarze Matte sinken und blickte in den bewölkten Himmel hinauf. Es war wesentlich frischer als am Tag zuvor und Nebelschwaden zogen über das Trainingsgelände.

»Werde ich irgendwann keinen Muskelkater mehr haben?«, fragte sie schnaufend.

»Nein.«

Sie drehte den Kopf in seine Richtung – so ziemlich die einzige Bewegung, zu der sie noch fähig war. »*Nein?*«

»Na ja, es wird irgendwann besser«, sagte er und postierte sich vor ihren Füßen. »Darf ich?«

Sie hatte keine Ahnung, was er plante, aber sie nickte.

Cassian umfasste mit seinen warmen Händen ihr Fußgelenk und hob ihr Bein an. Sofort sog sie zischend Luft ein und biss die Zähne zusammen, denn ihr hinterer Oberschenkelmuskel wurde auf diese Weise enorm gedehnt. »Atme in den Muskel hinein, wenn ich das Bein zu dir hinschiebe«, instruierte er.

Dann wartete er, bis sie ausatmete, und hob ihr Bein noch ein Stück weiter an. Die Spannung in ihrem Oberschenkel war so heftig, dass sie nicht länger über seine warmen Hände an ihrem nackten Fußgelenk nachdachte oder daran, wie er zwischen ihren Schenkeln kniete – so nah, dass sie den Kopf wegdrehte und die roten Ziegel der Mauer anstarrte.

»Noch einmal«, sagte er, und sie atmete aus. Wieder ein paar Zentimeter höher. »Und noch mal. Beim Kessel, deine hinteren Oberschenkelmuskeln sind hart wie Stein.«

Nesta tat, was er sagte, während er ihr Bein Zentimeter für Zentimeter nach oben schob.

»Der Muskelkater wird nachlassen«, sagte Cassian nach einem Moment, als würde er ihr Bein nicht fast senkrecht an seine Brust halten. »Obwohl ich mich an viele Tage erinnere, an denen ich abends nicht mehr laufen konnte. Und nach einer Schlacht brauche ich meist eine ganze Woche, um mich zu erholen.«

»Ich weiß.« Sein Blick traf ihren und sie fügte hinzu: »Ich meine ... Ich habe dich gesehen. Im Krieg.«

Sie hatte gesehen, wie man ihn bewusstlos und mit heraushängenden Eingeweiden wegtragen hatte. Hatte ihn am Himmel gesehen, wie der Tod auf ihn zugerast war, bis sie nach ihm geschrien und ihn gerettet hatte. Hatte ihn auf dem Boden gesehen, zerschunden und blutend, der König von Hybern im Begriff, sie beide zu töten ...

Cassians Miene nahm einen weichen Zug an. Als wüsste er, welche Erinnerungen auf sie einprasselten. »Ich bin Soldat, Nesta. Es gehört zu meinen Pflichten. Und es ist ein Teil dessen, wer ich bin.«

Erneut blickte Nesta zur Mauer, während er ihr Bein langsam auf den Boden legte und sich dann dem anderen widmete. Die Anspannung in diesen Oberschenkelmuskeln war unerträglich.

»Je mehr Dehnübungen du machst«, erklärte er, als sie die Augen vor Schmerzen zusammenkniff, »desto beweglicher wirst du.« Er deutete auf die Strickleiter, die auf dem Boden des Trainingsplatzes ausgelegt war. Nesta war sie fünf Minuten am Stück hinauf- und hinabgelaufen, die Knie zur Brust angezogen und jeden Schritt in die Quadrate zwischen den Sprossen gesetzt. »Du bist ziemlich flink.«

»Als Kind hatte ich Ballettunterricht.«

»Wirklich?«

»Wir waren nicht immer arm. Bis zu meinem vierzehnten Lebensjahr war mein Vater so reich wie ein König. Man nannte ihn den Fürsten der Kaufleute.«

Cassian schenkte ihr ein zaghaftes Lächeln. »Und du warst seine kleine Prinzessin?«

»Nein. Elain war seine Prinzessin«, antwortete sie knapp. »Selbst Feyre war eher seine Prinzessin als ich.«

»Und was warst du?«

»Ich war das Geschöpf meiner Mutter.« Sie sprach die Worte mit einer solchen Kälte aus, dass sie fast ihre Zunge vereist hätten.

»Wie war sie?«, fragte Cassian vorsichtig.

»Eine schlimmere Version von mir.«

Seine Augenbrauen zuckten. »Ich ...«

Nesta wollte diese Unterhaltung nicht führen. Selbst die Sonnenstrahlen konnten sie nicht wärmen. Sie entzog ihm ihr Bein und setzte sich auf, weil sie Abstand zwischen ihm und sich brauchte. Und da er den Eindruck erweckte, als wollte er noch etwas hinzufügen, sagte Nesta das Einzige, das ihr in diesem Moment einfiel: »Was ist vor zwei Jahren mit den Priesterinnen in Sangravah passiert?«

Cassian erstarrte.

Die erschreckende Stille eines Mannes, der bereit war, zu töten, sich zu verteidigen und mit Blut zu besudeln. Doch er fragte nur – beängstigend ruhig: »Wieso?«

»Was ist passiert?«

Er presste die Lippen zusammen und schluckte, bevor er antwortete. »Hybern hat damals nach Teilen des Kessels gesucht – nach dessen Füßen. Einer davon war im Tempel von Sangravah versteckt, wo man seine Kraft seit Jahrtausenden dafür nutzte, die Gaben der Priesterinnen zu verstärken. Hybern kam dahinter und sandte eine Einheit seiner tödlichsten und grausamsten Krieger aus, um den Fuß zurückzuholen.« Kalte Wut spiegelte sich auf seinem Gesicht. »Sie schlachteten die meisten der Priesterinnen ab – rein zu ihrem Vergnügen – und vergewaltigten jede, die ihnen gefiel.«

Tiefes, eiskaltes Entsetzen durchströmte sie. Gwyn hatte ...

»Bist du einer von ihnen begegnet? In der Bibliothek?«

Sie nickte nur, denn sie fand keine Worte.

Er schloss die Augen, als würde er seinen Zorn wieder in sich einschließen. »Ich habe gehört, dass Mor eine dieser Priesterinnen hergebracht hat. Azriel war damals der Erste von uns, der Sangravah erreichte. Er tötete sämtliche hybernischen Soldaten, die er antraf, aber zu diesem Zeitpunkt ...« Er schauderte. »Ich weiß nicht, was aus den Überlebenden geworden ist. Aber ich bin froh, dass eine von ihnen hier lebt. In Sicherheit und bei Leuten, die verstehen und helfen möchten.«

»Ich auch«, sagte Nesta leise.

Dann stand sie mit überraschend lockeren Beinen auf und sah daran herab. »Sie tun nicht mehr so weh.«

»Dehnen«, sagte Cassian, als würde das alles erklären. »Vergiss nie, dich zu dehnen.«

Der Frühlingshof sorgte jedes Mal dafür, dass es Cassian juckte. Allerdings hing es nicht mit dem Mistkerl zusammen, der ihn regierte, sondern eher damit, dass in diesem Land immer Frühling herrschte. Unmengen von Pollen schwirrten durch die Luft und bewirkten, dass seine Nase lief und seine Haut so sehr juckte, als würde mindestens ein Dutzend Insekten über seinen Körper laufen.

»Hör auf zu kratzen«, sagte Rhys, ohne ihn anzusehen, als sie eine Wiese mit blühenden Apfelbäumen überquerten. Seine Schwingen waren nicht zu sehen.

Cassian ließ die Hand sinken. »Ich kann auch nichts dafür, dass dieser Ort mir buchstäblich unter die Haut geht.«

Rhys schnaubte und deutete auf einen der Bäume, dessen Blütenblätter so dicht wie Schnee herabfielen. »Der gefürchtete General, vom Heuschnupfen niedergestreckt.«

Cassian schniefte unnötig laut und brachte Rhys damit vollends zum Lachen. Gut. Als er vor einer halben Stunde auf seinen Bruder traf, hatte Rhys noch mit geistesabwesendem Blick und ernster Miene in die Ferne gestarrt.

Jetzt blieb Rhys in der Mitte des Obstgartens im Norden von Tamlins einst so schönem Anwesen stehen.

Die Nachmittagssonne schien wärmend auf Cassians Kopf, und wenn es ihn nicht am ganzen Körper so verdammt gejuckt hätte, hätte er sich vielleicht ins samtweiche Gras gelegt und seine Schwingen gesonnt. »Ich würde mir sofort die Haut herunterreißen, wenn das Jucken dadurch aufhörte.«

»Das möchte ich sehen«, sagte eine Stimme hinter ihnen. Cassian machte sich nicht die Mühe, ein freundliches Gesicht aufzusetzen, als er Eris entdeckte, der eineinhalb Meter entfernt an einem Baumstamm lehnte. Inmitten der rosafarbenen und weißen Blüten sah der kaltschnäuzige Erbe des Herbsthofs wirklich feenhaft aus – als wäre er gerade aus dem Baum hervorgetreten und einzig und allein der Erde untertan.

»Eris«, säuselte Rhys und schob die Hände in die Taschen. »Welch eine Freude.«

Eris nickte Rhys zu. Seine roten Haare schillerten im Sonnenlicht, das durch die blütenschweren Äste fiel. »Ich habe nur fünf Minuten Zeit.«

»Du hast um dieses Treffen gebeten«, stellte Cassian klar und verschränkte die Arme vor der Brust. »Also raus damit.«

Eris warf ihm einen scharfen, herablassenden Blick zu. »Ich bin mir sicher, du hast Rhysand von meinem Angebot erzählt.«

»Das hat er«, bestätigte Rhys, während eine sanfte Brise seufzend durch sein dunkles Haar fuhr. Als würde selbst der Wind ihn gern berühren. »Diese Drohungen haben mir nicht gefallen.«

Eris zuckte die Schultern. »Ich wollte mich nur deutlich ausdrücken.«

»Spuck's endlich aus, Eris«, forderte Cassian. Noch eine Minute länger in diesem Garten ... und das Jucken würde ihn in den Wahnsinn treiben.

Er wünschte, irgendein anderer hätte an seiner Stelle kommen können. Aber Rhys hatte ihn damit beauftragt, sich um den Dreckskerl zu kümmern. Von General zu General. Eris hatte am Morgen um das Treffen an diesem neutralen Ort gebeten. Glücklicherweise hatte der hiesige High Lord kein Interesse daran, die Grenzen seines Landes zu kontrollieren.

Eris hielt den Blick fest auf Rhys gerichtet. »Ich nehme an, dein Schattensänger ist unterwegs und tut, was er am besten kann.«

Rhys schwieg und ließ sich nichts anmerken. Cassian folgte seinem Beispiel.

»Wir verschwenden unsere Zeit damit, Informationen zu sammeln, anstatt zu handeln«, fuhr Eris achselzuckend fort. Seine bernsteinfarbenen Augen schimmerten im Schatten des Apfelbaums. »Ganz gleich, ob der Todesgott die sterblichen Königinnen in der Hand hat oder nicht: Wenn sie es darauf anlegen, ein Stachel in unserem Fleisch zu sein, können wir sie einfach jetzt erledigen. Alle. Mein Vater wäre gezwungen, seine Pläne aufzugeben. Und euch würde bestimmt ein Grund einfallen, der nichts mit mir oder meinen Worten zu tun hat, aber ihre ... Beseitigung erklärt.«

»Du willst, dass wir die Königinnen töten?«, platzte Cassian empört heraus.

Jetzt schwieg Eris.

Auch Rhys sagte keinen Ton.

Cassian sah die beiden ungläubig an. »Wenn wir diese Königinnen umbringen, stecken wir in einem größeren Schlamassel als je zuvor. Es wurden schon Kriege aus nichtigeren Gründen angezettelt. Der Mord an einer Königin – ganz zu schweigen an vier – wäre eine Katastrophe. Jeder würde wissen, wer es getan hat, ungeachtet der Gründe, die wir als Rechtfertigung erfinden.«

Rhys legte den Kopf auf die Seite. »Nur, wenn wir schlampig vorgehen.«

»Du machst Witze«, sagte Cassian und starrte seinen Bruder an.

»Nicht ganz«, sagte Rhys und schenkte ihm ein mattes Lächeln, das jedoch nicht seine Augen erreichte. Eine tiefe Distanz lauerte dort. Dann wandte er sich Eris zu. »So verlockend es auch klingt, den einfachen Weg zu gehen, aber ich pflichte meinem Bruder bei. Es mag eine einfache Lösung unserer derzeitigen Probleme sein, die auch deinem Vater einen Strich durch die Rechnung macht, aber dadurch würde ein Konflikt entstehen, der viel größer ist, als wir uns vorstellen können.« Rhys musterte Eris eindringlich. »Aber das weißt du längst.«

Eris' Schweigen hielt an.

Cassian schaute von Eris zu Rhys und verfolgte die Miene seines Bruders, während der alle Fakten zusammenfügte.

»Warum will dein Vater unbedingt einen Krieg?«, fragte Rhys schließlich ernst.

»Warum zieht überhaupt irgendjemand in den Krieg?« Eris streckte die Hand aus und fing die herabfallenden Blütenblätter auf. »Warum unterzeichnet Vallahan nicht das Abkommen? Die Grenzen dieser neuen Welt wurden noch nicht festgelegt.«

»Beron hat nicht die militärische Stärke, um gleichzeitig den Herbsthof und ein Territorium auf dem Kontinent zu regieren«, konterte Cassian.

Eris' Finger schlossen sich um die Blütenblätter. »Wer sagt denn, dass er Gebiete auf dem Kontinent will?« Er warf einen demonstrativen Blick auf den Obstgarten um sie herum – als wollte er etwas verdeutlichen.

Stille breitete sich aus.

»Beron weiß, dass ein weiterer Krieg, in dem Fae gegen Fae kämpfen, katastrophal wäre. Viele von uns würden komplett ausgelöscht. Insbesondere ...« Rhys legte den Kopf in den Nacken, um den Duft der Apfelblüten einzuatmen. »Insbesondere die unter uns, die geschwächt sind. Und wenn sich die Aufregung legt, wird mindestens ein Hof unbesetzt bleiben. Ein Hof, dessen Gebiete leicht zu haben wären.«

Eris schaute zu den Bergen jenseits des Obstgartens, deren Hänge grün und golden im Sonnenlicht schimmerten. »Es heißt, ein Monster würde jetzt durch dieses Gebiet hier streifen. Ein Monster mit scharfen, grünen Augen und einem goldenen Fell. Einige glauben, es würde schon so lange als Monster existieren, dass es seine andere Form vergessen hat. Und obwohl es durch diese Länder streift, schert es sich nicht um die Verwahrlosung und die Gesetzlosigkeit, die hier herrschen. Es kümmert dieses Monster nicht, wie verwundbar sein Reich geworden ist. Selbst sein Anwesen ist verfallen, halb überwuchert von Dornen, obwohl das Gerücht geht, es selbst habe zu dessen Zerstörung beigetragen.«

»Schluss mit dem doppeldeutigen Gerede«, sagte Cassian. »Tamlin bleibt in seiner Monstergestalt und bekommt endlich die Strafe, die er verdient. Na und?«

Eris und Rhys starrten einander weiter an. »Ihr versucht schon eine ganze Weile, Tamlin zurückzuholen. Aber sein Zustand will sich einfach nicht bessern, oder?«, bemerkte Eris schließlich.

Ein Muskel an Rhys' Kiefer zuckte, das einzige Anzeichen seines Unmuts.

Eris nickte wissend. »Ich kann noch eine Weile verhindern, dass mein Vater sich mit Briallyn verbündet und diesen Krieg anzettelt. Aber nicht mehr lange – höchstens ein paar Monate. Also schlage ich vor, dass sich euer Schattensänger beeilt und einen Weg findet, mit Briallyn fertigzuwerden. Herausfindet, was sie will. Und ob Koschei tatsächlich an dem Ganzen beteiligt ist. Im besten Fall halten wir sie alle auf. Im schlimmsten Fall haben wir ausreichend Beweise, um jede Auseinandersetzung zu rechtfertigen und hoffentlich genug Verbündete zu gewinnen, um das Blutvergießen zu verhindern, das dieses Land erneut zerstückeln würde. Mein Vater würde es sich zweimal überlegen, bevor er es mit einer Armee aufnimmt, die der seinen an Stärke und Größe überlegen ist.«

»Du hast dich zu einem richtigen kleinen Verräter entwickelt«, bemerkte Rhys und die Sterne in seinen Augen erloschen.

»Ich habe dir schon vor Jahren gesagt, was ich will, High Lord«, entgegnete Eris.

Den Thron seines Vaters.

»Warum?«, fragte Cassian.

Eris begriff offenbar, was er meinte, denn seine Augen funkelten. »Aus dem gleichen Grund, aus dem ich Morrigan unberührt an der Grenze zurückgelassen habe.«

»Du hast sie dort verletzt und sterbend liegen lassen«, knurrte Cassian. Seine Trichtersteine flackerten, und er konnte nur das attraktive Gesicht des High Fae wahrnehmen und seine eigene Faust, die sich danach sehnte, hineinzuschlagen.

»Ach ja?«, meinte Eris höhnisch. »Vielleicht solltest du Morrigan einmal fragen, ob das stimmt. Ich glaube, inzwischen kennt sie die Antwort.«

Cassian schwirrte der Kopf und das unablässige Jucken setzte erneut ein – wie Finger, die über sein Rückgrat, seine Beine und seine Kopfhaut strichen.

Bevor Eris den Wind teilte und verschwand, fügte er noch hinzu: »Sagt mir Bescheid, wenn der Schattensänger zurückkehrt.«

Blütenblätter wirbelten auf, so dicht wie ein Schneesturm in den Bergen. Cassian wandte sich Rhys zu.

Doch Rhys' Blick war verschleiert. Wieder starrte er geistesabwesend auf die Berge in der Ferne, als könnte er das Ungeheuer sehen, das dort umherstreifte.

Cassian hatte oft genug erlebt, wie sich Rhys tief in sein Inneres zurückzog. Er wusste, dass sein Bruder dazu neigte, dabei aber nach außen hin vollkommen normal wirkte. Doch derart abwesend hatte er ihn nur selten erlebt ...

»Was ist mit dir los?« Cassian kratzte sich am Kopf. Dieser verdammte Frühlingshof.

Rhys blinzelte, als hätte er ganz vergessen, dass Cassian neben ihm stand. »Nichts.« Er schnippte ein Blütenblatt von seinem Lederhandschuh. »Nichts.«

»Lügner.« Cassian legte seine Schwingen an.

Aber Rhys hörte nicht mehr zu. Schweigend teilte er den Wind und brachte sie beide nach Hause.

Nesta starrte in das rötliche Dämmerlicht im Treppenhaus.

Während der Arbeit in der Bibliothek hatte sie der gleiche Muskelkater geplagt wie am Tag zuvor. Aber zum Glück war Merrill nicht aufgetaucht, um sie wegen des ausgetauschten Buchs zur Schnecke zu machen. Nesta sprach mit niemandem, bis auf Clotho, die sie nur flüchtig gegrüßt hatte. Also hatte Nesta im Halbdunkel Bücher einsortiert, umgeben vom Flüstern raschelnden Papiers, und nur kurze Pausen eingelegt, um sich den Staub von den Händen zu wischen. Priesterinnen rauschten wie Gespenster vorbei, aber Nesta entdeckte kein kupferbraunes Haar über blaugrünen Augen.

Sie wusste gar nicht genau, warum sie sich wünschte, Gwyn zu sehen. Sie hatte kein Recht, die Priesterin auf das anzusprechen, was Cassian ihr über den Angriff auf den Tempel erzählt hatte. Aber Gwyn kam auch nicht zu ihr, und Nesta wagte es nicht, hinauf ins zweite Geschoss zu gehen, an Merrills Tür zu klopfen und nachzusehen, ob Gwyn dort war.

Also begleiteten nur Stille, Muskelkater und das Tosen in ihrem Kopf ihre Arbeit in der Bibliothek. Und vielleicht war es ja gerade dieses Tosen, das sie anschließend zur Treppe geführt hatte, statt in ihr Zimmer. Die Dämmerung lockte sie, forderte sie heraus wie das aufgerissene Maul eines großen Ungeheuers. Ein Lindwurm, der darauf wartete, sie mit Haut und Haaren zu verschlingen.

Ihre Beine bewegten sich wie von selbst und ihr Fuß landete auf der ersten Stufe. Im Kreis hinab, immer weiter hinab. Nesta ignorierte die Stufe mit den fünf runden Abdrücken und achtete darauf, nicht nach unten zu schauen, als sie einen vorsichtigen Schritt darüber hinweg machte.

Stille und Tosen und nichts, nichts, nichts …

Nesta schaffte es bis zur Stufe 150, bevor die Beine ihr fast erneut den Dienst versagten. Sie ersparte sich selbst einen weiteren Sturz, hielt keuchend inne und lehnte die Stirn gegen die Mauer. In dieser tosenden Stille wartete sie, bis die Stufen sich nicht länger um sie herumdrehten. Und als die Welt sich wieder beruhigt hatte, machte sie sich auf den langen, schrecklichen Weg zurück nach oben.

Das Haus hatte ihr bereits das Abendessen auf ihrem Schreibtisch serviert, zusammen mit einem Buch. Offenbar hatte es sich gemerkt, dass sie vor Kurzem um ein Buch gebeten hatte, und *Der Große Krieg* war ihm zu langweilig erschienen. Der Titel dieses Bands hier war angemessen anzüglich. »Ich wusste gar nicht, dass du einen so schmutzigen Geschmack hast«, sagte Nesta verschmitzt.

Das Haus antwortete, indem es ihr ein Bad einließ.

»Abendessen, ein Bad und ein Buch«, sagte Nesta laut und schüttelte fast ehrfurchtsvoll den Kopf. »Perfekt. Danke.«

Das Haus schwieg, doch als Nesta das Bad betrat, stellte sie fest, dass es verschiedene Öle ins Badewasser gegeben hatte, die nach Rosmarin und Lavendel dufteten. Seufzend atmete sie den berauschenden, wohltuenden Geruch ein.

»Ich glaube, du bist vermutlich mein einziger Freund«, sagte Nesta und stieg dann ächzend in die einladende Wärme der Wanne.

Offenbar war das Haus so erfreut über ihre Worte, dass quer über der Badewanne ein Tablett erschien. Und darauf stand ein Teller mit einem riesigen Stück Schokoladenkuchen.

15

Das siebte Geschoss der Bibliothek war mehr als beklemmend. Nesta stand an der Brüstung, ein einzusortierendes Buch an sich gepresst, und starrte in die Dunkelheit, die so dicht war, dass sie wie Nebel in der Luft schwebte und die unteren Geschosse verhüllte.

Auch dort unten waren Bücher untergebracht, das wusste sie, aber bis jetzt hatte ihre Arbeit sie noch nie in diese dunklen Ebenen geführt. Und sie hatte noch nie eine der Priesterinnen jenseits der Stelle gesehen, an der sie jetzt stand und über die Brüstung starrte. Die Rampe vor ihr lockte sie hinab in die Dunkelheit und erschien ihr wie der Eingang zu einer schwarzen Höllengrube.

Hyberns Zwillingsraben waren tot. Befleckte ihr Blut noch immer den Boden dort unten oder hatten Rhysand und Bryaxis auch diese Spuren beseitigt?

Die Dunkelheit schien sich zu heben und zu senken, als würde sie atmen.

Nesta spürte, wie sich die Haare auf ihren Armen aufrichteten. Bryaxis war fort, verschwunden in die Welt. Selbst Feyre und Rhysand hatten dieses Etwas nicht aufstöbern können, das die Angst in Person verkörperte.

Und doch war die Dunkelheit geblieben. Sie pulsierte und rankte sich in Schatten hinauf.

Nesta hatte zu lange in ihre Tiefe gestarrt. Diese könnte jeden Moment zurückstarren.

Doch Nesta bewegte sich nicht von der Brüstung weg, konnte sich nicht erinnern, wie sie so weit nach unten gelangt war oder welches Buch sie in den Händen hielt. Es gab die Nacht und es gab die Dunkelheit nach dem Auslöschen einer Kerze – und dann gab es das hier. Nicht nur die vollkommene Abwesenheit von Licht, sondern … ein

Schoß. Ein Schoß, aus dem alles Leben gekommen war und in den es zurückkehren würde – weder gut noch böse, nur dunkel. Dunkel. Dunkel.

Nesta.

Ihr Name driftete zu ihr, als würde er aus den Tiefen eines schwarzen Ozeans emporsteigen.

Nesta.

Er fuhr über ihre Knochen und durch ihr Blut. Sie musste zurückweichen, musste sich losreißen.

Die Dunkelheit pulsierte und lockte sie.

»Nesta.«

Sie wirbelte herum und hätte fast das Buch über die Brüstung fallen lassen.

Gwyn stand vor ihr und musterte sie. »Was machst du da?«

Mit hämmerndem Herzen drehte Nesta sich um – und sah nichts als trübe Dunkelheit. Dunkelheit, durch die sie jetzt so gerade eben die unteren Geschosse ausmachen konnte. Als wäre die dichte, undurchdringliche Schwärze plötzlich verschwunden. »Es ... Ich ...«

Gwyn trat mit einem Stapel Bücher auf dem Arm neben sie und blickte prüfend in die Dunkelheit. Nesta wartete auf den Tadel, den Spott und den Zweifel, doch Gwyn fragte nur ernst: »Was hast du gesehen?«

»Wieso? Siehst du Dinge in dieser Dunkelheit?«, erwiderte Nesta. Ihre Stimme klang dünn.

»Nein, aber einige der anderen. Sie sagen, die Dunkelheit habe sie verfolgt. Bis vor ihre Türen.« Gwyn schauderte.

»Ich habe Dunkelheit gesehen«, brachte Nesta mühsam hervor. Ihr Puls wollte sich nicht beruhigen. »Pure Dunkelheit.« Eine Dunkelheit, wie sie sie seit der Begegnung mit dem Kessel nicht mehr erlebt hatte.

Gwyn sah von Nesta zum Abgrund und wieder zurück. »Wir sollten nach oben gehen.«

Nesta hob das Buch, das sie noch immer in ihren zitternden Armen hielt. »Ich muss das hier einsortieren.«

»Lass gut sein«, sagte Gwyn mit genügend Autorität in der Stimme, dass Nesta das Buch auf einen dunklen Holztisch legte. Die Priesterin führte Nesta mit einer Hand auf ihrem Rücken die schräge Rampe hinauf. »Schau nicht zurück«, murmelte Gwyn aus dem Mundwinkel. »In welchem Geschoss steht dein Bücherwagen?«
»Vier.« Nesta drehte den Kopf, um einen Blick über ihre Schulter zu werfen, doch Gwyn zwickte sie.
»Schau nicht zurück«, wiederholte sie murmelnd.
»Werden wir verfolgt?«
»Nein, aber ...« Gwyn schluckte hörbar. »Ich kann etwas spüren. Etwas wie eine Katze. Klein, schlau und neugierig. Es beobachtet uns.«
»Wenn du Witze machst ...«
Gwyn griff in die Tasche ihres hellen Gewands und zog den blauen Stein der Priesterinnen heraus. Er schimmerte wie Sonnenstrahlen auf einem seichten See. »Schneller«, flüsterte sie, und sie erhöhten das Tempo, erreichten die fünfte Ebene. Unterwegs begegneten ihnen keine Priesterinnen, aber Gwyn drängte: »Weiter. Schneller.«
Der Stein in ihrer Hand flimmerte.
Rasch stiegen sie höher. Und in dem Moment, als sie das vierte Geschoss betraten, verschwand diese Präsenz, dieses Gefühl, dass sie verfolgt wurden.
Erst als sie Nestas Wagen erreichten, warf Gwyn ihre Bücher auf den Boden und ließ sich in den nächsten brokatbezogenen Sessel fallen. Ihre Hände zitterten, aber das Licht des blauen Steins war wieder erloschen.
Nesta musste zweimal schlucken, bevor sie etwas sagen konnte. »Was *ist* das?«
»Ein Beschwörungsstein.« Gwyn öffnete ihre Hand, auf der der Edelstein lag. »Ähnlich wie die Trichtersteine der Illyrianer, nur mit dem Unterschied, dass die Kraft der Großen Mutter durch ihn hindurchströmt. Wir können ihn nicht verwenden, um Schaden anzurichten, sondern nur zu Heilung und Schutz. Er hat uns abgeschirmt.«

»Nein ... ich meine diese Dunkelheit.«

Gwyns Augen hatten fast genau die gleiche Farbe wie der Stein, bis hin zu den Schatten, die jetzt ihre Miene verschleierten. »Es heißt, das Wesen, das dort unten gehaust hat, sei verschwunden. Aber ich glaube, dass ein Teil von ihm noch immer da ist. Oder dass es zumindest die Dunkelheit verändert hat.«

»So fühlte es sich nicht an. Es war ... älter.«

Gwyn zog die Augenbrauen hoch. »Bist du Expertin in solchen Dingen?« In ihren Worten lag keine Herablassung, nur Neugier.

»Ich ...« Nesta blinzelte. »Weißt du nicht, wer ich bin?«

»Ich weiß, dass du die Schwester der High Lady bist. Dass du den König von Hybern getötet hast.« Gwyns Gesicht wirkte ernst, fast ein wenig gequält. »Dass du, wie Lady Feyre auch, einst sterblich warst. Menschlich.«

»Ich wurde vom Kessel erschaffen. Auf Befehl des Königs von Hybern.«

Gwyn fuhr mit den Fingern über die sanfte Wölbung des Beschwörungssteins. Bei der Berührung kräuselte sich Licht darin. »Ich wusste nicht, dass so etwas möglich ist.«

»Meine andere Schwester, Elain – wir wurden gezwungen, in den Kessel zu steigen. Wurden in High Fae verwandelt.« Nesta musste erneut schlucken. »Der Kessel ... hat etwas von sich an mich weitergegeben.«

Gwyn betrachtete die Brüstung und die Dunkelheit des offenen Schachts. »Was zusammengehört, findet zusammen.«

»Ja.«

Gwyn schüttelte den Kopf und ihr Haar schwang hin und her. »Vielleicht solltest du besser nicht mehr zum sechsten Geschoss hinuntergehen.«

»Es gehört zu meinem Job, Bücher einzusortieren.«

»Sprich mit Clotho darüber. Sie wird dafür sorgen, dass andere sich um diese Bücher kümmern.«

»Das wäre feige.«

»Ich will nicht wissen, was aus der Dunkelheit gekrochen kommt, wenn selbst du – als Vom-Kessel-Erschaffene – dich davor fürchtest. Vor allem, wenn es ... von dir angezogen wird.«

Nesta sank in den Sessel neben Gwyns. »Ich bin keine Kriegerin.«

»Du hast den König von Hybern getötet«, wiederholte Gwyn. »Mit dem Messer des Schattensängers.«

»Reines Glück und Wut«, räumte Nesta ein. »Außerdem hatte ich geschworen, ihn für das zu töten, was er meiner Schwester und mir angetan hatte.«

Eine Priesterin ging vorbei, sah die beiden in ihren Sesseln und eilte davon. Ihre Angst hinterließ einen scharfen Geruch in der Luft, wie von verbranntem Essen.

Gwyn schaute ihr seufzend nach. »Das ist Riven. Sie scheut noch immer jeglichen Kontakt mit Fremden.«

»Wann ist sie hergekommen?«

»Vor achtzig Jahren.«

Nesta starrte sie ungläubig an. Aber Bedauern spiegelte sich in Gwyns Augen, als sie erklärte: »Wir tratschen hier nicht übereinander. Wir entscheiden selbst, ob wir unsere Geschichte erzählen wollen oder nicht. Nur Riven, Clotho und der High Lord wissen, was mit ihr geschehen ist. Sie will nicht darüber reden.«

»Und es kann ihr niemand helfen?«

»Darüber weiß ich nichts. Ich kenne die Hilfsmittel, die uns zur Verfügung stehen, aber es geht mich nichts an, ob Riven sie genutzt hat.« Aus der Sorge, die sich auf ihrem Gesicht abzeichnete, schloss Nesta, dass Gwyn diese Mittel selbst in Anspruch genommen oder es zumindest versucht hatte.

Gwyn schob sich die Haare hinter ihre spitzen Ohren. »Eigentlich wollte ich dich gestern aufsuchen, um mich noch einmal dafür zu bedanken, dass du das Buch ausgetauscht hast. Aber ich war zu sehr mit der Arbeit für Merrill beschäftigt.« Sie neigte den Kopf. »Ich stehe in deiner Schuld.«

Nesta rieb sich den Oberschenkel, weil ein hartnäckiger Krampf sie quälte. »Nicht der Rede wert.«

Gwyn bemerkte die Bewegung. »Was ist mit deinem Bein?«

Nesta biss die Zähne zusammen. »Nichts. Ich trainiere jeden Morgen mit Cassian.« Sie hatte keine Ahnung, ob Gwyn wusste, wen sie meinte. »Der General des High Lords ...«

»Ich weiß, wer er ist. Jeder weiß das.« Gwyns Gesichtsausdruck war unergründlich. »Warum trainierst du mit ihm?«

Nesta wischte sich eine Staubflocke vom Knie. »Sagen wir mal so: Mir wurden verschiedene Optionen zur Auswahl gestellt, die alle darauf abzielten ... mein Verhalten zu zügeln. Das morgendliche Training mit Cassian und die nachmittägliche Arbeit in der Bibliothek waren noch das Angenehmste.«

»Warum musst du dein Verhalten zügeln?«

Offenbar wusste Gwyn wirklich nicht, was für ein schreckliches, erbärmliches Wrack aus ihr geworden war. »Ist eine lange Geschichte.«

Sie schien Nestas Zögern zu spüren. »Was für eine Art von Training ist das? Kampftraining?«

»Zurzeit nur jede Menge Gleichgewichts- und Dehnübungen.«

Gwyn deutete mit dem Kinn auf Nestas Bein. »Und die sind so schmerzhaft?«

»Ja, wenn man so wenig in Form ist wie ich.« Wie ein erbärmlicher Schwächling.

Zwei weitere Priesterinnen gingen vorbei, und offenbar reichte die Gegenwart von einer der beiden aus, um Gwyn aufspringen zu lassen. »Ich sollte zu Merrill zurückkehren«, verkündete sie. Jegliche Spur von Erhabenheit war aus ihrem Gesicht verschwunden. Sie deutete auf den Schacht. »Bring dich nicht in Schwierigkeiten.«

Dann machte sie auf dem Absatz kehrt und blaues Licht blitzte in ihrer Hand auf.

Als Nesta dieses Blau sah, platzte sie hervor: »Warum trägst du diesen Stein nicht wie die anderen am Kopf?«

Gwyn schob den Edelstein in die Tasche. »Weil ich es nicht verdiene.«

»Ist das wirklich alles? Mehr machen wir nicht?«, fragte Nesta am nächsten Morgen fordernd, als sie aus einer Übung hochkam, die

Cassian als »Knicks-Kniebeuge« bezeichnete. »Nur Gleichgewichts- und Dehnübungen?«

Cassian verschränkte die Arme vor der Brust. »Ja, solange du eine so beschissene Balance hast.«

»So oft falle ich nun auch nicht hin.« Nur alle paar Minuten.

Er bedeutete ihr, eine weitere Kniebeuge zu machen. »Du verlagerst dein Gewicht noch immer auf das rechte Bein, wenn du stehst. Damit öffnest du deine Hüfte und dein rechter Fuß rollt leicht zur Seite weg. Deine gesamte Mitte ist verschoben. Mit etwas Intensiverem kannst du erst anfangen, wenn wir das korrigiert haben – egal, wie flink du auf den Füßen bist. Du würdest dich nur verletzen.«

Nesta atmete schnaufend aus, während sie erneut in die Hocke ging, das rechte Bein nach hinten zog und das linke angewinkelt aufstellte. Ihr linker Oberschenkel und ihr Knie brannten wie Feuer. Wie viele Knickse hatte sie unter den kritischen Augen ihrer Mutter geübt? Sie hatte ganz vergessen, wie anstrengend sie sein konnten. »Als ob du so perfekt stehen würdest.«

»Aber ja: Ich stehe perfekt.« Worte von unbeirrbarer Arroganz. »Ich trainiere seit meiner Kindheit. Ich hatte keine Gelegenheit, falsches Stehen zu lernen. Aber du musst 25 Jahre schlechter Angewohnheiten korrigieren.«

Mit zitternden Beinen kam sie hoch. Sie hatte nicht übel Lust, ihn an ihre Vereinbarung zu erinnern und darauf zu bestehen, dass er nie wieder eine Kniebeuge von ihr verlangte. »Und dir machen diese ewigen Übungen und das Training wirklich Spaß?«

»Noch zwei und dann beantworte ich deine Frage.«

Knurrend gehorchte Nesta. Aber nur, weil sie es leid war, so schwach wie ein wimmerndes Kätzchen zu sein – so hatte er sie vor ein paar Tagen genannt.

»Trink etwas Wasser«, sagte Cassian, als sie fertig war. Die Vormittagssonne schien bereits heiß auf den Trainingsplatz herab.

»Du brauchst mir nicht zu sagen, wann ich trinken soll«, fauchte sie.

»Okay, dann lass es eben und werd ohnmächtig.«

Nesta schaute in seine haselnussbraunen Augen, das nüchterne Gesicht, und trank das Wasser. Damit ihr Kopf sich nicht länger drehte, sagte sie sich. Nachdem sie ein ganzes Glas Wasser hinuntergestürzt hatte, erzählte Cassian: »Ich wurde als Sohn einer unverheirateten Mutter in einer Siedlung geboren, gegen die Windhaven das reinste Paradies ist. Meine Mutter wurde ausgestoßen, weil sie ein uneheliches Kind unter dem Herzen trug, und war gezwungen, mich allein mitten im Winter in einem Zelt zur Welt zu bringen.«

Entsetzen erfasste Nesta. Sie hatte gewusst, dass Cassian von niedriger Geburt war, aber dieses Ausmaß an Grausamkeit ... »Was war mit deinem Vater?«

»Du meinst den Dreckskerl, der ihr Gewalt angetan hat und dann zu seiner Frau und Familie zurückgekehrt ist?« Cassian lachte verbittert. »Für ihn hatte das Ganze keinerlei Folgen.«

»Wie üblich. Die Männer müssen keine Konsequenzen fürchten«, sagte Nesta kühl. Sie blendete das Bild von Tomas' Gesicht aus.

»Hier schon«, knurrte Cassian, als ahnte er, in welche Richtung ihre Gedanken gingen. Er deutete auf die Stadt in der Tiefe, die von ihrem Standort aus nicht zu sehen war. »Rhys hat die Gesetze geändert. Hier am Hof der Nacht und in Illyrien.« Seine Züge verhärteten sich noch mehr. »Trotzdem müssen die Betroffenen die Übergriffe melden. Und an Orten wie Illyrien macht man jeder Frau, die das tut, das Leben zur Hölle. Es wird als Verrat angesehen.«

»Das ist ungeheuerlich.«

»Wir sind alle Fae. Vergiss den Unsinn von wegen High Fae und niedere Fae. Wir sind alle unsterblich – oder zumindest so gut wie. Veränderungen brauchen bei uns sehr lange. Das, was Sterbliche in wenigen Jahrzehnten erreichen, dauert bei uns Jahrhunderte. Und noch länger, wenn man in Illyrien lebt.«

»Warum gibst du dich dann überhaupt mit den Illyrianern ab?«

»Weil ich wie ein Löwe gekämpft habe, um ihnen zu zeigen, was ich wert bin.« Seine Augen funkelten. »Um zu beweisen, dass meine Mutter etwas Gutes in diese Welt gebracht hat.«

»Wo ist sie jetzt?« Er hatte nie von ihr gesprochen.

Seine Lider flatterten. »Man hat mich ihr weggenommen, als ich drei war. Und sie anschließend hinaus in die Kälte verstoßen. Aufgrund ihrer sogenannten Schande wurde sie das Opfer weiterer Monster.« Nesta drehte sich bei jedem Wort der Magen um. »Sie erledigte Knochenarbeit für andere … bis sie starb, allein und …« Nesta sah, wie sich sein Kehlkopf bewegte. »Damals war ich bereits in Windhaven. Aber nicht stark genug, um zurückzukehren und ihr zu helfen … sie an einen sicheren Ort zu bringen. Rhys war noch nicht High Lord und keiner von uns konnte irgendetwas tun.«

Nesta konnte gar nicht mehr genau sagen, wie sie auf seine Vergangenheit zu sprechen gekommen waren.

Offenbar erkannte Cassian das ebenfalls. »Diese Geschichte erzähle ich dir ein anderes Mal. Ich wollte damit eigentlich nur sagen, dass mich das Training bei allem zentriert und geleitet hat, nach jeder schrecklichen Situation. Wenn ich einen beschissenen Tag hatte … wenn man mich bespuckt, verprügelt oder gemieden hatte … als ich Armeen angeführt und gute Krieger verloren hatte … als Rhys von Amarantha entführt wurde – bei all dem gab es immer das Training. Du hast neulich gesagt, dass die Atemübungen dir helfen würden. Mir helfen sie ebenfalls. Und das Gleiche gilt für Feyre.« Nesta sah, wie die Mauer in seinen Augen mit jedem Wort höher wurde. Als wartete er darauf, dass sie sie niederriss. Ihn niedermachte. »Du kannst das deuten, wie du willst, aber es entspricht der Wahrheit.«

Heiße Scham erfasste sie. Sie hatte das bewirkt … hatte ihn derart abweisend und verschlossen werden lassen. Diese Erkenntnis lastete schwer auf ihr und fraß sich in ihr Inneres.

»Zeig mir noch ein paar andere Übungen«, sagte sie schließlich.

Cassian warf ihr einen prüfenden, argwöhnischen Blick zu, demonstrierte dann aber den nächsten Bewegungsablauf.

Das Haus hatte eine Vorliebe für Liebesromane. Nesta war in der Nacht länger aufgeblieben, als sie eigentlich wollte – um den Roman zu Ende zu lesen, den das Haus ihr am Tag zuvor präsentiert hatte.

Und als sie an diesem Abend in ihr Zimmer zurückkehrte, wartete bereits der nächste auf sie.

»Erzähl mir nicht, dass du diese Bücher liest.« Sie blätterte das Exemplar durch, das auf ihrem Nachttisch lag.

Als Antwort landeten dort mit einem dumpfen Knall zwei weitere Bücher, eines so obszön wie das andere.

Nesta lachte leise. »Muss ganz schön langweilig sein hier oben.«

Und noch ein drittes Buch.

Erneut lachte Nesta – ein eingerosteter, rauer Laut. Sie konnte sich nicht erinnern, wann sie das letzte Mal richtig gelacht hatte, wirklich befreit und aus vollem Herzen. Vermutlich in der Zeit vor dem Tod ihrer Mutter. Nach der plötzlichen Verarmung ihrer Familie hatte sie jedenfalls nichts mehr zu lachen gehabt.

»Heute kein Abendessen?«, fragte Nesta und deutete auf den Tisch.

Die Tür ihres Zimmers schwang gerade so weit auf, dass Nesta einen Blick auf den dämmrigen Gang werfen konnte.

»Ich hab für heute genug von ihm.« Während der restlichen Lektion war sie kaum in der Lage gewesen, mit Cassian zu sprechen. Denn sie musste ständig daran denken, wie er diese Mauer errichtet hatte. Weil er fürchtete, dass sie ihm zusetzen würde. Weil er sie als so schrecklich einschätzte, dass sie keine normale Unterhaltung führen konnte. Dass sie sich über seine Mutter und seinen Kummer lustig machen würde.

»Ich bleibe lieber hier.«

Die Tür ging weiter auf.

Nesta seufzte. Ihr war fast schlecht vor Hunger. »Du bist genauso eine Nervensäge wie die anderen«, murmelte sie und marschierte in Richtung Esszimmer.

Cassian saß allein am Tisch. Die untergehende Sonne ließ sein schwarzes Haar in Gold- und Rottönen schimmern und fiel durch seine wunderschönen Schwingen. Einen kurzen Moment lang verstand sie Feyres Drang, Dinge zu malen – Anblicke wie diesen festhalten und für immer bewahren zu wollen.

»Wie war es in der Bibliothek?«, fragte er, als sie sich ihm gegenüber niederließ.

»Ganz okay – heute hat mal nichts versucht, mich zu fressen.« Ein Teller mit Schweinebraten und grünen Bohnen sowie ein Glas Wasser erschienen vor ihr.

Aber Cassian war erstarrt. »Dann hat an einem *anderen* Tag etwas versucht, dich zu fressen?«

»Na ja, es kam nicht nah genug heran, um sein Vorhaben umzusetzen. Aber das war das Gefühl, das ich eine ganze Weile hatte.«

Er blinzelte und seine Trichtersteine leuchteten auf. »Erzähl mir davon.«

Nesta fragte sich, ob sie etwas Falsches gesagt hatte, doch sie erzählte ihm von dem Zwischenfall mit der Dunkelheit und Gwyns Hilfe. Seitdem hatte sie die Priesterin nicht mehr gesehen, aber am Abend einen Zettel mit einer Nachricht auf ihrem Bücherwagen gefunden: *Nur eine freundliche Erinnerung, dass du dich von den unteren Ebenen besser fernhältst!*

Nesta hatte den Zettel schnaubend zusammengeknüllt, ihn aber in ihre Tasche geschoben und behalten.

Cassians Gesicht war bleich geworden.

»Du hast Bryaxis doch mal gesehen«, sagte Nesta in die Stille hinein.

»Ein paarmal«, antwortete er leise. Seine Haut hatte eine grünliche Färbung angenommen. »Ich weiß, wir sollten weiter Jagd auf Bryaxis machen. Es ist nicht gut, dass er sich frei in der Welt bewegt. Aber ich glaube, ich könnte es nicht ertragen, ihm noch einmal zu begegnen.«

»Wie war es?«

Er sah ihr direkt in die Augen. »Das war mein schlimmster Albtraum. Und ich spreche nicht von irgendwelchen Phobien, sondern von meinen tiefsten Urängsten. Ich habe einige der übelsten Monster ins Gefängnis gebracht, aber das waren Monster im wahrsten Sinne des Wortes. Bryaxis ist … Ich glaube, das kann niemand verstehen, der ihn nicht selbst gesehen hat.«

Erneut schaute er sie an, und sie konnte erkennen, wie er sich gegen ihre Gehässigkeit wappnete.

Monster – *sie* war ein Monster. Diese Erkenntnis drang wie eine scharfe Klinge tief unter ihre Haut. Aber sie wollte ihm zeigen, dass sie die Nase nicht in seine Angelegenheiten stecken würde, nur um ihn zu verletzen, und fragte deshalb: »Welche Art von Kreaturen hast du ins Gefängnis gebracht?«

Cassian nahm eine Gabel voll von seinem Teller – ein gutes Zeichen dafür, dass diese Frage zumindest kein problematisches Gebiet berührte. »In der Welt der Menschen gibt es doch bestimmt Geschichten von grauenhaften Ungeheuern und Feenwesen, die dich niedermetzeln würden, sollten sie je die Mauer durchbrechen, oder? Kreaturen, die sich durch offene Fenster schlängeln, um das Blut von Kindern zu trinken. Kreaturen, die so böse und grausam sind, dass man nichts gegen sie ausrichten kann.«

Nesta stellten sich die Nackenhaare auf. »Ja.« Diese Geschichten hatten ihr immer schreckliche Angst eingejagt.

»Diese Geschichten gehen auf wahre Begebenheiten zurück, auf uralte, fast uranfängliche Wesen, die hier existierten, bevor sich die Gruppe der High Fae in Höfe aufteilte, noch vor den High Lords. Manche bezeichnen sie als die Ersten Götter. Es waren Wesen fast ohne körperliche Gestalt, aber von einer scharfen, boshaften Intelligenz. Menschen wie Fae fielen ihnen gleichermaßen zum Opfer. Die meisten dieser Wesen wurden vor sehr langer Zeit verjagt oder eingesperrt. Aber einige sind geblieben und lauern jetzt in vergessenen Winkeln des Landes.« Er nahm eine weitere Gabel voll und schluckte den Bissen hinunter.

»Als ich gut dreihundert Jahre alt war, tauchte eines dieser Wesen wieder auf. Kroch aus den Tiefen eines Berges. Bevor Lanthys ins Verlies geworfen wurde und die Gefangenschaft ihn schwächte, konnte er sich in Wind verwandeln und die Luft aus unseren Lungen reißen. Oder zu Regen werden und uns auf trockenem Land ertränken. Mit wenigen Bewegungen konnte er dir die Haut vom Körper abziehen. Er zeigte sich nie in seiner wahren Gestalt, und mir erschien er als wirbelnder Nebel, als ich ihn stellte. Lanthys zeugte ein Feenvolk, das unter Amaranthas Herrschaft gedieh und uns noch immer plagt – die Bogge. Aber die Bogge sind unbedeutender, nur Schatten im Vergleich zu Lanthys. Wenn es so etwas wie das personifizierte Böse gibt, dann trifft das auf Lanthys zu. Er kennt keine Gnade, hat kein Gefühl für Recht und Unrecht. Es gibt nur ihn und dann alle anderen. Und wir alle sind seine Beute. Seine Tötungsmethoden sind kreativ und langsam. Er labt sich an Angst und Schmerz genauso wie an Fleisch.«

Nesta gefror das Blut in den Adern. »Wie hast du ein solches Wesen eingefangen?«

Cassian tippte auf eine Stelle an seinem Hals, wo unterhalb seines Ohrs eine Narbe verlief. »Ich habe schnell gelernt, dass ich ihn weder im Kampf noch mit Magie jemals schlagen konnte. Diese Narbe hier ist der Beweis.« Cassian lächelte matt. »Also hab ich mir seine Arroganz zunutze gemacht. Ich schmeichelte ihm und lockte ihn in eine Falle, in einen Spiegel mit Eschenholzrahmen. Ich wettete mit ihm, der Spiegel würde ihn in Schach halten – und Lanthys hielt dagegen. Er konnte sich natürlich aus dem Spiegel befreien, aber in der Zwischenzeit hatte ich sein jämmerliches Selbst ins Verlies geworfen.«

Nesta zog eine Augenbraue hoch.

Er schenkte ihr ein scharfes Lächeln, das seine Augen allerdings nicht erreichte. »Doch kein tumber Rohling.«

Nein, er war alles andere als ein Rohling, auch wenn sie ihn als solchen bezeichnet hatte ...

»Von allen Insassen im Verlies fürchte ich Lanthys' Ausbruch am meisten.«

»Wäre das denn überhaupt möglich?«

»Ich glaube nicht, dem Kessel sei Dank. Dieses Verlies ist ausbruchsicher. Es sei denn, man heißt Amren.«

Nesta wollte nicht über Amren reden und auch nicht an sie denken. »Du hast gesagt, du hättest noch andere ins Gefängnis geworfen«, bemerkte sie, obwohl sie es eigentlich lieber nicht wissen wollte.

Er zuckte die Schultern, als spielte es keine Rolle, dass er solch bemerkenswerte Taten vollbracht hatte. »Die siebenköpfige Lubia, die den Fehler beging, aus den Tiefseehöhlen aufzutauchen, um an der Westküste Jagd auf Mädchen zu machen. Die Blaue Annis, ein schrecklicher Anblick – sie hatte kobaltblaue Haut, Klauen aus Eisen und, wie Lubia, eine Vorliebe für weibliches Fleisch. Lubia verschlang ihre Beute wenigstens schnell. Aber Annis … nun, sagen wir, sie ließ sich mehr Zeit. Da war sie wie Lanthys.« Sein Kehlkopf bewegte sich rasch auf und ab, und er zog den Kragen seines Hemds zur Seite und legte die schreckliche, wulstige Narbe über seinem linken Brustmuskel frei. Nesta hatte sie am Tag zuvor auf dem Trainingsplatz bemerkt. »Diese Narbe ist das Einzige, was von der Wunde noch übrig ist. Annis hatte mit ihren Eisenklauen meine Brust durchpflügt und war fast bis zu meinem Herzen vorgedrungen, als Azriel eingriff. Deshalb sollte ich wohl sagen, dass wir sie gemeinsam zur Strecke gebracht haben.« Er trommelte mit den Fingern auf den Tisch. »Und dann war da noch …«

»Ich habe genug gehört«, warf Nesta fast atemlos ein. »Ich kann heute Nacht bestimmt nicht schlafen.« Sie schüttelte den Kopf. »Ich weiß nicht, wie du das kannst, nach all dem, was du erlebt hast.«

Er lehnte sich auf seinem Stuhl zurück. »Man lernt, damit zu leben. Lernt, wie man sie ausblendet«, sagte er, fügte etwas leiser jedoch hinzu: »Aber sie alle lauern in meinem Hinterkopf.«

Das hätte Nesta auch gern gekonnt: all die Gedanken, die sie auffraßen, hinter eine Mauer verbannen und ausblenden oder in ein Loch tief in ihrem Inneren versenken und dort begraben.

»Die Dunkelheit in der Bibliothek … glaubst du, sie hat speziell auf dich reagiert?«, fragte er mit gesenkter Stimme. Als sie nicht antwortete, hakte er nach: »Wegen deiner Kräfte?«

»Ich besitze keine Kräfte«, log sie. Das Training mit Amren hatte nicht dazu beigetragen, diese Kräfte auch nur ansatzweise zu verstehen.

»Wer hat dann diesen Handabdruck auf den Stufen hinterlassen?«

»Vielleicht Lucien. Er hat Feuer in den Adern«, log sie ungerührt.

»Er sagt, dass dein Feuer anders ist als seins. Dass es irgendwie kalt brennen würde.«

»Dann solltest du mich vielleicht auch in dieses Verlies sperren.«

Cassian legte seine Gabel beiseite. »Ich habe dir nur eine Frage gestellt.«

»Spielt es denn eine Rolle, ob ich Kräfte besitze?«

Cassian schüttelte den Kopf, offenbar mit einer Mischung aus Bewunderung und Abscheu. »Du magst als Mensch geboren sein, aber du bist durch und durch Fae: Du beantwortest Fragen mit Gegenfragen und vermeidest eine ehrliche Antwort.«

»Ich weiß nicht, ob das ein Kompliment ist oder nicht.«

»Nein, kein Kompliment.« Seine Zähne blitzten auf. »Die Kräfte, die du besitzt, sind nicht dazu angelegt, untätig herumzusitzen. Sie brauchen ein Ventil und Training ...«

»Gleichgewichts- und Dehnübungen?«

An seinem Kiefer zuckte ein Muskel. »Was ist mit dir und Amren passiert?«

»Warum so viele Fragen heute Abend?«

»Weil wir uns wie normale Leute unterhalten und weil ich etwas über dich erfahren will. Alles.«

Nesta stand vom Tisch auf und ging in Richtung Tür. »Warum sollte dich das interessieren?«

»Lass uns nicht in alte Muster zurückfallen, Nes.«

Sie schaute über die Schulter zurück. »Mir war nicht klar, dass wir uns davon gelöst hatten.«

»Unsinn.«

»Und jetzt kommt der Teil, wo du mich daran erinnerst, dass mich alle hassen, und ich dann gehe.«

Cassian sprang auf und versperrte ihr mit drei Schritten den Weg zur Tür. Sie hatte vergessen, wie schnell er war, wie anmutig, trotz seiner Größe. Er blickte finster auf sie herab. »Für mich hat es nie eine Rolle gespielt, ob du die Hälfte oder nur einen Tropfen der Kraft des Kessels bekommen hast. Und das gilt noch immer.«

»Warum?« Nesta konnte sich die Frage nicht verkneifen. »Warum *kümmert* es dich überhaupt?«

Seine Gesichtszüge wurden hart. »Warum bist du an meiner Seite geblieben, als wir in dieser letzten Schlacht gegen den König von Hybern gekämpft haben?«

Als wäre das eine Antwort. Sie konnte es nicht ertragen, diese Unterhaltung, diesen Ausdruck in seinem Gesicht. »Weil ich eine dumme Närrin war.« Sie schob sich an ihm vorbei.

»Wovor hast du Angst?«, fragte er und folgte ihr in den Gang. Abrupt blieb Nesta stehen. »Ich habe vor gar nichts Angst.«

»Du lügst.«

Nesta drehte sich langsam um und ließ ihn die ganze Wut sehen, die in ihr tobte.

Cassians Augen funkelten wild vor Zufriedenheit.

Seine Trichtersteine flackerten auf und warfen ein rotes Licht auf den Boden, wie wässriges Blut. Und dann verzog er den Mund zu einem schiefen, spöttischen Grinsen. »Weißt du eigentlich, dass deine Augen leuchten, wenn deine Kraft an die Oberfläche dringt? Wie geschmolzener Stahl. Wie silbernes Feuer.«

Er hatte sie absichtlich so gereizt, weil er sie dazu bringen wollte, Farbe zu bekennen.

Nestas Finger ballten sich zu Fäusten. Sie machte einen Schritt auf ihn zu. Als Cassian keinen Millimeter zurückwich, ging sie noch einen Schritt weiter und dann noch einen.

Bis sie so nah vor ihm stand, dass ihre Brust ihn bei einem kräftigen Atemzug berührt hätte. Bis sie seinem noch immer grinsenden Gesicht die Zähne zeigte.

Cassian musterte sie, sah ihr in die Augen. »Wunderschön«, flüsterte er.

Er wehrte die Hand nicht ab, die sie auf seine muskulöse Brust legte. Widersetzte sich nicht, als sie ihn an die Wand drückte und sich seine Schwingen spreizten. Er starrte sie nur unverwandt an, bewundernd – hungrig.

Nesta war unfähig, sich zu bewegen, als er sich herabbeugte und ihr ins Ohr flüsterte: »Als ich diesen Ausdruck in deinem Gesicht zum ersten Mal gesehen habe, warst du noch sterblich. Du warst noch ein Mensch, und doch wäre ich fast vor dir auf die Knie gefallen.« Sein Atem streichelte ihre Ohrmuschel und sie schloss unwillkürlich die Augen. Sein Lächeln strich über ihre Schläfe. »Deine Kraft ist ein Lied, und ich habe sehr, sehr lange darauf gewartet, dieses Lied zu hören, Nesta.« Ihr Rücken wölbte sich leicht, als er ihren Namen sprach, vor allem die zweite Silbe – so als würde er sich ausmalen, sie mit seinen Zähnen an anderen Stellen zu berühren. Aber nur ihre Hand verband ihre beiden Körper. Nur ihre Hand, die sich jetzt in sein Hemd krallte, unter dem sein donnernder Herzschlag pulsierte.

Bis Cassian seinen Kopf ein wenig senkte und mit der Nasenspitze über ihren Hals streifte. Seine Brust unter ihrer Hand hob sich, als er mit einem kräftigen, gierigen Atemzug ihren Duft einsog.

Zu weit. Sie hätte nicht so weit gehen, ihn nicht so nahe an sich herankommen lassen dürfen.

Aber es gelang ihr nicht, sich abzuwenden, als er mit seiner Nase erneut über ihren Hals fuhr. Der Drang, ihren Körper an seinen zu pressen, seine Wärme und seine Härte zu spüren, die sich an ihr rieb, setzte fast jeden vernünftigen Gedanken außer Kraft.

Doch Cassian hielt seine Hände im Zaum. Als wartete er darauf, dass sie ihm die Erlaubnis erteilte.

Nesta zog den Kopf zurück – gerade weit genug, um sein Gesicht zu sehen.

Ihre Knie gaben fast nach, als sie das Verlangen in diesem Gesicht sah. Fließendes, unbändiges Verlangen, das einzig und allein auf sie gerichtet war.

Sie konnte kaum atmen, während sie in seinem Blick versank. Während in ihr eine empfindliche Stelle zu pochen begann und ihre Brüste schwer wurden und beinahe schmerzten. Er blähte die Nasenflügel, nahm auch das wahr.

Sie konnte nicht. Konnte ihm das nicht antun. Sich selbst nicht.

Konnte nicht, konnte nicht, konnte nicht …

Nesta wollte ihre Hand von seiner Brust nehmen, doch er legte seine Hand darauf. Strich ihr mit dem Daumen über den Handrücken. Und allein schon diese Berührung seiner Haut raubte ihr den Verstand und den Atem …

»Weißt du, woran ich heute Nacht denken werde?«, flüsterte er ihr ins Ohr.

Ein kleiner Laut musste ihr entfahren sein, denn er grinste, als er zur Seite trat und ihre Hand freigab.

Das Fehlen seiner Wärme, seines Dufts fühlte sich an, als hätte jemand einen Eimer mit Eiswasser über ihr ausgegossen.

Er lächelte spöttisch und herausfordernd. »Ich werde an diesen Ausdruck in deinem Gesicht denken.« Dann ging er, aber nicht, ohne sich noch einmal umzudrehen. »Ich denke ständig an diesen Ausdruck in deinem Gesicht.«

Sie konnte nicht schlafen. Die Laken scheuerten, nahmen ihr die Luft, erstickten sie mit ihrer Hitze, bis ihr der Schweiß über den Körper lief.

Ich denke ständig an diesen Ausdruck in deinem Gesicht.

Nesta lag im Dunkeln, ihr Atem ging ungleichmäßig, ihr Körper brannte. Nach der Rückkehr in ihr Zimmer hatte sie sich kaum auf ihr Buch konzentrieren können. Und sie hatte sich eine gefühlte Ewigkeit im Bett hin und her gewälzt.

Ich denke ständig an diesen Ausdruck in deinem Gesicht.

Sie konnte es förmlich vor sich sehen: Cassian in seinem Bett, ausgestreckt wie ein dunkler König, der sich selbst berührte und zupackte …

»Komm morgen früh bei Anbruch der Dämmerung zurück«, flüsterte sie in den Raum hinein.

Sie wusste nicht, ob das Haus gehorchen würde, fragte nicht nach, ob es verstand, warum sie ungestört sein wollte, als ihre Hand über ihr Nachthemd strich und sie das sinnliche Gefühl der Seide auf ihrer Haut kaum aushalten konnte.

Sie stöhnte in ihr Kissen, als ihre Finger zwischen ihre Beine wanderten und sofort die Feuchtigkeit dort fanden, die seit der Begegnung im Flur nicht mehr verschwunden war. Ihre Hüften wölbten sich der Berührung entgegen. Sie biss die Zähne zusammen und stieß einen langen, zischenden Laut aus, als sie die Finger in Richtung ihrer schmerzhaft pochenden Mitte schob.

Ich denke ständig an diesen Ausdruck in deinem Gesicht.

Sie bäumte sich auf, als ihre Finger eindrangen, sah unwillkürlich Cassians Gesicht vor sich, dieses angedeutete Lächeln und das Funkeln in seinen Augen. Seinen starken Körper und die wunderschönen Schwingen. Sie zog ihre Finger fast vollständig zurück, und als sie sie wieder hineinstieß, stellte sie sich vor, es wäre Cassians Hand. Und mit der anderen wanderte er ihren Körper hinauf, um ihre Brust fest zu umfassen und zu drücken, genau wie sie es mochte – ein leichter, durchdringender Schmerz, der ihre Lust noch steigerte.

Es war Cassians Hand, die sie ritt, und sie musste sich auf die Lippe beißen, um nicht zu laut zu stöhnen. Es war Cassians Hand, die sie um den Verstand und zu einem Höhepunkt brachte, der so intensiv war, dass sie fast geschrien hätte. Es war Cassians Hand, die wieder und wieder in sie eindrang und ihr weitere Höhepunkte schenkte, bis Nesta vollkommen erschöpft und keuchend auf dem Bett lag, umfangen von der Dunkelheit.

16

Cassian hatte nicht gut geschlafen.

Wie sollte er auch, wenn er so erregt gewesen war, dass er sich nicht nur einmal, sondern *dreimal* selbst befriedigen musste, um sich so weit zu beruhigen, dass er die Augen schließen konnte. Und bereits vor der Morgendämmerung war er wieder aufgewacht und hatte sich nach ihr gesehnt, noch immer ihren Duft in der Nase.

Er hatte ihr am gestrigen Abend genau gesagt, was er plante. Doch als er sie an diesem Morgen über den Frühstückstisch hinweg ansah, fühlte er sich unbehaglicher als erwartet. Sie war vor ihm am Tisch gewesen und hatte beim Essen ein Buch gelesen. Jetzt lag es zugeklappt neben ihrem Teller, aber dem Titel nach zu urteilen, handelte es sich um einen dieser Liebesromane, die sie so mochte.

»Was liest du?«, fragte Cassian, um die Stille zu durchbrechen.

Röte stieg in Nestas blasse Wangen. Und er hätte schwören können, dass auch sie große Willensanstrengung aufbringen musste, um ihm in die Augen zu schauen. »Einen Roman.«

»Das dachte ich mir schon, aber worum geht es darin?«

Rasch wandte sie den Blick ab, doch die Schamröte blieb.

Er wusste, dass dieses Erröten nichts mit dem Buch zu tun hatte.

Dann sah sie ihn jedoch wieder an und richtete sich auf. Als müsste sie sich unglaublich überwinden, seinem Blick zu begegnen. Ihre Hand umklammerte die Gabel. Und als er auf ihre Finger schaute, zog sie sie unter den Tisch.

Als würden diese Finger alles verraten.

Ihm wurde heiß, als er erkannte, was ihre Röte, ihre peinlich berührte Miene bedeutete. Und er zwang sich, tief durchzuatmen. Sie mussten die nächsten beiden Stunden zusammen trainieren. Dieser aufgewühlte Zustand war auf dem Trainingsplatz nicht nur wenig hilfreich, sondern auch unangemessen.

Was ihn jedoch nicht davon abhielt, sich diese Finger zwischen ihren Beinen vorzustellen, ihren Körper, der sich genauso schmerzhaft nach Erleichterung gesehnt hatte wie sein eigener. Vor seinem inneren Auge sah er, wie sie sich wahrscheinlich auf die Lippe gebissen hatte, um nicht laut aufzuschreien. Sein Schwanz wurde hart und drückte schmerzhaft gegen seine Hose.

Cassian rutschte auf seinem Stuhl hin und her, um sich mehr Platz zu verschaffen, erreichte damit aber nur, dass die steife Naht ihn scheuerte und er die Zähne zusammenbeißen musste.

Training. Er musste mit ihr trainieren.

»In dem Buch«, setzte Nesta ein wenig kurzatmig an, »geht es um ...« Ihre Nasenlöcher blähten sich und ihr Blick wirkte ein wenig verschleiert. »Um ein Buch.«

»Interessant«, murmelte Cassian. »Hört sich toll an.«

Er musste dringend den Raum verlassen und die Spannung abbauen. Die Hitze zwischen ihnen gehörte nicht auf den Trainingsplatz. Wo zum Henker war Az, wenn man ihn brauchte? Cassian hatte jahrelang den Puffer für Mor gespielt – wo steckte *sie*, verdammt noch mal, wenn man sie brauchte?

Aber er konnte sich nicht von seinem Stuhl erheben. Denn sonst würde Nesta genau sehen, welche Wirkung sie auf ihn ausübte. Falls sie es nicht ohnehin schon gewittert hatte und die Veränderung in seinem Duft richtig deutete. Und wenn sie einen Blick auf die Beule in seiner Hose warf, mit der Hitze, die gestern Abend in ihren Augen gestanden hatte – der Hitze, die ihn beim bloßen Gedanken an sie überkam –, würde er sich vermutlich lächerlich machen.

Aber das war ein Risiko, das er eingehen wollte. Eingehen musste, wenn er sie nicht flach auf den Tisch legen und ihr die Kleider vom Leib reißen wollte.

Ruckartig stand Cassian auf. »Wir sehen uns draußen«, murmelte er und ging.

»In dem Buch«, wiederholte Nesta, als sie allein war und auf ihre Hafergrütze starrte, »geht es um ein Buch.« Sie stützte die Stirn in ihre Hände. »Wie dämlich.«

Cassian schien wenigstens nicht zugehört zu haben. Aber welche Bereitschaft auch immer gestern Abend aus seinen Augen gesprochen hatte ... heute schien er sich dagegen zu sträuben, als *wollte* er diese Hitze, diese Spannung zwischen ihnen nicht. Er war förmlich aus dem Raum geflohen, um ihr aus dem Weg zu gehen.

Das Training würde bestimmt schrecklich werden.

Cassian wartete auf dem Trainingsplatz auf sie, der Inbegriff eines arroganten Kriegers. Nesta wagte es nicht, einen Blick auf seine Hose zu werfen. Auf das, was bei seiner Flucht aus dem Esszimmer gegen die Naht seiner Hose gedrückt hatte – das hätte sie schwören können.

Aber wenn er sich gelassen gab, umso besser. Das konnte sie auch.

Nesta rollte ihre Schultern, während sie auf ihn zuging. »Wieder Gleichgewichts- und Dehnübungen?«

»Nein.«

Ihre Blicke trafen sich. Darin lag nur ruhige, klare Entschlossenheit – und eine Herausforderung. »Wir wärmen uns auf und dann machen wir Core-Training, Übungen für die Körpermitte.«

Nesta schnappte nach Luft. Wie bitte? Für die ... *Körpermitte?*

»Bauchmuskeln«, erklärte er, und das Blut schoss ihm in die Wangen. Dann räusperte er sich und strich ihr über die Wange. »Ganz schön schmutzige Fantasie. Das kommt von all den schmutzigen Büchern.«

Sie schob seine Hand weg und deutete auf die Muskeln unter seinem Hemd. »Du willst, dass ich so aussehe?«

Sein tiefes Lachen perlte über ihren Körper. »Niemand außer mir kann so aussehen, Nes.«

Arroganter Arsch.

»Rhysand und Azriel sehen auch so aus«, erwiderte sie zuckersüß.

»Ich habe ein paar Muskeln mehr als die beiden. Vielleicht nur an versteckten Stellen«, entgegnete er mit einem Zwinkern.

Sie konnte nichts dagegen tun, es brach sich einfach Bahn. Aber nicht etwa das aufflackernde Verlangen, sondern das Lächeln, das sich auf ihrem Gesicht ausbreitete. Sie lachte leise auf.

Cassian starrte sie an, als würde er sie zum ersten Mal sehen. Er war so schockiert, dass Nesta sofort aufhörte zu lachen. »Also gut«, sagte sie. »Aufwärmen und dann Bauchmuskeln.«

Sie hasste diese Übungen für die Bauchmuskulatur. Vor allem deshalb, weil sie sie nicht ausführen konnte.

»Ich wusste ja, dass du nicht viele Muskeln hast«, bemerkte Cassian, als Nesta mit dem Bauch auf dem Boden lag, weil sie einen Unterarmstütz nicht hatte halten können. »Aber das hier ist absolut erbärmlich.«

»Solltest du nicht eigentlich mein inspirierender Lehrer sein?«

»Du schaffst gerade mal fünf Sekunden.«

»Und wie lange schaffst du?«, fauchte sie.

»Fünf Minuten.«

Nesta drückte sich auf die Ellbogen. »Tut mir leid, dass ich nicht fünfhundert Jahre Core-Training vorweisen kann.«

»Ich hatte dir gesagt, du sollst den Unterarmstütz dreißig Sekunden halten.«

Mit schmerzendem Bauch schob sie sich auf die Knie. Als Nächstes musste sie Bauchpressen durchführen, Beinstrecker im Liegen und schließlich einen glatten, fünf Pfund schweren Stein über den Kopf heben, während sie versuchte, sich nur mithilfe ihrer Bauchmuskulatur aufzusetzen. Allerdings gelangen ihr nur ein oder zwei Durchgänge dieser Übungen, bevor ihr Körper streikte. Keine noch so große Willens- oder Kraftanstrengung konnte ihn dazu bringen, sich zu bewegen.

»Das ist Folter.« Nesta stützte die Hände auf die Knie und deutete auf den Trainingsplatz. »Wenn du so perfekt bist, dann mach *du* doch all diese Übungen, die du von mir verlangst.«

Cassian schnaubte. »Ein zehnjähriger Illyrianer könnte das in wenigen Minuten.«

»Dann mach eben *dein* tolles, hartes männliches Programm.«

Er grinste. »In Ordnung. Wenn du darauf bestehst, zeige ich dir gern mein tolles, hartes männliches Programm.«

Er zog sein Hemd aus. Band seine Haare zusammen.

Und dann folgte eine andere Art der Folter, denn nun sah Nesta, dass er nicht nur die gleichen Übungen machte wie sie, sondern noch härter, effektiver und schneller. Dass sich nicht nur seine Bauchmuskeln, sondern Muskeln an seinem *ganzen* Körper wellten. Dass der Schweiß ihm glänzend über seine goldene Haut lief, über seine Tätowierungen, über den achtzackigen Stern ihrer Vereinbarung auf seinem Rücken und schließlich in seinen Hosenbund. Nesta konnte die Augen gar nicht abwenden, als er seine Übungen leicht keuchend beendete. Und ihr die Frage in den Sinn kam, ob er in der letzten Nacht beim Masturbieren auf ähnliche Weise gekeucht hatte.

Aber Cassians haselnussbraune Augen wirkten klar. Triumphierend.

In einer anderen Zeit und einer anderen Welt hätte er unter den Sterblichen vermutlich als Kriegergott gegolten. Doch wenn sie an all die Monster dachte, die er ins Verlies geworfen hatte, konnte er auch in *dieser* Zeit durchaus als großer Held gelten, von dem man sich am Feuer flüsternd Geschichten erzählte. Die Leute würden ihre Söhne nach ihm benennen, Krieger würden ihm nacheifern wollen und den besten unter ihnen würde man als den *nächsten Cassian* bezeichnen.

Und sie hatte ihn einen Rohling genannt.

»Alles in Ordnung?« Cassian wischte sich den Schweiß vom Gesicht.

Um sich von ihren Gedanken abzulenken, fragte sie: »Gibt es wirklich keine weiblichen Kampftruppen bei den Illyrianern?« Während des Kriegs hatte sie keine gesehen.

Sein Lächeln verblasste. »Nein, keine. Wir haben es einmal versucht, sind damit aber spektakulär gescheitert.«

»Weil die Illyrianer rückständig und grausam sind.«

»Hast du mit Az gesprochen?«

»Das sind nur meine Beobachtungen.«

Cassian löste das Band in seinem Haar und die dicken Strähnen fielen ihm ums Gesicht. »Die Illyrianer ... ich habe es dir ja schon gesagt. Traditionen ändern sich dort nur langsam. Wir setzen uns für den Fortschritt ein – Rhys und ich, meine ich.«

»Ist es denn so schwer für die Frauen, Kriegerinnen zu werden?«

»Dabei geht es nicht nur um das Training – es bedeutet auch einen gesellschaftlichen Spießrutenlauf. Und dann ist da noch das Blutritual, das sie absolvieren müssten.«

»Was ist dieses Blutritual?«

»Genau das, wonach es klingt.« Er rieb sich den Nacken. »Wenn ein illyrianischer Krieger seine volle Kraft erlangt, meistens Anfang bis Mitte zwanzig, muss er sich dem Blutritual unterziehen, bevor er als Erwachsener und vollwertiger Krieger angesehen wird. Kriegernovizen aus allen Clans und jedem Dorf in den illyrianischen Bergen werden ausgesandt, meist jeweils drei bis vier. Wir wurden für eine Woche dort ausgesetzt und hatten zwei Ziele: zu überleben und es zum Ramiel zu schaffen.«

»Was ist der Ramiel?« Sie kam sich vor wie ein Kind wegen all dieser Fragen, aber ihre Neugier war stärker.

»Unser heiliger Berg.« Er zeichnete ein vertrautes Symbol auf den Boden: ein nach oben weisendes Dreieck und darüber drei Punkte. Ein Berg und drei Sterne, wie Nesta erkannte. »Das ist das Symbol des Hofs der Nacht. Das Blutritual findet immer dann statt, wenn Arktos, Carynth und Oristes, unsere drei heiligen Sterne, für eine Woche über dem Ramiel stehen. Am letzten Tag des Rituals befinden sie sich genau über seinem Gipfel.«

»Dann wandert ihr zu diesem Berg?«

»Wir töten, um uns einen Weg zum Berg zu bahnen.« Seine Augen hatten einen harten Ausdruck angenommen. »Wir wurden betäubt und in der Wildnis ausgesetzt, mit nichts als unserer Kleidung am Leib.«

»Und muss man da mitmachen?«

»Sobald man sich daran beteiligt, kann man nicht mehr aussteigen. Zumindest so lange nicht, bis das Ritual vorbei ist oder man den Gipfel des Ramiel erreicht hat. Wenn jemand in das Ritual eingreift, um dich herauszuholen oder zu retten, werden beide für dieses Vergehen verfolgt und getötet. So will es das Gesetz. Selbst Rhys ist davon nicht ausgenommen.«

Nesta schauderte. »Das klingt barbarisch.«

»Das ist noch nicht alles. Ein Zauber macht unsere Schwingen nutzlos und sorgt dafür, dass keine Magie angewendet werden kann.« Er hob eine Hand und zeigte den roten Trichterstein darauf. »Magie ist bei den Illyrianern eine Seltenheit. Wenn sie jedoch auftritt, muss sie mit Trichtersteinen kontrolliert und in etwas Nutzbares umgewandelt werden. Aber sie verleiht uns einen Vorteil gegenüber anderen Illyrianern, die keine besitzen – also schafft der Zauber gleiche Bedingungen für alle. In einer Nacht des Jahres besitzen jedoch alle Illyrianer Magie: in der Nacht vor dem Blutritual, wenn die Anführer der Kriegerbanden den Wind teilen und die betäubten Novizen in die Wildnis bringen. Frag mich nicht, warum das so ist. Keiner weiß es.«

»Aber Azriel kann doch immer den Wind teilen.«

»Az ist anders. In vielfacher Hinsicht.« Sein Ton lud nicht zu weiteren Fragen ein.

»Wenn ihr bei diesem Ritual also keine Magie einsetzen dürft, tötet ihr euch dann gegenseitig auf normale Art? Mit Schwertern und Dolchen?«

»Waffen sind ebenfalls verboten. Zumindest solche, die von außen hereingebracht werden. Aber man kann sich selbst welche anfertigen. Das sollte man sogar. Sonst wird man abgeschlachtet.«

»Von den anderen Kriegern?«

»Ja. Von rivalisierenden Clans, Feinden oder Arschlöchern, die sich einen Namen machen wollen. In manchen Dörfern erlangt man einen umso größeren Ruhm, je mehr Mitstreiter man tötet. Die rückständigsten Clans behaupten, das Gemetzel diene dazu, die schwächeren Krieger auszusieben. Aber ich finde noch immer, dass es sich um eine totale Verschwendung potenziellen Talents handelt.« Cassian fuhr sich mit einer Hand durch die Haare. »Und dann sind da noch diese Kreaturen, die in den Bergen umherstreifen und einen illyrianischen Krieger leicht mit ihren Krallen und Reißzähnen zur Strecke bringen können.«

Eine vage Erinnerung daran tauchte auf: Feyre hatte ihr einmal von den schrecklichen Ungeheuern erzählt, denen sie einst in dieser Region begegnet war.

»Mit all dem hat man zu kämpfen, während man versucht, zu den Hängen des Ramiel zu gelangen«, fuhr Cassian fort. »Die meisten Novizen vergessen, sich ihre Kräfte einzuteilen, um am Ende der Woche den Aufstieg zu schaffen. Einen ganzen Tag und eine Nacht brutaler Kletterei, bei der ein falscher Tritt das Ende bedeuten kann. Die meisten erreichen nicht einmal den Fuß des Bergs. Aber wenn es ihnen gelingt, haben sie es mit einem anderen Gegner zu tun. Nicht mit anderen Kriegern. Nein, man ist auf sich allein gestellt, muss sich auf seine eigenen Kräfte, die eigene Seele besinnen, im Kampf gegen den Berg. Aus diesem Grund scheitern auch die meisten.«

»Und wenn man es doch bis zum Gipfel schafft, bekommt man dann eine Trophäe?«

Cassian schnaubte, aber seine Worte klangen ernst. »Auf dem Gipfel steht ein heiliger Stein. Wer ihn als Erster berührt, ist der Sieger und wird sofort zurückbefördert.«

»Und alle anderen auch, sobald die Woche vorüber ist?«

»Alle, die noch leben, werden als Krieger angesehen. Welchem der drei Kriegerränge man zugeteilt wird, hängt davon ab, wie weit man am Ende gekommen ist. Die Ränge sind nach den heiligen Sternen benannt: Die Arktosianer haben es nicht bis zum Berg geschafft, aber überlebt. Die Oristianer sind bis zum Berg, aber nicht bis zur Spitze gekommen. Und die Carynthianer haben den Gipfel erklommen und gelten fortan als Elitekrieger. Wer den Stein oben auf dem Ramiel berührt, hat den Wettstreit gewonnen. In den vergangenen fünf Jahrhunderten haben nur ein Dutzend Krieger den Berg erreicht.«

»Ich nehme an, du hast den Stein berührt.«
»Rhys, Az und ich haben ihn gemeinsam berührt, obwohl man uns am Anfang absichtlich getrennt hatte.«
»Warum?«
»Die Anführer fürchteten sich vor uns ... und vor dem, was aus uns geworden war. Sie dachten, die anderen Mitstreiter oder aber die Ungeheuer würden uns erledigen, wenn wir uns nicht gegenseitig unterstützen können. Da hatten sie sich jedoch geirrt.« Seine Augen funkelten stolz. »Sie mussten erkennen, dass wir einander wie echte Brüder lieben. Und es gab nichts, was wir nicht getan hätten, niemanden, den wir nicht getötet hätten, um zueinanderzugelangen. Um uns gegenseitig zu retten. Tötend bahnten wir uns den Weg durch die umliegenden Berge, schafften es über die Knochen-Route – die schlimmste der drei Routen – hinauf zum Gipfel des Ramiel und gewannen das verdammte Ding. Wir berührten den Stein im selben Augenblick, im selben Atemzug und traten in den Kriegerrang der Carynthianer ein.«

Nesta musterte ihn schockiert. »Und du sagst, dass es nur zwölf Carynthianer gegeben hat ... in fünfhundert Jahren?«

»Nein. Zwölf haben es bis zum Berg geschafft und wurden Oristianer. Außer uns gewannen nur noch drei andere das Blutritual und wurden Carynthianer.« Sein Kehlkopf bewegte sich auf und ab. »Allesamt hervorragende Krieger, die vorbildliche Einheiten anführten. Doch wir verloren zwei von ihnen im Krieg gegen Hybern.«

Vermutlich bei dieser Explosion, bei der tausend von ihnen ums Leben gekommen waren. Die Explosion, vor der sie ihn bewahrt hatte. Ihn ... und nur ihn.

Nesta krampfte sich der Magen zusammen und ihr wurde übel. Sie zwang sich, tief durchzuatmen. »Dann glaubst du also, Frauen könnten nicht an dem Ritual teilnehmen?«

»Mor würde das verdammte Ding wahrscheinlich in Rekordzeit gewinnen. Aber ich würde nicht wollen, dass sie daran teilnimmt. Nicht einmal sie.« Der unausgesprochene Teil seiner Antwort spiegelte sich im kalten Ausdruck seiner Augen. Frauen würden sich gegen eine andere, schlimmere Art von Gewalt zur Wehr setzen müssen, selbst wenn sie genauso gut ausgebildet waren wie Männer.

Nesta schauderte. »Könnte es eine Einheit von Kriegerinnen geben, die nicht das Blutritual vollzogen haben?«

»Sie würden niemals als echte Kriegerinnen anerkannt – ohne einen dieser drei Titel. Natürlich, ich würde sie als Kriegerinnen betrachten, aber der Rest der Illyrianer nicht. Keine anderen Einheiten würden mit ihnen fliegen, weil es für sie eine Schande und eine Beleidigung wäre.« Nesta runzelte die Stirn, worauf er abwehrend die Hände hob. »Wie schon gesagt: Veränderungen brauchen dort lange. Du hast ja den Schwachsinn gehört, den Devlon über euren Zyklus erzählt hat. *Das* wird als Fortschritt betrachtet. Früher wurde eine Frau getötet, wenn sie eine Waffe auch nur in die Hand nahm. Jetzt ›dekontaminieren‹ sie die Klinge und bezeichnen sich selbst als aufgeschlossen.« Abscheu sprach aus seiner Miene.

Nesta stand langsam auf und ließ den Blick über den Himmel schweifen. Ihr Kopf war wieder klarer geworden – wenn auch nur geringfügig. Die Aussicht darauf, gleich Bücher einsortieren zu müssen, während ihr jetzt schon alles wehtat, war nicht gerade verlockend. Aber vielleicht würde sie Gwyn treffen.

»Bei der Ausbildung der illyrianischen Frauen würde es nicht darum gehen, dass sie in unseren Kriegen kämpfen, sondern darum, zu beweisen, dass sie genauso fähig und stark sind wie die Männer«, fuhr Cassian fort. »Es ginge darum, dass sie lernen, ihre Angst zu beherrschen und die Stärken, die sie bereits besitzen, optimal einzusetzen.«

»Wovor haben sie Angst?«

»Wie meine Mutter zu werden«, sagte er sanft. »Das durchzumachen, was sie erlitten hat.«

Das, was die Priesterinnen in der Bibliothek erlitten hatten.

Nesta dachte an die stillen Priesterinnen, die den Berg nicht verließen und in der Finsternis lebten. Plötzlich erinnerte sie sich wieder an Riven, die an ihr vorbeigehastet war, weil sie die Gegenwart von

Fremden nicht ertrug. Erinnerte sich an Gwyn mit ihren strahlenden Augen, über die manchmal düstere Schatten zogen.

Als sie schwieg, neigte Cassian den Kopf zur Seite. »Was ist los?«

»Würdest du auch Frauen trainieren, die keine Illyrianerinnen sind?«

»Ich trainiere dich, oder?«

»Ich meine, würdest du darüber nachdenken ...« Sie wusste nicht, wie sie es möglichst elegant formulieren sollte. Leider war sie nicht so redegewandt wie Rhysand. »Die Priesterinnen in der Bibliothek. Wenn ich sie bitten würde, hier mit uns zu trainieren, in einem abgeschiedenen, geschützten Bereich ... Würdest du sie trainieren?«

Cassian blinzelte langsam. »Ja, natürlich, aber ...« Er hielt inne. »Nesta, viele der Frauen in der Bibliothek wollen gar nicht ... *ertragen* es nicht, wieder Männer um sich zu haben.«

»Dann bitten wir eine deiner Freundinnen mitzumachen. Mor oder wer dir sonst noch einfällt.«

»Die Priesterinnen sind vermutlich nicht einmal in der Lage, mich in ihrer Nähe zu ertragen.«

»So etwas würdest du niemals jemandem antun.«

Sein Blick wurde etwas sanfter. »Darum geht es nicht. Es geht um die Angst – um ihre traumatischen Erfahrungen. Selbst wenn sie wissen, dass ich ihnen niemals so etwas antun würde, könnte ich dennoch Erinnerungen wecken, die für sie unvorstellbar schmerzhaft sind.«

»Du hast gesagt, dieses Training würde mir ... bei meinen Problemen helfen. Vielleicht hilft es ihnen ja auch. Zumindest gäbe es ihnen einen Grund, ein paar Minuten an der frischen Luft zu verbringen.«

Cassian betrachtete sie einen Moment lang. Dann nickte er und verkündete: »Ich werde jede mit Freuden trainieren, die du dazu bewegen kannst, sich uns anzuschließen. Mor ist nicht hier, aber ich könnte Feyre fragen ...«

»Nein, nicht Feyre.« Nesta hasste ihre eigenen Worte. Hasste es, dass Cassians Rücken sich versteifte. Und sie konnte ihn nicht ansehen, als sie erneut ansetzte: »Ich möchte nur ...« Wie konnte sie die Verstrickung zwischen ihr und ihrer Schwester bloß erklären? Die Selbstverachtung, die sie bei jedem Blick in das Gesicht ihrer Schwester zu überwältigen schien?

»Okay«, sagte Cassian. »Nicht Feyre. Aber ich muss sie und Rhys informieren. Vermutlich solltest du auch Clotho um Erlaubnis bitten.« Eine warme Hand umfasste ihre Schulter und drückte sie. »Mir gefällt der Gedanke, Nes.« Seine braunen Augen leuchteten. »Sehr sogar.«

Und aus irgendeinem Grund bedeuteten ihr diese Worte wahnsinnig viel.

17

»Ich möchte dir einen Vorschlag machen.«
Mit ziehenden Bauchmuskeln und schmerzenden Beinen stand Nesta vor Clothos Schreibtisch, während die Priesterin die Notizen zu dem Manuskript, das sie gerade kommentierte, mit ihrer verzauberten, kratzenden Feder fertigstellte.

Als die Feder den letzten Punkt gesetzt hatte, hob Clotho den Kopf und schrieb auf einen Zettel: *Ja?*

»Würdest du deinen Priesterinnen erlauben, vormittags mit mir auf dem Platz oben auf dem Haus zu trainieren? Nicht alle – nur die, die sich dafür interessieren.«

Clotho saß vollkommen reglos da. Dann bewegte sich die Feder wieder. *Trainieren wofür?*

»Um ihren Körper zu stärken, sich selbst verteidigen und angreifen zu können, wenn sie wollen. Aber auch, um ihren Geist zu klären und zu beruhigen.«

Wer wird das Training leiten? Du?

»Nein. Dafür bin ich nicht qualifiziert. Ich werde mit ihnen trainieren.« Ihr Herz klopfte. Aber sie wusste nicht genau, warum. »Cassian wird es leiten. Er ist nicht übergriffig ... Ich meine, er ist respektvoll und ...« Nesta schüttelte den Kopf. Sie klang wie eine komplette Närrin.

Sie spürte, wie Clotho sie aus dem Schatten ihrer Kapuze heraus musterte. Erneut bewegte sich die Feder.

Ich fürchte, es werden nicht viele kommen.

»Ich weiß. Aber schon eine oder zwei ... Ich würde es ihnen gern anbieten.« Nesta deutete auf eine Säule hinter Clotho. »Ich werde dort eine Liste aufhängen, auf der sie sich eintragen können. Jede ist willkommen.«

Ein weiterer langer, eindringlicher Blick aus dem Schatten der Kapuze, wie eine gespenstische Berührung. Doch dann schrieb Clotho: *Jede, die mitmachen möchte, hat meinen Segen.*

Nesta hängte die Liste noch am selben Tag an die Säule. Als sie die Bibliothek nach getaner Arbeit verließ, hatte sich noch keine der Priesterinnen eingetragen.

Am nächsten Morgen erwachte sie früh und ging hinunter in die Bibliothek, um sich die Liste anzusehen. Doch sie musste feststellen, dass sie noch immer leer war.

»Es braucht Zeit«, tröstete Cassian sie, als er kurz darauf auf dem Trainingsplatz die Enttäuschung in ihrem Gesicht las. »Lass deine Hand ausgestreckt«, fügte er sanft hinzu.

Und Nesta folgte seiner Aufforderung.

Jeden Nachmittag beim Betreten der Bibliothek warf sie einen Blick auf die Liste – und abends vor dem Verlassen erneut. Kein Eintrag.

Beim Training zeigte Cassian ihr die Grundlagen der Beinarbeit und Körperstellungen beim Nahkampf. Aber noch keine Schläge und Tritte. Nesta hielt den mörderischen Unterarmstütz für zehn Sekunden. Dann fünfzehn, zwanzig, dreißig.

Cassian ließ sie mit Gewichten trainieren, um ihre schmächtigen Arme aufzubauen: schwere Steine mit eingemeißelten Griffen, die sie bei Ausfallschritten und Kniebeugen tragen musste.

Und während der ganzen Zeit konzentrierte sie sich auf ihre Atmung.

Am Abend versuchte sie sich ein weiteres Mal an der Treppe. Schaffte es bis zur fünfhundertsten Stufe, bevor ihre Muskeln verlangten, dass sie umkehre. Am nächsten Abend schaffte sie sechshundertzehn Stufen und am übernächsten siebenhundertfünfzig.

Sie wusste nicht, was sie tun würde, wenn sie unten ankam – vermutlich eine Kneipe oder einen Tanzschuppen besuchen und sich um den Verstand trinken. Wenn sie die Treppe schaffte, dann hatte sie das auch verdient, sagte sie sich bei jeder Stufe.

Spätabends war sie so erschöpft, dass sie gerade noch essen und baden konnte, bevor sie ins Bett fiel. Sie schaffte es kaum, ein Kapitel eines Buchs zu lesen, dann wurden ihr die Augenlider schwer. In einer der von Elain gepackten Truhen hatte sie einen schmutzigen Roman gefunden, der ihr bereits viel Spaß bereitet hatte, und ihn auf den Schreibtisch gelegt.

»Das hier ist für dich. Ein Geschenk«, hatte sie in den Raum hinein gesagt, und kurz darauf war das Buch verschwunden. Aber am nächsten Morgen hatte sie einen Strauß Herbstblumen auf ihrem Schreibtisch entdeckt – eine große Glasvase mit Astern und Chrysanthemen in allen Farben.

Eine Woche verging, in der sie Gwyn kaum sah. Allerdings wusste sie von Clotho, dass Merrill Gwyns Zeit bei der Walküren-Recherche stark beanspruchte. Aber Nesta hatte ohnehin so viele Bücher einzusortieren, dass die Stunden rasch vergingen.

Vor allem, als sie begann, die Bücher zum Trainieren zu nutzen: Auf dem Weg die Rampe hinauf trug sie einen schweren Stapel auf den Armen und machte Ausfallschritte. Dabei bemerkte sie mehrere Male ein paar Priesterinnen, die eine Ebene höher vorbeigingen und zu ihr hinabschauten.

Und jeden Tag überprüfte sie die Liste an der Säule hinter Clothos Schreibtisch. Doch sie blieb leer.

Tag für Tag.

Lass deine Hand ausgestreckt, hatte Cassian ihr geraten. Doch allmählich fragte sie sich, was das nutzte, wenn niemand sie ergriff?

»Wenn du jemanden schlägst und deine Faust dabei so hältst, dann brichst du dir den Daumen.«

Nesta keuchte, und der Schweiß lief ihr in Strömen über den Rücken, als sie Cassian mürrisch musterte. Sie hielt wie befohlen die Faust hoch, den Daumen in den eingerollten Fingern. »Was stimmt nicht mit meiner Faust?«

»Lass den Daumen draußen, auf dem Zeige- und Mittelfinger.« Er ballte die Hand zur Faust, um es ihr zu zeigen, und wackelte mit dem

Daumen. »Wenn der Daumen beim Schlag eingeklemmt ist, tut das höllisch weh.«

Nesta betrachtete die Faust, die Cassian ausgestreckt hatte, und legte den Daumen nach außen. »Und jetzt?«

Er reckte das Kinn. »Nimm die Position ein, die wir gestern trainiert haben. Die Füße parallel und fest auf dem Boden ...«

»Ich weiß, ich weiß«, murmelte Nesta und nahm die Haltung ein, die er sie drei Tage lang hatte üben lassen. Sie schaute auf ihre Füße, richtete sie aus, beugte dann leicht die Knie und wippte zweimal hin und her, um sicherzugehen, dass die Kraft in ihrer Körpermitte war.

Cassian ging um sie herum. »Gut. Jeder Schlag sollte schnell und präzise sein – kein unkontrollierter Schwinger, der dich aus dem Gleichgewicht bringt und deinem Arm die Kraft nimmt. Dein Körper und dein Atem machen den Schlag druckvoller als dein Arm.« Er nahm eine ähnliche Position ein – und schlug in die Luft.

Dabei bewegte er sich so geschmeidig und gezielt, dass der Schlag vorbei war, bevor sie noch blinzeln konnte.

Danach streckte er den Arm aus und seine Muskeln bewegten sich. Er hatte die Ärmel aufgerollt, weil es ein warmer Herbsttag war, aber sein Hemd nicht abgelegt. Im grellen Sonnenlicht schien die Tätowierung auf seinem linken Arm die Helligkeit zu verschlucken. »Bring die ersten beiden Fingerknöchel in eine Linie mit deinem Unterarm. Damit willst du zuschlagen. Und die Kraft deines Arms wird direkt in sie hineingeleitet. Wenn du dagegen mit deinem Ringfinger und dem kleinen Finger zuschlägst, brichst du dir die Hand.«

»Ich hatte keine Ahnung, dass bei Faustschlägen so viele Gefahren lauern.«

»Tja, man braucht Köpfchen, um ein Rohling zu sein.«

Nestas Stirn glättete sich. Und sie konzentrierte sich darauf, ihren Unterarm auf die Fingerknöchel auszurichten, so wie er es ihr gezeigt hatte. »Das ist alles?«

»Um mit den richtigen Fingerknöcheln zuzuschlagen, muss man das Handgelenk noch ein wenig nach unten abwinkeln.«

»Warum?«

»Damit das Handgelenk nicht abknickt und bricht.«

Sie senkte den Arm. »Wenn man bedenkt, auf wie viele Arten ich mir bei einem Schlag die Hand brechen könnte, scheint sich das nicht zu lohnen.«

»Deshalb weiß ein guter Krieger, wann er sich auf einen Kampf einlässt und wann nicht.« Cassian senkte die Faust. »Du musst dich jedes Mal fragen, ob es das Risiko wert ist.«

»Und landest du immer einen perfekten Schlag?«

»Ja«, antwortete Cassian ohne den geringsten Zweifel und schüttelte sich die Haare aus den Augen. »Meistens jedenfalls. Es gab Schlägereien, bei denen ich nicht den richtigen Winkel erwischt habe und nicht im Gleichgewicht war. Aber in diesen Fällen war ein Faustschlag – selbst einer, bei dem ich mir die Hand hätte brechen können – meist der beste Ausweg aus der Klemme. Ich habe mir ...« Er verstummte und blickte in den Himmel, als würde er es im Geiste abzählen. »... ach, bestimmt zehn Mal die Hand gebrochen.«

»In fünfhundert Jahren.«

»Auch ich kann nicht jeden Tag perfekt sein, Nes.« Seine Augen blitzten.

Dieser Wahnsinn vor einer Woche auf dem Gang hatte sich nicht wiederholt. Und sie war abends zu müde gewesen, um es ins Esszimmer zu schaffen – ganz zu schweigen davon, sich im Bett selbst zu befriedigen.

»Okay. Jetzt schieb deine Hüften in den Schlag hinein.« Erneut schlug er in die Luft, bewegte sich aber dieses Mal langsamer, damit sie sehen konnte, wie sein Körper förmlich in den Schlag hineinfloss. »Die Bewegung kommt aus deiner Körpermitte und aus der Schulter, die gemeinsam für zusätzliche Kraft sorgen.« Ein weiterer Schlag in die Luft.

»Also sind diese Bauchmuskelübungen tatsächlich für etwas gut – und nicht nur dafür da, dass man später mit seinen Muskeln angeben kann?«

»Glaubst du wirklich, das ist nur Show?«, fragte er grinsend.

»Ich glaube, ich hab dich bestimmt ein Dutzend Mal dabei beobachtet, wie du dich während der Lektion in dem Spiegel da betrachtet hast.« Nesta deutete mit dem Kinn in Richtung des schmalen Spiegels auf der anderen Seite des Platzes.

Cassian lachte leise. »Lügnerin. *Du* schaust in den Spiegel, wenn du glaubst, ich passe nicht auf.«

Sie weigerte sich, ihm die Wahrheit in ihrem Gesicht zu zeigen, wollte nicht einmal den Kopf senken und konzentrierte sich wieder auf ihre Stellung.

»Ganz bei der Sache heute, was?«

»Du wolltest, dass ich trainiere«, antwortete Nesta kühl, »also trainier mich.«

Selbst wenn keine Priesterinnen erschienen und sie eine dumme Närrin war, weil sie noch immer darauf hoffte, hatte sie nichts gegen dieses Training. Es machte ihren Kopf frei und erforderte so viel Konzentration und kontrollierte Atmung, dass die tosenden Gedanken keine Chance hatten, sie zu überwältigen. Nur in den stillen Momenten suchten diese Gedanken sie wieder heim – meistens dann, wenn sie in der Bibliothek oder beim Baden den Fokus verlor. Und wenn das passierte, lockte jedes Mal die Treppe mit ihren mörderischen zehntausend Stufen.

Aber konnten das Training, die Arbeit und die Treppe etwas anderes bewirken, als sie nur zu beschäftigen? Die Gedanken warteten noch immer wie ein Rudel Wölfe darauf, über sie herzufallen und sie zu zerreißen.

Ich habe dich vom ersten Augenblick an geliebt, als ich dich in den Armen gehalten habe.

Die Wölfe kamen näher, ihre Krallen klickten auf dem Boden.

»Wo warst du gerade mit deinen Gedanken?«, fragte Cassian, mit Sorge in seinen braunen Augen.

Nesta nahm wieder ihre Position ein. Was die Wölfe einen Schritt zurückdrängte. »Nirgends.«

Elain war in der privaten Bibliothek. Nesta wusste es, noch bevor sie staubbedeckt vom Sortieren der Bücher die Treppe hinaufgestiegen war. Der zarte Duft ihrer Schwester nach Jasmin und Honig hing wie ein Frühlingsversprechen über den roten Steinen des Gangs – wie ein funkelnder Fluss, dem sie bis zur geöffneten Tür des Raums folgte.

Elain stand an der Fensterfront. Sie trug ein fliederfarbenes Gewand, dessen eng anliegendes Mieder zeigte, wie gut sich ihre Schwester seit den ersten Tagen am Hof der Nacht erholt hatte. Die hageren Kanten waren verschwunden und durch weiche, elegante Rundungen ersetzt. Nesta wusste, dass sie früher ebenfalls so ausgesehen hatte, auch wenn Elains Brüste immer kleiner gewesen waren.

Jetzt sah sie an sich hinab: knochig und schlaksig. Ihre Schwester drehte sich zu ihr um, vor Gesundheit strotzend.

Elains Lächeln war so strahlend wie die untergehende Sonne hinter den Fenstern. »Ich dachte, ich schau mal vorbei, um zu sehen, wie es dir geht.«

Jemand musste Elain hergebracht haben, denn es war vollkommen ausgeschlossen, dass sie diese zehntausend Stufen hinaufgestiegen war.

Nesta erwiderte das Lächeln ihrer Schwester nicht. Sie deutete stattdessen auf ihre Lederkluft und den Staub in ihren Haaren. »Ich habe gearbeitet.«

»Du siehst etwas besser aus als vor ein paar Wochen.«

Wann hatte sie Elain das letzte Mal gesehen? Etwa eine Woche bevor sie in das Haus der Winde gekommen war. Damals war sie ihrer Schwester auf dem geschäftigen Markt begegnet, der »Palast von Knochen und Salz« genannt wurde. Und obwohl Elain stehen geblieben war, weil sie offensichtlich mit ihr sprechen wollte, war Nesta weitergegangen. Hatte sich nicht umgedreht und war in der Menge untergetaucht. Nesta wollte sich gar nicht vorstellen, wie schlimm sie damals ausgesehen haben musste, wenn der Anblick, den sie jetzt bot, besser war.

»Ich meine, du hast wieder Farbe im Gesicht«, erklärte Elain, löste sich von der Fensterfront und durchquerte den Raum. Doch ein paar Schritte vor Nesta hielt sie inne, als würde sie sich die Umarmung versagen, zu der sie vermutlich bereit gewesen war.

Als wäre Nesta eine ansteckende Aussätzige.

Wie viel Zeit hatten sie während der ersten Monate in diesem Raum gemeinsam verbracht? Wie oft hatten sie so dagestanden, nur mit vertauschten Positionen? Damals war Elain das Gespenst gewesen, viel zu dünn und völlig in sich gekehrt.

Inzwischen hatte Nesta sich irgendwie zum Gespenst entwickelt. Ein Spukgespenst, dessen Wut und Hunger bodenlos und unendlich waren. Elain hatte nur etwas Zeit gebraucht, um sich einzugewöhnen. Aber Nesta wusste, dass sie selbst viel mehr brauchte als das.

»Genießt du deine Zeit hier oben?«

Nesta schaute in die warmen, braunen Augen ihrer Schwester. Als Mensch war Elain zweifellos die Hübscheste von ihnen dreien gewesen. Und die Verwandlung zur High Fae hatte diese Schönheit noch verstärkt. Nesta hätte nicht sagen können, worin die Veränderungen genau bestanden – abgesehen von den spitzen Ohren. Aber Elain hatte sich von einer attraktiven Frau in eine atemberaubende Schönheit verwandelt. Allerdings schien sie das nicht zu bemerken.

So war es immer zwischen ihnen gewesen: Elain, süß und selbstvergessen, und Nesta, die knurrende Wölfin an ihrer Seite – bereit, jeden in Stücke zu reißen, der sie bedrohte.

Elain ist schön anzusehen, hatte ihre Mutter einst sinniert, als Nesta neben ihr am Frisiertisch saß, während eine Dienerin das goldbraune Haar ihrer Mutter bürstete. *Aber sie hat keinen Ehrgeiz. Sie denkt nicht weiter als an ihren Garten und schöne Kleider. Wenn ihre Schönheit anhält, wird sie eines Tages für uns ein Gewinn auf dem Heiratsmarkt sein. Aber wir werden die Fäden ziehen, die uns eine vorteilhafte Verbindung einbringen, Nesta, nicht sie.*

Nesta war damals zwölf Jahre alt gewesen, Elain gerade einmal elf. Sie hatte jedes Wort der Machenschaften ihrer Mutter aufgesogen – Pläne für die Zukunft, die nie verwirklicht worden waren.

Wir werden deinen Vater bitten müssen, zum Kontinent zu reisen, wenn die Zeit gekommen ist, hatte ihre Mutter oft gesagt. *Hier gibt es keine Männer, die einer von euch würdig wären.* Feyre hatte zu diesem Zeitpunkt überhaupt keine Rolle gespielt – ein mürrisches, seltsames Kind, das von ihrer Mutter ignoriert wurde. *Dort herrschen noch immer sterbliche Angehörige des Königshauses: Lords, Herzöge und Prinzen. Aber ihr Reichtum ist erschöpft und viele ihrer Ländereien sind so gut wie ruiniert. Zwei hübsche Ladys mit dem Vermögen eines Königs könnten es weit bringen.*

Ich könnte einen Prinzen heiraten?, hatte Nesta gefragt. Ihre Mutter hatte nur gelächelt.

Nesta schüttelte die Erinnerungen ab. »Ich habe keine andere Wahl. Mein Aufenthalt hier ist erzwungen, also wüsste ich nicht, wie ich die Zeit genießen sollte.«

Elain rang die schlanken Hände; ihre Fingernägel waren für die Arbeit im Garten kurz geschnitten. »Ich weiß, dass du unter furchtbaren Umständen hierhergekommen bist, Nesta, aber das bedeutet nicht, dass du deshalb so unglücklich sein musst.«

»Ich habe wochenlang an deinem Bett gesessen«, erwiderte Nesta tonlos. »Wochen, während du dahingesiecht bist und weder essen noch trinken wolltest. Und zu hoffen schienst, du könntest einfach verschwinden und sterben.«

Elain zuckte zusammen. Aber Nesta konnte die Worte, die aus ihrem Mund kamen, nicht aufhalten. »Von *dir* hat damals niemand verlangt, dass du dich entweder besserst oder andernfalls in die Welt der Menschen zurückgeschickt wirst.«

Überraschenderweise bot Elain ihr die Stirn. »Ich habe mich auch nicht sinnlos betrunken und ... und diese anderen Sachen gemacht.«

»Mit Fremden gevögelt?«

Wieder zuckte Elain zusammen und ihre Wangen wurden rot.

Nesta schnaubte. »Du lebst unter Wesen, die nichts von unserer menschlichen Prüderie besitzen.« Elain straffte die Schultern, doch Nesta fügte hinzu: »Es ist ja nicht so, als hättet ihr, du und Graysen, euren Gefühlen nicht freien Lauf gelassen.«

Zugegeben, ein Tiefschlag, doch das war Nesta egal. Sie wusste, dass Elain einen Monat vor ihrer Verwandlung zur High Fae Graysen ihre Jungfräulichkeit geschenkt hatte. Am nächsten Morgen hatte Elain förmlich geglüht.

Elain legte den Kopf auf die Seite, löste sich aber nicht in Tränen auf – wie sonst, wenn die Rede auf Graysen kam. »Du bist wütend auf mich«, stellte sie stattdessen fest.

Okay, dachte Nesta. Sie konnte ebenfalls direkt sein. »Weil du meine Sachen gepackt hast, während Rhysand und Feyre mich als einen nutzlosen Haufen Scheiße bezeichnet haben? Und ob ich wütend bin.«

Elain verschränkte die Arme vor der Brust. »Feyre hat mich gewarnt, dass das passieren könnte«, sagte sie in ruhigem, traurigem Ton.

Die Worte trafen Nesta wie eine Ohrfeige. Sie hatten über sie gesprochen, über ihr *Verhalten* und ihre Einstellung. Elain und Feyre – das war also der neue Stand der Dinge. Die Verbindung, für die Elain sich entschieden hatte.

Es war wohl unvermeidlich, aber Nestas Magen rebellierte trotzdem. Sie war das Monster. Warum sollten die beiden sich nicht zusammentun und sie ausstoßen? Selbst wenn sie dummerweise geglaubt hatte, dass Elain schon immer alle schrecklichen Seiten an ihr gekannt, aber dennoch zu ihr gehalten hatte.

»Ich wollte trotzdem herkommen«, fuhr Elain mit dieser konzentrierten Ruhe und der stählernen Unerschütterlichkeit fort, die sich in ihrer Stimme bildete. »Ich wollte dich sehen und es dir erklären.«

Elain hatte sich für Feyre und ihre perfekte kleine Welt entschieden. Bei Amren war es nicht anders gewesen. Nestas Rücken wurde steif. »Es gibt nichts zu erklären.«

Ihre Schwester hob die Hände. »Wir haben das hier getan, weil wir dich *lieben*.«

»Bitte erspar mir den Schwachsinn.«

Elain trat näher und betrachtete sie mit ihren großen, braunen Augen. Zweifellos vollkommen überzeugt von ihrer eigenen Unschuld, ihrer angeborenen Güte. »Es ist die Wahrheit. Wir haben es getan, weil wir dich lieben und uns Sorgen um dich machen. Und wenn Vater hier wäre ...«

»Erwähne ihn *nie* wieder.« Nesta fletschte die Zähne, fuhr aber mit gesenkter Stimme fort: »*Wag es ja nicht, ihn jemals wieder zu erwähnen.*«

Es gelang ihr, nicht völlig die Beherrschung zu verlieren. Aber sie spürte, wie sich dieses schreckliche Ungeheuer in ihr regte, fühlte seine Kraft aufsteigen, glühend und zugleich eiskalt. Hastig stürzte sie sich darauf und stieß es hinab, doch es war bereits zu spät. Elains Keuchen bestätigte, dass in Nestas Augen ein silbernes Feuer glühte, so wie Cassian es beschrieben hatte.

Doch Nesta erstickte das Feuer in ihrer Dunkelheit, bis sie wieder kalt und leer und reglos war.

Schmerz zeichnete sich auf Elains Gesicht ab. Und Verständnis. »Ist das dein Problem? Geht es dir darum? Um Vater?«

Nesta zeigte zur Tür. Ihre Hand zitterte bei dem Versuch, ihre sich windende Kraft im Zaum zu halten. Die Worte aus Elains Mund brachten sie an den Rand ihrer Selbstbeherrschung. »*Raus!*«

Elains Augen glänzten silbern, aber sie erwiderte mit fester Stimme: »Es gab nichts, was wir hätten tun können, um ihn zu retten, Nesta.«

Diese Worte wirkten wie Zündstoff. Elain hatte seinen Tod als unvermeidlich akzeptiert. Sie hatte nicht um ihn gekämpft, als wäre er die Mühe nicht wert gewesen – genauso wenig, wie Nesta die Mühe wert war, das wusste sie.

Dieses Mal verhinderte Nesta nicht, dass die Kraft in ihren Augen aufblitzte. Sie zitterte so heftig, dass sie die Hände zu Fäusten ballen musste. »Du redest dir ein, dass es nichts gab, was man hätte tun können. Weil der Gedanke unerträglich ist, dass *du* ihn hättest retten können – wenn du dich nur dazu herabgelassen hättest, ein paar Minuten früher zu erscheinen.« Die Lüge schmeckte bitter.

Es war nicht Elains Schuld, dass ihr Vater gestorben war. Nein, es war einzig und allein Nestas Schuld. Aber wenn Elain so fest entschlossen war, das Gute in ihr auszugraben, dann würde sie ihrer Schwester zeigen, wie hässlich sie sein konnte, und sie einen kleinen Teil dieser Qualen spüren lassen.

Deshalb hatte Elain sich für Feyre entschieden. Aus genau diesem Grund.

Feyre hatte Elain wieder und wieder gerettet. Und Nesta hatte nur dagesessen, mit ihrer spitzen Zunge bewaffnet. Hatte dagesessen, während sie alle gehungert hatten. Hatte dagesessen, als der König von Hybern sie verschleppt und in den Kessel geworfen hatte. Als Elain entführt wurde. Und als ihr Vater in Hyberns Gewalt war, hatte sie ebenfalls *nichts* zu seiner Rettung unternommen. Angst hatte sie erstarren lassen und ihren Verstand erstickt. Und sie hatte es geschehen und sich davon beherrschen lassen. Sodass sie nichts mehr tun konnte, als der König ihrem Vater das Genick brach. Denn da war es zu spät gewesen. Und ganz allein ihre Schuld.

Warum sollte Elain sich *nicht* für Feyre entscheiden?

Elain versteifte sich, wich aber nicht vor dem Ausdruck in Nestas Blick zurück – wie auch immer er aussehen mochte. »Du glaubst, *ich* trage die Schuld an seinem Tod?« Jedes Wort glich einer Herausforderung – ausgerechnet von Elain. »Niemand außer dem König von Hybern ist schuld daran.« Das Zittern in ihrer Stimme strafte ihre entschlossenen Worte Lügen.

Nesta wusste, dass sie einen wunden Punkt berührt hatte. Sie öffnete den Mund, schloss ihn dann jedoch wieder. Genug. Sie hatte genug gesagt.

So rasch, wie sie gekommen war, verschwand die Kraft in ihr wieder und löste sich wie Rauch in Luft auf. Zurück blieb nur Erschöpfung, die schwer auf ihren Knochen und ihrem Atem lastete. »Es spielt keine Rolle, was ich glaube. Geh zurück zu Feyre und deinem kleinen Garten.«

So schlimm war es noch nie zwischen ihnen gewesen – nicht bei ihren Zankereien in der Hütte, als es darum ging, wer welche Kleider, Stiefel oder Bänder bekam. Unbedeutende Rangeleien, entstanden aus Elend und Entbehrungen. Das hier ging viel tiefer – entsprungen einem Ort so dunkel wie die Finsternis am Grund der Bibliothek.

Elain stürmte mit wogendem Gewand zur Tür. »Cassian hat gesagt, das Training würde dir helfen«, murmelte sie, eher zu sich selbst als zu Nesta.

»Tut mir leid, wenn ich dich enttäuschen muss.« Nesta knallte die Tür so hart hinter ihr zu, dass sie in den Angeln wackelte.
Stille erfüllte den Raum.
Sie schaute nicht aus dem Fenster, um nachzusehen, wer da mit Elain vorbeiflog und Zeuge der Tränen wurde, die sie jetzt bestimmt vergoss. Schweigend setzte sie sich in einen der Sessel vor dem kalten Kamin und starrte ins Nichts.
Sie hielt die Wölfe nicht zurück, als sie sich erneut um sie sammelten, mit verhassten, rasiermesserscharfen Wahrheiten auf der Zunge.
Sie hielt sie nicht zurück, als sie begannen, sie in Stücke zu reißen.

Cassian und Rhys schüttelten gerade die eisige Luft ab, die durch Windhaven gefegt war, als Elain ins Esszimmer des Hauses platzte.
Tränen standen in ihren braunen Augen, aber sie hielt das Kinn hoch. »Ich will nach Hause«, sagte sie mit leicht zittriger Stimme.
Cassian schaute Rhys an, der die mittlere der Archeron-Schwestern hier abgesetzt und dann Cassian aus Windhaven abgeholt hatte. Er hatte sich selbst davon überzeugen wollen, wie kampfbereit die Illyrianer waren. Die Tatsache, dass Rhys nichts auszusetzen gehabt hatte, erfreute Cassian und erfüllte ihn gleichzeitig mit Furcht. Wenn der Krieg erneut ausbrach, wie viele würden dann sterben? Es war das Los des Soldaten, zu kämpfen und mit dem Tod an seiner Seite zu marschieren. Und Cassian hatte schon viele Männer in die Schlacht geführt. Aber wie vielen Familien der Gefallenen hatte er törichterweise versprochen, der Friede würde eine ganze Weile anhalten? Wie viele weitere Familien würde er trösten müssen? Er wusste nicht, warum es dieses Mal anders war, warum die Vorstellung so schwer auf ihm lastete. Aber während sich Rhys und Devlon unterhielten, hatte Cassian die Kinder von Windhaven betrachtet und sich gefragt, wie viele von ihnen den Vater verlieren würden.
Cassian schob die Erinnerung beiseite, als Rhys Elain musterte. Seinen violettblauen Augen entging nichts. »Was ist passiert?«
Sein Tonfall war eher ein Befehl als eine Frage.

Elain winkte aufgebracht ab, öffnete die Verandatür und ging hinaus an die frische Luft.

»Elain«, sagte Rhys, während er und Cassian ihr in das schwächer werdende Licht folgten.

Elain stand an der Brüstung. Der Wind spielte in ihren Haaren. »Es geht ihr nicht besser. Sie versucht es nicht einmal.« Resigniert schlang sie die Arme um den Oberkörper und starrte auf den Ozean in der Ferne.

Rhys drehte sich mit ernster Miene zu Cassian um. *Feyre hat sie gewarnt.*

Cassian fluchte leise. *Nesta macht Fortschritte – ich weiß es. Irgendetwas muss sie aufgeregt haben,* fügte er hinzu, weil Rhys ihn noch immer mit finsterer Miene ansah. *Es braucht Zeit. Vielleicht wäre es besser, wenn sie vorläufig keine Besuche mehr von ihren Schwestern erhält. Zumindest nicht ohne ihre Zustimmung.* Er wollte Nesta nicht isolieren. Ganz im Gegenteil. *Wenn Elain sie wieder besuchen möchte, würde ich Nesta gern vorher fragen.*

Rhys' Stimme glitt über seine Haut wie flüssige Nacht. *Was ist mit Feyre?*

Sie will Feyre hier nicht sehen.

Eine Woge purer Macht donnerte durch Rhys und ließ die Sterne in seinen Augen flackern.

Beruhige dich, verdammt noch mal, fauchte Cassian. *Sie müssen ihren Scheiß selbst regeln. Wenn du Nesta jedes Mal, wenn das Thema aufkommt, damit drohst, sie in die Wüste zu schicken, hilft das auch nicht weiter.*

Rhys erwiderte seinen Blick. Die Dominanz in seinen Augen hatte die Kraft einer Flutwelle. Aber Cassian ließ sie einfach an sich abperlen und vorbeirauschen. Dann schüttelte Rhys den Kopf und wandte sich an Elain: »Ich fliege dich nach Hause.«

Elain widersetzte sich nicht, als Rhys sie hochhob und mit ihr in den rot schillernden Abendhimmel aufstieg.

Erst als die beiden nur noch ein Fleck über den Dächern waren und Rhys dem Lauf des goldenen Flusses folgte – als würde er mit Elain einen Rundflug über die Stadt machen –, erst in dem Moment kehrte Cassian ins Haus zurück. Er stürmte durch das Esszimmer in den Gang, dann die Treppe hinunter und schließlich durch die Tür der privaten Bibliothek.

»Was zum Teufel ist passiert?«

Nesta saß in einem Sessel vor dem kalten Kamin, die Finger in die Lehnen gekrallt. Eine Königin auf einem gepolsterten Thron.

»Ich will nicht mit dir reden«, erwiderte sie. Mehr sagte sie nicht.

Sein Herz hämmerte in seiner Brust, die sich so schnell hob und senkte, als wäre er eine Meile gerannt. »Was hast du zu Elain gesagt?«

Nesta beugte sich vor, um ihn anzusehen. Dann stand sie auf, eine Säule aus Stahl und Flammen, und kräuselte die Lippen. »Natürlich gibst du mir die Schuld.« Sie kam noch näher. Kaltes Feuer brannte in ihren Augen. »Ständig verteidigst du die süße, unschuldige Elain.«

Cassian verschränkte die Arme und ließ sie so nah herankommen, wie sie wollte. Er würde auf keinen Fall auch nur einen Schritt zurückweichen. »Ich darf dich wohl daran erinnern, dass du bis vor Kurzem noch die Hauptverteidigerin der süßen, unschuldigen Elain gewesen bist.« Er hatte miterlebt, wie sie sich mit Fae angelegt hatte, die sie ohne Weiteres hätten abschlachten können. Für ihre Schwester hätte sie alles getan.

Nesta bebte vor Wut. Oder Kälte. Beim Kessel, es war kalt hier in der Bibliothek. Nur der beheizte Boden spendete etwas Wärme.

»Feuer«, sagte er, und das Haus gehorchte. Sofort loderten hohe Flammen im Kamin hinter ihm auf.

»Kein Feuer«, sagte Nesta, den Blick auf Cassian geheftet, obwohl ihre Worte nicht an ihn gerichtet waren.

Das Haus schien sie zu ignorieren.

»*Kein Feuer*«, befahl sie. Er hätte schwören können, dass sie leicht blass geworden war.

Für den Bruchteil einer Sekunde war er wieder im Haus von Rhys' Mutter in Windhaven. Sie hatte unentwegt ins Feuer gestarrt, als würde sie mit den Flammen sprechen und seine Anwesenheit gar nicht bemerken.

Das Feuer knackte und prasselte. »*Ich sagte ...*«, rief Nesta wütend in den Raum.

Ein Holzscheit barst, als würde das Haus sie fröhlich ignorieren und das Feuer noch zusätzlich anfachen.

Doch Nesta zuckte zusammen: kaum ein Blinzeln, ein halbes Schaudern, dann versteifte sich ihr ganzer Körper. Ein Ausdruck der Angst huschte über ihr Gesicht und verschwand wieder.

Eigenartig.

Als Nesta das Interesse in seinen Augen sah, schien ihre Wut schlagartig zurückzukehren. Grimmig stürmte sie auf die geöffnete Tür der Bibliothek zu.

»Wohin gehst du?«, fragte er, unfähig, den Zorn in seiner Stimme zu verbergen.

»Raus.« Sie erreichte den Gang und steuerte auf die Treppe zu.

Knurrend lief Cassian ihr nach und hatte sie schon bald eingeholt.

»Lass mich in Ruhe«, zischte sie.

»Was hast du vor, Nes?« Er folgte ihr ins unterste Geschoss des Hauses und dann zum Treppenhaus. »Du gehst auf die Leute los, die dich lieben, bis sie irgendwann aufgeben und sich von dir abwenden. Willst du das? Ja?«

Nesta riss an der Klinke der alten Holztür und warf ihm über die Schulter einen vernichtenden Blick zu. Dann öffnete sie den Mund, überlegte es sich aber offenbar anders und schloss ihn wieder.

Als würde sie sich zurückhalten, weil sie ihn bemitleidete und ihn *verschonen* wollte. Als müsste er vor ihr geschützt werden.

»Sag es«, knurrte er. »*Sag* es einfach.«

Das silberne Feuer flammte in Nestas Augen auf und ihre Nase kräuselte sich vor animalischer Wut.

Die Trichtersteine auf seinen Handrücken wurden warm und bereiteten sich auf einen Feind vor, den er nicht anerkennen wollte.

Ihr Blick wanderte hinab zu den roten Steinen. Doch als sie ihn wieder ansah, war das unheilvolle Feuer in ihren Augen erloschen.

An seine Stelle war etwas so Totes getreten, eine solche Leere, dass er glaubte, in die starren Augen eines gefallenen Soldaten auf dem Schlachtfeld zu schauen. Er hatte Krähen gesehen, die in solche toten Augen gepickt hatten.

Nesta sagte keinen Ton, als sie sich wieder zum Treppenschacht umdrehte und ihren Abstieg begann.

18

Sie nahm nur das rote Mauerwerk der Wendeltreppe wahr, ihren keuchenden Atem und die Messer, die sich jetzt nach innen richteten und sie aufschlitzten, die Wände, die immer näher kamen, und ihre Beine, die mit jedem Schritt in die Tiefe stärker brannten.

Sie wollte dieses Chaos in ihrem Kopf, in ihrem Körper nicht. Wollte sich lieber vom Rhythmus der Trommeln und dem ausgelassenen Lied einer Fiedel mit Klängen erfüllen lassen und jeden Gedanken zum Schweigen bringen. Wollte lieber eine Flasche Wein bis zum Boden leeren, damit der Alkohol sie von ihrem Körper löste und ihren Geist betäubte.

Hinab, immer weiter hinab.

Im Kreis, immer weiter im Kreis.

Nesta passierte die Stufe mit ihrem eingebrannten Händeabdruck. Passierte Stufe zweihundertfünfzig. Dreihundert. Fünfhundert. Achthundert.

Auf der achthundertdritten Stufe begannen ihre Beine zu zittern. Das Dröhnen in ihrem Kopf ließ nach, als sie sich ganz auf ihr Gleichgewicht konzentrierte.

Bei Erreichen der tausendsten Stufe blieb sie stehen. Um sie herum herrschte nur schwindelerregende Stille.

Nesta schloss die Augen, lehnte die Schläfe gegen das kühle Mauerwerk rechts und suchte dann mit erhobenem Arm Halt daran, als würde sie sich verzweifelt an einen Geliebten klammern. Sie hätte schwören können, einen Pulsschlag im Gemäuer wahrzunehmen – so deutlich, als hielte sie ihr Ohr an einen Brustkorb gepresst.

Doch es war nur ihr eigenes rasendes Herz, ermahnte sie sich, selbst als sie sich weiter an die Wand klammerte. Sie ließ ihren rasselnden Atem ein- und ausströmen. Ließ das Zittern ihres Körpers abebben.

Der Pulsschlag im Mauerwerk verschwand. Die Steine verwandelten sich unter ihrer glühenden Wange zu Eis, fühlten sich unter ihren Fingerspitzen wieder rau an. Langsam machte sie sich an den Aufstieg. Einen Schritt nach dem anderen. Mit angespannten Oberschenkelmuskeln, ächzenden Knien und brennender Brust.

Als sie die letzten zwanzig Stufen fast kriechend überwand, war ihr Kopf leer. Selbst auf diesen letzten Metern musste sie sich noch fünfmal ausruhen. Fünfmal, immer nur so lange, bis sie wieder zu Atem kam und aufrecht stehen konnte – bis das Dröhnen in ihrem Kopf wieder einzusetzen drohte.

Sie war total erledigt, vollkommen ausgelaugt, als sie schließlich den letzten Treppenabsatz erreichte. Cassian lehnte mit ernster Miene an der gegenüberliegenden Wand.

»Ich hab keine Lust, mit dir zu streiten«, sagte sie tonlos, zu erschöpft, um noch wütend zu sein. Sie wusste, dass sie auf ihre Vereinbarung pochen und ihm befehlen konnte, sie in die Stadt hinunterzufliegen. Aber sie hatte nicht mehr die Kraft, sich damit noch zu befassen. »Gute Nacht.«

Cassian stellte sich ihr in den Weg und spreizte die Schwingen. »Bis zu welcher Stufe hast du es diesmal geschafft?«

Als ob das irgendeine Rolle spielen würde. »Stufe tausend.« Ihre Beine brannten und pochten.

»Beeindruckend.«

Nesta hob den Kopf und stellte fest, dass sein Gesicht ernst wirkte. Sie hatte nicht mehr die Energie, um die Erschöpfung zu verstecken, die jede Faser ihres Körpers niederdrückte. Müde wollte sie sich an ihm vorbeischieben, doch er senkte seine Schwingen keinen Millimeter. Kein Durchkommen, wenn sie sich nicht einen Weg freiboxen wollte. »Was ist?«

»Was hat dich heute so genervt?«

»Einfach alles.« Mehr wollte sie nicht sagen.

»Was hat Elain zu dir gesagt?«

Sie konnte sich dieses Gespräch nicht wieder ins Gedächtnis rufen, konnte nicht über ihren Vater oder seinen Tod oder sonst irgendetwas reden. Also schloss sie die schweren Lider. »Warum melden sie sich nicht fürs Training an?«

Er wusste, wen sie meinte. »Vermutlich sind sie noch nicht bereit.«

»Ich hab gedacht, sie würden sich anmelden.«

»Bist du deshalb so frustriert?« Sein Tonfall war sanft und unendlich traurig.

Nesta öffnete die Augen. »Einige der Frauen sind schon seit Jahrhunderten hier und haben es noch immer nicht geschafft, sich von dem zu erholen, was man ihnen angetan hat. Welche Hoffnung bleibt *mir* da?«

Cassian rieb sich die Schulter, als würde sie schmerzen. »Wir haben gerade mal zwei Wochen trainiert, Nesta. Du magst zwar bereits körperliche Veränderungen feststellen, aber das, was sich in deinem Kopf abspielt, in deinem Herzen, benötigt viel mehr Zeit. Verdammt noch mal, Feyre hat Monate gebraucht …«

»Ich will nichts von Feyre und ihrem besonderen Weg hören. Oder von Rhys oder Morrigan oder sonst jemandem.«

»Warum nicht?«

Sofort bauten sich die Worte, ihre Wut wieder auf. Doch Nesta weigerte sich zu antworten und konzentrierte sich stattdessen darauf, die Kraft in ihrem Inneren zu dämpfen, bis sie nicht mal mehr muckte.

»Warum nicht?«, drängte er.

»Weil ich nicht will«, fauchte sie. »Und jetzt nimm deine Fledermausflügel weg.«

Cassian folgte ihrer Aufforderung, trat aber so nah heran, dass er hoch über ihr aufragte. »Dann werde ich dir mal von *meinem* besonderen Weg erzählen, Nes.« In seiner Stimme schwang ein eisiger Ton mit, den sie noch nie gehört hatte.

»Nein.«

»Ich habe jeden Einzelnen abgeschlachtet, der meiner Mutter wehgetan hat.«

Blinzelnd schaute sie zu ihm hoch, während das Gewicht, das auf ihr lastete, bei seinen brutalen Worten nachließ.

In Cassians Miene spiegelte sich eine uralte Wut. »Als ich endlich alt und stark genug war, bin ich in mein Heimatdorf zurückgekehrt, an den Ort, wo man mich meiner Mutter aus den Armen gerissen hatte. Und dort habe ich erfahren, dass sie inzwischen gestorben war. Aber es gab niemanden, gegen den ich hätte kämpfen können, um daran etwas zu ändern. Die Dörfler haben sich geweigert, mir zu verraten, wo man sie begraben hatte. Eine der Frauen machte eine Andeutung ... dass man meine Mutter einfach über die Klippen geworfen hatte.«

Entsetzen und eine Art Schmerz schossen durch Nestas Adern.

Ein kaltes Licht blitzte in Cassians Augen auf. »Also habe ich sie alle vernichtet. Nur die, die nicht dafür verantwortlich waren – Kinder, ein paar der Frauen und die Alten –, ließ ich gehen. Aber alle anderen, die an ihrem Leid beteiligt gewesen waren ... die hab ich dafür büßen lassen. Rhys und Azriel haben mir geholfen. Wir haben den Dreckskerl gefunden, der mich gezeugt hatte. Und ich habe zugesehen, wie meine Brüder ihn in Stücke gerissen haben, bevor ich ihm den Rest gab.«

Die Worte hingen schwer in der Luft.

»Es hat mich zehn Jahre meines Lebens gekostet, bis ich mich dem stellen konnte«, sagte er mit unterdrückter Wut. »Bis ich mich dem stellen konnte, was ich diesen Leuten angetan und was ich verloren hatte. Zehn Jahre.« Er zitterte, allerdings nicht vor Angst. »Und wenn du jetzt zehn Jahre brauchst, um dich dem zu stellen, was dich von innen zerfrisst – nur zu. Und wenn du zwanzig Jahre brauchst – auch gut.«

Stille breitete sich im Flur aus, nur durchbrochen von ihrem schweren, gequälten Atem.

»Bedauerst du deine Tat?«, fragte Nesta leise.

»Nein.« Unerschrockene Ehrlichkeit. Die gleiche Ehrlichkeit, die sie jetzt taxierte und jedes krachende, scharfkantige Fragment ihres Geistes untersuchte.

Nesta senkte den Kopf, als würde das bewirken, dass ihm etwas verborgen blieb. Warme, starke Finger umfingen ihr Kinn. Sie gestattete ihm, ihren Kopf anzuheben. Ihr war gar nicht bewusst gewesen, dass er näher gekommen war. Dass sie nur noch wenige Zentimeter voneinander trennten. Es sei denn, sie hatte sich *ihm* genähert, angezogen von jedem brutalen Wort.

Cassians Finger hielten ihr Kinn sanft fest. »Was auch immer du mir entgegenschleudern willst – ich kann es ertragen. Ich werde nicht daran zerbrechen.« In seiner Stimme schwang keine Herausforderung mit. Lediglich eine Bitte.

»Du verstehst das nicht«, erwiderte sie krächzend. »Ich bin nicht wie du oder die anderen.«

»Das hat mich noch nie gestört.« Er ließ die Hand sinken.

Nesta richtete sich auf. »Das sollte es aber.«

»Du sagst das so, als wolltest du, dass es mich stört.«

»Es stört alle anderen. Sogar den ach-so-tollen Rhysand.«

Cassian bleckte die Zähne. Der milde Ausdruck in seinem Gesicht war verschwunden. »Ich hab's dir schon mal gesagt und ich sage es jetzt erneut: Sprich nicht in diesem abfälligen Ton von ihm.«

»Er ist nicht mein High Lord. Ich darf von ihm sprechen, wie ich will.« Sie wollte sich an ihm vorbeidrängen, doch er packte ihr Handgelenk und hielt sie fest. »Lass mich los.«

»Zwing mich doch. Nutz dein Training und *zwing* mich.«

Heiße Wut kochte in ihr hoch. »Du bist ein arrogantes Arschloch.«

»Und du eine hochmütige Hexe. Wir sind einander ebenbürtig.«

Nesta knurrte. »Lass mich los.«

Cassian schnaubte, gehorchte aber und wandte das Gesicht ab, als er einen Schritt zurücktrat. Und genau dieser siegessichere Ausdruck in seinen Augen – seine Überzeugung, er hätte sie irgendwie nervös gemacht und diesen Streit gewonnen – veranlasste sie dazu, ihn bei den Aufschlägen seiner Lederjacke zu packen.

Und sie versicherte sich, dass sie das nur tat, um ihm das selbstgefällige Grinsen aus dem Gesicht zu wischen, als sie die Finger in das Leder krallte und seinen Mund zu sich hinabzog.

∞ 19 ∞

Für den Bruchteil einer Sekunde spürte Nesta nur die Wärme von Cassians Mund, seinen Körper, der sich an sie drängte, seine harten, zitternden Muskeln, als sie sich auf die Zehenspitzen stellte und ihre Lippen auf seine drückte.

Sie küsste ihn mit geöffneten Augen, sodass sie sehen konnte, wie sich seine Pupillen weiteten. Dann zog sie sich zurück, aber er sah sie noch immer keuchend und mit großen Augen an.

Nesta lachte leise, wollte ihre Finger von seiner Jacke lösen und stolz durch den Gang davonschlendern. Doch es gelang ihr gerade einmal, die rechte Hand zu senken, bevor er sich ruckartig vorbeugte und den Kuss erwiderte.

Und dieser Kuss war so heftig, dass Cassian mit ihr gegen die Mauer stieß und die Steine in ihre Schultern drückten, weil sein ganzer Körper sich an sie presste, eine Hand in ihren Haaren und die andere fest an ihrer Hüfte.

In dem Moment, als Nesta gegen die Mauer traf, umfing Cassian sie mit seinem Körper und zerstörte damit jede Illusion von Zurückhaltung.

Sie öffnete die Lippen und seine Zunge drang in ihren Mund, wild und verlangend. Sie schmeckte ihn … wie schneeverhangener Wind und knackende Holzscheite …

Und stöhnte unwillkürlich auf.

Offenbar gab ihm dieser Laut den Rest, denn seine Finger in ihren Haaren gruben sich in ihre Kopfhaut und hoben ihr Gesicht, damit er sie noch besser schmecken, noch weiter von ihr Besitz ergreifen konnte.

Ihre Hände fuhren über seine muskulöse Brust, auf der verzweifelten Suche nach nackter Haut, während ihre Zungen aufeinandertrafen und sich wieder lösten ... während er mit der Zungenspitze ihren Gaumen leckte und über ihre Zähne strich.

Nesta erwiderte jede Geste und verlor immer mehr das Gefühl für sich und ihre Umgebung. Ihre Finger gruben sich in seine Haare, die so seidenweich waren, wie sie es sich erträumt hatte. Jeder hasserfüllte Gedanke verebbte. Sie gab sich dieser Ablenkung voll und ganz hin, empfing sie mit offenen Armen, bis der Kuss alle negativen Gefühle wegbrannte. Um sie herum existierte nur noch sein Mund, seine Zunge, seine Zähne, während er sie kostete und sanft biss ... nur noch sein kraftvoller Körper, der sich an sie presste, aber längst noch nicht nah genug war ...

Cassian schob seine Hände über ihre Hüften, packte ihren Hintern und hob sie hoch. Sofort schlang sie ihre Beine um seine Taille und stöhnte erneut auf, als er sich zwischen ihre Schenkel drängte.

Sie brauchte diese kurzfristige Ablenkung von ihren Gedanken, von dem *Ding*, das tief in ihrem Innern brannte, von den Erinnerungen, die sie verfolgten. Sie brauchte das hier. Brauchte ihn.

Als er seine Hüften in sie bohrte, stöhnte er so tief auf, dass Nesta sich ihm bereitwillig entgegenwölbte und ihm ihren Hals präsentierte. Hastig löste er seine Lippen von ihrem Mund und fand ihre Kehlgrube. Langsam fuhr seine heiße Zunge über ihren Hals, bis hinauf zu der Stelle unter ihrem Ohr, deren Berührung sie wimmernd aufkeuchen ließ. Leise lachte er an ihrer Haut. »Gefällt dir das?«, murmelte er und leckte die Stelle ein weiteres Mal.

Nesta spürte, wie ihre Brüste sich anspannten. Ungeduldig presste sie sich gegen seinen Brustkorb, rieb sich daran. Aber Cassian begrub sein Gesicht in ihrer Halsbeuge. Seine Zähne knabberten an ihrem rasenden Puls. Der leichte Schmerz ließ sie aufstöhnen. Der Druck seiner Zunge in ihrer Kehlgrube bewirkte, dass sie die Augen verdrehte.

Doch dann hob er den Kopf, weg von ihrem Hals. Und nie zuvor hatte sie sich so offen und verwundbar gefühlt wie in dem Moment, als er erneut seine Hüften gegen ihren Unterleib stieß und zusah, wie sie sich wand.

Ein spöttisches Lächeln umspielte seine Mundwinkel. »So entgegenkommend«, schnurrte er in einem Tonfall, den sie noch nie gehört hatte – den sie aber um jeden Preis noch einmal hören wollte. Wieder presste er seine Hüften gegen ihre, ein langsamer, tiefer Stoß seiner harten Männlichkeit gegen ihre fast schmerzhaft pulsierende Mitte. Fieberhaft versuchte sie, die Kontrolle zu behalten, den Verstand nicht vollkommen zu verlieren, doch dann wollte sie ihm freie Hand lassen, wollte ihm die Macht darüber geben, sie zu berühren, zu packen, zu lecken, zu saugen und tief zu erfüllen …

Cassian knurrte leise, als hätte er ihre Gedanken in ihren Augen gelesen, und küsste sie erneut.

Ihre Zungen schlangen sich umeinander, ihre Körper pressten sich so fest gegeneinander, dass sie seinen Herzschlag an ihrer Brust spüren konnte. Er kostete sie gründlich, zog sich zurück und kostete sie wieder. Als würde er jede Faser ihres Munds erkunden.

Sie sehnte sich danach, seine Haut zu fühlen, seinen harten Schaft mit den Händen, dem Mund, ihrem Körper zu spüren. Und sie hatte das Gefühl, den Verstand zu verlieren, wenn sie nicht endlich die Kleidung loswerden konnte … wenn er sie nicht immer weiterküsste …

Ungeduldig schob sie ihre Finger zwischen ihre Körper, tastete nach ihm. Erneut stöhnte Cassian tief auf, als sie ihre Hand durch das Leder seiner Hose gegen seinen Schaft presste. Dessen schiere Länge ihr den Atem verschlug …

Sie spürte, wie ihr das Wasser im Mund zusammenlief, wie sie so feucht wurde, dass jede Naht in ihrem Slip die reinste Qual war.

Sein Kuss wurde verlangender, wilder. Nesta kämpfte mit den Schnüren und Knöpfen seiner Lederhose. So viele, dass sie nicht wusste, welche das Leder von seiner Haut lösen würden. Ihre Fingerspitzen zerrten an jeder Schlaufe, rissen förmlich daran.

Cassians Keuchen strich weich über ihre Haut, während er an ihrer Unterlippe nagte, dann an ihrem Ohr, ihrem Kiefer. Ihr eigener, stoßweiser Atem spiegelte seine Lust. Heißes Verlangen strömte durch ihre Adern, als er laut aufstöhnend ihren Mund erneut umfing, als sie nicht länger an den Schlaufen und Schnüren herumfummelte und ihre flache Hand wieder gegen seinen Schaft presste, ihn rieb und über seine unfassbare Länge staunte.

Seine Hüften zuckten unwillkürlich, und dann löste er plötzlich seine Lippen von ihrem Mund. »Wenn du so weitermachst, werde ich gleich ...«

Sofort wiederholte Nesta die Bewegung und zog ihre Hand nach oben, in Richtung der empfindlichen Spitze. Seine Hüften wölbten sich ihr entgegen, er warf den Kopf in den Nacken, entblößte seinen muskulösen Hals. Inzwischen hatte sie seine Konturen durch die Lederhose erkundet und presste ihre Hand fester darauf, rieb ihn. Cassian biss die Zähne zusammen. Sein mächtiger Brustkorb hob und senkte sich. Und als Nesta sah, dass er kurz vor dem Höhepunkt stand, beugte sie sich vor, biss ihn sanft in den Hals und rieb ihn immer fester und schneller.

Cassian zischte. Mit ihrem Namen auf den Lippen stieß er seine Hüften so kraftvoll in ihre Handfläche, dass ihr Innerstes fast schmerzhaft pochte, während sie sich vorstellte, wie sich diese Kraft, diese Länge und Hitze tief in sie bohrten. Erneut nagte sie mit den Zähnen an seinem Hals ... und Cassian explodierte.

Seine Schwingen legten sich eng an, als er kam. Das Pulsieren seines Schwanzes vibrierte durch seine Hose und übertrug sich auf ihre Hand. Erst als Cassian nicht länger zuckte und leicht zitternd dastand, nahm sie ihr Gesicht von seinem Hals. Seine haselnussbraunen Augen leuchteten und seine sonnengebräunten Wangen waren verlockend gerötet. Doch er starrte sie mit offenem Mund an. Als wäre ihm erst jetzt bewusst geworden, was er getan hatte, und würde es bereuen.

Selbst der letzte Rest von Verlangen, jedes bisschen an Ablenkung, das ihr der Kuss geschenkt hatte, erlosch schlagartig. Nesta stieß ihn von sich, und er gab sie sofort frei und ließ sie fast auf den Boden fallen, als ihre Körper sich voneinander lösten.

Aber sie wartete nicht, bis er sein Bedauern in Worte fassen, ihr sagen würde, dass das hier ein Fehler gewesen sei. Diese Macht über sie würde sie ihm nicht gestatten. Und so verzog Nesta die Lippen zu einem kalten, grausamen Lächeln und höhnte über die Schulter: »Na, da war aber einer notgeil.«

Am nächsten Morgen konnte Cassian Azriel beim Frühstück kaum in die Augen schauen.

Sein Bruder war erst tief in der Nacht zurückgekehrt und hatte sich geweigert, irgendwelche Informationen zu Briallyn herauszurücken. Cassian sollte sich bis zu dem Treffen im Flusshaus am nächsten Tag gedulden, wenn er alle Beteiligten gemeinsam informieren würde. Aber das war Cassian egal gewesen, und er hatte kaum zugehört, als Azriel sich nach den Trainingsfortschritten erkundigte.

Er war nach nur wenigen Berührungen von Nestas Hand in seiner Hose gekommen, als wäre er kein bisschen reifer als in seiner Jugend. Doch in dem Moment, als sie ihn im Flur zu küssen begann, hatte er den letzten Funken Verstand verloren. Er hatte sich in etwas Animalisches verwandelt, ihren Hals geleckt und gebissen – unfähig, auch nur einen Gedanken zu fassen, der über den Urinstinkt hinausging ... den Urinstinkt, von ihr Besitz zu ergreifen.

Sie hatte wie Feuer und Stahl und ein Wintersonnenaufgang geschmeckt. Allein schon an ihrem Mund, an ihrem Hals. Und wenn er seine Zunge erst zwischen ihre Beine geschoben hätte ... Unruhig rutschte er auf dem Stuhl hin und her.

»Ist irgendetwas passiert, was ich als deine Anstandsdame wissen sollte?« Azriels trockene Frage riss Cassian aus seinem wachsenden Verlangen. Die Belustigung auf dem Gesicht seines Bruders verriet ihm, dass Az seine Lust nicht nur riechen, sondern auch in seiner Miene sehen konnte.

»Nein«, brummte Cassian. Wenn er zugab, was Nesta und er getan hatten, würde Azriel es ihm bis an sein Lebensende unter die Nase reiben.

Er hatte sein Vergnügen gehabt, aber Nesta nicht. So etwas hatte er bisher nie zugelassen. Aber er war so heftig gekommen, dass er Sterne gesehen hatte, und sich erst danach bewusst geworden, dass er sich blamiert, dass er sie unbefriedigt zurückgelassen hatte. Und falls das gestern Abend seine einzige Chance mit ihr gewesen sein sollte, dann hatte er es gründlich vermasselt.

Nicht zu vergessen ihre Bemerkung bei ihrem Abgang, die den letzten Rest seines Stolzes in tausend Stücke zertrümmert hatte. *Da war aber einer notgeil,* hatte sie geschnurrt, als hätte ihr das, was sie getan hatten, nicht das Geringste bedeutet.

Dabei wusste er genau, dass das nicht stimmte. Er hatte ihr fieberhaftes Verlangen gespürt, hatte sie stöhnen gehört und mit Haut und Haaren verschlingen wollen. Aber ein leiser Zweifel setzte sich in ihm fest. Er musste irgendwie dafür sorgen, dass sie wieder quitt waren. Musste erneut die Oberhand gewinnen.

Als Azriel sich räusperte, blinzelte Cassian ihn an. »Was ist?«

»Ich habe gefragt, ob ihr beide zum Aufbruch bereit seid, hinunter zum Flusshaus?«

»Wir beide?« Cassian blinzelte gegen den Nebel seiner Lust an.

Azriel lachte leise und seine Schatten stoben in alle Richtungen. »Hast du letzte Nacht überhaupt zugehört?«

»Nein.«

»Wenigstens bist du ehrlich.« Azriel grinste. »Ihr beide, du und Nesta, werdet da unten erwartet.«

»Wegen dieser Geschichte mit Elain?«

Azriel erstarrte. »Was ist mit Elain?«

Cassian winkte ab. »Nesta und Elain haben sich gestritten. Aber erwähn es besser nicht«, warnte er Azriel, als dessen Augen sich verfinsterten. Cassian schnaubte. »Dann darf ich also davon ausgehen, dass du mir den Grund des Treffens nicht verraten willst?«

»Es geht um etwas, das ich herausgefunden habe. Rhys möchte, dass ihr beide anwesend seid.«

»In dem Fall muss es sich um etwas Schlimmes handeln.« Cassian betrachtete die Schatten, die sich um Az sammelten. »Alles okay mit dir?«

Sein Bruder nickte. »Ja.« Aber die Schatten umschwärmten ihn weiterhin.

Cassian wusste, dass Azriel log, schwieg jedoch. Sein Bruder würde es ihm erzählen, wenn er dazu bereit war. Denn Cassian wusste, dass er eher einen Berg dazu überreden könnte, sich woanders niederzulassen, als Az dazu, sich ihm gegenüber zu öffnen.

Also erwiderte er nur: »Okay. Wir treffen uns dann am Flusshaus.«

20

Nesta konnte die Nähe zu Cassian kaum ertragen, als er sie über Velaris hinweg zum Flusshaus flog. Jeder Blick, jeder Geruch und jede Berührung von ihm strich über ihre Haut und drohte, sie in die vergangene Nacht zurückzuversetzen, als sie sich nach seinem Körper verzehrt hatte.

Glücklicherweise redete Cassian nicht mit ihr. Warf ihr kaum einen Blick zu. Und als das weitläufige Anwesen am Flussufer auftauchte, hatte sie vergessen, sich über sein Schweigen zu ärgern. Nach zwei Wochen oben im Haus der Winde erschien ihr die Stadt plötzlich riesig, zu laut und zu voll.

»Das Treffen wird schnell vorbei sein«, versprach Cassian bei der Landung auf dem Rasen vor dem Anwesen – als hätte er die Anspannung in ihrem Körper gespürt.

Nesta schwieg. Sie konnte ohnehin kein Wort herausbringen, so sehr drehte sich ihr der Magen. Wer würde alles dabei sein? Wem würde sie gegenübertreten müssen? Wer würde ihren sogenannten Fortschritt beurteilen? Inzwischen hatten vermutlich alle von ihrem Streit mit Elain gehört ... Bei den Göttern, würde Elain etwa auch anwesend sein?

Sie folgte Cassian in das schöne Haus, bemerkte kaum den runden Tisch in der Mitte der Eingangshalle, mit den frischen Schnittblumen in einer großen Vase. Registrierte kaum die Stille und die Tatsache, dass keiner der Bediensteten zu sehen war.

Aber Cassian blieb vor dem Gemälde eines hoch aufragenden, kargen Berges stehen, auf dem kein Leben zu erkennen war und der dennoch eine unwirkliche Präsenz ausstrahlte. Schnee und Kiefern bedeckten die kleineren Gipfel um ihn herum, aber dieser seltsame, kahle Berg ... Nur ein einzelner schwarzer Stein ragte aus seinem Gipfel heraus. Ein Monolith, wie Nesta erkannte, als sie näher trat.

»Ich wusste nicht, dass Feyre den Ramiel gemalt hat«, murmelte Cassian.

Der heilige Berg aus dem Blutritual. Tatsächlich: Drei Sterne funkelten schwach im dämmrigen Himmel über dem Gipfel. Es handelte sich um eine nahezu perfekte, naturgetreue Darstellung der Insignien des Hofs der Nacht.

»Ich frage mich, wann sie den Berg gesehen hat«, überlegte er und lächelte matt.

Nesta machte sich nicht die Mühe, ihn darauf hinzuweisen, dass Feyre vermutlich einfach in Rhysands Gedanken geschaut hatte. Cassian setzte den Weg fort und führte sie ohne ein weiteres Wort durch den Korridor.

Nesta wappnete sich innerlich, als er vor der Tür des Arbeitszimmers stehen blieb – derselbe Raum, in dem sie gesessen und ihre öffentliche Standpauke erhalten hatte. Dann riss er mit Schwung die Tür auf.

Rhys und Feyre saßen auf dem saphirblauen Sofa vor dem Fenster. Azriel lehnte am Kamin und Amren hatte sich in einen Sessel gehockt, eingehüllt in einen grauen Pelzmantel, als wäre die Kühle der Morgenluft bereits ein Wintereinbruch. Von Elain und Morrigan keine Spur.

Feyres Blick wirkte wachsam. Kalt. Allerdings schenkte sie Cassian ein warmes Lächeln, der auf sie zuging, um ihr einen Kuss auf die Wange zu geben – oder es zumindest versuchte. Resigniert wandte er sich Rhys zu: »Wirklich? Sie ist sogar hier drin von einem Schutzschild umgeben?«

Rhys streckte seine langen Beine aus und legte einen Fuß über den anderen. »Sogar hier drin.«

Cassian verdrehte die Augen und ließ sich in den Sessel neben Amren fallen. »So kalt ist es heute nun auch wieder nicht«, bemerkte er mit einem Blick auf ihren Pelzmantel.

Amrens Zähne blitzten auf. »Red nur so weiter, dann werde ich morgen dein Fell tragen.«

Nesta hätte vielleicht gelächelt, wenn Amren sie nicht genau in diesem Moment angesehen hätte. Die Spannung zwischen ihnen war förmlich mit Händen zu greifen. Nesta weigerte sich, den Blick abzuwenden. Amren verzog die roten Lippen und ihr schwarzer Haarschopf glänzte.

Dann räusperte sich Feyre und meinte: »Also gut, Az. Was hast du zu berichten?«

Azriel legte seine Schwingen an. Schatten wanden sich um seine Fußknöchel und seinen Hals. »Königin Briallyn ist fleißiger gewesen, als wir dachten – aber nicht so wie erwartet.«

Nesta gefror das Blut in den Adern. Die Königin, die freiwillig in den Kessel gesprungen war, weil sie unbedingt jung und unsterblich sein wollte. Sie war als alte Vettel wieder herausgekommen. Und unsterblich. Dazu verdammt, für immer alt und krumm zu sein.

»In der Woche, in der ich sie beobachtet habe, konnte ich ... in Erfahrung bringen, was sie als Nächstes plant.« Die Art, wie er bei den Worten *in Erfahrung bringen* zögerte, verriet genug: Er hatte jemanden gefoltert, um an die Informationen zu kommen. Vielleicht auch mehrere Personen.

Nesta warf einen Blick auf seine vernarbten Hände, worauf Azriel sie sofort hinter dem Rücken verschränkte, als hätte er ihre Aufmerksamkeit bemerkt.

»Sprich weiter«, drängte Amren und rutschte in ihrem Sessel hin und her.

»Die anderen Königinnen sind in der Tat bereits vor Wochen vor Briallyn geflohen, genau wie Eris gesagt hat. Sie sitzt jetzt allein im Thronsaal ihres gemeinsamen Palastes. Und Eris' Information über Beron trifft ebenfalls zu: Der High Lord hat Briallyn auf dem Kontinent besucht und ihr seine Truppen für ihre Vorhaben versprochen.« Ein Muskel in Azriels Kiefer zuckte. »Aber Briallyns Aufgebot an Armeen ... die Allianz mit Beron ... all das sind nur Nebenschauplätze im Vergleich zu ihrem eigentlichen Plan.« Er schüttelte den Kopf und Schatten wanden sich um seine Schwingen. »Briallyn will den Kessel wiederfinden, um ihre Jugend zurückzubekommen.«

»Das wird ihr nicht gelingen«, erwiderte Amren und machte eine abschätzige Handbewegung, bei der ihre Ringe funkelten. »Außer uns, Miryam und Drakon weiß niemand, wo er verborgen ist. Und selbst wenn Briallyn das Versteck des Kessels ausfindig machen würde, ist er von genügend Wächtern und Schutzzaubern umgeben, an denen niemand vorbeikommt.«

»Das ist Briallyn bewusst«, sagte Azriel mit ernster Miene. Nesta krampfte sich der Magen zusammen. Azriel heftete den Blick auf Cassian und fuhr fort: »Vassas Verdacht hat sich bestätigt. Der Todesgott Koschei hat Briallyn etwas ins Ohr geflüstert. Er ist noch immer an seinem See gefangen, aber seine Worte werden mit dem Wind zu ihr getragen. Er ist uralt, die Tiefe seines Wissens unendlich. Koschei machte Briallyn auf die Schreckenstruhe aufmerksam – allerdings nicht um ihretwillen, sondern für seine eigenen Zwecke. Er braucht die Truhe, um sich von seinem See zu befreien. Und Briallyn ist nicht die Marionette, für die wir sie gehalten haben – sie und Koschei sind Verbündete.« Erneut wandte er sich Cassian zu: »Du musst Eris fragen, ob Beron davon weiß. Und von der Truhe.«

Cassian nickte stumm. Niemand sagte etwas, bis Nesta fragte: »Was ist die Schreckenstruhe?«

In Amrens Augen blitzte ein Rest ihrer Kraft auf. »Vor langer Zeit erschuf der Kessel viele Objekte der Macht und schmiedete Waffen von unvergleichlicher Kraft. Die meisten gingen im Laufe der Geschichte und in Kriegen verloren. Bei meiner Einlieferung ins Verlies waren nur noch drei davon übrig. Damals behaupteten einige, dass es vier gewesen seien. Oder dass das vierte zerstört worden sei. Aber die heutigen Legenden sprechen nur von drei.«

»Die Maske, die Harfe und die Krone«, murmelte Rhys.

Nesta hatte das Gefühl, dass keins dieser Objekte gut war.

Feyre musterte ihren Seelengefährten mit gerunzelter Stirn. »Handelt es sich um andere Machtinstrumente als die in der Höhlenstadt? Was bewirken sie?«

Nesta hatte ihr Bestes getan, um die Nacht zu vergessen, als sie und Amren versucht hatten, ihre sogenannte Gabe gegen den Schatz in diesen unheiligen Katakomben zu erproben. Die Objekte waren halb im Stein gefangen gewesen: Messer, Halsketten, Kugeln und Bücher, alle schimmernd vor Macht, keines angenehm. Wenn die Schreckenstruhe noch schlimmer war als das, was sie gesehen hatte ...

»Die Maske kann die Toten auferstehen lassen«, antwortete Amren für Rhys. »Es ist eine Totenmaske, angefertigt nach dem Gesichtsabdruck eines längst vergessenen Königs. Wer sie aufsetzt, kann die Toten herbeirufen und ihnen befehlen, nach seinem Willen zu marschieren. Die Harfe kann alle Türen öffnen, konkret und im übertragenen Sinn. Manche sagen, sogar jene zwischen den Welten. Und die Krone ...« Amren schüttelte den Kopf. »Die Krone kann jeden beeinflussen und selbst die mächtigsten mentalen Schutzschilde durchdringen. Ihr einziger Mangel besteht darin, dass sie körperliche Nähe braucht, um ihre Krallen in den Verstand eines Opfers zu schlagen. Aber wer sie aufsetzt, kann seine Feinde dazu bringen, ihm zu Willen zu sein. Kann dafür sorgen, dass ein Vater sein eigenes Kind tötet, im vollen Bewusstsein, aber unfähig, sich von der schrecklichen Tat abzuhalten.«

»Und diese Dinge gingen *verloren*?«, fragte Nesta.

Rhys musterte sie stirnrunzelnd. »Die, die sie besaßen, wurden unachtsam. Die Objekte gingen in Kriegen oder durch Verrat oder einfach deshalb verloren, weil man sie verlegte und vergaß.«

»Und was hat das mit dem Kessel zu tun?«, hakte Nesta nach.

»Was zusammengehört, findet zusammen«, murmelte Feyre und schaute zu Amren, die zustimmend nickte. »Weil die Truhe vom Kessel erschaffen wurde, könnte sie ihren Schöpfer finden.« Sie legte den Kopf auf die Seite. »Briallyn wurde ebenfalls erschaffen. Kann sie den Kessel nicht selbst aufspüren?«

Amren trommelte mit den Fingern auf der Armlehne ihres Sessels. »Der Kessel ließ Briallyn altern, um sie zu bestrafen.« Mit einem Blick auf Nesta fügte sie hinzu: »Oder vermutlich, um dich zu bestrafen.«

Nesta verzog keine Miene.

»Aber ich glaube, dass du dem Kessel etwas genommen hast, als du deine Kräfte bekamst, Mädchen.«

Feyre schaute zu Nesta. »Was genau ist im Kessel passiert?«, fragte sie mit sanfter Stimme.

Alle Bilder, alle Gedanken, alle Empfindungen prasselten auf Nesta ein und drohten, sie zu ersticken. So wie sie die Kraft ersticken musste, die bei der Frage ihrer Schwester in ihr aufstieg. Keiner sagte einen Ton. Alle starrten sie nur an.

Cassian räusperte sich. »Ist das wichtig?« Jetzt richteten sich alle Blicke auf ihn. Nesta atmete erleichtert auf, weil die Aufmerksamkeit nicht mehr ihr galt. Selbst, als bei seinen Worten etwas in ihrer Brust aufflammte, weil er sie in Schutz nahm.

»Es würde uns zu wichtigen Erkenntnissen verhelfen«, sagte Feyre.

»Wir können später darüber sprechen ...«, erwiderte Cassian.

Doch Nesta setzte sich auf. »Ich ...«

Alle Anwesenden hielten inne und drehten sich zu ihr um. Nestas Mund wurde trocken. Sie schluckte und betete, dass die anderen nicht sahen, wie ihre Hände zitterten, und schob sie unter ihre Oberschenkel. Die Gedanken und Erinnerungen stürmten grell auf sie ein, und sie wusste nicht, wo sie anfangen, wie sie es erklären sollte ...

Atme tief ein. Wenn Cassian sie durch die Übungen führte, beruhigte das jedes Mal ihren Geist. Also atmete sie tief ein und langsam wieder aus. Noch einmal und ein drittes Mal.

Dann räusperte sie sich und sagte in die Stille: »Damals war mir nicht bewusst, was ich nahm. Nur, dass es Dinge waren, die der Kessel mir nicht geben wollte. Meine Reaktion schien angemessen angesichts dessen, was er mir antat.«

So, jetzt war es heraus. Mehr konnte und würde sie dazu nicht sagen.

Aber Feyre nickte und in ihren Augen leuchtete etwas, das Nesta nicht einordnen konnte. Dann wandte Feyre sich an Amren: »Also ist es durchaus möglich, dass der Kessel Briallyn gar nicht die Fähigkeit verleihen *konnte*, ihn aufzuspüren. Er konnte sie lediglich in die

Lage versetzen, alle Objekte zu verfolgen, die er erschaffen hatte – ein trauriger Abklatsch der ursprünglichen Gabe.«

Die anderen nickten und Nesta riskierte einen Blick zu Cassian, der ihr ein sanftes Lächeln schenkte. Als hätte sie mit den wenigen Worten, die sie herausgebracht hatte, irgendwie etwas ... Ehrenwertes getan. Ihre Brust zog sich zusammen. Hatte sie denn so viele *un*ehrenwerte Dinge getan, dass dieser kleine Beitrag schon so viel Lob verdiente?

Nesta zwang sich, diesen Übelkeit erregenden Gedanken zu ignorieren, während Amren fortfuhr.»Wenn man alle drei Objekte zusammenbringen würde, könnte man mit ihrer kombinierten, erschaffenen Macht den Kessel überall aufspüren, egal, wo er sich befindet.«

»Ganz zu schweigen davon, dass man dann drei Objekte von fürchterlicher Macht besäße«, ergänzte Azriel finster. »Und damit selbst einer menschlichen Armee einen Vorteil gegenüber den Fae verschaffen könnte.«

»Würde man die Toten auferwecken, hätte man eine unaufhaltsame Armee, die ohne Rast und Nahrung marschieren könnte«, überlegte Cassian laut, jetzt wieder mit ernster Miene. »Und wenn man jede Tür öffnen kann, könnte man diese Armee der Toten überall hinschicken, wohin man auch will. Und mit uneingeschränktem Einfluss könnte man jedes feindliche Gebiet und seine Bewohner dazu bringen, sich unterzuordnen.«

Erneut breitete sich Stille im Raum aus. Nestas Puls raste.

»Und Koschei will sich nur von seinem See befreien?«, fragte Rhys und sah Azriel an.

Doch an seiner Stelle antwortete Amren. »Niemand weiß wirklich, welche Macht die Truhe besitzt. Abgesehen davon, dass sie Koschei von seinem See befreien könnte, weiß er vielleicht noch etwas über die Truhe, das wir nicht wissen. Etwa, ob möglicherweise eine größere Macht entsteht, sobald alle drei Objekte vereint sind.«

Rhys' Augen wanderten erneut zu Azriel, der mit finsterer Miene nickte.

»Was ist ein Todesgott?«, fragte Nesta in die Stille hinein. Ihre Blicke trafen sie wie Steinwürfe. Cassian antwortete und tippte auf die Narbe an seinem Hals. »Ich habe dir doch von Lanthys erzählt, von der Wunde, die er mir zugefügt hat. Er ist im wahrsten Sinne des Wortes unsterblich. Nichts kann ihn töten. Das Gleiche gilt für Koschei: Er selbst ist Herr über seinen Tod.« Cassian nahm die Hand von der schrecklichen Narbe. Der Ausdruck in seinen Augen ließ vermuten, dass sich seine Gedanken auf ihre Kraft gerichtet hatten. Sie ignorierte dieses *Ding*, das sich bestätigend in ihr regte. Kaltes Feuer züngelte an ihrem Rückgrat hinauf. Doch zum Glück fügte Cassian noch etwas hinzu: »Die beiden sind Todesgötter.«

Die Worte hingen in der Luft. »Lanthys hatte ich ganz vergessen«, fluchte Rhys.

Cassian warf ihm einen spöttischen Blick zu und tippte ein weiteres Mal auf seine Narbe. »Ich nicht.«

Zu Nestas Entsetzen schauderte Amren. *Amren.*

Feyre räusperte sich. »Also versuchen sie, diese Schreckenstruhe zu finden, um damit für Briallyn den Kessel aufzuspüren und wohl auch Koschei gleich noch zu befreien. Und sie zetteln einen Krieg an, mit Beron als ihrem Verbündeten ... einen Krieg, der ihnen alle gewünschten Gebiete geben würde. Oder Koschei einige Gebiete zuteilen würde, je nachdem, welchen Handel er mit Briallyn eingeht – höchstwahrscheinlich zu seinem eigenen Vorteil.«

»Noch einmal: Briallyn weiß um Kosheis heimtückischen Einfluss durchaus«, sagte Azriel. »Wenn man sie als Marionette benutzt, dann nur deshalb, weil sie es zulässt. Weil es ihren eigenen Zwecken dient.«

»Also haben wir sie beide an einer Front«, sagte Cassian, »und Beron ist deshalb so begierig, mit Briallyn in den Krieg zu ziehen, weil er nach dem Ende des Gemetzels vermutlich seine eigenen Gebiete ausweiten könnte.«

Nesta schwirrte der Kopf. Von all dem hatte sie keine Ahnung gehabt. Sie hatte zwar einige Hinweise aufgeschnappt, aber nichts, was auf die Gefahr hingedeutet hätte, mit der sie es zu tun hatten. Schon wieder standen sie kurz vor einer Katastrophe ... Unruhig rutschte sie in ihrem Sessel hin und her.

»Dann hat Briallyn die Schreckenstruhe also noch nicht gefunden?«, fragte Feyre.

Azriel schüttelte den Kopf. »Nein, nicht, dass ich wüsste. Das letzte Gerücht besagte, dass die Schreckenstruhe sich hier in Prythian befinden würde. Mehr weiß Koschei offenbar auch nicht. Wenigstens wäre das für uns von Vorteil. Briallyn würde es nicht riskieren, hierherzukommen – noch nicht. Nicht einmal mit Beron als Verbündetem. Und Koschei ist an seinen See gefesselt. Aber sie bereiten alles für Briallyns Ankunft vor und versammeln die größten Spione und Krieger ihres Reiches. Im Palast der Königinnen liefen bereits etliche von ihnen herum. Aber warum Briallyn und Koschei Eris' Soldaten entführt haben, weiß ich noch immer nicht.« Er deutete auf Cassian. »Du musst dich mit Eris treffen.«

Cassian nickte. »Das werde ich. Aber wir müssen die Grenzen verstärken. Die Höfe warnen und sie über Berons Pläne informieren. Zum Teufel mit der Geheimhaltung.«

»Wenn wir das tun, stellen wir Eris bloß«, gab Rhys zu bedenken. »Und würden damit einen wertvollen Verbündeten verlieren«, fügte er hinzu, als Cassian die Augen verdrehte. »Eris ist eine Schlange, aber er ist nützlich. Er mag egoistisch und machthungrig sein, aber er hat eine Menge zu bieten. Ich stimme Az zu. Ich möchte, dass du Eris auf den neuesten Stand bringst, wie du es versprochen hast.«

»Okay«, sagte Cassian. »Aber wie warnen wir die Höfe vor der Truhe?«

»Gar nicht«, antwortete Rhys. »Wir würden nur riskieren, dass sich einer von ihnen auf die Suche danach macht. Beron würde all seine Spione und Krieger aussenden, um sie als Erster zu finden. Und weil er das noch nicht getan hat, liegt die Vermutung nahe, dass er nichts von der Truhe weiß. Aber das muss Eris uns bestätigen.«

»Warum haben wir nicht nach der Truhe gesucht, als wir dem Kessel nachgespürt haben?«, fragte Feyre.

»Das Buch war leichter zu finden«, erklärte Amren. »Und es ist zehntausend Jahre her, seit jemand die Truhe benutzt hat. Ich hatte angenommen, die Objekte würden allesamt auf dem Grund des Ozeans liegen.«

»Also müssen wir sie finden«, verkündete Cassian. »Irgendwelche Ideen?«

»Erschaffene Objekte wollen meist nicht von jedem x-Beliebigen gefunden werden«, warnte Amren. »Die Tatsache, dass sie aus der Erinnerung verschwunden sind ... dass selbst *ich* im Kampf gegen Hybern nicht direkt an sie gedacht habe, lässt vermuten, dass sie es vielleicht so gewollt haben. Vielleicht wollten sie verborgen bleiben. Wahre Instrumente der Macht besitzen solche Fähigkeiten.«

»Das klingt, als hätten die Objekte ein Empfindungsvermögen«, meinte Cassian.

»Das haben sie auch«, bestätigte Amren und Schatten zogen über ihre Augen. »Sie wurden in einer Zeit erschaffen, als noch wilde Magie die Erde beherrschte und die Fae noch nicht Herr über alles waren. Damals entwickelten viele erschaffene Objekte ein Bewusstsein und eigene Wünsche. Was wirklich nicht gut war.« Amrens Miene verfinsterte sich bei der Erinnerung und Nesta lief ein kalter Schauer über den Rücken.

»So wie ich einen Geist verändern und dazu bringen kann, dass er vergisst ... Vielleicht haben sie ja eine ähnliche Gabe«, überlegte Rhys.

»Aber Briallyn wurde erschaffen«, wandte Amren ein. Erneut spürte Nesta, wie ihr Mund austrocknete. »Dabei wurde wahrscheinlich der Zauber, der auf der Schreckenstruhe liegt, von ihr genommen, wenn man das so sagen kann. Und die Truhe hat sie als eine verwandte Seele erkannt. Während sie früher einer Erwähnung der Objekte keine Beachtung geschenkt hatte, blieben sie ihr jetzt im Gedächtnis hängen. Vielleicht hat die Truhe sie aber auch gerufen und sich ihr in einem Traum gezeigt.«

Sämtliche Blicke richteten sich auf Nesta.

»Du bist genauso. Und das Gleiche gilt für Elain«, sagte Amren leise.

Nesta erstarrte. »Wenn die Objekte euch alle verzaubern, damit ihr sie vergesst, wieso kann Azriel sich dann daran erinnern und die Information weitergeben?«

»Vielleicht ist der Bann gebrochen, sobald man davon erfährt und ihn erkennt«, mutmaßte Amren. »Oder die Schreckenstruhe will aus irgendwelchen finsteren Gründen, dass wir jetzt von ihr erfahren.«

Die Haare an Nestas Armen stellten sich auf.

Cassian rutschte an den Rand seines Sessels. »Dann suchen wir also nach der Schreckenstruhe ... Aber wie?«

An der Tür räusperte sich jemand. Elain. Sie war so leise im Raum erschienen, dass jetzt alle zu ihr herumwirbelten. »Mit meiner Hilfe.«

21

In Nestas Kopf wurde es still, als Elains Worte im Raum verhallt waren. Feyre hatte auf ihrem Stuhl das Gewicht verlagert, das Gesicht bleich vor Sorge.

Nesta sprang auf. »Nein.«

Elain verharrte an der Tür. Sie war blass, aber ihre Züge wirkten härter, als Nesta sie je gesehen hatte. »Du entscheidest nicht darüber, was ich tun kann und was nicht, Nesta.«

»Bei unserem letzten Kontakt mit dem Kessel hat er dich verschleppt«, konterte Nesta und kämpfte gegen ihr Zittern an. Sie fand die Worte, die Waffen, die sie suchte. »Ich dachte, du hättest keine Kräfte mehr.«

Elain schürzte die Lippen. »Das Gleiche hab ich von dir gedacht.«

Nesta straffte den Rücken. Keiner der anderen sagte etwas, aber deren Aufmerksamkeit haftete wie ein Film auf ihrer Haut. »Du wirst dich nicht auf die Suche machen.«

»Dann such du danach, Mädchen«, sagte Amren kühl.

Nesta wandte sich der kleinen Fae zu. »Ich weiß nicht, wie man so etwas findet.«

»Was zusammengehört, findet zusammen«, entgegnete Amren. »Du wurdest vom Kessel erschaffen. Dann kannst du vielleicht auch andere Objekte aufspüren, die er erschaffen hat, genau wie Briallyn. Und weil du von ihm erschaffen wurdest, bist du immun gegen den Einfluss und die Macht der Truhe. Du magst in der Lage sein, die Objekte zu nutzen, aber sie können nicht gegen dich eingesetzt werden.« Sie warf Elain einen Blick zu und ergänzte: »Gegen keine von euch.«

Nesta schluckte. »Ich kann nicht.« Aber sie durfte auch nicht zulassen, dass Elain ihre Sicherheit aufs Spiel setzte ...

»Du hast den Kessel aufgespürt ...«, gab Amren zu bedenken.

»Er hat mich fast *umgebracht*. Hat mich wie einen Vogel im Käfig gefangen.«

»Dann werde ich die Truhe finden. Es wird vielleicht eine Weile dauern, bis ich mich ... wieder mit meinen Kräften vertraut gemacht habe, aber ich könnte heute damit anfangen«, verkündete Elain.

»Auf gar keinen Fall«, zischte Nesta. Ihre Finger ballten sich zu Fäusten. »*Auf gar keinen Fall.*«

»Warum nicht?«, fragte Elain. »Soll ich mich etwa für immer um *meinen kleinen Garten* kümmern?« Als Nesta zusammenzuckte, fügte Elain hinzu: »Du kannst nicht beides haben: mir einerseits meine Entscheidung verübeln, ein stilles, beschauliches Leben zu führen, und mir andererseits verweigern, etwas Größeres zu vollbringen.«

»Dann zieh los und erlebe Abenteuer. Besauf dich und vögel irgendwelche Wildfremden. Aber halt dich vom Kessel fern.«

»Es ist Elains Entscheidung, Nesta«, sagte Feyre.

Nesta wirbelte zu ihr herum, ignorierte das warnende Aufflackern des urzeitlichen Zorns in Rhys' Blick. »Halt dich da raus!«, fauchte sie ihre jüngste Schwester an. »Ich bin mir sicher, dass *du* ihr diese Gedanken in den Kopf gesetzt und sie vermutlich auch noch dazu ermutigt hast, sich in Gefahr zu begeben ...«

»Ich bin kein Kind, um das man streiten muss«, protestierte Elain entschieden.

Nesta schlug das Herz bis zum Hals. »Erinnerst du dich nicht mehr an den Krieg? An das, was wir durchgemacht haben? Weißt du nicht mehr, wie der Kessel dich entführt und mitten in Hyberns Lager gebracht hat?«

»Doch«, entgegnete Elain in hartem Ton. »Und ich weiß auch noch, dass Feyre mich gerettet hat.«

In Nestas Kopf setzte ein Tosen ein.

Einen Moment lang sah es so aus, als wollte Elain etwas sagen, um ihre Worte abzumildern. Doch Nesta kam ihr zuvor, schäumend vor Wut über das Mitleid, das man ihr entgegenbringen wollte. »Sieh an, du hast also beschlossen, dir Krallen wachsen zu lassen«, höhnte sie leise. »Vielleicht wirst du ja endlich doch noch interessant, Elain.«

Nesta sah, wie der Schlag Elain traf, erkannte es an ihrer Miene und ihrer Haltung. Obwohl niemand etwas sagte, sammelten sich Schatten in den Ecken des Raums, wie Schlangen, die jeden Moment angreifen konnten.

Schmerz stand in Elains Augen und bei diesem Anblick zerbrach etwas in Nestas Brust. Sie öffnete den Mund, als könnte sie ihre Worte irgendwie zurücknehmen. Doch Elain kam ihr zuvor: »Du bist nicht die Einzige, die in den Kessel gestoßen wurde. Außerdem hat er *mich* gefangen gehalten. Trotzdem scheinst du nur daran denken zu können, was *mein* Trauma *dir* angetan hat.«

Nesta verstummte. Ein Gefühl der Leere breitete sich in ihr aus.

Elain machte auf dem Absatz kehrt. »Ruft mich, wenn ihr mit der Suche beginnen wollt.« Die Tür fiel hinter ihr ins Schloss.

Jedes schreckliche Wort, das Nesta gesagt hatte, hing schwer in der Luft.

»Es ist mir nicht leichtgefallen, Elain zu bitten, sich selbst derart in Gefahr zu bringen«, teilte Feyre Nesta schließlich in unerträglich sanftem Ton mit.

Nesta wirbelte zu ihr herum. »Kannst *du* nicht die Truhe suchen?« Sie hasste jedes feige Wort, hasste die Angst in ihrem Herzen, hasste es, dass sie allein schon mit dieser Frage ihre Vorliebe für Elain gezeigt hatte. »Du besitzt all diese Magie und wurdest selbst erschaffen, wenn auch nicht vom Kessel. Du hast trainiert … du bist eine Kriegerin. Kannst du die Truhe nicht aufspüren?«

Erneut breitete sich Stille aus – diesmal allerdings wie eine aufziehende Gewitterwolke.

»Nein«, antwortete Feyre ruhig. »Das kann ich nicht.« Sie sah zu Rhys, der mit leuchtenden Augen nickte.

Jetzt schauten alle Feyre an, die ihre Aufmerksamkeit jedoch weiter auf Nesta richtete. »Ich kann es nicht riskieren.«

»Warum nicht?«, fragte Nesta in scharfem Ton.

»Weil ich schwanger bin.«

Schweigen senkte sich über den Raum. Doch dann stieß Cassian einen Freudenschrei aus, der die angespannte Stille brach. Im nächsten Moment sprang er von seinem Stuhl auf und stürzte sich auf Rhys. Die beiden gingen wie ein Knäuel aus Schwingen und dunklen Haaren zu Boden, während Amren sich mit funkelnden Augen Feyre zuwandte: »Gratuliere, Mädchen.«

Azriel beugte sich vor, um Feyre einen Kuss auf den Scheitel zu drücken ... wurde aber ein paar Zentimeter davor aufgehalten.

»Wusst ich's doch, dass dieser dämliche Schutzschild nicht nur als Training für eine von Helions Übungsaufgaben dient«, meinte Cassian und verpasste Rhys einen schmatzenden Kuss auf die Wange, bevor er sich zu Feyre umdrehte und sie an sich zog. Rhysand lockerte den Schutzschild gerade so viel, dass Cassian lachend die Arme um sie schlingen konnte.

Und als Rhys den Schild vollständig entfernte, erfüllte Feyres Geruch den Raum. Ihr vertrauter Geruch – wenn auch irgendwie neu. Ein schwächerer, sanfter Duft, wie von einer knospenden Rose, schwang darin mit.

»Kein Wunder, dass du in letzter Zeit so ein launischer Mistkerl warst, Rhys«, lachte Cassian. »Da werden wir wohl eine ganz neue Stufe der Überfürsorglichkeit erleben.«

Feyre musterte zuerst ihn, dann ihren Seelengefährten finster. »Wir haben schon ausführlich darüber gesprochen. Der Schutzschild ist ein Kompromiss.«

»Was war seine erste Idee?«, fragte Amren und grinste breit.

Feyre runzelte die Stirn. »Er wollte die nächsten zehn Monate nicht mehr von meiner Seite weichen.«

Das Austragen eines Kindes dauerte bei den Fae länger als bei den Menschen, wie Nesta während ihres ersten Aufenthalts aus den Büchern in der Bibliothek erfahren hatte: nicht neun, sondern zehn Monate.

»Wie weit bist du?«, fragte Azriel und warf einen kurzen Blick auf ihren noch flachen Bauch.

Feyre legte die Hand darauf, als müsste sie das ungeborene Kind vor der allgemeinen Aufmerksamkeit schützen. »Im zweiten Monat.«

Cassian wirbelte zu Rhys herum. »Du hast die Schwangerschaft *zwei Monate* für dich behalten?«

Rhys schenkte ihm ein arrogantes Lächeln. »Um ehrlich zu sein, hatten wir angenommen, dass ihr längst von selbst darauf gekommen seid.«

Erneut lachte Cassian. »Wie sollten wir, wenn du sie in diesen Schild eingepackt hast?«

»Launischer Mistkerl und so weiter, schon vergessen?«

Cassian grinste und sah Azriel an. »Du und ich ... wir werden Onkel.«

»Die Große Mutter möge diesem Kind beistehen«, stöhnte Feyre.

Azriel grinste noch breiter, doch Feyres Blick heftete sich auf Nesta.

»Gratuliere«, sagte Nesta leise zu ihrer Schwester. Sie hatte bisher kein Wort hervorgebracht, hatte nur dagestanden und die Freude und Verbundenheit der anderen beobachtet, als würde sie durch ein Fenster schauen.

Feyre schenkte ihr ein zaghaftes Lächeln. »Danke. Du wirst Tante.«

»In der Tat, die Götter mögen diesem Kind beistehen«, murmelte Cassian, und Nesta funkelte ihn wütend an.

Als sie sich Feyre und Rhys zuwandte, sah sie, dass Rhys sie aufmerksam betrachtete. Er war ein Inbegriff von Gelassenheit, so wie er mit dem Arm um die Schultern seiner Gefährtin dastand – doch aus dem Glitzern in seinen Augen sprach pure Bedrohung.

In dem Moment zeigte Nesta ihm, dass sie keinen Groll gegen Feyre oder das Baby hegte. Tief in ihrem Inneren begriff sie, dass Rhys nicht nur ein Mann, sondern ein Fae-Mann war, der instinktiv jede Bedrohung für seine Partnerin und sein Kind aus dem Weg räumen und dabei langsam und qualvoll vorgehen und jeden Feind ohne Reue zerfetzt zurücklassen würde.

Ein schierer Selbsterhaltungstrieb – vielleicht ein eigener, neuer Fae-Instinkt – veranlasste Nesta, leicht das Kinn zu senken und ihm zu zeigen, dass sie nichts Böses im Schilde führte und den beiden kein Haar krümmen würde.

Rhys senkte ebenfalls leicht das Kinn. Und damit war diese Frage geklärt.

»Hast du es Elain gesagt?«, wandte Nesta sich an Feyre.

Bevor ihre Schwester antworten konnte, hakte Azriel nach: »Und was ist mit Mor?«

Feyre lächelte. »Elain war die Einzige, die es von allein bemerkt hat. Sie hat mich an zwei Tagen hintereinander dabei erwischt, wie ich mich morgens übergeben musste.« Dann nickte sie Azriel zu: »Ich glaube, in Sachen Verschwiegenheit ist sie dir überlegen.«

»Ich werde es Mor nach ihrer Rückkehr aus Vallahan mitteilen«, verkündete Rhys. »Angesichts deiner Reaktion, Cass, verlasse ich mich lieber nicht darauf, dass sie ihre Begeisterung für sich behalten kann, solange sie dort ist. Selbst wenn sie niemandem etwas sagt. Und ich will nicht, dass ein potenzieller Feind davon erfährt. Noch nicht.«

»Varian?«, fragte Amren. Nesta hatte keine Ahnung, wie die Fae und der Prinz des Sommerhofs zusammengekommen waren. Das würde sie wohl nie mehr erfahren.

»Noch nicht«, wiederholte Rhys und schüttelte den Kopf. »Erst, wenn Feyre etwas weiter ist.«

Nesta legte den Kopf auf die Seite und betrachtete ihre Schwester. »Dann kannst du also keine Magie ausüben, solange du schwanger bist?«

Feyre zog eine bedrückte Miene. »Ich kann schon, aber wegen meiner ungewöhnlichen Fähigkeiten bin ich mir nicht sicher, wie es sich auf das Baby auswirken würde. Den Wind zu teilen, ist kein Problem, aber einige andere Kräfte könnten meinen Körper in diesem frühen Stadium der Schwangerschaft gefährlich belasten.« Rhys' Hand legte sich fester um ihre Schultern. »Es ist nervig.« Sie schnippte die Hand weg, die sie umfasste. »Genauso nervig wie er hier.«

Rhys zwinkerte ihr zu. Feyre verdrehte die Augen, fügte dann aber hinzu: »Elain wird Zeit brauchen, um ihre Kräfte zu aktivieren, bevor sie sich auf die Suche nach der Truhe machen kann. Aber du, Nesta ... Du könntest es doch wieder mit einer Vision probieren.«

»Und zwar möglichst schnell. Wir haben keine Zeit zu verlieren«, ergänzte Rhys.

»Bist du nicht auch erschaffen worden?«, wollte Nesta von Amren wissen.

»Nicht so wie ihr«, antwortete Amren und schenkte ihr ein spöttisches Grinsen. »Angst?«

Nesta ignorierte die Herausforderung. Selbst Cassians heitere Freude war verschwunden.

»Habe ich denn eine Wahl?«, fragte Nesta.

Wenn es darum ging, sie selbst oder Elain in Gefahr zu bringen, gab es nichts zu überlegen. Sie würde immer als Erste handeln, wenn sie ihre Schwester dadurch vor Schaden bewahren konnte. Selbst, wenn sie Elain gerade tiefer verletzt hatte, als sie selbst ertragen konnte.

»Ja, du hast eine Wahl«, sagte Rhys fest. »Du wirst hier immer eine Wahl haben.«

Nesta warf ihm einen kühlen Blick zu. »Ich werde mich auf die Suche nach der Truhe machen.« Sie betrachtete den Bauch ihrer Schwester, die Hand, die entspannt darauflag. »Natürlich werde ich versuchen, sie aufzuspüren.«

Da Cassian noch mit Rhys über die illyrianischen Legionen sprechen wollte, ging Nesta allein in Richtung Haustür.

Sie hatte den Korridor zur Hälfte durchquert, als Feyre sie rief. Nesta blieb direkt vor dem Gemälde des Ramiel stehen.

Feyre lächelte unsicher. »Ich warte mit dir, bis die beiden ihr Gespräch beendet haben.«

Bemüh dich nicht, hätte Nesta fast gesagt, hielt sich jedoch zurück. Schweigend gingen sie zum Haupteingang, unter den wachsamen Blicken all dieser Gemälde und porträtierten Personen. Nur ihr Bildnis und das ihrer Mutter fehlte.

Die angespannte Stille wurde fast unerträglich, als sie die weitläufige Eingangshalle erreichten. Nesta wusste nicht, was sie sagen sollte, was sie mit sich selbst anfangen sollte.

»Es wird ein Junge«, platzte Feyre plötzlich heraus. »Ich wollte, dass du es zuerst erfährst«, fügte sie lächelnd hinzu. »Ich habe Rhys gebeten zu warten, bis ich es dir gesagt habe, aber …« Sie lachte leise, als erneut Freudenschreie durch den Gang hallten. »Vermutlich erzählt er es gerade Az und Cassian.«

Nesta brauchte einen Moment, um das alles einzuordnen: die Freundlichkeit, die Feyre ihr entgegenbrachte, das Wissen, das sie ihr anvertraute … »Woher weißt du denn das Geschlecht des Babys?«

Das Lächeln schwand aus Feyres Gesicht. »Während des Kriegs gegen Hybern ließ mich der Knochenschnitzer in einer Vision das Kind sehen, das ich mit Rhys haben würde.«

»Und woher wusste *er* es?«

»Keine Ahnung«, räumte Feyre ein und ihre Hand wanderte wieder auf ihren Bauch. »Aber mir war nicht klar, wie sehr ich mir einen Jungen gewünscht hatte, bis ich erfuhr, dass ich einen unter dem Herzen trage.«

»Wahrscheinlich, weil es für dich so schrecklich war, mit Schwestern aufzuwachsen.«

Feyre seufzte. »So habe ich das nicht gemeint.«

Nesta zuckte die Schultern. Auch wenn Feyre es abstritt, sie hatte es zweifellos so empfunden. Erst recht nach dem, was vorhin mit Elain vorgefallen war …

Feyre schien zu spüren, in welche Richtung ihre Gedanken gingen. »Elain hat recht. Wir waren so sehr darauf fixiert, welche Auswirkungen ihr Trauma auf uns hat, dass wir ganz vergessen haben, dass sie es war, die das alles durchgemacht hat.«

»Die Kritik war gegen mich gerichtet, nicht gegen dich.«

»Mich trifft die Schuld genauso, Nesta.« Bedauern überschattete Feyres Augen. »Es war ungerecht von Elain, diese Wahrheit nur dir vorzuwerfen.«

Darauf konnte Nesta nichts entgegnen. Sie wusste nicht, wo sie anfangen sollte. »Warum hast du nicht zuerst Elain das Geschlecht des Babys verraten?«

»Sie hat die Schwangerschaft entdeckt. Ich wollte, dass du dies vor allen anderen erfährst.«

»Mir war nicht klar, dass du Punkte verteilst.«

Feyre musterte sie genervt. »Das tue ich nicht, Nesta. Ich will nur ... Brauche ich denn eine Erklärung dafür, etwas mit dir teilen zu wollen? Du bist meine Schwester. Ich wollte es dir einfach zuerst erzählen. Das ist schon alles.«

Auch darauf wusste Nesta keine Antwort. Zum Glück hallte im nächsten Augenblick Cassians Stimme durch den Gang, als er sich von Rhys verabschiedete.

»Viel Glück«, sagte Feyre sanft, bevor sie dem jubelnden Cassian entgegeneilte.

Und Nesta wusste, dass ihre Schwester damit nicht nur die Schreckenstruhe meinte.

22

»Glaubst du, Nesta kann die Truhe aufspüren?«, fragte Azriel, als er mit Cassian in dem Wohnzimmer, das ihre Zimmer voneinander trennte, entspannt vor dem knisternden Kaminfeuer saß. Der Abend war kalt genug, um ein Feuer zu rechtfertigen. Und Cassian, der den Herbst trotz der Mistkerle am Herbsthof immer gemocht hatte, genoss die Wärme.

»Ich hoffe es«, antwortete Cassian. Er konnte die Vorstellung, dass Nesta sich in Gefahr brachte, nicht ertragen, aber er verstand ihre Motive. Wenn er die Wahl hätte, entweder einen seiner Brüder oder sich selbst einer Gefahr auszusetzen, würde er sich immer – *immer* – für sich selbst entscheiden. Obwohl er bei jedem harten Wort zusammengezuckt war, das Nesta Elain an den Kopf geworfen hatte, konnte er die Angst und die Liebe hinter ihrer Entscheidung nicht verurteilen. Er konnte es nur bewundern, dass sie vorgetreten war – wenn nicht zum Wohle der Welt, dann doch, um ihre Schwester zu schützen.

»Nesta sollte wirklich die Knochen befragen«, meinte Azriel.

Cassian betrachtete die Sessel. Sie hatten darin schon so oft vor diesem Kamin gesessen, dass Azriel – wie nach einem ungeschriebenen Gesetz – immer links, beim Fenster, saß und Cassian rechts, in der Nähe der Tür. Im dritten Sessel, links neben Azriel, ließ Rhys sich meist nieder. Und der vierte Sessel, rechts neben Cassian, war für Mor reserviert. Das spitzenbesetzte, goldene Sofakissen darin diente als Platzhalter für sie. Amren dagegen hielt sich – aus welchen Gründen auch immer – nur selten lange genug im Haus auf, um diesen Raum zu betreten, weshalb man für sie keinen eigenen Sessel aufgestellt hatte.

»Nesta ist nicht bereit für eine Prophezeiung«, entgegnete Cassian. »Wir wissen nicht einmal, welche Kräfte sie noch besitzt.«

Doch Elain hatte es allen bestätigt: Beide Schwestern verfügten noch immer über die Kräfte, die der Kessel ihnen verliehen hatte. Allerdings konnte Cassian nicht sagen, ob sie weiterhin so stark waren.

»Aber du weißt es doch«, beharrte Azriel. »Du hast ihre Kraft gesehen – sogar dann, wenn sie nicht in ihren Augen loderte.«

Cassian hatte niemandem von der Stufe mit den eingebrannten Fingerabdrücken erzählt. Er fragte sich, ob Azriel irgendwie davon erfahren hatte, ob seine Schatten es ihm vielleicht zugeflüstert hatten. »Sie ist momentan ziemlich unberechenbar. Das letzte Mal, als sie sich an einer Prophezeiung versuchte, hat es übel geendet. Der Kessel hat *sie* gesehen und dann Elain entführt.« Bei dem Gespräch im Flusshaus hatte er beobachten können, wie all die schrecklichen Erinnerungen vor Nestas Augen erschienen. Und obwohl Elain die Wahrheit gesagt hatte und mit Recht das Trauma dieser Erinnerung für sich beanspruchte, wusste Cassian aus erster Hand, wie schrecklich und schmerzhaft es war, mitansehen zu müssen, wie eine geliebte Person verschleppt und verletzt wurde.

Azriel versteifte sich. »Ich weiß. Schließlich habe ich bei Elains Rettung geholfen.«

Az hatte nicht eine Sekunde gezögert, bevor er in Hyberns Kriegslager eingedrungen war.

Cassian lehnte sich in seinem Sessel zurück und bewegte seine Schwingen raschelnd in den eigens dafür vorgesehenen Aussparungen. »Nesta wird irgendwann selbst die Knochen befragen – wenn sie dazu in der Lage ist.«

»Wenn Briallyn und Koschei auch nur eins der Objekte aus der Schreckenstruhe finden …«

»Lass es Nesta zuerst auf ihre Art versuchen.« Cassian erwiderte Az' Blick. »Wenn wir es ihr befehlen, wird das nach hinten losgehen. Sie soll erst ihre anderen Optionen ausprobieren, bevor sie erkennt, dass nur eine einzige brauchbare existiert.«

Azriel musterte ihn prüfend und nickte dann ernst.

Cassian atmete aus und schaute in die tänzelnden Flammen. »Wir werden Onkel«, sagte er nach einem Moment, unfähig, das Staunen in seiner Stimme zu unterdrücken.

Stolz und Freude spiegelten sich in Azriels Gesicht. »Ein Junge.« Der Erstgeborene eines High Lords war nicht automatisch dessen Nachfolger. Manchmal brauchte die Magie eine Weile, um eine Entscheidung zu treffen, und hielt sich nicht an die Geburtsreihenfolge. Gelegentlich fiel die Wahl auch auf einen Cousin oder der Stammbaum spielte überhaupt keine Rolle. Manchmal wurde der Thronfolger aber auch im Moment der Geburt bestimmt, während der ersten Schreie des Neugeborenen. Doch Cassian kümmerte es nicht, ob Rhys' Sohn die weltbewegende Macht seines Vaters erbte – oder nur einen Bruchteil davon. Auch Rhys wäre es nicht wichtig. Keinem von ihnen. Dieser Junge wurde bereits jetzt geliebt. »Ich freue mich für Rhys«, sagte Cassian leise.

»Ich auch.«

Cassian drehte den Kopf in Az' Richtung. »Glaubst du, dass du jemals für ein Kind bereit sein wirst?« *Dass du jemals bereit sein wirst, Mor deine Gefühle zu gestehen?*

»Ich weiß es nicht«, antwortete Azriel.

»Willst du denn Kinder?«

»Es spielt keine Rolle, was ich will.« Zurückhaltende Worte, die Cassian davon abhielten, weiter nachzubohren. Er spielte noch immer gern den Puffer zwischen Mor und Azriel, aber in letzter Zeit hatte sich etwas verändert. Mor saß nicht mehr neben Cassian oder lehnte sich an ihn. Und Azriel … seine sehnsüchtigen Blicke waren weniger und seltener geworden. Als hätte er nach fünfhundert Jahren aufgegeben. Cassian konnte sich nicht vorstellen, warum.

»Willst *du* Kinder?«, fragte Az.

Cassian konnte das Bild, das sich vor seinem inneren Auge abzeichnete, nicht unterdrücken: er und Nesta ein Geschoss tiefer an der Wand; ihre Hand, die ihn exakt so rieb, wie er es mochte; ihr Stöhnen wie süße Musik. Er hatte sie unbefriedigt zurückgelassen – sie war gegangen, bevor er sich revanchieren konnte. Nach dem Treffen mit Rhys und Feyre war er hinauf nach Windhaven geflogen und hatte sie beim Abendessen nicht gesehen. Er wusste nicht einmal, was zum Teufel er ihr sagen, wie sie sich überhaupt miteinander unterhalten sollten.

Dieses Ungleichgewicht der Lust war wie der unvollendete Handel, den er in seinen Rücken eintätowiert trug. Und es ging ganz eindeutig auch um männlichen Stolz – das gab er freimütig zu. Jetzt hatte sie die Oberhand. Ihre Miene war so verdammt selbstgefällig gewesen, als sie geschnurrt hatte: *Da war aber einer notgeil.* Er wippte mit den Zehen und starrte finster in die Flammen.

»Cassian?«

Ihm wurde bewusst, dass Azriel ihm eine Frage gestellt hatte. Richtig – über Kinder.

»Natürlich will ich Kinder.« Er hatte oft darüber nachgedacht, was für eine Familie er haben wollte und wie er dafür sorgen würde, dass seine Kinder keine Sekunde lang glaubten, sie würden nicht geliebt. Sie sollten nie auch nur einen Moment hungrig, ängstlich, frierend oder schmerzerfüllt verbringen.

Aber bis jetzt war ihm noch keine Frau begegnet, die ihn so sehr in Versuchung gebracht hatte, dass er für diese Zukunftsvision kämpfen wollte. Genau darauf wartete er tief in seinem Inneren vermutlich: auf eine Seelenverbindung. Auf das, was er zwischen Feyre und Rhys gesehen hatte.

Erneut atmete er aus und erhob sich. Azriel zog schweigend eine Augenbraue hoch.

Cassian ging zur Tür. Er konnte sich nicht ausruhen, sich nicht konzentrieren, solange das Verhältnis nicht ausgeglichen war. Als er in den Gang hinaustrat, murmelte er, ohne sich umzudrehen: »Drück ein Auge zu, Anstandsdame.«

Nesta hatte es sich im Bett bequem gemacht, ein Buch auf die dicke Daunendecke gestützt, und näherte sich gerade der Schilderung des ersten heißen Kusses, als es an der Tür klopfte.

Sie klappte das Buch zu und setzte sich in den Kissen auf. »Ja?«

Der Türknauf drehte sich – und da stand er.

Cassian trug noch immer seine Lederkluft, deren überlappende Schuppen Schatten warfen und an ein großes, sich windendes Tier erinnerten, während er die Tür hinter sich schloss.

Als er sich gegen den mit Schnitzereien verzierten Türrahmen lehnte, ragten seine Schwingen wie zwei Berggipfel hoch über seinem Kopf auf.

»Was ist?« Nesta legte das Buch auf ihren Nachttisch und setzte sich kerzengerade auf. Seine Augen wanderten zu ihrem ärmellosen Seidennachthemd, hefteten sich dann aber rasch wieder auf ihr Gesicht. »Was ist los?«, fragte sie erneut und legte den Kopf auf die Seite. Ihre offenen Haare fielen ihr über die Schulter, und sie sah, dass er auch das registrierte.

Seine Stimme klang rau, als er antwortete: »Ich habe dich noch nie mit offenem Haar gesehen.«

Sie trug es immer geflochten oder hochgesteckt. Mit gerunzelter Stirn betrachtete sie die Locken, die ihr bis zur Taille reichten. Goldene Strähnen schimmerten zwischen ihren braunen Haaren. »Es nervt, wenn es offen ist.«

»Es ist wunderschön.«

Nesta musste schlucken, als sie den Blick hob. Seine Augen funkelten, doch er blieb an der Tür stehen, die Hände auf dem Rücken, als würde er sich körperlich zurückhalten.

Sie roch seinen Duft, der dunkler und moschusartiger war als sonst. Nesta hätte sämtliches Geld, das sie nicht besaß, darauf verwettet, dass es sich um den Geruch seiner Erregung handelte. Und er sorgte dafür, dass ihr Puls zu rasen begann und ihr Verstand weit vom Pfad der Vernunft abkam. Dass Cassian eine derart plötzliche und heftige Wirkung auf sie ausübte, war völlig inakzeptabel.

Sie wagte es nicht, den Blick auf den Bereich unter seiner Gürtellinie zu richten, als sie die Lippen zu einem ironischen Lächeln verzog. »Willst du einen Nachschlag?«

»Ich bin hier, um meine Schulden zu begleichen.«

Sie spürte den Klang seiner kehligen Stimme bis in die Zehenspitzen.

Aber ihre eigene Stimme blieb überraschend ruhig. »Welche Schulden?«

»Die, die ich gestern Abend bei dir gemacht habe.«

Sein Ton klang ernst, als hätte er keine Zeit für Sticheleien und Humor. Seine Augen wanderten zu ihrem Hals, registrierten ihren hämmernden Puls. »Wir haben noch etwas zu erledigen.«

Verzweifelt suchte Nesta nach irgendeinem Schutz. »Männlicher Stolz ist doch wirklich etwas Erstaunliches.« Als er darauf nichts entgegnete, zog sie eine weitere Mauer vor ihm hoch: »Warum bist du überhaupt hier? Du hast deutlich zu verstehen gegeben, dass das, was gestern Abend passiert ist, ein Fehler war.«

Davon wollte er nichts hören. »Das habe ich nie gesagt.« Seine Aufmerksamkeit galt immer noch ihrem pochenden Puls.

»Das brauchtest du auch nicht. Ich habe es in deinen Augen gesehen.«

Ruckartig schaute er hoch, sah ihr direkt in die Augen. »Der einzige Fehler war nur, dass ich gekommen bin, bevor ich dich schmecken konnte.«

Nesta wusste, dass er nicht ihren Mund meinte. Und auch nicht ihre Haut.

»Der einzige Fehler war, dass du gegangen bist, bevor ich auf die Knie gehen konnte.«

Ihr Atem geriet ins Stocken. »Werden dir deine Freunde nicht sagen, dass das hier ein Fehler ist?« Sie deutete vage auf den Raum zwischen ihnen.

»Meine Freunde haben damit nichts zu tun. Nicht mit dem, was ich von dir will.«

Seine Worte kamen ihm so entschlossen über die Lippen, dass ihre Brüste zu kribbeln begannen. Erneut senkte er den Blick und sah, dass ihre Brustwarzen sich hart unter ihrem seidenen Nachthemd abzeichneten … Sein gesamtes Wesen schien sich darauf zu konzentrieren. Auf sie. Seine gesamten fünfhundert Jahre als ausgebildeter Krieger, als Raubtier, das immer seine Beute bekam. Er hatte nur Augen für sie.

Seine Blicke umhüllten sie wie züngelnde Flammen. »Was ist mit dem Training?«, flüsterte sie.

»Das Training bleibt davon unberührt.« Seine Augen wurden vollkommen dunkel.

Ihre Haut straffte sich fast schmerzhaft, als das feuchte Pochen zwischen ihren Schenkeln einsetzte.

»Nesta.«

Seine Stimme hatte etwas Flehendes bekommen. Er zitterte – die Tür hinter ihm klapperte im Rhythmus seiner nachlassenden Selbstbeherrschung.

In diesem Moment blickte sie auf den Bereich unter der Gürtellinie. Auf das, was gegen seine Hose drückte.

Ihr Kopf wurde leer ... und es gab nur noch ihn und sie und den Raum zwischen ihnen.

Cassian stieß ein Knurren aus, das gleichzeitig wie ein Flehen klang.

Nesta zwang sich zu einer Antwort: »Das Training bleibt davon unberührt – und alles andere auch. Es geht nur um Sex.«

Etwas in seinem Ausdruck veränderte sich, aber er bestätigte: »Nur Sex.«

Das Ganze war garantiert ein Fehler, für den sie später bezahlen und leiden musste. Aber es gelang ihr einfach nicht, ihn zurückzuweisen. Sich zurückzuhalten. Nur diese Nacht würde sie eine Ausnahme machen.

Nesta sah ihm wieder in die Augen, nahm jede zitternde Faser seines Körpers wahr. »Ja.«

Sofort stürzte Cassian sich auf sie wie ein Tier, das aus dem Käfig befreit wurde. Ihr blieb kaum Zeit, sich zur Bettkante zu drehen, als seine Lippen sich auch schon verlangend auf ihre pressten und sie förmlich verschlangen.

Tiefe, schnurrende Geräusche vibrierten von seiner Brust durch ihre Finger, während sie ihm Jacke und Hemd herunterriss. Er löste seine Lippen nur so lange von ihrem Mund, um sich von seinem Hemd zu befreien, dessen Stoff sich fast in seinen Schwingen verfing. Im nächsten Augenblick war er wieder über ihr, stieg auf das Bett. Und sie spreizte die Beine, ließ seinen Körper in die Wiege zwischen ihren Schenkeln fallen.

Sie konnte das Stöhnen nicht unterdrücken, als er seine Hüften gegen ihre drückte und sich das Leder seiner Hose an ihr rieb. Seine Zunge tauchte in ihren Mund ein, ein Kuss wie ein Brandzeichen, und eine Hand glitt ihren nackten Oberschenkel hinauf, schob ihr Nachthemd hoch. Als er ihre Hüfte erreichte und noch immer keine Unterwäsche gefunden hatte, schaute er fauchend hinunter und er erkannte, dass nur seine lederne Hose ihn noch von ihrer Feuchtigkeit trennte.

Es war keine Angst, die sie zittern ließ, während er ihr Nachthemd höher schob. Hinauf bis zum Bauchnabel. Dann studierte er sie, wie sie nackt und glänzend dalag, gegen die Ausbuchtung in seiner Hose gepresst. Seine Brust hob und senkte sich rasch. Und sie wartete auf diese heftige, fordernde Berührung, doch er beugte sich nur vor und küsste ihren Hals … zärtlich, schmeichelnd. Dann küsste er ihre Schulter und Nesta erschauderte. Zitterte noch mehr, als er mit seiner Zunge darüberfuhr, die kleine Grube an ihrer Kehle küsste. Sie leckte.

Er streifte die Träger ihres Nachthemds über ihre Arme, küsste ihr Schlüsselbein und zog es mit jedem Kuss immer weiter herunter. Bis sein Atem ihre nackten Brüste wärmte und Cassian einen Laut ausstieß, der tief aus seiner Kehle kam. Wie ein ausgehungertes, gequältes Tier. Er betrachtete ihre Brüste und der brennende Blick verschlug ihr den Atem. Raubte ihn ihr vollends, als er den Kopf senkte und die Lippen um eine Warze schloss.

Nesta bäumte sich auf und ein atemloser Laut entwich ihrer Kehle.

Cassian widmete sich ihrer anderen Brust, strich mit den Zähnen über die empfindliche Spitze und drückte leicht zu.

Sie stöhnte auf, warf den Kopf zurück und reckte ihm ihre Brust in stillem Flehen entgegen, streckte die Hände nach ihm aus, dorthin, wo er zwischen ihren Beinen lag. Sie brauchte ihn – jetzt. In ihrer Hand oder ihrem Körper, es war ihr egal.

Doch Cassian zog sich zurück. Richtete sich auf und kniete sich dann vor sie. Betrachtete ihre gespreizten Schenkel, ihr Nachthemd, das wie ein Bündel Seide um ihre Mitte lag und alles andere vor ihm entblößte. Ein Festmahl nur für ihn.

»Ich bin dir was schuldig«, sagte er mit dieser kehligen Stimme, die dafür sorgte, dass sie ein weiteres Mal erschauderte. Er verfolgte, wie ihre Hüften sich ihm entgegenbewegten, und legte seine großen, kräftigen Hände auf ihre Oberschenkel. Wartete darauf, dass sie ihm signalisierte, sie habe verstanden, was er vorhatte. Wovon sie schon so lange in den dunkelsten Stunden der Nacht geträumt hatte.

»Ja«, brachte sie mit erstickter Stimme hervor.

Cassian schenkte ihr ein ungezähmtes, durch und durch männliches Lächeln. Und dann umklammerten seine Hände ihre nackten Schenkel fester, drückten sie weiter auseinander. Sein Kopf wanderte nach unten und Nesta sah nur noch seine dunklen Haare, die im Schein der Lampe glänzten, seine wunderschönen Schwingen, die über ihnen beiden aufragten.

Er verschwendete keine Zeit mit zärtlichen Berührungen. Rasch spreizte er sie mit einer Hand und fuhr dann mit seiner Zunge direkt durch ihre Mitte nach oben.

Die Welt zerbrach, setzte sich neu zusammen, zerbrach wieder. Er fluchte leise, dicht an ihrer Nässe, und griff dann mit der anderen Hand in seine Hose.

Erneut leckte er sie, verweilte an der empfindlichen Stelle, saugte sie in seinen Mund und berührte sie leicht mit den Zähnen, bevor er sich wieder zurückzog.

Nesta bäumte sich auf, unfähig, das Stöhnen zu unterdrücken, das in ihrer Kehle aufstieg.

Cassians Zunge bewegte sich in einem langsamen Bogen nach unten. Er drückte eine Hand auf ihren Bauch, damit sie stillhielt, als seine Zunge in sie eindrang – viel tiefer, als sie erwartet hatte. Sie konnte nicht mehr denken, konnte nur noch diese Berührung, ihn genießen ...

»Du schmeckst noch köstlicher, als ich mir erträumt hatte«, murmelte er, während er mit kurzen, aufreizenden Zungenbewegungen immer wieder zu der empfindlichen Stelle zurückkehrte.

Nesta wimmerte und er presste seine Zunge gegen die Stelle. Ihr Wimmern wurde zum Schrei, und er lachte und ließ seine Zunge wieder vorwärtsschnellen.

Der Höhepunkt war ein schimmernder Schleier, der sich noch ihrem Zugriff entzog, aber immer näher kam.

»So feucht«, raunte er und leckte sie, als wollte er jeden Tropfen von ihr in sich aufnehmen. »Bist du immer so feucht für mich, Nesta?«

Sie wollte ihm die Genugtuung der Wahrheit nicht geben. Aber ihr fiel keine Lüge ein – nicht solange seine Zunge immer wieder in sie eindrang, sie lockte, aber ihr dennoch die unnachgiebigen Stöße verweigerte, die sie so dringend brauchte.

Cassian lachte, als würde er die Antwort bereits kennen. Sein seidiges Haar strich über ihren Bauch, und als sich ihre Blicke trafen, ließ er einen Finger in sie gleiten.

Nesta schrie auf. Mehr – sie wollte mehr. Ihre Hüften hoben sich ihm so fest entgegen, dass sie seinen Finger tiefer in sich hineintrieb.

»So gierig«, brummte er und zog seinen Finger fast ganz hinaus. Nur um dann einen zweiten Finger dazuzunehmen und in sie zu versenken.

In diesem Moment ließ Nesta vollkommen los. Ließ ihren Verstand und jeglichen Stolz los, als diese beiden Finger sie erfüllten und Cassian an ihr saugte und sie leckte. Der Höhepunkt sammelte sich um sie herum wie ein schillernder Nebel.

Wieder knurrte Cassian, ganz dem Bedürfnis ergeben, das ihn antrieb, und dieser Laut durchfuhr Bereiche ihres Wesens, die nie berührt worden waren. Seine Finger glitten hinein und hinaus, während er alles schmeckte und genoss. Nesta ritt seine Hand, rieb sich voller Hingabe daran.

»Bei den Göttern.« Cassians Zähne berührten sie. »Nesta.«

Der Klang ihres Namens auf seinen Lippen, die ihre empfindlichste Stelle berührten, brachte sie fast um den Verstand.

Mit der Wucht ihres Höhepunkts bäumte sie sich auf. Und Cassian wurde gierig, pumpte mit den Fingern, drückte Zunge und Lippen gegen sie, als wollte er ihre Lust verschlingen. Er hielt erst inne, als sie auf die Matratze sank, erschlaffte und benommen versuchte, wieder zu sich zu kommen.

Seine Finger glitten aus ihr heraus, ließen sie schmerzhaft leer zurück, und der Rückzug seiner Zunge und Lippen war wie ein kalter Kuss.

Cassian keuchte, noch immer hart, als er sich aufrichtete und sie ansah.

Sie konnte sich nicht bewegen – hatte vergessen, wie man sich bewegte. Nie zuvor hatte jemand das mit ihr gemacht. Nie zuvor hatte ihr jemand ein solches Gefühl geschenkt. Diese vollkommene Lust hatte ihr den Atem geraubt. Als könnte die Welt neu erschaffen werden mit der Kraft, die aus ihr hervorgebrochen war.

Nesta heftete den Blick auf die perfekten, sich hebenden Muskeln seiner Brust, auf seine Schwingen, auf sein attraktives Gesicht, und streckte die Hand nach seinem Schwanz aus, den sie unbedingt spüren wollte.

Doch Cassian zog sich zurück, stand auf, griff nach seinem Hemd und sagte bei der Tür: »Jetzt sind wir quitt.«

23

Nestas Anblick, als sie den Höhepunkt erreichte, war fast einer religiösen Erfahrung gleichgekommen. Das Ganze hatte Cassian bis ins Mark erschüttert, und nur purer Wille und Stolz hatten ihn davon abgehalten, sich wieder in seine Hose zu ergießen. Nur purer Wille und Stolz hatten ihn veranlasst, sich vom Bett zurückzuziehen, als Nesta die Hände nach ihm ausgestreckt hatte. Nur purer Wille und Stolz hatten ihn dazu gebracht, das Zimmer zu verlassen, obwohl alles in ihm danach verlangte, in diese süße, enge Wärme einzudringen und sie zu reiten, bis sie beide vor Lust schrien.

Er bekam ihren perfekten Geschmack nicht aus dem Mund, weder in dieser Nacht noch am nächsten Morgen beim Frühstück. Noch immer spürte er, wie ihr Körper seine Finger umschlossen hatte, als handelte es sich um eine glühende, seidige Faust. Und als er Nesta später auf dem Trainingsplatz gegenüberstand, hatte er sich mindestens ein Dutzend Mal die Hände gewaschen, aber noch immer konnte er sie dort riechen, spüren, schmecken.

Cassian verbannte jeden Gedanken daran aus seinem Kopf – auch den, wie gut Nesta sich unter seinen Fingern und seiner Zunge angefühlt hatte. Aber das war nichts im Vergleich dazu, wie sie sich auf seinem Schwanz anfühlen würde. Sie war so eng, dass er wusste, es würde das Paradies und der Wahnsinn sein – und sein Verderben. Und sie war so feucht gewesen, dass er bereit war, alle möglichen erbärmlichen Dinge zu tun, nur um diese Feuchtigkeit noch einmal schmecken zu dürfen.

Aber die Nesta, die jetzt auf dem Trainingsplatz stand, war dieselbe, die er jeden Morgen sah. Keine Spur des Errötens, kein Funkeln in den Augen, das ihm verriet, dass sie es genossen hatte.

Vielleicht lag es aber auch daran, dass Azriel unmittelbar hinter ihr den Platz betrat. Sein Bruder sah ihn prüfend an und grinste dann süffisant. Az wusste es, konnte entweder Cassian an Nesta oder Nesta an Cassian wittern, selbst von der anderen Seite des Platzes aus.

Cassian bereute nichts von dem, was er mit ihr gemacht hatte. Ganz im Gegenteil. Und vielleicht lag es daran, dass er seit zwei Jahren keinen Sex mehr gehabt hatte, aber er konnte sich nicht erinnern, wann er das letzte Mal von seinem eigenen ursprünglichen Bedürfnis derart übermannt worden war.

Ein kleiner, stiller Teil seines Hirns flüsterte etwas anderes. Aber den ignorierte er, den ignorierte er inzwischen schon sehr lange.

»Morgen, Az«, grüßte Cassian fröhlich und nickte dann Nesta zu. »Nes. Wie hast du geschlafen?«

Ihre Augen blitzten auf vor Zorn – was seinen eigenen Unmut anfachte –, doch dann lächelte sie kühl. »Wie ein Baby.«

Also würde es auf ein Spiel hinauslaufen: Wer von ihnen konnte am längsten so tun, als wäre nichts geschehen? Wem von ihnen schien es am wenigsten zu bedeuten?

Cassian schenkte ihr ein Grinsen, mit dem er erklärte, dass er zum Mitspielen bereit war. Und bis das Spiel entschieden war, würde er sie kriechen lassen.

Doch Nesta bückte sich lediglich und löste die Schnürsenkel ihrer Stiefel.

Er drehte den Kopf in Azriels Richtung. »Was machst du denn hier oben?«

»Ich dachte, ich trainiere auch ein bisschen, bevor ich mich auf den Weg mache«, antwortete Az, dessen Schatten im Bogengang hingen, als fürchteten sie sich vor dem grellen Sonnenlicht auf dem Platz. »Ich stör doch nicht etwa, oder?«

Cassian hätte schwören können, dass Nestas Finger an den Schnürsenkeln ihrer Stiefel kurz innehielten. »Ganz und gar nicht«, sagte er. »Wir beginnen heute mit dem Nahkampf.«

»Überhaupt nicht mein Ding«, meinte Azriel.

»Warum nicht?«, fragte Nesta und streifte ihre Stiefel ab.

Az musterte sie, während er barfuß den Trainingsbereich betrat.

»Schwertkampf mag ich lieber. Mann gegen Mann ist mir zu nah.«

»Er mag es nicht, den Achselschweiß eines anderen ins Gesicht zu kriegen«, sagte Cassian lachend.

Azriel verdrehte die Augen, widersprach ihm aber nicht.

Nesta beobachtete den Schattensänger mit einer Offenheit, vor der die meisten Leute zurückscheuten. Und Azriel erwiderte ihren Blick mit einer Reglosigkeit, vor der die meisten Leute davonliefen. Selbst Feyre war in Az' Gegenwart anfänglich zurückhaltend gewesen, aber Nesta begegnete ihm genauso unerschrocken wie jedem anderen auch.

Vielleicht hatte Azriel deshalb nie schlecht über Nesta geredet und schien auch jetzt nicht geneigt, einen Streit mit ihr anzufangen. Sie sah ihn und hatte keine Angst vor ihm. Es gab nicht viele, auf die das zutraf.

»Zeigt mir, wie ihr beiden kämpft«, bat Nesta. Azriel blinzelte, doch dann fügte sie hinzu: »Ich möchte wissen, womit ich es zu tun habe.« Als keiner der beiden reagierte, fragte sie: »Das, was ich in der Schlacht gesehen habe, war etwas anderes, oder?«

»Ja«, bestätigte Cassian. »Eine Variante dessen, was wir hier tun – aber es erfordert auch eine andere Art von Kampf.« Schatten umwölkten ihre Augen, als verfolgten sie die Erinnerungen an diese Schlachtfelder. »Es dauert noch eine Weile, bis wir mit dem Kampftraining beginnen«, sagte er. Vermutlich Jahre. Az beobachtete sie, als hätte auch er die Schatten in ihren Augen bemerkt. »Hast du Lust auf eine Runde Sparring?«, fragte Cassian seinen Bruder. »Ist schon eine Weile her, dass ich den Boden mit dir aufgewischt habe.«

Er brauchte ein Ventil für die Energie – für das anhaltende, brennende Verlangen von letzter Nacht, musste es durch Bewegung und Atmen verbrennen und aus seinem Körper treiben.

Az rollte eine Schulter, unbeeindruckt und ruhig. Seine Augen funkelten, als hätte er Cassians Bedürfnis registriert, diese aufgestaute Energie abzulassen. Dann schälte er sich aus Jacke und Hemd, beließ aber die Trichtersteine auf seinen Handrücken, wo sie durch ein Band um sein Handgelenk und eine Schlinge um seinen Mittelfinger befestigt waren. Cassian folgte seinem Beispiel.

Nestas Blick durchbohrte ihn von der anderen Seite des Platzes. Als er sich dem mit Kreide markierten Ring näherte, ließ er kurz seine Bauchmuskeln spielen.

Az schüttelte den Kopf. »Echt erbärmlich, Cass«, murmelte er.

Cassian zwinkerte ihm zu und deutete auf den nicht minder definierten Bauch seines Bruders. »Wo hast du in der letzten Zeit trainiert?«

»Hier«, antwortete Azriel. »Nachts.« Nach Erledigung seines Spionageauftrags.

»Kannst du nicht schlafen?« Cassian nahm eine Kampfposition ein.

Ein Schatten kräuselte sich um Azriels Hals – der einzige, der mutig genug war, sich dem Sonnenlicht auszusetzen. »So ungefähr«, sagte er und brachte sich gegenüber von Cassian in Position.

Cassian hakte nicht weiter nach. Denn er wusste: Wenn Az ihn hätte wissen lassen wollen, warum er lieber nachts trainierte statt morgens mit ihnen zusammen, dann hätte er es ihm längst mitgeteilt. Cassian wandte sich Nesta zu, die ein paar Meter außerhalb des Sparringrings stand: »Wir gehen volles Tempo und anschließend erkläre ich die einzelnen Schritte noch einmal der Reihe nach. Okay?«

Er musste diese Energie loswerden, bevor er ihr nahe kommen konnte.

Nesta verschränkte die Arme vor der Brust, mit derart neutraler Miene, dass er sich einen Moment fragte, ob die letzte Nacht, mit seinem Kopf zwischen ihren Beinen, nur eine wilde Fantasie gewesen war. Doch dann schüttelte er den Gedanken ab und wandte sich wieder Az zu. Ihre Blicke trafen sich. Azriels Gesicht war genauso undurchdringlich wie Nestas. Cassian nickte ihm zu. *Fang an.*

Das Sparring begann mit Beinarbeit: ein langsames Umkreisen, Taxieren und Warten darauf, dass der andere den ersten Schritt machte. Cassian kannte Azriels Tricks, wusste, welche Seite er bevorzugte und wie er am liebsten angriff. Das Problem war nur, dass Az auch all seine Techniken und Schwächen kannte.

Wieder umkreisten sie einander und Cassians Füße tänzelten in einem gleichmäßigen Rhythmus auf dem trockenen Boden. »Na«, sagte er. »Warum zeigst du mir nicht mal, wozu all die nächtlichen Grübeleien geführt haben?«

Ein Lächeln umspielte Azriels Lippen. Er würde den Köder nicht schlucken.

Die Sonne brannte auf sie herab, wärmte Cassians nackte Haut und sein Haar.

»Ist das alles?«, fragte Nesta. »Einander umkreisen und verspotten?«

Cassian wagte es nicht, in ihre Richtung zu schauen, nicht einmal für einen Moment. Sobald er sie auch nur anblinzelte, würde Azriel zuschlagen, und zwar hart. Aber …

Cassian grinste. Und sah zu Nesta hinüber.

Az fiel auf diese Finte herein und griff ihn endlich an.

Darauf hatte Cassian nur gewartet. Er blockte die Faust ab, die Az in sein Gesicht schleuderte, und schlug zurück. Az parierte Cassians Schlag, wich seinem zweiten aus und zielte dann auf eine seiner ungeschützten Rippen.

Aber Cassian blockte erneut ab, schlug zurück … und ab da nahm das Sparring Fahrt auf.

Fäuste und Füße und Schwingen, Schlagen und Ausweichen, der rasselnde Atem zweier Kämpfer, die versuchten, die Abwehr des anderen zu durchbrechen. Weder Az noch Cassian gingen mit voller Körperkraft in den Kampf – nicht so wie bei einer echten Schlägerei, wo ein Fausthieb genügte, um einen Kiefer zu brechen. Aber die Hiebe waren druckvoll genug, dass sich Cassians Rippen beim Aufprall zusammenzogen und Az pfeifend die Luft ausstieß, als ein Schlag in seiner Magengrube landete. Durch eine schnelle Drehung konnte er jedoch verhindern, dass ihm der Atem wegblieb, denn sonst wäre der Kampf auf der Stelle beendet gewesen.

Sie tänzelten im Kreidering umeinander, ließen die Fäuste fliegen, fletschten die Zähne zu grimmigem Grinsen und verloren sich in Schweiß, Sonne und Atem. Sie waren dafür geboren, hatten Jahrhunderte von Trainingseinheiten ertragen, die ihre Körper zu Instrumenten der Gewalt geschliffen hatten. Und es handelte sich um eine ganz eigene Art von Freiheit, ihren Körpern die Kontrolle zu überlassen.

Sie kämpften immer schneller und sogar Cassians Atem ging jetzt schwerer. Er hatte zwar mehr Masse, aber Azriel war unglaublich schnell – sie waren einander ebenbürtig. Sie hätten noch Stunden so weitergemacht, wenn sie tatsächlich Feinde gewesen wären, oder sogar tagelang weitergekämpft als Gegner in einem der alten Kriege, als ganze Schlachten zum Erliegen gekommen waren, um große Helden im Zweikampf gegeneinander antreten zu sehen.

Doch jetzt blieb ihnen nur eine begrenzte Zeit, denn Cassian musste noch eine Lektion mit Nesta absolvieren.

»Okay«, stieß er zwischen zusammengebissenen Zähnen hervor, während er einen Tritt von Az abblockte, einen Schritt zurücksprang und wieder im Kreis um seinen Bruder herumtänzelte. »Wer den nächsten Schlag landet, hat gewonnen.«

»Das ist lächerlich«, keuchte Az. »Wir machen weiter, bis einer von uns Staub frisst.«

Az hatte eine extrem wettbewerbsorientierte Ader. Dieser Zug an ihm war nicht prahlerisch oder arrogant – wozu Cassian manchmal neigte – und auch nicht besitzergreifend und erschreckend wie bei Amren. Nein, er war still und grausam und absolut tödlich. Cassian konnte sich nicht mehr erinnern, wie viele Spiele sie im Laufe der Jahrhunderte gespielt hatten, bei denen einer von ihnen schon siegessicher gewesen war, aber nicht damit gerechnet hatte, dass Az eine meisterhafte Strategie anwenden würde. Und wie oft waren nur noch Rhys und Az übrig geblieben und hatten sich bis tief in die Nacht beim Kartenspiel oder Schach gemessen, während Cassian und Mor längst aufgegeben und sich dem Alkohol gewidmet hatten?

Erneut umkreisten sie einander, doch plötzlich schaute Az ruckartig und mit weit aufgerissenen Augen in Nestas Richtung. Cassian folgte sofort seinem Blick, während ihm das Herz bis zum Hals schlug ...

In diesem Moment verpasste Azriel ihm einen Schlag gegen den Kiefer, der Cassian ins Taumeln brachte. Nur langsam fand er fluchend wieder ins Gleichgewicht.

Az lachte leise und seine Augen blitzten. Er hatte den gleichen Trick angewandt wie Cassian am Anfang des Sparrings, hatte die eine Karte ausgespielt, die Cassian dazu bringen würde, sich nicht mehr auf seinen Gegner zu konzentrieren.

Das Ganze war schon einmal passiert – im Krieg gegen Hybern. Nesta hatte seinen Namen geschrien. Worauf er mitten auf dem Schlachtfeld seine Soldaten im Stich gelassen hatte und zu ihr gestürmt war, einzig von dem Gedanken beherrscht, sie zu retten. Dabei hatte Nesta *ihn* gerettet: Sie hatte seinen Namen geschrien, um ihn der Reichweite des Kessels zu entziehen.

Seine Soldaten waren eine Sekunde später in die Luft gesprengt worden. Und als er in ihr Gesicht sah, hatte er etwas verstanden – etwas, das in den vergangenen eineinhalb Jahren zerrissen und erkaltet war.

Cassian rollte seine Schulter und rieb sich den Kiefer. »Mistkerl.«

Az lachte erneut und dann wandten sich beide Nesta zu.

Sie glich noch immer einem Bild gelassener Ruhe, aber ihre Wangen waren leicht gerötet. Es wehte kein Wind, der ihren Duft zu ihm getragen hätte, doch er sah, wie ihr Hals pochte, als sie zwischen ihnen beiden hin- und herschaute ...

Azriel hüstelte und ging auf den Tisch mit dem Wasser zu.

»Du sabberst gleich«, teilte Cassian ihr mit. Und Nesta versteifte sich.

»Wenn ich überhaupt irgendetwas Verlockendes gesehen habe, dann Azriels Schlag in dein Gesicht«, zischte sie, als sie den Trainingsplatz betrat.

Cassian bedeutete ihr, die Kampfstellung einzunehmen. »Ja, red dir das nur ein, Nes.«

»Was weißt du über die Schreckenstruhe?«

»Die *was*?« Gwyn drehte sich um. Nesta hatte die Priesterin an ihrem Schreibtisch vor der geschlossenen Tür zu Merrills Arbeitszimmer gefunden, wo sie leise vor sich hin sang.

»Die Schreckenstruhe«, wiederholte Nesta und zuckte zusammen, als sie sich mit schmerzenden Muskeln auf die Kante von Gwyns Tisch setzte. »Drei alte Artefakte ...«

Gwyn schüttelte den Kopf. »Davon habe ich noch nie gehört.«

Nesta schwitzte noch immer von dem Training mit Cassian und Azriel. Sie waren mit ihr die Schläge, Tritte und Schritte durchgegangen, die sie selbst mit Leichtigkeit vollführt hatten. Aber sie hatten keine Sekunde gelacht, wenn Nesta sich ungeschickt angestellt hatte.

Der Anblick der beiden beim Sparring war überwältigend gewesen. Ihre schönen Körper, tätowiert, vernarbt und muskelbepackt, hatten vor Schweiß geglänzt, während sie mit einer Ernsthaftigkeit und Intelligenz kämpften, die Nesta noch nie gesehen hatte ... Nach dem Sparring hatte sie selbst geschwitzt und sich gefragt, wie es wohl wäre, wenn diese beiden männlichen Körper gemeinsam ihre unnachgiebige Konzentration nur darauf verwendeten, sie zu beglücken.

Elain würde bei einer solchen Vorstellung in Ohnmacht fallen – erst recht, wenn sie erfuhr, dass Nesta nicht nur einmal, sondern bereits zweimal mit zwei Männern im Bett gewesen war und jede Sekunde genossen hatte. Aber diese Männer hatten nicht so ausgesehen wie Cassian und Azriel.

Nesta hatte sich während der Lektion zusammengerissen und konzentriert, aber nachdem sie die beiden Männer auf dem Trainingsplatz zurückgelassen hatte, waren schmutzige Gedanken auf sie eingeströmt und hatten sie auf dem Weg hinunter in die Bibliothek begleitet. Der Gedanke von Cassians Schwanz in ihrem Mund, während Azriel von hinten in sie eindrang ... wie die beiden sie gemeinsam bearbeiteten ...

Das Gespräch mit Gwyn über die Schreckenstruhe hatte sie zum Glück schnell wieder ernüchtert.

»Offenbar besitzt die Truhe einen Zauber, der die Leute vergessen lässt, dass sie existiert«, erklärte sie Gwyn jetzt und berichtete ihr, worum es sich bei der Truhe handelte und warum sie gesucht wurde. Sie ging jedoch nicht ins Detail und erwähnte weder Königin Briallyn noch Koschei oder den Kessel. Nur dass die Truhe schnell gefunden werden musste und dass Gwyn mit niemandem darüber sprechen durfte.

Nesta nahm an, dass sie damit Rhys' Befehl des Stillschweigens zuwiderhandelte, aber ... zum Teufel mit ihm.

Als sie ihren Bericht beendet hatte, starrte Gwyn sie mit großen Augen an. Ihr Gesicht war so bleich, dass ihre Sommersprossen deutlich hervortraten. »Und du musst die Truhe finden?«

»Ich habe nicht die leiseste Ahnung, wo ich mit der Suche anfangen soll.«

Gwyn biss sich nachdenklich auf die Unterlippe. »Wir haben ein umfangreiches Zettelkatalogsystem«, überlegte sie laut, schaute jedoch zu den Regalen hinter ihnen, in Richtung der offenen Grube am Grund der Bibliothek. »Aber darin ist nicht aufgelistet, was sich unterhalb von Ebene sieben befindet.«

»Ich weiß.«

Gwyn legte den Kopf auf die Seite. »Und warum kommst du dann zu mir?«

»Es ist offensichtlich, dass du eine verdammt gute Bibliothekarin sein musst, wenn du für eine so anspruchsvolle Person wie Merrill arbeitest. Falls du also etwas Zeit erübrigen kannst: Ich bin für jede Hilfe dankbar. Oder schick mich einfach in die richtige Richtung.«

»Lass mich noch eben dieses Kapitel Korrektur lesen, dann werde ich sehen, was ich herausfinden kann.«

»Danke«, sagte Nesta mit einem angespannten Lächeln.

Gwyn winkte ab. »Es ist ziemlich aufregend, Objekte zu suchen, die dem Hof dabei helfen sollen, die Welt zu beschützen. Ungefähr so aufregend, wie ich es dieser Tage ertragen kann – aber es wird bestimmt ein Abenteuer.«

»Du könntest zum Training kommen, wenn du eine andere Art von Abenteuer suchst«, sagte Nesta vorsichtig.

Gwyn schenkte ihr ein mattes Lächeln. »Ich fürchte, das ist nichts für mich.«

»Warum nicht?«

Gwyn deutete auf Nestas Lederkluft mit den einander überlappenden Panzerplättchen. »Ich bin keine Kriegerin.«

»Ich auch nicht. Aber du könntest eine werden.«

Gwyn schüttelte den Kopf. »Ich glaube nicht. Wenn ich eine Kriegerin sein wollte, dann hätte ich diesen Weg schon als Kind eingeschlagen. Stattdessen habe ich mich als Novizin angeboten – und das bin ich noch immer.«

»Du musst das eine nicht aufgeben, um das andere zu sein. Trainieren ist Bewegung. Man lernt zu atmen, sich zu dehnen und zu kämpfen. Forschst du nicht für Merrill über die Walküren? Das Training könnte dir sogar weitere Einblicke geben.« Nesta klopfte auf ihren Oberschenkel. »Und ich habe schon Muskeln aufgebaut. Nach zwei Wochen merke ich bereits einen deutlichen Unterschied.«

»Wozu braucht eine Priesterin muskulöse Oberschenkel?«

Nesta kniff die Augen zusammen, als Gwyn sich wieder ihrer Arbeit zuwandte. »Liegt es an Cassian?«

»Cassian ist ein guter und ehrenwerter Mann.«

»Das weiß ich.« Sie hatte es immer gewusst. »Aber zögerst du wegen Cassians Gegenwart?«

Am Morgen hatte er keinerlei Hinweis darauf gegeben, was in der letzten Nacht zwischen ihnen vorgefallen war. Als wäre die Schuld beglichen und er nicht mehr daran interessiert, sie zu berühren. Als wäre sie ein Jucken, das er durch ein Kratzen abgestellt hatte. Vielleicht hatte er es aber auch nicht so sehr genossen wie sie. Es verunsicherte sie, dass sie so viele Gedanken daran verschwendete.

Gwyn schwieg, und Nesta wusste, dass sie kein Recht hatte, sie zu drängen, zumal sich Gwyns Wangen röteten und sie leicht den Kopf senkte. Scham – sie schämte sich und sie hatte Angst.

In Nestas Brust zog sich etwas zusammen. »Okay. Gib mir einfach Bescheid, wenn du irgendetwas über die Truhe herausfindest.«

In den darauffolgenden Stunden dachte sie über die Unterhaltung nach. Doch als sie bei Sonnenuntergang auf dem Weg aus der Bibliothek einen Blick auf die Liste warf, musste sie feststellen, dass sich noch immer niemand eingetragen hatte.

Sie spürte Clothos Blick im Rücken, während sie das leere Blatt betrachtete. Endlich drehte sie sich zu der Priesterin um, die an ihrem Schreibtisch saß, die Hände vor sich gefaltet. Stille breitete sich im Raum aus, doch Nesta schwieg weiter und verließ die Bibliothek.

Allerdings ging sie nicht in ihr Zimmer oder ins Esszimmer, sondern zum Treppenschacht und starrte hinab in die rote Spirale der Stufen. Und dann machte sie sich an den Abstieg. Dieses Mal langsamer und bewusster: Sie überlegte bei jeder Stufe, wohin sie ihren Fuß platzieren wollte. Jeder Schritt nach unten war ein Gedanke, wie ein Teil aus einem von Amrens Puzzles, das sie eines nach dem anderen betrachtete.

Hinab, immer weiter hinab, während sie jedes einzelne Wort und jeden Blick von Gwyn in der Bibliothek durchging. *Schritt für Schritt*, sagte sie sich bei jeder brennenden, zitternden Bewegung ihrer Beine. *Schritt für Schritt für Schritt.*

Erneut ging sie die Unterhaltung in ihrem Kopf durch. Jede Stufe war ein anderes Wort, eine andere Bewegung, ein anderer Duft.

Als Nesta die zweitausendste Stufe betrat, hielt sie abrupt inne.

Jetzt wusste sie, was sie zu tun hatte.

~ 24 ~

Fünf Tage später saß Cassian vor dem Schreibtisch der Hohepriesterin der Bibliothek und sah zu, wie sich ihre verzauberte Feder bewegte. Er war Clotho im Laufe der Jahrhunderte ein paarmal begegnet und wusste, dass sie einen trockenen, sarkastischen Humor hatte und eine ruhige, ausgeglichene Autorität ausstrahlte. Sorgfältig achtete er darauf, nicht auf ihre Hände zu starren und ihr auch nicht ins Gesicht zu blicken. Er hatte es nur einmal gesehen, als Mor die Priesterin vor langer Zeit hierherbrachte: Damals war es so zerschunden und blutig gewesen, dass es kaum noch an ein Gesicht erinnerte.

Cassian wusste nicht, wie ihre Züge unter der Kapuze verheilt waren. Ob Madja diese im Gegensatz zu Clothos Händen hatte retten können. Aber es kam wohl auch gar nicht darauf an, wie sie aussah – schließlich hatte sie zusammen mit Rhys und Mor in dieser Bibliothek so unendlich viel erreicht. Gemeinsam hatten sie dieses Gebäude zu einem Zufluchtsort für Frauen gemacht, die so unsagbar schreckliche Dinge erduldet hatten, dass Cassian immer wieder gern in ihrem Namen Gerechtigkeit übte.

Seine Mutter hätte einen solchen Ort gebraucht. Aber Rhys hatte ihn erst lange nach ihrem Tod eingerichtet. Cassian fragte sich, ob Azriels Mutter jemals in Betracht gezogen hatte, hierherzukommen. Ob er sie je dazu gedrängt hatte.

»Also, Clotho«, setzte er an und lehnte sich auf seinem Stuhl zurück, umgeben vom Rascheln des Pergaments und den Geräuschen der Priesterinnengewänder, die wie Schwingen flatterten. »Du hast um eine Unterredung gebeten?«

Ihre Feder beendete ihre Notizen mit einem Schnörkel.

Ich habe Nesta zweimal gebeten, nicht in der Bibliothek zu trainieren. Aber sie hat meiner Bitte keine Beachtung geschenkt. Seit fünf Tagen ignoriert sie einfach meine Anweisung, damit aufzuhören.

Cassian zog die Augenbrauen hoch. »Sie trainiert hier unten?«

Wieder kratzte die Feder übers Papier. Er schaute in Richtung des offenen Schachts zu seiner Linken, als könnte er Nesta dort unten finden. Eine Woche war seit diesem Wahnsinn in ihrem Schlafzimmer vergangen und sie hatten weder darüber gesprochen noch sich erneut getroffen. Er war sich auch nicht ganz sicher, ob eine Wiederholung besonders klug wäre.

Zusätzlich zu den mörderischen Konditions- und Koordinationsübungen war Cassian mit ihr die einzelnen Schritte und Bewegungen des Nahkampfs durchgegangen, die zu endlosen Kombinationen zusammengestellt werden konnten. Diese zu erlernen, erforderte nicht nur Kraft, sondern auch Konzentration – man musste sich einprägen, welche Bewegung mit welchem Schritt einherging, bis der Körper sein eigenes Gedächtnis dafür entwickelte: eine kurze Gerade, ein Haken, ein hoher Tritt ... Er konnte gar nicht mehr sagen, wie oft er gesehen hatte, dass sie ihren Körper leise anwies, sich zu erinnern, damit sie nicht so viel nachdenken musste.

Doch er wusste, dass ihr die Schläge und Tritte gefielen. Ihr Gesicht hellte sich auf, wenn ihr Körper die Bewegungen durchlief – kontrollierte Kraft, für den Moment des Aufpralls gebündelt. So hatte er sich immer gefühlt, wenn er die Bewegungen korrekt ausführte – als hätten sich Körper, Geist und Seele aufgereiht und zu singen begonnen.

Nesta hat in letzter Zeit ständig trainiert, schrieb Clotho.

»Hat sie irgendwelchen Schaden angerichtet?«

Nein. Aber ich bat sie aufzuhören. Doch sie ignoriert meine Bitte.

Er unterdrückte ein Lächeln. Vielleicht waren die morgendlichen Lektionen nicht anspruchsvoll genug. »Leidet ihre Arbeit darunter?«

Nein. Darum geht es nicht.

Er spürte, wie seine Mundwinkel zuckten.

Ich muss dem ein Ende setzen.

»Stört es die anderen?«

Es lenkt sie ab, wenn sie jemanden sehen, der gegen Schatten tritt und schlägt.

Cassian musste den Kopf senken, damit sie die Belustigung in seinen Augen nicht bemerkte. »Ich werde mit ihr reden. Ist sie hier?« Er deutete mit dem Kinn auf die Rampe. »Natürlich nur mit deiner Erlaubnis.«

Die Bibliothek war der Zufluchtsort der Priesterinnen. Es spielte keine Rolle, dass er ein Mitglied von Rhys' Hof oder schon zuvor hier gewesen war. Er hatte jedes Mal um Erlaubnis gebeten, nur einmal nicht – als Hyberns Raben angegriffen hatten.

Ja. Ich erteile dir die Erlaubnis. Nesta ist im fünften Geschoss. Vielleicht schaffst du es ja, zu ihr durchzudringen.

Cassian nahm das als Stichwort und erhob sich. »Dir ist bewusst, dass wir von Nesta Archeron reden? Sie tut nur das, was sie will. Und auf mich hört sie wahrscheinlich am wenigsten.«

Clotho lachte leise. *Sie hat einen eisernen Willen.*

»Einen stählernen«, erwiderte er lächelnd. »Es hat mich gefreut, dich zu sehen, Clotho.«

Die Freude war ganz meinerseits, Lord Cassian.

»Nur Cassian«, bat er, wie schon so oft.

Du bist ein Lord wegen deiner guten Taten. Es handelt sich nicht um einen Titel, den man durch Geburt erwirbt – man muss ihn sich verdienen.

»Danke«, sagte er aufrichtig und neigte den Kopf. Und erst, als er die Abteilung erreichte, die Clotho ihm genannt hatte, konnte er die Worte der Hohepriesterin abschütteln. Konnte sich davon lösen, was sie ihm bedeuteten.

Als Erstes nahm er die schleifenden Schritte wahr, dann den gleichmäßigen, rhythmischen Atem, der ihm inzwischen so vertraut war. Cassian stimmte seine eigene Atmung darauf ab und dämpfte seinen Gang, bevor er in die nächste Regalreihe spähte.

Jeder, der über die Rampe ging, brauchte nur nach rechts zu schauen, wo Nesta in fast perfekter Kampfposition stand und Schläge auf das Regal vor ihr richtete. Sie hatte fünf Bücher ausgesucht und zielte auf jedes einzelne, als wären es Körperteile, die er ihr gezeigt hatte: ihre Trefferflächen. Dann hielt sie inne, atmete aus, strich sich eine Haarsträhne aus dem Gesicht, schob die Bücher wieder ordentlich ins Regal und kehrte zu dem metallenen Wagen hinter ihr zurück.

»Du lässt noch immer den Ellbogen hängen«, sagte er, worauf sie so überrascht herumwirbelte, dass sie gegen den Wagen taumelte. Er hatte Mühe, ein Lachen zu unterdrücken. Nie zuvor hatte er Nesta Archeron so ... durcheinander gesehen.

Sie hob das Kinn und stolzierte auf ihn zu. Er beobachtete jede ihrer Bewegungen und stellte fest, dass sie ihr Gewicht nicht mehr so stark auf das rechte Bein verlagerte. Die Muskeln ihrer Oberschenkel waren geschmeidig und kräftig. Drei Wochen mochten einem menschlichen Körper nicht viel Gelegenheit zum Muskelaufbau bieten, aber jetzt war sie eine High Fae. »Ich lasse den Ellbogen nicht hängen«, widersprach sie und trat aus der Regalreihe in den ebenen Bereich vor der abschüssigen Rampe.

»Ich habe es gerade zweimal bei diesem rechten Haken gesehen.«

Nesta lehnte sich an die Stirnseite eines langen Regals. »Ich nehme an, Clotho hat dich geschickt, um mich zurechtzuweisen.«

Er zuckte die Schultern. »Mir war nicht klar, dass das Training dir so viel Spaß macht, dass du auch hier unten damit fortfährst.«

Ihre Augen leuchteten förmlich im Halbdunkel. »Ich habe es satt, schwach und auf andere angewiesen zu sein, um mich zu verteidigen.«

Verständlich. »Bevor ich dir eine Standpauke halte, weil du Clothos Bitte ignoriert hast, will ich nur sagen ...«

»Zeig es mir.« Nesta löste sich vom Regal und baute sich vor ihm auf. »Zeig mir, wo ich meinen Ellbogen hängen lasse.«

Er blinzelte, als er die Intensität in ihrem Gesicht sah, und schluckte dann. Er schluckte, weil er kurz die Person vor sich sah, die er vor dem Ende des Kriegs gegen Hybern gekannt hatte. Ein Schimmer von ihr, wie eine Fata Morgana – als würde sie verschwinden, wenn er sie zu lange betrachtete.

»Geh in Position«, forderte er schließlich.

Nesta gehorchte.

Er konnte nur hoffen, dass Clotho nicht kam und ihn über die Brüstung schubste, weil er ihre Anweisungen nicht befolgte. »Okay, zeig mir den rechten Haken«, forderte er Nesta auf.

Nesta tat, was er verlangte – und ließ ihren verdammten Ellbogen hängen.

»Geh wieder in Position.« Sie folgte seiner Aufforderung und er fragte: »Darf ich?«

Nesta nickte und verharrte vollkommen reglos, während er kleine Korrekturen an ihrem abgewinkelten Arm vornahm. »Jetzt schlag noch einmal zu. Langsam.«

Ihre Faust schnellte vorwärts, und seine Hand legte sich um ihren Ellbogen, als der sich absenkte. »Siehst du? Halt ihn oben.« Cassian manövrierte ihren Arm wieder in die Ausgangsposition. »Vergiss nicht, das Gewicht durch deine Hüften strömen zu lassen.« Er nahm ihren Arm, ließ einen halben Meter Abstand zwischen ihren Körpern und führte ihn durch den Schlag. »So.«

»Okay.« Nesta ging wieder in Position und er trat einen Schritt zurück. Ohne auf seine Anweisung zu warten, führte sie den Schlag erneut aus. Perfekt.

Cassian pfiff anerkennend.

»Wenn du genügend Kraft in den Schlag legst, kannst du damit einem Mann den Kiefer brechen«, sagte er mit einem schiefen Lächeln. »Jetzt eine Kombination, eins-zwei, dann vier-fünf-drei, dann eins-eins-zwei.«

Nesta runzelte die Stirn, während sie die Füße auf dem Steinboden positionierte und sich sammelte. Und als sie sich danach bewegte, hatte er das Gefühl, einen Fluss oder den Wind zu beobachten, wie er durch eine Gebirgskette schnitt. Nicht perfekt, aber nahe dran.

»Wenn du das bei einem Gegner anwenden würdest, läge er jetzt auf dem Boden und würde nach Luft japsen«, verkündete Cassian.

»Und dann würde ich ihn töten.«

»Ja, ein Schwert durchs Herz – und die Sache ist erledigt. Aber wenn du diesen letzten Schlag hart genug auf der Brust deines Gegners platzierst, könnte einer seiner Lungenflügel zusammenfallen. Auf dem Schlachtfeld würdest du ihn entweder mit dem Schwert töten oder ihn einfach bewegungsunfähig liegen lassen, damit ein anderer ihm den Rest gibt, während du dir den nächsten Gegner vornimmst.«

Sie nickte, als wäre das Ganze eine völlig normale Unterhaltung ... als würde er ihr Tipps für die Gartenpflege geben.

»Gut.« Cassian räusperte sich und legte seine Schwingen an. »Also: kein weiteres Training in der Bibliothek. Die nächste Person, die Clotho bittet, dich zur Ordnung zu rufen, ist wahrscheinlich jemand, mit dem du garantiert nicht reden möchtest.«

Nestas Augen verdüsterten sich, während sie überlegte, welche der Personen, die sie am wenigsten mochte, das sein könnte. Dann nickte sie erneut.

Nachdem Cassian seinen Auftrag erledigt hatte, forderte er barsch: »Noch eine Kombination.«

Ihr Lächeln hatte etwas Katzenhaftes, als sie seinen Befehl ausführte. Und diesmal blieb ihr Ellbogen beim rechten Haken oben.

»Gut«, sagte er und wandte sich zur Rampe, die ihn zum Ausgang bringen würde.

Doch im nächsten Moment erstarrte er bei dem Anblick, der sich ihm bot: Auf den verschiedenen Ebenen standen überall Priesterinnen an der Brüstung und schauten ihm zu. Und Nesta.

Als sie sahen, dass er sie bemerkt hatte, hasteten sie weiter, nahmen ihre Arbeit wieder auf oder stellten Bücher in die Regale. Nur eine junge Priesterin mit kupferbraunem Haar – die einzige ohne Kapuze und ohne Stein – verharrte länger an der Brüstung. Selbst von hier unten konnte er erkennen, dass ihre großen Augen die Farbe von seichtem, warmem Wasser hatten. Sie waren für einen Moment weit aufgerissen, bevor auch sie rasch verschwand.

Cassian drehte sich zu Nesta um, die seinen Blick mit fast glühenden Augen erwiderte.

»Dein rechter Haken war heute Morgen noch perfekt«, murmelte er.

»Ja.«

»Aber nicht, als ich dich zwischen den Regalen beobachtet habe.«

»Ich dachte mir, du würdest mich schon korrigieren.«

Eine Mischung aus Schock und Freude durchfuhr ihn. Nesta war aus der Regalreihe getreten, damit alle sehen konnten, wie er sie trainierte. Er starrte sie mit offenem Mund an.

»Du kannst Clotho sagen, dass ich nicht länger in der Bibliothek zu trainieren brauche«, sagte Nesta sanft und wandte sich wieder ihren Büchern zu.

Sie hatte gewusst, dass Clotho und die anderen ihn niemals hierher einladen und auch niemals hinauf auf den Trainingsplatz gehen würden, um sich anzusehen, was er bewirken konnte. Wie er sie trainieren konnte. Also hatte sie den Priesterinnen Tag für Tag vorgeführt, was sie lernte. Und damit Clotho gleichzeitig so sehr verärgert, dass die Hohepriesterin Cassian in die Bibliothek bestellt hatte. Wo Nesta ihn für eine Demonstration benutzt hatte. Nicht für sich selbst, sondern für die Priesterinnen, die herbeigekommen waren und zugesehen hatten.

Cassian lachte leise. »Clever, Archeron.«

Nesta hatte sich bereits umgedreht und winkte kurz über die Schulter, als sie ihren Wagen erreichte.

Sie hatten es mit eigenen Augen sehen müssen, das wusste Nesta jetzt. Sie hatten sich selbst davon überzeugen müssen, wie Cassian war, wenn er mit ihr trainierte. Dass es zwar zu Berührungen kam, aber nur mit ihrer Erlaubnis und stets professionell. Dass er sich nie über sie lustig machte, sondern sie nur sanft korrigierte. Und sie hatten sehen müssen, was er ihr beigebracht hatte. Hatten aus seinem Mund hören müssen, was genau sie mit all diesen Schlag- und Trittkombinationen erreichen konnte.

Und was die Priesterinnen ebenfalls erlernen konnten.

Doch als Nesta an diesem Abend die Bibliothek verließ, war die Liste an der Säule noch immer leer. Sie schaute zu Clotho hinüber, die wie immer an ihrem Schreibtisch saß, von Sonnenaufgang bis Sonnenuntergang.

Falls der Hohepriesterin klar war, dass Nesta sie benutzt hatte, ließ sie es sich jedenfalls nicht anmerken. Aber Clotho strahlte so etwas wie Bedauern aus – als hätte auch sie gern gesehen, dass heute ein paar Namen auf dieser Liste erschienen wären.

Nesta wusste nicht, warum Clothos Sorge ihr so viel ausmachte und ihr die Luft nahm. Rasch verließ sie die Bibliothek, ging hinauf durch das Haus der Winde und zur Treppe mit den zehntausend Stufen.

Vielleicht war sie ja doch zu nichts nutze. Vielleicht war sie eine Närrin gewesen, weil sie geglaubt hatte, die Priesterinnen mit diesem Trick überzeugen zu können. Aber sie brauchten möglicherweise mehr als nur körperliches Training, um ihre Dämonen zu überwinden – und sie war so arrogant gewesen anzunehmen, dass sie genau wusste, was die anderen brauchten.

Nesta lief hinab, immer weiter hinab, bis die Mauern näher zu kommen schienen. Sie schaffte es nur bis zur neunhundertsten Stufe und kehrte dann mit schweren Schritten um. Als hingen Eisengewichte an ihren Füßen.

Schwitzend und keuchend taumelte sie in ihr Zimmer, wo sie ein Buch auf dem Nachttisch vorfand. Sie zog eine Augenbraue hoch, als sie den Titel las. »Das ist aber nicht die Art Liebesroman, die du sonst bevorzugst«, sagte sie in den Raum hinein.

Es handelte sich überhaupt nicht um einen Liebesroman, sondern um ein altes, gebundenes Manuskript mit dem Titel *Die Kunst der Schlacht*.

»Das kannst du wieder wegnehmen, danke.« Irgendein öder, alter Text über Kriegsstrategie war das Letzte, was sie abends lesen wollte. Aber das Haus reagierte nicht. Seufzend nahm Nesta das Manuskript in die Hand, dessen schwarzer Ledereinband so alt und abgegriffen war, dass er sich butterweich anfühlte.

Ein vertrauter Duft wehte ihr von den Seiten entgegen. »Das hast gar nicht du für mich ausgesucht, oder?«

Das Haus antwortete, indem es einen Stapel Liebesromane auf den Nachttisch fallen ließ, als wollte es sagen: *Ich hätte die hier für dich ausgewählt.*

Nesta betrachtete das Manuskript, das von Cassians Geruch erfüllt war, als hätte er es tausendmal gelesen. Er hatte es für sie hingelegt. Hatte sie für würdig erachtet, es zu lesen.

Nesta hockte sich auf die Bettkante und schlug das Manuskript auf.

Es war bereits Mitternacht, als sie eine Pause machte und sich die Schläfen rieb. Sie hatte *Die Kunst der Schlacht* nicht einmal beim Essen an ihrem Schreibtisch abgelegt und das Manuskript in der einen Hand gehalten, während sie mit der anderen ihren Eintopf verschlang.

Es war erstaunlich, wie sehr die Kunst der Kriegsführung der sozialen Manipulation glich, die sie auf Drängen ihrer Mutter hatte lernen müssen: das Schlachtfeld sorgfältig auswählen, Verbündete unter den Feinden seiner Feinde finden ... Anderes dagegen war ihr vollkommen neu und zeugte von einer so präzisen Denkweise, dass sie diese Seiten viele Male würde lesen müssen, um die Lektionen wirklich zu begreifen.

Ihr war klar gewesen, dass Cassian wusste, wie man Armeen führt, und sie hatte selbst gesehen, wie entschlossen, gewissenhaft und klug er dabei vorgegangen war. Doch als sie jetzt dieses Manuskript las, musste sie einsehen, dass sie nie richtig begriffen hatte, wie viel wohlüberlegte Planung Schlachten und Kriege erforderten.

Nesta legte das Manuskript auf ihren Nachttisch und lehnte sich in die Kissen zurück.

Sie stellte sich Cassian auf einem Schlachtfeld vor, wie an jenem Tag, als er einen Speer mit solcher Wucht auf einen hybernischen Befehlshaber geworfen hatte, dass der beim Aufprall von seinem Pferd geschleudert wurde. Nur in einem Punkt wich Cassian von der

Empfehlung des Manuskripts ab: Er kämpfte mit seinen Soldaten an vorderster Front, statt sie aus sicherer Entfernung zu befehligen.

Nesta ließ ihren Gedanken eine Weile freien Lauf, bis sie sich in einem weiteren Dornenknäuel verfingen.

Spielte es denn eine Rolle, wenn die Priesterinnen nicht zum Training kamen? Abgesehen davon, dass sie sich ihr Scheitern nur ungern eingestand, spielte es wirklich eine Rolle?

Ja, irgendwie schon. Sie hatte in ihrem Leben in jeder Hinsicht versagt. Vollkommen und spektakulär versagt und mit allen Mitteln zu verhindern versucht, dass andere es merkten. Sie hatte die anderen genauso ausgeschlossen wie sich selbst, weil die Last all dieser Misserfolge sie in tausend Stücke zu zersplittern drohte.

Nesta fuhr sich mit den Händen übers Gesicht.

Sie sollte noch lange keinen Schlaf finden.

Als Nesta am nächsten Nachmittag die Bibliothek betrat und auf die Rampe zusteuerte, lief ihr noch immer der Schweiß über den Körper.

Ihr fehlte der Mut, einen Blick auf die leere Liste zu werfen und den Zettel von der Säule zu reißen. Und ihr fehlte auch der Mut, Clotho anzusehen und ihre Niederlage einzugestehen. Also ging sie einfach weiter.

Doch Clotho hob die Hand und hielt sie auf.

Nesta schluckte. »Was ist?«

Clotho zeigte mit einem knotigen Finger auf die Tür hinter Nesta – nein, auf die Säule.

Und dieses Mal strahlte die Priesterin keinen Kummer aus, sondern so etwas wie freudige Erregung. Etwas, das Nesta dazu brachte, auf dem Absatz herumzuwirbeln und zur Säule zu laufen.

Ein Name stand auf der Liste.

Ein Name, geschrieben in Großbuchstaben, bereit für die morgige Lektion.

GWYN

Teil 2
Klinge

25

»Schau nicht so nervös«, murmelte Cassian aus dem Mundwinkel.

»Ich bin nicht nervös«, erwiderte Nesta leise, obwohl sie auf den Fußballen auf und ab wippte und sich bemühte, nicht ständig in Richtung des Bogengangs zu starren, während sich die Zeiger der Uhr auf neun zubewegten.

»Entspann dich.« Er strich seine Jacke glatt.

»*Du* zappelst doch andauernd herum«, zischte sie.

»Weil *du* mich nervös machst.«

Schritte scharrten über die Stufen auf der anderen Seite des Bogengangs. Und Nesta ließ den Atem, den sie offenbar die ganze Zeit angehalten hatte, aus ihren Lungen entweichen, als Gwyns kupferbraunes Haar erschien. Im Sonnenlicht schimmerten ihre Haare wirklich außergewöhnlich, mit goldenen Strähnen darin. Und das Grünblau ihrer Augen passte nahezu perfekt zu den Steinen, die die anderen Priesterinnen trugen.

Als Gwyn Cassian und sie in der Mitte des Trainingsplatzes erblickte, blieb sie abrupt stehen.

Der Geruch ihrer Angst veranlasste Nesta, auf sie zuzugehen. »Hallo.«

Gwyns Hände zitterten, als sie einen weiteren Schritt in Richtung Platz machte und dann in den weiten Himmel hinaufschaute. Es war seit Jahren das erste Mal, dass sie im Freien stand – wirklich im Freien.

Es sprach für Cassian, dass er zu dem Regal mit den hölzernen Übungsschwertern ging, von denen er behauptet hatte, sie würden erst in ein paar Monaten damit trainieren, und so tat, als würde er sie sortieren.

Gwyn schluckte. »Ich, äh … auf dem Weg hier herauf ist mir aufgefallen, dass ich gar nicht die richtige Kleidung habe.« Sie deutete auf ihr helles Gewand. »Das ist wohl nicht gerade ideal.«

»Ich kann dich auch im Gewand trainieren. Was für dich am bequemsten ist«, sagte Cassian, ohne zu ihr hinüberzuschauen.

Gwyn schenkte ihm ein angespanntes Lächeln. »Mal sehen, wie es heute damit geht. Wir tragen diese Gewänder hauptsächlich aus Tradition, nicht wegen irgendeiner strengen Vorschrift.« Erneut fing sie Nestas Blick auf und lächelte. »Ich hatte ganz vergessen, wie es ist, die pralle Sonne auf dem Kopf zu spüren.« Ihre Augen wanderten ein weiteres Mal zum Himmel. »Verzeih mir, wenn ich manchmal dort hinaufschaue.«

»Kein Problem«, sagte Nesta. Sie war Gwyn gestern nicht mehr begegnet, nachdem sie wusste, dass sich die Priesterin für das Training heute Morgen eingetragen hatte. Und eigentlich war es ihr auch ganz recht gewesen, weil sie fürchtete, sie könnte Gwyn mit einer achtlos hingeworfenen, mürrischen Bemerkung dazu veranlassen, es sich anders zu überlegen.

Alle weiteren Worte blieben Nesta im Hals stecken, aber Cassian schien das zu ahnen. »Okay. Genug geschwatzt. Nes, zeig unserer neuen Freundin ... Gwyn, nicht wahr? Ich bin Cassian. Nes, zeig ihr deine Füße.«

»Füße?« Gwyn zog die kupferfarbenen Brauen hoch.

Nesta verdrehte die Augen. »Du wirst schon sehen.«

Gwyn begriff das Konzept, ihren Körper mit den Füßen zu stabilisieren, besser als Nesta anfänglich. Und sie hatte auch nicht damit zu kämpfen, dass sie ihr Gewicht zu sehr auf die rechte Hüfte verlagerte – oder andere Probleme, an deren Korrektur Nesta wochenlang hatte arbeiten müssen. Trotz des Gewands wurde deutlich, dass Gwyn rank und schlank und an die zwanglose Anmut der Fae gewöhnt war, die Nesta gerade erst erlernte.

Nesta hatte erwartet, ihre Freundin überreden zu müssen. Doch Gwyn überwand ihre anfängliche Scheu schnell und machte bereitwillig mit. Die Priesterin war eine fröhliche Gefährtin, lachte über ihre eigenen Fehler und sträubte sich nicht gegen Cassians Korrekturen.

Am Ende der Lektion war ihr Gewand jedoch feucht vor Schweiß, und Haarsträhnen kräuselten sich um ihr gerötetes Gesicht. Cassian befahl den beiden, vor dem Abwärmen ein Glas Wasser zu trinken.

»Im Tempel in Sangravah haben wir jeden Tag bei Sonnenaufgang eine alte Bewegungsabfolge ausgeführt. Nicht als Kampftraining, sondern zur Beruhigung des Geistes«, berichtete Gwyn, während sie sich ein Glas einschenkte. »Danach haben wir ebenfalls Abwärmübungen gemacht, sie aber Erdungsübungen genannt. Durch die Bewegungsabfolge haben wir gewissermaßen unsere Körper verlassen, sodass wir mit der Großen Mutter kommunizieren konnten, und die Erdungsübungen haben uns zurück in die Welt der Gegenwart geführt.«

»Warum hast du dich dann hier angemeldet? Wenn du schon mit Übungen vertraut bist, die den Geist beruhigen?« Nesta leerte das Glas, das Gwyn für sie gefüllt hatte.

»Weil ich mich nie wieder machtlos fühlen will«, antwortete Gwyn leise. Ihr müheloses Lächeln und helles Lachen waren verschwunden. In ihren bemerkenswerten Augen stand nur raue, schmerzhafte Ehrlichkeit.

Nesta schluckte, und obwohl ihr Instinkt ihr sagte, sie solle sich besser zurückhalten, erwiderte sie leise: »Ich auch nicht.«

Die Glocke über der Ladentür klingelte, als Nesta eintrat und sich die Schneeflocken abwischte, die auf den Schultern ihres Mantels lagen. Nach der zweiten Lektion mit Gwyn hatte Cassian in die illyrianischen Berge gemusst und Nesta zu ihrer Überraschung gefragt, ob sie ihn begleiten wolle. Er hatte bereits mit Clotho geklärt, dass sie erst ein paar Stunden später zur Arbeit in der Bibliothek erscheinen würde. Dabei hatte er keine weitere Erklärung abgegeben – bis auf den beiläufigen Kommentar, dass sie mal aus dem Haus und an die frische Luft müsse.

Aber Nesta hatte akzeptiert, und das ebenfalls ohne Erklärung.

Cassian hatte auch nicht neugierig nachgehakt, als sie ihn darum bat, sie in Windhaven abzusetzen, damit sie ein paar Einkäufe erledigen konnte. Möglicherweise hatte ein Funke in seinen Augen aufgeblitzt, als würde er den Grund ahnen, aber sonst war er distanziert, in sich gekehrt geblieben.

Was sie ihm nicht verübeln konnte, da er zu einem Treffen mit Eris musste. Er hatte sie beim Brunnen in der Mitte des eiskalten Bergdorfes zurückgelassen und sie noch einmal daran erinnert, dass ihr das Haus von Rhys' Mutter offen stand, falls sie sich aufwärmen wollte.

In Velaris herrschte noch immer Sommer, an dem der Herbst nur schwach rüttelte, aber in Windhaven war bereits Winter. Nesta lief eilig zum Laden.

»Nesta«, sagte Emerie überrascht zur Begrüßung und schaute von der Theke aus über die breiten Schultern und Schwingen eines jung aussehenden Fae, den sie gerade bediente. »Wie schön, dich zu sehen.«

Schwang da Erleichterung in ihrer Stimme mit? Nesta vergewisserte sich, dass die Tür hinter ihr sorgfältig verschlossen war, bevor sie den Verkaufsraum betrat. Der Schnee an ihren Stiefeln hinterließ schlammige Spuren neben denen von Emeries Kunden.

Der Fae drehte sich halb zu Nesta um. Er hatte ein nichtssagend attraktives Gesicht, dunkle, zu einem Pferdeschwanz zusammengebundene Haare und glasige, braune Augen. Das Arschloch war betrunken. *Arschloch* schien der passende Ausdruck, denn Emeries steife Haltung verriet Abscheu und Misstrauen.

Nesta schlenderte zur Theke und musterte den Fae mit einem abschätzigen Blick, von dem sie wusste, dass er die meisten Leute maßlos ärgerte. Und so wie sich der Fae versteifte und leicht in seinen Stiefeln wankte, hatte es auch bei ihm funktioniert. »Guten Morgen«, wandte sie sich fröhlich an Emerie. Noch etwas, das Männer zu hassen schienen: von einer Frau ignoriert zu werden.

»Warte gefälligst, bis du dran bist, Hexe«, knurrte der Typ und drehte sich wieder zu Emerie um.

Emerie verschränkte die Arme vor der Brust. »Ich glaube, wir sind hier fertig, Bellius.«

»Wir sind erst dann fertig, wenn ich es sage.« Die Worte fielen halb gelallt aus seinem Mund.

»Ich habe einen Termin«, sagte Nesta und schenkte ihm einen kühlen Blick, schnupperte dann demonstrativ und rümpfte die Nase. »Und du scheinst dringend einen Termin mit einem Bad zu brauchen.«

Jetzt drehte er sich ganz zu ihr um und straffte seine muskulösen Schultern. Trotz des glasigen Ausdrucks kochte Zorn in seinen Augen. »Weißt du überhaupt, wer ich bin?«

»Ein betrunkener Idiot, der meine Zeit verschwendet«, antwortete Nesta. Er trug je einen Trichterstein – von dunklerem Blau als Azriels – auf seinen großen Handrücken. »Verschwinde.«

Emerie erstarrte, als wappne sie sich für den Gegenschlag. Doch bevor der Typ etwas sagen konnte, versicherte sie ihm: »Wir reden später weiter, Bellius.«

»Mein Vater hat mich geschickt, damit ich dir eine Nachricht überbringe.«

»Und ich habe sie erhalten«, sagte Emerie und hob das Kinn. »Aber das ändert nichts an meiner Antwort: Dieser Laden gehört mir. Wenn er so dringend ein Geschäft will, soll er selbst eins eröffnen.«

»Gehässiges Miststück«, zischte Bellius und wankte einen Schritt rückwärts.

Nesta lachte kalt und hohl. Fae und Menschen hatten mehr gemein, als ihr bewusst gewesen war. Wie oft hatte sie es erlebt, dass die Gläubiger ihres Vaters vor der Tür standen und ihm Geld abknöpfen wollten, das er nicht hatte? Und dann war es irgendwann nicht mehr bei den Drohungen geblieben. Als sie ihrem Vater das Bein zertrümmert hatten – und damit jedes Gefühl der Sicherheit.

»Verschwinde«, sagte Nesta erneut und zeigte auf die Tür, während Bellius vor Wut kochte. »Tu dir selbst einen Gefallen und verschwinde.«

Bellius richtete sich zu seiner vollen Größe auf und spreizte drohend die Schwingen. »Sonst passiert *was*?«

Nesta zupfte an ihren Nägeln. »Das willst du nicht wissen.«

Der Fae öffnete den Mund, aber Emerie kam ihm zuvor. »Du hast jetzt meine Antwort für deinen Vater, Bellius. Am besten trinkst du am Brunnen etwas Wasser, bevor du nach Hause fliegst.«

Bellius spuckte nur auf den Holzboden und stolzierte zum Ausgang. Dann warf er Nesta noch einen bösen, glasigen Blick zu und schlug die Tür hinter sich zu.

Schweigend verfolgten Nesta und Emerie, wie er auf die schneebedeckte Straße trat und die Schwingen ausbreitete. Nesta runzelte die Stirn, als er in den Himmel hinaufschoss.

»Ein Freund von dir?«, fragte sie und drehte sich wieder zu Emerie hinter der Theke um.

»Mein Cousin.« Emerie schüttelte sich. »Sein Vater ist mein Onkel. Väterlicherseits.« Und bevor Nesta fragen konnte, fügte sie schnell hinzu: »Bellius ist ein junger, eingebildeter Idiot. Er absolviert in diesem Frühjahr das Blutritual und seine Arroganz hat in den letzten Monaten noch zugenommen, weil er davon überzeugt ist, dass er bald ein echter Krieger sein wird. Er verfügt über genügend Fähigkeiten, dass man ihn mit einer Aufklärungseinheit auf den Kontinent geschickt hat – und offenbar ist er gerade zurückgekehrt, um diese Leistung zu feiern.« Emerie wischte unsichtbaren Schmutz von der Verkaufstheke. »Ich hätte allerdings nicht erwartet, dass er schon mittags betrunken herumläuft. Das ist für ihn ein neuer Tiefpunkt.« Röte stieg in ihre Wangen. »Es tut mir leid, dass du das mitansehen musstest.«

Nesta zuckte die Schultern. »Mit betrunkenen Idioten fertigzuwerden ist meine Spezialität.«

Emerie wischte wieder über den eingebildeten Fleck. »Unsere Väter waren vom gleichen Schlag. Sie glaubten, Kinder sollten für jedes Vergehen streng bestraft werden. Für Milde oder Verständnis war kaum Platz.«

Nesta schürzte die Lippen. »Solche Typen kenn ich auch.« Die

Mutter ihrer Mutter war genauso gewesen, bis sich ein tief sitzender Husten in eine schlimme Infektion verwandelt hatte, an der sie verstarb. Nesta war sieben Jahre alt gewesen, als die Frau mit dem strengen Gesicht – die darauf bestanden hatte, »Großmama« genannt zu werden – ihre Handflächen wegen eines Fehlers beim Tanzunterricht mit einem Lineal fast blutig geschlagen hatte. *Nutzloses, ungeschicktes Ding. Du verschwendest meine Zeit. Vielleicht hilft dir das, dich an meine Anweisungen zu erinnern.*

Nesta erinnerte sich an das Gefühl der Erleichterung, als der alte Drachen gestorben war. Elain, der Großmamas grausame Gängelei erspart geblieben war, hatte geweint und artig Blumen auf ihr Grab gelegt – neben dem man schon bald den Stein ihrer Mutter errichtete. Feyre war zu jung gewesen, um das alles zu verstehen, aber Nesta hatte keine Blumen zum Grab ihrer Großmutter gebracht. Denn eine Narbe am linken Daumen erinnerte sie noch immer an die üblen Bestrafungen dieser Frau. Nur auf das Grab ihrer Mutter, das sie öfter besucht hatte, als sie zugeben mochte, hatte sie Blumen gelegt.

Das Grab ihres Vaters am Rand von Velaris dagegen hatte sie kein einziges Mal aufgesucht.

»Alles in Ordnung?«, fragte Nesta Emerie schließlich. »Meinst du, Bellius kommt wieder?«

»Nein«, antwortete Emerie und schüttelte den Kopf. »Ich meine, ja, mir geht's gut. Und Bellius gehört zur Ironcrest-Kriegerbande, deren Gebiet ein paar Flugstunden von hier entfernt ist. Er wird so bald nicht wiederkommen.« Sie zuckte die Schultern. »Ich kriege in regelmäßigen Abständen derartige Besuche von der Familie meines Onkels. Damit kann ich umgehen. Bellius war allerdings neu. In ihren Augen ist er jetzt vermutlich alt genug, um mich zu schikanieren.« Nesta wollte noch etwas sagen. Doch Emerie schenkte ihr ein verhaltenes Lächeln und wechselte das Thema: »Du siehst gut aus. Viel gesünder als vor ... Wie lange ist das jetzt her? Fast drei Wochen.« Sie betrachtete Nesta prüfend. »Seitdem warst du nicht mehr hier oben.«

»Wir haben das Training nach Velaris verlegt«, erklärte Nesta.

»Ich wollte dir gerade schreiben, als Bellius mich unterbrochen hat. Ich habe mich nach gefütterter Lederkluft erkundigt.« Emerie legte die Unterarme auf die makellos saubere Theke. »Man kann sie anfertigen lassen, aber es ist nicht billig.«

»Dann übersteigt es wohl meine Mittel. Aber trotzdem danke für deine Mühe.«

»Ich könnte die Kluft bestellen, und du bezahlst sie dann ab, wenn deine Mittel es erlauben.«

Es war ein großzügiges Angebot und ging weit über die Freundlichkeit hinaus, die Nesta je im Reich der Menschen erlebt hatte – ihr Vater konnte damals kaum seine Holzschnitzereien für ein paar erbärmliche Kupfermünzen verkaufen.

Feyre war es gewesen, die sie alle am Leben erhielt mit dem wenigen, das sie für die Felle und das Fleisch der erlegten Tiere bekam. Als sie das letzte Mal zur Jagd aufgebrochen war, hatten sie rein gar nichts mehr zu essen im Haus gehabt. Wäre Feyre an jenem Abend nicht mit Fleisch zurückgekehrt, hätten sie entweder verhungern oder im Dorf betteln müssen.

An diesem Tag hatte sich Nesta gesagt, dass Tomas sie notfalls aufnehmen würde. Vielleicht sogar auch Elain. Aber Tomas' abweisende Familie hatte bereits zu viele hungrige Mäuler zu stopfen gehabt, und sein Vater hätte sich zweifellos geweigert, sie auch noch durchzufüttern. Nesta war bereit gewesen, Tomas im Tausch das Einzige anzubieten, was sie besaß, wenn es Elain nur vor dem Hungertod bewahrt hätte. Sie hätte ihren Körper an jeden auf der Straße verkauft, der ihr genug bezahlte, um ihre Schwester am Leben zu erhalten. Ihr Körper bedeutete ihr nichts – nichts, hatte sie sich gesagt, als sie erkannte, dass ihr kaum eine andere Wahl blieb. Elain dagegen bedeutete ihr alles.

Doch dann war Feyre mit Fleisch zurückgekehrt – und kurz darauf hinter der Mauer verschwunden.

Drei Tage danach hatte Nesta mit Tomas Schluss gemacht. Er hatte sich wütend auf sie gestürzt und sie gegen den riesigen Holzstapel an der Scheunenwand gepresst. *Gemeine Hure*, hatte er geknurrt. *Du glaubst wohl, du bist was Besseres, wie? Führst dich auf wie eine Königin, obwohl du bettelarm bist.* Das Geräusch ihres zerreißenden Kleides würde sie niemals vergessen. Die Gier in seinen Augen, als seine Hände ihre Röcke packten und versuchten, sie hochzuschieben, während er an seiner Gürtelschnalle herumfummelte.

Nur nackte Angst und schierer Überlebensinstinkt hatten sie gerettet. Sie ließ ihn näher kommen und tat so, als hätte sie keine Kraft mehr. Und dann schlug sie die Zähne in sein Ohr und riss daran. Er hatte geschrien, aber seinen Griff gerade genug gelockert, dass sie ihn wegstoßen und durch den Schnee davonhasten konnte, während sie sein Blut ausspuckte. Und erst als sie zu Hause ankam, war sie stehen geblieben.

Kurze Zeit später war dann die Nachricht von den Schiffen ihres Vaters eingetroffen: Man hatte sie gefunden, einschließlich der unversehrten Reichtümer. Nesta wusste, dass es sich um eine Lüge handelte. Die Truhen mit Juwelen und Gold stammten nicht von der verloren geglaubten Ladung, sondern von Tamlin: als Bezahlung für die Menschenfrau, die er verschleppt hatte. Um der Familie zu helfen, die ohne Feyres Jagdfähigkeiten dem Tod geweiht war.

Nesta schüttelte die Erinnerung ab. »Schon gut. Aber trotzdem danke.«

Emerie rieb sich die langen, schlanken Hände. »Es ist eiskalt. Und ich mache gleich Mittagspause. Hättest du Lust, etwas mit mir zu essen?«

Sie hatte schon lange keine Einladung zum Essen mehr erhalten, außer von Cassian. Schließlich hatte sie auch niemandem Veranlassung dazu gegeben. Aber jetzt bekam sie ein ehrliches, einfaches Angebot. Von jemandem, der keine Ahnung hatte, wie schrecklich sie war.

Ein Mittagessen mit Emerie, das klang verlockend. Es war nur eine Frage der Zeit, bis sie mehr über Nesta zu hören bekam. Bis sie von all ihren schrecklichen Taten erfuhr. Dann würden keine weiteren

Einladungen folgen. Denn hatte sie sich wirklich besser verhalten als Bellius, monatelang betrunken und von Hass erfüllt? Emerie hätte sie auf der Stelle aus dem Laden geworfen, wenn sie das geahnt hätte.

Aber noch waren weder Gerüchte noch die Wahrheit an Emeries Ohr gedrungen.

»Sehr gern«, sagte Nesta und meinte es auch so.

Das Hinterzimmer von Emeries Laden war genauso sauber wie der Verkaufsraum, vor einer Wand stapelten sich allerdings Kisten mit zusätzlicher Ware. Zwei Fenster gingen auf einen schneebedeckten Garten hinaus, und dahinter ragte der nächstgelegene Berggipfel auf und verdeckte mit seiner felsigen Masse den grauen Himmel.

Rechts befand sich eine kleine Küche, kaum mehr als ein Ofen, eine Anrichte und ein kleiner Tisch mit mehreren Holzstühlen, der gleichzeitig als Esstisch diente. Er war bereits für eine Person gedeckt.

»Nur du?«, fragte Nesta, als Emerie zur Anrichte ging und einen Teller mit Roastbeef und eine Schüssel mit gebratenen Karotten holte. Sie stellte sie vor Nesta auf den Tisch und brachte dann noch einen Laib Brot sowie eine Schale mit Butter.

»Nur ich.« Emerie öffnete einen Schrank und nahm ein zweites Gedeck heraus. »Kein Gefährte oder Ehemann, der mir auf die Nerven gehen könnte.«

Ihr Tonfall klang leicht angespannt, als würde mehr dahinterstecken. Doch Nesta erwiderte lediglich: »Gleichfalls.«

Emerie warf ihr einen skeptischen Blick zu. »Was ist mit diesem attraktiven General Cassian?«

Nesta verdrängte die Erinnerung an seinen Kopf zwischen ihren Schenkeln, an seine Zunge, die in sie eindrang. »Keine Chance«, sagte Nesta. Aber Emeries Augen funkelten vielsagend.

»Es ist schön, eine Frau kennenzulernen, die nicht vom Heiraten und Kinderkriegen besessen ist«, fand Emerie, setzte sich an den Tisch und bat Nesta, ebenfalls Platz zu nehmen. Sie legte Nesta etwas Roastbeef, Karotten und Brot auf und schob ihr die Butterschale zu. »Dieses Mittagessen ist kalt, aber so war es auch gedacht. Normalerweise sperre ich mittags nur kurz zu – gerade lange genug, um schnell etwas hinunterzuschlingen.«

»Es ist köstlich«, sagte Nesta und schob sich die nächste Gabel voll in den Mund. »Hast du das zubereitet?«

»Wer sonst? Wir haben hier keine Lebensmittelläden, bis auf den Metzger.« Emerie zeigte mit der Gabel auf den Garten hinter dem Haus. »Ich baue mein eigenes Gemüse an. Die Karotten kommen aus dem Garten.«

Nesta griff erneut zu. »Sie schmecken echt toll.« Nach Butter und Thymian und etwas Frischem ...

»Das machen die Gewürze. Die hier leider schwer zu bekommen sind. Illyrianer kennen keine Gewürze oder legen keinen besonderen Wert darauf.«

»Mein Vater war Kaufmann«, sagte Nesta – und bei diesen Worten tat sich ein gähnender Abgrund in ihr auf. Sie räusperte sich. »Er hat mit Gewürzen aus der ganzen Welt gehandelt. Ich erinnere mich noch an den Geruch in seinem Kontor – wie tausend verschiedene Persönlichkeiten, alle in einen Raum gepfercht.«

Feyre hatte sich gern in den Geschäftsräumen ihres Vaters herumgetrieben, mit größerer Faszination für den Handel, als es sich für ein wohlhabendes Mädchen gehörte. Zumindest hatte man Nesta das eingeschärft. Aber Feyre war schon immer so gewesen – sie hatte sich nicht im Geringsten für die Regeln interessiert, die ihr aller Leben bestimmten, und schon gar nicht dafür, eine echte Lady zu werden, die durch eine vorteilhafte Heirat den Wohlstand ihrer Familie mehren würde.

Sie waren selten einer Meinung gewesen. Und diese Besuche im Kontor ihres Vaters hatten zu einem ständigen Groll zwischen ihnen geführt. Feyre hatte versucht, sie für Gewürze zu interessieren und ihr viele Raritäten gezeigt, um ihre Neugier zu wecken. Aber Nesta hatte den Erklärungen ihrer Schwester kaum zugehört und meistens die Geschäftspartner ihres Vaters begutachtet, um zu sehen, ob deren

Söhne vielleicht eine gute Partie abgaben. Diese Vorstellung wiederum hatte Feyre angewidert, was Nesta nur noch entschlossener gemacht hatte.

»Hast du deinen Vater auf seinen Reisen begleitet?«

»Nein, meine beiden Schwestern und ich sind zu Hause geblieben. Es war nicht angemessen für uns, die Welt zu bereisen.«

»Ich vergesse immer, wie sehr die menschlichen Vorstellungen von Anstand denen der Illyrianer gleichen.« Nachdenklich aß Emerie weiter und fragte dann: »Hättest du die Welt denn gern gesehen, wenn du die Möglichkeit gehabt hättest?«

»Es war ja nur eine halbe Welt, oder? Geteilt durch die Mauer.«

»Immer noch besser als nichts.«

Nesta lachte leise. »Stimmt.« Sie dachte über Emeries Frage nach. Hätten sie eingewilligt, wenn ihr Vater bereit gewesen wäre, sie auf einem seiner Schiffe mitzunehmen und ihnen fremde, ferne Länder zu zeigen? Elain hatte immer auf den Kontinent gewollt, um Tulpen und andere berühmte Blumen zu sehen, aber weiter hatte ihre Fantasie nicht gereicht. Feyre hatte einmal von der wunderbaren Kunst in den Museen und privaten Anwesen dort gesprochen. Aber das betraf nur die westlichen Küstengebiete, der Kontinent erstreckte sich noch viel weiter. Und im Süden grenzte ein anderer riesiger Kontinent daran. Wäre sie mitgefahren?

»Ich hätte mich geweigert«, antwortete Nesta schließlich, »aber letztendlich hätte die Neugier gesiegt.«

»Hast du noch Verwandte im Land der Menschen?«

»Meine Mutter starb, als ich zwölf war, und mein Vater ... Er hat den letzten Krieg nicht überlebt. Die Eltern meiner Eltern starben während meiner Kindheit. Väterlicherseits habe ich keine Verwandten. Meine Mutter hatte eine Cousine, die auf dem Kontinent lebt und uns praktischerweise vergaß, als wir in Not gerieten.«

Nesta hatte ihrer Cousine Urstin einen Brief nach dem anderen geschrieben und sie angefleht, sie aufzunehmen. Doch sie hatte nie eine Antwort bekommen. Und dann war das Geld fürs Porto ausgegangen. Nesta fragte sich noch immer, ob ihre Cousine je erfahren hatte, was aus den Verwandten geworden war, die sie ignoriert und ihrem Schicksal überlassen hatte.

»Was ist mit deiner Familie?«, fragte sie vorsichtig. Sie hatte genug von Bellius gesehen und gehört, um sich eine ungefähre Vorstellung zu machen. Aber sie konnte sich die Frage nicht verkneifen.

»Meine Mutter starb bei meiner Geburt und mein älterer Bruder hatte bereits zehn Jahre zuvor bei einem Scharmützel zwischen Kriegerbanden das Leben verloren. Mein Vater fiel im Krieg gegen Hybern.« Die Worte waren steif und kalt. » Um den Rest meiner Verwandtschaft kümmere ich mich nicht, aber die Familie meines Vaters versucht, diesen Laden und sein Vermögen als ihr Eigentum zu beanspruchen.«

»Aber dazu haben sie kein Recht, oder?«

»Nein. Rhysand hat das Erbrecht schon vor Jahrhunderten zugunsten von Frauen geändert. Doch das scheint meine Onkel nicht zu interessieren. Sie tauchen noch immer regelmäßig hier auf, um Druck auf mich auszuüben ... so wie Bellius vorhin. Sie sind der Meinung, eine Frau solle kein eigenes Geschäft führen. Ich soll einen Mann aus diesem Dorf heiraten und den Laden ihnen überlassen.« Sie verzog das Gesicht. »Die reinsten Aasgeier.«

Emerie hatte ihre Mahlzeit beendet und schenkte ihnen beiden eine Tasse Tee ein. »Schade, dass du nicht öfter herkommst. Ich könnte jemanden gebrauchen, mit dem ich mich vernünftig unterhalten kann.«

Nesta blinzelte verblüfft bei dem Kompliment – vor allem angesichts dessen, was es über Emerie verriet: Sie war hier nicht glücklich. All diese Fragen über Reisen ... »Würdest du von hier fortgehen?«

Emerie brachte ein ersticktes Lachen hervor. »Und wohin? Hier kenne ich wenigstens die Leute. Ich habe das Dorf nie verlassen. War noch nicht mal da drüben auf dem Berg.« Sie deutete zum Fenster, und Nesta achtete darauf, nicht auf ihre Schwingen zu schauen.

Nachdenklich trank sie einen Schluck Tee. Er war stark und hatte etwas Beißendes. Sie musste das Gesicht verzogen haben, denn Emerie erklärte leise: »Tee ist hier Mangelware – ein Luxus, den ich mir gönne. Aber um ihn zu strecken, mische ich ein wenig Weidenrinde unter. Sie ist auch gut gegen meine ... Schmerzen.«

»Welche Schmerzen?«

»Manchmal tun mir meine Schwingen weh. Die Narben, meine ich. Wie eine alte Wunde.«

Nesta verbot sich ihr Mitleid. Sie leerte ihre Tasse im selben Moment wie Emerie. »Danke für das Essen«, sagte sie, als sie aufstand und ihren Teller nahm.

»Lass nur.« Emerie huschte um den Tisch herum. »Ich mach das schon.« Sie bewegte sich leicht und anmutig, wie jemand, der sich in seiner Haut wohlfühlte.

Nesta ging zur Ladentür, hielt dann jedoch inne und sagte endlich das, weshalb sie überhaupt gekommen war. »Das Training, das ich mit Cassian im Haus der Winde absolviere, steht allen offen – allen Frauen, meine ich. Frauen, die ... Schlimmes durchgemacht haben.« Das Stutzen von Emeries Schwingen und ihre schreckliche Familie ließen sich zwar nicht mit Gwyns Trauma vergleichen, aber Leid hatte verschiedene Gesichter. »Das Training findet jeden Morgen statt, von neun bis elf, aber manchmal auch bis zwölf. Du bist herzlich willkommen.«

Emerie versteifte sich. »Ich habe keine Möglichkeit, zum Haus der Winde zu kommen. Aber ich weiß das Angebot zu schätzen.«

»Jemand könnte dich abholen und wieder zurückbringen.« Nesta wusste zwar nicht, wer, doch im Zweifel würde sie Rhys persönlich fragen.

»Es ist ein großzügiges Angebot, aber ich muss mich um meinen Laden kümmern.« Emeries Gesicht war undurchdringlich, genauso vom Kampf gezeichnet wie Azriels. »Außerdem bin ich nicht an einem Training für Krieger interessiert. Ich bezweifle, dass es mir in dieser Stadt Kunden bringen würde.«

»Du wirkst auf mich nicht wie ein Feigling.«

Die Worte hingen zwischen ihnen in der Luft.

Emerie biss sich auf die Unterlippe. Doch Nesta zuckte die Schultern. »Sag Bescheid, wenn du mitmachen willst. Das Angebot steht.«

Cassian gab es nur ungern zu, aber für ein verzogenes, seelenloses Arschloch hatte Eris seine Vorteile. Vor allem die Wärmeblase – eine Art Feuermagie, die sie beide jetzt umgab und gegen die eisigen Winde der illyrianischen Steppe schützte.

»Die Schreckenstruhe«, sinnierte Eris und betrachtete den schneeverhangenen, grauen Himmel. »Ich habe noch nie von solchen Objekten gehört. Obwohl mich das nicht überrascht.«

»Weiß dein Vater davon?« Die Steppe war zwar kein neutrales Gebiet, aber sie war so groß und einsam, dass Eris sich schließlich dazu herabgelassen hatte, Cassians Bitte um ein Treffen an diesem Ort zu akzeptieren. Er hatte sich mit seiner Antwort tagelang Zeit gelassen.

»Nein, der Großen Mutter sei Dank«, sagte Eris und verschränkte die Arme vor der Brust. »Das hätte er mir gesagt. Aber wenn die Truhe ein Empfindungsvermögen hat, wie du behauptest, wenn sie gefunden werden *will* ... dann fürchte ich, dass sie auch mit anderen Kontakt aufnehmen könnte. Nicht nur mit Briallyn und Koschei.«

Wenn Beron in den Besitz der Truhe gelangte, wäre das eine Katastrophe. Er würde dem Beispiel des Königs von Hybern folgen und könnte so schrecklich und untot werden wie Lanthys. »Dann hat Briallyn Beron bei seinem Besuch nicht über ihre Suche nach der Truhe informiert?«

»Offenbar traut sie ihm auch nicht«, meinte Eris mit nachdenklicher Miene.

»Erzähl ihm nichts davon«, mahnte Cassian.

Eris schüttelte den Kopf. »Du hast mich missverstanden. Ich werde ihm gar nichts sagen. Aber dass Briallyn ihre eigentlichen Pläne vor ihm verbirgt ...« Er nickte gedankenverloren. »Ist Morrigan deshalb wieder in Vallahan? Um herauszufinden, ob sie von der Truhe wissen?«

»Möglicherweise«, log Cassian. Mor versuchte noch immer, sie zu überreden, den neuen Vertrag zu unterzeichnen. Aber das brauchte Eris nicht zu wissen.

»Und ich dachte, Morrigan würde sich so oft dort aufhalten, weil sie sich vor mir verstecken will.«

»Bild dir nichts ein. Das ist reiner Zufall.« Cassian war sich allerdings nicht sicher, ob er mit dieser Lüge durchkommen würde.

»Warum sollte ich mir nichts einbilden? Du bildest dir etwas ein, wenn du meinst, du seist mehr als ein Bastard.«

Die Trichtersteine an Cassians Händen funkelten, und Eris grinste, als er sah, dass sein Schlag gesessen hatte. Doch Cassian riss sich zusammen und verkündete gelassen: »Das sind alle Informationen, die ich habe.«

»Du hast mir reichlich Anlass zum Nachdenken gegeben.«

»Sorg dafür, dass niemand davon erfährt«, mahnte Cassian erneut.

Eris zwinkerte ihm zu, teilte den Wind und verschwand.

Cassian stieß einen langen Seufzer aus. Er genoss den eisigen Wind in dieser heulenden Wildnis, den frischen Kieferduft – in der Hoffnung, sie würden seinen Ärger und sein Unbehagen vertreiben.

Doch Ärger und Unbehagen wollten nicht verschwinden. Aus irgendeinem Grund ließen sie sich nicht abschütteln.

26

Ohne das zusätzliche Training zwischen den Regalen fühlte sich Nesta nicht mehr so erschöpft, wenn sie abends die Bibliothek verließ. Cassian hatte sie nach zweieinhalb Stunden in Windhaven abgeholt. Sie hatte sich im Haus von Rhys' Mutter bereits derart gelangweilt, dass sie bei seinem Anblick fast gelächelt hätte. Doch Cassians Miene war angespannt gewesen, sein Blick kalt und distanziert, und er hatte kaum mit ihr gesprochen, bis Rhys erschien. Auch Rhys hatte so gut wie kein Wort an sie gerichtet, aber das war zu erwarten gewesen.

»Wir sehen uns später«, hatte Cassian mit noch immer angespannter, finsterer Miene verkündet, als er mit Rhys erneut aufbrach, nachdem der High Lord sie beide zum Haus der Winde zurückgebracht hatte.

Angetrieben von der zusätzlichen Energie, die Nesta an diesem Abend in sich spürte, wollte sie nicht allein in ihrem Zimmer essen und dann einfach schlafen gehen. Außerdem fragte sie sich ständig, warum Cassian so aufgebracht gewesen war. Also machte sie sich auf den Weg ins Esszimmer.

Cassian lümmelte auf seinem Stuhl, in der Hand ein Glas Wein, und starrte ins Leere. Ein grübelnder Kriegerprinz, der über den Tod seiner Feinde nachdachte. Als sie den Raum betrat, verschwand das Weinglas.

Nesta schnaubte. »Ich bin nicht so weinsüchtig, dass ich dir das Glas aus der Hand reißen würde.«

»Das Haus hat konkrete Anweisungen – kein Wein, solange du im Raum bist.« Er bewegte prüfend die Finger und richtete sich auf. »Es hat mir das Glas weggenommen.«

»Tja.« Nesta setzte sich ihm gegenüber an den Tisch, und im

nächsten Moment erschienen ein Teller mit Speisen für sie und für jeden von ihnen ein Glas Wasser.

Cassian starrte erneut vor sich hin, auf seinen Teller, den er kaum angerührt hatte. Seit dem Krieg hatte sie ihn nicht mehr so ernst gesehen.

»Ist irgendwas mit den Königinnen oder der Truhe?«

Er blinzelte. »Wie?« Dann zuckte er mit einer Schulter. »Nein, es ist nur ... Eris war heute so charmant wie immer.« Er schob sein Brathuhn mit der Gabel auf dem Teller umher.

Nesta nahm ihre Gabel in die Hand. Sie war so hungrig, dass sie das Thema nicht weiterverfolgte und sich über ihr Essen hermachte.

»Ich habe Emerie gefragt, ob sie zum Training kommen will«, berichtete sie, nachdem sie ihren ersten Hunger gestillt hatte.

»Ich nehme an, sie hat Nein gesagt.« Seine Worte wirkten tonlos, seine Miene geistesabwesend.

»Stimmt. Aber wenn sie ihre Meinung ändert, könnte sie dann vielleicht jemand herholen?«

»Klar.«

Nesta konnte ihm ansehen, dass er nicht nur ihretwegen so wortkarg war – er war so sehr mit dem beschäftigt, was ihn bedrückte, dass er kaum sprechen konnte. Dieser Gedanke traf sie stärker, als klug war. So sehr, dass sie fragte: »Was ist passiert?« Sie aß weiter und tat so gleichmütig wie möglich, damit er sich öffnete und über den Grund für diesen gequälten Ausdruck in seinen Augen redete.

Cassian senkte den Blick auf seinen Teller und erzählte ihr von seinem Treffen mit Eris.

»Eris ist also entschlossen, uns bei der Suche nach der Truhe zu helfen, und wird dafür sorgen, dass sein Vater nichts davon erfährt und sie nicht in die Finger bekommt«, fasste Nesta zusammen, als er seinen Bericht beendet hatte. »Aber ist das denn nicht gut? Warum bist du so verärgert?« *Warum siehst du so niedergeschlagen aus?*

»Was mich ärgert, ist seine verdammte durchtriebene *Seele*. Ob er mich einen Bastard nennt oder nicht, spielt überhaupt keine Rolle.«

Eris musste ihn heute wohl so bezeichnet haben. Zorn erfasste sie. »Verbündeter oder nicht, ich *hasse* ihn einfach. Er ist so aalglatt, tut so unerschütterlich und ... Ich kann ihn nicht ausstehen.« Cassian legte seine Gabel ab und starrte auf das Fenster hinter ihr. »Der und seine verdrehten Wortspiele und Machenschaften ... das ist ein Feind, mit dem ich nicht umgehen kann. Bei jeder Begegnung habe ich das Gefühl, als hätte er die Oberhand. Als könnte ich nur hinterherhinken und er all meine unbeholfenen Versuche, so schlau zu sein wie er, mühelos durchschauen. Vielleicht macht mich das ja wirklich zu einem dummen Rohling.«

Echter Kummer spiegelte sich auf seinem Gesicht – und so viel Selbstverachtung, dass Nesta von ihrem Stuhl aufstand. Er rührte sich nicht, als sie um den Tisch herumging. Erst als sie sich neben seinem Teller an die Tischkante lehnte, hob er den Kopf. »Rhys sollte ihn töten und der Sache ein Ende bereiten«, sagte sie.

»Wenn irgendjemand Eris tötet, dann Mor oder ich.« Seine haselnussbraunen Augen schauten fast flehend. Aber das Flehen galt nicht ihr, das wusste sie, sondern dem Schicksal. »Ein solcher Tod würde allerdings beweisen, dass er und seinesgleichen richtiglagen, was mich betrifft. Aber ganz gleich, was ich von Eris halte: Er wäre ein besserer High Lord als Beron. Schließlich muss auch immer das Wohl des Herbsthofs berücksichtigt werden.«

Cassian war gütig. In seiner Seele und in seinem Kriegerherzen war er auf eine Weise gütig, wie es die meisten Menschen und Fae nicht sein konnten. Wie sie selbst es nicht war – und auch nie sein würde. Er war kein Krieger, der aus einer Laune heraus tötete, sondern ein Mann, der ein Leben nicht leichtfertig nahm oder zerstörte. Und der das, was er liebte, bis in den Tod verteidigte.

Und Eris ... Er hatte Cassian verletzt. Nicht nur mit dem, was er Morrigan angetan hatte, sondern auch mit seinen Worten – die den von Nesta im Zorn ausgespuckten Worten sehr nahekamen. Die Wunde stand in Cassians Augen, so frisch, als wäre sie ihm gerade erst zugefügt worden.

Scham erfüllte sie. Scham und Wut und eine Art wilder Verzweiflung. Sie konnte den Schmerz in seinen Augen nicht ertragen, der schon fast an Hoffnungslosigkeit grenzte, vermisste das Grinsen, das Zwinkern und das Prahlen, das sie so gut kannte. Sie würde alles tun, um diesen Ausdruck aus seinen Augen zu vertreiben, und sei es auch nur für ein paar Minuten.

Und so stützte Nesta die Hände auf die Armlehnen seines Stuhls, beugte sich vor und gab ihm einen flüchtigen Kuss auf den Hals.

Cassian hielt den Atem an. Sie drückte einen weiteren Kuss auf die weiche, warme Haut direkt unter seinem Ohr. Und dann noch einen etwas tiefer, neben den Kragen seines dunklen Hemds.

Er zitterte und sie küsste den harten Vorsprung in der Mitte seines Halses. Fuhr mit der Zunge darüber.

Cassian verlagerte sein Gewicht und stöhnte leise. Seine Hand umfasste ihre Hüfte, als wollte er sie wegschieben, doch sie wich ihm aus. »Lass mich«, hauchte sie an seinen Hals. »Bitte.«

Er schluckte, sein Adamsapfel bewegte sich unter ihren Lippen. Doch er hielt sie nicht auf. Also küsste Nesta ihn wieder, wanderte zur anderen Seite seines Halses, und als sie die Stelle direkt unter seinem Ohr erreichte, legte sie eine Hand auf seine Brust und spürte, wie sein Herz hämmerte.

Doch sie küsste ihn nicht auf den Mund. Diese Ablenkung wollte sie nicht. Denn jetzt schob sie sich zwischen ihn und den Tisch und ging auf die Knie.

Cassian riss die Augen auf. »Nesta.«

Ihre Hand wanderte zu seinem Hosenbund, über die Ausbuchtung, die sich bereits wölbte. »Bitte«, sagte sie erneut und schaute ihm in die Augen. Cassian ragte hoch über ihr auf, aber der angespannte Ausdruck in seinen Augen linderte sich etwas. Und dann nickte er. Als er ihr mit den Knöpfen und Schnüren helfen wollte, legte sie sanft eine Hand auf seine.

Mit ruhigen, entschlossenen Fingern öffnete sie seine Hose. Ihr Kopf war vollkommen klar, und sie keuchte fast auf, als sie ihn befreite. Sein Schwanz war gewaltig. Wunderschön und hart und riesig. Ihr Mund wurde trocken. Und plötzlich musste sie all ihre Pläne vergessen. Er würde auf keinen Fall ganz in ihren Mund passen. Vielleicht nicht einmal in ihren *Körper*.

Aber sie wollte es auf jeden Fall versuchen.

Ihre Finger zitterten ein wenig, als sie über den dicken, langen Schaft strich. Die Haut war so weich – weicher als Samt und Seide. Und darunter war er hart wie Stahl. Er erschauderte, den Blick auf ihre Hand gerichtet.

»Wie magst du es?«, flüsterte sie heiser, weil heißes Verlangen sie durchströmte. Sie umfasste seinen Schwanz – ihre Finger umschlossen ihn nur knapp. »Sanft?« Sie strich leicht wie eine Feder darüber und drückte ganz leicht zu.

Cassian schüttelte den Kopf, als würden ihm die Worte fehlen.

Erneut streichelte sie ihn, allerdings ein wenig fester. »So?«

Seine Brust hob und senkte sich und seine Zähne blitzten auf, als er sie zusammenbiss. Doch er schüttelte ein weiteres Mal den Kopf.

Nesta lächelte. Und drückte fester zu, während sie mit den Nägeln über die Unterseite seines Schafts fuhr.

Seine Hüften zuckten. »Verstehe«, murmelte sie und griff noch einmal zu. Noch fester. Und als sie die Spitze erreichte, drehte sie ihre Faust.

Er versuchte, sich in ihre Hand aufzubäumen, doch sie drückte ihn mit der anderen Hand auf den Stuhl.

»Und wie ist das?«, schnurrte sie und senkte den Kopf. »Magst du das?«

Nesta leckte seine breite Eichel, fuhr mit der Zunge in den schmalen Spalt an ihrer Spitze. Sie leckte den kleinen Tropfen ab, der sich dort bereits gebildet hatte. Alles in ihrem Körper schmolz und Feuchtigkeit schoss zwischen ihre Schenkel, als der Geschmack ihren Mund erfüllte: Salz und noch etwas anderes, etwas Kraftvolles.

»Bei den Göttern«, keuchte Cassian. Seine Worte, sein Stöhnen waren so köstlich, dass Nesta seine Spitze in den Mund saugte und die Unterseite mit ihrer Zunge streichelte.

Er lehnte den Kopf zurück und stieß ein Zischen aus.

Nesta fuhr mit der Zunge in einer langen Bewegung seinen Schaft hinauf. Rieb ihre Schenkel aneinander, als sie ihn schmeckte, und dann umfasste sie ihn mit dem Mund und ließ ihn zwischen ihre Lippen gleiten. Er füllte ihren Mund fast sofort aus. Weil aber noch immer so viel Haut frei lag, musste sie ihre Hand hinzunehmen.

»Nesta«, flehte er, und sie zog seinen Schwanz fast ganz heraus, bevor sie ihn erneut verschlang, darum bemüht, so viel wie möglich von ihm in ihrem Mund aufzunehmen.

Cassians Finger krallten sich in ihre Haare, und Nesta erkannte, dass er sich zurückhielt. Er wollte nicht tief in sie stoßen, sie verletzen, sie abschrecken.

Aber das kam nicht infrage. Sie wollte nicht, dass er sich zurückhielt. Er sollte loslassen, ihren Kopf packen und ihren Mund so hart vögeln, wie er konnte.

Als Nesta ihn erneut in den Mund nahm und zugleich mit der Hand bearbeitete, zog sie ihre Zähne darüber, gerade so viel, dass es wehtat – nur ein wenig.

Cassian stieß zu. Und sie ließ ihn, saugte gierig und drückte mit der Hand fest genug zu, um ihm zu verstehen zu geben, dass sie es wollte, dass er sich gehen lassen sollte. Sie zog ihre Lippen zu seiner Eichel, fuhr mit der Zunge darum herum und schaute unter ihren Wimpern zu ihm hinauf.

Er hatte die Augen auf sie gerichtet, weit und glasig vor Lust. Und als Cassian ihren Blick erwiderte, als er sah, wie sie zu ihm hochschaute ...

Ließ er los.

Er ertrug es nicht. Das hier war Folter, eine besondere Art der Folter ... dass Nesta vor ihm kniete, seinen Schwanz im Mund, und er nicht vor Lust brüllen konnte. Doch dann sah sie ihn durch ihre Wimpern an. Und bei diesem Anblick, sein Schwanz zwischen ihren Lippen, rastete etwas in ihm aus.

Es kümmerte ihn nicht, dass sie im Esszimmer waren, dass eine Wand aus Fenstern und Türen die Hälfte des Raums einnahm und dass jeder, der vorbeiflog, sie sehen konnte.

Cassian fuhr mit der Hand in ihr geflochtenes Haar und krallte sich daran fest, als er in ihren Mund stieß. Sie nahm ihn ganz auf und stöhnte so laut, dass es bis in sein Innerstes widerhallte. In seinem Rückgrat sammelte sich das Gefühl bevorstehender Erleichterung, ein sengender Knoten, der ihn wieder in ihren Mund stoßen ließ. Er war ihr völlig ausgeliefert.

Nesta stöhnte erneut, eine sanfte Ermutigung, die alles war, was Cassian brauchte. Er packte ihre Haare, hielt sie fest und stieß seine Hüften vor. Sie kam ihm bei jedem Stoß entgegen, Mund und Hand arbeiteten gemeinsam, bis er nichts anderes mehr wahrnahm als ihre feuchte Hitze, ihre Zähne, die ihn manchmal streiften, die Enge ihrer Faust … bis er es nicht mehr aushielt und alles um sich herum vergaß.

Cassian vögelte ihren Mund. Und als er ihr Stöhnen hörte, beschloss er, auch den Rest von ihr zu vögeln. Er würde ihr diese Hose herunterreißen und so tief in sie eindringen, dass sie seinen Namen an die Decke schrie.

Entschlossen wollte er sich aus ihrem Mund zurückziehen, doch Nesta weigerte sich. »Ich will in dir sein«, stieß er knurrend hervor. Doch Nesta schaute ihn wieder durch ihre Wimpern an, und da sah er, wie sein Schaft in ihrem Mund verschwand. Spürte, wie seine Spitze gegen ihre Kehle stieß.

Bei den Göttern. Er biss die Zähne zusammen. »Ich will in dir kommen.«

Doch Nesta lachte nur leise und saugte ihn so tief in sich hinein, dass er es nicht aufhalten konnte. Die Explosion nicht verhindern konnte. Cassian kam mit einem Brüllen, das die Gläser auf dem Tisch erzittern ließ, und bäumte sich auf, als er sich in ihre Kehle ergoss.

Nesta ließ es zu, überstand es. Und als er nicht länger bebte, gaben ihre Lippen sanft und anmutig seinen Schaft frei. Sie schaute ihn unverwandt an, als sie schluckte. Jeden Tropfen. Und dann wanderten ihre Mundwinkel nach oben und sie lächelte wie eine triumphierende Königin.

Cassian keuchte. Nesta war nur Zentimeter entfernt, er würde sich für diesen besonderen Gefallen revanchieren. Als sie aufstand und seinen Schwanz betrachtete, drohte die Hitze in ihrem Blick ihn zu verbrennen. Der Duft ihrer Erregung umschlang ihn, schlug seine Krallen tief in ihn hinein und er knurrte: »Zieh deine Hose aus.«

Nestas Lächeln glich dem einer Katze.

Er würde sie auf diesem Tisch vögeln. Jetzt sofort. Nichts anderes spielte mehr eine Rolle – der Gemeinschaftsraum, in dem sie sich befanden, oder Eris, Briallyn, Koschei und die Schreckenstruhe. Er musste in ihr sein, musste diese heiße Enge um sich spüren und sie besitzen, so wie sie ihn besessen hatte.

Nestas Finger wanderten zu den Knöpfen und Schnüren ihrer Hose. Und er sah zitternd zu, wie sie den obersten Knopf öffneten ...

Plötzlich ertönten im Gang schlurfende Schritte. Eine Warnung von jemandem, der nur allzu gut wusste, wie man sich lautlos bewegt.

Cassian erstarrte, dann schob er seinen schmerzenden Schwanz in die Hose. Nesta, die die Schritte ebenfalls gehört hatte, wich von ihm zurück und knöpfte sich rasch die Hose wieder zu. Cassian hatte seine Kleidung gerade in Ordnung gebracht, als Azriel den Raum betrat.

»Guten Abend«, sagte sein Bruder mit enervierender Ruhe und ging zum Tisch.

»Az.« Cassian konnte die Schärfe seines Tons nicht verhindern. Er begegnete dem allzu wissenden Blick seines Bruders und vermittelte ihm die ganze Verärgerung, die er angesichts seines Timings empfand. Doch Azriel zuckte nur die Schultern und betrachtete das Essen, das ihm vom Haus serviert worden war. Als wüsste er genau, wobei er gestört hatte, weil er seine Pflichten als Anstandsdame *sehr* ernst nahm.

Nesta betrachtete ihn, doch als Cassian sich ihr zuwandte, stieß sie sich vom Tisch ab und eilte zur Tür. »Gute Nacht.« Sie wartete seine Antwort nicht ab und war im nächsten Augenblick verschwunden.

Cassian musterte Az aufgebracht. »Schönen Dank auch.«

»Ich weiß nicht, wovon du redest«, sagte Az und grinste in seinen Teller.

»Arschloch.«

Az lachte leise. »Leg deine Karten nicht alle auf einmal auf den Tisch, Cass.«

»Was soll das denn heißen?«

Az deutete auf die Tür. »Heb dir noch was für später auf.«

»Wichtigtuer.«

Az nahm einen Bissen. »Du lässt dir von ihr mitten im Esszimmer einen blasen. An einem Tisch, an dem ich gerade zu Abend esse. Ich würde sagen, das gibt mir das Recht auf eine eigene Meinung.«

Cassian lachte. Seine Schwermut von vorhin war verschwunden. Dank Nesta. Alles dank Nesta. »Auch wieder wahr.«

27

Nesta hatte nicht die leiseste Ahnung, wie sie Cassian am nächsten Morgen ins Gesicht sehen sollte, aber Gwyn bildete einen Puffer, den sie nur allzu gern nutzte. Sie traf die Priesterin auf der Treppe zum Trainingsplatz. »Guten Morgen«, sagte Gwyn mit einem strahlenden Lächeln.

»Guten Morgen«, erwiderte Nesta und schloss sich ihr an. »Irgendwas Neues über die Truhe?«

Gwyn schüttelte den Kopf. Sie trug noch immer ihr Gewand, hatte die Haare aber zu einem festen Zopf geflochten. »Ich habe gestern Abend sogar Merrill danach gefragt. Aber außer ein paar Erwähnungen in alten Texten hat auch sie nichts finden können, was du nicht schon weißt. Kein Hinweis darauf, wann oder wo die Truhe verschollen ist oder wer sie verloren hat. Wir können nicht einmal feststellen, in wessen Besitz sie zuletzt war, denn diese Informationen gehen mindestens zehntausend Jahre zurück.«

Nesta war immer wieder aufs Neue schockiert, wenn sie hörte, wie alt die Fae waren. Wie alt Amren sein musste, um sich an die Objekte in der Schreckenstruhe zu erinnern, als diese noch frei zugänglich waren. Aber offenbar wusste selbst sie nicht mehr, wer sie zuletzt benutzt hatte.

Nesta verdrängte den Gedanken an Amren und den kalten, schneidenden Schmerz, der damit verbunden war.

»Es könnte sich als unlösbare Aufgabe erweisen«, sagte Gwyn und verzog den Mund. »Gibt es keine andere Möglichkeit, sie zu finden?«

Doch, die gab es. Sie beinhaltete Knochen und Steine. Nestas Körper versteifte sich. »Nein«, log sie. »Keine.«

»Fliegst du hinauf nach Windhaven?«, fragte Nesta Cassian, als Gwyn nach der Lektion gegangen war. Gwyn hatte an diesem Morgen mit Kampfstellungen begonnen, und die Übungen waren alle so sehr auf die Konzentration gegangen, dass Nesta keine Gelegenheit gefunden hatte, allein mit ihm zu sprechen. Er hatte ihr nur einen etwas zu langen Blick zugeworfen, als sie den Platz betrat.

Sie bereute nichts von dem, was sie im Esszimmer getan hatte. Selbst wenn es himmelschreiend klar gewesen war, dass Azriel genau gewusst hatte, wo er da hineinplatzte.

Aber jetzt stand sie hier allein mit Cassian ... Sie hatte noch immer seinen Geschmack im Mund, als hätte er sich in ihre Zunge eingebrannt.

In der Nacht hatte sie wach gelegen und an jeden Stoß, jeden Laut von ihm gedacht, hatte noch immer seine Finger in ihren Haaren gespürt, seinen Schwanz in ihrem Mund. Allein die Erinnerung daran hatte gereicht und ihre Hand war zwischen ihre Beine gewandert. Sie hatte sich zweimal Erleichterung verschaffen müssen, bevor ihr Körper zur Ruhe kam und sie schlafen konnte.

Cassian holte seine Jacke und schlüpfte in die gepanzerte Lederkluft. »Ich muss die Legionen noch einmal inspizieren. Mich davon überzeugen, dass sie sich auf einen möglichen Konflikt vorbereiten und die Rekruten in Form sind.«

»Aha.« Ihre Blicke trafen sich, und Nesta hätte schwören können, dass sich seine Augen verschleierten, als erinnerte er sich an jeden köstlichen Moment des gestrigen Abends. Doch sie schüttelte den Kopf, um auf andere Gedanken zu kommen.

»Gwyn macht sich gut«, meinte Cassian und deutete auf den Bogengang, durch den die Priesterin verschwunden war. »Sie ist ein nettes Mädchen.«

Nesta hatte erfahren, dass Gwyn achtundzwanzig war – für ihn tatsächlich nur ein Mädchen.

»Ich mag sie«, gestand Nesta.

Cassian blinzelte. »Ich glaube, das habe ich dich noch nie über jemanden sagen hören.« Sie verdrehte die Augen, doch er fügte hinzu:

»Zu schade, dass die anderen Priesterinnen nicht auch zum Training kommen.«

Nesta überprüfte die Liste jeden Tag, aber es hatte sich niemand sonst eingetragen. Gwyn erzählte Nesta, dass sie ein paar der Priesterinnen persönlich eingeladen habe, aber auch die zu verängstigt und unsicher seien.

»Ich weiß nicht, was ich noch tun soll, um sie zu ermutigen«, sagte Nesta jetzt.

»Mach einfach weiter mit dem, was du tust.« Er schloss den letzten Knopf an seiner Jacke.

Eine frische Herbstbrise kam auf und trug Gerüche aus der Stadt herauf: Brot, Zimt und Orangen, gebratenes Fleisch und Salz. Nesta atmete ein, erkannte jeden einzelnen Duft. Und wunderte sich, dass sie alle zusammen das einzigartige Aroma des Herbstes ergaben.

Plötzlich kam ihr eine Idee. »Wenn du nach Windhaven fliegst, kannst du mir einen Gefallen tun?«

Cassian stand in Emeries Laden und setzte sein bestes beruhigendes Lächeln auf, als er den Inhalt des Beutels auspackte, den er bei sich hatte.

Emerie betrachtete die Objekte, die er auf die blitzblanke Theke legte. »Das hat Nesta dir mitgegeben?«

Genau genommen hatte das Haus Nesta diese Dinge geschenkt. Aber sie hatte es darum gebeten, mit der Absicht, sie Emerie zu bringen. »Sie sagte, es sei ein Geschenk.«

Emerie nahm eine Blechdose, öffnete den Deckel und atmete tief ein. Der rauchige, samtige Duft von Teeblättern strömte heraus. »Oh, das ist gute Ware.« Dann nahm sie eine Glasphiole mit fein gemahlenem Pulver. Als sie den Verschluss abschraubte, erfüllte ein nussiger, würziger Geruch den Laden. »Kreuzkümmel.« Ihr Seufzer glich der einer Geliebten. Sie begutachtete alle sechs Glasbehälter. »Gelbwurz, Zimt, Piment, Nelken und ...« Sie warf einen Blick auf das Etikett. »Schwarzer Pfeffer.«

Cassian legte den letzten Behälter auf die Theke – ein großes, mindestens zwei Pfund schweres Marmorgefäß. Emerie öffnete es und lachte. »Salz.« Sie zerrieb die flockigen Kristalle zwischen den Fingern. »Jede Menge Salz.«

Ihre Augen funkelten und ein seltenes Lächeln huschte über ihr Gesicht. Es ließ sie jünger aussehen, wischte die Last und die Narben all der Jahre mit ihrem Vater fort. »Bitte richte ihr meinen Dank aus.«

Cassian räusperte sich und sagte den Text auf, den Nesta ihm eingeschärft hatte. »Nesta sagt, du kannst ihr danken, indem du morgen früh zum Training kommst.«

Emeries Lächeln verblasste. »Ich habe ihr neulich schon gesagt, dass ich keine Möglichkeit habe, zum Haus der Winde zu kommen.«

»Sie hat sich schon gedacht, dass du das sagen würdest. Wenn du kommen willst, gib Bescheid, dann holt dich einer von uns ab.« Das würde Rhys übernehmen müssen, aber Cassian bezweifelte, dass sein Bruder etwas dagegen hatte. »Es ist auch kein Problem, wenn du nicht die volle Zeit bleiben kannst. Komm für eine Stunde, bevor du den Laden aufmachst.«

Emerie nahm die Hände von den Gewürzen und dem Tee. »Im Moment ist nicht die richtige Zeit dafür.«

Cassian hütete sich, sie zu drängen. »Gib uns einfach Bescheid, wenn du deine Meinung änderst.« Er drehte sich um und ging zur Tür.

Er wusste, dass Nesta Emerie das Geschenk nicht nur gemacht hatte, um sie zum Mitmachen zu bewegen, sondern auch, weil sie ein gutes Herz hatte. Auf seine Frage, warum sie ihr diese Dinge schicke, hatte sie geantwortet: »Emerie braucht Gewürze und guten Tee.« Ihre Antwort hatte ihn verblüfft – genauso, wie es ihn verblüfft hatte, dass sie Gwyn mochte.

In Gwyns Gegenwart war Nesta ein vollkommen anderes Geschöpf als die Nesta, die er vom Hofe kannte. Die beiden alberten und lachten zwar nicht miteinander, aber zwischen ihnen herrschte eine Leichtigkeit, die er noch nie an Nesta bemerkt hatte – nicht einmal, wenn sie mit Elain zusammen war. Sie war immer Elains Beschützerin gewesen oder Feyres Schwester oder die Vom-Kessel-Erschaffene. Aber mit Gwyn ... Er fragte sich, ob Nesta das Mädchen deshalb mochte, weil sie bei ihr einfach Nesta sein konnte. Und in Emeries Gesellschaft ging es ihr vermutlich genauso.

War sie womöglich deshalb Abend für Abend durch Velaris gezogen? Nicht nur, um sich abzulenken und zu betäuben, sondern um Zeit in Gesellschaft von Leuten zu verbringen, die nichts von der Last ahnten, die sie mit sich herumschleppte?

Cassian erreichte die Tür und seufzte leise. Er hatte es sich verboten, während des Trainings an das zu denken, was sie im Esszimmer mit ihm gemacht hatte – erst recht in Gwyns Gegenwart. Doch als er Nestas zaghaftes Lächeln gesehen hatte, als sie den Tee und die Gewürze in einen Beutel packte, hätte er sie am liebsten an die Wand gedrückt und geküsst.

Er hatte keine Ahnung, wie die Situation zwischen ihnen aussah. Ob sie wieder an dem Punkt standen, wo sie einen Gefallen gegen einen anderen tauschten. Sie hatte nicht die geringste Andeutung gemacht, ob sie ihn in ihr Bett lassen würde oder ob sie nur auf die Knie gegangen war, um ihn aus seinen trüben Gedanken zu reißen.

Falls das der Fall war, bedeutete es dann nicht, dass sie sich um sein Wohlergehen sorgte? Und es bedeutete Mitleid. Verdammt, wenn sie ihm einen geblasen hatte, weil er ihr leidtat ...

Nein. So war es nicht gewesen. Er hatte das Verlangen in ihren Augen gesehen, hatte bei den ersten Küssen die Weichheit ihrer Lippen an seinem Hals gespürt. Sie hatte ihm Trost gespendet, auf die einzige Art und Weise, die sie kannte.

Cassian öffnete die Tür. Als er sich umschaute, stand Emerie noch immer an der Theke. Ihre Hand ruhte auf Nestas Geschenken, aber ihre Augen hatten einen ernsten Ausdruck und ihre Lippen glichen einem dünnen Strich. Sie schien ihn gar nicht mehr zu bemerken. Und so verließ er den Laden und flog hinauf in den Himmel.

Nesta stieg die Stufen zum Trainingsplatz hinauf und dachte über die Schreckenstruhe nach. Sie ging davon aus, dass die anderen bei der

Suche danach auch nicht mehr Glück gehabt hatten. Und wenn es wirklich so dringend war, wie Azriel behauptet hatte, war die Bibliothek vielleicht nicht der beste Weg.

Aber ihr Magen krampfte sich zusammen, als sie die andere Option abwog und sich daran erinnerte, was beim ersten und einzigen Mal geschehen war, als sie die Knochen befragt hatte. Ihre Hände zitterten, als sie die letzten Stufen überwand. Entschlossen ballte sie die Finger zu Fäusten und atmete langsam durch die Nase aus.

Cassian stand bereits in der Mitte des Platzes und grinste, als sie erschien. Ein breiteres Grinsen als gewöhnlich, aufgeregt und … zufrieden.

Nesta kniff die Augen gegen die Helligkeit zusammen und trat hinaus auf den Platz. Gwyn wartete bereits wenige Meter hinter Cassian und lächelte.

Dann fiel Nestas Blick auf den Tisch mit der Wasserkaraffe. Und dort stand Emerie.

28

So anmutig Gwyn gewesen war, so ungeschickt zeigte sich Emerie ... unbeholfen und ohne jeden Gleichgewichtssinn.

»Das liegt an deinen Schwingen«, sagte Cassian mit einer solchen Sanftheit, dass Nesta, die auf einem Bein balancierte und das andere hinter sich in die Luft streckte, fast neben Emerie in den Staub gefallen wäre. »Weil du deine Schwingen nicht nutzen kannst, muss dein Körper das fehlende Gleichgewicht auf diese Art kompensieren.« Er deutete auf den Boden und meinte ihren Sturz.

Gwyn hielt in ihrer Balance-Übung inne. »Warum?«

»Die Schwingen dienen als Gegengewicht.« Er hielt Emerie eine Hand hin, um ihr auf die Beine zu helfen. »Sie sind von zarten Muskeln durchzogen, die sich ständig anpassen und stabilisieren, ohne dass wir überhaupt darüber nachdenken.« Emerie ignorierte seine Hand und stand ohne Hilfe auf. »Wenn man jemandem die Schwingen stutzt, werden viele der wichtigsten Muskeln in Mitleidenschaft gezogen«, erklärte Cassian weiter.

Gwyn schaute zu Nesta, die sich stirnrunzelnd aufrichtete. Gwyn und Emerie hatten sich auf Anhieb verstanden. Vielleicht lag es daran, dass Gwyn Emerie bei den Aufwärmübungen mit Fragen über ihren Laden bombardiert hatte.

Emerie wischte sich den Staub von ihrer Lederhose, die lockerer saß als Nestas. Offenbar fühlte sie sich in hautenger Kleidung nicht wohl.

Cassians Blick wurde sanfter. »Welcher Heiler hat es bei dir gemacht?«

Emerie reckte das Kinn und errötete kurz. Aber sie schaute ihm mit einer Direktheit in die Augen, die Nesta nur bewundern konnte. »Mein Vater hat es persönlich übernommen.«

Cassian fluchte, leise und übel.

»Ich habe mich gewehrt, deshalb ist sein Werk noch schlampiger ausgefallen«, sagte Emerie mit kalter Stimme.

Gwyn und Nesta schwiegen, als Emerie ihren rechten Flügel fast vollständig ausstreckte, bis er plötzlich sperrte und zu zittern begann. »Weiter geht es nicht«, sagte sie mit gequälter Miene. Die linke Schwinge konnte sie nur bis zur Hälfte strecken. »Und mit dieser Seite komme ich nicht weiter als bis hierhin.«

Cassian machte den Eindruck, als müsste er sich gleich übergeben. »Geschieht ihm recht, dass er in dieser Schlacht gestorben ist. Eigentlich hatte er schon lange davor den Tod verdient, Emerie.« Seine Trichtersteine leuchteten hell. Etwas Wildes und Böses erwachte in Nestas Blut, als sie die nackte Wut in seinem Gesicht wahrnahm und seine knurrenden Worte hörte.

Emerie legte ihre Schwingen wieder an. »Er hatte den Tod für viel mehr verdient als nur für das, was er mit meinen Schwingen gemacht hat.«

»Wenn du jeden Tag herkommst, könnte Madja es sich mal ansehen. Sie ist die private Heilerin des Hofs.« Nesta wusste, dass Rhys Emerie gebracht hatte und sie in einer Stunde wieder abholen würde.

Doch Emerie versteifte sich nur noch mehr. »Ich weiß das Angebot zu schätzen, aber das ist nicht nötig.«

Cassian öffnete den Mund, aber Nesta kam ihm zuvor. »Genug geplaudert. Wenn Emerie jeden Tag nur eine Stunde hier sein kann, dann geh mit uns das Boxtraining durch. Sie soll sehen, was sie aufzuholen hat.«

Emerie warf ihr einen dankbaren Blick zu, den Nesta mit einem angedeuteten Lächeln beantwortete.

Cassian nickte, und das Schimmern in seinen Augen verriet ihr, dass er genau wusste, warum sie ihn unterbrochen hatte.

»Habt ihr Bibliotheken in Illyrien?«, wollte Gwyn von Emerie wissen. Noch eine Rettungsleine.

»Nein. Ich war noch nie in einer.« Mit jedem Wort wich die Steifheit aus Emeries Haltung.

Gwyn band sich das glänzende Haar fester zusammen. »Liest du gern?«

Ein Lächeln umspielte Emeries Mundwinkel. »Ich lebe allein, oben in den Bergen. Meine Freizeit verbringe ich mit Gartenarbeit und der Lektüre all der Bücher, die ich über den Postdienst bestellen kann. Und im Winter entfällt sogar die Zerstreuung durch die Gartenpflege. Ja, ich lese sehr gern. Ohne Bücher könnte ich nicht leben.«

Nesta brummte zustimmend.

»Welche Art von Büchern?«, hakte Gwyn nach.

»Liebesromane«, antwortete Emerie und richtete ebenfalls ihren dicken Zopf, der im Sonnenlicht in verschiedenen Rot- und Brauntönen schimmerte. Nesta musterte sie überrascht, und Emeries Augen strahlten, als sie fragte: »Du auch? Welche kennst du?«

Nesta rasselte ihre fünf Lieblingsromane herunter, und Emerie grinste so breit, dass man glauben konnte, man hätte eine andere Person vor sich. »Hast du die Romane von Sellyn Drake gelesen?«

Nesta schüttelte den Kopf. Emerie schnappte so theatralisch nach Luft, dass Cassian auf dem Weg in die Mitte des Trainingsplatzes brummelte, man solle ihn mit Frauen verschonen, die von schmutziger Literatur besessen waren. »Ihre Bücher *musst* du lesen. Ich bringe dir morgen das erste mit. Du wirst die ganze Nacht kein Auge zutun, das verspreche ich dir.«

»Schmutzig?«, fragte Gwyn, die Cassians Murmeln aufgeschnappt hatte. Das Zögern in ihrer Stimme ließ Nesta innehalten.

Nesta schaute zu Emerie und begriff plötzlich, dass sie noch immer nichts über Gwyn wusste. Sie kannte weder ihre Geschichte noch den Grund, warum die Priesterinnen in der Bibliothek lebten. Doch Emerie fragte: »Was liest du denn so?«

»Abenteuerromane, manchmal Krimis. Aber meistens muss ich das lesen, was Merrill – die Priesterin, für die ich arbeite – am Tag geschrieben hat. Bei Weitem nicht so aufregend wie Liebesromane.«

»Ich kann dir auch eins von Drakes Büchern mitbringen – eins der harmloseren. Eine Einführung in die Wunderwelt der Romanzen«, sagte Emerie beiläufig und zwinkerte Nesta zu.

Nesta wartete darauf, dass Gwyn ablehnte, aber die Priesterin lächelte freudig. »Ja, gern.«

Rhys erschien exakt zum angegebenen Zeitpunkt auf dem Trainingsplatz. Nach einer Stunde – nicht zu früh und nicht zu spät. Emerie war staubig und ihr Gesicht glänzte vor Schweiß, aber ihre Augen leuchteten, als sie sich vor dem High Lord verneigte.

Gwyn jedoch hielt inne und riss ihre großen, blaugrünen Augen auf, die dadurch noch überirdischer wirkten. Ihr Duft verriet allerdings keine Angst, sondern eher so etwas wie Überraschung – Ehrfurcht.

Rhys schenkte ihr ein ungezwungenes Lächeln. Nesta hätte wetten können, dass er es aufsetzte, um die Leute in seiner ach so prächtigen Gegenwart zu beruhigen. Das beiläufige Lächeln eines High Fae, der es gewöhnt war, dass man entweder aus Angst vor ihm davonlief oder in Ehrerbietung auf die Knie fiel. »Hallo, Gwyn«, sagte er mit warmer Stimme. »Schön, dich wiederzusehen.«

Gwyn errötete, überwand ihre Benommenheit und verneigte sich noch tiefer. »Mylord.«

Nesta verdrehte die Augen und sah, dass Rhys sie beobachtete. Sein ungezwungener Blick wurde durchdringender, als er ihr in die Augen sah. »Nesta.«

»Rhysand.«

Die anderen beiden Frauen blickten von ihr zu Rhys und wieder zurück, was fast komisch wirkte. Dann trat Cassian neben Nesta, legte ihr einen Arm um die Schultern und verkündete Rhys: »Diese Ladys werden dir schon sehr bald zeigen, was sie im Kampf draufhaben.«

Nesta wollte sich unter dem schweren Gewicht seines verschwitzten Arms wegdrehen, aber Cassian drückte freundlich-bestimmt ihre Schulter und grinste unverdrossen. Rhys' Blick wanderte zwischen ihnen hin und her, aber aus seinen Augen sprach kaum Wärme, nur jede Menge Wachsamkeit.

Dem kleinen Prinzen gefiel es nicht, sie so mit seinem Freund zu sehen.

Nesta lehnte sich leicht gegen Cassian – nur ein wenig, aber genug, dass es einem geübten Krieger wie Rhysand auffallen musste. Eine dunkle, seidige Hand strich durch ihren Geist. Eine Aufforderung.

Sie überlegte, ob sie sie ignorieren sollte, öffnete dann aber in dem stählernen, mit Stacheln versehenen Schutzschild, den sie Tag und Nacht um sich herum aufrechterhielt, eine kleine Tür. Eigentlich kaum mehr als ein Guckloch. Und sie gestattete ihrem geistigen Auge, hindurchzuschauen: auf die dunkle, funkelnde Ebene, die dahinterlag. *Was ist?*

Du hast Gwyn mit Freundlichkeit und Respekt zu behandeln.

Das Ding, das vor ihrer mentalen Festung stand, war ein Wesen mit Klauen, Schuppen und Zähnen. Unter wabernden Schatten und in der Dunkelheit aufblitzenden Sternen verborgen. Aber hin und wieder kam kurz eine Schwinge oder Kralle zum Vorschein.

Kümmer dich um deine eigenen Angelegenheiten. Nesta schlug das kleine Guckloch wieder zu.

Sie blinzelte und registrierte, dass Emerie Cassian ein paar Fragen zur morgigen Lektion stellte – was sie heute verpassen würde, weil sie das Training eine Stunde früher verlassen musste.

Rhysands Augen funkelten.

Cassian ließ seinen Arm auf Nestas Schultern ruhen und strich beruhigend mit dem Daumen darüber. Er ließ sich nicht anmerken, ob er von der stillen Unterhaltung, die sie mit seinem High Lord geführt hatte, etwas mitbekommen hatte.

»Bist du bereit?«, wandte Rhys sich an Emerie und lächelte wieder auf diese freundliche, liebenswerte Art. War Emerie kurz errötet? Rhysand hatte diese Wirkung auf andere Leute.

Nesta fragte sich oft, wie Feyre es aushielt, dass alle Welt auf ihren Gefährten scharf war. Erneut versuchte sie, sich von Cassians Arm zu befreien, und dieses Mal ließ er sie gewähren. Sie folgte Emerie zu der Stelle, wo sie ihren schweren Mantel abgelegt hatte. »Dann kommst du also morgen wieder?«, fragte sie und schaute kurz über die Schulter zu Gwyn, die zur Wasserkaraffe ging. Entweder, um die beiden Männer nicht zu stören, oder weil sie sich ohne ihre Freundinnen in deren Gegenwart unbehaglich fühlte.

Nesta hatte sofort Schuldgefühle, weil sie sie allein gelassen hatte, und nahm sich vor, es nicht noch einmal so weit kommen zu lassen. Gwyn hatte in den letzten Tagen kein Problem mit Cassian gehabt: Sie berührte ihn zwar nicht und er berührte sie nicht, aber sie war noch nie so vor ihm zurückgeschreckt wie jetzt. Nesta wollte nicht darüber nachdenken, woran das liegen mochte – welche Narben sich so tief in Gwyn eingebrannt hatten, dass zwei der vertrauenswürdigsten Männer im ganzen Land sie nicht beruhigen konnten.

Rhysand mochte ein arroganter, eitler Mistkerl sein, aber er war ehrenwert. Er kämpfte wie der Teufel, um Unschuldige zu beschützen. Ihre Abneigung gegen ihn hatte nichts mit dem zu tun, was er so viele Male bewiesen hatte: Er war ein fairer und gerechter Herrscher, der das Wohl seiner Untertanen vor sein eigenes stellte. Nein, ihr ging nur seine Persönlichkeit gegen den Strich, seine aalglatte Selbstgefälligkeit.

»Ja, ich komme morgen wieder«, antwortete Emerie.

Nesta legte den Kopf auf die Seite. »Ich hätte nicht gedacht, dass Tee und Gewürze so überzeugend sein können.«

Emerie lächelte. »Es waren nicht nur die Geschenke, sondern auch die Erinnerung an das, was sie bedeuten.«

»Was meinst du damit?«

Emerie schaute in den Himmel und schloss die Augen, als eine Herbstbrise vorbeizog. »Ich meine die Erinnerung daran, dass es eine Welt jenseits von Windhaven gibt. Und dass ich ein zu großer Feigling bin, um sie mir anzusehen.«

»Du bist kein Feigling.«

»Aber das hast du vor ein paar Tagen selbst gesagt.«

Nesta zuckte zusammen. »Weil ich wütend war.«

»Es war die Wahrheit. In der folgenden Nacht habe ich lange wach gelegen und darüber nachgedacht. Und als du dann Cassian mit den Gewürzen und dem Tee geschickt hast, wurde mir klar, dass da draußen tatsächlich eine große, lebendige Welt existiert. Vielleicht sorgen diese Lektionen dafür, dass ich nicht mehr solche Angst vor ihr habe.«

Nesta schenkte ihr ein zaghaftes Lächeln. »Klingt nach einem ziemlich guten Plan.«

Cassian beobachtete Rhys' Gesicht, während Nesta sich mit Emerie unterhielt und Gwyn zu den beiden Frauen trat. Das Versprechen eines Büchertauschs klang über den Platz.

Eine interessante Entwicklung, meinte Rhys.

Cassian machte sich nicht die Mühe, eine freundliche Miene zu ziehen. *Ich hätte darauf verzichten können, dass du Nesta eine mentale Warnung schickst.*

Rhys runzelte die Stirn. *Woher weißt du, dass ich sie gewarnt habe?*

Der Mistkerl versuchte nicht einmal, es abzustreiten.

Ich habe es daran gemerkt, wie sie sich versteift hat. Und ich kenne dich gut, Bruder. Du hast Gwyn gesehen und das Schlimmste von Nesta angenommen. Sie hat die beiden freundlich behandelt.

Bist du deswegen sauer?

Ich bin sauer, weil du ihr offenbar nichts Gutes zutraust. Weil du dich weigerst, ihr etwas Gutes zuzutrauen. War es wirklich nötig, sie so zu schikanieren?

Reue schimmerte in Rhys' Augen.

Du machst es nicht gerade leichter, fuhr Cassian fort. *Lass sie diese Bindungen aufbauen und halt dich gefälligst da raus.*

Rhys blinzelte. *Es tut mir leid. In Zukunft halte ich mich raus.*

Cassian schnaufte.

Hattest du wirklich das Gefühl, du müsstest den Arm um sie legen, um sie zurückzuhalten?, fragte Rhys.

Ich will nicht, dass ihr beiden einander näher kommt als einen Meter. Du hast eine schwangere Gefährtin, Rhys. Du würdest jeden töten, der eine Bedrohung für Feyre darstellt. Momentan bist du eine Gefahr für uns alle.

Ich würde niemals jemandem etwas tun, den Feyre liebt. Das weißt du.

In seinen Worten lag so viel Anspannung, dass Cassian seinem Bruder auf die Schulter klopfte und den harten Muskel darunter drückte. *Übrigens, setz Emerie morgen besser auf der anderen Seite des Hauses ab. Und gib Nesta einfach ein bisschen Zeit, um ihren Scheiß zu klären.*

In Ordnung.

Die drei Frauen kamen auf sie zu. Rhys breitete seine Schwingen aus. »Wollen wir?«, fragte er Emerie.

Emerie nahm Rhys' entgegengestreckte Hand. »Ja.« Dann sah sie zuerst Cassian und anschließend Nesta an. »Danke.«

Verdammt – diese Dankbarkeit und Hoffnung in Emeries Augen trafen ihn mitten ins Herz.

Rhys zog sie an sich, achtete darauf, dass ihre Schwingen seinem Körper nicht zu nahe kamen, und schoss in den Himmel hinauf.

Als Rhys über die Schutzschilde flog, wandte er sich noch einmal an Cassian: *Ich weiß nicht, was zum Teufel ihr beiden in diesem Haus getrieben habt, aber es stinkt nach Sex.*

Cassian schnaubte. *Der Kavalier genießt und schweigt.*

Rhys' Lachen polterte in seinem Geist. *Du weißt doch gar nicht, was das Wort »Kavalier« bedeutet.*

Den Göttern sei Dank.

Erneut lachte sein Bruder. *Ich habe Az von Anfang an gesagt, es sei sinnlos, die Anstandsdame zu spielen.*

29

Auf der dreitausendsten Stufe versagten Nestas Beine ihr den Dienst. Keuchend stützte sie sich mit den Händen auf ihren zitternden Oberschenkeln ab und schloss die Augen, während ihr der Schweiß über den Rücken lief.

Sie hatte wieder denselben Traum gehabt: das Gesicht ihres Vaters, erfüllt von Liebe und Angst ... und dann Leere im Moment seines Todes. Das Knacken, als sein Genick gebrochen wurde. Hyberns verschlagenes, grausames Lächeln.

Cassian und Azriel waren nicht beim Abendessen gewesen, aber man hatte ihr nicht erklärt, warum. Die beiden hielten sich vermutlich im Flusshaus oder irgendwo in der Stadt auf, und Nesta hatte erstaunt festgestellt, dass sie ihr fehlten. Die Stille des Esszimmers lastete auf ihr.

Die beiden hatten sie natürlich nicht eingeladen, sie zu begleiten. Schließlich bemühte sie sich inzwischen seit über einem Jahr, so unausstehlich wie möglich zu sein. Und die beiden waren ja auch nicht verpflichtet, sie in alles einzubeziehen.

Niemand war verpflichtet, sie in irgendwas einzubeziehen. Oder auch nur den Wunsch zu verspüren.

Ihr Keuchen hallte von den roten Steinen wider. Sie war schweißgebadet aus dem Albtraum aufgewacht und schon ein ganzes Stück die Treppe hinunter gegangen, bevor ihr bewusst wurde, wo sie sich eigentlich befand. Und falls sie es überhaupt bis unten schaffte, wohin würde sie dann gehen? Zumal sie nur ihr Nachthemd trug.

Wenn sie die Augen schloss, konnte sie noch immer ihren Vater sehen, all die Schrecken, Schmerzen und Angst wahrnehmen, die sie in den Kriegsmonaten erlitten hatte.

Sie musste es irgendwie schaffen, die Schreckenstruhe zu finden.

Bis jetzt hatte sie bei jeder Aufgabe versagt, die man ihr stellte. Sie hatte nicht verhindern können, dass die Mauer gesprengt wurde. Und es war ihr auch nicht gelungen, die illyrianische Legion vor dem vernichtenden Schlag des Kessels zu bewahren …

Nesta schob diese Gedanken von sich.

Im nächsten Moment klirrte etwas auf der Stufe neben ihr. Sie blinzelte und entdeckte ein Glas Wasser.

»Danke«, sagte sie und leerte es in einem Zug. Das kühle Wasser beruhigte sie. »Hast du schon mal was von Sellyn Drake gelesen?«, fragte sie in die Düsterkeit hinein.

Das Haus reagierte nicht, was vermutlich Nein bedeutete. »Eine Freundin bringt mir morgen einen ihrer Romane mit. Ich gebe ihn dir, sobald ich ihn gelesen habe.«

Nichts. Doch dann wehte eine kühle Brise den Treppenschacht hinunter und über ihr verschwitztes Gesicht. »Danke«, sagte sie ein weiteres Mal und lehnte sich in den Luftzug.

Kurz darauf landete noch etwas klirrend neben ihr auf der Stufe: zwei flache, ovale Steine und drei alte braune Knochenstücke – die Fußknöchel eines Schafs. Ihr Mund wurde trocken. Knochen und Steine für eine Prophezeiung. »Ich kann nicht«, krächzte sie.

Die Brise schlug die Knochen aneinander und das Klicken klang wie eine Frage, die im Schacht widerhallte. *Warum nicht?*

»Beim letzten Mal sind schlimme Dinge passiert. Der Kessel hat mich *angeschaut*. Und Elain verschleppt.« Ihr gesamter Körper versteifte sich. »Das kann ich nicht ertragen … nicht riskieren. Nicht einmal hierfür.«

Die Knochen und Steine verschwanden wieder, zusammen mit der kühlen Brise.

Leise ächzend begann Nesta den Aufstieg. Sie hätte schwören können, dass sie bei jedem Schritt Enttäuschung in der Luft wahrnahm.

»Nesta muss mit der Suche nach der Truhe beginnen«, sagte Amren und schwenkte den Wein in ihrem Glas. Wie üblich saßen sie nach ihrem monatlichen gemeinsamen Abendessen noch stundenlang am massiven Esstisch des Flusshauses und redeten. Mehrere Flaschen Wein später, als es schon auf ein Uhr zuging, machte noch keiner von ihnen irgendwelche Anstalten, aufbrechen zu wollen.

Nur Feyre hatte sich zurückgezogen. Die Schwangerschaft mache sie unerträglich müde, hatte sie geklagt. So müde, dass sie sich selbst tagsüber immer wieder einmal hinlegen musste und abends meist schon um neun im Bett war.

Cassian fing Amrens Blick auf. »Nesta sucht bereits danach. Dräng sie nicht.«

»Sie hat die Priesterinnen für sich recherchieren lassen. Das würde ich nicht unbedingt suchen nennen«, bemerkte Rhys von seinem Platz am Kopfende des Tischs.

Varian, der neben Amren saß und den Arm über die Lehne ihres Stuhls gelegt hatte, fragte verwundert: »Ihr habt Helion noch immer nicht gebeten, in seinen Bibliotheken nach der Truhe zu forschen?« Varian war – neben Eris – der Einzige außerhalb des Hofs der Nacht, den Rhys über seine Suche informiert hatte. Aber das war mit einem Risiko verbunden: Varian stand im Dienst von Tarquin, dem High Lord des Sommerhofs. Er hatte Rhys zwar versprochen, Tarquin von sich aus nichts davon zu sagen, doch wenn Tarquin ihn danach fragen sollte, würde seine Loyalität in ein gefährliches Ungleichgewicht geraten.

Das Verhältnis zwischen Tarquin und Rhys hatte sich seit dem Krieg zwar wieder verbessert, war aber nicht so gut, dass Rhys dem High Lord Informationen über die Truhe anvertraut hätte. Und Cassian, der bei seinem letzten Besuch am Sommerhof in eine winzig kleine Schlägerei geraten war, die beinahe dazu geführt hätte, dass ein winzig kleines Gebäude zerstört wurde, sah das genauso. Nicht, was Tarquin betraf – er mochte ihn. Und Varian mochte er noch mehr. Aber wie an jedem Hof gab es auch am Sommerhof Intriganten, und er vertraute nicht darauf, dass sie so freundlich gesinnt waren wie ihr Herrscher.

»Helion ist unsere letzte Möglichkeit, wenn Nesta nicht wenigstens versucht, Knochen und Steine zu befragen«, sagte Rhys und trank einen Schluck Wein. Die letzten Worte waren an Cassian gerichtet. »Allerdings würde ich sogar eher Elain um einen Versuch bitten, als sofort an ihn heranzutreten.«

Elain hatte sich zusammen mit Feyre bereits zurückgezogen und behauptet, sie müsse im Morgengrauen aufstehen und sich um den Garten einer älteren Fae kümmern. Cassian wusste nicht genau, warum er den Verdacht hatte, dass das nicht stimmte. Elains Gesicht hatte angespannt gewirkt. Normalerweise nutzte sie solche Ausreden nur, wenn Lucien in der Nähe war. Doch er befand sich mit Jurian und Vassa im Land der Menschen.

»Nesta wird es tun – und sei es nur, damit Elain sich nicht dem Risiko aussetzt«, entgegnete Cassian. »Aber man muss verstehen, dass die Dinge, die im Krieg passiert sind, Nesta sehr mitgenommen haben – nach ihrer Prophezeiung hat der Kessel Elain verschleppt. Man kann es ihr nicht verübeln, wenn sie jetzt zögert.«

»Uns fehlt die Zeit zu warten, bis sich Nesta entscheidet«, sagte Amren. »Ich schlage vor, wir fragen morgen Elain. Es ist besser, wenn sie beide daran arbeiten.«

Azriels Körper versteifte sich, ein eindeutiges Zeichen für seine Verstimmung. »Der Schreckenstruhe wohnt eine Finsternis inne, der Elain nicht ausgesetzt werden sollte.«

»Aber Nesta schon?«, knurrte Cassian.

Alle starrten ihn an.

Er schluckte und warf Az einen entschuldigenden Blick zu, der es mit einem Schulterzucken abtat.

Amren trank ihren Wein aus und wandte sich an Cassian: »Nesta hat eine Woche, um die Truhe mit ihren eigenen Methoden aufzuspüren. Dann werden wir andere Mittel und Wege finden.« Sie nickte Azriel zu. »Das schließt auch Elain ein, die durchaus fähig ist, sich selbst gegen die Finsternis der Truhe zur Wehr zu setzen. Unterschätze sie nicht.«

Cassian und Azriel schauten zu Rhys, der jedoch nur an seinem Wein nippte. Amrens Befehl galt. Als Rhys' Erster Offizier an diesem Hof konnte sie nur von ihm überstimmt werden. Ihr Wort war Gesetz.

»Es ist nicht richtig, Elain als Druckmittel zu benutzen, damit Nesta die Truhe aufspürt«, protestierte Cassian.

»Es gibt härtere Wege, Nesta zu überzeugen, Junge.«

Cassian lehnte sich auf seinem Stuhl zurück. »Du bist eine Närrin, wenn du glaubst, dass du sie mit Drohungen dazu bringen kannst, dir zu gehorchen.«

Erneut schwiegen alle angespannt, selbst Varian.

Amrens Lippen verzogen sich zu einem gemeinen Grinsen. »Wir stehen kurz vor einem weiteren Krieg. Im letzten ist uns der Kessel aus den Händen geglitten, und das hätte uns beinahe alles gekostet.« Amrens neue Fae-Gestalt war der Beweis dafür: Sie hatte ihr unsterbliches, überirdisches Selbst hinter sich gelassen, um in diesem Körper zu bleiben. In ihren Augen schimmerte kein graues Feuer mehr. Sie war jetzt sterblich – so wie High Fae sterblich waren. Varians Finger umfassten die stumpfen Spitzen ihrer Haare, als wollte er sich vergewissern, dass sie da war und bei ihm blieb. »Wir müssen diese potenzielle Katastrophe abwenden, bevor wir unseren Vorteil verlieren. Wenn wir Nesta manipulieren müssen, damit sie die Knochen und Steine befragt, dann tun wir, was nötig ist. Selbst wenn das bedeutet, Elain gegen sie einzusetzen.«

Cassians Magen krampfte sich zusammen. »Das gefällt mir nicht.«

»Das muss es auch nicht«, entgegnete Amren. »Du brauchst einfach nur den Mund zu halten und zu tun, was man dir sagt.«

»Amren«, sagte Rhys in vorwurfsvollem, warnendem Ton.

Aber Amren zuckte nicht einmal mit der Wimper und reagierte erst, als Varian sie stirnrunzelnd musterte. »Was ist?«, fauchte sie.

Der Prinz von Adriata schenkte ihr ein resigniertes Lächeln. »Hatten wir nicht darüber gesprochen ... nett zu sein?«

Amren verdrehte die Augen. Aber ihre Züge entspannten sich kaum merklich, als sie Cassian wieder in die Augen sah. »Eine Woche. Nesta hat eine Woche.«

Drei Tage vergingen. Emerie kam zu jeder Lektion. Und während Gwyn schon fast Nestas Niveau erreicht hatte, brauchte Emerie mehr Training. Also gingen Nesta und Gwyn gemeinsam die Übungen durch, die Cassian ihnen zeigte, während er mit Emerie an deren Gleichgewicht und Beweglichkeit arbeitete.

Niemand beschwerte sich, zumal Emerie recht gehabt hatte, was die Bücher von Sellyn Drake betraf. Nesta hatte zwei Nächte hintereinander bis in die frühen Morgenstunden den ersten Roman der Autorin gelesen, der noch erotischer war, als sie gehofft hatte. Und wie versprochen, hatte Emerie eines der harmloseren von Drakes Büchern für Gwyn mitgebracht. Am nächsten Morgen hatte sie Emerie mit leicht geröteten Wangen mitgeteilt, wenn dieses Buch schon als harmlos gelte, könne sie sich kaum vorstellen, wie es in den anderen Bänden zuging.

Nach dem ersten Tag blieb Emerie für die gesamte Dauer der Lektion, die inzwischen offiziell ganze drei Stunden betrug. Sie war zu der Überzeugung gelangt, dass sie es riskieren konnte, da morgens noch nicht so viele Kunden in ihren Laden kamen. Also trainierten sie und unterhielten sich in den Pausen über Bücher. Als Nesta am vierten Morgen aufwachte, stellte sie fest, dass sie ... sich darauf freute, die beiden wiederzusehen.

Sie schob gerade einen dicken Wälzer ins Regal, als Gwyn zu ihr kam. Wegen der morgendlichen Lektionen hatte Gwyn am Nachmittag jetzt mehr zu tun. In der Bibliothek sah Nesta sie meistens nur dann, wenn Gwyn auf der Suche nach einem Buch für Merrill durch die Regalreihen lief. Gelegentlich schwebten liebliche Klänge eines Lieds aus irgendeiner Ecke heran – der einzige Hinweis darauf, dass Gwyn in der Nähe war.

Aber an diesem Nachmittag kündigte sich Gwyns Anwesenheit durch ein Keuchen an, schon Sekunden bevor sie erschien – die Augen so weit aufgerissen, dass Nesta beunruhigt in die Finsternis hinter der Priesterin starrte. »Was ist los?« Verfolgte die Dunkelheit aus den Tiefen des Schachts sie etwa?

Gwyn beruhigte sich ein wenig. »Ich weiß nicht, wie, aber Merrill hat erfahren, dass du das Buch ausgetauscht hast.« Sie schnappte nach Luft, während sie zu einer Ebene weiter oben zeigte. »Du solltest gehen.«

Nesta runzelte die Stirn. »Na und? Ich werde mich nicht von ihr einschüchtern lassen wie ein unartiges Kind.«

Gwyn wurde bleich. »Wenn sie wütend ist, dann ...«

»*Was* dann, Gwyneth Berdara?«, säuselte eine weibliche Stimme hinter den Regalen. »*Was* ist, wenn ich wütend bin?«

Gwyn zuckte zusammen und drehte sich langsam um, als die weißhaarige Schönheit aus der Dunkelheit trat. Ihre blassen Gewänder schwebten wie von einem unsichtbaren Wind bewegt hinter ihr her, und der blaue Stein an ihrer Kapuze funkelte hell. Gwyn neigte den Kopf und wurde noch bleicher. »Nichts, Merrill.«

Nesta knirschte mit den Zähnen, als sie die Verneigung sah und die Angst in Gwyns Gesicht und ihren leisen Worten wahrnahm.

Über ihnen blieben mehrere Priesterinnen an der Brüstung stehen.

Merrill richtete ihre außergewöhnlichen Augen auf Nesta. »Ich bin keine Freundin von Dieben und Lügnern.«

»Ich auch nicht«, sagte Nesta kühl und hob das Kinn.

»Du hast versucht, mich in meinem eigenen Arbeitszimmer zum Narren zu halten«, zischte Merrill. Gwyn, die sich wegduckte, würdigte sie keines Blickes.

»Ich weiß nicht, wovon du redest.«

»Ach, tatsächlich? Als ich nach dem Buch griff, das meine dumme Assistentin mir *fälschlicherweise* gebracht hatte – oh ja, ich wusste es von Anfang an –, und stattdessen den richtigen Band mit *deinem* Duft daran in Händen hielt – das hatte also gar nichts mit dir zu tun?« Merrill schaute von Gwyn zu Nesta und wieder zurück. »Es ist unentschuldbar, von anderen zu verlangen, dass sie die eigene Dummheit und Achtlosigkeit ausbügeln.«

Gwyns Angst kratzte an Nestas Sinnen. »Das hat Gwyn nicht getan«, erwiderte sie leise. »Und wen interessiert das schon? Langweilst du dich hier unten so sehr, dass du diese Dramen erfinden musst, um dich zu amüsieren?« Sie deutete mit der Hand auf den

Gang hinter Merrill. »Wir sind beide beschäftigt. Scher dich fort und lass uns in Ruhe arbeiten.«

Ein Geschoss höher schnappte jemand hörbar nach Luft.

Merrill lachte, was den unsichtbaren Wind um sie herum wispern ließ. »Weißt du nicht, wer ich bin, Mädchen?«

»Ich weiß, dass du uns von der Arbeit abhältst«, antwortete Nesta mit jener unbeeindruckten Ruhe, von der sie wusste, dass sie die Leute damit wütend machte. »Und ich weiß, dass das hier eine Bibliothek ist. Aber du hortest Bücher, als wäre es deine Privatsammlung.«

Merrill fletschte die Zähne. »Glaubst du, ich wüsste nicht, wer *du* bist? Das Menschenmädchen, das in den Kessel gestoßen wurde und als High Fae wieder herauskam. Die Frau, die den König von Hybern getötet und seinen Kopf wie eine Trophäe hochgehalten hat, während sein Blut auf sie herabtropfte.«

Bei dieser drastischen Beschreibung zeichnete sich Erstaunen auf Gwyns Gesicht ab.

Nesta hielt das Kinn hoch erhoben, schluckte nicht mal.

»Selbst hier, unter so viel Gestein, wispert der Wind mir zu«, fuhr Merrill fort. »Er findet seinen Weg durch die Ritzen und flüstert mir ins Ohr, was in der Welt vor sich geht.« Sie schnaubte. »Glaubst du, du hast jetzt das Recht zu tun, was du willst?«

Nestas Kraft regte sich in ihren Adern. Sie trampelte sie nieder, schob sie weg, erstickte sie im Keim. »Ich glaube, du hörst dich selbst viel zu gern reden.«

»Ich stamme von Rabath, dem Lord der Westwinde, ab«, stellte Merrill empört klar. »Im Gegensatz zu Gwyneth Berdara bin ich kein Lakai, den man einfach fortschickt.«

Zur Hölle mit dem Miststück. Zur Hölle mit Zurückhaltung und Verstecken. Nesta erlaubte ihrer Kraft, gerade so weit an die Oberfläche zu dringen, dass ihre Augen glühten. Sie ließ sie knistern, ignorierte aber ihr wildes, unheiliges Brüllen.

Gwyn war einen Schritt zurückgewichen. Selbst Merrill blinzelte, als Nesta erwiderte: »Bei solch einem tollen Titel sollte so ein kleinlicher Groll doch eigentlich unter deiner Würde sein.« Nesta schenkte ihr ein wildes, grausames Lächeln.

Merrill schaute nur zwischen ihr und Gwyn hin und her und knurrte schließlich: »Geh wieder an deine Arbeit, Nymphe.« Dann stolzierte sie in die Dunkelheit davon und der Wind folgte ihr auf dem Fuße.

Nesta dämmte ihre Kraft und deren Bedrohung ein, unterdrückte ihre Musik und ihr Brüllen mit eiserner Hand.

Doch erst als sich Merrills kräftiger Wind gelegt hatte, lehnte sich Gwyn an ein Regal und fuhr sich mit den Händen übers Gesicht. Die Priesterinnen, die das Ganze verfolgt hatten, setzten sich wieder in Bewegung und ihr Tuscheln erfüllte die Bibliothek.

»Nymphe?«, fragte Nesta in die raschelnde Stille hinein.

Gwyn nahm die Hände herunter und seufzte erleichtert, als sie sah, dass Nestas Augen nicht mehr glühten. Ihre Stimme klang entspannt. »Meine Großmutter war eine Flussnymphe, die einen High Fae vom Herbsthof verführte. Also bin ich zu einem Viertel Nymphe, aber es reicht für das hier.« Sie zeigte auf ihre großen Augen – so klar und blau wie eine seichte Meeresbucht – und ihren geschmeidigen Körper. »Meine Knochen sind ein wenig biegsamer als die normaler High Fae. Aber wen interessiert das schon?«

Vermutlich bewegte Gwyn sich deshalb so leicht und sicher.

»Meine Mutter war von beiden Familien unerwünscht«, fuhr Gwyn fort. »Sie konnte nicht in den Flüssen des Frühlingshofs wohnen, war aber zu ungezähmt, um die Enge des Waldpalastes am Herbsthof zu ertragen. Also gab man sie als Kind in den Tempel von Sangravah, wo sie aufwuchs. Als sie alt genug war, nahm sie am Großen Ritus teil, und ich … wir – meine Schwester und ich – waren das Ergebnis dieser heiligen Vereinigung mit einem Fremden. Sie fand nie heraus, wer der Mann war, denn er wurde in jener Nacht durch Magie ausgewählt. Und auch danach tauchte niemand bei uns auf, der sich nach Zwillingsmädchen erkundigt hätte. Wir wuchsen ebenfalls im Tempel auf. Ich hatte den Tempelbezirk noch nie verlassen, bis ich … bis ich hierherkam.«

Bei diesen Worten trat ein solcher Schmerz in Gwyns Augen, dass Nesta es nicht wagte, nach ihrer Mutter oder ihrer Zwillingsschwester zu fragen.

Gwyn schüttelte den Kopf, als wollte sie die Erinnerung vertreiben, und spreizte dann die Finger. »Meine Schwester hatte Schwimmhäute zwischen den Fingern, wie alle Nymphen. Die habe ich nicht.« *Hatte.*

Erneut seufzte Gwyn. »Merrill wird dir das Leben zur Hölle machen.«

»Sie kann es ja versuchen«, sagte Nesta sanft. »Es dürfte ihr schwerfallen, es noch schlimmer zu machen.«

»Jedenfalls haben wir jetzt eine gemeinsame Feindin. Merrill wird das nie vergessen.« Gwyn deutete auf die Brüstung über ihnen, wo die Priesterinnen gestanden hatten. »Aber die anderen vermutlich auch nicht. Es kommt nicht jeden Tag vor, dass sich jemand gegen Merrill auflehnt. Nur Clotho kann sie wirklich dazu bringen, sich zu fügen. Aber sie lässt sie meist gewähren, vor allem deshalb, weil Merrill diese stürmischen Wutanfälle bekommt, die sämtliche Manuskripte durcheinanderwirbeln können.«

»Falls du wieder jemanden brauchst, um Merrill in die Schranken zu verweisen, lass es mich wissen.«

Gwyn lächelte matt. »Beim nächsten Mal habe ich vielleicht selbst den Mut dazu.«

Allem Anschein nach vergaßen die Priesterinnen tatsächlich nicht, was Nesta getan hatte.

Nesta, Gwyn und Emerie machten gerade ihre ersten Dehnübungen, mit Argusaugen und versteinerter Miene überwacht von Cassian, als vom Bogengang jenseits des Trainingsplatzes Schritte ertönten.

Sie alle hielten inne, als drei Gestalten mit Kapuzen auf dem Kopf erschienen, die Hände so fest verschränkt, dass die Knöchel weiß hervortraten. Und dann schritten die Priesterinnen ins Freie, ins Sonnenlicht, und blinzelten, als erinnerten sie sich an dessen Existenz.

Gwyn kam rasch auf die Füße und grinste so breit, dass Nesta völlig verblüfft war. Natürlich war sie hübsch, aber mit dieser Freude und dem Selbstvertrauen, das sie ausstrahlte, als sie jetzt auf die drei Priesterinnen zuging, verfügte sie über eine Schönheit, die Merrill und Mor Konkurrenz gemacht hätte. Aber vielleicht hatte sich auch gar nichts verändert, abgesehen von ihrem neuen Selbstvertrauen – die Art, wie Gwyn jetzt die Schultern straffte, wie sie den Kopf hielt und lächelnd verkündete: »Roslin. Deirdre. Ananke. Ich habe gehofft, dass ihr kommt.«

An diesem Morgen hatte Nesta die Liste nicht überprüft, denn sie hatte nicht mehr daran geglaubt, dass außer Gwyn noch jemand zum Training erscheinen würde.

Doch jetzt drängten sich die drei zusammen, als Cassian ihnen ein zwangloses Lächeln schenkte, das dem von Rhys so sehr ähnelte. Es sollte sein Gegenüber beruhigen und die Bedrohung mildern, die von seiner Macht und seinem Körper ausging. »Meine Damen«, sagte er und deutete auf den Trainingsplatz. »Willkommen.«

Roslin und Ananke schwiegen, aber die Priesterin in der Mitte, Deirdre, schlug ihre Kapuze zurück.

Sofort unterdrückte Nesta den überwältigenden Instinkt, entsetzt nach Luft zu schnappen. Emerie auf der Matte neben ihr schien es genauso zu ergehen.

Eine lange, hässliche Narbe zog sich über Deirdres Gesicht, knapp an ihrem linken Auge vorbei. Sie hob sich weiß von ihrer braunen Haut ab und erstreckte sich von ihren kleinen, schwarzen Locken bis zu ihrem schmalen, anmutigen Kinn. Ihre runden, dunklen Augen, eingerahmt von dichten, geschwungenen Wimpern, waren aufgerissen, aber entschlossen, als sie erwiderte: »Hoffentlich kommen wir nicht zu spät.«

Alle schauten zu Nesta. Aber sie hatte hier nicht das Kommando. Sie warf Cassian einen Blick zu, der mit einem Schulterzucken reagierte, als wollte er sagen: *Ich bin nur der Lehrer.*

Eine weitere Narbe zog sich über Deirdres Hals und verschwand unter ihrem Gewand. Derartige Narben bei einer High Fae deuteten auf ein Ereignis von solcher Gewalt und solchem Schrecken hin, dass sich Nesta der Magen zusammenballte. Aber sie trat auf die Priesterin zu. »Wir haben gerade erst angefangen.«

»Gib mir bitte diese Steine und Knochen«, sagte Nesta leise zum Haus, als sie in der privaten Bibliothek saß, vor sich eine Karte aller sieben Höfe, Cassian einen Schritt hinter sich.

Eine kleine, irdene Schale erschien neben der Karte, darin Steine und Knochen.

Nesta schluckte. Ihr Mund war wie ausgetrocknet.

Cassian pfiff anerkennend. »Das Haus hört wirklich auf dich.«

Sie warf einen Blick über die Schulter. Nach der Arbeit in der Bibliothek hatte sie Cassian hierhergebeten. Als reine Vorsichtsmaßnahme, wie sie sich selbst versicherte. Falls sie die Kontrolle verlor ... wenn sie nicht sehen konnte, wo ihr Finger auf der Karte landete, musste jemand da sein. Und diese Person war zufälligerweise er.

Es spielte keine Rolle, dass er einst neben ihr gestanden hatte, eine Hand auf ihrem Rücken, so wie jetzt, und sie mit seiner Wärme und Kraft gestärkt hatte.

Cassians Blick wanderte von der Schale zur Karte. »Warum hast du deine Meinung geändert?«

Nesta gestattete sich kein Zögern. Entschlossen schob sie die Finger in die Schale und nahm die Steine und Knochen heraus, die hohl und uralt klapperten.

»Ich musste die ganze Zeit an die Priesterinnen denken, die heute zum Training gekommen sind. Roslin hat erzählt, dass sie schon seit sechzig Jahren keinen Fuß mehr aus der Bibliothek gesetzt hatte. Und Deirdre, mit diesen Narben ...« Nesta atmete tief ein. »Ich verlange von ihnen, tapfer zu sein, hart zu arbeiten und sich ihrer Angst zu stellen. Aber ich selbst drücke mich davor.«

»Das wirft dir niemand vor.«

»Das braucht mir auch niemand extra vorzuwerfen. Ich weiß es. Und obwohl ich vor der Prophezeiung Angst habe, fürchte ich mich noch mehr davor, eine feige Heuchlerin zu sein.«

Die Priesterinnen waren Novizinnen im wahrsten Sinne des Wortes: Ananke hatte so ein schlechtes Gleichgewichtsgefühl, dass sie beim Versuch, ihre Zehen in den Boden zu krallen, vornübergekippt war. Roslin war kaum besser gewesen. Keine von ihnen hatte die Kapuze abgenommen. Aber Nesta hatte weinrotes Haar bei Roslin und goldblonde Locken bei Ananke erspäht, während die Haut der beiden so weiß wie Sahne geschimmert hatte.

»Bist du dir sicher, dass du die Knochen nicht lieber im Beisein von Rhys und Amren befragen willst?«, hakte Cassian nach.

Nesta schloss die Finger fest um die Knochen und Steine. »Ich brauche sie nicht.«

Daraufhin schwieg er, damit sie sich konzentrieren konnte.

Beim ersten und bisher einzigen Mal hatte es ein paar Minuten gedauert, ihren Geist zu leeren und auf diesen Ruck zu warten, der durch ihren Körper ging und sie zu einer unsichtbaren Kraft zog. Sie war über die Erde gefegt worden, und als sie die Augen wieder geöffnet hatte, hatte sie in einem Kriegszelt vor dem König von Hybern gestanden, hinter dem die dunkle Masse des Kessels aufragte.

Nesta schloss die Augen und zwang ihren Geist, sich zu beruhigen, als sie ihre geballte Faust über die Karte hob. Sie konzentrierte sich auf ihren Atem, auf den Rhythmus von Cassians Atemzügen.

Ihr Schlucken klang selbst in ihren eigenen Ohren laut.

Sie hatte bei allem versagt. Aber das hier konnte sie schaffen.

Sie hatte ihren Vater im Stich gelassen und viele Jahre lang auch Feyre. Und vermutlich auch ihre Mutter enttäuscht. Ganz zu schweigen von Elain: Zuerst hatte sie nicht verhindern können, dass Hybern sie in jener Nacht entführte, als sie aus ihren Betten gerissen worden waren. Danach hatte sie zugelassen, dass man sie in den Kessel stieß. Und schließlich hatte sie versagt, als der Kessel sie in Hyberns Lager gebracht hatte.

Sie hatte wieder und wieder, wieder und wieder ...

»Schon irgendetwas gefunden?«

»Sei still.«

Cassian knurrte, rückte aber näher. Sie spürte seine beruhigende Wärme an ihrer Seite.

Nesta versuchte, ihren Geist zu leeren. Aber es gelang ihr nicht. Sie fühlte sich wie auf dieser verdammten Wendeltreppe – sie drehte sich im Kreis, immer weiter hinab.

Die Schreckenstruhe. Sie musste sie finden.

Die Maske, die Harfe, die Krone.

Aber andere Gedanken drängten sich in den Vordergrund. Zu viele.

Die Maske. Sie dachte angestrengt nach. *Wo ist die Maske aus der Schreckenstruhe?*

Die Innenfläche ihrer Hand war schweißfeucht, die Steine und Knochen rutschten in ihrer Faust hin und her. Wenn die Maske sie genauso wahrnahm wie der Kessel ... Sie durfte nicht zulassen, dass die Maske sie sah und herausfand, was sie am meisten liebte. Durfte nicht zulassen, dass sie sie sah, sie fand und verletzte.

Die Maske, befahl sie den Steinen und Knochen. *Findet die Maske.*

Keine Reaktion. Kein Ruck, kein Flüstern der Kraft. Sie atmete durch die Nase aus. *Die Maske,* befahl sie erneut.

Nichts passierte.

Ihr Herz schlug wie wild, aber sie versuchte es ein weiteres Mal ... über einen anderen Weg. Sie dachte an ihre gemeinsame Herkunft ... daran, dass sie und die Truhe dem Kessel entstammten.

Doch statt einer Antwort erwartete sie nur gähnende Leere.

Nesta runzelte die Stirn und umklammerte die Gegenstände in ihrer Faust fester. Stellte sich den Kessel vor: die riesige Schale aus dunkelstem Eisen, so groß, dass mehrere Leute sie als Badewanne benutzen könnten. Der Kessel besaß eine physische Form, doch als das frostkalte Wasser sie verschluckt hatte, war da kein Boden gewesen. Nur ein eisiger Abgrund, der sich schon bald in völlige Dunkelheit verwandelt hatte. Das Ding, das vor dem Licht existiert hatte, die Wiege, aus der alles Leben entsprang.

Schweißtropfen bildeten sich auf ihrer Stirn, als rebellierte ihr ganzer Körper gegen die Erinnerung. Aber sie führte sich mit aller

Macht das Bild vor Augen, wie der Kessel im Kriegszelt des Königs von Hybern auf dem Gras und den Teppichen gehockt hatte – ein urzeitliches Biest, das sich im Halbschlaf befand, als sie eintrat.

Und dann hatte der Kessel ein Auge geöffnet. Sie hatte es nicht sehen, aber spüren können, wie es sich auf sie heftete. Es hatte sich geweitet, als es erkannte, wer dort stand: die Frau, die so viel genommen hatte, zu viel. Und plötzlich hatte der Kessel seine ganze unendliche Kraft und seine Wut auf sie gerichtet, wie eine Katze, die mit der Pfote nach einer Maus schlug.

Ihre Hand zitterte.

»Nesta?«

Sie bekam keine Luft.

»Nesta.«

Sie konnte die Erinnerung nicht ertragen, die Erinnerung an diesen uralten Schrecken und diese Raserei ...

Hastig öffnete sie die Augen. »Ich kann nicht«, krächzte sie. »Ich kann nicht. Die Kraft ... Ich glaube, ich habe sie nicht mehr.«

»Sie ist da. Ich habe sie in deinen Augen gesehen und in meinen Knochen gespürt. Versuch es noch einmal.«

Aber sie konnte sie nicht heraufbeschwören, konnte sich ihr nicht stellen. »Ich kann nicht.« Sie ließ die Steine und die Knochen wieder in die Schale fallen.

Und sie konnte die Enttäuschung in Cassians Stimme nicht ertragen, als er sagte: »In Ordnung.«

An diesem Abend aß sie nicht mit ihm im Esszimmer. Sie tat gar nichts, kroch nur in ihr Bett und starrte in die Dunkelheit, ließ sich in sie hineinfallen.

Er suchte nach ihr.

Er schlängelte sich wie eine dunkle Schlange durch die Gänge des Hauses, suchte und witterte und jagte nach ihr.

Sie konnte sich nicht aus ihrem Bett erheben, konnte sich nicht bewegen und die Augen öffnen, um den Alarm auszulösen und zu fliehen.

Sie spürte, wie er näher kam, die Treppe hinaufkroch, dann durch ihren Gang.

Sie konnte sich nicht rühren, konnte die Augen nicht öffnen.

Dunkelheit wand sich durch den Spalt zwischen Tür und Steinboden.

Nein – er konnte sie unmöglich gefunden haben. Dieses Mal würde er sie erwischen, sie auf dieses Bett drücken und ihr alles entreißen, was sie ihm genommen hatte.

Die Dunkelheit kam näher. Sie zwang sich, die Augen zu öffnen, und sah, wie sich etwas über ihrem Bett sammelte, eine Wolke ohne Gestalt und Form, aber von solch einer bösartigen Präsenz, dass sie seinen Namen kannte, bevor er auf sie zusprang.

Nesta schrie, als die Dunkelheit des Kessels sie aufs Bett presste. Und dann war da nichts als sein fürchterliches Gewicht, das ihren Körper erfüllte, sie von innen heraus zerriss ...

Und dann nichts mehr.

Cassian fuhr aus dem Schlaf hoch und griff nach dem Messer auf seinem Nachttisch. Er wusste nicht, warum, hatte keinen Albtraum gehabt und auch kein Geräusch gehört.

Dennoch rasten Angst und Schrecken durch seine Adern und beschleunigten seinen Herzschlag. Der Trichterstein an seiner Hand leuchtete wie frisches Blut, als suchte er ebenfalls einen Feind, den er angreifen konnte.

Nichts.

Aber die Luft war eiskalt geworden. So kalt, dass sein Atem sichtbar wurde. Dann flackerten die Feenlichter auf, flimmerten, blinkten und leuchteten, als versuchten sie verzweifelt, ihm etwas mitzuteilen.

Als flehte das Haus ihn an, loszustürmen.

Er sprang aus dem Bett, und die Tür öffnete sich, bevor er sie aufreißen konnte. Mit dem Messer in der Hand stürzte er in den Flur und kümmerte sich nicht darum, dass er nur Boxershorts und einen Trichterstein trug. Einen Sekundenbruchteil später flog Az' Tür auf und die Schritte seines Bruders schlossen zu ihm auf, als Cassian die Treppe erreichte und hinunterraste.

Er hatte gerade einen Fuß in Nestas Geschoss gesetzt, als sie schrie. Kein Wutschrei, sondern nacktes Entsetzen.

Sein Körper fokussierte sich bei diesem Schrei, als wäre er nur noch das Messer in seiner Hand – eine Waffe, die alles auslöschen und vernichten würde, was sie bedrohte. Um weiter und weiter zu töten und nicht eher aufzuhören, bis der letzte Feind ausgeschaltet war.

Die Tür ihres Zimmers stand offen, grelles Licht fiel in den Flur. Silbernes, kaltes Licht.

»Cassian«, warnte Az. Doch Cassian stürmte noch schneller vorwärts, rannte so schnell wie noch nie in seinem Leben. Er krachte gegen den Torbogen, prallte daran ab, taumelte ins Zimmer. Und erstarrte bei dem Anblick, der sich ihm bot.

Nesta lag auf dem Bett und krümmte und wand sich. Ihr ganzer Körper war in silbernes Feuer getaucht.

Sie schrie, ihre Hände rissen an den Laken, und dieses Feuer brannte, ohne die Decken oder irgendetwas im Zimmer zu zerstören. Es brannte und züngelte, als würde es sie verschlingen.

»Bei den Göttern«, keuchte Azriel.

Das Feuer strahlte kalt. Nie zuvor hatte Cassian von einer solchen Kraft unter den High Fae gehört. Feuer, ja – aber Feuer mit *Wärme*. Nicht diese eiskalte, fürchterliche Version.

Erneut bäumte Nesta sich auf, schluchzte durch zusammengebissene Zähne.

Cassian wollte sich auf sie stürzen, aber Azriel packte ihn um die Taille. Er knurrte und überlegte, ob er sich aus Azriels Umklammerung befreien konnte, aber dazu war sie zu fest und zu unerbittlich.

Ein weiteres Mal schrie Nesta auf. Ein Wort war zu verstehen: *Nein.*

Flehend schrie sie wieder und wieder: *Nein, nein, nein.*

Sie wand und krümmte sich. Und dieses Feuer schien einen gewaltigen Atemzug zu nehmen, als stünde es kurz davor, wieder auszuatmen und die Welt zu vernichten …

Die Fenster des Zimmers explodierten.

Die Nacht donnerte herein, voller Schatten und Wind und Sternen.

Und als Nesta ausbrach wie ein Vulkan, als silbernes Feuer aus ihr herausschoss, stieß Rhys herab.

Er erstickte das Feuer mit seiner Dunkelheit, als hätte er eine Decke darübergeworfen. Nesta schrie, aber dieses Mal handelte es sich um einen Schmerzensschrei.

Die Nacht klarte so weit auf, dass Cassian Rhys am Bett erkennen konnte. Sein Bruder brüllte etwas, das Wind, Feuer und Sterne übertönten. Aber an seinen Lippen konnte Cassian ablesen, dass es ihr Name war. »Nesta!« Der Wind legte sich ein wenig, und Cassian hörte, was sein Bruder rief: »*Nesta! Es ist nur ein Traum!*«

Nestas Feuer flammte wieder auf und Rhys überzog sie mit einer Woge der Dunkelheit. Das gesamte Haus bebte.

Cassian schlug auf Azriel ein, brüllte Rhys an, er solle aufhören, ihr nicht wehtun …

Rhys' Dunkelheit drückte sie nieder, aber Nestas Flamme kämpfte dagegen an – als wären die beiden Kräfte Schwerter, die in einer Schlacht gegeneinander um die Oberhand rangen.

Dominanz donnerte in Rhys' Worten, als er befahl: »Wach auf. Es ist nur ein Traum. *Wach auf.*«

Doch Nesta kämpfte weiter. Rhys biss die Zähne zusammen, während seine Kraft sich wieder sammelte.

»Lass mich los«, knurrte Cassian. »Lass mich sofort los, Az.«

Zu seiner Überraschung folgte Azriel seiner Aufforderung.

Cassian wusste, dass die Chancen gegen ihn standen. Er verfügte über ein Messer und einen Trichterstein. Wenn er in die Magie zwischen Rhys und Nesta geriet, wäre das ungefähr so, als würde er unbewaffnet in eine Löwengrube springen.

Trotzdem stürmte er dorthin, wo silbernes Feuer und dunkelste Nacht miteinander kämpften.

Und sagte mit fester, ruhiger Stimme: »Nesta.«

Das silberne Feuer flackerte.

»Nesta.«

Er hätte schwören können, dass sich ihr Bewusstsein, diese Kraft auf ihn richtete. Gerade lange genug.

Die Welle von Rhys' Kraft, die sie dann traf, war nicht der brachiale Angriff von vorhin, sondern eine weiche Woge, die diese Flamme sanft überspülte und eindämmte.

Rhys erstarrte auf eine Weise, die Cassian verriet, dass sein Bruder nicht mehr vollkommen anwesend, sondern in den Geist der Frau eingedrungen war, die jetzt reglos auf dem Bett lag. Er dachte nur selten an Rhys' Macht als Daemati – eine Kraft, die auch Feyre besaß –, aber nie zuvor war er so dankbar dafür gewesen wie jetzt.

Cassian wagte es kaum zu atmen. Azriel schaute ihm über die Schulter, während Rhys vor dem Bett stand.

Zuckend fiel die Flamme in sich zusammen und verschwand schließlich wie Rauch.

Langsam entspannte sich Nestas Körper. Dann beruhigte sich ihre Atmung, ihr Körper erschlaffte und sie sank in selige Bewusstlosigkeit.

Cassian schluckte. Sein Herz hämmerte so heftig, dass Azriel es bestimmt hören konnte, als er neben ihn trat.

Im nächsten Moment sog Rhys scharf die Luft ein und bewegte seinen Körper. Azriel, dessen eigene Schatten sich um seine Schultern sammelten, fragte: »Was war das?«

Doch Rhys ging nur zu der kleinen Sitzecke und ließ sich in einen Sessel fallen. Die Hände des High Lord zitterten so heftig, dass Cassian nicht wusste, was er tun sollte. Der Sorge nach zu urteilen, die in Azriels Gesicht zu lesen war, ging es seinem Bruder ähnlich.

»Sollen wir Feyre kommen lassen?«, fragte Cassian.

»Nein«, knurrte Rhys. Seine Augen blitzten wie violette Sterne. »Ich will nicht, dass sie auch nur in die Nähe dieses Hauses kommt.«

»War das …« Azriel schaute zum Bett. »War das Nestas wahre Kraft? Dieses silberne Feuer?«

»Nur die Oberfläche dessen«, flüsterte Rhys. Seine Hände zitterten noch immer, als er sich damit übers Gesicht fuhr. »Verdammt.«

Cassian spreizte die Beine, als könnte er Rhys' nächste Worte mit seinem Körper abfangen.

»Ich bin in ihren Albtraum eingedrungen.« Rhys sah zu Cassian hoch. »Warum hast du mir nicht gesagt, dass ihr heute eine Prophezeiung versucht habt?«

»Es hat nicht funktioniert.« Und Nestas Angst und Schuldgefühle hatten so schwer auf dem Raum gelastet, dass seine Brust geschmerzt hatte. Danach hatte er sie allein gelassen, denn er wusste, dass sie ihre Ruhe haben wollte.

Rhys atmete zitternd aus. »Die Befragung der Steine und Knochen war ein Stolperdraht für ihre Erinnerungen. Das habe ich gesehen, als ich in ihrem Geist war.« Er schluckte heftig, als müsste er sich übergeben, konnte sich aber gerade noch zurückhalten. »Sie hat vom Kessel geträumt. Davon ... wie sie hineingestoßen wurde.« Cassian hatte noch nie erlebt, dass Rhys derart um Worte verlegen war.

»Ich habe es gesehen«, flüsterte Rhys. »Es gespürt. Alles, was im Kessel passiert ist. Ich habe gesehen, wie sie ihm mit Zähnen, Klauen und Wut seine Kraft nahm. Und ich habe gesehen ... *gespürt*, was er ihr genommen hat.«

Erneut fuhr er sich mit den Händen übers Gesicht und richtete sich langsam auf. Dann sah er Cassian geradewegs in die Augen, und Cassian entdeckte in seinem Blick Reue und Leid. »Ihr Trauma ist ...« Rhys musste ein weiteres Mal schlucken.

»Ich weiß«, flüsterte Cassian.

»Ich hatte es geahnt«, sagte Rhys leise, »aber es war etwas völlig anderes, es zu *spüren*.«

»Welche Kraft hat sie?«, fragte Azriel.

»Die des Todes«, wisperte Rhys mit noch immer zitternden Händen. Dann stand er auf und ging zum Fenster, das sich gerade Scherbe für Scherbe wie von einer vorsichtigen, geduldigen Hand geleitet, selbst wieder zusammensetzte. Der High Lord des Hofs der Nacht warf einen Blick auf die schlafende Gestalt auf dem Bett, und Furcht zeichnete sich auf seinem Gesicht ab. »Sie besitzt die Kraft des blanken Todes.«

30

Der Traum war real gewesen und dann auch wieder nicht. Und es hatte sich kein Ende abgezeichnet, kein Entkommen.

Bis eine vertraute Stimme ihren Namen gesagt hatte.

Und in dem Moment hatte der Terror ein Ende gefunden, als hätte sich die Achse der Welt dieser Stimme zugewandt. Eine Stimme, die sich in eine Tür verwandelt hatte, voll strahlendem Licht und Stärke.

Nesta hatte eine Hand danach ausgestreckt.

Und dann war noch eine andere männliche Stimme dazugekommen, ebenfalls vertraut und voller Kraft. Und auf eine Art und Weise freundlich zu ihr wie noch nie zuvor. Die Stimme hatte sie aus der schwarzen Grube des Traums herausgeholt und mit einer sternengesprenkelten Hand zurück in ein Land vorbeiziehender Wolken und sanfter Hügel unter einem hellen Mond geführt.

Sie hatte sich auf diesen Hügeln zusammengerollt, sicher und behütet im Mondlicht, und geschlafen.

Nesta schlief schwer und traumlos und öffnete die Augen erst wieder, als das Licht der Sonne, nicht das des Mondes, ihr Gesicht küsste. Sie war in ihrem Zimmer, die Bettlaken zerwühlt und halb auf dem Boden, aber ...

Cassian saß in einem Sessel neben ihrem Bett. Eingenickt. Sein Kopf hing leicht zur Seite und seine Schwingen berührten den Steinboden. Er trug nur seine Boxershorts und war in eine Decke gehüllt, die ihm vermutlich jemand umgelegt hatte.

Es war ein Albtraum gewesen, wie ihr jetzt mit einem eisigen Schaudern bewusst wurde. Sie hatte vom Kessel geträumt, hatte sich darin verirrt und geschrien und geschrien.

Und es hatte sich um seine Stimme gehandelt, die sie gehört hatte. Seine Stimme und ...

Keine Spur von Rhysand. Nur Cassian.

Sie betrachtete ihn, sah die ungewöhnliche Blässe seines Gesichts, die gerunzelte Stirn, als würde er sich sogar im Schlaf noch um sie sorgen. Die Sonne brachte die roten und goldenen Farbnuancen seiner dunklen Haare und seiner Schwingen zum Vorschein.

Wie ein Ritter, der an der Seite seiner Dame wachte. Sie konnte das Bild nicht unterdrücken, das den Kinderbüchern ihrer Kindheit entsprang: ein Kriegerprinz, mitsamt seinen Tätowierungen und der muskelbepackten Brust.

Ihre Kehle zog sich unerträglich zusammen, ihre Augen brannten. Sie würde sich nicht gestatten zu weinen, nicht um ihrer selbst willen und auch nicht bei seinem Anblick und der Vorstellung, dass er die ganze Nacht an ihrem Bett Wache gehalten hatte.

Aber es schien, als würde ihr wildes Blinzeln ihn aufwecken – als könnte er das Flattern ihrer Wimpern hören.

Sofort heftete er seine haselnussbraunen Augen auf sie, als ob er genau wüsste, wo sie war. Und daraus sprach eine solche Sorge und nicht nachlassende Güte, dass sie größte Mühe hatte, die Tränen zurückzuhalten.

»Hey«, sagte er sanft.

Sie riss sich zusammen. »Hallo.«

»Geht es dir gut?«

»Ja.« Nein – wenn auch nicht aus den Gründen, die er vermutete.

»Schön.« Er ächzte und streckte sich, zuerst die muskulösen Arme und dann die Schwingen. »Willst du darüber reden?«

»Nein.«

»Okay.«

Und damit war die Sache erledigt.

Allerdings schenkte er ihr ein schiefes Lächeln. Und das war so normal, so typisch und so unvergleichlich und unnachahmlich für *ihn*. So überwältigend, dass es ihr erneut die Kehle zuschnürte.

»Willst du Frühstück?«

Nesta gelang es, sein schiefes Lächeln zu erwidern. »Ich mag deine Prioritäten, General.«

»Was ist mit dir passiert?«, fragte Emerie, als sie alle zusammen keuchend ihre Bauchmuskelübungen absolvierten. »Du bist bleich wie der Tod.«

»Schlecht geträumt«, sagte Nesta und zwang sich, nicht zu Cassian zu schauen, der Roslin aus gebührendem Abstand zeigte, wie man eine richtige Kniebeuge machte. Sie hatten schweigend gefrühstückt, aber die Stille war nicht peinlich, sondern ungezwungen gewesen. Angenehm.

»Kommt das oft vor?«, hakte Gwyn nach, die auf der anderen Seite neben Nesta lag.

»Ja.« Nesta beendete einen Sit-up und stöhnte, weil ihre Bauchmuskeln so schmerzten.

»Bei mir auch«, sagte Gwyn leise. »In manchen Nächten brauche ich einen Schlaftrunk von unserer Heilerin, um zur Ruhe zu kommen.«

Emerie warf Gwyn einen prüfenden Blick zu. Sie fragte zwar nie nach Gwyns Vergangenheit oder nach den Geschichten der anderen Priesterinnen, aber sie war nicht dumm. Natürlich hatte sie die Distanz wahrgenommen, die sie zu Cassian hielten, das Zögern und die Angst. Und hatte sich ein paar Dinge zusammengereimt. »Wovon träumst du?«, fragte sie jetzt Nesta.

Nestas Körper versteifte sich, doch dann führte sie ihre Übungen fort, denn sie wollte sich nicht von ihren Erinnerungen beherrschen lassen. »Ich habe vom Kessel geträumt. Was er mit mir gemacht hat.«

»Ich träume auch von meiner Vergangenheit«, sagte Gwyn und spielte mit ihren Haaren.

Aber weder Gwyns noch Nestas Eingeständnis belastete die drei. Nestas Kopf fühlte sich inzwischen etwas klarer an, und sie stellte erstaunt fest, dass sie sich heute noch mehr anstrengen konnte.

Vielleicht hatten sie durch ihre offenen Eingeständnisse diesen Wahrheiten Flügel verliehen. Und sie in den Himmel hinaufgeschickt.

»Wie geht's dir?«

Cassian saß gegenüber von Rhys an dessen Schreibtisch im Flusshaus, einen Knöchel über das Knie gelegt. »Mir? Was ist mit dir? Du siehst beschissen aus.«

»Gestern war ein harter Tag, gefolgt von einer heftigen Nacht.« Rhys stützte den Ellbogen auf den Schreibtisch und legte den Kopf darauf.

»Was ist vor der Katastrophe von letzter Nacht passiert?«, fragte Cassian.

Bei den Göttern, er wäre fast in Tränen ausgebrochen, als er an diesem Morgen die Augen geöffnet und gesehen hatte, dass Nesta ihn anschaute, ihr Gesicht entspannt und ohne Anzeichen von Schmerzen. Die Schatten waren noch da, aber das war alles besser als ihre Schreie ... als diese Magie, die Rhys nur als der *blanke Tod* beschreiben konnte.

»Rhys«, sagte Cassian, als sein Bruder nicht antwortete.

Rhys wandte den Blick ab und flüsterte schließlich: »Das Baby hat Schwingen.«

Freude erfasste Cassian – bis das gebrochene Flüstern und die Bedeutung dieser Worte einen eisigen Schauer durch seine Adern jagten. »Bist du dir sicher?«

»Wir hatten gestern Morgen einen Termin bei Madja.«

»Aber der Kleine ist doch nur zu einem Viertel illyrianisch.« Es war natürlich möglich, dass das Baby Schwingen geerbt hatte, aber unwahrscheinlich, da Rhys ohne auf die Welt gekommen war und sie nur mithilfe seiner seltsamen, unheimlichen Magie hervorrufen konnte.

»Ja. Aber Feyre war in illyrianischer Gestalt, als er gezeugt wurde.«

»Und das macht einen Unterschied? Ich dachte, sie hätte sich nur die Schwingen zugelegt ... und sonst nichts.«

»Sie wandelt ihre Gestalt ... ihr gesamtes Wesen zu der Form, die sie annimmt. Wenn sie sich selbst Schwingen verleiht, verändert sie ihren Körper ganz und gar. In jener Nacht war sie also durch und durch illyrianisch.«

»Aber jetzt hat sie keine Schwingen mehr.«

»Nein – sie hatte sich wieder zurückverwandelt, bevor wir die Schwangerschaft bemerkten.«

»Dann soll sie sich doch wieder in eine Illyrianerin verwandeln, um das Baby auszutragen.«

Rhys' Züge wurden hart. »Madja hat jegliche Gestaltwandlung strikt verboten. Sie meint, momentan würde jede Veränderung an Feyres Körper das Leben des Babys gefährden. Bis nach der Geburt darf Feyre nicht einmal ihre Haarfarbe ändern, weil sie dem Baby damit möglicherweise schaden könnte.«

Cassian fuhr sich mit der Hand durch die Haare. »Verstehe. Aber es wird alles gut, Rhys. Das ist nicht so schlimm.«

»Es *ist* schlimm«, knurrte Rhys wütend. »Aus so vielen beschissenen Gründen ist es *verdammt übel*.«

Rhys war fast so außer sich wie damals bei seiner Rückkehr von Amaranthas Hof. »Tief Luft holen«, sagte Cassian ruhig.

Rhys' Augen glühten, die Sterne darin erloschen. »Leck mich.«

»Du musst tief durchatmen, Rhysand.« Cassian deutete auf das Fenster hinter ihm, auf den Rasen, der sich bis zum Fluss erstreckte. »Wenn du es rauslassen willst – ich habe jede Menge überschüssige Energie.«

Im nächsten Moment schwang die Tür des Arbeitszimmers auf und Azriel kam herein. Seinem finsteren Gesichtsausdruck nach zu urteilen, wusste er bereits Bescheid.

Azriel setzte sich neben Cassian. »Sag uns, was du brauchst, Rhys.«

»Nichts. Ich muss mich zusammenreißen, damit meine Seelengefährtin nichts davon bemerkt, wenn sie zum Mittagessen nach Hause kommt.« Rhys kniff die Augen zusammen und ein machtvolles Grollen erfüllte den Raum. »*Niemand* verliert darüber auch nur ein Wort Feyre gegenüber. *Niemand.*«

»Hat Madja sie nicht gewarnt?«, fragte Azriel.

»Nicht eindringlich. Sie sprach nur von einem erhöhten Risiko bei der Geburt.« Rhys stieß ein bitteres Lachen aus. »Ein erhöhtes Risiko.«

Cassian drehte sich der Magen um.

»Ich weiß, dass jetzt ein schlechter Zeitpunkt ist, aber es gilt noch etwas anderes zu berücksichtigen, Rhys«, sagte Azriel.

Rhys hob den Kopf.

Azriels Gesicht wirkte wie versteinert. »In den nächsten Wochen wird man es Feyre noch nicht ansehen, aber das dürfte sich schon bald ändern. Die Leute werden von ihrer Schwangerschaft erfahren.«

»Ich weiß.«

»Eris wird es erfahren.«

»Er ist unser Verbündeter. Er wird vermutlich mehr mit seinem Vater beschäftigt sein und sich eher auf die Suche nach seinen verschollenen Soldaten konzentrieren als auf das hier.«

Und dann versetzte Az ihm einen Tiefschlag: »Tamlin wird es erfahren.«

Rhys' wütendes Knurren brachte die Lichter zum Flackern. »Und?«

Cassian warf Azriel einen warnenden Blick zu. Aber Az erwiderte furchtlos und unbeeindruckt: »Wir müssen auf alle negativen Reaktionen vorbereitet sein.«

»Tamlin ist mir gerade scheißegal.«

Die Tatsache, dass Rhys nicht verstand, was Az meinte, zeigte Cassian, wie verzweifelt und verängstigt er war.

Cassian versuchte, Az' ruhigen Ton aufzugreifen. »Er könnte übel reagieren.«

»Wenn er einen Fuß über diese Grenze setzt, ist er tot.«

»Das bezweifle ich nicht«, sagte Cassian. »Aber Tamlin steht bereits mit einem Fuß am Abgrund. Du und Lucien, ihr habt deutlich gemacht, dass er sich im letzten Jahr kaum gebessert hat. Wenn er von Feyres Schwangerschaft hört, könnte er erneut zusammenbrechen. Da wir möglicherweise vor einem neuen Krieg stehen und Briallyn mit Koschei ihr Unwesen treibt, brauchen wir einen starken Verbündeten. Wir brauchen die Armeen des Frühlingshofs.«

»Also sollen wir ihre Schwangerschaft vor ihm verbergen?«

»Nein. Aber wir müssen Lucien kommen lassen«, sagte Azriel so angespannt, als würde ihm das ganz und gar nicht gefallen. »Wir müssen ihm die Neuigkeit mitteilen und ihn dauerhaft am Frühlingshof postieren, um möglichen Schaden abzuwenden und für uns Augen und Ohren offen zu halten.«

Schweigen. Sie gaben Rhys Zeit, die Worte zu verdauen.

»Bei der Vorstellung, Tamlin zu verhätscheln, würde ich am liebsten das Fenster zertrümmern«, sagte Rhys mit einem Brummen in der Stimme, das Cassian erleichtert aufatmen ließ. Zumindest hatte sich der scharfe, gewalttätige Ton gemildert. Wenn auch nur ansatzweise.

»Ich werde mich mit Lucien in Verbindung setzen«, bot Azriel an.

In Rhys' Augen stand noch immer Angst. Entschlossen ging Cassian um den Schreibtisch herum und zog den High Lord auf die Füße. Rhys ließ ihn gewähren.

Cassian legte seinem Bruder einen Arm um die Schultern. »Komm, wir verpassen uns gegenseitig eine blutige Nase.«

31

Nesta nahm gerade mit laut knurrendem Magen am Esstisch Platz, als Cassian hereinkam. Oder eher herein*humpelte.*
Es verschlug ihr fast den Atem, als sie das blaue Auge, die aufgeplatzte Lippe und den Bluterguss am Kinn sah.
»Was ist passiert?«, fragte sie erschrocken.
Cassian schlurfte zu seinem Stuhl und ließ sich darauf fallen. »Ich habe mich mit Rhys geprügelt.«
»Du siehst aus wie ein weich geklopftes Stück Fleisch.«
»Du solltest *ihn* mal sehen!« Er lachte heiser.
»Warum habt ihr euch gegenseitig so zugerichtet?« Falls diese Schlägerei mit ihrem Albtraum zusammenhing ...
»Rhys musste etwas aus seinem System kriegen.« Cassian seufzte beim Anblick des Brathuhns und der Schale mit Reissuppe, die vor ihm erschienen. »Trotz dieses ausgeglichenen Äußeren, das mein Bruder der Welt präsentiert, muss er ab und zu Dampf ablassen.«
»Ihr scheint eine vollkommen andere Vorstellung von Dampfablassen zu haben als ich.«
Cassian schnaubte und nahm einen Löffel Suppe. »Das Ganze war nicht als Spaß gedacht, sondern um Spannungen abzubauen.«
»Weshalb?« Sie wusste, dass sie eigentlich kein Recht hatte, danach zu fragen.
Doch Cassian legte den Löffel ab und sah sie mit ernster Miene an. »Das Baby hat Schwingen.«
Nesta musste ein paarmal blinzeln, um diese Information zu verarbeiten. »Wie können sie das so früh wissen?«
»Madja kann sich mithilfe ihrer Magie ein ungefähres Bild von einem Ungeborenen im Mutterleib verschaffen. Um zu überprüfen,

ob alles in Ordnung ist. Der Kleine ist bereits groß genug, dass sie erkennen konnte, dass alle Gliedmaßen vorhanden sind ... und dass er Schwingen hat.«

Unfassbar, was sie mit ihrer Magie alles anstellen konnte – sogar in einen Mutterleib schauen.

Nesta fragte sich unwillkürlich, wozu ihre eigene Kraft wohl imstande wäre, wenn sie ihr freien Lauf ließe. Und konnte die Panik nicht unterdrücken, die daraufhin wie ein Blitz durch ihre Adern schoss. Als würde schon der bloße Gedanke daran ihre Kraft entfesseln.

Rasch konzentrierte sie sich wieder und fragte: »Und Rhysand gefällt es nicht, dass das Baby Schwingen hat?«

Cassian aß weiter. »Darum geht's nicht. Es wird Rhys, mir, Az und vermutlich auch Feyre eine Freude sein, dem Kleinen das Fliegen beizubringen und ihn zu lehren, den Wind und den Himmel so zu lieben wie wir. Das Problem ist die Geburt.«

»Das versteh ich nicht.«

»Wie viele Halb-Illyrianer kennst du?«

»Nur Rhys, glaube ich.«

»Ja, weil sie extrem selten sind. Aber Rhys' Mutter war selbst Illyrianerin. Und illyrianische Frauen heiraten und pflanzen sich so gut wie nie außerhalb ihrer Gemeinschaft fort. Im Gegensatz zu illyrianischen Männern. Zumindest vögeln sie herum, aber diesen Nachwuchs bekommt man nur selten zu sehen.«

»Warum?«

»Das Becken illyrianischer Frauen ist für die Geburt von Kindern mit Schwingen angelegt. Das von High Fae nicht – ihr Geburtskanal ist zu schmal. Und wenn ein Kind Schwingen hat, kann es während des Geburtsvorgangs stecken bleiben.« Sein Gesicht war unter den Blutergüssen noch bleicher geworden. »Die meisten Frauen sterben. Und ihre Babys auch. Magie kann da nicht helfen, abgesehen von der drastischen Maßnahme vielleicht, das Becken der Frau zu brechen, um es für die Geburt zu weiten. Wobei das Baby dann ebenfalls sterben könnte.«

»Feyre wird sterben?«, flüsterte Nesta entsetzt. Für einen kurzen Moment verschwanden Groll, Wut und Verbitterung und wurden durch nackte Panik ersetzt.

»Einige überleben.« Cassian wollte sich mit den Händen übers Gesicht fahren, schien sich dann jedoch an seine Verletzungen zu erinnern. »Aber die Wehen sind so brutal, dass viele von ihnen dem Tod sehr nahe kommen oder so sehr dadurch verändert werden, dass sie keine weiteren Kinder mehr bekommen können.«

»Auch nicht, wenn ein Heiler sie wiederherstellt?« Ihr Herz pochte so beängstigend schnell, dass sie ihr Besteck ablegen musste.

»Ehrlich gesagt, weiß ich es nicht. Und bisher waren sämtliche Versuche, ein Kind aus dem Mutterleib herauszuschneiden ...« Er schauderte. »Keine Mutter hat das je überlebt.« Nesta gefror das Blut in den Adern. Cassian rollte die Schultern. »Also werden wir das gar nicht erst versuchen. Madja wird die ganze Schwangerschaft über da sein und alles in ihrer Macht Stehende tun. Außerdem wissen wir noch nicht, wie sich Feyres eigene Magie auf die Geburt auswirken kann.«

»Ist Feyre beunruhigt?«

»Sie kennt das volle Ausmaß nicht. Aber jeder, der hier aufgewachsen ist, weiß, was es für eine High Fae bedeutet, ein Baby mit Schwingen zu bekommen.«

Nesta zwang sich, die Angst zu unterdrücken, die sie durchströmte. »Und Rhys musste dieses Gefühl der Angst loswerden.«

»Ja. Und seine Schuldgefühle und seinen Schmerz.«

»Vielleicht gibt es an einem anderen Hof eine Heilerin, die mehr weiß als Madja. Vielleicht die Heilerin eines geflügelten Volkes. Der Hof des Morgens herrscht über die Peregryns ... Drakons Volk sind Seraphim. Miryam hat keine Schwingen, aber trotzdem hat sie Drakons Kinder auf die Welt gebracht.«

»Rhys bricht morgen zu ihrer Insel auf. Und Mor zieht diskret Erkundigungen an den Fae-Höfen auf dem Kontinent ein.« Er fuhr sich mit der Hand durchs Haar, wobei sich das Licht in seinem Trichterstein fing. »Wenn es eine Möglichkeit gibt, Feyre dieses Todesurteil zu ersparen, dann wird Rhys sie finden. Er wird nicht eher ruhen, bis er eine Lösung hat.«

Stille breitete sich im Raum aus. Die Last auf ihrer Brust erschien Nesta nahezu unerträglich. Rhys würde alles tun, daran zweifelte sie nicht. Der High Lord würde bis ans Ende der Welt gehen, um Feyre zu retten.

»Ich will noch einmal versuchen, die Knochen und Steine zu befragen«, sagte sie leise.

Cassians blaues Auge trat deutlich im Licht hervor, als er besorgt die Stirn runzelte. »Nach letzter Nacht …«

Nesta hob das Kinn. Falls dieses Baby überlebte … Sie würde nicht zulassen, dass der Kleine in eine Welt hineingeboren wurde, die erneut im Krieg versank. Aber das sagte sie nicht, denn so viel konnte sie nicht von sich preisgeben. »Nach dem gestrigen Versuch muss ich erst wieder zu Kräften kommen. Wir versuchen es morgen Abend.«

»Ich möchte, dass Rhys und Amren dabei sind. Und Az.«

»Okay.«

Cassian lehnte sich zurück. Sein finsterer, ernster Blick, kombiniert mit seiner aufgeplatzten Lippe und dem blauen Auge hatte beinahe etwas Komisches. »Warum bist du nicht zu mir gekommen?«, fragte er nach einem Moment.

Nesta verstand die Bedeutung seiner Worte nur deshalb, weil seine Stimme eine Oktave tiefer klang.

Sie beherrschte dieses Ablenkungsspiel gut – er hatte gar keine Ahnung, wie gut. Also senkte sie ihre Stimme ebenfalls. »Warum bist du nicht zu *mir* gekommen?«

»Ich richte mich nach dir. Du schienst kein Interesse mehr an mir zu haben, nach dem …« Er deutete mit dem Kinn auf den Tisch zwischen ihnen, auf den Boden, wo sie zwischen seinen Beinen gekniet hatte. »Ich habe dich doch nicht verletzt, oder?«

Nesta stieß ein raues Lachen aus. »Nein, du hast mich nicht verletzt.« Sie streckte die Hand über den Tisch aus, fuhr mit dem Finger über seinen Arm und sah ihm in die Augen. »Ich habe es geliebt, wie du meinen Mund gevögelt hast, Cassian.«

Seine Augen wurden dunkler. Sie stand auf, und er erstarrte, als sie um den Tisch herumging und dann neben seinem Stuhl stehen blieb.

»Willst du mich auf diesem Tisch vögeln?«, fragte sie leise und fuhr mit der Hand über die glatte Oberfläche. Er schauderte, als würde er sich vorstellen, wie sie seine Haut berührte.

»Ja«, sagte er mit kehliger Stimme. »Auf diesem Tisch, auf diesem Stuhl, auf jeder Fläche im Haus.«

»Ich glaube nicht, dass dem Haus solch ein schmutziges Verhalten gefallen würde. Auch wenn es ebenfalls gern Liebesromane liest.«

»Ich ... Was?« Sein Atem ging unregelmäßig.

Sie beugte sich hinab und küsste seinen verletzten Mund. Keine liebevolle Geste, nicht einmal eine freundliche. Sondern eine Herausforderung und eine spöttische Provokation, sich über Angst und Schmerzen hinwegzusetzen und sich mit ihr anzulegen. »Ich habe kein Interesse daran, mit einem Typ ins Bett zu gehen, der aussieht, als wäre er in eine Kneipenschlägerei geraten«, sagte sie dicht an seinen Lippen.

»Wir können das Licht dimmen.«

Nesta lachte leise. Verlangen verschleierte seine Augen. Und ein Blick nach unten würde ihr den Beweis dafür liefern, wie erregt er war. Aber diese Versuchung würde sie sich nicht gestatten.

Cassian würde ihre Belohnung sein – aber erst, wenn sie die Prophezeiung absolviert hatte.

Sie schenkte ihm ein Lächeln. »Wenn alles verheilt ist und man dich wieder ansehen kann«, sagte sie und trat einen Schritt zurück, »darfst du mich in diesem Haus vögeln, wo immer du willst.«

Cassians Hände krallten sich in die Stuhllehnen, als müsste er sich zurückhalten, um sich nicht auf sie zu stürzen. Dann umspielte ein wildes Grinsen seine Lippen. »Abgemacht.«

Niemand fragte nach Nestas Sinneswandel, als Cassian und sie am nächsten Nachmittag das Arbeitszimmer des Flusshauses betraten, wo Rhys, Feyre, Azriel und Amren vor einer riesigen Karte mit dem

Land der Fae auf sie warteten. Daneben stand eine Schale mit Steinen und Knochen.

Alle starrten sie an, taxierten sie, beurteilten sie. Aber Nestas Blick wanderte zu Feyre, die eine Hand auf die leichte Wölbung ihres Bauchs gelegt hatte.

Nesta zwang sich, sich nichts anmerken zu lassen, als sie ihrer Schwester kurz zur Begrüßung zunickte. Sie hasste sich selbst, als sie sah, wie sich der Ausdruck in den Augen ihrer Schwester entspannte – hasste die aufrichtige Emotion darin, als Feyre ebenfalls nickte und zaghaft lächelte.

Die Erleichterung und die Freude in Feyres Miene waren unerträglich. Die Tatsache, dass allein eine höfliche Begrüßung diese Reaktion bei ihr hervorgerufen hatte. Nesta wandte den Blick von ihr ab und schaute Rhysand an, der neben ihr stand. Sofort erlaubte sie ihrem Geist, sich zu öffnen, wenn auch nur einen kleinen Spalt.

Ich werde Feyre kein Wort sagen, schwor sie.

Sie gab ihm diese Versicherung allerdings nicht aus Freundlichkeit, sondern um den argwöhnischen Blick aus Rhys' Augen zu wischen, bevor der ihr noch mehr auf die Nerven gehen konnte. Er hatte sich doch bestimmt gedacht, dass Cassian ihr von den Schwingen des Babys erzählen würde.

Danke, erwiderte Rhys lediglich, mit einem wachsamen Ton in der Stimme.

Nesta fragte nicht nach seinem Besuch bei Miryam und Drakon – ob er irgendetwas in Erfahrung gebracht hatte. Stattdessen ging sie zum Tisch, mit Cassian dicht hinter ihr. Aber sie vergaß ihn, als sie Amren gegenübertrat, die sie mit kühler Verachtung betrachtete.

Worte, die Amren vor einigen Monaten geäußert und die Nesta unbedingt hatte vergessen wollen, stiegen aus der dunkelsten Ecke ihrer Erinnerungen hoch – jedes einzelne wie ein Messerstich. *Du hast dich zu einem erbärmlichen Jammerlappen entwickelt.*

Nesta wandte den Blick von Amren ab und konzentrierte sich auf die Karte. »Bringen wir es hinter uns.«

»Bei deinem Versuch vor zwei Tagen hast du nichts gespürt?«, fragte Azriel, der neben Amren saß.

»Nichts.« Nestas Finger schwebten über der Schale mit den Knochen und Steinen. »Mein Verstand ist nur um sich selbst gekreist.«

»Woran hast du gedacht?«, hakte Amren nach.

Daran, wie sehr sie sich selbst hasste. Ihren Vater. Wie sehr sie sich vor dem Kessel fürchtete. Doch sie erwiderte: »An die Truhe. Und daran, was bei meinem letzten Versuch einer Prophezeiung passiert ist.«

»Wir werden nicht zulassen, dass Elain etwas zustößt«, sagte Feyre. »Rhys hat sie heute Morgen mit einem Schutzschild versehen. Und wir haben sie die ganze Zeit im Auge.«

»Augen können geblendet werden«, gab Nesta zu bedenken.

»Nicht die, die unter meinem Kommando stehen«, sagte Azriel mit einem bedrohlichen Unterton in der Stimme. Nesta erwiderte seinen Blick, denn sie wusste, dass er außer Feyre der Einzige war, der ihr Zögern wirklich verstehen konnte. Er war mit Feyre direkt in Hyberns Lager eingedrungen, um Elain zu retten – er kannte das Risiko. »Wir werden denselben Fehler nicht zweimal machen.«

Sie glaubte ihm. »Okay.« Entschlossen nahm sie die Steine und Knochen aus der Schale. Sie fühlten sich eiskalt an.

Nesta hielt sie fest in der Hand, schloss die Augen und bewegte den Arm über die Karte, die auf dem Tisch ausgebreitet war. Niemand sprach, doch das Gewicht der Blicke aller Anwesenden lastete deutlich auf ihr.

Sie spürte Cassians Wärme. Seine Schwingen raschelten dicht neben ihr. Diese Wärme und dieses Rascheln gaben ihr Sicherheit. Wirkten wie ein Anker.

Er hatte sie aus ihrem Albtraum gerettet, war bei ihr geblieben, während sie schlief. Er hatte über sie gewacht und für sie gekämpft. Und er würde auch jetzt nicht zulassen, dass ihr ein Leid geschah.

Kein Leid
Kein Leid

Kein Leid
Die scheinbar endlose Gedankenspirale verschwand. Und in ihrem Geist öffnete sich ein gähnender Abgrund.

Kein Leid
Kein Leid
Kein Leid

Nesta ließ sich in diese Dunkelheit sinken, als würde sie langsam in einen Pool eintauchen.

Cassians Arm streifte ihren und sie nutzte auch diese Berührung als Rettungsanker. Sie griff nach seiner Hand und verschränkte ihre Finger mit seinen. Ließ sich durch die Berührung erden, während sie ihrem Geist gestattete, vollständig unter die schwarze Oberfläche zu gleiten.

Und dann nichts.

Ein langsames Fallen, wie ein kleiner Stein, der schwebend auf den Grund eines Teichs sank.

Die Maske, flüsterte sie und ließ ihren Geist in die Ewigkeit hineingreifen. *Wo ist die Maske aus der Schreckenstruhe?*

Noch immer trieb sie durch flüssige Nacht.

Am Anfang und am Ende war Dunkelheit und sonst nichts. Diese Wahrheit hatte sie zum ersten Mal während ihres Kampfes mit dem Kessel gehört und verstanden. Sie verstand sie auch jetzt wieder, als sie an den gleichen seltsamen Ort schwebte, der zugleich voll und leer war, unendlich kalt.

Wo ist die Maske?, fragte sie in die Leere hinein.

In weiter Ferne spürte sie, wie sich Cassians Hand fester um ihre schloss – wie eine Kerze in einem Fenster. Das war der Weg zurück. Nichts konnte sie einfangen und festhalten, solange dieser Weg nach Hause existierte.

Wo ist die Maske?

Die Minuten vergingen, nur erfüllt vom Ticken der Standuhr im Arbeitszimmer.

Nesta stand neben Cassian, die Finger jetzt locker in seiner Hand, die andere Hand über der Karte ausgestreckt, Knochen und Steine fest umschlossen.

Cassian tauschte einen Blick mit Feyre. Beim Hereinkommen hatte er sie kaum ansehen können, als er die leichte Wölbung ihres Bauchs registrierte. Aber er hatte sich zu einem Grinsen gezwungen – der Inbegriff arroganter Lässigkeit.

Jetzt wehte eine unsichtbare Brise an ihm vorbei und seine Nackenhaare stellten sich auf.

Amren stieß ein leises Zischen aus. »Wohin wandert sie?«

Nestas Hand schwebte über der Karte, aber ihre Finger waren inzwischen so kalt wie Eis.

Cassian drückte ihre Hand, um ihr Wärme zu schenken.

Auf der anderen Seite des Tisches bildete Azriels Atem jetzt weiße Wolken in der Luft. Rhys trat näher an Feyre heran, um unerwartete Gefahren abzufangen.

»Das ist beim letzten Mal, während des Kriegs gegen Hybern, nicht passiert«, murmelte Azriel.

Bevor einer von ihnen etwas sagen konnte, bewegten sich Nestas Augenlider, als würde sie etwas sehen. Ihre Brauen zogen sich zitternd zusammen. Ihre Finger umklammerten die Knochen und Steine so fest, dass die Knöchel weiß hervortraten. Die Luft wurde immer kälter.

»Wenn du die Maske siehst, Mädchen, dann wäre jetzt der richtige Moment, um loszulassen«, sagte Amren barsch.

Nestas Hand blieb geschlossen, aber ihre Augen hinter den Lidern bewegten sich noch immer schnell hin und her, als würde sie etwas suchen.

»Nesta«, befahl Feyre. »Öffne die Hand.« Beim letzten Mal war sie in Nestas Geist eingedrungen und hatte sie mithilfe der Daemati-Kraft herausgezogen, die sie von Rhys hatte. Feyre fluchte leise. »Sie hat ihre mentale Barriere nicht heruntergelassen. Ihre Schutzschilde sind ...«

»Eine Festung aus Eisen«, murmelte Rhys, die Augen auf Nesta gerichtet.

»Ich komme nicht hinein«, flüsterte Feyre. »Schaffst du es?«

»Ihr Geist wird durch etwas geschützt, das keine Fae-Magie durchbrechen kann«, erklärte Amren. Die Essenz des Kessels.

Aber Nesta zeigte keinerlei Anzeichen von Furcht. Ihr Geruch verströmte nicht die geringste Angst.

»Gib ihr Zeit«, murmelte Cassian. Bei den Göttern, inzwischen war es bitterkalt im Raum. Nestas Lider flatterten erneut.

»Das gefällt mir nicht«, sagte Feyre. »Wo auch immer sie sich befindet, es fühlt sich lebensgefährlich an.«

Die Temperatur sank weiter. Plötzlich ballte sich Nestas Hand in seiner, drückte fest zu.

Eine Warnung.

»Hol sie raus, Rhys«, forderte Cassian. »Hol sie sofort raus.«

»Ich kann nicht«, erwiderte er leise. Seine Kraft umhüllte ihn wie ein Mantel aus Sternen und Nacht. »Ich … Vor ein paar Tagen waren die Türen zu ihrem Geist offen. Jetzt sind sie geschlossen.«

»Sie will nicht, dass der Kessel sie sieht. Oder uns«, sagte Feyre mit angespannter Miene. »Sie hat ihn ausgesperrt, aber sich selbst auch eingesperrt.«

Cassians Magen krampfte sich zusammen. »Nesta«, raunte er ihr ins Ohr. »Nesta, öffne deine Hand und komm zurück.«

Ihr Atem ging gequälter, die Kälte wurde immer beißender.

»*Nesta*«, knurrte er …

Und dann sank die Temperatur nicht mehr. Die Kälte verschwand zwar nicht, aber sie … verharrte. Ruckartig öffnete Nesta die Augen.

Silbernes Feuer brannte darin. Das, was daraus hervorschaute, hatte nichts von einer Fae.

Rhys schob Feyre hinter sich, doch sie trat wieder neben ihn. Nestas Hand drückte noch immer Cassians. Er erwiderte den Druck und versuchte, mit seinen Trichtersteinen etwas Kraft unter ihre Haut zu leiten.

Sie drehte den Kopf so langsam, dass er das Gefühl hatte, eine Marionette zu beobachten. Und dann schaute sie ihm in die Augen.

Der Tod sah ihn an.

Aber der Tod hatte ihn jeden Tag seines Lebens begleitet. Also strich Cassian mit dem Daumen über ihre Handfläche und sagte: »Hallo, Nes.«

Nesta blinzelte und er schickte erneut die Kraft seiner Trichtersteine unter ihre Haut. Das Feuer begann zu flackern.

Cassian deutete mit dem Kinn auf die Karte. »Lass die Steine und die Knochen fallen.« Er ließ nicht zu, dass sie seine Angst wittern konnte. Hier stand das Wesen, von dem der Knochenschnitzer geflüstert hatte, erhaben und gefürchtet.

Ihre Augen flammten auf. Niemand im Raum wagte zu atmen.

»Lass die Steine und die Knochen fallen, dann können wir beide spielen«, sagte Cassian und ließ sie seine Hitze und sein Verlangen spüren. Er zwang sich, sich an diesen provozierenden Kuss beim Abendessen und an ihr Versprechen zu erinnern, sie im ganzen Haus vögeln zu dürfen, wo immer er wollte. Er erinnerte sich an das, was dieses Versprechen mit ihm gemacht und wie sehr ihn diese Lust geschmerzt hatte. Das alles legte er in seinen Blick und hüllte sie mit dem Duft seiner Erregung ein.

Die anderen erstarrten, als er den Kopf senkte, sich vorbeugte und sie küsste.

Nestas Lippen waren wie aus Eis.

Aber er ließ ihre Kälte in seinen Körper eindringen und legte seinen Mund sanft auf ihren. Nagte zart an ihrer Unterlippe, bis er spürte, dass sie etwas nachgab. Vorsichtig schob er seine Zunge zwischen die leicht geöffneten Lippen, in ihre Mundhöhle, die sonst so weich und warm, aber jetzt mit Raureif überzogen war.

Nesta erwiderte seinen Kuss nicht, stieß ihn aber auch nicht weg. Also sandte er seine Wärme in ihren Mund, ließ ihre Lippen miteinander verschmelzen und umfasste mit der freien Hand ihre Hüfte, während seine Trichtersteine sanft Kraft unter ihre Haut sandten.

Ihr Mund öffnete sich weiter und er fuhr mit seiner Zunge über jeden Millimeter – über ihre eiskalten Zähne, über ihren Gaumen. Wärmend, lindernd, befreiend.

Ihre Zunge hob sich und berührte seine mit einem einzigen Schlag, der das Eis in ihrem Mund zerbrach.

Er umschloss ihren Mund mit seinen Lippen, zog sie an seine Brust und kostete sie, so wie er sie letztens hatte kosten wollen, tief und durchdringend und fordernd. Ein weiteres Mal berührte ihre Zunge seine. Und dann taute ihr Körper auf. Cassian löste sich etwas von ihr und murmelte an ihren Lippen: »Lass los, Nesta.«

Wieder umschloss sein Mund ihren und forderte sie auf, dieses kalte Feuer auf ihn loszulassen.

Etwas klirrte und polterte neben ihnen.

Und als Nestas andere Hand seine Schulter packte, die Finger jetzt von Steinen und Knochen befreit, als sie ihren Hals nach oben streckte, damit er sich ihr besser nähern konnte, erschauderte er fast vor Erleichterung.

Sie beendete den Kuss als Erste, so als würde sie in ihren Körper zurückkehren und sich daran erinnern, wer sie küsste, wo sie waren und wer zusah.

Als Cassian die Augen öffnete, war sie ihm so nah, dass er ihren Atem teilte. Normaler, transparenter Atem. Ihre Augen hatten wieder die blaugrüne Färbung angenommen, die er so gut kannte. Verblüffte Überraschung und ein wenig Angst erhellten ihr Gesicht. Als hätte sie ihn noch nie gesehen.

»Interessant«, sagte Amren, und er bemerkte, dass sie auf die Karte schaute.

Aber Feyre riss erstaunt den Mund auf und umfasste die Hand ihres Gefährten fester. Argwohn spiegelte sich nicht nur auf Rhys' Gesicht, sondern auch auf Azriels Miene.

Was zum Teufel hast du getan, um sie da rauszuholen?, fragte Rhys.

Cassian hatte keine Ahnung. *Das Einzige, was mir eingefallen ist.*

Du hast den ganzen Raum gewärmt.

Das wollte ich nicht.

Nesta zog sich zurück – nicht abrupt, aber entschlossen genug, dass Cassian einen Blick auf die Karte warf, über die Amren und sie sich jetzt beugten.

»Das Moor von Oorid?« Stirnrunzelnd betrachtete Feyre die Stelle auf der Karte. »Die Maske liegt in einem Moor?«

»Oorid war einst ein heiliger Ort«, erklärte Amren. »In seinem nachtschwarzen Wasser wurden früher Krieger zur letzten Ruhe gebettet. Aber vor langer Zeit verwandelte sich das Moor in einen Ort der Dunkelheit – sieh mich nicht so an, Rhysand, du weißt, was ich meine. Ein Ort, durchdrungen von so viel Bösem, dass sich niemand dorthin wagt und nur die Schlimmsten der Fae von ihm angezogen werden. Man sagt, das Wasser dort fließe unter den Berg. Und die Kreaturen, die dort leben, nutzen die unterirdischen Wasserwege, um durch die Mitte des Landes zu reisen, sogar bis in die Berge der umliegenden Höfe.«

Erneut runzelte Feyre die Stirn. »Geht es nicht etwas genauer? Haben wir eine Detailkarte der Mitte?«

Rhys schüttelte den Kopf. »Es ist verboten, die Mitte zu kartieren, bis auf vage Orientierungspunkte.« Er zeigte auf den heiligen Berg im Zentrum, wo man ihn fast fünfzig Jahre gefangen gehalten hatte. »Der Berg, die Wälder, das Moor … All das kann vom Land und von der Luft aus gesehen werden. Aber die Geheimnisse, die nur zu Fuß entdeckt werden – die sind als tabu erklärt worden.«

»Von wem?«, fragte Feyre mit skeptischer Miene.

»Von einem uralten Rat der High Lords. Die Mitte ist ein Ort, wo noch wilde Magie herrscht. Wir respektieren sie als eine Art eigenes Wesen und wollen uns nicht ihren Zorn zuziehen, indem wir ihre Geheimnisse enthüllen.«

Feyre wandte sich an Nesta, die ausdruckslos auf die Stelle starrte, wo die Steine und Knochen in einem ordentlichen Haufen auf dem eingezeichneten Moor lagen. »Die Mitte ist der Ort, an dem die Weberin des Waldes gelebt hat«, bemerkte Feyre mit angespannter Stimme. »Wenn du zum Moor gehst, musst du dich bewaffnen.«

»Wir werden beide gut bewaffnet sein«, beteuerte Cassian. »Bis an die Zähne.«

Als Nesta nicht reagierte, hefteten sich alle Blicke auf sie. Niemand wagte es, diese Kraft anzusprechen, die Kreatur, die Cassian angesehen hatte. Die er mit seinem Kuss hatte schmelzen lassen. Er konnte noch immer das Eis auf seiner Zunge schmecken, den Geruch wahrnehmen, der ihrem so ähnlich war und doch vollkommen anders.

»Wir brechen morgen auf«, verkündete Nesta.

Feyre zuckte zusammen. »Ihr braucht Zeit, um euch vorzubereiten ...«

»Wir brechen morgen auf«, wiederholte Nesta lediglich. Cassian erfasste all die Dinge, die sie nicht sagte. Sie wollte sich morgen auf den Weg machen, damit sie es sich nicht anders überlegen und mehr über das Risiko erfahren konnte, dem sie ausgesetzt sein würde.

Seine Finger strichen über ihren unteren Rücken und genossen die Wärme nach all der Kälte. »Wir brechen nach dem Frühstück auf.«

32

»Ich sollte euch begleiten«, sagte Rhys, als sie sich am nächsten Morgen in der Eingangshalle des Flusshauses versammelten.

»*Ich* sollte euch begleiten«, konterte Feyre, die am Treppengeländer lehnte und ihren Seelengefährten und Cassian stirnrunzelnd musterte.

Nesta betrachtete sie alle schweigend. Das Gewicht der Waffen, die sie trug, drückte ihr wie unsichtbare Hände auf Rücken, Oberschenkel und Hüften. *Es besteht noch immer die Gefahr, dass du vor allem dich selbst verletzt anstatt einen Gegner*, hatte Cassian gesagt, als er an diesem Morgen seine Waffen auf den Esszimmertisch legte. *Aber das ist auf jeden Fall besser, als unbewaffnet ins Oorid-Moor zu ziehen.* Als sie sich einen Dolch aussuchte, hatte er sie angegrinst. *Immer dran denken: das spitze Ende in Richtung Feind.*

Sie hatte ihm einen vernichtenden Blick zugeworfen, ihm aber erlaubt, ihr mit den Riemen und Schnallen der verschiedenen Scheiden zu helfen, und sich dabei auf seine starken Hände konzentriert, die über ihre Haut strichen, anstatt auf die Aufgabe, die vor ihnen lag.

»Eigentlich müssten wir beide euch begleiten«, räumte Rhys ein. »Aber Azriel wird ja da sein.«

»Danke für dein Vertrauen«, erwiderte Cassian trocken und drückte Feyre einen Kuss auf die Wange. Rhys musste ihre Schutzschilde gelockert haben – für diesen kurzen Moment. »Ihr beide seid noch nicht mal Eltern, aber euer Geglucke ist schon jetzt unerträglich.«

»*Geglucke*?«, brachte Feyre mit einem erstickten Lachen hervor.

»Das Wort gibt es tatsächlich«, sagte Cassian so lässig, dass Nesta sich fragte, ob er sich der Gefahr wirklich bewusst war, in die sie sich begaben.

Ihr Blick wanderte zu Azriel, der kaum merklich bestätigend nickte. Ja, sie waren im Begriff, sich in ein tödliches, uraltes Moor zu wagen. Und nein, Cassian schien nicht annähernd so beunruhigt zu sein wie sie beide.

Nesta zog eine finstere Miene, aber Az schenkte ihr ein mattes Lächeln. Sie könnten Verbündete sein, schien dieses Lächeln zu sagen. Gegen Cassians Leichtsinn. Sie beantwortete Azriels Angebot ebenfalls mit einem angedeuteten Lächeln.

Rhys seufzte Richtung Decke. »Wollen wir?«

Nesta schaute an Feyre vorbei die Treppe hinauf. Elain hatte es erneut vorgezogen, während ihrer Anwesenheit in ihrem Zimmer zu bleiben. Auch gut. Absolut in Ordnung. Elain konnte ihre eigenen Entscheidungen treffen. Und sie hatte sich entschieden, ihre Tür vor Nesta fest zu verschließen. Während sie Feyre und ihre Welt bereitwillig akzeptierte. Nesta spürte einen Stich in der Brust, aber sie wollte nicht darüber nachdenken, sich die Situation nicht eingestehen. Elain war wie ein Hund: loyal gegenüber jedem Besitzer, der sie fütterte und ihr ein angenehmes Leben bot.

Sie zwang sich, den Blick von der Treppe abzuwenden, und verfluchte sich, weil sie so töricht gewesen war, überhaupt hinzuschauen.

»Das Ganze gefällt mir nicht«, platzte Feyre heraus und trat auf sie zu. »Du hast nicht lange genug trainiert.«

Cassian grinste. »Sie hat zwei illyrianische Krieger, die über sie wachen. Was soll da passieren?«

»Antworte gar nicht darauf«, sagte Rhys trocken zu seiner Seelengefährtin. Dann bemerkte er Nestas Blick. Sterne leuchteten in seinen Augen auf und schwanden wieder. »Wenn du lieber nicht ...«

»Ihr braucht mich«, sagte Nesta und hob das Kinn. »Das Moor ist so groß, dass ihr die Maske nicht ohne meine ... Fähigkeiten finden werdet.« Sie hatte keine Ahnung, wie *sie* die Maske im Oorid-Moor finden sollte, aber sie konnten zumindest damit anfangen, gemeinsam das Gebiet zu erkunden. Jedenfalls hatte Cassian das am Morgen gesagt.

Feyre schien widersprechen zu wollen, doch Azriel streckte seine vernarbten Hände Cassian und Nesta entgegen. Erneut trat Feyre einen Schritt vor. »Die Mitte ist anders als alles, was du kennst, Nesta. Du musst ständig auf der Hut sein.«

Nesta nickte und verzichtete auf die Antwort, die ihr bereits auf der Zunge lag: Sie handelte schon sehr lange nach diesem Prinzip.

Azriel gab ihnen nicht die Chance, noch weitere Worte zu wechseln, und sandte wirbelnde Schatten um sie herum. Unwillkürlich klammerte Nesta sich fest an ihn, weil sie tief in ihrem Inneren wusste, dass sie durch diesen Raum zwischen den Welten stürzen würde und für immer verloren wäre, wenn sie jetzt losließ. Doch dann nahmen ihre Augen schon graues, wässriges Licht wahr. Und in der Luft lag ein schwerer Geruch: träge fließendes Wasser, Schimmel, lehmige Erde. Kein Wind regte sich, nicht einmal eine Brise.

Cassian stieß einen leisen Pfiff aus. »Sieh sich einer dieses Höllenloch an«, sagte er.

Vor ihnen dehnte sich das Moor von Oorid aus. Nie zuvor hatte Nesta einen so toten Ort gesehen. Einen Ort, der ihren noch menschlichen Teil zurückweichen und ihr zuflüstern ließ, dass es falsch sei, sich hier aufzuhalten. Zutiefst falsch.

Azriel zuckte zusammen. Der Schattensänger des Hofs der Nacht zuckte tatsächlich zusammen, als die drückende Luft, die Stille und der Geruch von Oorid ihn mit voller Wucht trafen.

Schweigend ließen sie die Einöde auf sich wirken.

Nicht einmal das Wasser des Kessels war so tiefschwarz gewesen wie dieses Wasser hier, das wie Tinte schimmerte. Nur wenige Meter vor ihnen, wo das seichte Wasser auf das Ufer traf, drang kein einziger Halm durch die Oberfläche. Abgestorbene, grau verwitterte Bäume ragten aus dem Moor heraus wie die zerbrochenen Lanzen von tausend Soldaten, manche mit Moosvorhängen drapiert. An ihren abgebrochenen, schartigen Ästen hing kein einziges Blatt.

»Nicht ein Insekt«, bemerkte Azriel. »Kein Vogel weit und breit.«

Nesta spitzte die Ohren, hörte aber nicht einmal das leise Rauschen einer Brise, sondern nur Stille. »Wer würde seine Toten hier begraben?«

»Sie haben sie nicht in die Erde gelegt«, sagte Cassian mit seltsam gedämpfter Stimme, als würde die feuchte Luft jeden Hall verschlucken. »Das hier waren Wasserbestattungen.«

»Ich würde lieber zu Asche verbrannt und in den Wind gestreut werden, als hier zu enden«, sagte Nesta.

»Ist notiert«, antwortete Cassian.

»Das hier ist ein böser Ort«, flüsterte Azriel. Angst schimmerte in den haselnussbraunen Augen des Schattensängers.

Die Haare auf Nestas Armen richteten sich auf. »Was für Kreaturen hausen hier?«

»Das fragst du jetzt?«, konterte Cassian und zog die Augenbrauen hoch. Er und Azriel trugen beide ihre dickere Rüstung, die sie durch Antippen der Trichtersteine auf ihren Handrücken herbeigerufen hatten.

»Vorher habe ich mich nicht getraut«, gab Nesta zu. »Ich wollte nicht den Mut verlieren.«

Cassian öffnete den Mund, doch Azriel antwortete: »Wesen, die im Wasser jagen und sich an Fleisch laben.«

»Es ist schon verdammt lange her, dass jemand einen Kelpie gesehen hat«, entgegnete Cassian.

»Das bedeutet nicht, dass sie verschwunden sind.«

»Was ist ein Kelpie?«, fragte Nesta mit hämmerndem Herzen, als sie die Anspannung in ihren Gesichtern sah.

»Ein uraltes Wesen – eins der ersten wirklichen Monster der Fae«, erklärte Cassian. »Die Menschen kannten sie unter anderen Namen: Wassergeister, Nixen. Es handelte sich um Gestaltwandler, die in Seen und Flüssen wohnten und arglose Menschen in ihre Arme lockten. Und nachdem sie sie ertränkt hatten, fraßen sie sie auf. Nur die Eingeweide landeten wieder am Ufer.«

Nesta starrte auf die schwarze Oberfläche des Moors. »Und die leben hier?«

»Sie verschwanden Jahrhunderte vor unserer Geburt«, versicherte Cassian. »Es ist nur eine Legende, von der man sich flüsternd am Feuer erzählt, und eine Warnung für Kinder, nicht in der Nähe des

Wassers zu spielen. Aber niemand weiß, wohin sie verschwunden sind. Die meisten wurden gejagt und getötet, aber die, die überlebten ...« Er deutete mit einem Kopfnicken auf Azriel und räumte ein: »Es ist möglich, dass sie in die Mitte des Landes geflohen sind. Der einzige Ort, der ihnen Schutz bot.« Nesta verzog das Gesicht. Cassian schenkte ihr ein Grinsen, das seine Augen jedoch nicht erreichte. »Also lauf keinem schönen, weißen Pferd oder hübschen jungen Mann hinterher – dann kann dir nichts passieren.«

»Und halte dich vom Wasser fern«, fügte Azriel ernst hinzu.

»Was ist, wenn die Maske unter der Wasseroberfläche liegt?« Nesta deutete auf die Weite des Moors. Sie hatten beschlossen, darüberzufliegen, damit sie sich einen Eindruck verschaffen konnte.

»Dann werden Az und ich als die harten Krieger, die wir sind, Streichhölzer ziehen, und der Verlierer geht hinein.«

Azriel verdrehte die Augen, lachte aber leise. Cassians Grinsen erreichte endlich auch seine Augen, als er die Arme ausbreitete. »Die Schönheit des Oorid-Moors erwartet Euch, Mylady.«

In seinem fünf Jahrhunderte umfassenden Leben hatte Cassian viele schreckliche Orte kennengelernt. Aber das Moor von Oorid war bei Weitem der schlimmste, denn es strahlte nichts als Tod und Verfall aus. Die drückende Luft dämpfte sogar das Geräusch ihrer Schwingen – als duldete das Moor keinen Laut, der seinen ewigen Schlummer störte.

Nesta klammerte sich während des Flugs an ihn. Azriel flog neben ihnen. Cassian betrachtete den toten Wald, der sich unter ihnen ausbreitete, taxierte die schwarzen Fluten, die die Baumstämme überspült hatten, wie ein Spiegel aus Obsidian. Das Wasser war so reglos, dass er ihre Reflexionen deutlich erkennen konnte.

Der Wind peitschte Nestas geflochtenes Haar. »Ich bin mir nicht sicher, wonach ich suchen muss«, sagte sie.

»Öffne einfach all deine Sinne und warte ab, ob ein Funke überspringt.« Cassian flog in einem weiten Bogen nach Westen. Die Luft schien auf seine Schwingen zu drücken, als wollte sie sie in die Tiefe schleudern.

Aber eine Notlandung auf diesem dunklen Wasser wäre nur der letzte Ausweg.

Grasinseln sprenkelten die Fläche, einige davon so dicht mit Brombeerhecken bewachsen, dass er keinen Platz für eine sichere Landung fand. Das Dornengestrüpp schien wie eine Verhöhnung dessen, was hier möglicherweise einst existiert hatte – als hätte es im Oorid-Moor je Rosen gegeben. Cassian konnte weit und breit keine einzige Blume erkennen.

»Diese Landschaft ist unerträglich.« Nesta schauderte.

»Wir bleiben nur so lange, wie wir es aushalten können«, sagte Cassian, »und wenn wir nichts finden, kehren wir morgen zurück und machen da weiter, wo wir aufgehört haben.« Er hatte zwei Schwerter, vier Messer, einen illyrianischen Bogen, einen Köcher mit Pfeilen sowie alle sieben Trichtersteine dabei. Trotzdem fühlte er sich wie nackt.

»Was haust hier sonst noch, außer Kelpies?«

»Hexen, behaupten manche«, murmelte er. »Allerdings keine menschlichen«, fügte er hinzu, als sie fragend eine Augenbraue hochzog. »Sondern die Sorte, die einst etwas anderes war, bevor der Hunger nach Magie und Macht sie zu erbärmlichen Kreaturen machte, die von verschiedenen High Lords hierher verbannt wurden.«

»Das hört sich nicht so schlimm an.«

»Sie trinken junges Blut gegen die Kälte, die die Magie in ihnen hinterlassen hat.«

Nesta zuckte zusammen. Während ihr Blick über das Moor wanderte, fuhr Cassian fort: »Da wären beispielsweise die Lichtsänger: wunderschöne, ätherische Wesen, die ihre Opfer locken und als freundliche Gesichter erscheinen, wenn man sich verirrt hat. Und erst, wenn man in ihren Armen liegt, erkennt man ihr wahres Gesicht, das alles andere als schön ist. Das Grauen ist das Letzte, was das Opfer sieht, bevor es im Moor ertränkt wird. Lichtsänger töten zum Spaß, nicht aus Hunger.«

»Und all diese schrecklichen Kreaturen werden einfach hier *zurückgelassen*, unbewacht?«

»Die Mitte unterliegt nicht der Gerichtsbarkeit eines High Lords. Sie fungiert schon lange als Müllhalde für alle Ungewollten.«

»Was ist mit dem Gefängnis?«

»Ihre Verbrechen sind Teil ihrer Natur. Ein Kelpie ist dazu bestimmt, seine Opfer anzulocken und zu töten, genau wie ein Wolf dazu bestimmt ist, seine Beute zu jagen. Die Mitte hält sie von uns fern, ohne sie für das zu bestrafen, wozu sie geschaffen wurden.«

»Aber niemand wird die Welt endgültig von ihnen befreien?«

»Die Mitte steckt voll ursprünglicher Magie. Sie hat ihre eigenen Gesetze. Wer Kelpies oder Lichtsänger ohne Not jagt, könnte als Gefangener hier enden.«

Nesta schauderte. »Wie ist die Maske wohl im Moor gelandet?«

»Keine Ahnung.« Er deutete nach unten. »Spürst du irgendetwas?«

»Nein. Nichts.«

Cassian warf einen Blick über die Schulter zu Az, bevor sie in eine Nebelwolke eindrangen, die über dem nördlichen Teil des Moors schwebte. Sie war so dicht, dass er höher aufstieg, weil er nicht von einem hohen Baum aufgespießt werden wollte. Der Nebel fühlte sich an, als würde er mit eisigen Fingern über seine Schwingen und sein Gesicht streichen.

Plötzlich fuhr Nesta zusammen. »Cassian.«

Er wich nach links aus, weg von dem Nebel. »Hast du etwas gespürt?«

»Ich weiß nicht, was das war.« Sie schluckte. »Aber hier ist irgendetwas.«

Erneut schaute er über die Schulter zurück, um Azriel ein Zeichen zu geben.

Doch Az war verschwunden.

33

»*Azriel!*«

Cassians Ruf erzeugte nicht einmal einen Hall.

Nesta klammerte sich an seinen Hals und versuchte, durch die Nebelwolke etwas zu erkennen. Cassian hielt sich am Rand der Wolke und schlug mit den Schwingen auf der Stelle, während er nach seinem Bruder suchte. »Halt dich fest«, knurrte er leise, bevor er im Sturzflug in den Nebel eintauchte.

Unter ihnen flackerte blaues Licht auf – Azriels Trichtersteine.

»Verdammt«, fluchte Cassian und schoss tiefer hinab.

Geborstene Baumstämme ragten in den Himmel, scharf wie Schwerter. Geschickt wich er ihnen aus, wobei seine Schwingen ihren Spitzen nur knapp entgingen. Nestas Herz pochte wie wild, aber sie wollte die Augen nicht vor dem Tod um sie herum verschließen, als Cassian unter den Nebel tauchte und sie beide jetzt sahen, womit Azriel konfrontiert war.

Cassian drehte so schnell bei, dass Nesta kaum Zeit hatte, sich zu wappnen, und flog dann den Weg durch den Nebel zurück, den er gekommen war. »Wo willst du hin?« fragte sie. »Da sind Dutzende von Soldaten!«

»Soldaten des Herbsthofs«, stellte Cassian klar. Seine Schwingen schlugen so heftig, dass ihr der Wind in die Augen peitschte. »Ich hab keine Ahnung, was sie hier wollen oder ob Eris uns gründlich verarscht hat. Aber einer von ihnen hat einen Eschenpfeil durch Az' Flügel geschossen.«

»Und warum fliegen wir dann von ihm *weg*?«

»Weil ich nicht dort landen werde, solange ich dich dabeihabe.«

»Lass mich runter!«, schrie sie. »Lass mich irgendwo runter und flieg zu ihm zurück!« Doch Cassian reagierte nicht, suchte stattdessen das Moor unter ihnen nach einem geeigneten Landeplatz ab. Nesta schlug ihm mit der Hand gegen die muskulöse Brust. »Cassian!«

»Ich weiß, was mich jede Sekunde kostet, Nesta«, sagte er leise.

»Dann setz mich in einem dieser verdammten Bäume ab!« Sie zeigte auf einen, den sie nur knapp verfehlt hatten.

Kurz darauf entdeckte er einen Bereich, den er für sicher genug hielt: einen festen Grasstreifen, aus dessen Mitte die Überreste eines Baumes ragten. Er setzte Nesta auf dem höchsten und stabilsten Ast ab, der unter ihrem Gewicht ächzte und schwankte. »Bleib hier«, befahl er und wartete, bis sie ihre Hände um den Ast geschlungen hatte, wie ein Kind, das zu weit hinaufgeklettert war. »Ich bin bald zurück. Kletter *nicht* hinunter. Egal, was du siehst oder hörst.«

»Flieg los.« Sie wusste, dass sie in einem Kampf vollkommen nutzlos wäre und ihn nur ablenken würde.

»Sei vorsichtig«, mahnte er, als wäre nicht er es, der sich in Gefahr begab. Und dann war er verschwunden.

Nesta klammerte sich so fest an den Ast, dass sie am ganzen Leib zitterte. Die Stille des Moors legte sich um sie wie eine bleierne Decke. Oorid verschluckte Cassians rasche Schwingenschläge innerhalb weniger Sekunden, sodass sie nicht einmal hören konnte, wie er in den Nebel eintauchte.

Cassian steuerte dorthin, wo Azriel noch immer kämpfte, wie seine Sinne ihm verrieten. Seine guten Augen nutzen ihm nichts, denn der Nebel schien nur noch dichter geworden zu sein.

Der Herbsthof war hier. Waren dies Eris' verschollene Soldaten oder hatte er sie alle zum Narren gehalten? Hatte Beron irgendwie von ihren Plänen erfahren?

Er flog, so schnell er konnte, und betete, dass Az in der Lage war, sie aufzuhalten, selbst mit diesem Eschenpfeil im Flügel. Der Pfeil schwächte seine Kraft – der einzige Grund, warum die Soldaten noch lebten. Und warum Azriels Trichtersteine nur flackerten und keine Feuerwalze gegen weitaus weniger erfahrene Krieger bildeten.

Mit kühler Überlegung schoss Cassian hinab und erweckte jeden einzelnen seiner Trichtersteine. Er schickte seine Kraft in sie hinein und sie spiegelten sie – die Bestätigung dafür, dass sie bereit waren, dass er bereit war. Das Blutvergießen konnte beginnen.

Cassian sah Azriels blaue Trichtersteine vor sich aufleuchten, ein Fleck aus Kobalt im Nebel, und stieg in den Himmel hinauf, bis das Blau unter ihm nur noch flackerte. Einen Moment lang verharrte er in der Luft, damit die Soldaten seinen Flügelschlag nicht hörten. Und dann breitete er lautlos die Schwingen aus und stürzte sich in den freien Fall.

Der Nebel brannte kalt auf seiner Haut und die schwere Luft schlug ihm ins Gesicht, doch er zog geräuschlos ein Schwert und das Messer aus der Scheide an seinem Oberschenkel. Der Nebel lichtete sich eineinhalb Meter über dem Scharmützel.

Den Soldaten blieb keine Zeit aufzublicken, als Cassian sich auf sie stürzte.

Blut spritzte, Männer schrien und Kraft prallte an Cassians roten Trichtersteinen ab. Az kämpfte gegen sechs Soldaten auf einmal. Seine linke Schwinge hing schlaff und blutend herab, seine Trichtersteine loderten. Der Eschenpfeil hatte seine Kraft so gut wie ausgeschaltet. Aber die Steine hatten hell geleuchtet, als Signal für Cassian.

Der Anblick von Azriels verletztem Flügel rief ein Dröhnen in seinem Kopf hervor.

Und dann tötete Cassian. Tötete und tötete, ohne Unterlass.

Zu lange.

Cassian und Azriel waren zu lange fort.

Nestas Glieder begannen zu verkrampfen, weil sie sich wie ein Bärenjunges an den Ast klammerte. Sie wusste, dass ihr nur noch wenige Minuten blieben, bis ihr Körper rebellierte und sie herunterfiel.

Kein Laut, kein Lichtblitz. Nur die Stille des Moors, der Nebel und der abgestorbene Baum. Jeder Atemzug hallte durch ihre Gedanken und wurde dann von der beklemmenden Atmosphäre des Moors verschluckt.

Sie hatte gesehen, wie Cassian mit den hybernischen Soldaten fertiggeworden war. Zwei Dutzend Soldaten des Herbsthofs sollten für ihn kein Problem sein. Aber warum waren sie überhaupt hier?

Ihre Beine zitterten jetzt so heftig, dass sie fast den Halt verlor. Sie musste einen erbärmlichen Anblick bieten, noch immer exakt so an den Ast geklammert, wie Cassian sie zurückgelassen hatte: die Beine um das Holz geschlungen, die Fußknöchel gekreuzt und die Finger in die trockene, silbrige Rinde gekrallt.

Vorsichtig drückte sie sich hoch, die Arme fast taub vor Anstrengung. Auch ihre Beine gaben erleichtert nach, als sie sie vom Ast löste und herabhängen ließ. Dann sondierte sie die Richtung, in die Cassian verschwunden war. Nichts.

Er war schon zuvor im Kampf schwer verletzt worden – sie hatte es miterlebt. Zum ersten Mal in Hybern, als er versuchte, zu ihr zu kriechen, während sie in den Kessel gestoßen wurde. Das zweite Mal im Kampf gegen Hyberns Armeen, als er aufgeschlitzt worden war und Azriel seine Eingeweide mit bloßen Händen festhielt. Und das dritte Mal gegen den König von Hybern persönlich, als sie ihn gebeten, ihm befohlen hatte, sie als Köder zu benutzen, um den König von Feyre und dem Kessel abzulenken.

Nach so vielen Begegnungen mit dem Tod war es nur eine Frage der Zeit, bis er ihn holte.

Ihr Mund fühlte sich wie ausgetrocknet an. Azriel war von einem Eschenpfeil getroffen worden. Was wäre, wenn die Soldaten Cassian auf ähnliche Weise verletzt hatten? Was, wenn beide Hilfe brauchten?

Gegen zwei Dutzend Soldaten konnte sie nichts ausrichten – nicht einmal gegen einen einzelnen, wenn sie ehrlich war. Aber sie konnte es auch nicht ertragen, wie ein Feigling in einem Baum zu hocken. Ohne zu wissen, ob er lebte. Und sie besaß Magie. Sie hatte zwar keine Ahnung, wie sie diese anwenden sollte, aber … die Magie war zumindest vorhanden. Vielleicht würde das helfen.

Nesta sagte sich, dass sie sich auch um Azriel sorgte und ihr das Schicksal des Schattensängers genauso am Herzen lag wie Cassians. Aber die Vorstellung von Cassians totem Gesicht war unerträglich. Und so zögerte sie nicht länger, legte sich wieder auf den Ast und schlang die Arme darum, bevor sie ein Bein ausstreckte und nach dem Ast darunter tastete …

Da. Ihr Fuß fand Halt, aber sie wagte es nicht, sofort ihr gesamtes Gewicht darauf zu verlagern. Langsam ließ sie sich auf den Ast herunter, noch immer an den oberen Ast geklammert, die Fingernägel so fest in das tote Holz gekrallt, dass sich Splitter darunterbohrten. Keuchend kniete sie sich auf den Ast und tastete mit der Fußspitze nach dem nächsten darunter. Aber er war zu weit weg. Ächzend zog sie das Bein wieder hoch, legte die Hände vorsichtig neben die Knie und konzentrierte sich auf ihr Gleichgewicht. So, wie Cassian es ihr beigebracht hatte. Sie durchdachte jede Bewegung ihres Körpers, ihrer Füße, ihrer Atmung.

Ihre Fingerspitzen schmerzten höllisch, als sich die Holzsplitter noch tiefer in die empfindliche Haut unter ihren Nägeln bohrten, aber sie streckte die Beine so weit nach unten aus, bis sie den Ast endlich berührten. Der Ast darunter wiederum war näher, aber dünner und wackliger. Sie musste sich flach darauflegen, damit er nicht auf und ab wippte. Auf diese Weise arbeitete sie sich Ast für Ast in Richtung Boden vor, bis ihre Stiefel im Moos versanken und der Baum wie ein Riese über ihr aufragte.

Um sie herum erstreckte sich meilenweit das Moor, nichts als schwarzes Wasser, abgestorbene Bäume und Gras.

Sie würde durch das Wasser waten müssen, um zu Cassian zu gelangen. Nesta konzentrierte sich auf ihre Atmung – oder versuchte es wenigstens. Denn ihr Atem ging flach, stechend.

Cassian konnte tödlich verletzt sein. Deshalb würde sie auf keinen Fall hier untätig sitzen bleiben.

Sie suchte das Ufer eineinhalb Meter vor sich nach einem Hinweis auf seichteres Wasser ab, durch das sie zur nächsten, mit Dornengestrüpp bewachsenen Moosinsel waten konnte. Aber das Wasser war so schwarz, dass sich unmöglich sagen ließ, ob es seicht war oder einen bodenlosen Abgrund verbarg.

Wieder konzentrierte sie sich auf ihren Atem. Sie konnte schwimmen – dafür hatte ihre Mutter gesorgt, nachdem eine ihrer Cousinen als Kind ertrunken war. *Von Fae ermordet*, hatte ihre Mutter behauptet. *Ich habe gesehen, wie sie in den Fluss gezogen wurde.* War das ein Kelpie gewesen? Oder hatte sich nur die Angst, die Fantasie ihrer Mutter in etwas Monströses verwandelt?

Nesta zwang sich, langsam auf den Rand des schwarzen Wassers zuzugehen.

Lauf, flüsterte eine Stimme. *Lauf und schau nicht zurück.*

Die Stimme war weiblich und sanft. Weise und gelassen.

Lauf.

Sie konnte nicht. Wenn sie laufen würde, dann zu ihm, nicht von ihm fort.

Nesta erreichte den Rand des Wassers, wo das Gras in der Schwärze verschwand.

Sie sah ihr Gesicht in der stillen Wasseroberfläche: blass, die Augen aufgerissen vor Angst.

Lauf. War diese Stimme alles, was von ihren menschlichen Instinkten übrig geblieben war? Oder handelte es sich um etwas anderes? Sie musterte ihr Spiegelbild, als könnte es ihre Frage beantworten.

Im Dorngestrüpp der Insel raschelte etwas. Nesta riss den Kopf hoch. Ihr Herz hämmerte, während sie nach dem vertrauten männlichen Gesicht und den Schwingen Ausschau hielt. Aber von Cassian keine Spur. Und was auch immer dort in den Brombeerhecken hockte ... Sie sollte schleunigst eine andere Insel finden, über die sie weiterkam.

Erneut betrachtete Nesta ihr Spiegelbild.

Und ein nachtschwarzes Augenpaar starrte ihr entgegen.

34

Entsetzt taumelte Nesta zurück, so schnell, dass sie auf dem Hintern landete. Aber das Moos dämpfte den Aufprall. Dann tauchte ein Gesicht aus dem schwarzen Wasser auf, wo sie gerade noch ihr Spiegelbild gesehen hatte.

Das Gesicht war weißer als Knochen und menschenähnlich. Männlich. Stück für Stück stieg der Kopf über die Wasseroberfläche, umrahmt von obsidianfarbenem Haar, so seidig, dass es kaum vom Wasser zu unterscheiden war.

Die durchgehend schwarzen Augen waren riesig, die Wangenknochen so scharf, dass sie die Luft hätten zerschneiden können. Die Nase war schmal und lang, wie eine Klinge, und Wasser tropfte von ihrer Spitze herab ... über einem Mund ... einem Mund ...

Dieser Mund war zu groß. Sinnliche Lippen, aber zu breit.

Dann tauchten die Arme aus dem Wasser auf.

Mit steifen, ruckartigen Bewegungen drückten sie sich auf das Moos. Sie waren weiß und dünn und endeten in Fingern, die so lang waren wie Nestas Unterarm. Finger mit vier Gelenken und messerscharfen Nägeln. Sie knackten, als das Wesen sie ausstreckte und sie in den Boden krallte, um Halt zu finden.

Nesta stockte der Atem. Und Angst dröhnte in ihrem Kopf, als sie weiter zurückwich.

Das männliche Wesen hievte seinen knochigen Oberkörper aus dem Wasser und zog die schwarzen Haare wie ein Netz hinter sich her.

Nesta machte noch einen Satz nach hinten, als er langsam den Kopf hob.

Der zu breite Mund öffnete sich zu einem Lächeln – und entblößte dabei zwei Reihen verfaulter Zähne, scharfkantig wie Glasscherben.

Nestas Blase gab nach und sie spürte, wie ihr Schoß feucht und warm wurde.

Er witterte es, sah es. Und sein Lächeln wurde noch breiter. Seine Finger zuckten, als er den Rest seines Körpers aus dem Wasser hievte: seine schmalen, nackten Hüften ... Er stemmte sich auf die Arme, zog ein langes, weißes Bein aus dem schwarzen Wasser. Dann das andere. Schließlich kniete er auf allen vieren, noch immer lächelnd.

Nesta konnte sich nicht bewegen, konnte nur in dieses weiße Gesicht starren, in die Augen, so schwarz wie das Moor, auf die zuckenden, viel zu langen Finger, diesen Mund, diese Aalzähne ...

Im nächsten Moment sagte er etwas in einer Sprache, die sie nicht kannte. Seine Stimme war tief und krächzend, kündete von schrecklichem Hunger und grausamer Belustigung.

Die sanfte, weibliche Stimme in ihrem Kopf flehte sie an: *Lauf, lauf, lauf!*

Er legte den Kopf auf die Seite, wobei die triefend nassen, von Moorgras durchsetzten Haare klatschend der Bewegung folgten. Es schien, als hätte er die Stimme ebenfalls gehört. Erneut krächzte er ein paar Laute, als würde Stein auf Stein mahlen, doch jetzt klang sein Ton fordernder.

Ein Kelpie. Das hier war ein Kelpie. Und er würde sie töten.

Lauf, schrie die Stimme. *Lauf!*

Nestas Beine waren unbeweglich und taub geworden. Sie hatte vergessen, wie man sie benutzte.

Der Kopf des Kelpies zuckte und seine Finger krallten sich ins Gras. Sein Lächeln wurde wieder breiter, so breit, dass sie die lange, schwarze Zunge in seinem Mund erkennen konnte. Sie zuckte hin und her, als könnte er ihr Fleisch bereits schmecken.

Und als er sich auf sie stürzte, war sie zu keinem Schrei mehr fähig. War zu nichts mehr fähig, als sich die langen Finger um ihre Beine schlangen, die Krallen ihre Haut aufschlitzten und der Kelpie sie mit einem Ruck zu sich zog.

Schmerz riss Nesta aus ihrer Erstarrung ... und sie kämpfte, krallte die Finger ins Gras. Es löste sich in ganzen Soden, als hätte es überhaupt keine Wurzeln. Als wollte das Moor nichts unternehmen, um ihr zu helfen.

Der Kelpie schleifte sie hinter sich her, während er in das eiskalte Wasser zurückglitt.

Und sie mit sich unter die Oberfläche zog.

Die beiden Soldaten waren auf die Knie gesackt.

Auf der Brust ihrer leichten Lederrüstung prangten zwei bellende Hunde – Eris' Insignien. Aber das hatte nichts zu sagen. Sie konnten von Eris, von Beron oder von beiden hierhergeschickt worden sein. Cassian würde keine Zeit mit Spekulieren verschwenden, bis Azriel oder Rhys Antworten aus ihnen herausbekamen. Zumal die Soldaten keinerlei Erklärung lieferten.

Ihre Gesichter waren ausdruckslos. Zeigten keine Spur von Angst. Das Gleiche galt für ihren Geruch.

Azriel keuchte. Sein Flügel blutete heftig, nachdem er den Eschenpfeil herausgezogen hatte. Cassian, mit Blut bespritzt, das nicht sein eigenes war, betrachtete die beiden überlebenden Soldaten und ihre gefallenen Kameraden um sie herum, viele davon in Stücke geschlagen.

»Fessle sie«, forderte er Azriel auf, dessen Schwinge inzwischen fast vollständig verheilt war. Sofort rief Azriel die Kraft seiner Trichtersteine herbei. Blaue Lichtstrahlen drangen aus den Steinen und schlangen sich um Hand- und Fußgelenke sowie über die Münder der beiden Gefangenen und banden sie dann aneinander.

Cassian hatte oft genug mit Attentätern und Gefangenen zu tun gehabt, um zu wissen, dass es nützlich war, zwei von ihnen am Leben zu lassen: Man konnte sie gegeneinander ausspielen und so an Informationen kommen und diese bestätigen. Die Soldaten hatten erbittert mit Schwert und Flamme gekämpft, aber weder mit ihren Gegnern noch miteinander gesprochen. Diese beiden schienen genauso geistesabwesend und hohl im Schädel zu sein wie ihre Kameraden.

»Irgendetwas stimmt nicht mit ihnen«, murmelte Azriel, während die beiden Soldaten sie mit einem brutalen Blick in den Augen anstarrten. Doch außer der Gewalt spiegelte sich darin weder Erkenntnis noch ein Bewusstsein dafür, dass sie nun der Gnade des Hofs der Nacht ausgeliefert waren und schon bald erfahren sollten, wie dieser Hof Antworten aus seinen Feinden herausbekam.

Cassian schnupperte. »Sie stinken, als hätten sie seit Wochen nicht gebadet.«

Az folgte seinem Beispiel und verzog angewidert das Gesicht. »Glaubst du, das sind Eris' verschollene Soldaten? Er meinte, sie hätten sich schon vor ihrem Verschwinden seltsam benommen. Und ich würde dieses Verhalten hier auf jeden Fall als seltsam bezeichnen.«

»Keine Ahnung.« Cassian wischte sich mit dem Handrücken das Blut aus dem Gesicht. »Vermutlich werden wir es schon bald herausfinden.« Er musterte seinen Bruder von Kopf bis Fuß. »Alles in Ordnung?«

»Ja.« Aber Az' Stimme klang gepresst genug, um ahnen zu lassen, dass seine Schwinge höllisch schmerzte. »Wir müssen raus aus diesem Moor. Möglicherweise lungern hier noch mehr herum.«

Cassian versteifte sich. Er hatte Nesta in einem Baum zurückgelassen. In einem hohen Baum zwar, aber …

Hastig schoss er in den Himmel hinauf, ohne abzuwarten, ob Az ihm folgte, und flog auf den Landstreifen mit dem Baum zu. Besser als eine Insel, hatte er gedacht, denn dort hätte sie in der Falle gesessen. Die Grasfläche hatte den Eindruck erweckt, als wäre sie einmal eine Wiese gewesen. Und der Baum war so hoch, dass nur ein Riese oder etwas anderes mit Schwingen sie dort erreichen konnte.

Die Luft teilte sich und Azriel folgte ihm auf den Fersen, ungleichmäßig und ruckelnd, aber immerhin. Hinter ihnen stieg Dunkelheit auf – die Bestätigung dafür, dass Az seine Schatten zurückgelassen hatte, um ihre Gefangenen zu verbergen.

Cassian spürte Nesta über den Geruch auf. Der Nebel lichtete sich erst, als die höchsten Äste des Baumes erschienen. Aber Nesta war nicht da.

Er verharrte schwebend in der Luft, während er den Baum und die Gegend um ihn herum sondierte. »Nesta!« Sie war weder unten im

Gras noch im nächsten Baum. Dann setzte er auf dem Boden auf und ging ihrem Geruch nach. Der hatte sich nicht weit vom Baum entfernt: Er führte direkt zum Wasser und verschwand dann spurlos.

Azriel landete neben ihm. »Ich seh sie nirgends.«

Das Wasser lag so still vor ihnen wie schwarzes Glas. Nicht die kleinste Welle. Etwa drei Meter entfernt ragte eine Insel auf. War sie in diese Richtung gegangen?

Cassian konnte nicht richtig atmen, nicht richtig denken …

»*NESTA!*«

Das Moor von Oorid verschluckte sein Brüllen, noch bevor es über dem schwarzen Wasser nachhallen konnte.

35

Um sie herum war nicht der geringste Lichtschein – nur bitterkaltes Wasser und krallenbewehrte Hände, die sie durch die Fluten zogen.

Sie hatte das schon zuvor erlebt ... damals im Kessel, als sie durch die eisige Dunkelheit gezerrt wurde ...

Auf diese Weise würde sie also sterben. Und es gab nichts, was sie dagegen tun konnte. Niemanden, der sie retten würde. Sie hatte ihren letzten Atemzug getan, und das noch nicht einmal besonders gut, sondern so konzentriert auf ihre Angst, dass sie vergessen hatte, ihre Waffen oder ihre Magie einzusetzen.

Waffen. Blind tastete Nesta in der Dunkelheit nach dem Dolch an ihrer Seite. Sie hatte sich gegen den Kessel zur Wehr gesetzt. Und jetzt würde sie wieder kämpfen.

Ihre Knochen schmerzten, als der Kelpie sie packte und ihr durch seinen Griff unwissentlich mitteilte, wo sie zustechen musste. Im Sog des vorbeiströmenden Wassers stieß Nesta den Dolch nach unten und betete inständig, dass sie nicht ihr eigenes Bein aufschlitzte.

Ein Knochen vibrierte unter der Klinge. Der Griff um ihr Bein ließ nach und sie rammte die Spitze des Dolchs noch tiefer hinein. Im nächsten Moment gab der Arm sie frei.

Orientierungslos trudelte sie durch die Dunkelheit. Oben und unten verschwammen. Und sie drohte zu ertrinken ...

Spindeldürre Finger prallten gegen ihren Brustkorb. Dann schlang sich eine Hand um ihre Kehle, während sie mit dem Rücken gegen etwas Weiches, Schlammiges stieß. Der Grund des Moorsees.

Nein, sie würde nicht auf diese Weise enden – hilflos wie an jenem Tag im Kampf gegen den Kessel ...

Plötzlich kollidierten harte Lippen und Zähne mit ihrem Mund

und sie schrie auf, als der Kelpie sie küsste. Seine schwarze Zunge drang in ihren Mund ein, schmeckte nach verfaultem Fleisch.

Für den Bruchteil einer Sekunde befand sie sich nicht mehr unter Wasser, sondern wieder im Land der Menschen, gegen einen Holzstapel gepresst, während Tomas' harter Mund sich auf ihre Lippen presste, seine Hände ihren Körper begrapschten ...

Nesta sträubte sich und versuchte, den Kopf wegzudrehen, ihren Mund zu befreien, doch dann strömte Sauerstoff in ihre Lungen. Als hätte der Kelpie sie beatmet. Als wollte er sie ein wenig länger am Leben erhalten, um ihre Qualen zu verlängern.

Der Kelpie zog sich zurück, und Nesta war klug genug, ihre schmerzenden, geschändeten Lippen zu schließen und den gespendeten Atem einzufangen. Und nicht zu hinterfragen, wie das überhaupt möglich war.

Die Hände des Kelpies rissen an ihrer Kleidung, entfernten jede Waffe mit unfehlbarer Präzision, als bräuchte er keine Sonnenstrahlen, um in der Dunkelheit zu sehen. Als könnten seine großen, schwarzen Augen, so wie die einer Tiefseekreatur, noch das geringste Restlicht auffangen. Nesta erstarrte, während seine brutalen Berührungen immer besitzergreifender und wütender wurden und sich an ihrer Furcht zu ergötzen schienen.

Als er sie entwaffnet hatte, brannten ihre Lungen erneut, und sie spürte, wie der hagere, männliche Körper sie ein weiteres Mal in den Seeboden presste und seinen Mund auf ihren schob.

Nesta würgte, öffnete ihre Lippen aber und erlaubte ihm, ihren Mund mit einem weiteren, lebenspendenden Atemzug zu füllen – wobei es sich jedoch nicht um eine freundliche Geste des Kelpies handelte. Seine Zunge schlängelte sich wie ein Wurm um ihre. Seine dürren, zu großen Hände fuhren über ihre Brüste, ihre Taille. Und als Nesta erneut würgte und gegen ihr Schluchzen ankämpfte, blies er sein Lachen zwischen ihre Lippen.

Scharfe Zähne rissen an ihrem Mund, als er sich zurückzog, und Nesta bebte, während er ihr über die Haare strich. Sie war seine kleine, kostbare Beute – genau das sprach aus dieser Geste. Und dass er sie leiden und betteln lassen würde, bevor er sie tötete. Sie war den Ungeheuern im Herrschaftsgebiet der Menschen entflohen, nur um auf der anderen Seite der Mauer die gleichen Monster anzutreffen. War Tomas nur entkommen, um hier zu landen, zappelnd und sich heftig wehrend, genau wie damals.

Die flehende, weibliche Stimme war verstummt. Als wüsste sie, dass jetzt keine Hoffnung mehr bestand.

Nesta suchte verzweifelt nach ihrer Kraft, während der Kelpie sich wieder in Bewegung setzte und sie am Handgelenk hinter sich herschleifte.

Ihre Beine stießen gegen metallische Objekte und Knochen, die auf irgendeine Weise konserviert aus dem sumpfigen Untergrund ragten. An einigen der Knochen schien noch Gewebe zu hängen.

Bitte, flehte sie die schlummernde, uralte und furchterregende Kraft tief in ihrem Inneren an. *Bitte.*

Plötzlich konnte Nesta sie vor sich erkennen, golden glänzend, und streckte die Finger danach aus.

Der Kelpie schwamm jetzt schneller durch die Dunkelheit, wand sich zwischen den Gegenständen hindurch, als handelte es sich um die Wurzeln eines Baums.

Das goldene Objekt kam näher: eine runde Scheibe. Ihre Kraft. Und während sie weitergeschleift wurde, bewegte sich die goldene Scheibe auf ihre gespreizten Finger zu. Immer schneller. Der Kelpie schien sie nicht wahrzunehmen, denn er wich nicht zur Seite aus, als die Scheibe auf Nestas ausgestreckte Hand zuschnellte.

Es war allerdings nicht ihre eigene Kraft, die da vor ihr leuchtete.

Als die goldene Scheibe Nestas Finger berührte und sie ihre Hand fest darum schloss, wusste sie, worum es sich tatsächlich handelte: Was zusammengehörte, fand zusammen. Macht fand zu Macht.

Ahnungslos zerrte der Kelpie sie weiter. Nesta rang erneut nach Luft. Ihre Füße und Beine schleiften über rasiermesserscharfe Gegenstände im Seeboden, die ihre Haut aufschlitzten.

Macht lag in ihrer einen Hand. Der Tod umklammerte ihre andere.

Sie wusste, was sie zu tun hatte, wusste es mit jener Gewissheit, die nur schiere Verzweiflung und Angst hervorbringen konnten. Wusste, welches Risiko sie eingehen musste. Ihre Finger schlossen sich noch fester um das Objekt in ihrer Hand.

Der Kelpie verringerte jetzt sein Tempo, als würde er die Veränderung, ihre Entschlossenheit spüren. Doch er war nicht schnell genug.

Er konnte sie nicht mehr daran hindern, die Maske auf ihr Gesicht zu pressen.

36

Ihre Lungen brannten nicht länger. Ihr Körper schmerzte nicht mehr. Sie brauchte keine Luft. Spürte keinen Schmerz.

Durch die Augenlöcher der Maske konnte sie vage Umrisse erkennen. Der Kelpie war ein hageres, weißes Wesen – eine Kreatur, nur von Hass und Hunger beseelt.

Ruckartig gab er sie frei, als wäre er entsetzt und von Furcht erfasst. Als zögerte er beim Anblick dessen, was sie jetzt auf dem Gesicht trug.

Mehr benötigte Nesta nicht.

Sie konnte sie um sich herum spüren: die Toten.

Konnte ihre längst verwesten Körper wahrnehmen – manche nur noch Gerippe, andere konserviert und angefressen unter ihren uralten Rüstungen. Ihre Waffen lagen in der Nähe, weggeworfen und ignoriert von den Kreaturen des Moors, die sich mehr dafür interessierten, sich am abgestorbenen Fleisch der Toten zu laben.

Tausende und Abertausende von Toten.

Aber Nesta konnte keine Tausende von Toten befehligen. Noch nicht.

Das Blut rauschte ihr kalt durch die Adern, während die Maske ihr zuflüsterte, wozu sie fähig war. *Daheim*, schien sie zu seufzen. *Endlich daheim.*

Nesta widersetzte sich ihr nicht. Begrüßte stattdessen deren Macht und erlaubte dieser Magie – kälter, aber so alt wie ihre eigene –, durch ihre Adern zu strömen.

Der Kelpie überwand seine Furcht und fletschte die beiden Reihen messerscharfer Zähne, bevor er sich auf sie stürzte.

Doch eine Skeletthand schlang sich um sein Fußgelenk.

Der Kelpie wirbelte herum und spähte in die Tiefe ... als eine weitere Knochenhand in einem Stulpenhandschuh aus gesprungenem Metall sich um sein anderes Fußgelenk legte.

Dann ergriff eine Hand, von deren Fingern Haut und Gewebe in Fetzen herabhingen, seine schwarzen Haare.

Hastig wirbelte der Kelpie wieder zu Nesta herum, mit aufgerissenen, schwarzen Augen.

Nesta schwebte im Wasser, während die Macht der Maske kalt in ihren Adern sirrte, und rief die Toten herbei. Befahl ihnen, das zu tun, wozu ihr eigener Körper nicht in der Lage war.

Obwohl sie sich gegen Tomas, gegen den Kessel und gegen den König von Hybern gewehrt hatte, waren sie alle *ihr* widerfahren. Sie hatte es überlebt, war aber hilflos und zu Tode verängstigt gewesen.

Doch heute galt das nicht mehr.

Heute würde sie *ihm* widerfahren.

Der Kelpie trat um sich und befreite sich aus dem Griff einer Skeletthand, während zehn weitere Hände am Ende langer, knochiger Arme sich ihm entgegenstreckten. Und eine Sekunde später folgten die dazugehörigen Körper. Blitzschnell versuchte er, sich ihren Griffen zu entziehen, aber hinter ihm erhob sich ein riesiges Skelett in einer rostigen Rüstung und schlang die Arme um ihn. Ein Gesicht, das nur noch aus Knochen bestand, schob sich über die Schulter des Kelpies. Es öffnete die Kiefer und seine spitzen Zähne – also kein High Fae – glitzerten, bevor sie sich in das weiße Fleisch des Kelpies gruben.

Der Kelpie schrie, lautlos. Genauso lautlos wie die Toten, die sich jetzt vom trüben Seeboden erhoben und teils in Formation auf ihn zustrebten.

Nesta ließ die Macht durch ihre Adern strömen, ließ der Maske freie Hand beim Erwecken der Toten. Tote, die man hier einst in Ehren beigesetzt hatte und deren letzte Ruhestätte durch den Kelpie und seinesgleichen entweiht worden war, die die Toten als nicht endendes Festmahl betrachtet hatten.

Der Kelpie sträubte sich gegen die Toten, mit einem jetzt flehenden Blick in den Augen. Doch Nesta betrachtete ihn ohne das geringste Mitleid. Sie konnte noch immer seinen fauligen Geschmack in ihrem Mund schmecken.

Sie wusste, dass er ihre glänzenden Zähne sah ... ihr kaltes Lächeln, als sie den Toten befahl, ihn in Stücke zu reißen.

»*NESTA!*«

Cassian brüllte ihren Namen – hüfthoch im schwarzen Wasser, das so undurchdringlich war, dass er seine eigenen Beine nicht sehen konnte –, während Az über ihm kreiste und fieberhaft die Gegend absuchte.

Er hatte ihren Geruch am Ufer wahrgenommen ... ihren Duft und Uringeruch! Nesta hatte irgendetwas gesehen, war von irgendetwas angefallen worden, das so schrecklich war, dass sie sich in die Hose gemacht hatte. Und jetzt war sie fort, in den Tiefen dieses Moorsees ...

»*NESTA!*«

Er wusste nicht, wo er in dieser Dunkelheit anfangen sollte. Wenn er weiter solchen Lärm machte, würde er damit nur weitere Wesen anlocken. Aber er musste sie finden. Sonst würde er zusammenbrechen und sterben ...

»*NESTA!*«

Azriel landete im Wasser neben ihm. »Ich kann nichts erkennen«, keuchte er, mit einem verzweifelten Ausdruck in den Augen, der sich auch in Cassians Blick widerspiegeln musste. »Wir brauchen Rhys ...«

»Er antwortet nicht.«

Es schien, als würde das Moor ihre Nachrichten auf die gleiche Weise schlucken wie jedes Geräusch um sie herum.

Cassian watete bis zur Brust ins Wasser, während seine Hände blind nach einem Hinweis tasteten, nach einem Leichnam ...

Bei diesem Gedanken stieß er einen Schrei aus – und diesen Laut konnte nicht einmal das Moor von Oorid dämpfen.

Fieberhaft warf er sich vorwärts und nur Azriels Hand an seiner Rüstung hielt ihn zurück. »*Sieh doch*«, knurrte er.

Cassian folgte Azriels ausgestrecktem Zeigefinger. Die Oberfläche in der Mitte des Sees schlug kleine Wellen. Ein goldenes Licht drang aus der Tiefe. Hastig stürmte Cassian darauf zu, doch Az hielt ihn erneut zurück, wobei seine Trichtersteine blau aufflammten.

Dann durchbrachen Speere die Wasseroberfläche. Wie ein aufsteigender Wald tauchte Speer um Speer aus dem See hervor. Dann folgten wassertriefende Helme – manche verrostet, andere glänzend, als wären sie erst vor Kurzem geschmiedet worden. Und unter den Helmen: Totenschädel.

»Gütige Mutter!«, flüsterte Azriel. Aus seiner Stimme sprach schieres Entsetzen – keine Ehrfurcht –, während die Toten aus Oorids Tiefen aufstiegen.

Eine durchgehende Reihe von Toten. Eine Legion. Manche nur Gerippe, mit hängenden Kiefern und leeren Augenhöhlen. Andere halb konserviert, mit verwesendem Gewebe über bloß liegenden Knochen. Ihren wertvollen Rüstungen nach zu urteilen, handelte es sich um Krieger, Könige, Prinzen und Lords.

Sie stiegen aus den Fluten empor, bezogen Posten im seichten Uferwasser der vom Dorngestrüpp überwucherten Insel. Und als das goldene Licht durch die Seeoberfläche vor ihnen brach, sanken die Toten auf die Knie.

Cassian fehlten die Worte, als Nesta ebenfalls aus dem Wasser auftauchte, als stünde sie auf einem Podest, das sie hochhob. Eine goldene Maske ruhte auf ihrem Gesicht – primitiv, aber mit Spiralen und derart alten Mustern verziert, dass sie jede Bedeutung verloren hatten.

Wasser strömte aus Nestas Kleidung, ihre Haare hatten sich aus dem Zopf gelöst und in der Hand hielt sie … den Kopf eines Kelpies. Er baumelte an langen, schwarzen Haaren herab, ein erstarrter Schrei auf dem Gesicht. Genauso wie der Kopf des Königs von Hybern damals von Nestas Hand herabgehangen hatte.

Ein silbernes Feuer brannte hinter den Augenlöchern der Maske.

»Heilige Götter«, flüsterte Azriel. Die Toten standen reglos da – eine zum Kampf bereite Legion. Nestas Wille war ihr Wille, Nestas Befehl der einzige Grund für ihre Existenz. Sie hatten kein eigenes

Bewusstsein mehr, nur noch Nestas Kraft, die durch sie hindurchfloss.

»Nesta«, wisperte Cassian.

Nesta öffnete die Hand: Der Kopf des Kelpies versank in den Tiefen des schwarzen Moorwassers zu ihren Füßen.

Kalte Macht strömte auf Cassian zu. Und als sie ihn erreichte, ließ er sie an sich vorbeigleiten, um ihn herum. Leistete nicht den geringsten Widerstand, denn das würde nur bedeuten, den Zorn der Maske zu provozieren. Sich ihr zu widersetzen, käme einem Widerstand gegenüber dem Tod persönlich gleich.

Der Tod in Person.

Azriel bebte und schirmte sich ebenfalls vor dieser Urmacht ab.

Aber sie waren beide Illyrianer, ob es Az nun gefiel oder nicht. Und deshalb taten sie das, was ihr Volk schon immer im wunderschönen Angesicht des Todes getan hatte: Sie verneigten sich.

Da sie bis zur Brust im Moor standen, konnten sie sich nicht sehr tief verbeugen, aber sie senkten die Köpfe, bis ihre Gesichter fast die Wasseroberfläche berührten. Cassian hob den Blick aus dieser Haltung und sah, wie die goldene Reflexion der Maske auf dem Wasser tanzte. Und dann veränderte sich dieses goldene Licht.

Er hob den Kopf gerade noch rechtzeitig, um verfolgen zu können, wie Nesta die Maske abnahm.

Die Toten sackten in sich zusammen. Stürzten wasserspritzend in den See und verschwanden unter der schwarzen Oberfläche. Mitsamt ihren Speeren.

Nesta sank ebenfalls haltlos zu Boden. Sofort stürmte Cassian zu ihr. Das eisige Wasser stach ihm wie Nadeln ins Gesicht, doch er konnte sie gerade noch auffangen, bevor sie unterging.

Sie lag vollkommen schlaff in seinen Armen, als er sie zu Az trug. Sein Bruder hatte sein Schwert gezückt, um sie gegen jede Kreatur zu schützen, die möglicherweise noch aus dem Moor kroch. Als sie das Ufer mit dem Gras und dem Baum erreichten, begutachtete Cassian Nestas bleiches Gesicht, das um den Mund herum tiefe Kratzer und Schürfwunden hatte …

Im nächsten Moment blinzelte Nesta. Ihre Augen waren wieder blaugrau und sie drückte die Maske an sich wie ein Kind eine Puppe. Und zitterte. Zitterte am ganzen Körper.

Cassian konnte nichts anderes für sie tun, als die Arme um sie zu schlingen und sie festzuhalten, bis das Zittern endlich verebbte und Bewusstlosigkeit ihrem Verstand die Gnade des Vergessens schenkte.

37

Am Hof der Albträume gab es einen Ort, an den sich nicht einmal Keir und seine Elitetruppe der Dunkelbringer wagten. Denn sobald die Feinde des Hofs der Nacht ihn einmal betreten hatten, kamen sie nicht wieder daraus hervor. Zumindest nicht lebendig.

Aber auch die Überreste ihrer Leichen sahen das Licht der Sonne nicht mehr: Sie wanderten durch die Luke in der Mitte des kreisrunden Raums – und in die darunterliegende Grube, in der sich die Bestien bereits wanden. Mit ihren Schuppen und Klauen und ihrem gnadenlosen Hunger. Sie erhielten nicht oft Futter, denn sie kamen mit einem einzigen Leichnam mühelos zehn Jahre aus und gingen zwischen den Mahlzeiten in den Winterschlaf.

Das Blut der beiden Soldaten des Herbsthofs, das durch das Gitter im schwarzen Steinboden tropfte, weckte sie auf.

Ihr Knurren und Fauchen, ihre peitschenden Schwänze und kratzenden Krallen sollten die an Stühle gefesselten Männer zum Reden bringen.

Azriel lehnte neben der einzigen Tür an der Mauer, in der Hand den blutbefleckten Wahr-Sager. Cassian und Feyre standen zu beiden Seiten neben ihm und verfolgten gemeinsam, wie sich Rhys und Amren den beiden Männern näherten.

»Seid ihr jetzt eher bereit, uns eine Erklärung zu liefern?«, fragte Rhys und schob die Hände in die Taschen.

Nur weil Cassian wusste, dass Nesta sicher in einem Zimmer in Rhys' Palast auf diesem Berg schlief, bewacht von der Magie seines High Lords, blieb er in diesem Raum. Die Maske lag, mit einem schwarzen Samttuch bedeckt, auf einem Tisch in einem anderen Zimmer des Palasts, ebenfalls mit Schutzzaubern versehen. Als Nesta das Bewusstsein verlor, hatte Azriel den Wind geteilt und sie vom

Oorid-Moor zu Rhys' Residenz über der Höhlenstadt gebracht. Und als Rhys nur einen Sekundenbruchteil später verschwand, hatte Cassian gewusst, dass er die Soldaten des Herbsthofs aus dem Moor holen und hierherbringen würde.

Nesta war seitdem noch nicht wieder zu sich gekommen.

Die beiden Soldaten sahen einander ähnlich, da die meisten Angehörigen der einzelnen Höfe gemeinsame Merkmale besaßen: Die des Herbsthofs hatten Haare in verschiedenen Rottönen, dazu braune, bernsteinfarbene oder grüne Augen und blasse Haut. Der Soldat auf der linken Seite hatte rotbraune Locken, der neben ihm leuchtend kupferrotes Haar. Beide starrten mit leerem Blick vor sich hin.

»Sie müssen mit irgendeinem Zauber belegt sein«, meinte Amren, als sie die beiden umkreiste. »Sie scheinen nur einen einzigen Antrieb zu kennen: anderen ohne jeden Grund Leid zuzufügen.«

»Warum habt ihr Mitglieder meines Hofs im Moor von Oorid angegriffen?«, fragte Rhys mit der sanften und ruhigen Stimme, die schon so viele gehört hatten – kurz bevor er sie in Fetzen riss.

Rhys teilte Cassians Überzeugung, dass es sich bei den Männern um die verschollenen Soldaten des Herbsthofs handelte. Aber wie sie im Oorid-Moor gelandet waren ... Genau das wollten sie herausfinden. Rhys hatte versucht, in ihre Köpfe einzudringen, dort aber nichts außer Dunst und Nebel vorgefunden.

Die Soldaten starrten Cassian und Azriel an, mit einem unverhohlen bösartigen Blick in den Augen.

»Sie sind wie tollwütige Hunde ... nicht mehr bei Verstand«, bemerkte Feyre von der Mauer aus.

»So haben sie auch gekämpft«, berichtete Cassian. »Ohne jede Intelligenz, nur beseelt vom Verlangen zu töten.«

Rhys streckte eine Hand in Richtung des Braunhaarigen aus, der an Stellen blutete, die zwar schmerzhaft, aber nicht lebensgefährlich waren. Az wusste, wie er einen Gegner aufschlitzen musste, ohne ihn ausbluten zu lassen. Und wie er dafür sorgen konnte, dass dieser Zustand tagelang anhielt.

»Wenn sie mit einem Zauber von Briallyn oder Koschei belegt sind, ist es dann gerechtfertigt, sie so zu verletzen?«, fragte Feyre.

Die Frage hallte durch den Raum und über das Fauchen der hungrigen Bestien hinweg.

»Nein, du hast recht«, sagte Rhys nach einem Moment.

»Ihr vernebelter Geist und die Tatsache, dass sie Azriels Behandlung ertragen haben, ohne ein Bewusstsein für irgendetwas anderes als ihre Schmerzen zu zeigen, bestätigt zumindest unseren Verdacht«, wandte Amren sich an Feyre.

»Wenn du es damit rechtfertigen willst, dann soll es so sein«, entgegnete Feyre leicht unterkühlt.

Sämtliche Anwesenden, einschließlich Feyre, waren irgendwann einmal gefoltert worden.

Feyre wandte sich an Rhys. »Wir müssen Helion herbitten. Nicht wegen der … du weißt schon«, sagte sie und warf den beiden Soldaten einen Blick zu, da diese durchaus alles mitbekommen könnten, selbst wenn sie in ihren Köpfen gefangen waren. »Sondern um den Bann zu brechen, mit dem sie belegt sind.«

»Ja«, sagte Rhys, in dessen Augen sich Schuld und Scham spiegelten. Als er und seine Seelengefährtin sich stumm unterhielten, wusste Cassian, dass Rhys sie nach der Folter fragte … und sich dafür entschuldigte, dass Feyre auch nur zehn Minuten hatte mitansehen müssen, wie Azriel sich an die Arbeit machte.

Aber Cassian wusste auch, dass Feyre bereits beim Betreten des Raums klar gewesen war, was sie hier zu sehen bekam. Dass diese zehn Minuten nur den Auftakt einer Sinfonie des Schmerzes bildeten, die Azriel mit brutaler Effizienz dirigieren konnte.

Nach einem Moment wirkten Feyres Züge weicher und sie schenkte Ryhs ein mattes Lächeln, das seine Augen zum Leuchten brachte. »Sie bleiben hier, unter Bewachung. Ich werde sofort mit Helion Kontakt aufnehmen«, verkündete er.

»Und was ist mit Eris?«, fragte Cassian. »Wann teilen wir ihm mit, dass wir seine Soldaten gefunden haben? Oder vielmehr, was wir mit den meisten von ihnen gemacht haben?«

»Ihr habt in Notwehr gehandelt«, sagte Feyre und verschränkte die Arme vor der Brust. »Ich würde sagen, der Befehlshaber der Soldaten trägt die Schuld an ihrem Tod, nicht ihr.«

»Wir werden es Eris mitteilen, sobald wir alles überprüft haben«, fügte Amren hinzu. »Schließlich besteht noch immer die Möglichkeit, dass *er* hinter dem Ganzen steckt.«

Feyre nickte zustimmend, presste dann jedoch die Lippen zusammen. »Diese beiden Männer haben Familien, die sich bestimmt Sorgen um sie machen. Wir sollten uns beeilen.«

Cassian verdrängte den Gedanken an all die Soldaten, die er nicht verschont hatte – und die ebenfalls besorgte Familien gehabt hatten. Jeder Tod besaß ein Gewicht und schickte eine Welle in die Welt, in die Zeit. Das ließ sich nur allzu leicht vergessen. Er schaute zu Az, aber das Gesicht seines Bruders war eiskalt. Falls er ihre Vorgehensweise bereute, ließ er es sich zumindest nicht anmerken. Cassian legte seine Schwingen an. »Wir beeilen uns, so gut wir können.«

Sie ließen die Soldaten, deren Blut noch immer zu den schnappenden Bestien hinabtropfte, im Raum zurück.

Gemeinsam gingen sie nach oben, hinaus aus den Verliesen der Höhlenstadt, fort von dem elenden Ort, bis sie zwischen den Mondsteinsäulen des wunderschönen Palasts standen. Rhys marschierte in Richtung des Raums, in dem sich die Maske befand. Als er die Tür öffnete, hielt er abrupt inne.

Am Tisch saß Nesta und starrte auf die mit einem Tuch bedeckte Maske.

»Wie bist du denn hier hereingekommen?«, fragte Rhys aufgebracht. Nacht umwirbelte seine Fingerspitzen. Cassian wusste, dass die Schutzschilde, die sein Bruder an der Tür angebracht hatte, undurchdringlich waren. Zumindest hätten sie es sein sollen.

»Die Tür war offen«, antwortete Nesta benommen und musterte ihre Gesichter, als würde sie nach jemand Bestimmtem suchen. Dann betrat Cassian den Raum und ihr Blick heftete sich auf ihn.

Er schenkte ihr ein grimmiges Lächeln.

»Die Maske hat dir die Tür geöffnet?«, fragte Amren in forderndem Ton.

»Sie hat mich hergelockt«, antwortete Nesta und sah Cassian dabei von Kopf bis Fuß an.

Er begriff, dass sie wissen wollte, ob er verletzt war, ob *ihm* etwas passiert war. Als wäre er der mit den aufgeplatzten Lippen, den Kratzspuren am Hals, den aufgeschürften Waden und Schienbeinen. Ihre Wunden bluteten zwar nicht mehr und verkrusteten bereits, aber ... beim Kessel, er konnte den Anblick auch nur einer einzigen Verletzung an ihr nicht ertragen.

»Spricht sie zu dir?«, fragte Feyre und legte den Kopf auf die Seite.

Cassian hatte ihnen alles erzählt – soweit er sich einen Reim darauf machen konnte. Nesta war von einem Kelpie angefallen und unter Wasser gezogen worden und hatte dabei irgendwie die Maske gefunden. Hatte die Toten des Moors von Oorid herbeigerufen, um den Kelpie zu töten, und war triumphierend wieder aufgetaucht.

»Nur ein verzweifelter Narr würde diese Maske aufsetzen«, bemerkte Amren, die sich vom Tisch fernhielt. Cassian wusste nicht, ob sie Abstand zwischen sich und Nesta bringen oder der Maske nicht zu nahe kommen wollte. »Du hattest Glück, dass du sie dir vom Gesicht reißen konntest. Die meisten waren nach dem Aufsetzen nicht mehr in der Lage, sie wieder zu entfernen. Um die Maske von ihren Gesichtern zu lösen, mussten sie enthauptet werden. Das ist der Preis der Macht: Du kannst eine Armee von Toten aufstellen, um die Welt zu erobern, aber die Maske wird dich nie wieder freigeben.«

»Ich habe ihr befohlen, sich von mir zu lösen, und so ist es auch geschehen«, entgegnete Nesta und musterte Amren mit kühler Verachtung.

»Was zusammengehört, findet zusammen«, sagte Rhys. »Andere konnten sich von der Maske nicht befreien, weil die Maske deren Macht nicht anerkannte. Die Maske hatte *sie* im Griff, nicht umgekehrt. Nur jemand, der von derselben dunklen Quelle erschaffen wurde, kann die Maske tragen, ohne von ihr beherrscht zu werden.«

»Also könnte Königin Briallyn sie benutzen«, folgerte Azriel.

»Vermutlich waren die Soldaten des Herbsthofs deswegen im Oorid-Moor. Sie selbst kann es noch nicht riskieren, aber sie hat eine Einheit gefunden, die für sie ins Moor ziehen konnte.«

Die Worte hallten durch den Raum.

Nesta warf erneut einen Blick auf die Maske. »Sie sollte vernichtet werden.«

»Das ist nicht möglich«, erwiderte Amren. »Nur wenn der Kessel wirklich zerstört worden wäre, wäre die Maske vielleicht so sehr geschwächt, dass es den High Lords und Feyre mit vereinten Kräften gelingen könnte.«

»Wenn der Kessel zerstört worden wäre, würde es kein Leben mehr geben«, sagte Feyre schaudernd.

»Die Maske bleibt uns also erhalten«, sagte Amren trocken. »Man kann sie nicht zerstören … nur mit ihr fertigwerden.«

»Wir sollten sie ins Meer werfen«, schlug Nesta vor.

»Hast du an den lebenden Toten keinen Geschmack gefunden, Mädchen?«, fragte Amren.

Nesta musterte Amren auf eine Art, die Cassian mit dem Schlimmsten rechnen ließ. »Ihre Macht kann nichts Gutes bewirken.«

»Wenn wir sie ins Meer werfen, könnte irgendeine üble Kreatur sie finden. Es ist sicherer, sie hier bei uns unter Verschluss zu halten«, sagte Azriel.

»Selbst wenn sie Türen öffnen und Schutzzauber aufheben kann?«, fragte Rhys.

»Was zusammengehört, findet zusammen«, sagte Feyre in die ratlose Stille hinein. »Vielleicht könnte Nesta sie mit einem Schutzzauber versehen und den Raum verriegeln. Sie im Zaum halten.«

»Ich weiß nicht, wie man diese Zauber wirkt«, gestand Nesta. »Ich habe beim Üben mit Amren schon bei den einfachsten Aufgaben versagt – habt ihr das vergessen?«

Erneut legte Feyre den Kopf auf die Seite. »Glaubst du das ernsthaft, Nesta? Dass du *versagt* hast?«

Nesta richtete sich auf. Und Cassians Brust zog sich zusammen, als er die Mauer in ihren Augen sah, die Stein für Stein wuchs. Als ihm klar wurde, was Nesta mit diesem einen Wort von sich preisgegeben hatte. »Vergiss es«, sagte sie, und ihr altes Selbst behauptete sich wieder, als sie das Kinn hob. »Sagt mir, wie ich die Schutzzauber wirken soll. Ich werde es wenigstens versuchen.« Sie richtete ihren Blick auf Amren und Rhys.

»Wenn Helion hier ist, bitte ich ihn, es dir zu zeigen«, sagte Rhys sanft, als hätte er ebenfalls verstanden, welche Wahrheit Nesta enthüllt hatte. »Er kennt Schutzzauber, von denen selbst ich noch nichts gehört habe.«

Im Raum breitete sich eine derart angespannte Stille aus, dass Cassian schließlich grinste und sagte: »Wenn ich mich daran erinnere, wie Nesta im letzten Krieg Helions glühende Annäherungsversuche abgewehrt hat, könnte er vielleicht keine so große Lust haben, ihr zu helfen.«

»Doch, das wird er«, versicherte Rhys. Sterne funkelten in seinem Blick. »Und sei es auch nur, um es noch einmal bei ihr zu versuchen.«

Nesta verdrehte die Augen – eine Geste, die so normal wirkte, dass Cassians Lächeln aufrichtiger wurde und seine Erleichterung verriet.

Jeder kann sehen, dass du aus deinem Herzen keine Mördergrube machst, Bruder, sagte Rhys, ohne sich in Cassians Richtung zu drehen.

Aber Cassian zuckte nur die Schultern. Das war ihm schon lange egal.

»Wir sollten Madja Bescheid geben, damit sie deine Wunden versorgt«, wandte Feyre sich an Nesta.

»Sie verheilen bereits«, entgegnete Nesta. Cassian fragte sich, ob sie überhaupt eine Ahnung hatte, wie schlimm sie aussah.

Als hätte sie seine Gedanken gelesen, bemerkte Amren: »Du siehst aus, als hätte eine Katze versucht, dein Gesicht zu fressen.« Sie schnupperte. »Und du stinkst wie ein Sumpf.«

»Das passiert nun mal, wenn man durch ein Moor geschleift wird«, teilte Cassian Amren mit, was ihm einen erstaunten Blick von Nesta einbrachte. »Wie hat der Kelpie dich in die Falle gelockt?«, fragte er sie.

Nestas zerkratzter Kehlkopf hüpfte auf und ab. »Als du ... als ihr beide nicht zurückgekommen seid, bin ich ... nervös geworden.« Die Stille im Raum war förmlich greifbar. »Also bin ich losgezogen, um euch zu suchen.«

Cassian wagte nicht, darauf hinzuweisen, dass er nur eine halbe Stunde fort gewesen war. Dreißig Minuten – und sie war schon derartig in Panik geraten? »Wir hätten dich niemals zurückgelassen«, sagte er vorsichtig.

»Darüber habe ich mir keine Gedanken gemacht. Ich hatte Angst, ihr könntet beide tot sein.«

Die Tatsache, dass sie das Wort *beide* so betonte, schnürte ihm die Brust zu. Er wusste, was sie so sorgfältig verschwieg. Sie hatte sich solche Sorgen um ihn gemacht, dass sie sich seinetwegen den Gefahren des Oorid-Moors ausgesetzt hatte.

Nesta wandte den Blick ab. »Ich stand kurz davor, ins Wasser zu gehen, als der Kelpie auftauchte. Er kroch ans Ufer. Sagte irgendetwas. Und zerrte mich dann hinein.«

»Er hat etwas zu dir gesagt?«, fragte Rhys verwundert.

»In einer Sprache, die ich nicht kenne.«

Ein Lächeln umspielte Rhys' Lippen. »Kannst du es mir zeigen?«

Nesta runzelte die Stirn, als wollte sie das Ganze nicht noch einmal erleben, nickte dann aber. Im nächsten Moment starrten beide mit leerem Blick vor sich hin. Dann zog Rhys sich zurück.

»Dieses Wesen ...« Er betrachtete Nesta mit unverhohlenem Schock. Offenbar verwunderte es ihn, dass sie überhaupt überlebt hatte. Er wandte sich Amren zu. »Hör dir das mal an.«

Ihre Augen wurden glasig, und niemand sagte ein Wort, während Rhys es Amren zeigte.

Kurz darauf erbleichte Amren und schüttelte dann den Kopf. Ihr schwarzes Haar wippte hin und her. »Das ist ein Dialekt unserer Sprache, der seit fünfzehntausend Jahren nicht mehr benutzt wurde.«

»Ich habe nur jedes zweite Wort verstanden«, sagte Rhys.

Feyre zog eine Augenbraue hoch. »Du sprichst die Sprache der alten Fae?«

Rhys zuckte die Achseln. »Ich habe eine sehr umfassende Erziehung genossen«, erklärte er und winkte ab. »Für Situationen wie diese.«

»Was hat der Kelpie gesagt?«, fragte Azriel.

Amren warf Nesta einen beunruhigten Blick zu, bevor sie antwortete. »Er sagte: *Bist du mein Opfer, süßes Fleisch? Wie bleich und jung du bist. Sag mir, bringen sie dem Wasser inzwischen wieder Opfer dar?* Und als sie nicht geantwortet hat, sagte der Kelpie: *Kein Gott kann dich retten. Ich nehme dich mit, meine Schöne. Du wirst meine Braut sein ... und danach mein Abendessen.*«

Nestas Hand wanderte zu den Verletzungen in ihrem Gesicht. Und zuckte zurück.

Entsetzen erfasste Cassian – und dann sengende Wut.

»Man hat den Kelpies Opfer gebracht?«, fragte Feyre und rümpfte angewidert die Nase.

»Ja«, sagte Amren mit finsterer Miene. »Die frühesten Fae und Menschen hielten Kelpies für Fluss- und Seegötter. Obwohl ich mich immer gefragt habe, ob sie die Kelpies mit diesen Opfergaben nicht davon abhalten wollten, sie zu jagen. Um dafür zu sorgen, dass sie satt und zufrieden waren ... damit sich die Zahl der Toten in Grenzen hielt und die Kelpies nicht aus dem Wasser krochen, um ihre Kinder zu rauben.« Ihre Zähne blitzten auf. »Wenn der Kelpie aus dem Moor noch immer den alten Dialekt gesprochen hat ... muss er sich vor sehr, sehr langer Zeit dorthin zurückgezogen haben.«

»Oder von Eltern großgezogen worden sein, die diesen Dialekt sprachen«, überlegte Azriel.

»Nein«, entgegnete Amren. »Kelpies pflanzen sich nicht fort. Sie vergewaltigen und quälen, aber sie haben keine Jungen. Der Legende nach wurden sie von einem grausamen Gott erschaffen ... und in den Gewässern des Landes ausgesetzt. Der Kelpie, den du getötet hast, Mädchen, war vermutlich einer der letzten seiner Art.«

Wieder betrachtete Nesta die Maske.

»Die Maske flog dir zu«, sagte Rhys. Er musste es in ihrem Kopf gesehen haben.

»Ich hatte nur versucht, an meine Kraft heranzukommen«, murmelte sie. Sämtliche Anwesenden erstarrten – Nesta hatte noch nie so direkt über ihre Kraft gesprochen. »Aber stattdessen hat die Maske reagiert.«

»Was zusammengehört, findet zusammen«, wiederholte Feyre. »Deine Kraft und die der Maske sind einander so ähnlich, dass die eine geantwortet hat, als die andere gerufen wurde.«

»Dann gibst du also zu, dass du sie noch hast«, bemerkte Amren trocken.

Nesta erwiderte ihren Blick. »Das hast du doch längst gewusst.«

Cassian schaltete sich ein, bevor die Situation eskalierte. »Okay. Gönnt der Todesgöttin etwas Ruhe.«

»Das ist nicht lustig«, zischte Nesta.

Cassian zwinkerte ihr zu, auch wenn die anderen angespannt schwiegen. »Ich finde es sehr treffend.«

Nesta musterte ihn finster, aber es handelte sich um eine menschliche Reaktion, die ihm sehr viel lieber war als dieses silberne Feuer. Als dieses Wesen, das über das Wasser gegangen war und eine Legion von Toten befehligt hatte.

Er fragte sich, ob Nesta das auch so sah.

Nesta übernachtete im Mondsteinpalast oberhalb der Höhlenstadt: Feyre hatte gemeint, die hellen, offenen Räume seien vermutlich besser als die düsteren, roten Hallen des Hauses der Winde, zumindest für die heutige Nacht.

Nesta war zu müde gewesen, um ihr zu widersprechen und zu erklären, dass das Haus ihr Freund war, der sie wie ein altes Kindermädchen verwöhnte und verhätschelte.

Die prachtvolle Einrichtung des Schlafzimmers an der Bergflanke registrierte sie kaum – genauso wenig wie die schneebedeckten, von der Sonne beschienenen Gipfel um sie herum, das Bett mit der strahlend weißen Bettwäsche und den dicken Kissen. Was ihr jedoch *sofort* ins Auge sprang, war der große, in den Boden eingelassene Pool auf der Terrasse, dessen Wasser über den Rand und die Bergkante lief, um dann in die endlose Tiefe zu stürzen.

Warmer, nach Lavendel duftender Dampf stieg einladend über der Wasseroberfläche auf, und sie besaß genügend Geistesgegenwart, um sich auszuziehen, bevor sie die Laken erneut besudelte. Sie waren bereits gewechselt worden, seit sie vor ein paar Stunden in diesem Bett geschlafen hatte. Nesta wusste es deshalb, weil der große, schlammige Abdruck, den sie beim Aufstehen hinterlassen hatte, jetzt verschwunden war.

Langsam ließ sie sich in das heiße Wasser gleiten und verzog das Gesicht, als es kurz in ihren Wunden brannte. Jenseits der Gipfel veränderte die Sonne ihre Farbe von Weiß zu Gelb und sank der Erde entgegen. Große flauschige Wolken, erfüllt von pfirsichfarbenem Licht, hoben sich wunderschön vom violetten Himmel ab. Sie fasste sich in die Haare, und während sie die Finger durch das verhedderte, noch immer morastige Wirrwarr zog, verfolgte sie den schönsten Sonnenuntergang, den sie je gesehen hatte. Sumpfgras und Schlamm lösten sich aus ihren Haaren und wurden vom Wasser über den Rand des Beckens davongetragen.

Seufzend tauchte Nesta unter und versuchte, den Schmutz zu entfernen. Mit brennendem Gesicht tauchte sie wieder auf, das Haar noch immer schwer und schlammig, und ließ den Blick über die Wand neben dem Pool wandern. Und entdeckte mehrere Glasflaschen mit Mixturen, die zur Pflege von Körper und Haaren gedacht sein mussten.

Sie gab einen Klecks in ihre Hand. Der betörende Duft von Minze und Rosmarin stieg ihr in die Nase, während sie das Shampoo in ihren schweren Locken verteilte und sich, so gut es ging, entspannte. Dann tauchte sie erneut unter, um den Schaum auszuspülen. Anschließend griff sie nach der Seife, die nach Süßmandeln roch.

Nesta wusch ihren ganzen Körper zweimal. Und erst danach nahm sie die Szenerie wieder in sich auf. Der Sonnenuntergang hatte jetzt seinen Höhepunkt erreicht und der Himmel bot ein prachtvolles Schauspiel aus Rosa, Blau, Gold und Violett, das sie ganz bewusst in sich aufnahm, damit es alle Spuren der Dunkelheit des Moors von Oorid beseitigte.

Nie zuvor hatte sie so etwas wie die Kraft der Maske erlebt. Der Kelpie hatte sich real angefühlt – und ihre Angst, ihre Wut und Verzweiflung, all das waren menschliche, normale Gefühle gewesen. Doch in dem Moment, als sie die Maske aufgesetzt hatte, waren sämtliche Emotionen verschwunden. Sie hatte sich in etwas verwandelt, das über sie selbst hinausging, das keine Luft zum Atmen brauchte und nicht wusste, was Hass, Liebe, Furcht oder Trauer waren.

Das Ganze hatte ihr wahnsinnige Angst eingejagt. Diese totale Abwesenheit von Emotionen. Wie befreiend es gewesen war, so weit entfernt zu sein von all dem.

Nesta schluckte. Davon hatte sie niemandem erzählt. Als die anderen in den Raum kamen, hatte sie gerade über die Maske nachgedacht, über dieses Gefühl der Leere, und sich gefragt, ob jemand sie schon einmal aufgesetzt hatte – allerdings nicht, um die Toten aufzuwecken, sondern einfach nur, um nicht mehr im eigenen Kopf gefangen zu sein.

Ja, sie war bei Bewusstsein gewesen. Hatte den Kelpie umgebracht, weil sie seinen Tod wollte. Aber all die Last, die nachhallenden Gedanken, der Hass und die Schuld, die sie wie Messer durchfuhren, all das war verschwunden.

Und diese Erfahrung war so verführerisch, so befreiend und wunderbar gewesen, dass sie gewusst hatte, dass die Maske vernichtet werden musste. Und sei es auch nur, um sich selbst vor ihr zu schützen.

Aber die Maske ließ sich nicht zerstören. Und sie war vermutlich die Einzige, die sie beherrschen konnte.

Ganz zu schweigen davon, dass sie aus demselben Grund die Einzige war, die Zugang zu ihr hatte. Alle anderen waren vor der Verlockung ihrer Macht sicher – nur sie nicht. Sie, die am dringendsten von ihr ferngehalten werden musste.

Es klopfte an ihrer Tür. Nesta sank bis zum Hals unter die dunkle

Wasseroberfläche des Pools, bedeckte ihre Brüste mit ihren langen Haaren und rief: »Ja?«

Cassian betrat das Zimmer, in der Hand ein Tablett mit Essen, und hielt inne, als er sie nicht auf dem Bett vorfand. Seine Augen zuckten zum eingelassenen Pool. Und Nesta hätte schwören können, dass er das Tablett fast auf den weißen Teppich fallen ließ. »Ich ... Du.«

Dass er derart um Worte verlegen war, genügte, um sie aus ihren Gedanken zu reißen und zu einem Lächeln zu bewegen. »Ich?«

Er schüttelte den Kopf wie ein nasser Hund. »Ich habe dir was zu essen gebracht. Ich dachte, du hast vielleicht Hunger.«

»Gibt es hier kein Esszimmer?«

»Doch, aber ich habe gedacht, du würdest dich lieber entspannen.«

Sie betrachtete ihn, erstaunt, dass er sie so gut kannte und offenbar davon ausging, dass die Vorstellung, wieder mit allen reden und sich angemessen kleiden zu müssen, ihr zu viel war. Er ahnte, dass sie lieber in ihrem Zimmer essen und wieder zu sich kommen wollte.

Cassian räusperte sich. »Ich stell das Tablett hier hin.« Er deutete mit dem Kinn auf den Schreibtisch beim Fußende des Pools, wo das Wasser den Berg hinabstürzte.

Nesta drehte sich um, als er ein wenig steif zum Tisch ging und das Tablett darauf abstellte.

»Okay.« Erneut räusperte er sich. »Genieß dein Bad. Und das Essen.«

Cassians Anblick – und dass er so durcheinander war – vertrieb die Schatten aus ihrem Herzen. Die Gedanken an die Maske verwandelten sich in ein weit entferntes Grollen. »Willst du reinkommen?«

Er sog hörbar die Luft ein, aber so etwas wie Schmerz huschte über sein Gesicht. »Du bist verletzt.«

Nesta stand auf. Wasser lief an ihrem Körper hinab, ihre Haare klebten an ihren Brüsten, ohne jedoch die harten Brustwarzen zu verbergen. »Sehe ich aus, als wäre ich verletzt?«

Er deutete auf die schorfigen Schnittwunden auf ihrem Körper und in ihrem Gesicht. »Was ist damit?«

Sie schnaubte. »Sieht inzwischen schlimmer aus, als es ist.«
Cassian antwortete nicht. Seine Brust hob und senkte sich in einem schnellen Rhythmus. Mit jedem ungleichmäßigen Atemzug wurde das Pochen zwischen ihren Schenkeln stärker, als würde ihr Körper seinem antworten.

Ja, schien ihr Körper zu sagen. *Das hier ... er. Leben, um die Maske zu vertreiben. Leben, um das Grauen des Moors zu vertreiben.* Das Bedürfnis, ihn zu berühren, seine Wärme und seine Kraft zu spüren, pulsierte in ihren Adern. Wenn er nicht zu ihr ins Wasser stieg, würde sie zu ihm gehen müssen.

Nesta watete zu den Stufen des Pools. Und Cassian erstarrte.

»Heute habe ich den Gedanken nicht abschütteln können, dass du tot bist«, flüsterte er.

»Ich auch nicht«, sagte sie, während sie die Stufen hinaufstieg und ihre Taille zum Vorschein kam. »Ich habe auch gedacht, dass du tot bist.«

»Das muss dich gefreut haben.«

Sie lächelte und sah, wie sich sein Blick mit jedem Zentimeter senkte, den sie von sich entblößte. Eine weitere Stufe ... und ihr Geschlecht wurde sichtbar. »Es hat mich nicht gefreut.« Sie erreichte die oberste Stufe und dann den Teppich.

Mithilfe seines über fünf Jahrhunderte geformten Willens heftete Cassian den Blick auf ihr Gesicht, während sie tropfnass auf ihn zukam. »Willst du das hier wirklich?«, fragte er leise.

»Ja.« Sie blieb einen Schritt vor ihm stehen, das nasse Haar um ihren Oberkörper geschlungen, und schaute ihm ins Gesicht. Seine Augen leuchteten wie haselnussbraune Sterne. Nesta schenkte ihm ein Lächeln, das ganz Fae war. »Nur Sex.«

Die Worte schienen etwas auszulösen, denn Cassian blinzelte. »Okay. Nur Sex.« Aber sein Tonfall klang nicht so leicht wie ihrer. Und er berührte sie noch immer nicht.

»Es kann nicht mehr sein als Sex, Cassian.«

An seinem Kiefer zuckte ein Muskel, und er schien einen inneren Kampf auszufechten, bevor er mit dunkler Stimme erwiderte: »Dann nehme ich, was auch immer du mir anbietest.« Er beugte sich vor, ohne ihren Körper zu berühren. »Und ich nehme dich, wie auch immer du es willst«, raunte er ihr ins Ohr.

Sie spürte seine Worte bis in die Zehenspitzen. Wasser tropfte von ihren Haaren auf den Boden. »Und was ist, wenn ich *dich* nehmen will?«

Er lächelte. »Dann werde ich dich bitten, mich bis zur Besinnungslosigkeit zu reiten.«

Sie zerfloss förmlich. Und daran, wie er die Schwingen anlegte, erkannte sie, dass er die Feuchtigkeit wittern konnte, die sich in ihrem Schritt bildete.

Sanft zog er das nasse Haar von ihren Brüsten. Ihr Atem ging schneller, als er mit der Fingerspitze um ihre Brustwarze fuhr. Einmal, zweimal. Sie hatte keine Worte, konnte sich an kein einziges erinnern und nahm nichts wahr außer diesem Finger, der ihre Brustwarze umkreiste. Ihr ganzer Körper pochte vor Verlangen.

Dann schnippte Cassian gegen ihre Brustwarze – ein scharfer, kurzer Schmerz, der sie aufstöhnen ließ.

Sie sehnte sich nach mehr, nach ihm. »Tu, was immer du willst.«

Wieder ließ er seinen Finger um ihre Brustwarze kreisen, ein Raubtier, das mit seiner Beute spielte. »Das klingt nicht besonders erregend: *Tu, was immer du willst.*« Er klemmte ihre Brustwarze zwischen Daumen und Zeigefinger, eine fordernde Geste, die sie zu ihm aufblicken ließ. Sein Gesicht war der Inbegriff männlicher Arroganz – ein Krieger, bereit zum Angriff. Bei diesem Anblick erreichte sie fast den Höhepunkt. Seine Augen wurden dunkel. »Wie du mich manchmal ansiehst, Nesta ... das lässt mich an schmutzige Dinge denken.«

»Tu sie. Tu sie alle.«

Er kniff ihre Brustwarze, gerade so fest, dass es nicht schmerzte, und sie reckte sich der Berührung entgegen, eine stumme Bitte um mehr. Die Bitte, er möge sich gehen lassen. »Eine Nacht reicht nicht aus für all die Dinge, die ich mit dir machen will ...«

Erregt rieb sie ihre Schenkel aneinander. Sie brauchte mehr. »Dann tu dein Bestes.«

Cassian stieß ein tiefes Lachen aus, aber seine andere Hand wanderte hinauf zu ihrer unberührten Brust und umkreise auch deren Warze. Sie beobachtete seine hellbraunen Finger auf ihrer blassen Haut, verfolgte, wie er sie berührte, als wollte er jeden Zentimeter ihrer Haut erkunden und sich dafür alle Zeit der Welt nehmen. Unterhalb seiner Gürtellinie konnte sie sehen, wie erregt er war.

»Willst du mir wieder einen blasen?«, flüsterte er ihr ins Ohr.

Nesta stieß ein zustimmendes Wimmern aus.

»Hast du meinen Geschmack noch Tage danach im Mund gehabt?«

Sie konnte nicht antworten, konnte ihm die Wahrheit nicht verraten.

Seine Finger kniffen ihre Brustwarzen zusammen und erzeugten gerade so viel Schmerz, dass sie vollkommen nass wurde. »Und?«

»Ja. Ich habe dich noch tagelang geschmeckt.« Die Worte sprudelten ihr über die Lippen, schärften ihren Blick, rissen sie aus dieser verlangenden Benommenheit. »Ich habe seitdem jede Nacht an deinen Schwanz in meinem Mund gedacht, während ich die Finger zwischen meinen Beinen hatte.«

Er knurrte, und sie fuhr mit der Hand über seine harte Männlichkeit, drückte zu. Dann hob sie den Kopf und fing seinen dunklen Blick auf. »Und ich habe an deinen Mund zwischen meinen Beinen gedacht«, sagte sie mit rasendem Puls. »Daran, wie deine Zunge in mich eingedrungen ist.« Erneut drückte sie zu.

Cassian stöhnte auf und seine Daumen streichelten ihre allzu sensiblen Brustwarzen.

Nesta legte die andere Hand auf seine Brust und schob ihn auf das Bett zu. Er wehrte sich nicht und ließ sie das Tempo bestimmen. »Ich habe dir versprochen, dass du mich im Haus vögeln kannst, wo immer du willst.« Ihre Stimme glich einem tiefen Schnurren, das sie kaum wiedererkannte. Seine Beine stießen ans Bett, und er stoppte sie, legte eine Hand auf ihre Taille. »Aber das hier ist nicht das Haus der Winde.« Sein rauer Atem umfing sie, als sie lächelnd in sein angespanntes Gesicht schaute. »Ich glaube, das bedeutet, dass wir vögeln, wo *ich* will.«

Cassian grinste und die Hand an ihrer Taille wanderte nach unten. »Solange ich dich noch immer im Haus vögeln kann.«

Sie erwiderte sein wildes Grinsen. »Einverstanden.«

Seine Hand bewegte sich weiter nach unten, zwischen ihre Beine, erkundete sie, fuhr mit den Fingern durch die Nässe dort. Leise fluchend hielt er sie wieder hoch und ihre Feuchtigkeit glänzte an seinen Fingern. Seine Augen funkelten raubtierhaft, als er sie zum Mund führte und einen nach dem anderen ableckte.

Ihr Körper schmerzte, zog sich zusammen, auf der verzweifelten Suche nach etwas, das ihn füllte. Auf der Suche nach ihm. Sie strich mit den Fingern über seinen harten Schwanz, der noch immer in seiner Hose gefangen war. Und als sie die Bewegung wiederholte, schob er seinen Mund über ihren.

Ein streifender, neckender Kuss.

Sie biss in seine Unterlippe. Und dann riss er sie an sich, presste ihre Körper fest aneinander, umfasste mit beiden Händen ihren Hintern und drückte sie gegen seinen Schwanz. Ihre offenen Münder fanden einander. Und sie schmeckte sich selbst auf seiner Zunge und krallte die Finger in sein seidiges Haar.

Cassian drehte sie beide mit Schwung, und dann lag sie auf der Matratze und er ragte über ihr auf.

Langsam stellte er ihre Füße auf dem Bett auf und zog sie an den Rand der Matratze, sodass er ihr Geschlecht sehen konnte. Er kniete sich vor sie, seine Schwingen hinter ihm aufragend, und fuhr mit der Zunge direkt durch ihre Spalte.

Nesta stöhnte im gleichen Moment wie er. Und er sah zu, wie sie sich wand – als wüsste er, dass er sie noch mehr quälte, wenn er ihr nichts gab, um sie zu erfüllen. Erst dann, wenn er es wollte. Er leckte sie erneut, hielt an der empfindlichsten Stelle inne, sog sie in seinen Mund, nagte mit den Zähnen daran, begann von vorn.

Und noch einmal.

Er verschlang sie, brachte ihren Körper wie ein Stück Schokolade auf seiner Zunge zum Schmelzen.

Sie hielt es nicht aus, umfasste ihre eigenen Brüste, auf der verzweifelten Suche nach mehr Berührung, mehr Empfindung. Er schaute zwischen ihren Beinen auf und sah, dass sie ihre Brüste knetete. Jetzt lächelte er und seine Zähne blitzten weiß auf vor ihrem erhitzten Glühen. »Magst du es, wenn ich vor dir knie?«, fragte er mit tiefer Stimme und seine Worte drangen direkt in ihr Inneres. Dann versenkte er seine Zunge in ihr.

Nesta bäumte sich auf, hob sich seiner Zunge entgegen. Doch Cassian lachte nur und verweigerte ihr das, wonach sie sich sehnte. Ein weiteres Mal leckte er sie quälend langsam, und dann schob er zwei Finger in sie hinein. Zwei, nicht einen, denn er schien zu wissen, dass sie bereits auf ihn wartete, dass sie ihn ungezügelt, hart und wild wollte. Wieder bäumte sie sich auf, und er stieß seine Finger erneut tief in sie, bevor er fragte: »Wie willst du es?«

»Hart«, keuchte sie.

»Gütige Mutter!«, fluchte er leise. Dann hörte sie Metall klirren und Leder schaben, bevor seine Zunge sie wieder streichelte, über ihren Bauch und ihre Brüste, bis er über ihr war.

Cassian schob sie weiter auf das Bett. Es kümmerte sie nicht, dass sich ihre Beine für ihn spreizten. Jetzt interessierte sie nur noch, dass er nackt war und all diese harten Muskeln und die golden schimmernde Haut dicht über ihr glänzten.

Er senkte sich zu ihren geöffneten Schenkeln, und seine Augen waren so groß, dass sie das Weiße um seine Pupillen sehen konnte. Dann öffnete er den Mund, aber sie wollte die Worte nicht hören, wollte nicht wissen, was auch immer er sagen wollte. Sie nahm sein Gesicht in beide Hände und küsste ihn leidenschaftlich, fuhr mit der Zunge über seine Zähne, als sich ihre Münder vereinten.

Die breite Spitze seiner Männlichkeit stieß an ihre Spalte, glitt in die Feuchtigkeit hinein. Und er griff nach seinem Schwanz und dirigierte ihn langsam in sie hinein.

Feuer explodierte in ihrem Körper. Keuchend sog sie an seiner Unterlippe, während er weiter in sie eindrang. Dann hielt er inne. Er war groß genug, dass das Gefühl der Dehnung von süßem Schmerz gesäumt war. Groß genug, dass sie sich fragte, ob sie ihn ganz in sich aufnehmen konnte. Er zitterte, hielt sich mühsam zurück, als würde er sich dieselbe Frage stellen.

Sein Zögern und seine Sorge brachten eine eiskalte Scherbe in ihr zum Schmelzen. Und ließen sie jede Zurückhaltung über Bord werfen.

Nesta packte seinen Hintern, dessen Muskeln sich unter ihren Fingerspitzen spannten, und zog ihn in sich hinein.

Nur ein Stück, denn plötzlich stützte sich Cassian mit den Armen ab und stemmte sich gegen den Druck ihrer Hände. »Ich werde dir wehtun.«

»Das ist mir egal.« Sie fuhr mit der Zunge über sein Kinn.

»Aber mir nicht«, knurrte er. Und sein Körper verspannte sich, als sie versuchte, ihn an sich zu ziehen. »Nesta.«

Erneut grub sie die Finger in seine Muskeln. Jede Faser ihres Körpers schrie nach mehr. Mehr von ihm. Doch er rührte sich nicht.

»Nesta. Sieh mich an.«

Sie kämpfte gegen das Brüllen ihres Körpers an und gehorchte. Hitze flammte in seinen Augen und noch etwas anderes.

»Sieh mich an«, flüsterte Cassian.

Bei den Göttern! Aber sie folgte seiner Aufforderung. Konnte den Blick nicht von ihm abwenden, verlor sich im freien Fall in seinen braunen Augen, seinem wunderschönen Gesicht. Ihr Atem passte sich seinem an und Nesta lag reglos unter ihm. Ein Gefühl der vollkommenen Ruhe und Erfüllung erfasste sie, als sich seine Hüften zu bewegen begannen und er tiefer in sie eindrang, jedes Mal ein bisschen weiter.

Und bei jedem vorsichtigen Stoß sah Cassian ihr tief in die Augen. Er dehnte sie, füllte sie. Und Nesta wusste, dass es richtig gewesen war, bei ihrem ersten gemeinsamen Mal langsam vorzugehen. Sie sprachen nicht, atmeten nur im gleichen Rhythmus und sahen einander mit weit aufgerissenen Augen an.

Dann zog er seinen Schwanz heraus, und die Bewegung dauerte lange genug, um ihr zu verraten, dass er fast vollständig in sie eingedrungen war. Er hielt inne, seine Spitze kaum in ihr, und betrachtete sie prüfend. Ein erobernder Kriegergott. Er hatte sie Todesgöttin genannt und er war ihr Schwert.

Cassian beugte sich herab, um sie zu küssen. Und als seine Zunge in ihren Mund glitt, stieß er mit einem mächtigen Stoß seiner Hüften in sie hinein.

Nesta stöhnte, als er bis zum Ansatz in sie eindrang. Seine ganze Wucht traf sie, dehnte sie. Ihr schnell gehender Atem kam kaum noch mit. Wieder zog sich Cassian zurück, um dann erneut zuzustoßen und ihren Körper weiter in die Mitte des Bettes zu treiben.

Dieses Mal stöhnte er und das Geräusch gab ihr den Rest. Sie schlang die Beine um seinen Rücken, unterhalb seiner Schwingen, und reckte ihm ihre Hüften entgegen. Er sank noch tiefer in sie hinein. Und sie schlug ihre Nägel in seine Schultern.

Bei den Göttern – nichts hatte sich je so gut, je so erfüllend, je so brennend vor Lust angefühlt. Nichts hatte sich je so angefühlt, nichts.

Cassian bestimmte das Tempo, sanft und tief, und Nesta passte sich ihm Stoß um Stoß an. Einen kurzen Moment spähte sie dorthin, wo sein Schwanz in sie eintauchte, und klammerte sich noch fester an ihn, während sich ihr Höhepunkt bereits anbahnte. Er spürte, wie ihre inneren Muskeln ihn zusammendrückten, und knurrte: »Verdammt, Nesta.«

Und es gefiel ihr so gut, ihn so erregt zu sehen, dass sie die Muskeln erneut anspannte, als er vollends in sie stieß und die Finger in die Matratze krallte. »Verdammt«, knurrte er wieder.

Aber es war nicht genug. Nicht annähernd genug. Sie wollte, dass Cassian brüllte, wollte ihn so um den Verstand bringen, dass er seinen eigenen Namen vergaß.

Nesta stoppte ihn mit einer Hand auf der Brust. Nur eine Hand – und er hielt sofort inne, ihr vollkommen ergeben. Wenn sie wollte, würde es hier enden.

Der Gedanke ging ihr so nahe, dass sie das Zittern in ihrer Stimme kaum unterdrücken konnte, als sie murmelte: »Ich will dich tiefer in mir.«

Cassian keuchte, die Augen wild, als sie sich aus seinen Armen löste. Als sie sich auf den Bauch drehte und ihm ihr Hinterteil entgegenstreckte, sich ihm anbot.

Er brachte einen tiefen, verlangenden Laut hervor. Sie hob ihre Hüften höher, lud ihn ein, sie zu nehmen, sie zu genießen.

Seine Zurückhaltung zerbrach in tausend Stücke. Im nächsten Moment war er bei ihr, hob ihre Hüften noch höher und drang dann mit einem tiefen Stoß in sie ein. Nesta schrie laut auf vor Lust, schrie, dass es von den Bergen widerhallte, und spürte, wie er ihren tiefsten Punkt berührte.

Cassian stieß in sie, fuhr mit einer Hand von ihrer Hüfte zu ihrem Haar, zog ihren Kopf nach hinten und entblößte ihren Hals. Sie gab sich ihm hin. Und der Kontrollverlust war so berauschend, so lustvoll, dass sie es kaum ertragen konnte. Er stieß härter zu, so tief, dass sie ein weiteres Mal aufschrie und vor Lust schluchzte. Sie war ihm völlig ausgeliefert. Und er wusste es – er fauchte vor Verlangen und vögelte sie so heftig, dass seine Eier gegen sie schlugen.

Und diese seidige Berührung ließ sie explodieren.

Ihr Höhepunkt stürzte auf sie herab, aus ihr heraus, während Cassians Brüllen durch den Raum hallte und er sich entfesselt in sie ergoss.

Und dann fiel sein Gewicht auf sie, und nur der Arm, den er ausstreckte, um sie abzustützen, verhinderte, dass sie zusammenbrachen.

Nesta taumelte, konnte nur noch atmen, atmen, atmen.

Cassians Schwanz ruhte in ihr. Und es fühlte sich so gut, so richtig an, dass sie ihn für immer so tief in sich spüren wollte.

»Bei den Göttern«, flüsterte er an ihrem Rücken, dicht über der Tätowierung dort. »Das war ...«

»Ich weiß«, keuchte sie. »Ich weiß.«

Mehr konnte sie nicht zugeben. Mehr wollte sie sich selbst nicht eingestehen.

Zu gut. Es hatte sich zu gut angefühlt. Und nichts und niemand würde jemals an dieses Erlebnis heranreichen.

Dann zog Cassian sich sanft und langsam aus ihr heraus. Auch seinen Samen, der an ihren Oberschenkeln herablief und auf das Laken tropfte. Sie konnte sich nicht bewegen, wollte sich nicht rühren.

Sie spürte, wie er sich hinter sie kniete und ihren Hintern betrachtete, den sie ihm noch immer präsentierte.

»Ich sollte diesen Anblick nicht so sehr genießen«, brummte er.

Ihre Brüste spannten sich wieder an, aber sie fragte mit gespielter Unschuld: »Welchen Anblick?«

»Deinen Anblick. Von meinem Sperma bedeckt. Dein schönes Geschlecht.«

Sie errötete und ließ sich auf die Matratze sinken. »Niemand hat es je schön genannt.«

»Aber es ist schön. Es ist das schönste, das ich je gesehen habe.«

Sie lächelte in das Laken hinein. »Lügner.«

»Ich bin gerade nicht zum Lügen aufgelegt, Nesta.«

Seine Stimme klang so rau, dass sie einen Blick über die Schulter warf. Cassian kniete noch immer und sein Gesicht ... Er wirkte wie am Boden zerstört, als hätte sie ihn auseinandergenommen und in Trümmern zurückgelassen. »Was ist los?«, fragte sie. Doch er rutschte vom Bett und griff nach seiner Kleidung auf dem Teppich.

Nesta drehte sich um, aber er stieg in seine Hose und sammelte das Hemd, die Jacke und die Waffen auf, von deren Existenz sie gar nichts gewusst hatte. Und als er den Kopf hob, schenkte er ihr ein spöttisches Lächeln. »Nur Sex, richtig?«

Seine Frage war irgendwie eine Falle. Sie konnte nicht genau sagen, worin sie bestand, aber die Worte klangen gefährlich. Sie dagegen hatte diese Worte genau so gemeint. Zumindest war das ihr Plan gewesen. »Richtig«, bestätigte sie.

Seine Augen blitzten, und er grinste erneut, während er zur Tür ging. »Danke für die Nummer, Nes.« Er zwinkerte ihr zu und war eine Sekunde später verschwunden.

Nesta starrte auf die Tür, verwirrt über diesen so plötzlichen Abgang.

War das eine Bestrafung? Hatte er es nicht genossen? Sie hatte den Beweis seiner Lust zwischen ihren Beinen, aber Männer konnten ihr Vergnügen haben, ohne den Sex wirklich zu genießen. Versuchte er etwa, ihr zu demonstrieren, was sie mit all den anderen Männern gemacht hatte? Die sie verführt und dann rausgeworfen hatte?

Sie hatte zwar gesagt, dass es nur um Sex ging, aber insgeheim gehofft, sie könnten anschließend wenigstens noch etwas … kuscheln. Nur ein paar Minuten, um seinen Körper zu spüren, bevor sie ihn aus Stolz zum Gehen aufgefordert hätte.

Nesta saß auf der Matratze und starrte in Richtung Tür. Doch es kam keine Antwort – nur Stille.

38

»Du hast ihn mit ins Bett genommen, stimmt's?«

Emeries geflüsterte Frage ließ Nestas Kopf zu ihr herumschnellen. Ihre Bauchmuskeln zitterten, während sie die aufrechte Position der Übung hielt. Emerie, links neben ihr in der gleichen Haltung, grinste, als sie den Schock auf Nestas Gesicht sah. Gwyn, auf Emeries anderer Seite, riss nur die Augen auf.

Nesta gab sich Mühe, eine neutrale Miene zu ziehen, und senkte den Oberkörper langsam wieder ab, wobei sie darauf achtete, die Bauchmuskeln fest anzuspannen, bis sie mit dem Rücken flach auf dem Boden lag. »Wie kommst du darauf?«

»Weil ihr schon den ganzen Morgen heißblütige Blicke wechselt.«

Nesta musterte Emerie finster. »Tun wir nicht.«

Es kostete sie Mühe, nicht auf die andere Seite des Trainingsplatzes zu schauen, wo Cassian jetzt mit zwei neuen Teilnehmerinnen – Ilana und Lorelei – Fußstellungen und Gleichgewichtsübungen durchging. Nesta hatte ihn seit Beginn der Lektion vor zwei Stunden tatsächlich schon zweimal dabei erwischt, wie er in ihre Richtung starrte. Aber sie achtete darauf, sich nicht auf zu langen Blickkontakt einzulassen.

»Doch, tut ihr«, flüsterte Gwyn, leise genug, dass Cassian sie trotz seines Fae-Gehörs nicht verstehen konnte. Nesta verdrehte die Augen.

»Also gut, wenn du nicht darüber reden willst«, sagte Emerie ebenso leise, »dann erzähl uns wenigstens, was gestern los war ... Warum ist der Unterricht ausgefallen und wo warst du am Nachmittag?«

»Darüber darf ich nicht sprechen«, antwortete Nesta. Ihre Wunden waren bereits verheilt und verschwunden, was es leichter machte, sich nichts anmerken zu lassen.

»Es hat irgendetwas mit der Truhe zu tun«, behauptete Gwyn, deren blaugrünen Augen nichts entging.

Nesta sagte nichts dazu, und das genügte als Antwort. Emerie wusste in groben Zügen Bescheid – genau wie Gwyn – und runzelte die Stirn. Aber sie raunte: »Dann hast du wirklich nicht mit ihm geschlafen?«

Nesta hob den Oberkörper erneut an die Knie. »Das hab ich nicht gesagt.«

Hmmm, brummte Emerie nur.

Nestas Wangen liefen rot an. Emerie und Gwyn warfen einander vielsagende Blicke zu, und schließlich fragte Gwyn: »War es gut?«

Nesta machte noch einen Sit-up, und Cassian schnauzte von der anderen Seite des Platzes: »Emerie! Gwyn! Wenn ihr die Übungen genauso gut beherrschen würdet wie euer Mundwerk, dann wärt ihr jetzt schon fertig.«

Emerie und Gwyn grinsten breit. »Entschuldigung!«, riefen sie und trainierten weiter.

Nesta erstarrte, als sie Cassians Blick auffing. Der Raum zwischen ihnen zog sich zusammen, die Geräusche der trainierenden Priesterinnen verhallten, der azurblaue Himmel verschwamm und der Wind strich ihr ganz leicht über die Wangen …

»Das gilt auch für dich, Archeron«, befahl er und zeigte auf Emerie und Gwyn, die ihre Übungen absolvierten und sich offenbar nach Kräften bemühten, nicht zu lachen. »Häng noch fünfzehn dran.«

Nesta warf ihnen allen einen finsteren Blick zu und widmete sich wieder dem Training. *Genau deshalb* hatte sie jeden Augenkontakt mit ihm vermieden.

Cassians Aufmerksamkeit konzentrierte sich wieder auf die anderen Priesterinnen. Aber Nesta musste sich zwingen, beim Hochkommen nicht in seine Richtung zu schauen. Dabei verzählte sie sich dreimal. Mistkerl.

»Nesta, wenn du dich nicht konzentrieren kannst …«, setzte Gwyn nach einem Moment an.

»Bitte nicht«, brummte Nesta.

Gwyn lachte leise. »Ich meine es ernst. Gestern Abend habe ich von einer neuen Walküren-Technik erfahren. Sie heißt Kontemplation.«

Trotz der Anstrengung presste Nesta hervor: »Was ist das?«

»Damit haben sie ihre Gedanken und Gefühle beruhigt. Einige wandten die Technik drei- bis viermal am Tag an. Im Grunde ist es nichts anderes, als sich hinzusetzen und den Geist zur Ruhe kommen zu lassen. Es könnte dir bei deiner ... Konzentration helfen.«

Emerie kicherte, aber Nesta ignorierte Gwyns Anspielung und hielt inne. »So was ist möglich? Den Geist zu trainieren?«

Gwyn hatte ihre Übung ebenfalls unterbrochen. Ihr zuvor hänselndes Lächeln wirkte jetzt nachdenklich. »Ja, natürlich. Es erfordert ständige Übung. Aber in dem Buch, das ich für Merrill zusammengefasst habe, gibt es ein ganzes Kapitel darüber, wie die Walküren das gemacht haben. Man muss tief atmen, sich seines Körpers bewusst werden und dann loslassen. Die Technik diente ihnen dazu, trotz ihrer Angst gefasst zu bleiben, nach einer schweren Schlacht zur Ruhe zu kommen und ihre inneren Dämonen zu bekämpfen.«

»Illyrianische Krieger tun so etwas nicht«, murmelte Emerie. »Ihre Köpfe sind erfüllt von Zorn und Kampf. Seit dem letzten Krieg ist es noch schlimmer geworden – jetzt, da sie ihre Reihen neu formieren.«

»Für die Walküren waren gesteigerte Gefühle nichts als Ablenkung, wenn sie dem Feind gegenüberstanden«, berichtete Gwyn. »Sie trainierten ihren Geist und formten ihn zu einer Waffe, so scharf wie eine Klinge. Die Fähigkeit, die Beherrschung nicht zu verlieren und mitten in einem Kampf an diesen Ort der Ruhe gelangen zu können, machte sie zu unerschütterlichen Gegnern.«

Nestas Herz schlug mit jedem Wort schneller. Ihren Geist beruhigen ... »Kannst du eine Schreiberin bitten, Kopien von dem Kapitel anzufertigen?«

Gwyn grinste. »Das habe ich schon getan.«

»Wollt ihr drei tratschen oder trainieren?«, schnauzte Cassian zu ihnen herüber.

Nesta warf ihm einen vernichtenden Blick zu. »Erzählt ihm nichts davon«, mahnte sie die beiden. »Das bleibt unser Geheimnis.« Was würde Cassian wohl sagen, wenn *sie* plötzlich die Unerschütterliche war?

Emerie und Gwyn nickten, während Cassian auf Nesta zuschlenderte. Jeder Muskel, jede Faser in ihrem Körper geriet in Alarmbereitschaft. Sie war an diesem Morgen in das Haus der Winde zurückgekehrt. Rhys hatte sie mit allzu neutraler Miene über den geteilten Wind hergebracht, aber Cassian hatte sich nicht blicken lassen.

Nesta hatte ganze dreißig Minuten gehabt, um zu frühstücken und ihre andere Lederkluft anzuziehen, da ihre Lederrüstung, die sie im Moor getragen hatte, noch schmutzig war. Diese hier war weiter – nicht wie ein Sack, aber doch ein bisschen größer. Sie hatte gar nicht gemerkt, wie eng ihre übliche Lederkleidung war, bis sie in diese wesentlich bequemere schlüpfte. Hatte nicht gemerkt, wie viele Muskeln sie in diesem Monat an Oberschenkeln und Armen entwickelt hatte, bis sie jetzt erkannte, wie sehr die alte Kluft ihre Bewegungsfreiheit einschränkte.

Cassian blieb vor ihnen stehen, die Hände in die Hüften gestemmt. »Gibt es hier irgendetwas Interessanteres als euer Training?«

Er wusste es. Der Mistkerl wusste, dass sie über ihn gesprochen hatten. Das Funkeln in seinen Augen und das angedeutete Grinsen verrieten es ihr.

Emeries Lippen zitterten bei dem Versuch, nicht zu grinsen. »Nein, nein.«

Gwyn schaute von Cassian zu Nesta und wieder zurück.

»Ja?«, fragte Cassian.

Schnell schüttelte Gwyn den Kopf – zu schnell, um unschuldig zu wirken – und setzte ihre Übungen fort. Schweiß glänzte auf ihrem sommersprossigen Gesicht. Emerie folgte ihrem Beispiel, und die beiden trainierten so fleißig, dass es fast lächerlich war. Nesta schaute zu Cassian hoch. »Was ist?«

Seine Augen tanzten vor spöttischer Belustigung. »Hast du alle fünfzehn gemacht?«

»Ja.«
»Und die Liegestütze?«
»Die auch.«

Er trat näher. Und sie musste unwillkürlich daran denken, wie er sich ihr letzte Nacht genähert, wie diese Hände ihre Hüften umfasst hatten, als er sie von hinten nahm. Ein Teil dieser Gedanken musste sich auf ihrem Gesicht abzeichnen, denn er sagte mit gesenkter Stimme: »Du warst wirklich produktiv, Nes.«

Sie schluckte und wusste, dass die beiden Frauen neben ihr jedes Wort aufsogen. Aber sie hob trotzig das Kinn. »Wann machen wir endlich etwas Sinnvolles? Wann fangen wir mit Bogenschießen und Schwertern an?«

»Du glaubst, dass du inzwischen für den Schwertkampf bereit bist?«

Emerie stieß einen zischenden Laut aus, trainierte aber weiter.

Nesta weigerte sich, zu lachen oder zu erröten, und erwiderte Cassians Blick. »Das kannst nur du mir sagen.«

Seine Nasenlöcher blähten sich. »Steh auf.«

Seit Verlassen jenes Schlafzimmers hatte Cassian sich bestimmt zwei Dutzend Mal gesagt, dass der Sex ein Fehler war. Aber als Nesta ihn herausforderte und ihre Anspielung wie eine knisternde Flamme zwischen ihnen brannte, konnte er sich beim besten Willen nicht mehr erinnern, warum.

Irgendwie hing es damit zusammen, dass sie nur Sex wollte, dass dieser Sex der beste war, den er je gehabt hatte, dass er ihn wahrhaft umgehauen hatte.

Nesta blinzelte. »Was ist?«

Er deutete auf die Mitte des Platzes. »Du hast mich schon verstanden. Wenn du glaubst, dass du inzwischen für den Schwertkampf bereit bist, dann beweise es.«

Ihre Freundinnen wussten offenbar genau, was sie letzte Nacht getan hatten. Emerie konnte ihr Lachen kaum noch verbergen und Gwyn warf ihnen immer wieder verstohlene Blicke zu.

»Beendet eure Übungen zügig oder fangt noch mal ganz von vorn an!«, herrschte Cassian die beiden an.

Sofort widmeten sie sich wieder dem Training.

Nesta schaute noch immer zu ihm hoch. Schweiß und Anstrengung hatten Farbe in ihr schönes Gesicht gebracht. Ein Schweißtropfen lief an ihrer Schläfe hinunter, und er musste die Fäuste ballen, um ihn nicht mit dem Finger sanft wegzuwischen. »Werden wir jetzt lernen, mit Schwertern zu kämpfen?«

Er ging zu dem Regal auf der anderen Seite des Platzes und sie folgte ihm. »Wir fangen mit Übungsschwertern aus Holz an. Novizinnen echten Stahl in die Hand geben? Nur über meine Leiche.«

Sie lachte leise. Er versteifte sich. »Wenn du so kindisch bist, dass du zu kichern anfängst, sobald von Klingen die Rede ist, dann bist du für den Schwertkampf nicht bereit.«

Nesta zog eine finstere Miene, doch Cassian fuhr fort: »Schwerter sind Instrumente des Todes.« Er hob seine Stimme, damit alle Frauen ihn hören konnten, obwohl er nur zu ihr sprach. »Sie müssen mit einer gehörigen Portion Respekt behandelt werden. Ich selbst habe während der ersten sieben Jahre ein richtiges Schwert nicht einmal anfassen dürfen.«

»Sieben *Jahre*?«, fragte Gwyn hinter ihnen verblüfft.

Er erreichte das Regal und zog eine lange Klinge heraus – eine fast identische Replik des illyrianischen Schwerts, das er auf dem Rücken trug. »Du meinst also, Kinder sollten ein echtes Schwert schwingen?«

»Nein«, stotterte Gwyn. »Ich meinte nur ... sollen wir sieben Jahre lang mit Holzschwertern üben?«

»Wenn ihr drei nicht aufhört zu kichern, ja.«

»Lasst euch nicht einschüchtern von ihm «, wandte Nesta sich an Gwyn und Emerie.

Cassian schnaubte. »Gefährliche Worte für eine Frau, die sich mit mir anlegen will.«

Sie verdrehte die Augen, zögerte dann aber, als er ihr das Übungs-

schwert mit dem Heft voran entgegenstreckte. Sie wog es in der Hand.
»Es ist schwer«, stellte sie fest.
»Ein echtes Schwert wiegt mehr.«
Nesta blickte über seine Schulter, hinter der das Heft seiner Waffe hochragte. »Wirklich?«
»Ja.« Er deutete auf ihre Hände. »Beide Hände an das Heft. Nicht zu nah am Schaft zupacken.«
Emerie begann zu husten und Nestas Mundwinkel zuckten, aber sie riss sich zusammen ... kämpfte dagegen an. Selbst Cassian musste ein Lachen unterdrücken, bevor er sich räusperte.
Aber Nesta folgte seiner Aufforderung.
»Füße so, wie ich es dir gezeigt habe«, sagte er in dem Bewusstsein, dass aller Augen auf ihnen beiden ruhten. An Nestas plötzlich ernstem Gesicht erkannte er, dass ihr das ebenfalls klar war. Dass dieser Moment von entscheidender Bedeutung war – jetzt, da die Priesterinnen ihnen zuschauten.
Lebenswichtig.

Nesta erwiderte Cassians Blick. Und jeder Gedanke an Sex und daran, wie gut er sich angefühlt hatte, verschwand aus ihrem Kopf, als sie das Schwert hob.
Wie ein Schlüssel, der endlich ins Schloss passte.
Es war ein Holzschwert, aber dann auch wieder nicht. Es gehörte zum Training, aber dann auch wieder nicht.
Cassian ging mit ihr die acht verschiedenen Hiebe, Stöße und Paraden – die Blocks – durch. Allesamt einzelne Bewegungen, die wie Faustschläge miteinander kombiniert werden konnten, erklärte er. Am schwierigsten war es, immer daran zu denken, mit dem Schwertgriff zu führen ... und den ganzen Körper einzusetzen, nicht nur die Arme.
»Block eins«, befahl er. Und sie hob das Schwert senkrecht zu ihrem Körper, gegen einen unsichtbaren Feind. »Hieb drei.« Sie drehte die Klinge, erinnerte sich daran, mit dem bescheuerten Griff zu führen, und zog das Schwert nach unten. »Stoß eins.« Eine wei-

tere Drehung, gefolgt von einem Ausfallschritt, um die Klinge durch den Brustpanzer eines imaginären Gegners zu stoßen.

Sämtliche Anwesenden hatten ihre Übungen unterbrochen und sahen zu.

»Block drei«, ordnete Cassian an. Nesta wechselte zu einem einhändigen Griff und führte die linke Hand zu ihrer Brust. Sie sollte sie oben halten, hatte er gesagt, denn es handelte sich um ihre Schildhand. Wie dicht man den Schild am Körper hielt, konnte über Leben oder Tod entscheiden. »Hieb zwei.« Sie zog das Schwert in einer geraden Linie nach oben, um den Gegner von der Leiste bis zum Brustbein aufzuschlitzen. »Block zwei.« Sie drehte sich auf einem Fuß, um das Schwert aus dem Gegner zu ziehen und einen weiteren unsichtbaren Angriff zu parieren.

Keine ihrer Bewegungen hatte auch nur annähernd Cassians Eleganz und Kraft. Sie waren steif. Und Nesta brauchte immer eine Sekunde, um sich an die einzelnen Schritte zu erinnern. Aber dafür war mehr als eine halbe Stunde Unterricht erforderlich, sagte sie sich. Cassian hatte sie oft genug darauf hingewiesen.

»Gut.« Er verschränkte die Arme vor der Brust. »Block eins, Hieb drei, Stoß zwei.«

Sie führte die Anweisung aus. Die Bewegungen wurden jetzt schneller, fließender und sicherer. Und ihr Atemrhythmus passte sich ihrem Körper an.

»*Gut*, Nesta. Noch mal.«

Sie konnte das schlammige Schlachtfeld sehen und die Schreie von Freund und Feind hören. Jede Bewegung war ein Kampf – ums Überleben und um den Sieg.

»Noch mal.«

Sie sah den König von Hybern, den Kessel und die Raben. Sah den Kelpie und Tomas und all die Leute, die über die Armut und Verzweiflung der Archerons gespottet hatten, die »Freunde«, die sich mit einem Lächeln auf dem Gesicht abgewandt hatten.

Ihr Arm war nur ein entfernter Schmerz, zweitrangig angesichts des Gesangs, der in ihrem Blut aufstieg.

Es fühlte sich gut an. So gut.

Cassian gab verschiedene Kombinationen an, und sie führte sie aus, ließ sie durch sich hindurchströmen.

Alle verhassten Feinde, jeder Moment, den sie ihnen hilflos ausgeliefert gewesen war, drangen an die Oberfläche. Und mit jeder Bewegung des Schwerts, mit jedem Atemzug formte sich ein Gedanke. Er hallte mit jedem Hieb, jedem Stoß, jedem Block in ihrem Kopf nach.

Nie wieder.

Nie wieder würde sie schwach sein.

Nie wieder würde sie jemandem ausgeliefert sein.

Nie wieder würde sie versagen.

Nie wieder, nie wieder, nie wieder.

Cassian verstummte, und dann blieb die Welt stehen. Nichts um sie herum existierte noch – nur er und sein grimmiges Lächeln, als wüsste er, welcher Gesang in ihrem Blut dröhnte ... und dass das Schwert ein Instrument war, um dieses tobende Feuer in ihr zu kanalisieren.

Die anderen Frauen standen vollkommen still da. Ihr Zögern und ihre Erschütterung flimmerten in der Luft.

Langsam wandte Nesta den Blick von Cassian ab und schaute zu Emerie und Gwyn, die über den Platz auf sie zukamen. Cassian hatte die Holzschwerter bereits für sie herausgeholt.

In ihren Augen war keine Angst zu erkennen. Als würden auch sie sehen, was Cassian bewirkte. Als könnten auch sie diese Worte in Nestas Kopf hören.

Nie wieder.

39

Das Feuer in ihr brannte weiter.

Am Nachmittag gelang es Nesta kaum, ihrer Arbeit in der Bibliothek nachzugehen, so sehr loderte dieses Feuer, diese Energie in ihr. Als die Uhr sechs schlug, verabschiedete sie sich von Clotho und ging geradewegs zur Wendeltreppe.

Im Kreis hinab, immer weiter hinab.

Stufe um Stufe.

Sie blieb nicht stehen. Konnte nicht stehen bleiben.

Als wäre sie aus einem Käfig befreit worden, von dessen Existenz sie nichts geahnt hatte.

Bei jedem Schritt hörte sie die Worte. *Nie wieder.*

Sie war dem Kelpie durch reines Glück entkommen. Aber sie hatte sich zu Tode gefürchtet. Genau wie damals, als sie in die Tiefe des Kessels hinabgezogen wurde. Genau wie bei Tomas. Gegen Tomas hatte sie sich wenigstens zur Wehr gesetzt. Bei dem Kelpie hatte sie so gut wie nichts unternommen – bis die Maske sie gerettet hatte.

Sie hatte solche Angst gehabt, war so duckmäuserisch und zittrig geworden. Aber damit war es jetzt vorbei. Sie wollte es nicht länger hinnehmen, dass sie zurückwich, sich auf den Boden kauerte oder innerlich zusammenkrümmte.

Im Kreis hinab, immer weiter hinab.

Stufe um Stufe.

Nie wieder. Niemals wieder.

Als Nesta die sechstausendste Stufe erreicht hatte, machte sie sich wieder an den Aufstieg.

Am nächsten Tag setzten die ersten herbstlichen Regenfälle ein, und Cassian ging im Stillen davon aus, dass die Priesterinnen nicht zum

Training erscheinen würden. Aber als er den Platz betrat, warteten sie bereits draußen in der Kälte und Nässe. Keine von ihnen hatte Magie benutzt, um trocken zu bleiben. Als wollten sie die Herausforderung und die zusätzliche Anstrengung.

In der Mitte der Gruppe stand Nesta, mit einem konzentrierten Ausdruck in den Augen.

Cassians Blut geriet in Wallung, und er konnte sein Verlangen kaum zügeln beim Anblick dieser Wildheit in ihrem Gesicht – der Versessenheit, mehr zu lernen und sich selbst noch stärker zu fordern.

Er war in der letzten Nacht nicht zu ihr gegangen. Es erschien ihm besser, im Flusshaus zu schlafen, als sich der Versuchung auszusetzen. Der Sex war so unglaublich gut gewesen, und er wusste: Wenn er nicht zumindest den Anschein erweckte, einen Schutzschild zu errichten, würde das Ganze ihn vollkommen aufzehren. *Sie* würde ihn vollkommen aufzehren.

Nesta, Emerie und Gwyn standen zusammen. Und drei neue Teilnehmerinnen waren zu den anderen Priesterinnen gestoßen.

»Meine Damen«, sagte er zur Begrüßung und ließ den Blick über die elf durchnässten Frauen schweifen, die wie eine Truppe auf einem Schlachtfeld seine Befehle erwarteten. Roslin hatte ihre Kapuze zurückgeschlagen, unter der ihre dunkelroten Haare, ihre blasse Haut und ihre zarten Züge zum Vorschein kamen. Ihre Augen hatten die Farbe von Karamell. Und falls sie sich fürchtete, endlich ihr Gesicht zu zeigen, ließ sie es sich nicht anmerken. Cassian betrachtete den Rest der Gruppe und … Hm, das war neu. Gwyn trug eine illyrianische Lederkluft. Dem Duft nach zu urteilen, handelte es sich um Nestas alte.

Sämtliche Frauen, die vor ihm standen, hatten einen klaren Blick und wirkten sehr motiviert. »Ich glaube, wir brauchen einen weiteren Lehrer.«

Obwohl sich die Frauen dem Neuankömmling gegenüber sehr zurückhaltend benahmen, verhielt sich Azriel am nächsten Morgen so souverän und ruhig, dass sie sich in seiner Nähe schnell entspannten. Az hatte sofort zugestimmt, die Lektionen noch einzuschieben, bevor er aufbrach, um ein Auge auf Briallyns Aktivitäten zu werfen.

Cassian trainierte weiter mit Nesta, Emerie und Gwyn. Der Regen prasselte unaufhörlich herab, und schon bald waren alle nass bis auf die Knochen. Aber die Anstrengung vertrieb die beißende Kälte.

»Damit kann man einen Mann wirklich mit einer Bewegung zu Fall bringen?«, fragte Gwyn ihn, als er vor Nesta stand. Sie hatten die Schwerter kurz abgelegt, um ihre Hände zu lockern. Aber statt untätig herumzusitzen und zuzulassen, dass ihre Körper dadurch steif wurden, hatte er ihnen ein paar Techniken gezeigt, um sich aus einer misslichen Lage zu befreien.

Gwyn war an diesem Tag unkonzentriert und hielt ständig ein Auge auf die andere Seite des Platzes gerichtet. Cassian konnte nur vermuten, dass sie seinen Bruder beobachtete, der ihr zur Begrüßung kurz zugelächelt hatte. Gwyn hatte das Lächeln jedoch nicht erwidert. Cassian verfluchte sich, dass er ein solcher Idiot gewesen war. Er hätte sie fragen sollen, ob sie mit Azriels Gegenwart klarkommen würde. Vielleicht hätte er alle Priesterinnen fragen sollen, ob sie damit einverstanden waren, dass er noch einen männlichen Trainer dazuholte, aber vor allem Gwyn – die Azriel damals in Sangravah gefunden hatte.

Während der Lektion hatte sie nichts dazu gesagt, nur immer wieder zu Az geschaut, der sich pflichtbewusst auf seine Aufgabe konzentrierte. Cassian konnte ihren Gesichtsausdruck einfach nicht deuten.

Er richtete seine Aufmerksamkeit auf die Frauen vor ihm. »Wenn man die richtige Stelle trifft, kann man mit dieser Technik jeden bewusstlos schlagen.« Cassian nahm Nestas Hand und legte sie an seinen Hals. Ihre Finger waren im Vergleich zu seinen klein – und noch dazu eiskalt. Verstohlen strich er mit dem Daumen über ihren Handrücken, bevor er ihre Finger in die richtige Position brachte. »Man muss auf diesen Druckpunkt zielen. Wenn man fest genug zuschlägt, fällt der Gegner wie ein Stein zu Boden.«

Nestas Finger versteiften sich und er packte rasch ihre Hand. Doch sie grinste, als wüsste sie, dass sie ihn erwischt hatte. Er drückte ihre eisigen Finger. »Ich weiß, dass du daran gedacht hast.«

»So was würde ich nie tun«, sagte sie unschuldig, aber mit funkelnden Augen.

Cassian zwinkerte ihr zu und Nesta nahm die Hand von seinem Hals. »Okay«, sagte er. »Zurück zu den Schwertern. Wer will mir die acht Positionen noch einmal zeigen?«

Obwohl Nesta und Gwyn sich umgezogen hatten, waren sie eine Stunde nach ihrer Lektion noch immer völlig durchgefroren. Nesta machte es sich in einer warmen, gemütlichen Ecke in einem selten besuchten Teil der Bibliothek gemütlich, nippte an ihrem Pfefferminztee und ließ seine Wärme durch ihren Körper strömen, während sie das Kapitel las, das Gwyn für sie kopiert hatte. Eine weitere Kopie hatte sie Emerie vor deren Aufbruch gegeben und ihr das Versprechen abgenommen, am Abend zu üben, damit sie morgen ihre Notizen vergleichen konnten.

»Ist es wirklich so einfach?«, fragte Nesta und legte die Seiten auf das abgenutzte Sofakissen.

Gwyn saß am anderen Ende der Couch und streckte die Füße in Richtung Kaminfeuer, wobei ihr Gewand raschelte. »Es *scheint* einfach zu sein, aber nach allem, was ich gelesen habe, stimmt das nicht.«

»Hier steht, man soll es sich an einem ruhigen Ort bequem machen, die Augen schließen, tief durchatmen und seine Gedanken loslassen.«

»Glaub mir: Die Walküren haben Monate gebraucht, um nur die Grundlagen zu lernen. Und sie mussten diese Übungen *mehrmals* am Tag durchführen, um sie wirklich zu beherrschen. Aber lass es uns versuchen. Am Ende des Kapitels heißt es, wenn man diese Übungen zum ersten Mal macht, könnte man müde werden ... oder sogar einschlafen. Man lernt allerdings erst später, wie man diesen Drang bekämpft.«

»Nach dem heutigen Training hätte ich gegen etwas Schlaf nichts einzuwenden«, murmelte Nesta, und Gwyn pflichtete ihr leise lachend bei. Nesta stellte ihre Teetasse auf den niedrigen Tisch vor der Couch. »Also gut. Lass es uns versuchen.«

»Ich habe mir die verschiedenen Schritte eingeprägt und kann uns durch sie hindurchführen«, bot Gwyn an.

Nesta schnaubte. »Natürlich hast du sie auswendig gelernt.«

Gwyn schlug ihr spielerisch auf die Schulter. »Du weißt doch: Lernen ist mein Job.«

»Du hättest dir diese Informationen sowieso gemerkt.«

»Stimmt«, lachte Gwyn, trank ihren Tee aus und setzte sich aufrecht. »Nimm eine bequeme Sitzposition ein ... aufmerksam, aber entspannt.«

»Ich weiß gar nicht, was das bedeutet.«

Gwyn machte es vor, schob sich nach hinten, bis ihre Wirbelsäule die Rückenlehne der Couch berührte, die Füße flach auf dem Boden, die Hände locker auf die Knie gelegt. Nesta nahm die gleiche Position ein. Gwyn betrachtete sie und nickte zufrieden. »Jetzt dreimal tief durchatmen: durch die Nase einatmen und dabei bis sechs zählen, durch den Mund ausatmen und dabei bis sechs zählen. Nach dem dritten Atemzug die Augen schließen und normal weiteratmen.«

Nesta folgte ihrer Aufforderung. So lange ein- und auszuatmen erforderte mehr Konzentration, als sie erwartet hatte. Ihr Atem klang selbst in ihren eigenen Ohren zu laut. Und schien nicht mit Gwyns Rhythmus übereinzustimmen. Hatte sie zwei-, drei- oder viermal eingeatmet?

»Ich kann spüren, wie du dir zu viele Gedanken machst«, murmelte Gwyn. »Schließ die Augen und atme weiter. Atme fünfmal ein und wieder aus.«

Nesta atmete tief durch. Ohne irgendeine visuelle Ablenkung sollte ihre Atmung doch leichter zu beherrschen sein. Aber das stimmte nicht. Irgendwie wollten ihre Gedanken ständig abschweifen. Sie *ermahnte* sich, dass sie sich darauf konzentrieren sollte, jeden Atemzug bewusst durchzuführen und dabei zu zählen. Stattdessen dachte sie an die Sofakissen, ihren erkaltenden Tee, ihre noch feuchten Haare ...

Wie viele Atemzüge hatte sie gemacht? »Ich glaube, ich verliere den Verstand«, murmelte sie.

Gwyn beruhigte sie. »Jetzt atme gleichmäßig weiter und konzentriere dich auf die Geräusche um dich herum. Registriere sie und blende sie dann aus.«

Nesta versuchte es. Links von ihr konnte sie schlurfende Schritte und raschelnden Stoff hören. Wer ging da durch die Regalreihen? Welches Buch suchte ...

Konzentration. Die Geräusche ausblenden. Jemand ging ganz in der Nähe vorbei. Nesta registrierte es und ließ den Gedanken mit einem Ausatmen davonziehen. Zu ihrer Rechten hörte sie weiter Gwyns gleichmäßigen Atem.

Gwyn war vermutlich gut darin. Gwyn war eigentlich in allem gut. Diese Vorstellung störte sie jedoch nicht im Geringsten. Am liebsten hätte sie mit ihrer Freundin gegenüber jedem angegeben, der zuhörte.

Ihre Freundin. Das war Gwyn. Wie lange ...

Konzentration. Loslassen. Nesta registrierte Gwyns Atem, ließ den Gedanken ziehen und ging zum nächsten Geräusch über und danach zum übernächsten.

»Jetzt geh durch deinen Körper«, sagte Gwyn leise. »Beginn beim Kopf und arbeite dich langsam bis hinunter zu den Zehen vor. Wie fühlt es sich an? Tut irgendetwas weh ...«

»Nach dieser Schwertlektion tut alles weh«, zischte Nesta.

Gwyn lachte unterdrückt. »Ich meine es ernst. Spüre, ob irgendwo schmerzhafte Stellen sind und Stellen, die sich gut anfühlen ...« Papier raschelte. »Ach ja, hier steht auch, man soll einschätzen, wie man sich insgesamt fühlt. Allerdings soll man sich nicht lange damit aufhalten, sondern es nur zur Kenntnis nehmen.«

Dieser letzte Punkt gefiel Nesta nicht besonders, aber sie gehorchte. Ihr ganzer Körper schmerzte, von der Steifheit in ihrem Nacken bis hin zu den Stichen im linken Fuß. Ihr war gar nicht klar gewesen, aus wie vielen kleinen Einzelteilen sie bestand, die ständig ihre Schmerzen und ihre Befindlichkeit herausposaunten. Wie viel Lärm sie in ihrem Kopf erzeugten. Doch sie registrierte all diese Dinge und ließ sie davonziehen.

Aber ihre Gefühle einzuschätzen, war etwas anderes. Wie fühlte sie sich wirklich? Im Moment ziemlich müde, aber ... zufrieden, mit Gwyn zusammenzusitzen, diese Übungen zu machen, zu lachen. Wenn sie jedoch tiefer ging ...

»Jetzt wenden wir uns der konzentrierten Atmung zu. Durch die Nase einatmen, durch den Mund ausatmen. Zehnmal und wieder von vorn. Wenn ein Gedanke auftaucht, registriere ihn und lass ihn dann ziehen. Sag dir: *Ich bin ein Fels, gegen den die Wellen branden. Deine Gedanken sind die Wellen. Lass zu, dass sie sich über dir brechen.*«

Nichts leichter als das.

Ein Irrtum, wie sich schnell herausstellte: Bei den ersten Durchgängen zählte Nesta zehn Atemzüge und kein einziger Gedanke quälte sie. Doch als sie die nächste Runde begann ...

Was würde Elain denken, wenn sie Nesta hier mit einer Freundin sah? Der Gedanke tauchte wie aus dem Nichts auf. Als wäre er durch das Öffnen ihres Geistes auf sie zugestürmt. Würde Elain sich freuen oder würde sie Gwyn vor Nestas wahrem Wesen warnen? Hm, sie war beim fünften Atemzug gewesen. Nein, beim sechsten. Moment ... vielleicht waren es auch nur drei.

»Wenn du dich verzählt hast, fang wieder von vorn an«, sagte Gwyn, als hätte sie das Stocken in Nestas gleichmäßiger Atmung gehört.

Nesta befolgte die Anweisung, konzentrierte sich wieder auf ihren Atem und nicht auf Elain. *Ich registriere diesen Gedanken an meine Schwester und lasse ihn los.*

Sie war beim siebten Atemzug, als ihre Schwester erneut auftauchte. *Aber trotzdem scheinst du nur daran denken zu können, was* mein *Trauma dir* angetan hat. Hatte Elain recht gehabt? Feyre hatte zugegeben, dass auch sie sich dessen schuldig gemacht hatte, aber ... Feyre hatte Elain nicht so gekannt wie Nesta. Zumindest war es vorher nicht so gewesen. Bevor Elain sich für Feyre entschieden hatte.

Bevor Amren sich für Feyre entschieden hatte.

Bevor ...

Ich registriere diese Gedanken und lasse sie los.

Nesta atmete zum achten Mal ein. *Ich konzentriere mich auf meine Atmung. Diese Gedanken existieren und ich lasse sie vorüberziehen.* Erneut atmete sie ein, zwang ihren Geist, nur an ihre Atmung zu denken.

»Wenn du die nächsten zehn gemacht hast«, sagte Gwyn, die nah und doch weit weg war, »hör auf, deine Atemzüge zu zählen, und überlasse deinen Geist sich selbst. Das machen wir ein paar Sekunden lang und halten dann inne. Das Ziel besteht darin, diese Intervalle nach und nach zu verlängern.«

Nesta zählte jeden der verbleibenden zehn Atemzüge, spürte den Moment des Innehaltens wie eine sich auftürmende Welle. Sie beendete den zehnten Atemzug.

Mach, was du willst, Geist. Geh an diese dunklen, schrecklichen Orte.

Doch das passierte nicht. Ihr Geist verweilte, wanderte nicht, sondern blieb einfach da. Zufrieden. Ruhend. Wie eine Katze, die sich an ihren Füßen zusammenrollte. Beruhigt.

Nur ein paar Sekunden vergingen, bevor Gwyn flüsterte: »Sinke langsam wieder in deinen Körper. Achte auf die Geräusche um uns herum. Achte auf das Gefühl in deinen Fingern und in deinen Zehen.«

Es war seltsam, sehr seltsam festzustellen, dass ihr Körper plötzlich beruhigt war. Entspannt. Als wäre es ihr tatsächlich gelungen, einen Schritt zurückzutreten und ihn ausruhen zu lassen. Und ihre Gedanken ...

»Öffne die Augen«, sagte Gwyn leise.

Nesta gehorchte. Und zum ersten Mal in ihrem Leben fühlte sie sich vollkommen wohl in ihrer Haut.

40

Zwei Tage lang fiel Regen und mit ihm die Temperatur. Wohin man schaute, rieselte Laub von den Bäumen. Und der Fluss glich einer silbernen Schlange, die gelegentlich von vorbeiziehenden Nebelschwaden verborgen wurde. Aber die Frauen kamen unverdrossen, jeden einzelnen Tag.

Jetzt stand allerdings nur Nesta an seiner Seite, als er an die Tür der kleinen Schmiede in den westlichen Außenbezirken von Velaris klopfte.

Die Werkstatt aus grauem Stein mit dem strohgedeckten Dach hatte sich in den fünf Jahrhunderten, in denen Cassian hier Stammkunde war, nicht verändert, und er kaufte all seine nicht-illyrianischen Waffen hier. Er hätte Nesta gern zu einem der illyrianischen Schmiede mitgenommen, aber das waren meist rückständige, abergläubische Männer, die keine Frauen in ihrer Werkstatt duldeten. Der rotgesichtige High Fae, der ihnen die Tür öffnete, war erfahren und gütig, wenn auch ein wenig schroff.

»General«, sagte der Mann und wischte sich die rußgeschwärzten Hände an seiner fleckigen Lederschürze ab. Als er die Tür weiter aufschwang, strömte wohlige Wärme in den eisigen Regen hinaus. Die dunklen Augen des Schmieds wanderten über Nesta und registrierten ihre nassen Haare, die durchweichte Lederkluft und die trotz des schrecklichen Wetters ruhige Intensität ihrer Gesichtszüge.

Bereits beim Training am Morgen war Cassian dieser Gesichtsausdruck und ihre Körperhaltung aufgefallen – und auch später, in der Mittagspause, als sie eingeladen hatte, ihn hierherzubegleiten. Er hatte alle Frauen eingeladen, aber Emerie musste zurück nach Windhaven und die Priesterinnen wollten den Berg nicht verlassen. Also war nur Nesta in das kleine Dorf mitgekommen, das zwischen der im

Osten aufragenden Stadt und den sich im Westen bis zum Meer hin erstreckenden weiten Ebenen lag.

»Wie kann ich behilflich sein?«

Cassian schob Nesta mit einer Hand im Rücken vor und grinste den Schmied an. »Ich möchte Lady Nesta zeigen, wie eine Schwertklinge gemacht wird. Bevor sie eine echte in die Hand nimmt.«

Der Schmied musterte sie erneut. »Ich fürchte, ich brauche keinen Lehrling.«

»Nur eine kurze Demonstration«, bat Cassian und lächelte weiter, während er Nesta anschaute, die über die breite Schulter des Schmieds hinweg in die Werkstatt spähte. Als der Mann deutlich sichtbar die Stirn runzelte, fügte Cassian hinzu: »Ich möchte, dass sie sieht, wie viel Arbeit und Erfahrung dafür notwendig ist. Sie soll wissen, dass ein Schwert nicht nur ein Instrument zum Töten ist, sondern auch ein Kunstwerk.« Schmeicheleien halfen immer, den Weg zu ebnen. Das hatte Rhys ihm beigebracht.

Nesta heftete den Blick auf das Gesicht des Schmieds und einen Moment lang starrten die beiden einander an. »Ich würde es sehr zu schätzen wissen – egal, was Ihr mir zeigen könnt. Sofern es Eure Zeit zulässt«, sagte sie schließlich.

Cassian versuchte, sich nicht anmerken zu lassen, wie sehr ihn ihre höflichen und respektvollen Worte überraschten.

Es schien zu funktionieren, denn der Schmied winkte sie hinein.

Nesta hörte zu, als der dunkelhaarige Mann die verschiedenen Schritte erklärte, die für das Schmieden einer Klinge erforderlich waren – angefangen von der Auswahl des Erzes bis hin zur Veredlung. Cassian blieb die ganze Zeit in ihrer Nähe und stellte seinerseits Fragen, da Nesta nicht viel sagte. Sie hatte nur darum gebeten, sich entfernt vom lodernden Feuer in die ruhigere und kühlere Ecke der Werkstatt zurückziehen zu dürfen. Doch nachdem der Schmied erklärt hatte, wie Schwerter mit kunstvolleren Klingen und Griffen angefertigt wurden, fragte sie: »Kann ich es mal versuchen?« Als der Mann zögerte, trat sie vor, die Augen auf den Durchgang hinter ihnen gerichtet, wo das Feuer der Schmiede brannte. »Ich meine damit das Hämmern einer Klinge. Falls Ihr eine erübrigen könnt.« Sie warf Cassian einen kurzen Blick zu. »Ihr werdet natürlich dafür entschädigt werden.«

Cassian nickte. »Wir bezahlen für die Klingen, falls sie beschädigt werden.«

Erneut betrachtete der Schmied Nesta, als würde er prüfen, aus welchem Holz sie geschnitzt war, und nickte dann. »Ich habe ein paar, an denen Ihr euch versuchen könnt.«

Er führte sie zurück in die Hitze, zu den Flammen und dem Licht. Und Cassian hätte schwören können, dass Nesta in einem perfekten, kontrollierten Rhythmus ein- und ausatmete. Ihr Blick galt jedoch nur dem Schmied, der ein halb fertiges Schwert brachte und es auf den Amboss legte. Hübsch, aber nichts Besonderes. Ein gewöhnliches, alltagstaugliches Schwert, wie der Schmied erklärte. Nach einer kurzen, perfekten Demonstration reichte er ihr den Hammer. »Stellt die Füße so auf«, sagte er und zeigte es ihr. Nesta befolgte seine Anweisungen, hob den Hammer über eine Schulter und schwang ihn dann herab.

Ein klirrender Schlag brachte die Klinge zum Rasseln. Ein unbeholfener Fehlversuch. Nesta biss die Zähne zusammen. »Das ist nicht so leicht, wie es aussieht.«

Der Schmied zeigte auf das Schwert. »Versucht es noch einmal. Es dauert ein wenig, bis man den Bogen raus hat.« Cassian hatte den Mann noch nie so ... sanft reden gehört. Normalerweise verliefen ihre Gespräche kurz und sachlich, ohne Förmlichkeiten und persönliche Nettigkeiten.

Nesta schlug erneut auf die Klinge. Dieses Mal traf sie besser. Aber noch immer kein besonders guter Versuch. Im nächsten Moment knallten glühende Kohlen laut im Feuer hinter ihnen – und Nesta zuckte zusammen. Bevor Cassian sie jedoch nach dem Grund fragen konnte, biss sie die Zähne zusammen und ließ den Hammer ein drittes Mal auf die Klinge herabsausen. Dann ein viertes und fünftes Mal.

Als der Schmied einen Dolch brachte, hatte sie den Bogen raus und lächelte sogar leicht. »Dolche erfordern eine andere Technik«, erklärte er und führte es vor. So viel Erfahrung, Geschick und Hingabe für eine gewöhnliche Klinge. Cassian schüttelte den Kopf. Wann hatte er das letzte Mal innegehalten, um die Handwerkskunst und die Arbeit zu würdigen, die in seinen Waffen steckte?

Schweißperlen bildeten sich auf Nestas Stirn, während sie den Dolch bearbeitete, Schläge und Körperhaltung jetzt sicherer. Stolz schwellte Cassians Brust. Hier stand sie, diese Frau, die im Krieg gegen Hybern geschmiedet worden war. Aber sie hatte sich verändert, war jetzt konzentrierter und stärker.

Cassian hörte nur mit halbem Ohr zu, als der Schmied ein Langschwert herbeiholte. Aber er wurde sofort aufmerksam, als Nesta in einer fließenden Bewegung zuschlug und der Hammer sauber und präzise landete. Schlag für Schlag. Er hätte schwören können, dass die Welt den Atem anhielt, als sie sich mit der gleichen Intensität verausgabte, die sie auch beim Training zeigte.

Der Schmied schenkte ihr ein Lächeln. Es war das erste Mal, dass Cassian den Mann lächeln sah.

Nesta hob den Arm über den Kopf, den Hammer mit festem Griff umfasst. Es war ein Tanz, jede ihrer Bewegungen auf das hallende Echo des Hammers, der auf die Klinge traf, abgestimmt. Sie bearbeitete das Schwert zu den Klängen einer Musik, die nur sie hören konnte.

Cassian ließ sie weitermachen, während der Regen und der Wind im Strohdach über ihnen einen dezenten Gegenrhythmus zu ihren Schlägen bildeten. Und er fragte sich, was wohl aus der Hitze und den Schatten hervorgehen würde.

Die Kunst des Schwertkampfes war keine einfache Disziplin – sie erforderte ständige Wiederholungen, Muskelgedächtnis und Geduld. Aber Nesta, Emerie und Gwyn waren bereit.

Mehr als das, wie Cassian erkannte, als er zusah, wie sie am nächsten Tag im eisigen Regen ihre Schwerter wieder im Regal deponierten. Sie trainierten mit neu erwachter, eiserner Konzentration. Vor allem Nesta, die jetzt ihr Schwert weglegte, ihre Hände mit Leinentüchern umwickelte und gleichzeitig den Kopf kreisen ließ.

Nach dem Besuch in der Schmiede am Vortag hatten sie nicht mehr miteinander gesprochen, obwohl sie ihm bei der Rückkehr zum Haus der Winde leise gedankt hatte. Dabei hatte sie wieder diesen intensiven Gesichtsausdruck gehabt, mit einem entrückten Blick – als würde sie sich auf ein unsichtbares Ziel konzentrieren. Also war er letzte Nacht nicht zu ihr gegangen, obwohl jede Faser seines Körpers danach geschrien hatte. Aber er wollte ihr Zeit geben, wollte ihr die Initiative überlassen. Falls sie ihn wieder wollte.

Cassian verdrängte den Gedanken und ließ sein Verlangen und seine Furcht vom kalten Regen dämpfen.

Schweigend näherte sich Nesta der Schlagpuppe, einem abgesägten, in dicke Decken gewickelten Baumstamm. Sie ging darauf zu, als würde sie einem Gegner gegenübertreten. Dann hielt sie inne und warf Cassian einen fragenden Blick über die Schulter zu.

Er nickte. »Wenn du die letzte Viertelstunde fürs Sparring nutzen willst, nur zu.«

Mehr brauchte sie nicht. Und er war zu erfreut, um noch weitere Worte zu verlieren, als Nesta in Kampfstellung ging und dann zuschlug.

Der erste Kontakt ihrer Fingerknöchel mit dem wattierten Holz war schmerzhaft. Aber sie schlug gegen die Stellen, auf die sie sich konzentrieren sollte. Und ihr Daumen blieb in der erlernten Position. Als sie den Arm zurückzog, verwandelte sich der Schmerz in ein Lied. Dann schlug sie erneut zu und entlockte dem Holz ein befriedigendes, dumpfes Geräusch.

Gut ... es tat *richtig gut*. Alles herauszulassen, alles auf diese Art zu kanalisieren.

Ihr Atem ging scharf wie eine Klinge, aber sie landete einen linken Haken und dann zwei Schläge mit der Führhand.

Den Regen und die Kälte spürte sie nicht mehr.

Mit jedem Schlag beförderte sie ihre Angst, ihre Wut und ihren Hass aus ihrem Körper heraus und in dieses Holz hinein.

Drei Tage lang hatte sie Feuer im Blut gehabt. Drei Tage lang hatte sie von Schwertern, Treppen und Kämpfen geträumt. Sie hatte nichts dagegen tun können. Und war so müde ins Bett gefallen, dass sie nicht einmal mehr lesen konnte – so schnell war sie eingeschlafen. Sex mit Cassian hatte nicht stattgefunden. Nicht einmal ein schmachtender Blick am Esstisch.

Azriels Gegenwart war hilfreich. Er trainierte jetzt die neuesten Rekrutinnen, ruhig und sanft, aber unbeugsam. Und hätte Nesta es nicht besser gewusst, dann hätte sie schwören können, dass mindestens zwei der Priesterinnen – Roslin und Ilana – jedes Mal seufzten, wenn er an ihnen vorbeiging.

Irgendwo tief in ihrem Inneren war sie froh, dass sie nicht wegen Cassian seufzten. Auch diesen Gedanken schlug sie aus sich heraus. Diesen erbärmlichen, egoistischen Gedanken.

So erbärmlich, egoistisch und abscheulich wie alles an ihr.

Eins-zwei, zwei-eins-eins. Sie schlug weiter und weiter, schlug alles aus sich heraus, in dieses Holz.

»Beim Kessel«, sagte eine vertraute, männliche Stimme neben Cassian. Als er sich umdrehte, entdeckte er Lucien, der plötzlich im Bogengang des Trainingsplatzes stand. Die anderen Priesterinnen und Azriel waren zehn Minuten zuvor gegangen. Nesta hatte Luciens Anwesenheit gar nicht bemerkt. »Feyre hat ja gesagt, sie würde trainieren, aber mir war nicht klar, dass sie ... nun ja, *trainiert*.«

Cassian nickte zur Begrüßung, hielt aber den Blick weiter auf Nesta gerichtet, die wieder und wieder auf den gepolsterten Baumstamm einschlug – so wie in den letzten fünfundzwanzig Minuten. Sie hatte sich an einen Ort in ihrem Geist zurückgezogen, den Cassian nur allzu gut kannte – wo Gedanken und Körper eins wurden, wo die Welt sich in nichts auflöste. Wo sie an etwas in ihrem tiefsten Inneren arbeitete und es hinausbeförderte. »Hast du gedacht, sie würde sich die Nägel feilen?«

Luciens mechanisches Auge klickte, und seine Züge spannten sich an, als Nesta den Stamm mit einem spektakulären linken Haken zum Wackeln brachte. »Ich frage mich, ob manche Dinge besser nicht geweckt werden sollten«, murmelte er.

Cassian warf ihm einen grimmigen Blick zu. »Kümmere dich um deine eigenen Angelegenheiten, Feuerling.«

Lucien schaute schweigend zu, wie Nesta die Schlagpuppe attackierte. Seine goldene Haut war ein wenig blass geworden.

»Warum bist du hier?«, fragte Cassian, unfähig, die Schärfe in seinem Ton zu unterdrücken. »Wo ist Elain?«

»Ich komme nicht immer nur deshalb in die Stadt, um meine Seelengefährtin zu sehen.« Unbehagen schwang in seinen Worten mit. »Ich bin hier, weil Feyre mich darum gebeten hat. Ich muss ein paar Stunden totschlagen, bevor ich mich mit ihr und Rhys treffe. Sie dachte, es würde mir vielleicht gefallen, Nesta beim Training zuzusehen.«

»Nesta ist keine Zirkusattraktion«, stieß Cassian zwischen zusammengebissenen Zähnen hervor.

»Nicht wegen des Unterhaltungswerts.« Luciens rotes Haar schimmerte im dämmrigen Licht des regnerischen Tages. »Ich glaube, Feyre wollte, dass jemand ihre Fortschritte begutachtet, der sie schon eine Weile nicht mehr gesehen hat.«

»Und?«, knurrte Cassian.

Lucien warf ihm einen scharfen Blick zu. »Ich bin nicht dein Feind, Cassian. Du kannst dir dein aggressives Gehabe sparen.«

Cassian schenkte ihm ein breites Grinsen, das seine Augen aber nicht erreichte. »Wer sagt, dass es nur Gehabe ist?«

Lucien stieß einen langen Seufzer aus. »Wie du meinst.«

Nesta absolvierte eine weitere Serie von Schlägen. Und Cassian wusste, dass sie sich dem K.o.-Schlag näherte. Zwei Geraden mit der Linken und dann ein rechter Haken, der mit solcher Wucht auf dem Holz landete, dass es splitterte.

Und dann hielt sie inne, die Faust gegen den Stamm gepresst. Ihr keuchender Atem strömte im Regen dampfend aus ihrem Mund.

Langsam richtete sie sich auf, nahm die Faust herunter und drehte sich noch immer schnaubend um. Cassian sah silbernes Feuer in ihren Augen aufflackern, das im nächsten Moment jedoch verschwand. Lucien war erstarrt.

Nesta ging langsam auf die beiden Männer zu. Sie fing Luciens Blick auf, als sie sich dem Bogengang näherte, schwieg aber, bevor sie weiter in Richtung Haus ging. Als hätte sie keine Worte mehr.

Und erst, als ihre Schritte verhallt waren, fluchte Lucien leise: »Gütige Mutter.«

Cassian war bereits auf dem Weg zum Baumstamm.

In der Mitte befand sich ein kleiner runder Abdruck, der durch die Polsterung ging, bis auf das Holz darunter. Er glühte. Mit zitternden Fingern streckte Cassian die Hand aus. Berührte den Brandfleck, der noch immer Funken sprühte wie ein Stück Glut.

Der gesamte Stamm schwelte von innen. Doch als Cassian die Hand darauflegte, stellte er fest, dass das Holz eiskalt war. Und im nächsten Moment zerfiel der Stamm zu glühenden Aschefunken. Verblüfft starrte er auf das rauchende Holz, das im Regen zischte.

Lucien trat neben ihn, räusperte sich und wiederholte mit ehrfürchtiger Stimme: »Gütige Mutter.«

41

Helion, der High Lord des Tageshofs, traf am nächsten Tag auf einem fliegenden Pferd in der Höhlenstadt ein.

Er hatte auf einem goldenen Wagen, gezogen von vier schneeweißen Pferden mit Mähnen aus goldenen Flammen, in die dunkle Stadt einziehen wollen, wie Cassian von Rhys wusste. Aber Rhys hatte Wagen und Pferde verboten und Helion wissen lassen, er könne durch den geteilten Wind anreisen oder gar nicht. Daher der Pegasus – Helions Vorstellung von einem Kompromiss.

Cassian kannte die Gerüchte über Helions seltene geflügelte Pferde. Es hieß, sein kostbarer Hengst sei so hoch geflogen, dass die Sonne ihn schwarz versengt habe. Doch als er das Tier jetzt sah … Tja, da hätte Cassian schon neidisch werden können, wenn er nicht selbst Schwingen gehabt hätte.

Fliegende Pferde waren sehr selten – angeblich waren Helions sieben Zuchtpaare die letzten noch existierenden Exemplare. Der Überlieferung nach hatte es vor Beginn der Geschichtsschreibung viel mehr dieser Pferde gegeben. Die meisten waren angeblich einfach verschwunden, als hätte der Himmel sie verschlungen. Aus unerklärlichen Gründen war ihre Population dann in den letzten tausend Jahren noch weiter geschrumpft.

Dazu hatte auch Amarantha beigetragen, als sie nicht nur die meisten seiner Bibliotheken in Brand steckte, sondern auch drei Dutzend von Helions geflügelten Pferden abschlachtete. Die sieben verbliebenen Pegasuspaare hatten nur überlebt, weil man sie freiließ, bevor Amaranthas Spießgesellen deren Stallungen im höchsten Turm von Helions Palast erreichen konnten.

Helions Lieblingspaar – dieser schwarze Hengst, Meallan, und seine Gefährtin – hatten in drei Jahrhunderten keine Nachkommen hervorgebracht. Und das letzte Fohlen war noch nicht von der Mutter entwöhnt gewesen, als es einer Krankheit erlag, die kein Heiler kurieren konnte.

Der Legende nach stammten die geflügelten Pferde von der Insel, auf der das Gefängnis stand. Sie hatten einst auf satten Wiesen gegrast, die längst Moos und Nebel gewichen waren. Vielleicht war dies einer der Gründe für ihren Niedergang. Ihr Heimatland war verschwunden. Und was auch immer sie dort am Leben erhalten hatte, existierte nicht länger.

Cassian erlaubte sich, voller Bewunderung zuzusehen, wie Meallan auf den schwarzen Steinplatten vor den hoch aufragenden Toren des Berges landete. Die Mähne des Hengstes wehte über seinen rabenschwarzen Flügeln im Wind. Im Land der Fae existierten nur noch wenige Dinge, die Cassian in Erstaunen versetzen konnten, aber dieser prachtvolle, stolze und nur halb gezähmte Hengst ließ seinen Atem stocken.

»Unglaublich«, murmelte Rhys, auf dessen Gesicht sich ebenfalls Bewunderung spiegelte.

Feyre strahlte vor Freude, und Cassian erkannte an ihrem Gesichtsausdruck, dass sie dieses Tier malen würde – wie vermutlich auch seinen beeindruckenden Besitzer. Azriel blinzelte ebenfalls ehrfürchtig, als der Hengst schnaubend mit den Hufen auf den Boden schlug und Helion seinen dicken, muskulösen Hals tätschelte, bevor er abstieg.

»Sei gegrüßt«, sagte Rhys und ging auf ihn zu.

»Das ist nicht unbedingt die Parade, die ich mir gewünscht habe, aber Meallan versteht sich auf große Auftritte«, erwiderte Helion und ergriff Rhys' Hand. Dann stieß er einen Pfiff aus, und der Pegasus drehte sich trotz seiner Größe anmutig um, schlug mit den mächtigen Flügeln und schoss wieder hinauf in den Himmel, um dort auf seinen Gebieter zu warten.

Helion grinste Feyre an, die mit großen Augen verfolgte, wie der Hengst in den Wolken verschwand. »Wenn du willst, nehme ich dich mal zu einem Ausritt mit.«

Feyre lächelte. »Normalerweise würde ich dieses Angebot gern annehmen, aber ich fürchte, das kann ich nicht riskieren.«

Helion zog fragend die Augenbrauen hoch. Einen kurzen Moment berieten sich Rhys und Feyre stumm, dann nickte Rhys.

Kurz darauf drang Rhys' Stimme in Cassians Kopf. *Wir sagen es ihm.*

Cassian bewahrte eine neutrale Miene. *Warum willst du das Risiko eingehen?*

Weil wir seine Bibliotheken brauchen. Um einen Weg zu finden, Feyre zu retten. Was sein High Lord jedoch nicht aussprach. Stattdessen fuhr er fort: *Und weil ihr recht habt, du und Azriel: Es ist nur noch eine Frage der Zeit, bis man es sieht. Feyre hat meine Bitte nach einem Schutzschild erfüllt, aber sie geht mir an die Gurgel, wenn ich vorschlage, sie zu verzaubern, um ihre Schwangerschaft zu verbergen.* Rhys zog eine Grimasse. *Also sagen wir es ihm.*

Cassian nickte. *Du hast meine Rückendeckung, Bruder.*

Rhys warf ihm einen dankbaren Blick zu. Und offenbar entfernte er den Schutzschild um Feyre, denn plötzlich erfüllte ihr Geruch – dieser wunderbare, liebliche Duft – die Luft. Helions Augen weiteten sich und wanderten direkt zu ihrem Bauch, wo ihre Hand jetzt auf der leichten Wölbung ruhte. Dann lachte er laut. »Also deshalb wolltest du etwas über undurchdringliche Schutzschilde erfahren, Rhysand.« Helion beugte sich vor und küsste Feyre auf die Wange. »Ich gratuliere euch beiden.«

Feyre strahlte, aber Rhys' Lächeln wirkte weniger offen. Falls Helion es bemerkte, ließ er sich jedenfalls nichts anmerken. Der High Lord des Tages betrachtete Cassian und Azriel und runzelte dann die Stirn. »Wo ist meine schöne Mor?«

»Fort«, antwortete Az knapp.

»Schade. Sie bietet einen wesentlich angenehmeren Anblick als ihr beiden.«

Cassian verdrehte die Augen.

Helion grinste süffisant, zupfte einen unsichtbaren Fussel von seinem weißen Umhang und wandte sich wieder Rhys zu. Seine dunkelbraune Haut schimmerte und betonte die starken Muskeln seiner nackten Oberschenkel und Waden noch. Die geschnürten goldenen Sandalen waren allerdings vollkommen nutzlos in der schneebedeckten Gebirgslandschaft um sie herum. Der High Lord trug keine Waffen – das goldene, schlangenförmige Armband um seinen prallen Bizeps und die goldene Krone auf seinen schulterlangen, schwarzen Haaren waren das einzige Metall an ihm. Niemand würde Helion jemals für etwas anderes halten als einen High Lord, aber Cassian hatte seine lässige und respektlose Art schon immer gemocht. »Und? Du wolltest doch, dass ich einem Zauber auf den Grund gehe. Oder war das nur ein Vorwand, um mich in dein perverses Lustschloss unter diesem Berg zu locken?«

Rhys seufzte. »Bitte lass es mich nicht bereuen, dass ich dich gerufen habe, Helion.«

Helions goldene Augen leuchteten. »Wo bliebe da der Spaß?«

Feyre hakte sich bei ihm unter. »Ich habe dich vermisst, mein Freund.«

Helion tätschelte ihre Hand. »Ich werde es bis ans Ende meiner Tage leugnen, falls du es jemandem erzählen solltest – aber ich habe dich auch vermisst, Fluchbrecher.«

»Ich mag diesen Palast viel lieber als den darunter«, sagte Helion eine Stunde später, als er den Blick über die Mondsteinsäulen und hauchdünnen Vorhänge schweifen ließ, die sich in der sanften Brise bauschten. Doch Cassian wusste, dass diese Brise jenseits der Schutzschilde des Palastes zu einem heulenden, bitterkalten Wind wurde, der einem durch Mark und Bein ging.

Helion warf sich in einen niedrigen Sessel vor einem der endlos weiten Ausblicke und seufzte. »Also gut. Wollt ihr jetzt, da wir die Höhlenstadt verlassen haben, meine Einschätzung hören?«

Feyre ließ sich auf dem Sessel neben ihm nieder – im Gegensatz zu Cassian, Rhys und Az. Letzterer lehnte an einer Säule, die ihn halb der Sicht entzog. »Und, sind die Soldaten verzaubert?«, fragte Feyre.

Helion hatte kurz mit den beiden angeketteten Soldaten des

Herbsthofs gesprochen, die von Rhys' Magie am Leben erhalten wurden. Sein Gesicht hatte sich verfinstert, als er ihre Hände berührte. Und dann hatte er leise verkündet, er habe genug gesehen.

Bis zu diesem Moment hatte ihn scheinbar nichts an der Höhlenstadt beunruhigt. Weder die hohen, schwarzen Säulen und ihre Verzierungen noch die verschlagenen Bewohner oder die vollkommene Dunkelheit des Ortes. Falls die Stadt Helion an seine Zeit unter dem Berg erinnerte, ließ er es sich zumindest nicht anmerken. Amarantha hatte ihren Hof nach dem Vorbild der Höhlenstadt errichten lassen – ein müder Abklatsch, wie Rhys fand.

»*Verzaubert* ist nicht das richtige Wort«, erwiderte Helion jetzt stirnrunzelnd. »Ihre Körper und Handlungen sind tatsächlich nicht ihre eigenen, aber sie sind auch nicht mit einem Bann belegt. Einen Bann kann ich spüren … Es fühlt sich an, als läge ein Faden um die verwunschene Person. Aber das ist bei beiden nicht der Fall.«

»Was fehlt ihnen dann?«, fragte Rhys.

»Ich weiß es nicht«, räumte Helion mit ungewöhnlicher Ernsthaftigkeit ein. »Bei den Soldaten fühlte es sich nicht an wie ein Faden, sondern eher wie ein Nebel. Exakt so, wie du es beschrieben hast, Rhysand. Es gibt nichts Fassbares, nichts Greifbares, aber dennoch ist etwas *vorhanden*.«

Rhys überlegte und fragte dann: »Fühlt es sich weniger an wie ein Bann und eher wie … ein Einfluss?«

Mist. *Mist.*

Helion rieb sich das Kinn. »Ich kann es nicht erklären, aber es hat den Anschein, als würde dieser Nebel ihren Verstand beherrschen.« Er bemerkte den Ausdruck auf ihren Gesichtern. »Was ist?«

Feyre presste die Lippen zusammen. »Die Krone – eines der Objekte aus der Schreckenstruhe.«

Und dann kam alles heraus: Königin Briallyn und ihre Jagd nach der Truhe, Koscheis Beteiligung, die Maske, die Nesta gefunden hatte. Nur Eris' Geheimnisse über das Ausmaß von Berons Verrat blieben unausgesprochen.

Als Feyre ihren Bericht beendet hatte, schüttelte Helion langsam den Kopf. »Ich dachte, wir hätten endlich einmal eine Pause und müssten nicht andauernd versuchen, Katastrophen wie diese zu verhindern.«

»Dann fehlt jetzt also nur noch die Harfe«, folgerte Azriel. Er lehnte noch immer, in Schatten gehüllt, an der Säule. »Wenn Briallyn die Krone hat, ist sie möglicherweise schon eine ganze Weile in ihrem Besitz. Was der Grund dafür sein könnte, warum die anderen Königinnen in ihre eigenen Gebiete geflohen sind: Sie befürchteten, dass Briallyn sie gegen sie einsetzen würde, und haben das Weite gesucht. Möglicherweise hat Briallyn die Krone ja sogar hier gefunden, während des Krieges, als wir alle mit dem Kampf gegen Hybern beschäftigt waren. Und sie hat sie genutzt, um ihre Truppen zurückzuziehen und den richtigen Moment abzuwarten. Möglicherweise ist Koschei durch dieses mächtige Objekt auf sie aufmerksam geworden – und will jetzt genau das von ihr.«

»Das wäre denkbar«, sagte Feyre. »Aber warum sollte sie die Krone bei Eris' Soldaten anwenden, um unsere Leute im Oorid-Moor anzugreifen? Mit welchem Motiv?«

»Vielleicht wollte Briallyn uns damit zu verstehen geben, dass sie weiß, dass *wir* über ihre Pläne Bescheid wissen«, überlegte Rhys.

»Aber woher wusste sie, dass wir das Moor aufsuchen würden?«, fragte Cassian. »Diese Soldaten waren nicht fähig, den Wind zu teilen – sie müssen wochenlang zu Fuß unterwegs gewesen sein, um dorthin zu gelangen.«

»Sie waren seit über einem Monat verschollen«, gab Feyre zu bedenken.

Helion nickte. »Und vergesst nicht, dass Briallyn ebenfalls erschaffen ist. Sie mag die Knochen und Steine vielleicht nicht nach dem Verbleib des Kessels befragen können, aber durchaus nach dem Aufenthaltsort der Schreckenstruhe. Genau wie Nesta Archeron. Auf diese Weise könnte sie herausgefunden haben, dass die Maske im Oorid-Moor lag. Aber sie hat sich nicht in die Dunkelheit gewagt. Möglicherweise hat sie die Soldaten dort postiert, damit sie euch die Maske abnehmen, sobald ihr sie findet.«

»Oder um uns dazu zu bringen, die Soldaten zu töten – und uns damit den Herbsthof zum Feind zu machen«, sagte Cassian.

»Aber Briallyn muss wirklich dumm sein, wenn sie glaubt, diese Soldaten würden ausreichen, um auch nur einen von uns zu überwältigen«, meinte Feyre.

Helion nickte erneut. »Du hast gesagt, die Maske ist jetzt hier? Kann ich sie sehen?«

»Ja, wir brauchen ohnehin deine Hilfe«, antwortete Feyre. »Rhys hatte den Raum, in dem die Maske liegt, gesichert und verriegelt. Aber die Maske hat die Schlösser geöffnet, um meine Schwester hereinzulassen. Wahrscheinlich, weil sie erschaffen ist. Und wenn *sie* hineinkommt, dürfte es Briallyn vermutlich ebenfalls gelingen.« Feyre schob ihre tätowierten Hände in die Taschen. »Kannst du Nesta zeigen, wie sie die Maske mit einem Schutzschild versehen kann? Gibt es vielleicht irgendeinen Schutzzauber mit etwas mehr ... Wumm?«

»Wumm?«, fragte Rhys und zog eine Augenbraue hoch.

»Wumm«, bestätigte Feyre und warf ihm einen finsteren Blick zu.

»Wir können nicht alle so zungenfertig sein wie du.«

Rhys zwinkerte ihr zu. »Wie gut, dass du von meiner Zungenfertigkeit profitierst, Feyre, mein Schatz.«

Cassian beschloss, die Anspielung und die aufflackernde Erregung der beiden zu ignorieren. Helion dagegen lachte leise.

Azriel räusperte sich. »Nesta wartet.«

»Sie ist hier?« Helion schimmerte praktisch vor goldenem Licht.

»Ja«, bestätigte Feyre und erhob sich.

Der sinnliche Blick, den seine High Lady Rhys im Vorbeigehen zuwarf, entging Cassian nicht. Und auch nicht das tiefe Lachen, das Rhys ihr im Gegenzug schenkte, voller sinnlicher Verheißung. Er konnte nicht verhindern, dass ihm diese ungezwungene Intimität, diese unverhohlene Zuneigung und Liebe einen Stich in die Brust versetzte. Etwas völlig anderes als *nur Sex*.

Helion folgte Feyre, die auf die Räume im nördlichen Teil des Palastes zusteuerte, und erging sich in Lobeshymnen über die Schönheit des Palastes. Cassian blendete ihn aus. Seine Gedanken kreisten unaufhörlich darum, dass Nesta nicht einmal ansatzweise protestiert hatte, als er ihr Bett verließ. Und dass sie seitdem keine Anstalten mehr gemacht hatte, sich ihm zu nähern ... weil sie vielleicht mehr von ihm wollte.

Er hatte sich zurückgehalten, zumal sie sich beim Training völlig zu verausgaben schien, um eine Lösung für das zu finden, was auch immer auf ihrem Herzen und ihrer Seele lastete. Aber er hatte nicht aufhören können, daran zu denken – an den Sex, an ihren Anblick, an ihren Hintern.

»Und woran denkst *du* gerade?«, fragte Helion gedehnt, als sie die geschlossene Holztür erreichten.

Cassian richtete sich auf. Ihm war nicht bewusst gewesen, dass seine Gedanken einen solchen Geruch freigesetzt hatten. Er grinste. »An deine Mutter.«

Helion lachte leise. »Ich vergesse jedes Mal, wie sehr ich dich mag.«

»Ist mir ein Vergnügen, dich immer wieder daran zu erinnern«, antwortete Cassian augenzwinkernd.

Feyre erreichte die Tür, klopfte an ... und da war sie. Nesta.

Sie saß an dem Tisch, auf dem die Maske lag, vor sich ein aufgeschlagenes Buch. Der Geschwindigkeit nach zu urteilen, mit der sie das Buch zuklappte, musste es sich um einen dieser Liebesromane handeln, von denen Cassian wusste, dass Emerie, Gwyn und Nesta sie untereinander tauschten.

Cassian spürte, wie sich sein Körper versteifte, als Helion den Raum betrat und Nesta aufstand. Sie trug ein dunkelblaues Kleid – das erste Mal seit einem Monat. Und es hing auch nicht mehr an ihr herab. Sie hatte so viel Gewicht zugelegt, dass sich das Mieder wieder eng um ihre Kurven schmiegte und ihre vollen Brüste sich anmutig über dem runden Ausschnitt des Kleides wölbten.

Helion neigte den Kopf, der Inbegriff höfischer Eleganz. »Lady Nesta.«

Nesta machte einen kleinen Knicks, aber ihre Augen wanderten zu Feyre. »Lady?«

Feyre zuckte die Schultern. »Er ist nun mal höflich.«

Nesta sah Cassian an. »Jetzt verstehe ich, warum du diesen Titel nervig findest.«

Er lächelte, und Helion blinzelte – als wäre er schockiert, weil sie vergessen hatte, dass ein High Lord vor ihr stand.

Aber Nesta hatte Helion auch schon bei ihrer ersten Begegnung ignoriert und war vollkommen unbeeindruckt an ihm vorbeigerauscht.

»Es wird nicht leichter«, teilte Cassian ihr mit.

Erneut wandte Nesta sich Helion zu und betrachtete die goldene Krone und den weißen Umhang. »War das dein geflügeltes Pferd, das vorhin über den Palast geflogen ist?«

Helions Lächeln war von kultivierter Schönheit. »Er ist mein prächtigster Hengst.«

»Er ist sehr schön.«

»Genau wie du.«

Nesta legte den Kopf auf die Seite und Cassian wartete fast atemlos auf ihre Antwort. Feyre und Rhys versuchten offenbar, nicht zu lachen, und Azriel war die Verkörperung kühler Langeweile.

Nesta betrachtete Helion lange genug, dass er nervös von einem Bein auf das andere trat. Ein High Lord *trat von einem Bein auf das andere*, weil sie ihn ansah. »Ich weiß das Kompliment zu schätzen«, sagte sie schließlich.

Diese Pause, die entstanden war, als sie Helion musterte, war das Innehalten eines Höflings, der überlegt, wie er am besten zuschlagen kann.

Helion runzelte leicht die Stirn.

Rhys räusperte sich und seine Augen leuchteten belustigt. »Nun, da ist sie.« Er zeigte auf das schwarze, mit Samt verhüllte Gebilde auf dem Tisch. »Nesta?«

Sie zog das Tuch fort. Uraltes, gehämmertes Gold schimmerte im Licht. Helion sog zischend die Luft ein, als eine kalte, seltsame Kraft den Raum erfüllte und wie eine eisige Brise flüsterte.

Der High Lord des Tages wirbelte zu Nesta herum. Sämtliche

Sinnlichkeit war aus seiner Stimme gewichen. »Du hast sie tatsächlich aufgesetzt und es überlebt?« Es war jedoch keine Frage, auf die er eine Antwort verlangte. »Bitte deck sie zu. Ich ertrage es nicht.«

Rhys legte die Schwingen eng an seinen Körper. »Macht es dir so viel aus?«

»Zieht die Maske ihre kalten Krallen denn nicht auch über eure Sinne?«, fragte Helion.

»Bei Weitem nicht so heftig«, antwortete Feyre. »Wir spüren ihre Kraft, aber es hat keinem von uns wirklich unangenehme Gefühle bereitet.«

Helion schauderte und Nesta warf das Samttuch über die Maske. Als würde das Tuch ihre Anwesenheit vor dem Artefakt verbergen. »Vielleicht hat einer meiner Vorfahren sie einst benutzt und die Warnung vor ihrer Macht hat sich in mein Blut eingeprägt.« Helion holte gequält Luft. »Also gut, Nicht-Lady Nesta. Erlaube mir, dir ein paar Schutztricks zu zeigen, die nicht einmal der clevere Rhysand kennt.«

Schließlich wirkte Helion die Schutzzauber und verknüpfte sie mit Nestas Blut. Ein kleiner Stich mit dem Wahr-Sager hatte gereicht. Aber Cassian hatte sich beim Anblick dieses kleinen, roten Tropfens, bei dessen Geruch total versteift.

Es bedurfte einer großen Willensanstrengung, seinem Körper klarzumachen, dass keine Bedrohung existierte … dass Nesta das Blut freiwillig gegeben hatte und es ihr gut ging. Aber das hielt ihn nicht davon ab, so laut mit den Zähnen zu knirschen, dass Feyre ihn im Flüsterton fragte: »Was ist los mit dir?«

»Nichts«, murmelte er. »Hör auf, dich einzumischen, Fluchbrecher.«

Feyre warf ihm einen Blick aus dem Augenwinkel zu. »Du verhältst dich wie ein eingesperrtes Tier.« Ein süffisantes Lächeln umspielte ihre Lippen. »Bist du eifersüchtig?«

»Auf Helion?«, fragte Cassian mit bewusst neutraler Stimme.

»Ich sehe sonst niemanden, der die Hand meiner Schwester hält und sie anlächelt.«

Denn genau das tat der Mistkerl, obwohl Nestas Miene versteinert blieb. »Warum sollte ich eifersüchtig sein?«

Feyres Lachen glich einem leisen Lufthauch. Und Cassian musste unwillkürlich grinsen, was ihm einen verwirrten Blick von Azriel einhandelte. Cassian schüttelte den Kopf, gerade als Nesta ihre Hand aus Helions Griff zog und fragte: »War's das?«

»Sobald wir diesen Raum verlassen, kann niemand ihn betreten. Selbst du nicht, sofern du nicht vorher meinen Schutzzauber aufhebst.«

Nesta seufzte leise. »Gut.«

»Ich zeige dir, wie man den Zauber aufhebt«, sagte Helion, aber sie trat einen Schritt zurück.

»Nein«, sagte Nesta abrupt. »Nein. Ich will es nicht wissen.«

Stille breitete sich aus.

»Wenn Briallyn nach der Maske sucht und mich ergreift, will ich nicht wissen, wie man sie befreit«, erklärte Nesta. Eine kluge Maßnahme, auch wenn die Vorstellung Cassian krank machte. Doch er hätte schwören können, dass es sich um eine Lüge handelte. Hätte schwören können, dass Nesta diese Information aus eigenem Interesse nicht wollte.

Als fürchtete sie, dass die Maske sie in Versuchung führen würde.

»In Ordnung«, sagte Rhys. »Helion kann es *mir* erklären. Und falls wir dieses Wissen irgendwann einmal brauchen, kann ich es dir zeigen.« Er streckte Helion eine Hand entgegen. Dann verschränkten die beiden ihre Finger, ihre Augen wirkten geistesabwesend und schließlich blinzelte Rhys heftig. »Danke.«

»Wir müssen Eris informieren, dass seine Soldaten wieder aufgetaucht sind«, bemerkte Azriel. »Und darüber, was wir mit ihnen gemacht haben.«

Cassian betrachtete seine Familie, seine Freunde. »Wie viel verraten wir Eris? Sagen wir ihm, dass wir die Maske haben?«

Die Frage hing im Raum.

»Noch nicht«, antwortete Rhys nach einem Moment und wandte sich an Cassian. »Du stattest Eris morgen einen Besuch ab.« Dann deutete er auf Nesta. »Du begleitest ihn.«

Nesta versteifte sich, und Cassian gab sich Mühe, Rhys nicht überrascht anzustarren. »Warum?«, fragte sie.

»Weil du diese Spielchen genießt«, antwortete Rhys. Er hatte offenbar bemerkt, wie souverän sie vorhin mit Helions Flirtversuchen umgegangen war. Rhys verstand es, ein Werkzeug einzusetzen, das ihm zur Verfügung stand. »Aber es ist deine Entscheidung«, fügte er hinzu.

Cassian räusperte sich. »Hört sich gut an.« Und zu seiner Überraschung hatte Nesta nichts einzuwenden.

»Ich will mich vergewissern, dass Briallyn die Krone wirklich hat, und werde deshalb morgen ins Land der Menschen aufbrechen«, verkündete Azriel.

»Nein«, widersprachen Feyre und Rhys im gleichen Atemzug.

Azriel schloss die Augen. »Ich habe nicht um Erlaubnis gebeten.«

Rhys grinste. »Macht nichts.«

Az öffnete den Mund zu einem Protest, doch Feyre kam ihm zuvor. »Du wirst dich auf keinen Fall auf den Weg machen, Azriel. Wenn Briallyn die Krone hat und dich erwischt – oder auch nur vermutet, dass du in der Nähe bist –, wer weiß, was sie dann mit dir anstellt?«

»Du solltest mich besser kennen, Feyre«, sagte Az. »Ich weiß, wie man sich im Verborgenen hält.«

»Wir gehen kein Risiko ein«, entgegnete Feyre in knappem Befehlston. »Zieh all deine Spione zurück.«

»Einen Teufel werde ich tun.«

Cassian wappnete sich, aber Feyre gab nicht nach. »Die Informationen deiner Spione – *sämtlicher* Spione – sind nicht vertrauenswürdig, wenn es um die Krone geht. Amren hat gesagt, die Krone brauche engen Kontakt, um ihre Klauen in jemandes Geist zu schlagen. Wir halten uns von Briallyn fern.«

Azriel kochte vor Wut und wandte sich Rhys zu. »Und du stimmst ihr zu?«

»Sie ist deine High Lady«, antwortete Rhys kühl. »Was sie sagt, ist Gesetz.«

Az musterte zuerst ihn und dann Feyre. Offensichtlich kam er zu dem Schluss, dass die beiden eine untrennbare Einheit bildeten, eine unverrückbare Mauer, an der seine Wut nur wieder und wieder abprallen würde.

In der angespannten Stille deutete Helion mit dem Kinn auf den hellen Gang vor dem Raum. »Ich würde mich gern aus der grauenerregenden Gegenwart der Maske entfernen und lieber deinen Palast genießen, Rhysand. Es ist lange her, dass ich an einem so ruhigen Ort war. Wenn du gestattest, bleibe ich noch ein paar Stunden.«

»Gibt es zu Hause irgendwelche Probleme?«, fragte Rhys, während er neben dem High Lord durch den Gang schritt.

Cassian fing Nestas Blick auf, als er den Raum verließ. Sie nahm ihr Buch, bevor sie den anderen folgte. Feyre ging neben Azriel und sprach leise mit ihm, eine tätowierte Hand auf seine Schulter gelegt.

»Was liest du heute?«, wandte Cassian sich an Nesta.

»*Eine kurze Geschichte der großen Belagerungen* von Osian.«

Cassian wäre fast gestolpert. »Keinen Liebesroman?«

»Seit du mir *Die Kunst der Schlacht* hingelegt hast, ist mir klar geworden, dass ich noch eine ganze Menge zu lernen habe. Gestern Abend habe ich das Haus gebeten, mir etwas zu geben, das du lesen würdest.«

»Warum?«

Nesta klemmte sich das Buch unter den Arm. »Welchen Sinn hat das Erlernen von Kampftechniken, wenn ich ihren wahren Zweck und Nutzen nicht kenne? Du würdest mich zu einer Waffe ausbilden und ich wäre genau das: die Waffe eines anderen. Ich will wissen, wie man sie führt – mich selbst meine ich. Und andere.«

Cassian verschlug es die Sprache, während sie Helion und Rhys die Treppe hinauf folgten. »Hast du vor, eine Armee zu führen, Nes?«

»Keine Armee.« Sie sah ihn von der Seite an. »Aber vielleicht eine kleine Einheit von Frauen.«

Sie meinte es wirklich ernst. »Die Priesterinnen?«

»Ich weiß nicht, ob sie sich mir anschließen würden ... Aber da draußen sind bestimmt noch andere, die nichts dagegen hätten. Ich bin jetzt unsterblich, zumindest so unsterblich, wie man als High Fae sein kann. Ich habe sehr viel Zeit, um weit in die Zukunft hinein zu planen.«

Seine Brust verkrampfte sich. Für die Zukunft planen. Das war ein verdammt gutes Zeichen.

Cassian klopfte nach dem Abendessen an die Tür von Nestas Zimmer. Sie war nicht zu ihm und Azriel ins Esszimmer gekommen – was vermutlich auch besser war.

Der High Lord und die High Lady des Hofs der Nacht hatten sich dem Schattensänger an diesem Nachmittag entgegengestellt und waren siegreich aus der Konfrontation hervorgegangen. *Siegreich* war möglicherweise das falsche Wort. Aber die Auseinandersetzung hatte damit geendet, dass Azriel widerstrebend einwilligte, Briallyn vorläufig nicht zu bespitzeln, und während des gesamten Abendessens vor sich hin brütete.

Nestas Stimme drang durch die Tür in den Gang: »Herein.«

Cassian fand sie auf dem Bett vor, ein Buch auf den Knien. Offenbar hatte sie wieder zu einem Liebesroman gegriffen. »Keine weiteren Kriegsbücher?« Er hielt die drei Wälzer hoch, die er mitgebracht hatte – der Grund für sein Kommen. Sein Vorwand.

»Nur tagsüber.« Sie setzte sich auf und wickelte sich die Decke um die Taille. »Was hast du da?«

»Noch ein paar Bücher, die dich interessieren könnten.« Er legte sie auf den Schreibtisch.

Nesta nickte kurz, wobei ihr der lange, geflochtene Zopf über die Brust rutschte. Sie trug ein langärmliges Nachthemd. Und obwohl im Kamin kein Feuer brannte, war es warm im Zimmer. Als hätte das Haus ihre Abneigung gegen offene Flammen bemerkt und auf andere Weise für Wärme gesorgt.

Er zwang sich, vom Schreibtisch weg und wieder in Richtung Tür zu gehen.

Doch bevor er sie erreichte, fragte Nesta: »War es nicht gut für dich?«

Cassian drehte sich langsam um. »Was?«

Röte stieg ihr in die Wangen, als sie das Kinn hob. »War der Sex nicht gut für dich?«

Er schluckte. »Warum fragst du das?«

Nestas Kehlkopf hüpfte auf und ab. Sie war ... Verdammt, war sie sich seiner wirklich so unsicher? »Du bist so schnell verschwunden. Und danach bist du nicht wieder zu mir gekommen.«

Ich bin so schnell verschwunden, weil ich nicht vollends zusammenbrechen wollte. »Du warst auf das Training konzentriert.«

Ihre Augen blinzelten, als wäre sie gekränkt. »Okay. Dann gute Nacht.«

»So habe ich das nicht gemeint. Verdammt, Nesta.« Er ging auf das Bett zu und sie setzte sich wieder auf und sah ihn an. »Wie hätte ich so egoistisch sein können ... weiteren Sex von dir zu fordern, wo du dich so sehr auf dein Training konzentriert hast?«

»Es ist keine Forderung, wenn beide Seiten es wollen«, sagte sie. »Und ich hab mir nur Sorgen gemacht ... es könnte dir nicht genauso viel Spaß gemacht haben wie mir.«

»Du glaubst, ich bin nicht zu dir gekommen, weil es mir keinen *Spaß* gemacht hat?« Als sie schwieg, stützte er sich vor ihr auf der Matratze ab, atmete ihren Duft ein und flüsterte ihr ins Ohr: »Es hat mir *zu viel* Spaß gemacht. Ich habe tagelang nur daran gedacht.« Sie erschauerte und er lächelte dicht an ihrer Ohrmuschel. Er liebte das: zuzusehen, wie dieses eiskalte Äußere bröckelte, welche Wirkung er auf sie hatte. »Hast du dich nachts berührt und daran gedacht, so wie ich?«

Nestas Kinn senkte sich zu einem kaum merklichen Nicken. Und aus dem Augenwinkel sah er ihre Zähne kurz aufblitzen, als sie sich auf die Unterlippe biss. »Haben sich diese süßen, kleinen Finger so gut angefühlt wie meine?«

Ihr Atem stockte, doch sie schwieg. Er wusste, dass sie ihm die Genugtuung nicht schenken wollte. Dann knabberte er an ihrem Ohrläppchen und entlockte ihr ein Keuchen. »Und?«

»Ich weiß es nicht«, flüsterte sie. »Ich müsste es noch mal überprüfen.«

»Hmm.« Cassian senkte seinen Mund und drückte einen Kuss unter ihr Ohr. Sein Schwanz wurde hart und beulte bereits seine Hose. »Wollen wir es in einem kleinen direkten Vergleich herausfinden?«

Sie wimmerte und er kroch zu ihr aufs Bett. Sein Blut pumpte durch jede Faser seines Körpers, im Takt mit dem Pulsieren in seinem Schwanz. Langsam löste er seine Lippen von ihrem Hals und sah ihre vor Verlangen geweiteten Augen.

Die Welt wurde still. Nesta starrte ihn unverwandt an, während er die Decke ganz langsam von ihrer Taille fortzog. Ihr Nachthemd war die Oberschenkel hochgerutscht. Er fuhr mit einer Hand über die Innenseite, streichelte mit dem Daumen die schlanken Muskeln, die sich dort bildeten. »Warum zeigst du mir nicht, wie du dich selbst berührst, Nesta? Danach erinnere ich dich daran, wie ich es mache.« Er grinste spöttisch. »Und dann kannst du mir sagen, was sich besser anfühlt.«

Ihre Brust hob und senkte sich rasch und ihre harten Brustwarzen zeichneten sich unter dem Nachthemd ab. Ihm lief das Wasser im Mund zusammen und sein Körper zitterte. Sie schien sein Verlangen geradezu lesen zu können. In ihren Augen funkelte geschmolzenes Feuer. »Während ich … mich selbst berühre, darfst du mich nicht anfassen.« Ein ungezähmtes Lächeln. »Und dich selbst auch nicht.«

Seine Haut wurde heiß, spannte sich zu straff über seine Knochen. »Okay.«

Cassian wartete darauf, dass sie sich in die Kissen schmiegte. Doch sie griff nach dem Saum ihres Nachthemds, zog es über den Kopf, knüllte es zusammen und warf es auf den Boden. Sämtliche Gedanken wichen aus seinem Kopf, als sie sich vollkommen nackt zurücklehnte. Ihre wunderschönen Brüste ragten ihm entgegen und warteten auf ihn. Und zwischen ihren Beinen ... Sie zog die Knie leicht an und spreizte sie. Entblößte sich.

Cassian stieß einen tiefen, gequälten Laut aus. Ihr rosafarbenes Geschlecht glänzte und sein aufregender, verführerischer Duft lockte. Er musste sie schmecken, musste sie auf seiner Zunge spüren, um seinen Schwanz ...

»Keine Berührung«, schnurrte Nesta. Denn seine Hand war zu seinem Schwanz gewandert, auf der verzweifelten Suche nach irgendeiner Form der Erleichterung, während er sie entblößt im goldenen Schein der Feenlichter vor sich sah.

Sein Atem rasselte in der Kehle, als Nesta zwei zarte Finger an ihrem Körper hinabgleiten ließ, sie an die empfindliche Stelle zwischen ihren Schenkeln legte und dort langsam im Kreis bewegte. Sie atmete jetzt unregelmäßig, verfolgte aber, wie er sie beobachtete, als sie mit den Fingern dann tiefer ging und sie schließlich in sich hineinschob.

Cassian stöhnte und seine Hüften bäumten sich leicht. Doch Nesta warf ihm einen mahnenden Blick zu. Er hielt inne, unfähig, an etwas anderes zu denken als ihre beiden Finger, die sie stöhnend hinaus- und hineingleiten ließ. Beim Herausziehen glänzten sie vor Nässe. Und er keuchte, als sie ein weiteres Mal langsam und tief in ihr verschwanden.

»Das hier mach ich jede Nacht, wenn ich an dich denke«, flüsterte sie.

Wenn sie ihn jetzt angefasst hätte, wäre er sofort gekommen. Doch er knurrte: »Härter.«

Sie erschauerte, als wären seine Worte eine körperliche Berührung, und gehorchte. Dieses Mal stöhnten sie beide. Und er hörte sich selbst sagen: »Bitte.« Er wusste nicht, was das zu bedeuten hatte – nur, dass er sie anfassen musste.

Nesta lächelte ihn mit raubtierhafter Belustigung in den Augen an. »Noch nicht.«

Wieder stieß sie ihre Hand zwischen ihre Beine. »Ich stelle mir vor, wie du mich nimmst, wieder und wieder. Hart, so wie beim ersten Mal.« Er konnte nicht atmen, konnte nur auf ihre Hand starren, in ihr von Lust verschleiertes Gesicht. »Ich stelle mir vor, dass du weniger geduldig bist, sondern tief in mich hineinstößt.« Sie unterstrich ihre Worte, indem sie ihre Finger mit einer ruckartigen Bewegung in sich versenkte.

»Ich will dir nicht wehtun«, presste er heraus und betete zur Großen Mutter und dem Kessel, er möge nicht den Verstand verlieren.

»Du tust mir nicht weh.« Sie lachte amüsiert. »Willst du zusehen, wie ich komme? Oder willst du es schmecken?«

»Schmecken.« Er würde auf heißen Kohlen darum betteln, sie nur einmal zu lecken.

Sie spreizte ihre Beine weiter. »Dann mach dich über mich her, Cassian.«

Sein Name auf ihren Lippen gab ihm den Rest. Er packte ihre Schenkel, zog sie noch weiter auseinander und senkte den Mund. Fuhr mit der Zunge in einer langen, sehnsüchtigen Bewegung von der Basis bis zum Scheitelpunkt.

Sie stöhnte, lauter als beim ersten Mal, was ihn dazu veranlasste, erneut ihre Beine zu packen, sie über seine Schultern zu legen und dann sein Gesicht in ihr zu vergraben.

Es hatte nichts Sanftes, nichts Neckendes an sich. Er ergötzte sich mit Zunge, Lippen und Zähnen an ihr. Und ihr Geschmack ließ das Brüllen in seinem Blut wie eine gewaltige Welle in ihm aufsteigen. Nesta rieb sich an ihm, und ihre Zehen kitzelten seine Schwingen so sehr, dass er einen Moment innehalten musste, weil er bei der bloßen Berührung fast gekommen wäre. Das Schwingenspiel würde er ihr später beibringen. Denn er wollte, dass sie seine Schwingen berührte und lernte, sie zu streicheln, während er sie vögelte und so heftig kam, dass er Sterne sah. Er wollte ihr zeigen, an welchen Stellen sie die Schwingen streicheln musste, damit er auch, ohne sie zu vögeln, in ihrer Hand, ihrem Mund kam.

Er ließ seine Zunge in sie hineingleiten und spürte schon unter seiner Haut, wie sich der Höhepunkt anbahnte. Zu früh – er wollte nicht zu früh kommen. Sofort hielt er inne, atmete tief durch. Aber ihr Anblick in den Kissen, nackt und weit geöffnet für ihn, hätte ihm fast den Rest gegeben.

Er zog sein Hemd aus. Dann seine Hose.

Und erst als er nackt zwischen ihren Beinen kniete und sein Schwanz vorschnellte, fragte er: »Willst du meine Finger, meine Zunge oder meinen Schwanz, Nesta?« Er umfasste Letzteren und bewegte seine Hand quälend langsam auf und ab. Sie schaute mit großen Augen zu, als erinnerte sie sich an die Länge tief in ihr.

»Wie wäre es mit einem direkten Vergleich?«, brachte sie hervor. Aber der überhebliche Ton spiegelte sich nicht in ihren Augen, als er seine Faust auf und ab bewegte und es genoss, wie es ihr den Atem raubte.

»Was immer du willst. Was immer du von mir brauchst.« Er wusste, dass dies die Worte eines Narren waren und er zu viel von sich preisgab.

Doch sie starrte nur auf seinen Schwanz. »Ich will ihn. Jetzt.«

Cassian murmelte ein Dankesgebet zur Großen Mutter, schob sich über sie und stützte sich mit den Armen ab. »Nimm mich in dir auf.«

Als Nestas Hand sich um ihn schloss, bäumte er sich auf und biss die Zähne zusammen. Sofort lächelte sie und schob ihn in ihre feuchte Öffnung.

Dieses Mal wartete Cassian nicht. War nicht zärtlich, da sie ihm gesagt hatte, dass sie es anders wollte. Er stieß fast bis zum Anschlag in sie hinein.

Nesta entfuhr ein Laut, halb Stöhnen, halb Schrei. Und er erwiderte diesen Laut, als sich ihre seidige, lodernde Hitze um ihn schloss. Sie war so perfekt und umwerfend eng. Als wäre sie für ihn gemacht und er für sie.

Cassian zog sich langsam zurück und drang dann erneut tief in sie ein. Ihre Fingernägel gruben sich in seine Schultern, aber dieser Schmerz war nebensächlich, eher lustvoll, da sie ihn als ihr Eigentum kennzeichnete.

Ein weiteres Mal zog er sich zurück, senkte den Kopf, um zuzusehen, wie sein Schwanz aus ihr herausglitt, und dann erneut zuzustoßen. Es war Paradies und Folter zugleich. Und er brauchte mehr, musste tiefer in sie eindringen, so tief, dass sie nicht mehr voneinander zu trennen waren.

Ihre Nägel ritzten seine Haut auf und der scharfe Geruch seines Blutes erfüllte die Luft. Doch er beugte sich nur hinab, um sie zu küssen. Nesta schloss die Lippen um seine Zunge und saugte daran, so wie damals an seinem Schwanz. Jeder vernünftige Gedanke verflog. Cassian zog sie an sich und ging auf die Knie. Und ihre Beine schlangen sich um seine Taille, während er wieder und wieder in sie hineinstieß. Sie warf den Kopf zurück, entblößte ihren Hals. Und er biss sie dort so fest, dass seine Zähne einen Abdruck hinterließen.

Sie gab seine Schultern frei, um ihre Brüste zu umfassen, und als er sah, dass sie sie ihm mit stummem Befehl entgegenhielt, wäre er fast zum Höhepunkt gekommen.

Cassian leckte ihre Brustwarze. Sie stöhnte und zog ihre zarten, inneren Muskeln fest um ihn zusammen. »*Verdammt*«, murmelte er dicht an ihrer Brust. Sie lachte atemlos, und dann waren da nur noch seine Zunge und seine Zähne an ihrer Brust, das beinahe wilde Stoßen seines Schwanzes und der Rhythmus ihrer Hüften, als wollte sie ihn noch tiefer in sich hineinziehen. Er streifte mit den Lippen von ihrer Brust zu ihrem Hals, knabberte an ihrer Schulter und verband ihre Körper zu einem Wesen, während er immer härter, immer tiefer in sie eindrang.

Im nächsten Moment fanden ihre Finger seine Schwingen. Die Berührung war nicht beißend, sondern sanft – ein so zartes, vorsichtiges und erstauntes Streicheln, dass er aufbrüllte.

Der Höhepunkt traf ihn mit voller Wucht. Und er stieß so heftig in sie, dass sie aufschrie und mit ihm zusammen kam. Sie klammerte sich an ihn, pulsierend. Und er bäumte sich auf, wild. Nur noch auf das Verlangen reduziert, in ihr zu sein und sich in sie zu ergießen.

Dann sank Nesta gegen seinen Brustkorb, einen Arm noch an seiner Schwinge, und er versuchte, wieder zu sich zu kommen, sich an seinen verdammten Namen zu erinnern und daran, wo sie waren. Aber da war nur sie. Nur diese Frau in seinen Armen.
Und der einzige Name, an den er sich erinnern konnte, war ihrer.

Nesta konnte sich nicht bewegen.

Wollte sich nicht bewegen – um Cassian geschlungen, der in der Mitte des Betts kniete und mit den Händen noch immer ihren Hintern umfasst hielt, während sein Schwanz tief in ihr zuckte.

Nie zuvor hatte sie so etwas erlebt, mit niemandem ... Ein Blick von ihm und sie wäre fast gekommen. Ein Blick von ihm und sie hatte sich ausgezogen und vor seinen Augen selbst befriedigt. Aber sie fühlte sich nicht peinlich berührt. Weil es sich so gut, so richtig angefühlt hatte.

Sie ermahnte sich, dass sie es nicht so sehr genießen sollte, ihn außer Kontrolle zu sehen. Ihn in sich zu spüren. Doch da sie es so sehr genoss, gab sie ihn schließlich frei und entfernte sich sanft stöhnend von ihm, als sein Schwanz aus ihr herausglitt.

Sie kniete sich vor ihn. »Ich brauche noch mehr.«

Cassian hob den Kopf und seine Augen funkelten. »Ich weiß.«

Dieser Blick, dieses wunderschöne Gesicht raubte ihr fast den Atem. »Wie kann es sein, dass ich dich so schnell wieder brauche?« Nicht die kokette Frage eines Höflings, sondern pure Verzweiflung. Denn sie brauchte mehr, brauchte ihn wieder in sich, brauchte sein Gewicht, seinen Mund, seine Zähne. Und sie hatte keine Erklärung für diesen immer stärker werdenden, unstillbaren Hunger.

Seine Lider flatterten. »Ich habe dich von dem Moment an gebraucht, als ich dir zum ersten Mal begegnet bin. Und jetzt, wo ich dich habe, will ich nicht mehr aufhören.«

»Ja«, bestätigte sie leise. Es war die Wahrheit – zumindest so viel, wie sie preisgeben wollte. »Ja.«

Sie sahen einander an, eine Minute lang. Eine Ewigkeit. Und dann wurde Cassian zu ihrem Schock und ihrem Entzücken vor ihren Augen wieder hart. »Siehst du, was du mit mir anstellst?«, fragte er. »Siehst du, was jedes Mal passiert, wenn ich dich auch nur anschaue, jeden verdammten Tag?«

Sie grinste. »Ich erinnere mich vage, dass du vor ein paar Wochen geprahlt hast, *ich* würde in dein Bett kriechen. Allem Anschein nach bist du derjenige, der gekrochen ist.«

Ein Lächeln umspielte seine Mundwinkel. »Sieht ganz so aus.« Ihr Herz schlug wie wild, als er ihr eindringlich in die Augen blickte. »Geh auf Hände und Knie«, forderte er mit so tiefer Stimme, dass sie ihn kaum verstand. Aber ihr Blut geriet in Wallung. Nesta folgte seiner Aufforderung und entblößte sich, noch immer nass und glänzend von ihrer beider Befriedigung.

Er knurrte zufrieden. »Wunderschön.« Sie wimmerte leise, denn unter der Begeisterung schwelte pure Lust. »Leg deine Hände auf das Kopfteil.«

Erneut stockte ihr der Atem, doch sie gehorchte, bereits pochend vor Verlangen.

Cassian richtete sich hinter ihr auf, packte ihre Hüften, schob seine Knie zwischen ihre und spreizte ihre Beine weiter. Fingerspitzen fuhren über ihre Wirbelsäule und die Tätowierung dort, über die Tinte, die sie beide verband.

Dann beugte er sich vor und raunte ihr ins Ohr: »Halt dich fest.«

42

Kurz nach Tagesanbruch erhielt Cassian die Aufforderung, ins Flusshaus zu kommen.

Er hatte nicht in Nestas Zimmer geschlafen – nach diesem zweiten Mal, als sich sein ganzer Körper wie sattes, zufriedenes Gelee angefühlt hatte, war er aufgestanden und in seine eigene Suite gegangen. Sie hatte nichts gesagt. Aber es hatte Einverständnis zwischen ihnen geherrscht: nur Sex – obwohl sie jetzt nicht mehr so lange warten würden.

Er hatte keinen Schlaf gefunden, hatte immer daran denken müssen, was sie getan hatten, was er mit ihr gemacht hatte. Das zweite Mal war noch rauer gewesen als das erste. Und sie hatte alles getan, was er von ihr verlangte, hatte seinem fordernden Tempo, seinen tiefen Stößen standgehalten und sich am Kopfteil festgeklammert, bis ihr Körper vor Lust vergangen war. Bei den Göttern, Sex mit Nesta war wie ...

Doch jetzt saß er gemeinsam mit Amren und Azriel in Rhys' Büro seinem High Lord an dessen Schreibtisch gegenüber. Mit diesen Gedanken hatte er sich schon vergangene Nacht keinen Gefallen getan. Auch nicht am Morgen, als er mit hartem, vor Verlangen schmerzendem Schwanz aufgewacht war und festgestellt hatte, dass ihr Duft seinen ganzen Körper bedeckte.

Er wusste, dass seine Freunde es riechen konnten. Weder Rhys noch Az hatte eine Bemerkung gemacht, aber Amren hatte die Augen leicht zusammengekniffen. Dennoch hatte sie nichts gesagt. Und er fragte sich, ob Rhys ihr einen stummen Befehl erteilt hatte. Cassian schob die Frage beiseite, warum Rhys das für notwendig gehalten haben mochte.

»Also, Rhysand«, setzte Amren an. »Sag mir, warum ich vor dem

Frühstück hier bin, während Varian noch immer friedlich in meinem Bett schläft.«

Rhys zog eine Plane aus Segeltuch fort, die einen Teil seines Schreibtischs bedeckt hatte. »Wir sind hier, weil ich bei Sonnenaufgang Besuch von einem Schmied aus einem Dorf westlich der Stadt erhalten habe.«

Cassian erstarrte, als er einen Blick auf die Objekte auf dem Tisch warf: ein Schwert, ein Dolch und ein Langschwert, alle mit schwarzem Lederfutteral. »Von welchem Schmied?«

Rhys lehnte sich auf seinem Stuhl zurück und verschränkte die Arme. »Von dem, den du zusammen mit Nesta vor ein paar Tagen besucht hast.«

Cassian runzelte die Stirn. »Warum hat er dir diese Waffen gebracht? Sind sie ein Geschenk?«

Azriel beugte sich vor und streckte eine vernarbte Hand zu dem Schwert aus.

»Das würde ich nicht tun«, warnte Rhys, und Az hielt inne.

Dann wandte Rhys sich an Cassian: »Der Schmied hat sie in totaler Panik hier abgeladen. Er meinte, die Klingen seien verflucht.«

Cassian gefror das Blut in den Adern.

»Inwiefern verflucht?«, fragte Amren.

»Einfach nur verflucht«, wiederholte Rhys und deutete auf die Waffen. »Er meinte, er wolle nichts mit ihnen zu tun haben, und sie seien jetzt unser Problem.«

Amrens Blick wanderte zu Cassian. »Was ist in der Schmiede passiert?«

»Nichts«, antwortete er. »Der Schmied ließ Nesta ein bisschen das Metall hämmern, damit sie ein Gefühl dafür bekommt, wie viel harte Arbeit in einer Waffe steckt. Aber es hat niemand irgendwelche *Flüche* ausgestoßen.«

Rhys straffte die Schultern. »Nesta hat die Klingen gehämmert?«

»Alle drei«, bestätigte Cassian. »Zuerst das Schwert, dann den Dolch und zum Schluss das Langschwert.«

Rhys und Amren tauschten einen Blick.

»Was ist?«, fragte Cassian fordernd.

Rhys sah Amren an. »Hältst du es für möglich?«

Amren betrachtete die Klingen. »Es ist ... Es ist schon so lange her, aber ... ja, es wäre möglich.«

»Könnte mir bitte mal jemand erklären, worum es hier geht?«, verlangte Azriel und musterte die Waffen aus sicherem Abstand.

Cassian zwang sich, still dazusitzen, während Rhys sich mit der Hand durch die schwarzen Haare fuhr. »Die Fae waren einst elementarer und neigten mehr dazu, die Sterne zu lesen und meisterliche Kunstwerke, Schmuck und Waffen anzufertigen. Ihre Fähigkeiten waren ursprünglicher, naturverbundener, und sie konnten Objekte mit ihren Kräften durchdringen.«

Cassian wusste sofort, worauf das Ganze hinauslief. »Nesta hat ihre Kraft in diese Waffen fließen lassen?«

»Seit über zehntausend Jahren hat es niemanden mehr gegeben, der in der Lage war, ein magisches Schwert zu erschaffen«, bemerkte Amren. »Das letzte, das berühmte Schwert Gwydion, verschwand ungefähr zu der Zeit, als das letzte Objekt der Truhe verloren ging.«

»Dieses Schwert ist nicht Gwydion«, sagte Cassian. Er war sich der Legenden, die sich um die Waffe rankten, nur allzu bewusst. Sie hatte einem echten Fae-König in Prythian gehört, einem wie dem in Hybern. Er hatte die Gebiete und ihre Völker vereint – und eine Weile hatte dank dieses Schwertes Frieden geherrscht. Bis ihn seine eigene Königin und sein bester General hintergingen und er das Schwert an sie verlor. Daraufhin fielen die Reiche erneut ins Chaos und sollten nie mehr von einem König regiert werden – nur noch von High Lords, die fortan über die Gebiete herrschten, die einst dem König unterstanden hatten.

»Gwydion ist verschwunden oder zumindest seit Jahrtausenden verschollen«, sagte Amren mit einem traurigen Unterton in der Stimme und deutete mit dem Kinn auf das Langschwert. »Das hier ist eine andere Waffe.«

»Nesta hat also ein neues magisches Schwert erschaffen«, sagte Azriel.

»Ja«, bestätigte Amren. »Nur die Großen Mächte waren dazu in der Lage – Gwydion erhielt seine Macht, als die Hohepriesterin Oleanna es während des Schmiedeprozesses in den Kessel tauchte.« Eine eisige Kälte erfasste Cassian und seine Haut begann zu kribbeln. »Eine einzige Berührung von Nestas Magie, als die Klinge noch heiß war ...«

»Und sie ist von ihr durchdrungen.«

»Nesta wusste nicht, was sie tat«, wandte Cassian ein. »Sie hat nur ein wenig Dampf abgelassen.«

»Was noch schlimmer sein könnte«, erwiderte Amren. »Wer weiß, welche Emotionen sie mit ihrer Kraft in die Klingen hat fließen lassen? Es könnte sie zu Werkzeugen dieser Gefühle gemacht haben – oder es könnte ein Katalysator zur Freisetzung ihrer Kraft gewesen sein. Niemand kann das sagen.«

»Also benutzen wir das Schwert und finden es heraus«, schlug Cassian vor.

»Nein«, widersprach Amren scharf. »Ich würde es nicht wagen, diese Klingen zu ziehen. Vor allem nicht das Langschwert. Ich kann die Kraft spüren, die in ihm gebündelt ist. Hat sie daran am längsten gearbeitet?«

»Ja.«

»Dann muss es wie ein Objekt aus der Schreckenstruhe behandelt werden. Ein Objekt einer *neuen* Truhe.«

»Das kann nicht dein Ernst sein.«

Amren musterte ihn. »Die Schreckenstruhe wurde vom Kessel erschaffen. Nesta besitzt die Kräfte des Kessels. Also wird alles, was sie herstellt und mit ihrer Kraft erfüllt, zu einem Objekt aus einer neuen Truhe. Deshalb würde ich nicht einmal ein Stück Brot essen, wenn sie es geröstet hat.«

Gemeinsam starrten sie auf die drei Klingen, die vor ihnen auf dem Schreibtisch lagen.

»Leute werden für diese Macht töten«, sagte Azriel. »Entweder sie töten Nesta, um die Macht zu beenden. Oder sie töten uns, um ihrer habhaft zu werden.«

»Nesta hat ein Objekt einer neuen Truhe geschmiedet«, sagte Cassian und zügelte seine Wut angesichts der Wahrheit in Azriels Worten. »Sie könnte *alles* erschaffen.« Er nickte Rhys zu. »Sie könnte unsere Arsenale mit Waffen füllen, mit denen wir jeden Krieg gewinnen.« Briallyn, Koschei und Beron hätten keine Chance.

»Und deshalb darf Nesta nichts davon erfahren«, sagte Amren.

»Was?«, fragte Cassian aufgebracht.

Amrens graue Augen blieben ruhig. »Sie darf es nicht wissen.«

»Das erscheint mir riskant«, wandte Rhys ein. »Was wäre, wenn sie ungewollt noch mehr erschafft?«

»Was wäre, wenn Nesta aus einer ihrer Launen heraus etwas erzeugt, das ihr gefällt, nur um uns zu ärgern?«, fragte Amren herausfordernd.

»Das würde sie nie tun«, protestierte Cassian hitzig. Er zeigte auf Amren. »Und das weißt du auch.«

»Nesta würde keine Schreckenstruhe erschaffen«, meinte Amren, unbeeindruckt von seinem Knurren, »sondern eine Truhe der Albträume.«

»Ich kann sie nicht anlügen«, sagte Cassian und schaute zu Rhys. »Das kann ich einfach nicht.«

»Du brauchst nicht zu lügen«, entgegnete Amren. »Erzähl ihr einfach nichts davon.«

Er appellierte an Rhys. »Bist du damit etwa einverstanden? Denn ich bin absolut dagegen.«

»Amrens Anweisung gilt«, antwortete Rhys, und für die Dauer eines Herzschlags hasste Cassian ihn. Hasste das Misstrauen und den Argwohn in seinem Gesicht.

»An deiner Stelle wäre ich vorsichtig, wenn du sie vögelst«, fügte Amren hinzu und verzog verächtlich die Lippen. »Wer weiß, in was sie dich verwandeln könnte, wenn ihre Gefühle Wellen schlagen?«

»Das reicht jetzt«, sagte Azriel. Cassian warf seinem Bruder einen dankbaren Blick zu. »Ich sehe es genau wie Cassian. Es ist nicht richtig, Nesta dieses Wissen vorzuenthalten.«

Rhys überlegte und musterte Cassian dann eindringlich. Aber

Cassian erwiderte den Blick, den Rücken kerzengerade und mit ernster Miene. Schließlich sagte Rhys: »Wenn Feyre aus ihrem Atelier zurückkommt, werde ich sie fragen. Ihre Stimme wird die Entscheidung fällen.«

Es war ein Kompromiss, mit dem selbst Amren sich einverstanden erklärte. Cassian nickte. Er hatte zwar ein ungutes Gefühl, war aber bereit, die Entscheidung in Feyres Hände zu legen.

Amren schmiegte sich wieder in ihren Sessel. »Dieses Schwert wird in die Geschichte eingehen.« Ihre Augen verdüsterten sich, während sie das Langschwert betrachtete. »Ob als Fluch oder als Segen, bleibt noch abzuwarten.«

Cassian schüttelte den Schauer ab, der ihm über den Rücken lief, als würde das Schicksal persönlich ihre Worte hören und erschaudern. Er schenkte ihr ein aufgesetztes Grinsen. »Du liebst theatralische Worte, was?«

Amren zog eine finstere Miene und erhob sich dann. »Ich geh wieder ins Bett.« Sie zeigte auf Rhysand. »Bring diese Waffen irgendwohin, wo sie niemand findet. Und die Große Mutter möge dich verfluchen, wenn du es wagst, eine von ihnen aus der Scheide zu ziehen.«

Rhys winkte gelangweilt und müde ab. »Selbstverständlich.«

»Ich meine es ernst, Junge. Zieh diese Klingen *nicht* aus der Scheide.« Amren musterte sie alle drei. »Keiner von euch.« Dann verließ sie den Raum.

Einen Moment lang durchbrach nur das Ticken der Standuhr die Stille.

Rhys warf einen Blick darauf und sagte dann mit geistesabwesendem Blick: »Ich kann nichts finden, was Feyre mit dem Baby helfen würde ... mit der Geburt.«

Cassians Brust zog sich zusammen. »Was ist mit Drakon und Miryam?«

Rhys schüttelte den Kopf. »Die Schwingen der Seraphim sind flexibel und abgerundet, im Gegensatz zu den knochigen Schwingen der Illyrianer. Und genau das wird Feyre umbringen. Miryams Kinder passten durch ihren Geburtskanal, weil ihre Schwingen nachgaben. Und bei fast allen menschlichen Frauen aus ihrem Volk, die sich mit dem von Drakon vermischt haben, verhält es sich ähnlich.« Rhys schluckte und seine nächsten Worte brachen Cassian das Herz.

»Mir war nicht klar gewesen, wie sehr ich mich an die Hoffnung geklammert hatte – bis ich das Mitleid und die Angst in ihren Gesichtern sah. Bis Drakon mich in die Arme nehmen musste, damit ich nicht zusammenbrach.«

Cassian war mit wenigen Schritten bei seinem Bruder. Er umfasste Rhys' Schulter und lehnte sich gegen die Schreibtischkante. »Wir suchen weiter. Was ist mit Thesan?«

Rhys öffnete die obersten Knöpfe seiner schwarzen Jacke und entblößte einen kleinen Ausschnitt seiner tätowierten Brust. »Der Hof des Morgens hatte nichts, was weiterhelfen könnte. Die Peregryns ähneln den Seraphim – sie sind miteinander verwandt, wenn auch nur entfernt. Ihre Heiler wissen, wie man ein Baby in Steißlage dreht und aus dem Mutterleib holt, aber auch ihre Schwingen sind flexibel.«

Azriel trat an Rhys' andere Seite und legte ihm ebenfalls eine Hand auf die Schulter.

Die Uhr tickte weiter. Eine brutale Erinnerung daran, dass jede Sekunde dem sicheren Untergang entgegenraste. Was sie hier brauchten, dachte Cassian mit jedem Ticken, war ein verdammtes Wunder.

»Und Feyre weiß noch immer nichts?«, fragte Azriel.

»Nein. Sie weiß, dass die Geburt schwer wird, aber ich habe ihr noch nicht gesagt, dass sie dabei möglicherweise ums Leben kommt.« Rhys redete in ihren Köpfen weiter, als könnte er die Worte nicht laut aussprechen. *Ich habe ihr nicht gesagt, dass die Albträume, die mich aus dem Schlaf aufschrecken, nicht aus der Vergangenheit stammen, sondern aus der Zukunft.*

Cassian drückte Rhys' Schulter. »Warum willst du es ihr nicht sagen?«

Erneut musste Rhys heftig schlucken. »Weil ich es nicht fertigbringe, ihr solche Angst zu machen. Ihr all die Freude zu nehmen, die jedes Mal aus ihren Augen spricht, wenn sie die Hand auf ihren

Bauch legt.« Seine Stimme brach. »Diese Angst frisst mich bei lebendigem Leib auf. Ich sorge dafür, dass ich beschäftigt bin, aber ... es gibt niemanden, mit dem ich um ihr Leben feilschen kann, kein noch so großer Reichtum, mit dem ich es erkaufen könnte, *nichts*, was ich tun könnte, um sie zu retten.«

»Und Helion?«, fragte Azriel mit schmerzverzerrtem Blick.

»Ich habe es ihm gestern vor seiner Abreise erzählt. Habe ihn beiseitegenommen, als Feyre schon nach Hause zurückgekehrt war. Habe ihn auf Knien angefleht, in seinen tausend Bibliotheken etwas zu finden, um sie zu retten. Er hat mir versichert, er wolle jeden Bibliotheksleiter und jeden infrage kommenden Forscher darauf ansetzen. Irgendwann in der Geschichte muss jemand einen solchen Fall behandelt und einen Weg gefunden haben, das geflügelte Kind einer Mutter zur Welt zu bringen, die dafür nicht die körperlichen Voraussetzungen mitbringt.«

»Dann geben wir die Hoffnung nicht auf«, sagte Cassian. Rhys zitterte und ließ den Kopf hängen; seine seidigen, schwarzen Haare verdeckten seine Augen.

Cassian schaute Azriel an, dessen Miene seine Gedanken verriet: Hoffnung würde Feyre nicht am Leben erhalten.

Cassian schluckte und richtete den Blick auf die drei Waffen auf dem Schreibtisch.

Ihre Hefte waren einfach – wie man es von einem Schmied in einem kleinen Dorf erwarten würde. Er fertigte durchaus gute Waffen, aber keine künstlerischen Meisterwerke. Der Griff des Langschwerts bestand aus einer einfachen Parierstange, der Knauf aus einem abgerundeten Stück Metall.

Gwydion, das letzte der magischen Schwerter, war so schwarz wie die Nacht und ebenso schön gewesen.

Wie oft hatten Rhys, Azriel und er als Kinder zusammen gespielt und sich vorgestellt, der lange Stock, mit dem sie kämpften, wäre Gwydion? Wie viele Abenteuer hatten sie in ihrer Fantasie bestanden, in denen sie reihum das legendäre Schwert benutzten, um Lindwürmer zu töten und Jungfrauen zu retten?

Dabei hatte Rhys' Jungfrau selbst einen Lindwurm getötet und ihn gerettet.

Aber wenn Amren recht hatte ... Cassian kannte keinen anderen Ort auf der Welt, an dem auch nur *eine* magische Klinge aufbewahrt wurde – ganz zu schweigen von dreien. Es war sehr gut möglich, dass nur noch diese drei existierten.

Cassian trommelte mit den Fingern auf den Schreibtisch und konnte seine Neugier kaum zügeln. »Lasst uns mal einen Blick auf sie werfen.«

»Amren hat gesagt, dass wir das nicht tun sollten«, mahnte Azriel.

»Amren ist nicht hier«, entgegnete Cassian grinsend. »Und wir müssen sie ja nicht *anfassen*.« Er schlug Rhys auf die Schulter. »Hol sie mit deiner besonderen Magie aus der Scheide.«

Rhys hob den Kopf. »Das ist keine gute Idee.«

Cassian zwinkerte ihm zu. »Dieser Satz sollte auf dem Wappen des Hofs der Nacht stehen.«

In Rhys' Augen begannen Sterne zu funkeln. Azriel murmelte ein Gebet. Aber Rhys holte zweimal tief Luft, richtete seine Kraft auf das massive Schwert und hob es damit in seine sternengesprenkelten Hände.

»Es ist schwer«, bemerkte Rhys, mit vor Konzentration gerunzelter Stirn. »Schwer auf eine Weise, wie es sich eigentlich nicht anfühlen sollte. Als würde es gegen meine Magie ankämpfen.« Er ließ das Schwert lotrecht über dem Schreibtisch schweben, als würde es in einem Ständer gehalten.

Cassian wappnete sich, als Rhys den Kopf auf die Seite legte und mit seiner Magie das Heft und das Futteral untersuchte. »Der Schmied hat nicht gesagt, was genau ihm daran verflucht zu sein schien, und er muss es mehrmals angefasst haben – zumindest um seine Kraft zu spüren und um es hierherzubringen. Es kann sich also nicht um ein Todesschwert handeln, das jeden tötet, der es leichtfertig in die Hand nimmt.«

»Ich wäre trotzdem vorsichtig«, knurrte Azriel.

Rhys schenkte Az ein spöttisches Grinsen und zog das schwarze

Futteral mithilfe seiner Magie fort. Es ging ihm nicht leicht von der Hand, so als wollte das Schwert nicht enthüllt werden – oder zumindest nicht von Rhysand.

Doch dann glitt die Hülle ganz langsam von der Klinge. Und darunter kam leuchtender Stahl zum Vorschein – so hell und *glühend*, als wäre Mondlicht darin eingeschlossen.

Selbst Az verlor die Kontrolle über seine Gesichtszüge und starrte ehrfürchtig auf die Waffe, als das Futteral endlich zu Boden fiel.

Cassian taumelte mit erstaunt aufgerissenen Augen rückwärts.

Schillernde Funken tanzten über die Klinge. Reine, knisternde Magie. Das Licht wirbelte und sprühte, als würde das Metall noch immer mit einem unsichtbaren Hammer bearbeitet.

Cassian stellten sich am ganzen Körper die Haare auf.

Rhys holte tief Luft und bündelte seine Magie, um auch das andere Schwert und den Dolch in die Höhe schweben zu lassen und von ihrer Scheide zu befreien.

Diese beiden funkelten zwar nicht vor schierer Kraft, aber Cassian spürte sie trotzdem. Der Dolch strahlte Kälte aus und seine Klinge schimmerte hell, wie ein Eiszapfen in der Sonne. Das zweite Schwert wirkte heiß – wütend und eigensinnig. Aber das Langschwert zwischen den beiden anderen … Die Funken erloschen, als hätte die Klinge sie aufgesaugt.

Keiner von ihnen wagte es, das Schwert zu berühren. Tief in Cassians Innerem warnte ihn etwas Ursprüngliches, er solle die Finger davonlassen. Diese Klinge würde keine normale Wunde hinterlassen, wenn sie ihn durchbohrte oder schnitt.

Ein leises, weibliches Lachen ertönte von der Tür. Cassian brauchte sich nicht umzudrehen, denn er wusste, dass Amren dort stand. »Ich habe mir schon gedacht, dass ihr Narren nicht widerstehen könnt.«

»So etwas habe ich noch nie gesehen«, murmelte Rhys. Er brachte die drei Klingen mit seiner Magie dazu, sich in der Luft um ihre eigene Achse zu drehen, sodass sie sie in allen Einzelheiten betrachten konnten. Az' Mund stand noch immer vor Erstaunen offen.

»Amarantha hat ein solches Schwert zerstört«, sagte Amren.

»Davon habe ich noch nie gehört«, gestand Cassian verblüfft.

»Es heißt, sie habe es ins Meer geworfen. Es wollte sich weder ihrer Hand noch der eines ihrer Kommandanten fügen. Und statt es dem König von Hybern zu überlassen, warf sie es lieber weg.«

»Welches Schwert?«, fragte Azriel.

»Narben.« Amrens Mundwinkel verzogen sich nach unten. »Zumindest den Gerüchten nach. Du warst damals unter dem Berg, Rhys. Sie hat es geheim gehalten. Ich erfuhr es zufällig von einer Wassernymphe auf der Flucht.«

»Narben war noch älter als Gwydion«, bemerkte Rhys. »Wo zum Teufel hatte es gelegen?«

»Ich weiß nicht, wo sie es fand, aber als es ihr nicht gehorchen wollte, hat sie es vernichtet. So wie sie mit allen guten Dingen verfahren ist.« Mehr sagte Amren nicht über diese schreckliche Zeit. »Vermutlich hat es sich für uns als Vorteil erwiesen. Denn ich fürchte, wir hätten den Krieg verloren, wenn der König von Hybern Narben in die Finger bekommen hätte.«

Narben hatte nicht das heilige, erlösende Licht besessen, das Gwydion kennzeichnete. Seine Kräfte waren sehr viel dunkler gewesen. »Ich kann es nicht fassen, dass diese Hexe es ins Meer geworfen hat«, murmelte Cassian.

»Wie gesagt, es war ein Gerücht, das ich von jemandem hörte, der es von jemand anderem gehört hatte. Wer weiß, ob sie tatsächlich Narben gefunden hat? Selbst wenn es ihr nicht gehorchte, wäre sie verrückt gewesen, es wegzuwerfen.«

»Amaranthas Entscheidungen konnten sehr kurzsichtig sein«, überlegte Rhys. Cassian hasste den Klang ihres Namens aus dem Mund seines Bruders. Der aufblitzenden Wut in Azriels Gesicht nach zu urteilen, erging es dem Schattensänger ähnlich.

»Aber du triffst keine kurzsichtigen Entscheidungen, Rhysand.« Amren deutete auf die drei Waffen, die sich noch immer in der Luft drehten. »Mit diesen drei Klingen könntest du dich selbst zum König ernennen.«

Die Worte hallten durch den Raum. Cassian blinzelte langsam.

»Ich hege nicht den Wunsch, König zu werden«, erwiderte Rhys knapp. »Ich möchte nur hier sein, bei meiner Seelengefährtin und meinen Leuten.«

»Wenn alle sieben Höfe unter einem Herrscher vereint wären, hätten wir in einem möglichen Konflikt weitaus bessere Überlebenschancen«, konterte Amren. »Kein Gezänk und kein Lavieren mehr, um unsere Armeen zu entsenden. Querulanten wie Beron könnten unsere Pläne nicht mehr gefährden, indem sie sich mit unseren Feinden verbünden.«

»Wir würden zuerst einen internen Krieg ausfechten müssen. Ich würde von meinen Freunden an anderen Höfen als Verräter gebrandmarkt werden ... Ich wäre gezwungen, sie in die Knie zu zwingen.«

Azriel trat vor und hinter seinen Schultern wirbelten Schatten auf. »Kallias, Tarquin und Helion könnten bereit sein, dir Treue zu schwören. Und Thesan würde dem Beispiel der anderen folgen.«

Cassian nickte. Rhys als König: Er konnte sich keinen High Fae vorstellen, dem er mehr vertraute. Niemand wäre ein gerechterer Herrscher als Rhys. Und mit Feyre als Königin ... Prythian könnte sich glücklich schätzen, solche Regenten zu haben. »Tamlin würde wahrscheinlich kämpfen – und verlieren«, sagte er. »Dann wäre Beron der Einzige, der uns noch im Weg stünde.«

Rhys' Zähne blitzten auf. »Beron steht mir schon jetzt im Weg, und das macht er verdammt gut. Ich habe kein Interesse daran, seinem Verhalten eine Rechtfertigung zu liefern.« Er warf Cassian einen vernichtenden Blick zu. »Müssen wir nicht bald aufbrechen, um dich und Nesta für das Treffen mit Eris zum Frühlingshof zu bringen?«

»Lenk nicht vom Thema ab«, erwiderte Cassian spöttisch.

Rhys' Macht dröhnte wie Donnergrollen durch den Raum. »Ich will nicht König werden. Wir brauchen darüber nicht zu diskutieren.«

»Du besitzt eine fürchterliche und wunderbare Macht, Rhysand«, sagte Amren seufzend. »Vor dir liegen drei magische Klingen, jede für sich ein Königsmacher. Und dennoch willst du diese Macht lieber teilen und deine Grenzen bewahren. Warum?«

»Warum willst du, dass ich zum Eroberer werde?«, konterte Rhys.
»Warum scheust du vor der Macht zurück, die dein Geburtsrecht ist?«, entgegnete Amren.
»Ich habe nichts getan, um diese Macht zu verdienen. Ich wurde lediglich damit geboren. Sie ist ein Werkzeug, um mein Volk zu verteidigen, nicht, um andere anzugreifen.« Er musterte die anderen prüfend. »Woher kommt dieses Gerede?«
»Wir sind geschwächt – alle sieben Höfe«, sagte Azriel leise. »Seit dem Krieg liegen wir nur noch mehr im Streit miteinander – und mit der Welt. Wenn Montesere und Vallahan gegen uns mobilmachen, wenn Rask sich ihnen anschließt, werden wir das nicht überstehen. Zumal sich Beron bereits gegen uns gestellt und mit Briallyn verbündet hat und es Tamlin nicht gelingt, seine Schuld und seine Trauer zu bewältigen und wieder der zu werden, der er einst war.«

Cassian griff den Faden auf und legte seine Schwingen an. »Aber ein Land, das unter einem König und einer Königin vereint ist, ausgestattet mit solcher Macht und solchen Objekten ... Unsere Feinde würden Bedenken haben.«

»Wenn du auch nur eine Sekunde glaubst, Feyre sei im Entferntesten daran interessiert, Königin zu werden, bist du verrückt«, knurrte Rhys.

»Feyre würde es als notwendiges Übel betrachten«, sagte Amren. »Um zu verhindern, dass euer Kind in einem Krieg geboren wird, würde sie alles tun, was nötig ist.«

»Und ich nicht?«, fragte Rhys in forderndem Ton und stand auf. »Ich werde nicht König werden. Ich werde es nicht einmal in Erwägung ziehen – weder heute noch in einem Jahrhundert.«

Amren musterte das Langschwert, das sich noch immer langsam über ihnen in der Luft drehte. »Dann erkläre mir, warum nach tausend Jahren Objekte zurückgekehrt sind, die einst die alten Fae krönten und sie unterstützten. Das letzte Mal, als ein König über Prythian herrschte, hatte er ein *magisches Schwert* in der Hand. Sieh dir dieses Langschwert genauer an, Rhysand, und sag mir, dass es sich nicht um ein Zeichen des Kessels handelt.«

Cassian stockte der Atem. »Es war Zufall, Amren. Nesta hat es nicht mit Absicht getan.«

Amren schüttelte den Kopf, sodass ihre Haare hin und her schwangen. »Nichts ist Zufall. Die Kraft des Kessels strömt durch Nesta und könnte sie als Marionette benutzen, ohne dass sie es merkt. Der Kessel wollte, dass diese Waffen erschaffen werden, und so wurden sie erschaffen. Er wollte, dass Rhysand sie bekommt, und so brachte der Schmied sie zu ihm. Zu dir, Rhysand, nicht zu Nesta. Und vergiss nicht, dass Nesta hier ist – genau wie Elain, welche Kräfte sie auch besitzen mag. Feyre ist hier. Alle drei Schwestern sind hier, vom Schicksal gesegnet und mit Kräften ausgestattet, die es mit deinen aufnehmen können. Feyre allein verdoppelt deine Macht. Nesta sorgt dafür, dass du unaufhaltsam bist. Besonders, wenn sie in die Schlacht zieht und die Maske trägt. Kein Feind könnte es mit ihr aufnehmen. Sie würde Berons Soldaten töten und sie dann von den Toten erwecken, damit sie sich gegen ihn wenden.«

Ein weiteres Mal gefror Cassian das Blut in den Adern. Ja, Nesta wäre unaufhaltsam. Aber um welchen Preis? Welchen Preis würde ihre Seele dafür zahlen müssen?

Rhys taxierte Amren mit kühlem Blick. »Ich werde mir diese lächerliche Idee keinen Moment länger anhören.«

Cassian wusste, dass sie alle mit diesen Worten entlassen waren. Er nickte Az zu, der ihm zur Tür folgte. Doch kurz vor der Schwelle hielten sie inne und drehten sich zu ihrem Bruder, dem High Lord, um, der jetzt allein an seinem Schreibtisch saß. Die Last so vieler Entscheidungen lag schwer auf seinen Schultern und drückte seine Schwingen nach unten.

»Wie du wünschst, Rhysand.« Amren wandte sich ebenfalls vom Schreibtisch und den Waffen ab, die Rhys' Magie wieder in die Scheiden befördert und auf die Tischplatte gelegt hatte. »Aber du solltest wissen, dass der Kessel dir nicht ewig gewogen sein und schließlich einen anderen auserwählen wird.«

43

Nesta atmete den betörend süßen Duft des Fliederbuschs ein, der hinter ihnen blühte, und warf Cassian einen Seitenblick zu. Sie hätte schwören können, dass er sich unauffällig kratzte, sobald sie sich abwandte und die Schönheit und Ruhe der Wälder des Frühlingshofs bewunderte. Rhys hatte sie hergebracht, schweigsam und mit versteinerter Miene, und war dann wieder verschwunden. Da Cassian das jedoch nicht zu beunruhigen schien, fragte Nesta nicht weiter nach – zumal Eris jeden Moment auftauchen musste.

Jetzt tat sie so, als würde sie einen Rosenstrauch betrachten, drehte dann aber blitzschnell den Kopf und sah, dass Cassian sich tatsächlich an den Armen kratzte. »Was ist mit dir los?«

»Ich hasse diesen Ort«, murmelte er und errötete. »Allergien.«

Nesta unterdrückte ein Lachen. »Das brauchst du vor mir nicht zu verbergen. Im Reich der Menschen hat es mich jedes Frühjahr so sehr gejuckt, dass ich zweimal am Tag baden musste, um all die Pollen loszuwerden.« Bevor sie in die Hütte gezogen waren, jedenfalls. Danach hatte Nesta von Glück sagen können, wenn sie einmal in der Woche baden konnte, denn es war unglaublich aufwendig gewesen, so viel Wasser zu erhitzen und zur Wanne zu schleppen, die in einer Ecke ihres gemeinsamen Schlafzimmers stand. Manchmal hatten Elain und sie sogar dasselbe Badewasser benutzt und Streichhölzer gezogen, wer von ihnen zuerst hineindurfte.

Nesta schnürte es die Kehle zu und sie blickte rasch zu den wogenden Kirschblüten über ihrem Kopf hinauf. Elain würde diesen Ort lieben. So viele Blumen, alle in voller Blüte. So viel Grün, das helle, lebendige Grün von frischem Gras. So viele zwitschernde Vögel und ein so warmer, buttergelber Sonnenschein. Nesta kam sich inmitten all dieser Pracht wie eine Gewitterwolke vor. Aber Elain ... Der Frühlingshof war wie gemacht für jemanden wie sie.

Zu schade, dass ihre Schwester sich weigerte, sie zu sehen. Nesta hätte Elain geraten, diesen Ort zu besuchen.

Und zu schade auch, dass der Lord, der über dieses Land herrschte, ein Stück Scheiße war.

»Eris ist spät dran«, bemerkte Nesta. Sie warteten bereits seit zehn Minuten. »Meinst du, er kommt noch?«

»Wahrscheinlich schlürft er gerade seinen Tee und genießt es, dass wir hier auf ihn warten«, mutmaßte Cassian. »Obwohl, er weiß ja gar nicht, dass du dabei bist. Aber die Vorstellung, mich warten zu lassen, gefällt ihm bestimmt.«

»Er ist ein Dreckskerl.« Seit ihrer ersten Begegnung mit dem Sohn des High Lords des Herbsthofs hatte Nesta den aufgeplusterten, kaltschnäuzigen Mann verabscheut. Genau der Typ, der eine verletzte Morrigan allein im Wald zurücklassen würde.

»Redest du von mir oder von dem Rohling an deiner Seite?«, fragte eine tiefe, geschmeidige Stimme aus dem Schatten eines knospenden Hartriegelstrauchs.

Und da stand er, als hätten ihre Gedanken ihn herbeigezaubert. Eris kleidete sich genauso perfekt wie Rhysand, und nicht eine Strähne seiner langen roten Haare war am falschen Platz. Aber trotz seiner markanten, attraktiven Gesichtszüge leuchtete in seinen Augen kein Licht, keine Freude.

Diese Augen wanderten zu Nesta und musterten sie, von ihrem Zopf über die Lederkluft bis hinunter zu ihren Stiefeln. »Hallo, Nesta Archeron.«

Nesta erwiderte seinen Blick schweigend und mit kühler Verachtung.

Eris' Mundwinkel zuckten. Allerdings verschwand dieser Ausdruck, als er sich Cassian zuwandte. »Wie ich höre, hast du mir etwas über meine Soldaten zu berichten.«

Cassian verschränkte die Arme vor der Brust. »Ich hab eine gute und eine schlechte Nachricht, Eris. Welche willst du zuerst hören?«

»Immer die schlechte zuerst.« Eris' Lächeln war pures Gift. »Die meisten deiner Soldaten sind tot.«

Eris blinzelte nur. »Und die gute Nachricht?«

»Zwei haben überlebt.«

Nesta beobachtete jede kleinste Regung auf Eris' Gesicht: Wut schimmerte in seinen Augen, Unmut sprach aus seinen geschürzten Lippen und Verärgerung aus dem Zucken eines Kiefermuskels. Als rasten unzählige Gedanken durch seinen Kopf. Aber seine Stimme blieb tonlos. »Und wer hat sie getötet?«

Cassian verzog das Gesicht. »Genau genommen Azriel und ich. Deine Soldaten waren von Königin Briallyn und Koschei in hirnlose Killer verwandelt worden. Sie haben uns im Oorid-Moor angegriffen, und uns blieb keine andere Wahl, als sie zu töten.«

»Und trotzdem haben zwei überlebt. Wie praktisch. Ich nehme an, sie wurden Azriels spezieller Art der Befragung unterzogen?« Eris' Stimme triefte vor Verachtung.

»Wir konnten nur zwei retten«, antwortete Cassian knapp. »Unter Briallyns Einfluss waren sie praktisch tollwütig.«

»Machen wir uns nichts vor. Ihr habt die beiden erst verschont, nachdem euer brutaler Blutrausch abgeebbt war.«

Bei diesen Worten sah Nesta rot und Cassian sog hörbar die Luft ein. »Wir haben getan, was wir konnten. Wir standen zwei Dutzend Soldaten gegenüber.«

Eris schnaubte. »Es waren mit Sicherheit mehr und ihr hättet locker weitere am Leben lassen können. Aber warum hätte ich von jemandem wie dir auch etwas Besseres erwarten sollen?«

»Soll ich mich etwa entschuldigen?«, knurrte Cassian. Nestas Herz schlug wie wild, als sie den Zorn in seiner Stimme hörte und den Schmerz sah, der seine Augen funkeln ließ. Er bedauerte es – er hatte diese Soldaten nicht gern getötet.

»Habt ihr überhaupt versucht, die anderen zu verschonen, oder habt ihr euch direkt in ein Massaker gestürzt?«, fragte Eris wütend.

Cassian zögerte. Nesta konnte förmlich sehen, wie die Worte ihn trafen. Nein, Cassian hatte nicht gezögert. Nesta wusste es. Er würde nie zögern, jemanden, den er liebte, vor einem Feind zu schützen – ganz gleich, was es ihn kostete.

Nesta trat einen Schritt auf Eris zu. »Deine Soldaten haben eine von Azriels Schwingen mit einem Eschenpfeil durchbohrt.«

Eris' Zähne blitzten auf. »Und, hast du bei dem Massaker auch mitgemacht?«

»Nein«, antwortete sie unverblümt. »Aber ich frage mich, ob Briallyn die Soldaten mit diesen Eschenpfeilen ausgestattet hat oder ob sie aus deinem Bestand stammten.«

Eris blinzelte, und das reichte als Bestätigung.

»Solche Waffen sind verboten, nicht wahr?«, wandte sie sich an Cassian, dessen Züge noch immer angespannt wirkten. Das Feuer in ihr brannte heißer, die Flammen schlugen jetzt noch höher. Sie konzentrierte sich wieder auf Eris. Wenn er mit Cassian spielte, dann würde sie sich revanchieren. »Für wen hast du diese Pfeile wohl aufbewahrt?«, überlegte sie laut. »Für Feinde von außerhalb?« Sie lächelte matt. »Oder für einen Feind im eigenen Land?«

Eris erwiderte ihren Blick. »Ich weiß nicht, wovon du sprichst.«

Nesta lächelte unverdrossen weiter. »Würde es einen High Lord töten, wenn man ihm einen Eschenpfeil ins Herz schießt?«

Eris wurde blass. »Du vergeudest meine Zeit.«

Nesta zuckte die Schultern. »Und du unsere. Nach allem, was wir wissen, könntest du selbst deine Soldaten mit einem Zauber belegt haben, um uns zu töten. Und behauptet haben, deine Hunde hätten dort, wo sie verschwunden sind, Briallyns Fährte gewittert – nur um dann zu lügen, was ihr Bündnis mit Beron betrifft. Vielleicht hast du sogar Morrigans Vater dazu gebracht, seinen Besuch in Velaris zu verschieben, als Teil eines großen Plans, um unser Vertrauen zu gewinnen. Das alles könnte zu deinem Spiel gehört haben.«

Als Cassian sie ansah, hatte sie das Gefühl, als würde er ihr Gesicht berühren. Aber sie heftete ihre Aufmerksamkeit weiter auf Eris, der mit geradem Rücken seltsam steif dastand. »Wenn du den Kriegshetzer spielen willst, Eris, nur zu.« Ihr Lächeln wurde breiter. »Ich mag interessante Gegner.«

»Ich bin nicht euer Feind«, zischte Eris, und Nesta wusste, dass sie gewonnen hatte. Und so wie Cassians Finger über ihren unteren Rücken strichen, wusste er es ebenfalls.

»Ich bedaure, dass ich nicht mehr von deinen Soldaten retten konnte, Eris«, sagte Cassian. »Wirklich. Die beiden Überlebenden werden noch heute zu dir zurückgeschickt, aber sie stehen weiter unter dem Einfluss der Krone. Und ich bin auch nicht dein Feind. Briallyn und Koschei sind unsere Feinde – deine wie unsere. Wenn die Familien dieser Soldaten etwas brauchen, bin ich bereit, alles in meiner Macht Stehende zu tun, um ihnen zu helfen.«

So etwas wie Stolz stieg in Nesta auf, als sie Cassians ernste Worte hörte. Er würde diesen Familien alles geben, was er hatte, wenn er damit dieses Unrecht wiedergutmachen konnte.

Eris blickte von Cassian zu Nesta und bemerkte dessen Hand auf ihrem Rücken. Registrierte, was Cassian damit über sich verriet.

»Du bist ein hübscher, kleiner Augenschmaus. Mit dir würde ich gern jede Art von Spiel spielen, Nesta Archeron«, teilte er ihr mit einem süffisanten Grinsen mit.

Cassians Finger auf ihrem Rücken versteiften sich. Auch das schien Eris zu spüren. Hatte Cassian überhaupt eine Ahnung, was er alles preisgab? Dass Leute wie Eris solche Schwächen nur ausnutzen würden? Er war zu ehrlich und zu kühn, um es zu bemerken oder sich deswegen zu sorgen. Nesta konnte nicht anders, als diese Eigenschaft zu bewundern.

»Wenn du dieses Tier leid bist«, sagte Eris zu ihr und reckte das Kinn in Cassians Richtung, »dann komm zu mir. Ich werde dir zeigen, wie ein angehender High Lord spielt.«

Cassian knurrte, öffnete den Mund, hielt dann aber inne.

Eris erstarrte ebenfalls.

Nesta spürte es einen Sekundenbruchteil später. Etwas schlich sich auf weichen Pfoten an.

Cassian schob sie hinter sich, als eine Bestie mit goldenem Fell und gewundenen Hörnern aus dem Gebüsch auf die Lichtung sprang. Dieses Ungeheuer würde sie nie vergessen. Und auch nicht, wie es die Tür ihrer Hütte niedergetrampelt und sie in Todesangst versetzt hatte. Wie sie nur noch daran denken konnte, Elain zu beschützen. Wie Feyre ihr Messer gepackt und sich ihm entgegengestellt hatte. Tamlin.

Grüne Augen taxierten sie – zuerst Eris, dann Cassian und schließlich sie.

Tamlin knurrte leise und tief und Cassians Trichtersteine flammten auf. »Wir wollten gerade gehen«, sagte Cassian mit ruhiger Stimme und griff nach Nestas Hand. Er würde mit ihr in die Luft aufsteigen. Aber war er auch schnell genug, um Tamlins Krallen zu entkommen? Seiner Kraft?

Tamlins Blick blieb an ihr haften, wütend und hasserfüllt.

Das war das Monster, der Mann, den ihre Schwester einmal geliebt, für den sie alles, auch ihr sterbliches Leben, aufgegeben hatte, nur um ihn zu retten. Aber er hatte ihre Liebe verraten und Feyre damit fast zugrunde gerichtet. Bis Rhys kam. Bis Cassian und die anderen geholfen hatten, sie zurückzuholen. Ihr geholfen hatten, sich selbst wieder zu lieben.

Für Nesta zählte es nicht, dass er sie in der letzten Schlacht gegen Hybern unterstützt hatte. Tamlin hatte Feyre verletzt, und das war unverzeihlich. Bisher hatte sie das nie wirklich gekümmert. Okay, es hatte sie geärgert, aber … Nestas Hände ballten sich zu Fäusten und sie fletschte fauchend die Zähne. Dieser Mann hatte ihre jüngste Schwester verschleppt, weil sie selbst nicht in der Lage gewesen war, sich ihm entgegenzustellen. Tamlin hatte sie sogar *gefragt*, ob sie an Feyres Stelle mitkommen würde. Damals hatte sie den Kopf geschüttelt, weil sie ein verachtenswerter, schrecklicher Feigling gewesen war.

Aber jetzt würde sie kein Feigling sein.

Nesta ließ etwas von ihrer Kraft in ihren Augen aufleuchten, damit Tamlin sie sah. »Du wirst uns kein Haar krümmen.«

»Ich habe jedes Recht, Unbefugte auf meinem Land zu töten.« Die Worte waren kehlig, fast unmöglich zu verstehen. Als hätte Tamlin lange nicht mehr gesprochen.

»Ist das hier überhaupt noch dein Land?«, fragte Nesta kühl und trat hinter Cassians Rücken hervor. »Soweit ich weiß, interessiert dich die Herrschaft darüber nicht mehr.«

Eris stand noch immer reglos da. Er war bei einem Treffen mit ihnen erwischt worden, wie Nesta jetzt klar wurde. Falls Tamlin jemandem davon erzählte ...

»Ich schlage vor, du hältst einfach die Klappe, was diese Begegnung hier betrifft«, forderte sie den High Lord des Frühlingshofs auf.

Tamlin knurrte zornig und seine Nackenhaare stellten sich auf. »Du bist genauso widerlich, wie deine Schwester gesagt hat.«

Nesta lachte. »Ich enttäusche Erwartungen nur ungern.«

Sie erwiderte seinen starren Blick und wusste, dass in ihren eigenen Augen ein silbernes Feuer flammte. »Deinetwegen musste ich in den Kessel«, sagte sie leise und hätte schwören können, dass in der Ferne Donner grollte. Cassian und Eris traten in den Hintergrund – es gab nur noch Tamlin, nur noch diese Bestie und das, was er ihr und ihrer Familie angetan hatte. »Deinetwegen musste Elain in den Kessel.« Nestas Fingerspitzen begannen zu glühen, und sie wusste, dass dort silberne Funken aufblitzten. »Es ist mir egal, wie oft du versuchst, dich zu entschuldigen oder es wiedergutzumachen ... oder behauptest, du hättest nicht gewusst, dass der König von Hybern so etwas tun würde, oder du hättest ihn angefleht, es nicht zu tun. Das interessiert mich alles nicht. Du hast mit ihm unter einer Decke gesteckt. Weil du geglaubt hast, Feyre sei dein *Eigentum*.«

Nesta zeigte mit dem Finger auf Tamlin und die Erde bebte.

Cassian fluchte.

Tamlin wich vor ihrem ausgestreckten Finger zurück und grub die Krallen in die Erde. »Nimm diesen Finger herunter, du Hexe.«

Nesta lächelte. »Freut mich, dass du dich erinnerst, was mit der letzten Person passiert ist, auf die ich gezeigt habe.« Sie senkte den Arm. »Wir gehen jetzt.«

Sie trat zurück und ging zu Cassian, der bereits mit offenen Armen auf sie wartete. Als er sie um ihre Taille schlang, warf Nesta Eris einen Blick zu, der ihr kurz zunickte und dann verschwand.

Bevor sie mit Cassian in den Himmel schoss, wandte sie sich noch einmal an Tamlin: »Wenn du irgendjemandem erzählst, dass du uns gesehen hast, High Lord, dann reiß ich dir ebenfalls den Kopf ab.«

Nesta starrte in die dunkle Grube in der Mitte der Bibliothek.

Sie hatte nicht schlafen können, hatte ständig an die Begegnung mit Tamlin denken müssen. Cassian war zum Flusshaus geflogen und nicht wieder zurückgekehrt. Vielleicht hatte Rhys Tamlin aufgesucht, um sicherzustellen, dass er über ihr Treffen mit Eris Stillschweigen bewahrte. Und vielleicht tat Rhys ihnen allen ja einen Gefallen und verwandelte Tamlins Verstand in Brei.

Nesta legte die Unterarme auf die Brüstung von Ebene fünf und ließ den Kopf hängen. So spät war niemand mehr hier, und da sie nicht wusste, wo die Schlafsäle waren, konnte sie nicht nach Gwyn suchen. Nicht, dass sie ihre Freundin wecken wollte – sie bezweifelte, dass die ihre Probleme überhaupt hören wollte.

Ein Glas warme Milch erschien neben ihr auf der Brüstung.

Nesta spähte in die dämmrige Bibliothek und bedankte sich bei dem Haus.

Der Frühlingshof hatte sich irgendwie hohl und leer angefühlt. Trotz des blühenden Lebens. Aber dieses Haus war lebendig. Es hieß sie willkommen und wollte, dass sie lebte und gedieh. Es war ein Ort, an dem sie ausruhen oder experimentieren konnte. Wo sie sein konnte, wer oder was auch immer sie sein wollte.

War das etwa das, was man ein Zuhause nannte? Sie hatte so etwas nie kennengelernt. Aber dieser Ort ... Ja, *Zuhause* war wahrscheinlich eine gute Bezeichnung dafür. Vielleicht hatte auch Feyre so empfunden, als sie den Frühlingshof verlassen hatte und in dieses Land gekommen war. Vielleicht hatte sie sich in diesen Hof ebenso verliebt wie in dessen Herrscher.

Unten in der Dunkelheit regte sich etwas. Nesta richtete sich auf, vergaß die Milch.

Da. Im Herzen des dunklen Abgrunds bewegte sich etwas ... etwas wie eine Rauchfahne. Es schien sich auszudehnen und zusammenzuziehen und in einem wilden Takt zu pochen …

»Ich dachte mir schon, dass ich dich hier finden würde. Okay, entweder hier oder auf der Treppe zur Stadt hinunter.«

Cassians Stimme ertönte hinter ihr. Nesta wirbelte herum. Er war sofort wachsam und Nesta warf einen Blick über die Schulter in die Dunkelheit. Nichts. Es war verschwunden. Oder sie hatte es sich nur eingebildet.

»Es ist nichts«, sagte sie, als er über die Brüstung in die Tiefe spähte. »Nur Schatten.«

Cassian atmete aus und lehnte sich gegen die Brüstung. »Kannst du nicht schlafen?«

»Ich muss die ganze Zeit an Tamlin denken.«

»Du hast dich ihm gegenüber gut geschlagen. Und auch gegenüber Eris. Ich glaube, das wird er so bald nicht vergessen.«

»Er ist eine Schlange.«

»Schön, dass wir uns da einig sind.«

Nesta lachte leise auf. »Es hat mir nicht gefallen, wie er mit dir geredet hat.«

»So reden eine Menge Leute mit mir.«

»Das macht es nicht besser.« Sie selbst hatte auf diese Weise mit ihm geredet, hatte viel schlimmere Dinge zu ihm gesagt als Eris. Der Gedanke schnürte ihr die Kehle zu. Doch dann fügte sie hinzu: »Ich kann nicht glauben, dass Feyre ihn je geliebt hat.«

»Tamlin hatte sie nicht verdient.« Cassian legte ihr eine Hand auf den Rücken.

»Nein.« Erneut schaute Nesta hinab in die Dunkelheit. »Das hatte er definitiv nicht.«

44

»Könnte mir vielleicht mal jemand sagen, warum das eine gute Idee gewesen sein soll?« Gwyn keuchte neben Nesta, und Schweiß lief ihr übers Gesicht, als sie die Beinarbeit für den Schwertkampf trainierten.

»Das wüsste ich auch gern«, grunzte Emerie. Nesta war zu sehr außer Atem für einen Kommentar und grunzte einfach nur.

Cassian lachte leise, und das Geräusch fuhr ihr durch den ganzen Körper. Vergangene Nacht hatte er ihre Hand genommen und sie nach oben in ihr Zimmer gebracht. Mit einem sanften Ausdruck in den Augen. Doch das hatte sich geändert, als er Gwyns Kopie der Walküren-Kapitel auf Nestas Schreibtisch entdeckt hatte. Sie interessierte sich für diese Kriegerinnen, hatte sie ihm erklärt, während er in den Seiten blätterte.

Seine Antwort hatte nur darin bestanden, sie leidenschaftlich zu küssen, bevor er sich aufs Bett legte und sie über sein Gesicht zog, sodass er sich an ihr laben konnte. Nesta hielt es gerade einmal eine Minute aus, bevor sie ihn berühren *musste*. Sie hatte sich gedreht und ihn weitermachen lassen, sich aber ausgestreckt und ihn in den Mund genommen. So etwas hatte sie noch nie ausprobiert – zu lieben und gleichzeitig geliebt zu werden –, und er war mithilfe ihrer Zunge kommen, kurz bevor sie dank seiner Zunge ihren Höhepunkt erreichte. Danach hatten sie lediglich ein paar Momente schweigend auf ihrem Bett gekeucht, dann hatte Nesta ihn, als er wieder bereit war, in sich aufgenommen, jeden fantastischen, harten Zentimeter. Da er sie so köstlich ausfüllte, war sie rasch erneut gekommen, und er hatte ihrer Lust nachgesetzt, ihre Hüften gepackt, zugestoßen und sie noch einmal zum Höhepunkt gebracht.

Am Morgen war sie etwas, aber nicht unangenehm wund gewesen, und er hatte ihr über den Frühstückstisch hinweg zugewinkert, als wäre er sich bewusst, wie empfindlich manche Stellen beim Sitzen waren.

Ohne eine Spur dieser Selbstgefälligkeit verkündete Cassian jetzt: »Ich dachte, dass heute ein guter Tag wäre, um mit dem achtzackigen Stern anzufangen. Aber wenn ihr euch bereits jetzt beschwert, können wir damit auch bis nächste Woche warten.«

»Wir beschweren uns nicht«, erwiderte Gwyn und sog die Luft ein. »Aber das Training ist heute besonders anstrengend.«

Die neu hinzugekommenen Priesterinnen, die mit Az trainierten, waren vor Erschöpfung bereits ganz wacklig auf den Beinen.

Cassian fing Nestas Blick auf. »Eine schöne Walküren-Truppe seid ihr.«

Gwyn wirbelte zu Nesta herum. »Du hast es ihm gesagt?«

»Nein«, antworteten Nesta und Cassian gleichzeitig, und Cassian fuhr fort: »Glaubt ihr, ich hätte die Atemtechniken nicht bemerkt, die euch diesen ruhigen, beständigen Blick geben, selbst wenn Az und ich euch triezen? Das habe *ich* euch ganz bestimmt nicht beigebracht. Ich erkenne Kontemplationstechniken auf eine Meile Entfernung.«

Sie starrten ihn nur staunend an. »Du kennst diese Technik?«, fragte Gwyn schließlich.

»Selbstverständlich. Ich habe im Krieg an der Seite der Walküren gekämpft.«

Verblüfftes Schweigen legte sich über die Gruppe. Nesta hatte vergessen, wie alt die Fae waren. Hatte vergessen, wie viel Cassian gesehen und erlebt hatte. »Du hast die Walküren persönlich gekannt?«

Gwyn quietschte laut vor Freude. Auf der anderen Seite des Trainingsplatzes drehte sich Azriel mit hochgezogenen Brauen zu ihnen um.

Cassian grinste. »Ich habe in fünf Schlachten mit den Walküren gekämpft. Die letzte war die am Meinir-Pass.« Das Lächeln verschwand aus seinem Gesicht. »Jene Schlacht, in der die meisten von ihnen bei dem Versuch starben, den Pass zu verteidigen. Die Walküren wussten, dass es von Anfang an ein Himmelfahrtskommando war.«

Azriel widmete sich wieder seinen Schülerinnen. Aber Nesta hatte das Gefühl, dass der Schattensänger jedes Wort und jede Geste seines Bruders verfolgte.

Selbst Gwyn lächelte nicht mehr. »Warum haben sie dann gekämpft? Alle wussten, dass es ein Massaker werden würde. Aber ich habe nie etwas über die Gründe herausfinden können.«

»Ich weiß es nicht. Damals war ich Infanterist bei einer illyrianischen Legion und nicht in die Diskussionen der Führung eingeweiht.« Er schaute zu Nesta, die ihn anstarrte. »Aber ich hatte ... Freunde, die an diesem Tag fielen.« Wegen seines Zögerns bei dem Wort *Freunde* fragte sie sich, ob einige davon wohl mehr gewesen waren als das. Und obwohl es ehrenwerte Gefallene waren, regte sich etwas Hässliches in ihrer Brust. »Die Walküren kämpften selbst dann, wenn die tapfersten Männer sich weigerten. Die Illyrianer haben versucht, das zu vergessen. Ich habe gegen Männer gekämpft, die meine Vorgesetzten waren – weil ich den Walküren helfen wollte. Doch sie schlugen mich bewusstlos, ketteten mich an einen Versorgungswagen und ließen mich dort zurück. Als ich wieder zu mir kam, war die Schlacht vorbei und die Truppe der Walküren tot.«

Das hier war der Mann, den sie in ihr Bett gelassen hatte, der letzte Nacht gegangen war, ohne ihr zum Abschied einen Kuss zu geben. »Warum hast du das nicht erwähnt, als du die Kapitel auf meinem Schreibtisch gesehen hast?«

»Du hast nicht gefragt.« Cassian zog sein illyrianisches Schwert aus der Scheide. »Genug Geschichtsunterricht.« Er zeichnete vier Linien in den Staub, die sich so überschnitten, dass sie einen achtzackigen Stern bildeten. »Das ist eure Landkarte für einen Angriff mit dem Schwert. Diese acht Manöver. Sechs davon habt ihr schon gelernt. Die anderen beiden werde ich euch heute beibringen. Wir fangen mit den Kombinationen an.«

»Warum wenden wir nicht die Techniken der Walküren an, wenn du sie so verehrst?«, fragte Gwyn.

»Weil ich sie nicht kenne.«

Nesta grinste süffisant. »Wenn wir wiedergeborene Walküren werden sollen, dann sollten wir vielleicht ihre Techniken mit denen der Illyrianer kombinieren.«

Sie hatte es scherzhaft gemeint, aber die Worte hingen in der Luft, als hätte sie eine große Wahrheit ausgesprochen, die das Schicksal aufhorchen ließ. Azriel drehte sich jetzt vollständig zu ihnen um, die Augen zusammengekniffen. Vielleicht hatten seine Schatten ihm etwas zugeflüstert.

Ein Schauer lief über Nestas Rücken.

Cassian starrte in die Gesichter seiner Schülerinnen, als würde er dort etwas sehen, was ihm bis jetzt nicht aufgefallen war. Schließlich sagte er mit belegter Stimme: »Heute lernen wir die illyrianischen Techniken.« Er nickte Gwyn zu. »Morgen bringst du alles mit, was du an Informationen über den Stil der Walküren in der Bibliothek findest.«

»Es ist wahnsinnig viel«, berichtete Gwyn. »Merrill schreibt gerade ein Buch darüber. Ich könnte eine Kopie des aktuellen Manuskripts mitbringen, denn darin sind die meisten Informationen zusammengefasst.«

Cassian schien wieder die Kontrolle über die Emotionen zu erlangen, die ihn offenbar überwältigt hatten, denn er rieb sich das Kinn. Bei diesem Anblick schlug Nestas Herz schneller. »Etwas Neues«, sagte er mehr zu sich selbst als zu den anderen. »Aus etwas Altem entsteht etwas Neues.«

Erneut grinste er und Nesta musste ebenfalls lächeln.

Zumal Cassians Augen zu leuchten begannen. »Also gut, meine Damen. Die erste Lektion über Walküren lautet: Sie jammern nicht, dass sie verschwitzt sind.«

»Walküren?«, fragte Feyre über den Esstisch im Flusshaus hinweg, die Gabel halb zum Mund geführt. »Wirklich?«

»Wirklich«, antwortete Cassian und trank einen Schluck Wein. Er war zum Anwesen hinuntergeflogen, um darüber zu sprechen, was mit den von Nesta erschaffenen Waffen passieren sollte – um herauszufinden, wofür Feyre stimmte. Sie hatte keine Sekunde gezögert und sofort verkündet, Nesta solle informiert werden. Doch als sie angeboten hatte, es ihr mitzuteilen, hatte sich Cassian eingeschaltet. Das würde er selbst übernehmen, sobald der richtige Zeitpunkt gekommen war.

Die Einzige, die ihre Stimme nicht abgegeben hatte, war Mor: Sie befand sich noch immer in Vallahan, um sich weiter für die Unterzeichnung des Vertrags einzusetzen. Ihre Abwesenheit wurde durch einen Ehrenplatz und ein Gedeck am Tisch angezeigt.

»Im Land der Menschen wussten wir nichts von den Walküren«, sagte Elain. Sie hatte genauso gebannt zugehört wie Feyre, als Cassian ihnen zuerst von Nestas, Gwyns und Emeries Vorhaben und dann die kurze Geschichte der Kriegerinnen erzählte. »Es müssen furchterregende Geschöpfe gewesen sein.«

»Einige waren äußerlich so reizend wie du, Elain«, sagte Rhys neben Feyre. »Aber sobald sie in den Kampf zogen, waren sie so blutrünstig wie Amren.«

Amren hob ihr Glas zum Salut. »Ich mochte diese Frauen. Sie haben sich nie von einem Mann herumkommandieren lassen – aber auf ihren törichten König hätte ich verzichten können. Er trägt genauso viel Schuld an ihrem Tod wie die Illyrianer, die sich während der Schlacht davongemacht haben.«

»Dem kann ich nicht widersprechen«, sagte Cassian. Er hatte sehr, sehr lange gebraucht, um über diese Schlacht hinwegzukommen. Er war zwar nie wieder zu diesem Pass im Gollian-Gebirge zurückgekehrt, aber den Gerüchten nach waren die Felsen dort nach wie vor öde und kahl – als trauerte die Erde noch immer um die Frauen, die ohne Zögern ihr Leben gegeben und dem Tod ins Gesicht gelacht hatten. Seine erste Liebe jenseits der Grenzen des Hofs der Nacht war eine Walküre gewesen – eine beherzte Frau namens Tanwyn, mit einem Lächeln wie ein Sturm. Sie war an der Spitze der Walküren in diese Schlacht geritten und nicht mehr zurückgekehrt. »Nesta hätte gut zu ihnen gepasst«, fügte er nach einem Moment hinzu.

»Ich hab schon immer gedacht, dass sie auf der falschen Seite der Mauer geboren wurde«, räumte Elain ein. »Nesta hat Ballsäle zu Schlachtfeldern gemacht und wie ein General geplant. Genau wie ihr beiden«, sagte sie und nickte zuerst Cassian und dann – ein wenig schüchterner – auch Azriel zu.

Azriel schenkte ihr ein kurzes Lächeln, aber Elain wandte rasch den Blick ab. Cassian behielt seine Verwunderung für sich. Lucien war immerhin nicht hier, um jeden Mann anzuknurren, der sie zu lange anschaute.

»Nesta ist eine Wölfin, die ihr ganzes Leben lang in einem Käfig eingesperrt war«, sagte Feyre und schob sich die Gabel in den Mund.

»Ich weiß«, bestätigte Cassian. Sie war eine Wölfin, die dank dieses Käfigs, den die Menschen Anstand und Gesellschaft nannten, nie gelernt hatte, eine Wölfin zu *sein*. Und wie jedes misshandelte Tier biss sie jeden, der ihr zu nahe kam. Wie gut, dass er gern gebissen wurde. Und die blauen Flecken und Kratzer genoss, die sie ihm jede Nacht zufügte. Wie gut, dass er auf ihre entfesselte Wildheit gern mit seiner eigenen reagierte.

Elain beugte sich vor. »Du glaubst nur, dass du es weißt – du hast sie noch nicht auf der Tanzfläche gesehen. Dann lässt Nesta wirklich die Wölfin frei … sobald die Musik einsetzt.«

»Wirklich?« Nesta hatte es ihm einmal erzählt, als er sie aus einer besonders heruntergekommenen Schenke herausgeholt hatte. Hatte ihm gesagt, dass sie wegen der Musik da sei. Aber er hatte es ignoriert und für eine Ausrede gehalten.

»Ja«, antwortete Elain. »Sie hat schon sehr früh tanzen gelernt. Sie liebt den Tanz und die Musik. Nicht so, wie ich gern einen Walzer oder eine Gavotte tanze, sondern wie eine professionelle Tänzerin. Nesta konnte beim Tanzen einen ganzen Ballsaal zum Stillstand bringen.«

Cassian stellte sein Weinglas ab. »Vor ein paar Wochen erwähnte sie etwas von Tanzstunden.« In diesen Tanzstunden hatte er den Grund dafür gesehen, dass Nesta beim Training die Beinarbeit und die Gleichgewichtsübungen so schnell beherrschte – trotz ihrer anfänglichen Schwierigkeiten. Das motorische Gedächtnis musste intakt geblieben sein. Aber wenn ihr das Tanzen so schonungslos eingetrichtert worden war wie ihm das Kämpfen ...

»Sie wird wahrscheinlich nicht viel darüber erzählt haben«, meinte Elain. »Nesta war erst vierzehn, als wir zum letzten Mal einen Ball besuchten, bevor ... na ja, bevor wir verarmten ...« Elain schüttelte den Kopf. »Und auf dem Ball war eine junge Erbin, die mich regelrecht *hasste*. Sie war ein paar Jahre älter, und obwohl ich ihr nie Grund für ihren Hass gegeben hatte, war sie vermutlich ...«

»Eifersüchtig auf deine Schönheit«, beendete Amren den Satz, ein amüsiertes Lächeln um ihre Mundwinkel.

Elain errötete. »Ja, vielleicht.«

Genauso war es. Auch wenn Elain damals noch keine dreizehn gewesen sein konnte.

»Jedenfalls sah Nesta immer wieder, wie sie mich behandelte, all ihre beiläufigen Grausamkeiten und Beleidigungen, und wartete auf den richtigen Moment. Sie wartete bis zu diesem Ball, zu dem ein attraktiver Herzog auf Brautschau vom Kontinent angereist kam. Seiner Familie war das Geld ausgegangen ... der eigentliche Grund für seinen Besuch ... und er wollte sich eine reiche Frau schnappen, um ihre Kassen wieder aufzufüllen. Nesta wusste, dass die Erbin ein Auge auf ihn geworfen hatte. Das Mädchen hatte schon Wochen zuvor bei jedem Ball damit geprahlt. Nesta gab ein kleines Vermögen für das Kleid und den Schmuck aus, den sie an diesem Abend tragen würde. Unser Vater hatte immer zu viel Angst vor ihr, um ihre Bitten abzuschlagen, und an diesem Abend ... Nun ja, sie wurde ihrer Rolle als Tochter des Fürsten der Kaufleute wirklich gerecht. Ein amethystfarbenes, mit Goldfäden durchwirktes Seidenkleid, Diamanten und Perlen an Hals und Ohren ...« Elain seufzte.

Welch ein Reichtum! Cassian war nie klar gewesen, was für ein großes Vermögen sie besessen und verloren hatten.

»Der gesamte Ball hielt inne, als Nesta den Saal betrat«, fuhr Elain fort. »Sie machte einen regelrechten Auftritt daraus, vollkommen kühl und unnahbar, obwohl sie erst vierzehn war. In die Richtung des

Herzogs schaute sie kaum. Denn auch sie hatte schon von ihm gehört und wusste, dass es ihn langweilte, wenn man hinter ihm her war. Und sie wusste genau, dass der Reichtum, den sie an diesem Abend präsentierte, alles in den Schatten stellte, was die Erbin trug.«

Amren grinste. »Nesta hat versucht, aus purem Trotz einen Herzog für sich zu gewinnen? Mit *vierzehn*?«

Elain lächelte nicht. »Sie brachte ihn mit ein paar geschickt platzierten Blicken quer durch den Ballsaal dazu, sie zum Tanz aufzufordern. Zu eben dem Walzer, von dem die Erbin behauptet hatte, mehr bräuchte sie nicht, um sich einen Heiratsantrag von ihm zu sichern. Nesta nahm ihr nicht nur diesen Tanz – sie nahm ihr auch den Herzog. In dieser Nacht tanzte sie wie eine von euch.«

»Wenn man Cassian tanzen gesehen hat, ist das nicht unbedingt ein Kompliment«, murmelte Rhys.

Cassian zeigte seinem High Lord den Mittelfinger. Feyre und Az lachten unterdrückt.

Elain erzählte mit leiser, fast ehrfürchtiger Stimme weiter. »Der Herzog war eitel, und das machte Nesta sich zunutze. Alle im Saal hielten inne, so perfekt war der Tanz der beiden, so schön. Und als er endete … da wusste ich, dass sie eine Künstlerin ist. So wie Feyre. Aber was Feyre mit Farbe erschafft, vollbrachte Nesta mit Musik und Tanz. Unsere Mutter hat ihr Talent schon während unserer Kindheit erkannt und daraus eine Waffe gemacht. Alles nur, damit Nesta eines Tages einen Prinzen heiraten könnte.«

Cassian erstarrte. Ein Prinz – wollte Nesta das etwa? Sein Magen krampfte sich zusammen.

»Was geschah mit dem Herzog?«, fragte Azriel.

Elain verzog das Gesicht. »Er machte ihr am nächsten Morgen einen Antrag.«

Rhys verschluckte sich an seinem Wein. »Sie war *vierzehn*!«

»Ich sagte doch, Nesta ist eine *sehr* gute Tänzerin. Aber mein Vater meinte, sie sei zu jung. Ein würdevoller Ausweg, denn trotz seiner Fehler kannte mein Vater Nesta gut. Er wusste, dass sie diesen Herzog nur deshalb dazu gebracht hatte, ihr einen Antrag zu machen, um die Erbin für ihre Grausamkeit mir gegenüber zu bestrafen. Nesta hatte kein Interesse an ihm – sie wusste selbst, dass sie viel zu jung war. Auch wenn der Herzog daran interessiert zu sein schien, sie sich … aufzuheben, bis sie alt genug war.« Elain schauderte vor Abscheu.»Aber ich glaube, irgendwie war Nesta tatsächlich davon überzeugt, dass sie eines Tages einen Prinzen heiraten würde. Der Herzog fuhr also ohne Braut nach Hause, und diese Erbin … Nun ja, sie gehörte zu den Leuten, die sich an unserem Unglück ganz besonders erfreuten.«

»Das hatte ich ganz vergessen«, murmelte Feyre. »Diese Geschichte und Nestas Tanzen.«

»Nesta hat danach nie mehr darüber gesprochen«, sagte Elain. »Das fällt mir gerade erst auf.«

Cassian wurde klar, dass Nesta sich irrte, wenn sie Elain für so treu und liebevoll hielt wie einen Hund. Elain erkannte ganz genau, was Nesta getan hatte, und sie verstand ihre Gründe.

»Dann hat eure Mutter Nestas kreative Freude also in das Arsenal einer gesellschaftlichen Aufsteigerin verwandelt?«, fragte Amren unverblümt.

»Unsere Mutter war nicht gerade das, was man eine liebenswürdige Person nennt«, sagte Feyre. »Nesta hat ihre eigenen Entscheidungen getroffen, aber unsere Mutter hat das Fundament gelegt.«

Elain nickte und verschränkte die Hände im Schoß. »Deshalb freut es mich sehr, von dieser Walküren-Geschichte zu hören. Ich bin froh, dass sich Nesta wieder für etwas interessiert. Und vielleicht auf diese Weise all … *das* kanalisieren kann.« Mit *das* war ihre Wut gemeint, ihre grimmige und unbeugsame Loyalität gegenüber all jenen, die sie liebte, ihr wölfischer Instinkt und ihre Fähigkeit zu töten.

Danach wechselten sie das Thema und sprachen über wesentlich erfreulichere Dinge, doch Cassian dachte noch den ganzen Abend darüber nach. Kämpfen war nur ein Teil. Das Training würde sie stärken, diese Wut in Bahnen lenken, aber das durfte nicht alles sein. Sie brauchte Freude.

Sie brauchte Musik.

45

»Ich glaube, die Walküren waren noch sadistischer als die Illyrianer«, ächzte Gwyn. Nesta sah, dass die Beine der Priesterin zitterten, während sie die Position hielt, die in einem der vielen Bücher illustriert war. »Ganz gleich, wie sehr ich meinen Geist zu beruhigen versuche, ich schaffe diese Übungen nicht. Was haben die Walküren immer gesagt? *Ich bin der Fels, an dem die Brandung zerschellt.* Aber ein Fels musste nie einen Ausfallschritt halten.«

»Das ist grausam«, pflichtete Emerie ihr mit schmerzverzerrter Miene bei.

Cassian drehte müßig einen langen Dolch in der Hand. »Ich habe euch gewarnt. Sie waren eiskalte Kriegerinnen.«

Nesta schnaufte in regelmäßigem Rhythmus. »Meine Beine brechen gleich durch.«

»Ihr drei habt noch … zwanzig Sekunden.« Cassian schaute auf die Uhr, die Azriel aus dem Haus heraufgeschleppt und auf den Tisch mit der Wasserkaraffe gestellt hatte. Der Schattensänger war heute nicht da, hatte den Priesterinnen, die er trainierte, aber einen genauen Übungsplan hinterlassen.

Nestas Beine zitterten und brannten, doch sie verankerte ihre Kraft in den Zehen und konzentrierte sich genau so auf ihre Atmung, wie die Kontemplation es vorschrieb. Sie suchte nach diesem Ort der Ruhe, wo sie jenseits von Gedanken an Schmerzen und ihren zitternden Körper existierte. Sie war so dicht davor – wenn sie sich nur konzentrieren könnte … tiefer atmen …

»Die Zeit ist um«, verkündete Cassian, und die drei ließen sich auf den Boden fallen. Er lachte erneut. »Einfach jämmerlich.«

»Versuch's doch selbst«, keuchte Gwyn, die ausgestreckt auf dem

Bauch im Dreck lag. »Ich glaube, das könntest nicht mal du überstehen.«

»Dank der Texte, die du mir gestern Abend geschickt hast, war ich schon im Morgengrauen hier oben und habe die Übungen ausprobiert«, erwiderte er. Nesta zog überrascht die Augenbrauen hoch. Er war nicht beim Abendessen gewesen und auch nicht zu ihr gekommen, was ihr nach einigen Nächten mit nur wenig Schlaf aber ganz recht gewesen war. »Wenn ich euch drei quäle, sollte ich zumindest vorbereitet sein, fand ich.« Er zwinkerte ihnen zu. »Genau für den Moment, wenn ihr meckert, dass ich genauso leiden soll wie ihr.«

»Kein Wunder, dass du so aussiehst«, murmelte Emerie und drehte sich auf den Rücken, um in den klaren Herbsthimmel zu schauen. Die Tage hatten jeglichen Versuch aufgegeben, als warm durchzugehen, aber echte Kälte hatte noch nicht eingesetzt. Die Sonne bot etwas Wärme gegen die kühle Brise, und Nesta genoss ihre Strahlen, als sie sich ebenfalls auf den Rücken drehte.

»Das betrachte ich als Kompliment.« Sein Grinsen berührte etwas tief in Nestas Bauch. Er fing ihren Blick auf und sein Grinsen wurde wissender. Doch er fragte nur: »Wenn du einem Schwert einen Namen geben solltest, wie würdest du es nennen?«

Gwyn antwortete, obwohl sie nicht gefragt worden war. »Silberpracht.«

Emerie schnaubte. »Wirklich?«

»Wie würdest *du* es denn nennen?«

Emerie überlegte. »Feindtöter oder so. Irgendwas Einschüchterndes.«

»Das ist auch nicht besser!«

Nestas Mundwinkel zuckten bei dem Geplänkel der beiden. Gwyn sah sie mit ihren großen, grünblauen Augen an. »Was ist schlimmer: Feindtöter oder Silberpracht?«

»Silberpracht«, sagte Nesta, worauf Emerie triumphierend jubelte. Gwyn winkte buhend ab.

»Wie würdest du es nennen?«, fragte Cassian Nesta erneut.

»Warum willst du das wissen?«

»Nur so.«

Sie zog eine Augenbraue hoch, sagte dann aber ernst: »Killer.«

Er wirkte ernüchtert.

Nesta zuckte die Schultern. »Keine Ahnung. Muss man einem Schwert einen Namen geben?«

»Antworte mir einfach: Wenn du müsstest, wie würdest du ein Schwert nennen?«

»Schenkst du Nesta eins zur Wintersonnenwende?«, fragte Emerie.

»Nein.«

Nesta verbarg ihr Lächeln. Sie liebte es, wenn sie sich zu dritt auf ihn stürzten wie Löwinnen auf einen sehr muskulösen, attraktiven Kadaver.

»Warum dann die Fragerei?«, hakte Gwyn nach.

Cassian zog eine finstere Miene. »Reine Neugier.«

Doch ein Muskel an seinem Kiefer zuckte. Offenbar steckte mehr als nur Neugier dahinter. Warum wollte er, dass sie einem Schwert einen Namen gab?

»Zurück an die Arbeit«, rief er und klatschte in die Hände. »Für all diese Frechheiten haltet ihr den Walküren-Ausfallschritt doppelt so lange.«

Emerie und Gwyn stöhnten. Nesta musterte Cassian noch einen Moment, bevor sie ebenfalls mit der Übung begann.

Sie grübelte noch immer darüber, als sie zwei Stunden später mit dem Training fertig waren, schweißgebadet und mit wackligen Beinen. Emerie und Gwyn setzten ihre Unterhaltung von vor dem Training fort und gingen zur Wasserkaraffe.

Nesta sah den beiden nach und wandte sich dann Cassian zu. »Warum hast du mich mit diesem Schwertnamen genervt?«

Sein Blick blieb auf Gwyn und Emerie geheftet. »Ich wollte einfach nur wissen, wie du es nennen würdest.«

»Das ist keine Antwort. Warum willst du es wissen?«

Er verschränkte die Arme, löste sie dann aber wieder. »Erinnerst du dich an unseren Besuch bei dem Schmied?«

»Ja. Will *er* mir eine Waffe zur Wintersonnenwende schenken?«

»Er schenkt dir sogar drei. Die, die du geschmiedet hast.«

Sie zog eine Augenbraue hoch.

Er wippte unruhig mit dem Fuß. »Als du diese Klingen gehämmert hast – die beiden Schwerter und den Dolch –, hast du sie mit deiner Kraft erfüllt. Mit der Macht des Kessels. Es sind jetzt magische Klingen. Und ich rede hier nicht von harmloser, schöner Magie, sondern von großer, uralter Magie, wie man sie seit sehr langer Zeit nicht mehr gesehen hat. Es gibt keine magischen Waffen mehr. Sie gingen entweder verloren, wurden vernichtet oder ins Meer geworfen. Aber du hast vor Kurzem gleich drei erschaffen. Du hast eine neue Schreckenstruhe kreiert, und du könntest sogar noch mehr Objekte fertigen, wenn du wolltest.«

Ihre Augenbrauen wanderten mit jedem absurden Wort weiter in die Höhe. »Ich habe drei magische Waffen erschaffen?«

»Ja. Wir wissen noch nicht, welche Art von Magie sie haben.«

Sie legte den Kopf auf die Seite. Emerie und Gwyn unterbrachen ihr Gespräch bei der Wasserkaraffe, als könnten sie die Veränderung an ihr wahrnehmen. Doch es war nicht die Tatsache, dass sie diese Klingen erschaffen hatte, die Nesta wie ein Schlag traf.

»Wer ist ›wir‹?«

»Was?«

»Du hast gesagt: ›Wir wissen noch nicht, welche Art von Magie sie haben.‹ Wer ist ›wir‹?«

»Rhys und Feyre und die anderen.«

»Und seit wann wisst ihr alle davon?«

Er zuckte zusammen, als er seinen Fehler erkannte. »Ich ... Nesta ...«

»*Seit wann?*« Ihre Stimme wurde schneidend wie Glas. Die Priesterinnen beobachteten sie, aber es war ihr egal.

Ihm offenbar nicht. »Hier ist nicht der richtige Ort für ein Gespräch über dieses Thema.«

»*Du* hast doch versucht, mir mitten im Training einen Namen zu entlocken!« Sie deutete auf den Platz.

Ihr pochte das Blut in den Ohren und Cassian verzog gequält das Gesicht. »Ich habe es nicht richtig ausgedrückt. Wir haben darüber diskutiert, ob wir es dir sagen sollen, und dann abgestimmt. Und das Ergebnis fiel zu deinen Gunsten aus. Weil wir dir vertrauen. Ich hatte ... nur noch keine Gelegenheit, es dir zu sagen.«

»Es bestand also die Möglichkeit, dass ihr es mir *gar nicht* gesagt hättet? Ihr habt zusammengesessen, mich beurteilt und dann *abgestimmt*?« Etwas tief in ihrer Brust zersprang, als sie erkannte, dass man all ihre schrecklichen Angewohnheiten analysiert hatte.

»Es ... Verdammt.« Cassian streckte die Hand nach ihr aus, doch sie wich zurück. Inzwischen schauten alle auf dem Trainingsplatz in ihre Richtung. »Nesta, es ist nicht ...«

»Wer. Hat. Gegen. Mich. Gestimmt?«

»Rhys und Amren.«

Die Worte trafen sie wie ein Schlag. Rhys, das war keine Überraschung. Aber Amren ... Amren, die sie immer besser verstanden hatte als alle anderen. Amren, die keine Angst vor ihr hatte. Amren, mit der sie so heftig gestritten hatte ... Tief in ihrem Innern hatte sie gehofft, Amren würde sie nicht für immer hassen. Stille breitete sich aus, in ihrem Kopf, in ihrem Körper.

Cassian riss die Augen auf. »Nesta ...«

»Schon in Ordnung«, sagte sie kalt. »Ist mir egal.«

Sie ließ ihn sehen, wie sie die Stahlwände in ihrem Geist verstärkte. Wie sie jede Kontemplationstechnik anwandte, die sie mit Gwyn geübt hatte, um ruhig zu werden, konzentriert, gefasst. *Durch die Nase einatmen, durch den Mund aus.*

Dann rollte sie demonstrativ die Schultern, wandte sich ab und ging auf Emerie und Gwyn zu, auf deren Gesichtern sich jetzt große Sorge spiegelte. Nesta wusste, dass sie diese Sorge nicht verdient hatte, dass diese Sorge eines Tages verschwinden würde – wenn auch die beiden begriffen, was für ein Ekel sie war. Wenn Amren ihnen sagte, was für ein erbärmliches Luder sie war. Oder wenn sie es von jemand anderem hörten. Spätestens dann würden sie nicht mehr ihre

Freundinnen sein. Sie fragte sich, ob sie es ihr dann ins Gesicht sagen oder einfach verschwinden würden.

»Nesta ...«, setzte Cassian erneut an. Doch sie verließ den Trainingsplatz, ohne sich noch einmal zu ihm umzudrehen.

Emerie war ihr sofort auf den Fersen und folgte ihr die Treppe hinunter. »Was ist los?«

»Nichts«, sagte Nesta. Ihre Stimme klang selbst in ihren eigenen Ohren fremd. »Angelegenheiten des Hofs.«

»Ist alles in Ordnung mit dir?«, fragte Gwyn einen Schritt hinter Emerie.

Nein. Sie konnte das Tosen in ihrem Kopf und das Knacken in ihrer Brust nicht abstellen. »Ja«, log sie und lief wortlos die restlichen Stufen hinab und dann durch den Gang.

Als sie ihr Zimmer erreichte, ließ sie sich sofort ein Bad ein. Sie wusste, dass Cassian ihr folgen würde. Also blieb sie an der Wanne stehen, während das Wasser aus dem Hahn rauschte und er an die Tür klopfte. Sie wartete, bis sie spürte, dass er ging, dass er sie aufgab, so wie alle anderen es getan hatten. Dann drehte sie das Wasser ab.

»Ist er weg?«, fragte sie das Haus.

Als Antwort schwang die Tür auf.

»Danke.« Sie trat hinaus auf den leeren Gang. Vielleicht machte das Haus sie unsichtbar, denn sie nahm keine Spur von Cassian wahr, als sie die wenigen Stufen nicht weit von ihrem Zimmer hinunterlief, dann durch den Flur und direkt durch den Torbogen zur Wendeltreppe.

Erst jetzt ließ sie ihrer Wut freien Lauf. Erst hier legte sie diese kalte Entschlossenheit ab und gab sich der Raserei ihres Herzens hin. Amren hatte sie als so wenig vertrauenswürdig und so schrecklich eingestuft, dass sie es für zu gefährlich hielt, wenn Nesta erfuhr, welche weltverändernde Kraft sie besaß. Amren hatte mit den anderen über sie gesprochen und sie alle hatten darüber *abgestimmt*.

Hinab, immer weiter hinab.

Stufe um Stufe um Stufe.

Im Kreis, immer weiter im Kreis.

Sie zählte die Stufen nicht, spürte nicht einmal, wie sich ihre Beine bewegten. Nahm nur das Tosen in ihren Adern und in ihrem Kopf wahr und den Riss tief in ihrer Brust. Ganz gleich, wie viele Kontemplationsübungen sie durchführte, sie würde keine Ruhe finden.

Der Boden kam immer näher.

Sie konnte an nichts anderes denken als an ihre Wut und diesen Schmerz. Konnte überhaupt nicht mehr denken, nur noch laufen. Und je weiter sie sich von dem kalten Wind über ihr entfernte, desto wärmer wurde es im Treppenhaus.

Amren hatte sie endgültig aufgegeben. Die Diskussion über ihren Zwangsaufenthalt hier hatte andere Gründe gehabt: Nesta wusste, dass der Wunsch dahintergestanden hatte, ihr zu helfen. Das konnte sie inzwischen anerkennen. Doch diese Diskussion jetzt ... Dieser Streit war aus Hass und Angst vor ihr entbrannt.

Die Ziegeldächer kamen in Sicht. Ihre Beine zitterten, aber sie spürte sie nicht. Sie spürte gar nichts mehr, außer dieser heißen Wut, als die Stufen plötzlich endeten und sie vor einer Tür stand. Und noch bevor ihre Finger die Klinke berühren konnten, schwang sie auf.

Sonnenlicht strömte in den Turm und fiel leuchtend auf das Kopfsteinpflaster vor ihr. Voller Wut, die wie ein Sturm in ihr tobte, kehrte Nesta endlich nach Velaris zurück.

46

Nesta nahm die Stadt um sich herum nicht wahr. Weder die Leute, die sich wegen ihrer grimmigen Miene von ihr fernhielten oder einfach ihren Geschäften nachgingen, noch die lebendigen Orange-, Rot- und Gelbtöne des Herbstlaubs noch das funkelnde Blau des Sidra. Sie lief, ganz ihrer Wut hingegeben, über eine der zahllosen Brücken in Richtung Westufer und sollte später keinerlei Erinnerung mehr daran haben, wie sie die Treppe zum Loft hinaufstürmte und mit der Hand gegen die Holztür hämmerte, bis die Schutzschilde wie Glas zersprangen.

Amren und Varian waren im Bett, die zierliche Frau nackt, während sie den Prinzen von Adriata ritt. Beide hielten inne, Amren wirbelte zur Tür herum und Varian richtete sich blitzschnell auf. Ein Schutzschild aus Wasser bildete sich um das Bett, als Nesta ins Zimmer platzte und knurrte: »*Du*. Du warst also der Meinung, ich sollte nicht mal *wissen*, was meine Kraft bewirken kann.«

Amren sprang mit der Schnelligkeit der High Fae von Varian herunter, der nach einem Laken griff, während sie einen Morgenrock aus Seide um ihren Körper schlang. Die schimmernde Wasserwand erweckte den Eindruck, als würden sich die beiden unter der Oberfläche des Ozeans befinden. Amren warf Varian einen Blick zu. »Lass gut sein.«

Er folgte ihrer Aufforderung, rutschte vom Bett und schob seine langen, muskulösen Beine in seine Hose.

»Verschwinde«, fauchte Nesta ihn an.

Doch der Prinz des Sommerhofs schaute mit besorgter Miene zu Amren. Er würde bleiben und alles tun, um sie zu verteidigen. Nesta schnaubte und ein bitterer Geschmack breitete sich auf ihrer Zunge aus. Einst war Amren diese Person für sie gewesen – die Person, die sich immer für sie eingesetzt und sie in jedem Kampf verteidigt hätte. Amren nickte nur, und Varian warf Nesta einen warnenden Blick zu, bevor er aus dem Zimmer hastete. Vermutlich, um den anderen von ihrem Erscheinen zu erzählen. Aber das kümmerte Nesta nicht.

Nicht, als Amren knurrte: »Ich nehme an, dieser großmäulige Bastard hat dir mehr erzählt, als nötig war.«

»Du hast gegen mich gestimmt«, erwiderte Nesta mit kalter Stimme, die darüber hinwegtäuschte, wie verletzt sie war.

»Du hast nicht das Geringste getan, um zu beweisen, dass du in der Lage bist, mit einer so schrecklichen Macht umzugehen«, entgegnete Amren ebenso eisig. »Das hast du mir auf diesem Boot zu verstehen gegeben, als du jeden Versuch aufgegeben hast, sie in den Griff zu bekommen. Ich wollte es dir beibringen, aber du hast mich einfach stehen lassen.«

»Ich habe dich stehen lassen, weil du dich für meine Schwester entschieden hast.« Genau wie Elain. Amren war *ihre* Freundin gewesen, *ihre* Verbündete, und doch hatte es letztendlich keine Rolle gespielt. Sie hatte sich für Feyre entschieden.

»Ich habe mich für niemanden entschieden, du verwöhnte Göre«, fauchte Amren. »Feyre wollte, dass wir beide wieder zusammenarbeiten. Das habe ich dir doch gesagt. Und jetzt verdrehst du es so, als hätte ich mich auf *ihre* Seite gestellt?«

Nesta schwieg.

»Ich habe ihnen monatelang gesagt, dass sie dich in Ruhe lassen sollen. Habe mich geweigert, mit ihnen über dich zu sprechen. Und in dem Moment, als mir klar wurde, dass mein Verhalten dir nicht half ... dass deine Schwester vielleicht recht hatte, da soll *ich* dich verraten haben?«

Nesta bebte vor Wut. »Du weißt, wie ich zu Feyre stehe.«

»Ja, arme Nesta, geschlagen mit einer jüngeren Schwester, die dich so sehr liebt, dass sie alles tun würde, um dir zu helfen.«

Nesta verdrängte die Erinnerung an Tamlin in seiner Monstergestalt und daran, dass sie ihn am liebsten in Stücke gerissen hätte.

Letztendlich war sie kein bisschen besser als er. »Feyre liebt mich nicht.« Sie verdiente Feyres Liebe nicht. Genauso wenig, wie Tamlin sie verdient hatte.

Amren lachte freudlos. »Die Tatsache, dass du glaubst, Feyre würde dich nicht lieben, beweist nur, dass du deiner Kraft nicht würdig bist. Jemandem, der sich vorsätzlich so blind stellt, kann man nicht trauen. Mit diesen Waffen wärst du ein wandelnder Albtraum.«

»Die Situation ist inzwischen anders.« Die Worte klangen hohl. Stimmte das tatsächlich? War *sie* anders als letzten Sommer bei ihrem Streit mit Amren auf dem Boot? Als Amrens totale Enttäuschung darüber, dass sie unfähig war, etwas aus sich zu machen, endlich deutlich wurde?

Amren lächelte, als wüsste sie das. »Du kannst so hart trainieren, wie du willst, Cassian so oft vögeln, wie du willst, aber damit machst du nichts wieder gut ... wenn du nicht endlich anfängst, über dich nachzudenken.«

»Erteil du mir keine Ratschläge! *Du* ...« Sie zeigte auf Amren und hätte schwören können, dass die High Fae aus der Schusslinie trat. Genau wie Tamlin. Als würde auch Amren sich daran erinnern, dass Nesta das letzte Mal, als sie auf einen Feind gezeigt hatte, schließlich mit dessen abgetrenntem Kopf in Händen dagestanden hatte. Sie lachte freudlos. »Du glaubst, ich würde dich als todgeweiht markieren?«

»Bei Tamlin war das vor ein paar Tagen der Fall.« Also hatte Cassian ihnen auch davon erzählt. »Aber ich kann es nur noch mal wiederholen: Ich glaube, du besitzt Kräfte, die du noch immer nicht verstehst oder respektierst oder beherrschst.«

»Was fällt dir ein, zu behaupten, du wüsstest, was für mich das Beste ist?«

Als Amren nicht antwortete, zischte Nesta: »Du warst meine *Freundin*.«

Amrens Zähne blitzten auf. »Ach ja? Ich glaube, du weißt gar nicht, was das Wort bedeutet.«

Ihre Brust schmerzte, als hätte eine unsichtbare Faust sie geschlagen. Schritte ertönten bei der zerborstenen Tür, und sie machte sich darauf gefasst, dass Cassian brüllend hereinstürmte ...

Doch in der nächsten Sekunde stand Feyre im Türrahmen. Ihre legere Kleidung war mit Farbflecken übersät und ein weißer Strich prangte auf ihrer sommersprossigen Wange. Varian musste halb nackt durch die Straßen zu ihrem Atelier gerannt sein. »Hört auf«, keuchte sie.

Feyre war nicht anzumerken, ob sie die Splitter und den Putz auf dem Boden gesehen hatte, als sie näher kam. »Nesta, so hättest du es nicht erfahren sollen.«

»Hat Cassian dir das gesagt?« War er zu Feyre statt zu Amren marschiert?

»Nein, aber ich kann es mir denken. Er wollte es dir nicht verschweigen.«

»Cassian ist nicht mein Problem.« Nesta richtete den Blick auf Amren. »Ich habe gedacht, dass du mir den Rücken freihältst.«

»Damit habe ich in dem Moment aufgehört, als du beschlossen hast, diese Loyalität als Schild gegen alle anderen einzusetzen.«

Nesta knurrte, aber Feyre trat mit erhobenen Händen zwischen die beiden. »Dieses Gespräch ist jetzt beendet. Nesta, geh zurück zum Haus. Amren, du ...« Sie zögerte, als überlegte sie, ob es klug war, Amren herumzukommandieren. »Du bleibst hier«, sagte sie bedächtig.

Nesta lachte leise. »Du bist ihre High Lady. Du musst dich nicht nach ihr richten, zumal sie jetzt weniger Macht hat als jeder Einzelne von euch.«

Feyres Augen blitzten auf. »Amren ist meine Freundin und seit Jahrhunderten ein Mitglied dieses Hofes. Ich erweise ihr *Respekt*.«

»Erweist sie dir denn Respekt?«, zischte Nesta. »Erweist dein *Gefährte* dir Respekt?«

Feyre erstarrte.

»Wage es ja nicht, auch nur noch *ein Wort* zu sagen, Nesta Archeron«, warnte Amren sie.

»Was meinst du damit?«, fragte Feyre.

Doch Nesta kümmerte es nicht. Sie konnte das Tosen nicht abstellen, konnte nicht klar denken. »Hat irgendeiner von ihnen dir, ihrer *respektierten* High Lady gesagt, dass das Baby in deinem Bauch dich umbringen wird?«

»*Halt den Mund!*«, brüllte Amren.

Aber ihr Befehl war Bestätigung genug. Mit bleichem Gesicht wiederholte Feyre flüsternd: »Wie meinst du das?«

»Die Schwingen«, antwortete Nesta. »Die illyrianischen Schwingen des Jungen werden bei der Geburt in deinem Fae-Körper stecken bleiben, und das wird euch beide töten.«

Stille legte sich über den Raum, über die Welt.

»Madja hat nur gesagt, die Geburt sei riskant. Aber der Knochenschnitzer ... Der Sohn, den er mir gezeigt hat, hatte keine Schwingen.« Feyres Stimme brach. »Hat er mir nur das gezeigt, was ich sehen wollte?«

»Ich weiß es nicht«, sagte Nesta. »Aber ich weiß, dass dein Seelengefährte allen befohlen hat, dir nicht die Wahrheit zu sagen.« Sie wandte sich Amren zu. »Habt ihr darüber auch abgestimmt? Über sie gesprochen, über sie geurteilt, sie als der Wahrheit nicht würdig erachtet? Wofür hast *du* gestimmt, Amren? Dafür, Feyre unwissend sterben zu lassen?« Bevor Amren antworten konnte, drehte sich Nesta wieder zu ihrer Schwester um. »Hast du dich nicht gefragt, warum dein heiß geliebter, perfekter Rhysand seit Wochen so ein launischer Mistkerl ist? Weil er *weiß*, dass du sterben wirst. Er weiß es, und trotzdem hat er es dir nicht gesagt.«

Feyre begann zu zittern. »Wenn ich sterbe ...« Ihr Blick wanderte zu einem ihrer tätowierten Arme. Sie hob den Kopf, die Augen tränenverschleiert, und fragte Amren: »Du ... ihr alle wisst davon?«

Amren warf Nesta einen vernichtenden Blick zu, erwiderte jedoch: »Wir wollten dich nicht beunruhigen. Angst kann genauso tödlich sein wie jede körperliche Bedrohung.«

»Rhys weiß davon?« Tränen liefen über Feyres Wangen und verschmierten den Farbklecks dort. »Dass unser Leben bedroht ist?« Sie schaute an sich herab, auf die tätowierte Hand, die auf ihrem Bauch lag.

Und in diesem Moment wusste Nesta, dass ihre Mutter sie kein einziges Mal so geliebt hatte, wie Feyre diesen kleinen, in ihr heranwachsenden Jungen schon jetzt liebte. In Nesta zerbrach etwas. Die Wut und das Tosen verstummten, als sie Feyres Tränen sah, und die Angst, die das Gesicht ihrer Schwester verzerrte. Sie war zu weit gegangen. Sie ... Oh, bei den Göttern.

»Ich glaube, es ist das Beste, wenn du mit Rhysand darüber sprichst, Mädchen«, sagte Amren leise.

Nesta ertrug es nicht länger – den Schmerz, die Angst und die Liebe in Feyres Gesicht, als sie ihren Bauch streichelte.

»Ich hoffe, du bist zufrieden«, knurrte Amren Nesta an.

Nesta antwortete nicht. Sie wusste nicht, was sie sagen, was sie mit sich anfangen sollte, und machte einfach auf dem Absatz kehrt und rannte aus der Wohnung.

Cassian war zum Flusshaus geflogen. Sein dritter Fehler an diesem Tag. Der erste war seine unbeholfene Frage nach einem Schwertnamen gewesen, die Nestas Misstrauen erregt hatte. Weil er sie nicht anlügen konnte, hatte er ihr alles erzählt. Und der zweite war, dass er nicht in Nestas Zimmer gestürmt war und darauf bestanden hatte, ihr alles zu erklären. Er hatte gedacht, ein Bad würde sie beruhigen, hatte sich selbst auch eins eingelassen und war erst danach ihrem Duft bis zur Wendeltreppe gefolgt, wo die Tür offen gestanden hatte.

Da er nicht wusste, ob sie es hinausgeschafft hatte oder unterwegs zusammengebrochen war, war er alle zehntausend Stufen hinuntergelaufen, immer ihrem noch frischen, wütenden Duft nach. Tatsächlich, sie hatte es hinausgeschafft. Auch unten stand die Tür offen.

In der geschäftigen Stadt konnte er ihren Duft dann nur schwer ausmachen, und so war er den Rest der Strecke geflogen, in der Hoffnung, sie aus der Luft zu entdecken. Er hatte das Flusshaus angesteuert, weil er annahm, Amren dort anzutreffen. Doch er fand weder Amren noch Nesta vor.

Er war gerade in Rhys' Arbeitszimmer gestürmt, als die Nachricht eintraf. Nicht durch einen Boten, sondern durch Feyre selbst, die sie ihrem Seelengefährten von Geist zu Geist übermittelte.

Rhys saß mit angespannter Miene an seinem Schreibtisch, und als Cassian diesen Ausdruck sah und erkannte, dass er mit Feyre kommunizierte, erstarrte er. Keine der drei Frauen war hier, und das bedeutete, dass sie vermutlich in Amrens Loft waren, und wenn Feyre Rhys verständigte ...

Cassian wirbelte zur Tür herum. Er würde über den Luftweg in nur zwei Minuten dort sein und betete inständig, dass er schnell genug war ...

»Cassian.«

In Rhys' Stimme schwangen Albträume und die Dunkelheit zwischen den Sternen mit.

Abrupt hielt Cassian inne. Er hatte diese Stimme nur selten gehört – und nie zuvor an ihn gerichtet. »Was ist passiert?«

Rhys' Gesicht wirkte vollkommen reglos. Aber in seinen Augen lag der Tod – schwarzer, rasender Tod. Kein Stern oder Schimmer von Violett leuchtete noch darin.

»Nesta hielt es für angebracht, Feyre über das Risiko für sich und das Baby zu informieren«, sagte er mit einer Stimme, die Höllenqualen versprach.

Cassians Herz begann zu rasen, selbst noch, als es zersplitterte.

Rhys starrte ihn unverwandt an, und Cassian konnte nichts anderes tun, als diesem Blick standzuhalten, als sein Bruder, sein High Lord, knurrte: »Schaff sie aus der Stadt. Sofort.« Rhys' Macht grollte durch den Raum wie ein aufziehender Gewittersturm. »Bevor ich sie umbringe.«

47

Cassian entdeckte Nesta, als sie durch eine kleine Seitenstraße rannte. Sie schien zu ahnen, dass Rhysand sich zu einer Jagd aufmachen würde, die nur ihr vergossenes Blut beenden konnte. Aber er wusste, dass sie in Wahrheit vor dem davonlief, was sie getan hatte ... dass sie vor sich selbst floh. Und eine der Schenken ansteuerte, die sie so liebte.

Er achtete sorgfältig darauf, dass sie ihn nicht bemerkte, als er im Sturzflug in die Gasse hinabschoss, sie um die Taille packte und mit ihr in den Himmel aufstieg. Sie wehrte sich nicht, sagte kein Wort. Lag einfach nur in seinen Armen, das kalte Gesicht an seiner Brust.

Über dem Haus der Winde trafen sie auf Azriel, der mit einem schweren Rucksack in der Hand in der Luft schwebte. Ob Rhys ihn informiert oder seine eigenen Schatten ihm etwas zugeflüstert hatten, konnte Cassian nicht sagen. Er schnappte sich den Rucksack, schlang ihn ums Handgelenk und ächzte aufgrund des zusätzlichen Gewichts, während er Nesta festhielt.

Az schwieg, als Cassian an ihm vorbei in den Herbsthimmel hinaufschoss. Und es nicht wagte, sich noch einmal zur Stadt umzudrehen.

In ihrem Kopf und in ihrem Körper herrschte völlige Stille. Sie wusste, dass Cassian sie hielt, dass sie viele Stunden fliegen würden. Aber es kümmerte sie nicht.

Sie hatte etwas Unverzeihliches getan. Sie verdiente es, von Rhysand pulverisiert zu werden, und wünschte, Cassian wäre nicht gekommen, um sie zu retten.

Sie flogen in die Berge, bis die Sonne hinter ihnen unterging. Als sie landeten, war die Landschaft um sie herum bereits in Dunkelheit gehüllt. Cassian verzog das Gesicht, als er aufsetzte – jede Faser seines Körpers schien zu schmerzen –, und warf den Rucksack auf den Boden.

»Wir kampieren heute Nacht hier«, sagte er leise – und kalt.

Sie wollte nicht reden, wollte für den Rest ihres Lebens kein Wort mehr sagen.

»Ich mache ein Feuer«, fuhr er fort, und sein Gesichtsausdruck hatte nichts Freundliches an sich.

Sie ertrug es nicht. Also wandte sie sich ab und betrachtete das Gelände, in dem sie gelandet waren: ein flacher Streifen trockener Erde direkt unter einem vorkragenden schwarzen Felsen. Schweigend ging sie zur tiefsten Stelle des Überhangs. Schweigend legte sie sich auf den flachen, staubigen Boden, bettete den Kopf auf einen Arm und rollte sich mit dem Gesicht zur Felswand zusammen.

Dann schloss sie die Augen, zwang sich, das Knacken und Knistern der Äste im Lagerfeuer zu ignorieren, und wäre am liebsten mit der Erde und dem Berg verschmolzen und für immer verschwunden.

Cassian.

Feyres Stimme drang in Cassians Kopf und riss ihn aus seinen Gedanken, als er zusah, wie die Sterne über der weiten Landschaft aufgingen. Er war mit Nesta in die Schlafenden Berge geflogen, den Gebirgszug, der Illyrien von Velaris trennte. Die zahlreichen, nicht allzu hohen Gipfel waren noch nicht im Griff des Winters und boten mit ihren Flüssen und ihrem Wild reichlich Gelegenheit zum Jagen.

Cassian.

Ich hatte ganz vergessen, dass du in Gedanken kommunizieren kannst.

Ihr Lachen erklang. *Ich weiß nicht, ob ich jetzt beleidigt sein soll oder nicht. Vielleicht sollte ich die Daemati-Kräfte öfter nutzen.* Sie schwieg einen Moment und fragte dann: *Geht es dir gut?*

Das sollte ich dich fragen.

Rhysand hat vollkommen überreagiert.

Cassian schüttelte den Kopf, obwohl Feyre das natürlich nicht sehen konnte. *Es tut mir leid, dass du es auf diese Weise erfahren hast.*

Mir nicht. Ich bin wütend auf euch alle. Ich verstehe zwar, warum ihr es mir nicht gesagt habt, aber ich bin trotzdem wütend.

Tja, und wir sind wütend auf Nesta.

Sie hatte wenigstens den Mut, mir die Wahrheit zu sagen.

Sie hat dir die Wahrheit gesagt, um dich zu verletzen.

Vielleicht. Aber sie war die Einzige, die überhaupt etwas gesagt hat.

Cassian seufzte. *Sie ...* Er überlegte kurz. *Ich glaube, sie hat die Parallelen zwischen ihrer und deiner Situation gesehen und auf ihre eigene Weise beschlossen, euch beide zu rächen.*

Das Gefühl habe ich auch. Rhys sieht es anders.

Wenn du es nur auf anderem Weg erfahren hättest.

Ja, das wäre schön gewesen. Aber wir werden es gemeinsam durchstehen. Wir alle.

Wie kannst du dabei so ruhig bleiben?

Die Alternativen wären Angst und Panik. Ich werde meinen Sohn diese Dinge nicht spüren lassen. Und so lange für ihn kämpfen, für uns beide, bis ich nicht mehr kann.

Ihre Worte schnürten Cassian die Kehle zu. *Wir werden auch für euch beide kämpfen.*

Ich weiß. Feyre schwieg erneut und fuhr nach einem Moment fort: Rhys hatte kein Recht, euch aus der Stadt zu jagen oder Nesta zu drohen. Er hat es eingesehen und sich entschuldigt. Ich möchte, dass ihr nach Hause kommt. Wo seid ihr überhaupt?

In der Wildnis. Cassian schaute über die Schulter, wo Nesta seit ein paar Stunden zusammengerollt vor einer Felswand lag und schlief. *Ich denke, wir bleiben noch ein paar Tage hier draußen. Wir werden eine Wanderung machen.*

Nesta hat in ihrem ganzen Leben noch keine Wanderung gemacht. Ich garantiere dir, sie wird es hassen.

Dann sag Rhys, dass das ihre Strafe ist. Rhys hatte sich zwar für seine Drohungen entschuldigt, aber er war garantiert noch wütend.

Sag ihm, dass Nesta und ich eine Wanderung machen werden und dass sie es hassen wird. Aber wir kehren erst dann zurück, wenn ich der Meinung bin, dass sie dazu bereit ist.

Feyre blieb eine ganze Weile stumm. *Er sagt, er weiß, dass er jetzt sagen sollte, das sei nicht nötig. Aber ich soll dir ausrichten, dass er insgeheim erfreut ist.*

Gut. Und ich bin insgeheim erfreut, das zu hören.

Feyre lachte. Ein Klang, der ihm bewies, dass die Nachricht sie zwar verletzt und erschreckt hatte, sie sich damit aber abfinden und deswegen weder zusammenbrechen noch weinen würde. Er wusste nicht, warum er etwas anderes von ihr erwartet hatte.

Bitte pass auf sie auf, Cassian. Und auf dich.

Cassian warf einen Blick auf die schlafende Frau, die fast von den Schatten des Felsens verdeckt wurde.

Das verspreche ich.

48

»Steh auf.«

Nesta versteifte sich, öffnete langsam ein Auge und blinzelte gegen die blendende Helligkeit des Tages an. Cassian ragte über ihr auf, einen Teller mit etwas in der Hand, das aussah wie Pilze und Toast. Ihr gesamter Körper schmerzte von der kalten Nacht auf dem harten Boden. Sie hatte kaum geschlafen, die meiste Zeit nur dagelegen, den Fels angestarrt und angestrengt versucht, das Knistern und Knacken des Feuers zu ignorieren. Am liebsten hätte sie sich in Luft aufgelöst.

Sie setzte sich auf und er schob ihr den Teller unter die Nase. »Iss. Es wird ein langer Tag.«

Sie richtete die schweren, schmerzenden Augen auf sein Gesicht. Darin stand nicht ein Hauch von Wärme. Keine Herausforderung, kein Licht. Nur das eiskalte Gesicht eines Kriegers.

»Wir werden bis zur Abenddämmerung wandern und nur zwei Pausen machen. Also iss.«

Es spielte keine Rolle. Ob sie aß, schlief oder wanderte. Es änderte nichts. Doch Nesta zwang sich, das von ihm zubereitete Frühstück zu essen, wortlos. Und sie schwieg auch, als er das Feuer löschte, ganz auf sich konzentriert, um das Knacken der Scheite auszublenden.

Cassian packte rasch die wenigen Kochutensilien und den Rest des Proviants in den Rucksack, dessen Gewicht die Muskeln an seinem Unterarm hervortreten ließ, als er ihn hochhob und ihr dann vor die Füße stellte. »Ein so großer Rucksack passt nicht zwischen meine Schwingen. Den wirst du tragen.«

Hatte Azriel das gewusst? Vermutlich schon, dachte sie, als sie das eiskalte, amüsierte Leuchten in Cassians Augen sah.

Nesta beendete ihre Mahlzeit, und weil sie nichts hatte, womit sie den Teller abwischen konnte, schob sie ihn einfach in den Rucksack.

»Du kannst das Geschirr abwaschen, wenn wir am Mittag Rast am Gerthys machen. Bis zum Fluss sind es sechs Stunden Fußmarsch.«

Es war ihr egal. Sollte er sie doch mit körperlicher Anstrengung quälen und sie behandeln wie eine Dienerin. Es würde nichts wieder in Ordnung bringen.

Würde sie nicht wieder in Ordnung bringen.

Nesta stand mit steifen Gliedern auf und ihre Gelenke knackten. Sie machte sich nicht die Mühe, ihren Zopf neu zu flechten, sondern griff gleich nach dem Rucksack. Ächzend hob sie ihn hoch. Er musste mindestens ein Drittel ihres eigenen Gewichts haben. Ihr Rücken krümmte sich, als sie ihn auf die Schultern hievte, aber sie schaffte es und justierte die Riemen. Dann stellte sie alle Schnallen so ein, dass der Rucksack sich an ihren Rücken schmiegte und sein Gewicht gleichmäßig verteilt war.

Cassian schien zufrieden zu sein. »Dann mal los.«

Nesta ließ ihn vorangehen. Nach zehn Minuten hatte sie Mühe zu atmen, und als er den Hang quer zur Bergwand hinaufstapfte, begannen ihre Beine zu brennen. Er redete nicht mit ihr und sie redete nicht mit ihm.

Der Tag war so frisch, wie man es sich nur wünschen konnte, die Berge um sie herum leuchtend grün, die türkisfarbenen Flüsse so klar, dass sie selbst von hier oben die weißen Steine in ihrem Bett erkennen konnte.

Nesta überließ sich den Schmerzen ihres Körpers, ihrem keuchenden Atem, der so schneidend war wie Glas, und dem Tosen ihrer Gedanken. Die Sonne wanderte in einem Bogen über den Himmel und trieb ihr den Schweiß auf Stirn und Hals. Ihre Haare waren klatschnass. Trotzdem stapfte sie weiter und folgte Cassian hinauf zum Gipfel. Als er einen Felsvorsprung erreichte, schaute er einmal kurz über die Schulter, um sich zu vergewissern, ob sie hinter ihm war, und verschwand dann – vermutlich bergabwärts.

Sie gelangte schließlich auch zu dem Felsvorsprung und sah nur, wie steil es von dort hinabging.

Cassian hatte erwähnt, dass er an einem Fluss Rast machen wollte. Weit unten schlängelte sich einer, halb von Bäumen verdeckt. Es sah eigentlich nicht so aus, als würde es bis dorthin noch Stunden dauern, doch ... Cassian ging quer zum Berg, statt direkt abwärts. Niemand konnte auf direktem Weg absteigen, ohne in den Tod zu stürzen.
Beim Abstieg begann schon bald noch eine weitere Muskelgruppe zu protestieren. Es war schlimmer, als den Berg hinaufzuklettern. Sie hatte das Gefühl, als wollte der Rucksack sie vornüberkippen, hinab ins Tal und in den Fluss. Cassian brauchte seine Schritte nicht vorsichtig zwischen Gras und kleine Steine zu setzen, nicht so wie sie. Er hatte schließlich Schwingen. In dieser Bergeshöhe zogen die Wolken wie müßige Zuschauer vorbei – keine gnädig genug, um etwas Schatten gegen die sengende Sonne zu spenden.
Nestas Beine zitterten, doch sie marschierte weiter. Umklammerte die Riemen des Rucksacks an ihrer Brust und balancierte mit den Armen sein Gewicht. Sie folgte Cassian Schritt für Schritt, Stunde um Stunde den Berg hinunter. Setzte einen Fuß vor den anderen und sagte kein Wort.

Zum Mittagessen – sofern man Hartkäse und Brot als Mittagessen bezeichnen konnte – machten sie Rast am Fluss.
Nesta interessierte nur, dass die Mahlzeit ihren knurrenden Magen füllte und dass der Fluss klares, sauberes Wasser führte, weil sie völlig ausgedörrt war. Am grasbewachsenen Ufer sank sie auf die Knie und tauchte ihr Gesicht hinein. Das Wasser war so kalt, dass sie aufkeuchte. Dann richtete sie sich etwas auf und trank gierig aus der hohlen Hand. Wieder und wieder. Anschließend rollte sie sich, noch immer schwer atmend, ins hohe Gras.
»Du hast dreißig Minuten«, sagte Cassian, der ein paar Meter weiter saß und in kleinen Schlucken aus seiner Feldflasche trank. »Du kannst sie nutzen, wie du möchtest.«
Sie schwieg. Selbst ein Nicken wäre zu anstrengend gewesen.
Cassian öffnete den Rucksack und warf ihr eine Feldflasche zu.

»Füll sie auf. Wenn du ohnmächtig wirst, könntest du vom Berg stürzen und dir sämtliche Knochen brechen.«

Sie schaute ihn nicht an, ließ ihn das Wort in ihren Augen nicht sehen. *Gut.*

Trotzdem schien er einen Moment zu erstarren. Seine nächsten Worte waren sanfter, aber sie hasste sie ebenfalls. »Ruh dich aus.«

Cassian wusste, dass Nesta sich oft selbst hasste. Aber er hatte nicht gewusst, dass ihr Selbsthass so weit ging, dass sie ... nicht mehr leben wollte.

Er hatte den Ausdruck auf ihrem Gesicht gesehen, als er von der Sturzgefahr gesprochen hatte. Die Rückkehr nach Velaris würde sie nicht davon befreien. Und auch er konnte sie nicht von diesem Gefühl befreien. Das konnte nur Nesta selbst.

Er ließ sie die nächste halbe Stunde wie versprochen ausruhen. Doch die Pause hatte seine Laune nicht wirklich verbessert, denn er sagte nur: »Gehen wir«, bevor er sich wieder in Bewegung setzte.

Sie folgte ihm in dieser schweren, brütenden Stille. Stumm wie ein Packpferd, das hinter ihm hertrottete.

Er kannte dieses Gebirge gut, da er es im Laufe der Jahrhunderte oft überflogen hatte: Schafhirten lebten hier, meist einfache Fae, die die Einsamkeit der aufragenden grünen und braunschwarzen Felsen den dichter besiedelten Gebieten vorzogen. Die Gipfel waren nicht so brutal und spitz wie jene in Illyrien, aber sie besaßen eine Präsenz, die er nicht recht erklären konnte. Mor hatte ihm einmal erzählt, dass dieses Land vor langer Zeit der Heilung gedient hatte. Leute, die an körperlichen oder seelischen Verletzungen litten, hatten sich auf der Suche nach Erholung in diese Berge und zu dem See gewagt, den sie in zweieinhalb Tagen erreichen würden.

Vielleicht war er deshalb hierhergeflogen. Sein Instinkt hatte ihn an die Heilkräfte und das schlummernde Herz dieser Gegend erinnert und beschlossen, Nesta herzubringen. Doch während er Meile um Meile zurücklegte – Nestas Schweigen wie ein bedrohliches Gespenst in seinem Rücken –, fragte er sich, ob das reichen würde.

49

Sie befanden sich auf halber Höhe eines Bergs, der aus der Entfernung wie ein einfacher Hügel ausgesehen hatte, als Cassian sagte: »Hier schlagen wir unser Nachtlager auf.«

Er war an einer Stelle stehen geblieben, von der aus man die Landschaft überblicken konnte – der nächste Gipfel so nah, dass man ihn mit einem Steinwurf hätte erreichen können, nur durch einen anderen Fluss weit unten im Tal getrennt. Der Boden war hell und staubig und weitgehend flach.

Nesta schwieg, als sie auf die ebene Fläche taumelte, wo ihre Beine schließlich nachgaben und sie sich einfach fallen ließ. Der Boden drückte in ihre Wange, aber das kümmerte sie nicht. Keuchend und am ganzen Leib zitternd lag sie da und würde sich bis zum Morgengrauen nicht mehr rühren.

»Nimm den Rucksack ab, bevor du ohnmächtig wirst, damit ich mir wenigstens ein Abendessen machen kann«, sagte Cassian am anderen Ende des schmalen Streifens. Seine Worte klangen kalt und distanziert. Er hatte den ganzen Tag kaum mit ihr gesprochen.

Sie verdiente es – verdiente Schlimmeres.

Der Gedanke veranlasste sie dazu, die Riemen über ihren Hüften und ihrer Brust zu lösen. Mit einem dumpfen Geräusch landete der Rucksack auf dem Boden, und sie drehte sich so, dass sie ihn mit dem Fuß zu Cassian schieben konnte. Ihr Bein zitterte bei der Bewegung. Aber sie rappelte sich noch einmal auf und robbte weiter, bis sie an einem kleinen Felsbrocken lehnte.

Cassian hob den Rucksack mühelos hoch, so als hätte sie nicht den ganzen Tag unter seinem Gewicht geschwitzt und geächzt. Der Wind flüsterte und wand sich zwischen den Bergen hindurch. Schatten krochen langsam über die schroffen Felshänge, die letzten Sonnenstrahlen tauchten ihre Gipfel in goldenes Licht, und die Kälte nahm mit jedem Zentimeter der nahenden Dunkelheit zu.

Unten im Tal toste der Fluss – ein konstantes Rauschen, das sie den ganzen Tag während der Wanderung gehört hatte. Von hier oben waren die vielen Stromschnellen kaum zu erkennen. Selbst im schwächer werdenden Licht wechselten die Farben des Flusses unten in der Talsohle von Schiefergrau über Jadegrün zu Waldgrün.

Alles war still und doch irgendwie aufmerksam. Als wäre sie von etwas Altem und Halbwachem umgeben und als hätte jeder Gipfel seine eigenen Stimmungen und Vorlieben: mit oder ohne Wolken um den Gipfel herum, die Hänge von Bäumen bestanden oder kahl. Ihre Umrisse und Formen waren so eigenartig und lang gestreckt, dass sie den Eindruck erweckten, als hätten sich einst Kolosse neben den Flüssen niedergelegt und eine zerknitterte Decke über sich gezogen, bevor sie für immer eingeschlafen waren.

Der Gedanke an Schlaf musste sie gelockt haben, denn als sie sich wieder umschaute, war die Welt dunkel – bis auf die Sterne und den fast vollen Mond, der so hell war, dass sich ein Lagerfeuer erübrigt hatte. Obwohl ihr dessen Wärme gutgetan hätte. Cassian lag ein paar Meter entfernt mit dem Rücken zu ihr. Seine Schwingen schimmerten golden im Mondlicht.

Er hatte einen Teller mit Essen vor ihr auf den Boden gestellt: Brot, Hartkäse und irgendein Trockenfleisch. Aber sie rührte die Speisen nicht an und ignorierte das Knurren ihres Magens. Sie dehnte nur ihren steifen, knackenden Nacken, schlang eine Decke um sich, legte sich auf den Boden, den Kopf wieder auf ihren Arm gebettet, und schloss die Augen gegen die Kälte.

Die nächsten beiden Tage starrte sie nur auf Cassians Hinterkopf.

Die nächsten beiden Tage sagte sie kein Wort.

Jeder Kiesel und jedes Steinchen schien es darauf anzulegen, sie ins Stolpern oder zum Umknicken zu bringen oder einen Weg in ihre Stiefel zu finden.

Am Nachmittag des nächsten Tages trieb ein starker Wind die

Wolken direkt über die Gipfel, als ihr Kopf zu pochen begann. Das Sonnenlicht wurde unerträglich grell, der Schweiß brannte auf ihrer Haut. Obwohl sie schon seit Tagen unterwegs waren, hatten sie nur einige wenige Gipfel überwunden. Für Berge, über die Cassian im Flug hinweggerauscht war, brauchten sie zu Fuß eine halbe Ewigkeit. Sie fragte nicht danach, wie er den richtigen Weg fand. Auch nicht, wohin sie gingen. Sie folgte ihm einfach nur, die Augen auf seinen Rücken geheftet.

Plötzlich verschwamm dieser Anblick jedoch, als ihr Kopf, ihr ganzer Körper leicht zu wanken begann.

Sie versuchte zu schlucken, aber ihre Kehle war so trocken, dass ihre Zunge am Gaumen klebte und sie sie nur mühsam lösen konnte. Wasser. Wann hatte sie das letzte Mal einen Schluck Wasser getrunken? Ihre Feldflasche war oben im Rucksack. Aber die Vorstellung, stehen zu bleiben und sie herauszuholen ... Sie hatte keine Lust, die Riemen zu lösen und den Rucksack abzunehmen. Damit würde sie Cassian signalisieren, dass sie eine Pause brauchte.

Der gestrige Abend war genauso abgelaufen wie der Abend zuvor: Sie hatte ihr Lager erreicht, war auf den Boden gesunken und hatte es gerade noch geschafft, den Rucksack abzunehmen, bevor sie auch schon eingeschlafen war. In der Nacht war sie aufgewacht und hatte einen Teller mit kaltem Proviant neben sich gefunden, zugedeckt mit einem dünnen Tuch. Schweigend hatte sie gegessen, während Cassian schlief, und dann die Augen wieder zugemacht.

Nur vollkommene Erschöpfung konnte das Vergessen herbeiführen, nach dem sie sich sehnte. Bei jeder Pause war sie so müde, dass sie auf die Knie fiel und der Rucksack auf dem Boden landete. Und während dieser Minuten war sie so erschöpft, dass sie nicht an das Wrack denken konnte, das sie aus sich selbst gemacht hatte – und das sie tief in ihrem Inneren immer gewesen war. Daran würde kein Training und auch kein Studium der Walküren und ihrer Kontemplationstechniken etwas ändern. Nichts würde etwas daran ändern.

Deshalb konnte sie auf das Wasser warten. Denn wenn sie innehielt, würde sie diese Gedanken hineinlassen, die sie wie bleierne Schatten verfolgten, viel schwerer als der Rucksack.

Im nächsten Moment knickte sie auf einem lockeren Stein um und biss die Zähne gegen den stechenden Schmerz zusammen, ging aber weiter. Cassian war nicht ein einziges Mal gestolpert. Sie hätte es bemerkt, denn sie beobachtete ihn schon den ganzen Tag. Doch jetzt stolperte er plötzlich. Nesta sprang vorwärts, aber ...

Nein. Sie war diejenige, die taumelte ... die stürzte.

Cassian war schon auf halbem Weg durch das ausgetrocknete Flussbett, als hinter ihm Steine knirschten und ins Rutschen gerieten. Er wirbelte herum und sah, dass Nesta mit dem Gesicht nach unten auf dem Boden lag. Sich nicht rührte.

Leise fluchend lief er den steinigen Weg hinunter und ließ sich neben ihr auf die Knie fallen. Die spitzen Steine bohrten sich durch die Hose in seine Haut, doch das kümmerte ihn nicht, als er sie mit wild pochendem Herzen auf den Rücken drehte. Sie war ohnmächtig geworden. Die Erleichterung in ihm war etwas Ursprüngliches, das sich wieder beruhigte, aber ...

Er hatte sich seit Stunden nicht mehr zu ihr umgedreht. Ein trockener, weißer Film überzog ihre Lippen, ihre Haut war gerötet und verschwitzt. Hastig griff er nach der Feldflasche an seinem Gürtel, schraubte sie auf und hob ihren Kopf in seinen Schoß. »Trink«, befahl er und öffnete ihren Mund, während das Blut in seinen Ohren rauschte.

Nesta bewegte sich, wehrte sich aber nicht, als er ihr etwas Wasser einflößte. Es reichte aus, dass sie die Augen öffnete. Sie waren glasig.

»Wann hast du zuletzt etwas getrunken?«, fragte er aufgebracht.

Sie kniff die Augen zusammen und sah ihn an. Das erste Mal seit drei Tagen, dass sie ihn wirklich ansah. Doch sie nahm nur die Feldflasche und trank sie gierig aus.

Dann stöhnte sie auf und schob sich aus seinem Schoß, allerdings nur so weit, bis sie auf der Seite lag.

»Du hättest tagsüber trinken sollen«, knurrte er.

Sie starrte auf die Felsen um sie herum.

Er ertrug diesen Blick nicht. Die Leere, die Gleichgültigkeit, so als wäre es ihr egal, ob sie lebte oder hier in der Wildnis starb.

Sein Magen krampfte sich zusammen. Seine Instinkte brüllten ihn förmlich an, die Arme um sie zu schlingen, sie zu trösten und zu beruhigen. Aber eine andere, uralte und weise Stimme flüsterte ihm zu, er solle weitergehen. Noch einen Berg, sagte die Stimme. Nur noch einen Berg weiter.

Er vertraute dieser Stimme. »Wir kampieren heute Nacht hier.«

Nesta versuchte erst gar nicht aufzustehen und Cassian sondierte die Umgebung nach einem etwas flacheren Gelände. Da, gut fünf Meter weiter oben, links neben dem Flussbett war es flach genug. »Komm«, forderte er sie auf. »Noch ein paar Meter und du kannst schlafen.«

Sie bewegte sich nicht. Als wäre sie dazu nicht in der Lage. Das lag bestimmt nur daran, sagte er sich, dass sie das Bewusstsein verloren hatte und sich noch nicht wieder sicher auf den Beinen fühlte. Doch er ging zu ihr zurück, hockte sich neben sie und hob sie mitsamt dem Rucksack hoch.

Sie sagte nichts. Kein einziges Wort.

Aber er wusste genau, dass der Sturm kommen würde. Nesta würde wieder reden, und wenn er diesen Sturm überstehen wollte, sollte er besser vorbereitet sein.

Als sie in der Dunkelheit erwachte, fand sie erneut einen Teller neben sich. Der Vollmond war aufgegangen und beschien die Berge, die Flüsse und das Tal so hell, dass selbst die Blätter an den Bäumen weit unten zu erkennen waren. So etwas hatte sie noch nie gesehen. Das Ganze war wie ein verborgenes, schlafendes, von der Zeit vergessenes Land.

Sie war ein Nichts angesichts dieser Aussicht, dieser Berge. So unbedeutend wie die Steine, die noch immer in ihrem Stiefel rasselten. Und sie empfand es als willkommene Erleichterung, nichts und niemand zu sein.

Sie erinnerte sich nicht mehr daran, dass sie eingeschlafen war, aber sie wachte in der Morgendämmerung auf, und kurz danach waren sie bereits wieder unterwegs. Nach Norden, sagte er und erklärte ihr in einem seltenen Anflug von Höflichkeit, dass die moosbewachsene Seite der Bäume immer in diese Richtung zeigte – was ihm half, auf Kurs zu bleiben.

Im Norden lag ein See, teilte er ihr beim Mittagessen mit. Sie würden ihn gegen Abend erreichen und ein oder zwei Tage dort bleiben.

Sie hörte kaum zu, setzte nur einen Fuß vor den anderen, Meile um Meile, auf und ab. Die Berge beobachteten sie, und der Fluss sang für sie, als wollte er sie zu diesem See führen. Doch sie wusste: Ganz gleich, wie sehr sie ihren Körper quälte, es würde nichts wiedergutmachen. Und sie fragte sich, ob er es auch wusste. Fragte sich, ob er glaubte, er würde mit ihr nur einen sinnlosen Ausflug machen.

Oder vielleicht war es wie in einer der alten Geschichten, die sie als Kind gehört hatte: Er war der Jäger einer bösen Königin, der sie tief in den Wald führte, wo er ihr dann das Herz herausschnitt. Wenn er es nur tun würde. Wenn ihr nur jemand das verdammte Ding aus ihrer Brust schneiden, jemand diese Stimme ersticken würde, die von all den schrecklichen Dingen flüsterte, die sie getan hatte … von jedem furchtbaren Gedanken, den sie gedacht, von jeder Person, die sie enttäuscht hatte.

Sie war schon falsch auf die Welt gekommen – mit Klauen und Fangzähnen. Sie hatte nie gelernt, ohne diese auszukommen. Hatte nie den Teil in sich unterdrücken können, der bei Verrat tobte, der heftiger hassen und lieben konnte, als irgendwer jemals verstanden hatte. Elain war die Einzige, die es vermutlich begriff, aber jetzt hasste ihre Schwester sie.

Sie wusste nicht, wie sie irgendetwas von all dem wieder in Ordnung bringen sollte. Wie sie aufhören sollte, so zu sein, wie sie nun mal war. Sie konnte sich nicht erinnern, jemals nicht wütend gewesen zu sein. Vielleicht vor dem Tod ihrer Mutter. Doch die war auch damals schon verbittert gewesen und hatte den Vater ihrer Kinder verachtet. Und diese Verachtung war zu Nestas Verachtung geworden.

Sie konnte diese unerbittliche, aufwühlende Wut nicht bezwingen. Konnte nicht verhindern, dass sie um sich schlug, bevor sie selbst verletzt werden konnte. Sie war nicht besser als ein tollwütiger Hund. Hatte sich Amren und Feyre gegenüber wie eine Bestie verhalten, genau wie Tamlin. Es war ihr sogar egal gewesen, dass sie es schließlich sogar die Treppe hinunter geschafft hatte. Zählte es überhaupt, wenn Wut der Antrieb war?

Zählte *sie* denn? War sie es überhaupt wert? Das war die Frage, die alles in ihr zerbrechen ließ.

Nesta erreichte die Kuppe des Hügels, den Cassian vor ihr erklommen hatte, und ein glitzernder, türkisfarbener See breitete sich vor ihnen aus. Er lag in einer leichten Senke zwischen zwei Gipfeln – als würden zwei grüne, hohle Hände sein Wasser halten. Graue Steine säumten die Ufer.

Nesta sah weder den See noch die Steine oder das Sonnenlicht und das Grün. Ihr Blick verschwamm, ihre Augen brannten, als wären sie aufgeschlitzt worden ... um die Tränen durchzulassen. Sie schaffte es bis zu den Steinen, bevor sie so hart auf die Knie fiel, dass sich der Fels in ihre Haut bohrte. War sie es überhaupt wert, gezählt zu werden?

Sie kannte die Antwort, hatte sie immer gekannt.

Cassian wirbelte zu ihr herum.

Doch Nesta sah ihn nicht, hörte seine Worte nicht. Nahm nichts mehr wahr, als sie die Hände vors Gesicht schlug und in Tränen ausbrach.

50

Als die herzzerreißenden, keuchenden Laute aus ihr herausbrachen, wusste Nesta, dass sie nicht mehr aufhören konnte.

Sie kniete am Ufer dieses Bergsees und ließ einfach los, erlaubte jedem schrecklichen Gedanken, durch sie hindurch zu strömen und ans Tageslicht zu kommen. Sie ließ es zu, Feyres blasses, verzweifeltes Gesicht vor sich zu sehen, als sie ihr die Wahrheit gesagt und sich ihrer eigenen Wut und ihrem Schmerz überlassen hatte.

Diese Schuld würde sie niemals überwinden. Es hatte keinen Sinn, es überhaupt zu versuchen. Und so schluchzte sie in die Dunkelheit ihrer Hände.

Irgendwann knirschten die Kieselsteine und eine warme, beständige Präsenz erschien neben ihr. Er berührte sie nicht, aber seine Stimme war ganz nah, als er sagte: »Ich bin hier.«

Bei diesen Worten schluchzte sie noch heftiger, konnte nicht mehr aufhören. Als wäre ein Damm gebrochen und als müsste sie dem Wasser seinen Lauf lassen, es durch sie hindurchtosen lassen.

»Nesta.« Seine Finger strichen über ihre Schulter.

Sie konnte diese Berührung nicht ertragen. Die Freundlichkeit darin.

»Bitte«, sagte sie.

Ihr erstes Wort seit fünf Tagen.

Er hielt inne. »Bitte was?«

Sie wich zurück. »Bitte fass mich nicht an. Sei ... sei nicht *nett* zu mir.« Die Worte sprudelten als schluchzendes, abgehacktes Durcheinander über ihre Lippen.

»Warum nicht?«

Die Liste der Gründe stieg in ihr empor, wollte mit Macht heraus und sich Gehör verschaffen. Sie ließ es zu und flüsterte: »Ich habe ihn sterben lassen.«

Cassian erstarrte.

Durch die Hände vor ihrem Gesicht flüsterte sie weiter: »Er kam, um mich zu retten, und kämpfte für mich. Und ich ließ ihn mit Hass im Herzen sterben. Hass auf ihn. Er starb, weil ich es nicht verhindert habe.« Ihre Stimme brach und sie weinte noch heftiger. »Und ich war so abscheulich zu ihm, mein ganzes Leben lang – und trotzdem hat er mich irgendwie geliebt. Ich verdiente es nicht, aber er liebte mich. Und ich ließ ihn sterben.«

Sie krümmte sich über ihre Knie und flüsterte in ihre Handflächen: »Ich kann es nicht ungeschehen machen. Ich kann es nicht wiedergutmachen. Ich kann es nicht mehr ändern, dass er tot ist. Kann nicht mehr ändern, was ich zu Feyre gesagt habe. Nichts von den schrecklichen Dingen, die ich getan habe, kann ich mehr ändern. Ich kann *mich* nicht ändern.«

Sie schluchzte so heftig, dass sie glaubte, ihr Körper würde zerbrechen. Wenn er doch nur auseinanderfallen würde wie ein aufgeschlagenes Ei. Wenn das, was von ihrer Seele noch übrig war, doch nur mit dem Wind aus den Bergen davonwehen würde.

»Ich ertrage es nicht«, flüsterte sie.

»Es ist nicht deine Schuld«, sagte Cassian.

Sie schüttelte den Kopf, das Gesicht noch immer in den Händen, als würden sie sie vor ihm abschirmen.

Doch er raunte: »Du trägst keine Schuld am Tod deines Vaters. Ich war dort, Nesta. Auch ich habe nach einem Ausweg gesucht. Aber es gab nichts, was man hätte tun können.«

»Ich hätte meine Kraft nutzen können, hätte es zumindest *versuchen* können ...«

»Nesta.« Ihr Name war ein Seufzer. So als litte er Qualen. Dann waren seine Arme um sie herum und sie wurde in seinen Schoß gezogen. Sie wehrte sich nicht, als er sie an seine Brust drückte, an seine Stärke, an seine Wärme.

»Ich hätte einen Weg finden können. Ich hätte einen Weg finden *müssen*.«

Er strich ihr sanft über die Haare.

Sie zitterte am ganzen Körper, zitterte bis ins Mark. »Der Tod meines Vaters ist ... der Grund, warum ich kein Feuer ertrage.«

Seine Hand hielt kurz inne, streichelte dann aber weiter. »Wieso?«

»Die Scheite ...« Sie schauderte. »Sie *knacken*. Es hört sich an wie brechende Knochen.«

»Wie das Genick deines Vaters.«

»Ja«, wisperte sie. »Genau das höre ich jedes Mal. Ich weiß nicht, ob ich in der Nähe eines Feuers jemals etwas anderes hören werde. Es ist ... es ist die reinste Qual.«

Er strich ihr weiter über den Kopf.

Eine Flut von Worten brandete aus ihr heraus. »Ich hätte schon vorher einen Weg finden sollen, um uns zu retten. Um Elain und Feyre zu retten, als wir arm waren. Aber ich war *so wütend*, und ich wollte, dass er es versuchte, dass er für uns kämpfte. Aber das tat er nicht, und ich hätte uns alle verhungern lassen, nur um zu beweisen, was für ein erbärmlicher Mistkerl er war. Dieser Hass brannte so sehr in mir, dass ... dass ich Feyre in den Wald gehen ließ und mir einredete, es sei mir egal, dass sie halb wild war, und trotzdem ...« Sie stieß einen herzzerreißenden Schrei aus. »Jedes Mal, wenn ich die Augen schließe, sehe ich sie an jenem Tag, als sie zum ersten Mal auf die Jagd ging. Ich sehe Elain, wie sie in den Kessel steigt. Ich sehe, wie sie im Krieg von ihm verschleppt wird. Ich sehe meinen toten Vater. Und jetzt werde ich Feyres Gesicht sehen, eingefroren in dem Moment, als ich ihr gesagt habe, dass das Baby sie umbringen wird.« Sie zitterte am ganzen Körper und heiße Tränen strömten über ihre Wangen.

Cassian strich ihr über das Haar und den Rücken, während er sie am Ufer des Sees in den Armen hielt.

»Ich hasse es«, sagte sie dann. »Alles in mir, was ... diese Dinge tut. Und trotzdem kann ich es nicht verhindern. Ich kann die Barriere nicht wegnehmen, denn wenn ich das tue und alles hineinlasse …« Dann würde genau das hier aus ihr werden: dieses schreiende, heulende Elend.»Ich ertrage es nicht, in meinem Kopf zu sein. Ich ertrage es nicht, alles wieder und wieder zu hören und zu sehen. Ich höre immerzu, wie sein Genick bricht. Die letzten Worte, die er an mich gerichtet hat: dass er mich liebt.« Kaum hörbar fügte sie hinzu:»Ich habe diese Liebe nicht verdient. Ich verdiene *nichts*.«

Cassian umschloss sie fester, und ihre Hände sackten nach unten, als sie das Gesicht an seine Jacke drückte und an seiner Brust weinte.

»Ich kann dir von meiner Mutter erzählen und wie ihr Tod mich fast zerstört hätte«, sagte er nach einem Moment.»Ich kann dir in allen Einzelheiten erzählen, was ich danach getan habe und was es mich gekostet hat. Ich kann dir von den zehn Jahren erzählen, die ich brauchte, um das alles zu verarbeiten. Ich kann dir erzählen, wie viele Tage und Nächte ich in den neunundvierzig Jahren litt, als Amarantha Rhys gefangen hielt … die Schuld, die mich fast zerrissen hätte, weil ich nicht da war, um ihm zu helfen … weil ich ihn nicht retten konnte. Ich kann dir erzählen, wie ich noch heute bei seinem Anblick denke, dass ich seiner nicht würdig bin, dass ich ihn im Stich gelassen habe, als er mich brauchte. Dieser Gedanke reißt mich manchmal aus dem Schlaf. Ich kann dir erzählen, dass ich so viele Leute getötet habe, dass ich sie nicht mehr zählen kann. Und dabei erinnere ich mich an fast jedes Gesicht. Ich kann dir erzählen, dass ich Eris und Devlon und die anderen reden höre und dass ich mich tief in meinem Inneren noch immer für den wertlosen Bastard und Rohling halte. Dass es egal ist, wie viele Trichtersteine ich besitze oder wie viele Schlachten ich gewonnen habe. Denn ich habe die beiden Personen, die mir am wichtigsten waren, im Stich gelassen, als es darauf ankam.«

Ihr fehlten die Worte, um ihm zu sagen, dass er sich irrte. Dass er gut und tapfer war und …

»Doch all das werde ich dir nicht erzählen«, sagte er und drückte ihr einen Kuss auf den Kopf.

Der Wind schien innezuhalten. Das Sonnenlicht auf dem See glitzerte heller.

»Stattdessen werde ich dir erzählen, dass du darüber hinwegkommen wirst, wenn du dich all dem stellst. Diese Tränen sind *gut*, Nesta. Sie bedeuten, dass es dir wichtig ist. Ich werde dir erzählen, dass es nicht zu spät ist, für nichts von all dem. Ich kann dir zwar nicht sagen, wann oder wie, aber es wird besser werden. Das, was du jetzt fühlst – diese Schuld, diesen Schmerz, diesen Selbsthass –, wirst du überwinden. Aber nur, wenn du bereit bist zu kämpfen. Nur, wenn du bereit bist, dich all dem zu stellen, es anzunehmen, hindurchzugehen und auf der anderen Seite wieder herauszukommen. Und vermutlich wirst du noch immer einen Anflug von diesem Schmerz spüren. Aber es gibt definitiv eine andere Seite. Eine bessere Seite.«

Sie löste sich von seiner Brust, sah, dass seine Augen silbern glänzten. »Ich weiß nicht, wie ich da hinkommen soll. Ich glaube nicht, dass ich das schaffe.«

In seinen Augen schimmerte Mitgefühl für ihren Schmerz. »Doch, das wirst du. Ich habe gesehen, wozu du fähig bist, wenn du für die kämpfst, die du liebst. Warum widmest du die gleiche Tapferkeit und Treue nicht dir selbst? Und sag jetzt nicht, dass du es nicht verdienst.« Er umfasste ihr Kinn. »Jeder verdient es, glücklich zu sein. Der Weg dorthin ist nicht leicht, sondern lang und steinig, und oft hat man nicht die geringste Orientierung. Aber man geht ihn trotzdem weiter.« Er deutete auf die Berge und den See. »Weil man weiß, dass das Ziel sich lohnt.«

Sie schaute zu ihm hoch – zu diesem Mann, der fünf Tage mit ihr in fast völligem Schweigen gewandert war und auf diesen Moment gewartet hatte. Das wusste sie jetzt.

»All die Dinge, die ich getan habe ...«, platzte sie heraus.

»Lass sie in der Vergangenheit. Bitte alle, die dir wichtig sind, um Vergebung, aber lass diese Dinge hinter dir.«

»Vergebung ist nicht so einfach.«

»Vergebung ist etwas, das wir auch uns selbst gewähren. Ich kann mit dir reden, bis diese Berge um uns herum zerbröckeln. Aber wenn du keine Vergebung möchtest, wenn du nicht aufhören willst, dich so zu fühlen ... dann wird es nicht passieren.« Er umfing ihre Wange, strich über ihre erhitzte Haut. »Du musst nicht einem unerreichbaren Ideal nachstreben. Du musst nicht niedlich und einfältig werden. Du kannst jeden mit diesem Ich-werde-meine-Feinde-töten-Blick mustern – der übrigens mein Lieblingsblick ist. Du kannst diese Schärfe behalten, die ich so mag, diese Kühnheit und Furchtlosigkeit. Ich will nicht, dass du diese Dinge jemals verlierst, dass du dich in einen Käfig sperrst.«

»Aber ich weiß noch immer nicht, wie ich mich selbst in Ordnung bringen soll.«

»An dir ist nichts zerbrochen – nichts, das in Ordnung gebracht werden müsste«, sagte er resolut. »Du hilfst *dir selbst*. Du heilst das in dir, was so sehr wehtut und was möglicherweise auch andere verletzt.«

Nesta wusste, er würde es niemals aussprechen, aber sie sah es in seinem Blick: dass sie ihn verletzt hatte. Oft. Sie hatte es gewusst, aber es jetzt in seinem Blick zu sehen ... Sie hob die Hand an seine Wange und umfasste sie, zu erschöpft, um über die Zärtlichkeit dieser Berührung nachzudenken.

Cassian schmiegte sich an ihre Hand und schloss die Augen. »Ich werde jeden Schritt des Weges bei dir sein«, flüsterte er in ihre Handfläche. »Aber bitte schließ mich nicht aus. Wenn du eine Woche wandern willst, ohne auch nur ein Wort zu sagen, ist das für mich in Ordnung. Solange du am Ende mit mir redest.«

Sie fuhr mit dem Daumen über seinen Wangenknochen und bestaunte ihn – seine Worte und seine Schönheit. Etwas Entscheidendes in ihr fand seinen Platz, rastete ein. Etwas, das flüsterte: *Versuch es*.

Cassian öffnete die Augen, und sie waren so schön, dass es ihr fast den Atem raubte. Nesta beugte sich vor, bis sich ihre Augenbrauen berührten. Und trotz allem, was in ihrem Herzen brodelte und durch ihren Körper strömte, flüsterte sie nur: »Danke.«

Der Sturm war ausgebrochen, aber nicht so, wie Cassian erwartet hatte. Er hatte mit einem Wutausbruch gerechnet, der Berge zum Einstürzen bringen konnte. Nicht mit Tränen, die diesen See füllten.

Jedes Schluchzen hatte ihm das Herz gebrochen. Jedes Zittern ihres Körpers, als die Worte sich mühsam Bahn brachen, hatte ihn in Stücke gerissen. Bis er sich nicht mehr zurückhalten konnte und die Arme um sie geschlungen hatte, um sie zu trösten.

Sie hatte im Feuer kein Holz knacken gehört, sondern Knochen. Er hätte es wissen müssen. Vor wie vielen Feuern war Nesta zurückgewichen, weil sie keine prasselnden Holzscheite gehört hatte, sondern das brechende Genick ihres Vaters?

Beim Fest zur Wintersonnenwende im letzten Jahr war sie blass und verschlossen gewesen, noch viel schlimmer als sonst. Dort hatte die ganze Nacht ein glühend heißes, großes und laut knisterndes Feuer gebrannt. Jedes Knacken musste sie an ihren Vater erinnert haben, brutal und unerträglich. Und als sie am Ende der Feier plötzlich aus dem Haus gestürmt war: Wollte sie da vor ihnen fliehen oder vor dem Geräusch? Vermutlich beides, aber ... Wenn sie doch nur etwas gesagt hätte. Wenn er es doch nur gewusst hätte.

Und verdammt, wie viele Lagerfeuer hatte er in den letzten paar Tagen entzündet? Am ersten Abend hatte sie sich so weit wie möglich von den Flammen entfernt zusammengerollt. Hatte mit einem Arm über dem Kopf geschlafen, sich die Ohren zugehalten. Die Große Mutter möge ihn verfluchen. Und in der Schmiede, als sie darum gebeten hatte, in einen kühleren, ruhigeren Raum gehen zu dürfen – in einen Raum *ohne* das knackende Schmiedefeuer ... Es musste sie unfassbar viel Mut gekostet haben, in die Werkstatt, zu den Flammen zurückzukehren und diese Klingen zu hämmern.

Sie hatte gelitten, und er hatte keine Ahnung gehabt, wie sehr dieses Leid jede Facette ihres Lebens bestimmte. Er hatte ihren Selbsthass und ihre Wut gesehen, aber nicht erkannt, wie sehr sie sich dessen bewusst gewesen war. Wie sehr es sie aufgefressen hatte. Er konnte es kaum ertragen ... das Wissen, dass sie so lange gelitten hatte.

Cassian hielt sie am Ufer des Sees in den Armen, bis die Sonne unterging. Bis der Mond über den Bergen aufstieg. Sie lauschten auf den Atem des anderen, als wäre die Welt von ihren Tränen überschwemmt worden, als warteten sie beide darauf, was wohl auftauchen würde, sobald die Flut zurückging.

Der See schimmerte wie ein silberner Spiegel im Mondlicht, so hell, dass es die Abenddämmerung hätte sein können. Sein Magen knurrte vor Hunger, doch als die Nacht voranschritt, drückte er einen Kuss auf ihren Scheitel. »Steh auf«, sagte er.

Sie folgte seiner Aufforderung und er rappelte sich ächzend auf. Seine Beine waren ganz steif vom langen Sitzen. Nesta schlang die Arme um sich, als wollte sie sich wieder hinter die Stahlwand in ihrem Geist, in ihrem Herzen zurückziehen.

Cassian zog das illyrianische Schwert aus der Scheide auf seinem Rücken. Es funkelte im Mondlicht, als er es ihr mit dem Heft voran entgegenstreckte. »Nimm es.«

Blinzelnd, die Augen noch vom Weinen verquollen, tat sie, was er sagte. Die Klinge neigte sich nach unten, als sie das Heft umfasste, als hätte sie dieses Gewicht nach dem langen Training mit den Holzschwertern nicht erwartet.

Cassian trat zurück und forderte: »Zeig mir den achtzackigen Stern.«

Sie betrachtete das Schwert und schluckte. Ihre Gesichtszüge wirkten offen, zwar ängstlich, aber so vertrauensvoll, dass er fast in die Knie ging. Er deutete auf die Waffe. »Zeig ihn mir, Nesta.«

Was auch immer sie in seinem Gesicht suchte, sie fand es. Sie stellte die Beine weiter auseinander und verlagerte das Gewicht auf die Füße. Cassian hielt den Atem an, als sie die erste Position einnahm.

Nesta hob das Schwert und führte einen perfekten bogenförmigen Hieb aus. Sie verlagerte das Gewicht auf die Beine, als sie die Klinge drehte und mit dem Heft führte, um dann den Arm gegen einen unsichtbaren Angriff nach oben zu reißen. Eine weitere Verlagerung und das Schwert fuhr herab – ein brutaler Hieb, der einen Gegner in zwei Hälften geteilt hätte.

Jeder Hieb war perfekt. Als wäre dieser achtzackige Stern in ihr Herz eingebrannt. Das Schwert war eine Verlängerung ihres Arms, so sehr Teil von ihr wie ihr Haar oder ihr Atem. Jede Bewegung erfolgte mit Zielbewusstsein und Präzision. Hier im Mondlicht, vor dem silbern schimmernden See, war sie das Schönste, was er je gesehen hatte.

Nesta beendete die achte Figur und führte das Schwert wieder zur Mitte. Das Licht in ihren Augen leuchtete heller als der Mond am Himmel.

Ein solches Licht und eine solche Klarheit, dass er nur flüstern konnte: »Noch einmal.«

Und mit einem sanften Lächeln, das Cassian noch nie zuvor an ihr gesehen hatte, stand Nesta am Ufer des mondbeschienenen Sees und begann von vorn.

Teil 3
Walküre

∽ 51 ∾

»Du willst mir also erzählen, dass du Streit mit deiner Familie hattest, für eine Woche mit Cassian verschwunden bist und bei deiner Rückkehr mit einem *richtigen* Schwert umgehen konntest«, raunte Emerie, als sie zwei Tage später auf dem Trainingsplatz standen. »Und ich soll dir glauben, wenn du behauptest, dass *nichts passiert ist?*«

Gwyn lachte leise, während sie ein weißes Seidenband um einen Holzbalken wickelte, der von der Seite in den Platz hineinragte. Weder das Band noch der Balken waren vor einer Woche da gewesen, und Nesta hatte keine Ahnung, wie man das Holz im Stein verankert hatte. Aber jetzt war beides nun mal da.

Der frische Morgenwind zerzauste Nestas Haare. »Genau das versichere ich dir.«

»Sag mir wenigstens, dass du in der Woche jede Menge Sex hattest«, murmelte Emerie.

Nesta verschluckte sich an einem Lachen und Cassian schien auf der anderen Seite des Platzes zu erstarren. Doch er drehte sich nicht zu ihnen um. »Könnte sein.« Nach der Nacht am See hatten Cassian und sie noch ganze zwei Tage in dessen Nähe kampiert und entweder mit seinem Schwert trainiert oder wie Tiere am Ufer, im Wasser und auf einem Felsblock gevögelt, wo sie seinen Namen so laut gestöhnt hatte, dass es von den Gipfeln um sie herum widergehallt war. Er hatte sie wieder und wieder genommen, und jedes Mal hatte sie sich an ihn gekrallt, als könnte sie in ihn kriechen und ihre beiden Seelen miteinander verschmelzen.

Sie waren am gestrigen Abend zurückgekehrt, und Nesta war zu müde gewesen, um ihn in seinem Zimmer aufzusuchen. Man hatte ihn vermutlich ins Flusshaus gerufen, denn er war weder beim

Abendessen noch bei ihr erschienen. Sie brachte es allerdings noch nicht über sich, Feyre gegenüberzutreten. Trotz allem, was sie Cassian gestanden hatte, war dieser Schritt ... Sie würde die Angelegenheit bald in Angriff nehmen.

»Fertig«, verkündete Gwyn, und das weiße Band am Balken flatterte im Wind. Hinter ihnen hatten sich ein paar der neuen Priesterinnen, die mit Azriel trainierten, umgedreht, weil sie sehen wollten, was es mit diesem Band auf sich hatte. Der Schattensänger verschränkte die Arme vor der Brust und neigte leicht den Kopf, blieb aber in seiner Hälfte des Platzes.

Cassian dagegen ging zu Gwyns Werk und ließ das weiße Seidenband durch die Finger gleiten. Nesta konnte nicht verhindern, dass sie errötete, denn das hatte er auch am See getan: die Finger aneinandergerieben, nachdem er sie damit gevögelt hatte, und der Geschmeidigkeit ihrer Nässe an seiner Haut nachgespürt so wie jetzt diesem Band. Daran, wie sich seine nussbraunen Augen verdunkelten, erkannte sie, dass er sich denselben Moment ins Gedächtnis rief.

Doch dann räusperte er sich und wandte sich an Gwyn. »Was bezweckst du damit?«

Gwyn straffte die Schultern. »Mit dieser Prüfung stellen die Walküren fest, ob man das Training abgeschlossen hat und für die Schlacht bereit ist: Man muss das Band durchtrennen.«

Emerie schnaubte. »Was?«

Aber Cassian brummte nachdenklich und deutete auf die andere Hälfte des Platzes. »Az hat mir erzählt, ihr habt während unserer Abwesenheit schon vorbereitende Übungen mit den Stahlklingen gemacht.« Er deutete mit dem Kinn auf Emerie und dann auf Gwyn, die zu dem schweigenden Schattensänger schaute. »Also, zeigt mir mal, was ihr gelernt habt. Durchtrennt das Band.«

»Wenn wir das Band durchtrennen, ist unser Training dann abgeschlossen?«, fragte Emerie skeptisch.

Erneut blickte Gwyn zu Azriel, der jetzt näher kam. »Ich bin mir nicht ganz sicher«, sagte sie.

Cassian gab das Seidenband frei. »Das Training eines Kriegers ist nie abgeschlossen. Aber wenn ihr in der Lage seid, das Band mit einem Hieb in zwei Hälften zu schneiden, dann würde ich sagen, dass ihr euch gegen die meisten Gegner verteidigen könnt. Selbst, wenn ihr erst seit kurzer Zeit trainiert.« Als sie schwiegen, sah er von Gwyn zu Emerie und dann zu Nesta. »Wer will zuerst?«

Wieder tauschten die drei Blicke. Nesta runzelte die Stirn. Die Erste würde die ganze Demütigung abbekommen. Gwyn schüttelte den Kopf. Auf gar keinen Fall.

Emerie öffnete den Mund. »Warum ich?«, protestierte sie.

»Was?«, fragte Cassian, und Nesta erkannte, dass sie drei gar nicht laut miteinander gesprochen hatten.

»Du bist die Älteste«, antwortete Gwyn und stupste Emerie in Richtung Band.

Emerie murrte, trat dann aber vor und nahm das Schwert, das Cassian ihr entgegenhielt. Azriel murmelte über die Schulter den Priesterinnen etwas zu, die ihre Übungen unterbrochen hatten, um zuzuschauen. Sofort setzten sie sich wieder in Bewegung. Azriels Aufmerksamkeit blieb auf das Band gerichtet.

»Sollen wir wetten?«, schlug Gwyn Nesta vor.

»Klappe!«, zischte Emerie, obwohl ihre Augen belustigt funkelten. Nesta grinste. »Na los, Emerie.«

Leise fluchend und die Schwingen fest angelegt, hob Emerie das Schwert in einem fast perfekten Bogen und ließ es auf das Band herabfahren.

Die weiße Seide flatterte und wickelte sich dann um die Klinge, wurde aber nicht durchtrennt.

»Wir wussten doch alle, dass das passieren würde«, sagte Emerie und zog das Schwert erneut mit angestrengter Miene herab. Doch das Band tanzte unversehrt in der Luft.

Cassian klopfte ihr auf die Schulter. »Dann sehen wir uns also morgen beim Training.«

»Arschloch«, murmelte Nesta.

Cassian lachte, nahm Emerie das Schwert ab und fuhr im gleichen Atemzug mit einer tief ansetzenden, gleichmäßigen Bewegung herum. Nur einen Sekundenbruchteil später segelte die untere Hälfte des Bands zu Boden. Ein perfekter Hieb.

Er grinste. »Also *ich* kann das Band durchtrennen.«

Nesta vergaß seine Bemerkung nicht. Weder beim Trainingsende noch in dem Moment, als sie Cassian die Treppe hinab und direkt in sein Zimmer schleifte, weil ihr ganzer Körper nach ihm verlangte.

Cassian empfand offenbar das Gleiche. Er hatte in den letzten Minuten kaum gesprochen, aber in seinen Augen stand ein helles Leuchten. Sie schafften es nur bis zu seinem Schreibtisch an der Wand, bevor sie ihn packte – und er sie in demselben Moment auf die Holzplatte drückte und ihr die Hose herunterzerrte.

Über den Schreibtisch gebeugt, die untere Körperhälfte entblößt, presste Nesta ihre vor Sehnsucht schmerzenden Brustwarzen gegen die hölzerne Oberfläche und genoss die rabiate Berührung. Jacke, Hemd und Stiefel behielt sie an. Genau genommen war auch ihre Hose nur bis zu ihren Fußknöcheln heruntergezogen, sodass ihre Bewegungsfreiheit noch weiter eingeschränkt und sie ihm vollkommen ausgeliefert war.

Und als sein Schwanz schließlich tief in sie eindrang, stöhnten beide auf. Er stand hinter ihr, stützte sich mit einer Hand auf dem Schreibtisch ab und umfasste mit der anderen ihre Hüfte, während er sich fast bis zur Spitze zurückzog und dann langsam wieder zustieß. Nesta wand sich.

»Ich könnte dich tagelang vögeln«, keuchte er an ihrem verschwitzten Nacken. Sie stöhnte in einen Stapel Papiere. »Mein Schwanz ist ganz nass von dir«, brummte er, und die Hand an ihrer Hüfte glitt bis zu der empfindlichen Stelle am Ansatz ihrer Schenkel.

Bei der ersten aufreizenden Berührung keuchte sie: »Cassian.« Er stieß in einem gleichmäßigen, tiefen Rhythmus in sie. Das feuchte Gleiten seines Schwanzes in ihre Scheide klang obszön durch den ansonsten stillen Raum. »Härter.« Sie wollte ihn bis ins Mark spüren. »*Härter.*«

»*Verdammt*«, presste er hervor und richtete sich auf. »Halt dich am Tisch fest«, befahl er, und Nesta streckte sich, um die Kanten zu umfassen, während seine Hände ihre Hüften packten. Seine Schenkel schoben sich zwischen ihre, spreizten sie noch weiter. Und dann wurde sein Griff ohne jede Vorwarnung fester und er ließ alle Hemmungen fallen.

Wunderbare, strafende Stöße drangen so tief in sie, dass er ihre innerste Mitte traf und sie angesichts der puren Lust, die sie empfand, die Augen verdrehte. Sie hätte schluchzen können, so sehr genoss sie seine schiere Größe. Mit jedem wilden, unerbittlichen Stoß wurde sie gegen den Schreibtisch gepresst, das Holz und die Papiere reizten ihre Brüste – und auch das trieb ihr fast Tränen der Lust in die Augen. Die Laute, die aus ihrer Kehle drangen, waren weder menschlich noch Fae, sondern viel ursprünglicher.

»Verdammt, ja«, knurrte er, als er sah, wie entfesselt sie war. »Das ist es, Nesta.« Er betonte jedes Wort mit einem wilden Stoß. »Fühl ich mich gut an?«

Sie wimmerte bestätigend und keuchte dann: »Ich mag es, wenn du mich hart nimmst. Immer wenn ich spüre, wie wund mein Körper ist, denke ich …« Sie musste um Worte ringen, um Kontrolle. »… denke ich an dich. An deinen Schwanz.«

»Gut. Ich will, dass mein Schwanz das Einzige ist, woran du denkst.« Sein Tempo verlangsamte sich, als er ihren Hals leckte. Sie konnte das spöttische Lächeln in seinen Worten spüren, als er flüsterte: »Deine hübsche kleine Möse ist nämlich das Einzige, woran ich denke.«

Sie spürte seine schmutzigen Worte bis in die Zehenspitzen. Aber sie würde ihn nicht gewinnen lassen, zumal sich die Frage, wer den anderen zuerst zum Höhepunkt brachte, sich irgendwie zu einem Wettbewerb entwickelte. Also flüsterte sie: »Ich liebe deinen großen, harten Schwanz. Ich liebe es, wie er mich ausfüllt, wie du mir deinen Stempel damit aufdrückst.«

»Verdammt«, knurrte er und stieß jetzt so wild zu, dass sie nur deshalb mit den Füßen auf dem Boden blieb, weil sie sich am Schreibtisch festhielt. »*Verdammt!*«

Cassian kam laut brüllend, und beim ersten Pulsieren seines Schwanzes, der sich tief in sie ergoss, erreichte auch sie den Höhepunkt und schrie so laut, dass er ihr eine Hand auf den Mund presste. Sie biss auf seine Finger, und er bewegte sich weiter in ihr, ergoss sich bis zum letzten Tropfen. »Du hast keine Ahnung, was du gerade angefangen hast«, flüsterte er ihr ins Ohr und begann, in kleinen Kreisen über ihre empfindliche Stelle zu reiben.

Nesta antwortete nicht, während seine Finger sich schneller bewegten und sie noch einmal kam.

Nesta wagte sich nicht hinunter in die Stadt, um Feyre zu besuchen. Oder Amren. Aber sie ging weiterhin zur Wendeltreppe. Es war ihr nicht noch einmal gelungen, die Tür am unteren Ende zu erreichen. Tief in ihrem Inneren wusste sie, dass sie es schaffen könnte, wenn sie nur wollte – genau so, wie sie den Mund aufmachen und Cassian bitten könnte, sie zum Flusshaus zu bringen. Aber sie verzichtete darauf und versuchte noch eine ganze Woche lang, die Treppe zu überwinden. Sie schaffte es jedes Mal bis zur Hälfte, bevor sie wieder umkehrte, mit Beinen wie aus Gummi.

Was nur passend war, denn auch ihre Arme fühlten sich an wie aus Gummi. Ja, sie schwang das Schwert mit ihrem ganzen Körper, aber am meisten schmerzten ihre Arme. Und es half auch nicht gerade, dass sie inzwischen mit Schilden trainierten.

Keiner von ihnen war es gelungen, Gwyns Band zu durchtrennen. Sie versuchten es am Anfang und am Ende des Trainings und scheiterten alle.

Nesta ärgerte sich inzwischen jedes Mal, wenn sie irgendwo ein Band sah: in Roslins rotem Haar, in der Schublade ihrer Kommode, als Lesezeichen in dem letzten Liebesroman, den Emerie ihr ausgeliehen hatte. Diese Bänder lachten über sie und zogen sie auf. Und so lief Nesta die Treppe hinunter und wieder hinauf, übte und scheiterte.

Jede Nacht, und manchmal auch tagsüber, nahm sie Cassian mit in ihr Bett, obwohl sie nicht zusammen in einem Zimmer schliefen.

Kein einziges Mal. Sie fielen übereinander her, vögelten und gingen wieder auseinander. Auch wenn es manche Nacht gab, in der sie sich wünschte, dass er blieb. Wünschte, dass sie sich an seinen warmen Körper schmiegen könnte, um dann zum Geräusch seines Atems einzuschlafen. Doch er ging jedes Mal, noch bevor sie den Mut aufbrachte, ihn darum zu bitten.

Nesta stand gerade in der Bibliothek und blätterte einen Band über Militärgeschichte durch – in dem es *einen* Absatz über Walküren-Angriffe aus dem Hinterhalt gab –, als Gwyn auftauchte. »Sag mir, dass du das Geheimnis herausgefunden hast, wie man das Band durchtrennt.«

»Du und dein Band«, murmelte Nesta und klappte das Buch zu. Von ihnen allen war Gwyn inzwischen diejenige, die am eifrigsten auf Erfolg aus war.

Gwyn verschränkte die Arme und ihr helles Gewand raschelte. Sie zuckte zusammen und rieb sich die Schulter. »Hättest du geahnt, dass Schilde so viel wiegen? Ich ganz bestimmt nicht. Kein Wunder, dass die Walküren lernten, sie als Waffen einzusetzen, die genauso tödlich waren wie ihre Schwerter.« Sie seufzte. »Sie müssen in einer Schlacht ganz schön beeindruckend gewesen sein, wenn sie mit ihren Schilden die Schädel der Feinde zertrümmerten oder sie damit auf den Rücken stießen, um sie aufzuspießen ...« Ein weiteres Mal rieb sie sich die Schulter. »Ihre Armmuskeln müssen hart wie Stahl gewesen sein.«

»Allerdings«, schnaubte Nesta und legte den Kopf auf die Seite. »Wo du gerade hier bist: Ich möchte dich um einen Gefallen bitten.«

Gwyn zog eine Augenbraue hoch. »Wegen der Truhe?«

»Nein.« Nesta wusste, dass sie wegen der Harfe schon bald versuchen musste, eine Prophezeiung durchzuführen. Sie hatte eine gute Woche in den Bergen verloren, und wenn Königin Briallyn die Krone bereits hatte ... Ihnen saß die Zeit im Nacken. »Du hast vor einer Weile erwähnt, dass ihr Abendmessen feiert – mit Musik, richtig?«

Gwyn lächelte. »Oh, ja. Willst du kommen? Ich verspreche, dass wir nicht nur religiöses Zeug singen. Okay, es ist religiös, aber auch sehr schön. Und die Höhle, in der die Messe stattfindet, ebenfalls. Sie ist durch den Fluss entstanden, der unter dem Berg fließt, wodurch die Wände glatt sind wie Glas. Die Akustik ist perfekt, durch Form und Größe des Raums wird jede Stimme darin verstärkt.«

»Klingt himmlisch«, räumte Nesta ein.

»Definitiv.« Gwyn lächelte erneut, und ihre Augen leuchteten vor Stolz. »Einige der Lieder sind uralt und noch vor der Schriftsprache entstanden. Manche kannten wir nicht mal in Sangravah. Clotho hat sie in Büchern aufgestöbert, die unterhalb von Ebene Sieben im Regal stehen. Hana – sie spielt die Laute – hat herausgefunden, wie man die Noten liest.«

»Ich werde auf jeden Fall vorbeikommen.« Nesta trat von einem Fuß auf den anderen. »Ich glaube, ich brauche so etwas.« Als Gwyn sie fragend musterte, fügte sie hinzu: »Ich ...« Sie suchte nach den passenden Worten. »Ich ...«

Gwyn schob die Hände in die Taschen ihres Gewands und sah sie erwartungsvoll an.

Schließlich brachte Nesta eine Antwort über die Lippen: »Nach dem Krieg war ich in einem schlechten Zustand. Das bin ich wohl noch immer, aber während des Jahrs nach Kriegsende ...« Sie konnte Gwyn nicht in die Augen sehen. »Ich habe viele Dinge getan, die ich bereue. Leuten wehgetan und mich selbst verletzt. Ich habe Tag und Nacht getrunken und ...« Sie wollte Gwyn gegenüber das Wort *gevögelt* nicht benutzen, also sagte sie: »Ich habe Fremde mit in mein Bett genommen. Um mich selbst zu bestrafen, um mich zu betäuben.« Sie zuckte die Schultern. »Es ist eine lange Geschichte und außerdem nicht wert, erzählt zu werden. Aber in dieser Zeit ging ich in Schenken und Bars, vor allem wegen der Musik. Ich habe Musik schon immer geliebt.« Sie wappnete sich gegen das vernichtende Urteil. Doch aus Gwyns Gesicht sprach nur Kummer.

»Du hast dir vermutlich schon gedacht, dass mein Aufenthalt im Haus, mein Training und meine Arbeit in der Bibliothek ... dass meine Schwester versucht, mir damit zu helfen.« Ihre Schwester, bei der sie sich noch immer nicht entschuldigt hatte, der sie noch immer nicht gegenüberzutreten wagte.«Und ich ... ich glaube, ich kann froh sein, dass Feyre das für mich getan hat. Das Trinken, die Männer, das alles vermisse ich nicht. Aber die Musik ... die fehlt mir.« Nesta machte eine abschätzige Handbewegung, als könnte sie die Verletzlichkeit, die sie gezeigt hatte, damit vertreiben. Aber sie fuhr fort:»Und weil ich in der Stadt nicht besonders willkommen bin, habe ich gehofft, dass es ernst gemeint war, als du gesagt hast, ich solle zu eurer Messe kommen. Damit ich wieder ein wenig Musik hören kann.«

Gwyns Augen strahlten wie das Sonnenlicht auf einem warmen Meer. Nestas Herz schlug wie wild, als sie auf eine Antwort wartete.

»Deine Geschichte ist es sehr wohl wert, erzählt zu werden«, erwiderte Gwyn.

Nesta wollte protestieren, aber Gwyn beharrte:»Doch, ganz bestimmt. Und wenn du Musik hören möchtest, dann komm ruhig zur Messe. Wir freuen uns. *Ich* freue mich.«

Bis Gwyn erfuhr, wie schrecklich Nesta gewesen war.

»Nein«, sagte Gwyn, die den Gedanken offenbar in ihrem Gesicht lesen konnte. Sie nahm Nestas Hand.»Du ... Ich verstehe es.« Nesta hörte, dass auch Gwyns Herz schneller schlug.»Ich weiß, wie es ist ... jemanden zu enttäuschen, der einem am meisten bedeutet. In der Angst zu leben, die Leute könnten es herausfinden. Ich fürchte mich davor, dass du und Emerie ... dass ihr von meiner Geschichte erfahrt. Denn wenn ihr sie kennt, werdet ihr mich mit anderen Augen sehen.« Gwyn drückte Nestas Hand.

Ihre Geschichte würde an die Reihe kommen, später. Nesta gab es Gwyn mit ihrem Gesichtsausdruck zu verstehen. Wenn Gwyn so weit war, würde nichts von dem, was sie enthüllte, Nesta dazu bringen, sich von ihr abzuwenden.

»Komm heute Abend zur Messe«, sagte Gwyn.»Hör dir die Musik an.« Erneut drückte sie ihre Hand.»Du bist mir immer willkommen, Nesta.«

Nesta hatte nicht gewusst, wie dringend sie diese Worte hatte hören wollen. Sie nahm Gwyns Hand und drückte sie ebenfalls.

⚭ 52 ⚭

Auf den Holzbänken in der massiven Höhle aus rotem Gestein drängten sich zahlreiche Gestalten in hellen Roben und Kapuzen. Ihre blauen Schmucksteine schimmerten im Licht der Fackeln, während sie auf den Beginn der Abendmesse warteten. Nesta setzte sich auf eine Bank im hinteren Teil der Höhle und erntete ein paar neugierige Blicke von den Priesterinnen, die an ihr vorbeigingen. Aber keine richtete auch nur ein Wort an sie.

Am anderen Ende des Raums befand sich ein Podium, auf dem jedoch kein Altar stand. Eine natürliche Steinsäule ragte aus dem Boden auf, deren oberes Ende zu einer Art Kanzel abgeflacht war. Sonst nichts. Keine Bildnisse, keine Figuren, keine vergoldeten Gegenstände.

Eine silberhaarige Gestalt schritt durch den Gang, umgeben von einem kalten Wind. Die anderen Priesterinnen machten einen großen Bogen um sie, und Nesta versteifte sich, als Merrill die grauen Augen zusammenkniff und sie hasserfüllt ansah. Sie ging allerdings weiter und nahm auf dem Podium Platz, wo inzwischen auch Clotho erschienen war. Doch noch immer keine Spur von Gwyn.

Als auch die letzte Priesterin einen Platz gefunden hatte, wurde es still, und eine Gruppe von sieben Frauen trat neben Merrill und Clotho auf das Podium. Einige hatten ihre Kapuze hochgeschlagen, andere nicht. Und eine der Priesterinnen ohne Kopfbedeckung war … Gwyn. Ihre Augen leuchteten verschmitzt und erfreut, als sie Nesta entdeckte – so als wollte sie sagen: *Überraschung*.

Nesta musste lächeln.

In der Nähe ertönte eine Glocke siebenmal und hallte durch die Höhle, durch Nestas Füße. Jedes Läuten war ein Aufruf zur Konzentration. Beim siebten Läuten erhoben sich alle Anwesenden. Nesta blickte auf das Meer aus hellen Kapuzen und blauen Steinen, während der ganze Raum den Atem anzuhalten schien.

Denn als das siebte Läuten verhallt war, erschallte Musik.

Nicht von irgendwelchen Instrumenten, sondern aus dem Raum rund um Nesta: In einer Welle aus funkelndem Klang begannen die Priesterinnen wie mit einer Stimme zu singen. Sie konnte nur staunen über die liebliche Melodie, die führenden Stimmen vorn in der Höhle, die höher stiegen als die anderen. Gwyn sang mit erhobenem Kinn und ein schwaches Leuchten schien von ihr auszugehen.

Die Musik war rein und alt, abwechselnd hauchzart und kraftvoll, in einer Sekunde wie eine Nebelranke, in der nächsten wie ein vergoldeter Lichtstrahl. Als sie geendet hatte, sprach Merrill über die Große Mutter und den Kessel, über das Land, die Sonne und das Wasser. Sie sprach von Segnungen, Träumen und Hoffnungen, von Gnade, Liebe und Wachstum.

Nesta hörte mit halbem Ohr zu und wartete nur darauf, dass die Musik, dieser perfekte, wunderschöne Klang wieder einsetzte. Gwyn schien vor Stolz und Zufriedenheit zu schimmern.

Merrill beendete ihre Predigt und die Gruppe stimmte ein neues Lied an. Es klang wie ein Zopf, geflochten aus sieben Stimmen, die zusammen ein Muster ergaben. Nach der Hälfte erschien eine Trommel in der Hand der Sängerin ganz links, und eine Harfe ertönte unter den Fingern der Priesterin am rechten Rand der Gruppe, während in der Mitte eine Laute erklang.

Nie zuvor hatte Nesta solche Musik gehört. Wie ein Zauber, ein Traum, der Gestalt angenommen hatte. Der ganze Raum sang, jede Stimme hallte von den Steinen wider.

Aber Gwyns Stimme erhob sich über alle anderen, klar und kräftig und doch bei einigen Tönen heiser. Ein Mezzosopran. Das Wort schwebte aus den Tiefen von Nestas Erinnerung herauf, ausgesprochen von einem Lehrer mit wässrigen Augen, der rasch verkündet hatte, Nesta sei zum Singen oder Musizieren nicht zu gebrauchen, habe aber ein ungewöhnlich feines Gehör.

Das Lied endete und weitere Gebete und Worte aus Merrills Mund schwebten durch den Raum, während Clotho schweigend neben ihr saß. Dann begann ein neues Lied – fröhlicher und schneller als die vorherige Melodie. Als bauten die Lieder aufeinander auf. Ein trällernder Gesang, in dem die Worte übereinanderperlten wie Wasser, das einen Berghang hinabsprudelte. Nestas Fuß wippte im Takt. Sie hätte schwören können, dass Gwyns Fuß unter ihrem Gewand das Gleiche tat. Die Worte und Melodien tanzten umeinander, bis die Wände von den Tönen zu summen begannen und die Steine einzustimmen schienen.

Anschließend begannen die Priesterinnen ein neues Lied, eingeleitet von einem wirbelnden Trommelrhythmus, gefolgt von einer Solostimme. Dann setzte die Harfe ein und mit ihr eine zweite Stimme, kurz darauf die Laute und eine dritte Stimme. Der Gesang der drei ging ineinander über, ein weiteres Flechtwerk aus Stimmen und Melodien. Als sie die zweite Strophe erreichten, stimmten die anderen vier ein, und mit ihnen der ganze Raum.

Gwyns Stimme stieg wie ein Vogel durch die Höhle empor, als sie das dritte Lied mit einem Solo anstimmte. Nesta überließ sich der Musik und schloss die Augen, um ganz im Klang ihrer Freundin zu schwelgen. Etwas in Gwyns Lied lockte auf eine Art, wie es bei den anderen nicht der Fall gewesen war. Als würde Gwyn nur sie ansprechen, mit einer Stimme voller Sonnenschein, Freude und unerschütterlicher Entschlossenheit. Nesta hatte noch nie eine solche Stimme gehört – abwechselnd kultiviert und wild, als würden so viele Klänge darum kämpfen, aus ihr herauszutreten, dass sie sie kaum bändigen konnte. Als *müssten* diese Klänge in die Welt entlassen werden.

In der zweiten Strophe wurde Gwyn von den anderen begleitet, und die Harmonien der Harfe stiegen über ihr Lied auf wie Bögen aus wortlosen Tönen.

Nesta hielt die Augen geschlossen, denn nur die Musik zählte – das Lied, die Stimmen, die Harfe. Sie hüllten sie ein, als wäre sie in einen bodenlosen See aus Klängen gefallen. Gwyns Stimme setzte erneut ein und hielt einen so hohen Ton, dass er Nesta wie ein Strahl aus reinem Licht vorkam, durchdringend und beschwörend. Zwei weitere Stimmen gesellten sich dazu, pulsierten um diesen wiederholten hohen Ton, während die Harfe unablässig spielte. Die Stimmen flüsterten, strömten, hüllten Nesta ein und zogen sie immer tiefer hinab an einen reinen, uralten Ort, wo keine Außenwelt existierte, keine Zeit – nichts außer der Musik in ihren Knochen und den Steinen zu ihren Füßen, an ihrer Seite und über ihr.

Die Musik nahm hinter Nestas Lidern Gestalt an, als die Priesterinnen Texte in Sprachen sangen, die so alt waren, dass niemand sie mehr beherrschte. Vor ihrem inneren Auge sah sie, wovon das Lied erzählte: von moosiger Erde und goldener Sonne, von klaren Flüssen und den tiefen Schatten eines uralten Waldes. Die Harfe erklang, und Berge türmten sich vor ihr auf, als wäre mit dem Anschlag der Saiten ein Schleier gelüftet worden und als würde sie darauf zufliegen – auf einen massiven, in Nebel gehüllten Berg, das Land karg, bis auf Moos und Steine und eine graue, stürmische See ringsum. Der Berg hatte zwei Gipfel, und die Steine, die an seinen Seiten herausragten, waren mit seltsamen, alten Symbolen überzogen, so alt wie das Lied selbst.

Nestas Körper schmolz dahin, ihre Knochen und die Steine der Höhle eine ferne Erinnerung, während sie in den Berg hineinströmte, aufragende, gemeißelte Tore erblickte und durch sie hindurch in eine tiefe, urzeitliche Dunkelheit gelangte – eine Dunkelheit voller lebendiger, schrecklicher Wesen.

Ein Pfad führte in diese Dunkelheit hinein, und sie folgte ihm, vorbei an Türen ohne Klinken, für immer versiegelt. Sie spürte Schrecken hinter diesen Türen lauern, einer größer als der andere, Wesen aus Nebel und Hass – aber das Lied führte sie an ihnen allen vorbei, unsichtbar und unbemerkt.

Dieser Ort war absolut tödlich, ein Ort der Leiden, der Wut und des Todes. Ihre ganze Seele erzitterte, während sie sich durch die Gänge bewegte. Und obwohl sie die Tür passiert hatte, die sie von dem Wesen fernhielt, das schlimmer war als alle anderen ... wusste sie, dass dieses Wesen sie beobachtete. Doch sie weigerte sich, zurückzuschauen und es zur Kenntnis zu nehmen.

Und so trieb Nesta hinab, immer weiter hinab, geleitet von der pulsierenden Harfe und den Stimmen, bis sie vor einem Felsen innehielt. Sie legte eine Hand darauf, stellte fest, dass es sich um eine Illusion handelte, und ging hindurch, einen weiteren langen Gang hinunter, direkt unter dem Berg. Schließlich erreichte sie eine Höhle, fast identisch mit der, in der die Priesterinnen sangen, so als wären sie durch Lied und Traum miteinander verbunden.

Aber statt aus rotem Gestein bestand diese Höhle aus schwarzem Fels. Symbole waren in den glatten Boden und die geschwungenen Wände eingraviert, die nach oben zu einer so hohen Decke aufstiegen, dass sie sich in den Schatten verlor. Schutzzauber pulsierten durch den Raum. Doch dort, in der Mitte, lag ein Objekt, als hätte jemand es auf den Boden gelegt, der dann einfach gegangen war und es vergessen hatte ...

Mitten in der Kammer lag eine kleine, goldene Harfe.

Kälte durchdrang Nesta und klärte ihre Gedanken so weit, dass sie begriff, wo sie war. Dass die Musik der Priesterinnen sie in Trance versetzt hatte. Dass ihre eigenen Knochen und das Gestein um sie herum ihre Werkzeuge für die Prophezeiung gewesen waren und sie an diesen Ort gedriftet war ...

Die Harfe schimmerte in der Dunkelheit, als besäßen ihr Metall und ihre Saiten eine eigene Sonne. *Spiel mich*, schien sie zu flüstern. *Lass mich wieder singen. Verbinde deine Stimme mit meiner.*

Nesta streckte die Hand nach den Saiten aus. *Ja.*

Die Harfe seufzte, und ein tiefes Schnurren entwich ihr, als sich Nestas Hand näherte. *Wir werden Türen und Wege öffnen. Wir werden zusammen durch Raum und Zeit gehen. Unsere Musik wird uns von irdischen Regeln und Grenzen befreien.*

Ja. Sie würde die Harfe spielen, und es würde nichts anderes existieren als Musik ... bis die Sterne erloschen.

Spielen. Ich wünsche mir schon so lange zu spielen, sagte die Harfe, und Nesta hätte schwören können, ein Lächeln in der Stimme zu hören. *Was wird mein Lied hier wohl freisetzen?* Ein kaltes, freudloses Lachen huschte über Nestas Knochen. Die Harfe sang erneut: *Spielen, spielen ...*

Plötzlich verstummte das Lied und die Vision zerplatzte.

Nestas Knie gaben nach, als sich der Raum auf sie zubewegte, und sie brach auf der Bank zusammen. Gwyn warf ihr über die Reihen hinweg einen beunruhigten Blick zu. Nestas Herz raste, ihr Mund war staubtrocken, und sie zwang sich, wieder aufzustehen und das Ende der Messe abzuwarten, während sie alles zusammenfügte und erkannte, was sie in ihrer unfreiwilligen Vision entdeckt hatte.

»Bist du sicher?«

Cassian lehnte sich mit der Hüfte gegen Rhys' Schreibtisch. »Nesta sagt, die Harfe befindet sich unter dem Gefängnis.«

»Aber sie hat das Gefängnis nie betreten«, antwortete Rhys stirnrunzelnd.

Cassian hatte ernsthaft geglaubt, Nesta könnte betrunken sein, als sie vor einer Stunde ins Esszimmer gestürmt kam und ihm völlig außer Atem ihre wilde Geschichte erzählt hatte. Er hatte ihr kaum folgen können und nur verstanden, dass sie glaubte, die Harfe sei im Gefängnis. Schlimmer noch: Sie war davon überzeugt, dass sie die Harfe *aufgeweckt* hatte. Welche Verwüstung mochte sie dort anrichten? Der Gedanke ließ ihn bis ins Mark erschauern.

Also war er hierhergeflogen und hatte Rhys in seinem Arbeitszimmer vorgefunden. Ein weiteres Mal saß er über den Büchern alter Heiler, auf der Suche nach einer Möglichkeit, seine Seelengefährtin zu retten.

Rhys lehnte sich auf seinem Stuhl zurück und überlegte.

Az war zu einem Treffen an die Ostküste gereist, um von Mor einen Bericht über die Situation in Vallahan zu erhalten, und Feyre traf sich mit Amren zum Abendessen, sodass nur sie beide sich im Haus befanden. Cassian hatte Nesta vorgeschlagen, mitzukommen und Rhys persönlich davon zu erzählen. Aber sie hatte sich geweigert. Sie war zu erschüttert gewesen und brauchte etwas Zeit, um wieder zu sich zu kommen. Er würde später nach ihr sehen und sich vergewissern, dass sie sich nicht zu weit in ihre Gedanken zurückgezogen hatte.

Rhys trommelte mit den Fingern auf seinen Bizeps und starrte einen Moment lang auf den Schreibtisch. »Als wir von Berons Verrat erfuhren, habe ich Helion gebeten, mir zu zeigen, wie man einen Schutzschild auf das Gefängnis anwenden kann … einen Schutzschild wie den, mit dem ich Feyre belegt habe.«

»Du hast geahnt, dass das passieren würde?«

»Nein.« Ein Muskel zuckte an Rhys' Kiefer. »Feyre und ich fürchteten, Beron würde versuchen, die Gefangenen zu befreien und sie bei einem Konflikt zu benutzen – genau wie wir im Krieg den Knochenschnitzer benutzt haben. Gib mir bis morgen früh, dann habe ich den Schutzschild aufgehoben.«

»Das dauert so lange?«

Rhys fuhr sich mit der Hand durch die Haare. Tiefe Sorgenfalten zogen sich über seine Stirn. »Ja, es ist eine Kombination aus Magie und Schutzzaubern. Und ich gebe zu, dass ich dieser Tage so abgelenkt bin, dass ich vermutlich etwas länger brauchen werde. Aber ich will sichergehen, dass alles korrekt durchgeführt wird.«

Cassian krampfte sich der Magen zusammen, als er die Trostlosigkeit im Gesicht seines Bruders sah, und sagte lediglich: »In Ordnung.«

Ein Schwert erschien auf dem Schreibtisch, herbeigerufen von dem Ort, an dem Rhys es aufbewahrte, wo auch immer das sein mochte. Das Langschwert, das Nesta geschmiedet hatte. »Nimm es mit«, sagte er leise. »Ich möchte sehen, was passiert, wenn Nesta es benutzt.«

»Ein Besuch im Gefängnis ist nicht der richtige Zeitpunkt für eines deiner Experimente«, entgegnete Cassian.

Die Sterne in Rhys' Augen erloschen. »Dann wollen wir hoffen, dass sie es nicht ziehen muss.«

◈ 53 ◈

»Hat Rhysand mir dieses Schwert wirklich aus freien Stücken gegeben?«, fragte Nesta Cassian am nächsten Morgen, als sie den moosbewachsenen, mit Geröll übersäten Hang des hoch aufragenden Bergs hinaufstiegen, der als das »Gefängnis« bezeichnet wurde. Alles um sie herum war exakt so, wie sie es in ihrer Trance gesehen hatte – und wirkte im wachen Zustand sogar noch schrecklicher. Das ganze Land schien verlassen. So als hätte hier einst etwas Großes existiert und wäre dann verschwunden. So als wartete das Land noch immer auf dessen Rückkehr.

»Rhys meinte, dass wir dem Gefängnis nur gut bewaffnet einen Besuch abstatten sollten«, sagte Cassian, das dunkle Haar vom kalten, feuchten Wind zerzaust, der von der aufgewühlten, grauen See hinter der Ebene heraufwehte. »Außerdem ist das seiner Meinung nach der beste Ort, um das von dir geschmiedete Schwert auszuprobieren.«

»Damit es wenigstens nur mich und niemanden sonst tötet, falls diese Aktion schiefläuft?« Nesta konnte die Schärfe in ihrem Ton nicht unterdrücken. Rhys hatte sie durch den geteilten Wind hergebracht und am Fuß des Bergs abgesetzt, da keine Magie seine mächtigen Schutzzauber durchdringen konnte. Nesta hatte ihm nicht in die Augen sehen können.

»Du wirst nicht getötet. Weder durch dieses Schwert noch durch sonst irgendetwas hier.« Ein Muskel an seinem Kiefer zuckte, als er zu dem hohen Tor weit über ihnen hinaufblickte. Er hatte viele der derzeitigen Insassen hergebracht, und Nesta hatte oft genug Feyres erschütternde Berichte von ihren Besuchen im Gefängnis gehört. Es gab nicht viel, was ihrer Schwester Angst machte, und dass Feyre diesen Ort grauenerregend fand, half nicht gerade gegen das flaue Gefühl in Nestas Magen.

»Erinnerst du dich an unsere Absprache?«, fragte Cassian, als sie sich dem Tor aus Knochen näherten, in das Darstellungen aller möglichen Kreaturen geschnitzt waren.

»Ja.« *Halte die ganze Zeit Cassians Hand. Sprich nicht über Amren. Sprich über nichts, was mit der Truhe, dem Hof oder Feyres Schwangerschaft zusammenhängt. Sprich nicht von den Wesen, die er hierhergebracht hat. Geh einfach nur weiter und bleib in höchster Alarmbereitschaft. Und hol diese Harfe heraus, bevor sie ein Chaos entfesseln kann.*

Das Knochentor öffnete sich knarrend. Cassian versteifte sich, ging aber weiter den Berg hinauf. »Wir werden anscheinend erwartet.«

Sie gingen hinunter in die Dunkelheit, in die Hölle.

Nesta umklammerte Cassians Hand, ihre Verbindung zum Leben an diesem lichtlosen Ort. Einer von Cassians Trichtersteinen leuchtete rot auf, und sein Licht fiel auf die schwarzen Wände und die Türen, an denen sie vorbeikamen. Cassian bewegte sich mit der Geschmeidigkeit eines erfahrenen Kriegers, aber sie sah, dass sein Blick nervös den Weg sondierte, der in die Erde eintauchte. Der Eingang zu dem verborgenen Gang, den sie in ihrer Vision gesehen hatte, war sehr viel weiter unten gewesen, zwischen einer Eisentür mit einer einzelnen Rune darauf und einem kleinen Alkoven im Fels.

Leise Stimmen flüsterten durch das Gestein. Nesta hätte schwören können, dass hinter einer der Türen Fingernägel über Metall kratzten. Als sie Cassian ansah, bemerkte sie, dass er blass geworden war. Er klopfte sich links auf die Brust, direkt über der breiten Narbe dort. Ein Hinweis darauf, wer hinter dieser Tür eingesperrt war.

Ihr gefror das Blut in den Adern. Die Blaue Annis.

Kobaltblaue Haut und eiserne Klauen, so hatte er sie beschrieben. Annis genoss es, ihre Beute zu verschlingen. Nesta schluckte und drückte Cassians Hand noch fester, während sie ihren Weg in die Tiefe fortsetzten.

Minuten oder Stunden vergingen, sie wusste es nicht. In der Dunkelheit und der drückenden, flüsternden Luft hatte Zeit keine Bedeutung mehr.

Übelkeit erfasste sie. Amren hatte Tausende von Jahren an diesem Ort verbracht, eingesperrt von Narren, die sie in ihrer wahren Form gefürchtet hatten – dieses Wesen aus Flammen und Licht, das Hyberns Armee zerstört hatte. Nesta konnte sich nicht vorstellen, auch nur einen Tag hier verbringen zu müssen. Es war ihr ein Rätsel, wie Amren es geschafft hatte, nicht verrückt zu werden. Woher sie die Kraft zum Überleben genommen hatte.

Sie hatte Amren schlecht behandelt. Dieser Gedanke drängte sich in ihr Bewusstsein. Nesta hatte sie als Schutzschild gegen alle anderen benutzt, genau wie Amren gesagt hatte. Und Amren, die Jahrtausende an diesem grauenhaften Ort überlebt hatte, zusammen mit den schlimmsten Monstern im Land ... Amren fand *sie* abscheulich. Diese schreckliche Erkenntnis brannte wie Säure.

Links von ihnen hämmerte etwas gegen den Fels und Nesta zuckte zusammen. Cassian drückte ihre Hand. »Beachte es gar nicht«, murmelte er.

Hinab, immer weiter hinab, an einen Ort schlimmer als die Hölle. Und dann entdeckte sie den Alkoven, der sich in ihr Gedächtnis gebrannt hatte. Und tatsächlich, direkt daneben befand sich die Eisentür mit der einzelnen Rune.

»Hier.« Nesta deutete mit dem Kinn auf den kahlen Fels. »Da müssen wir durch.«

Als Cassian nicht antwortete, wirbelte sie zu ihm herum.

Er starrte auf die Eisentür. Seine goldbraune Haut war aschfahl geworden. Tonlos formten seine Lippen den Namen des Wesens dahinter.

Lanthys.

»Bist du sicher ...« Cassian schluckte. »Bist du dir auch sicher, dass wir hier richtig sind?«

»Ja.« Nesta ließ ihm keine Zeit, es sich anders zu überlegen: Sie streckte ihre freie Hand aus und trat näher heran.

Ihre Finger griffen durch den Fels, als würde er gar nicht existieren.

Cassian riss sie zurück, aber sie drängte vorwärts. Ihre Hand, ihr Handgelenk und schließlich ihr ganzer Arm verschwanden im Gestein. Und dann standen sie vollständig auf der anderen Seite.

»Ich hatte keine Ahnung, dass das Gefängnis noch andere Bereiche hat«, sagte Cassian leise, während sie einen weiteren Gang hinabgingen. Ohne jede Tür, nur glatter Fels. »Ich dachte, hier gäbe es nur Zellen.«

»Ich hab dir ja gesagt, dass ich hier eine Höhle gesehen habe.«

Das Licht des Trichtersteins auf Cassians Handrücken ließ einen Durchgang zu einem offenen Raum erkennen. Erhabene, in den Boden gemeißelte Symbole warfen im dunkelroten Licht Schatten und erfüllten die gesamte runde Höhle. Und in der Mitte stand … eine goldene Harfe mit silbernen Saiten, verziert mit aufwendigen Prägungen.

Sie sang nicht und sprach nicht. Es hätte auch ein ganz gewöhnliches Instrument sein können.

Genau aus diesem Grund zog Nesta an Cassians Arm, damit er im Durchgang stehen blieb. Sie wagte es nicht, den behauenen Boden zu betreten. »Wir müssen vorsichtig sein.« Sie spähte in die riesige leere Höhle. »Hier wimmelt es vor Zaubern und Schutzschilden.«

Cassian rieb sich mit der freien Hand das Kinn. »Meine Magie ist nicht auf Schutzzauber ausgerichtet. Ich kann magische Schilde aufbrechen, aber wenn es eine Falle ist wie die, mit der Feyre und Amren es am Sommerhof zu tun hatten, kann ich sie nicht wahrnehmen.«

Nesta klopfte unruhig mit dem Fuß auf den Boden. »Die Schutzzauber, mit denen Rhysand die Maske belegt hatte, konnten mich nicht aufhalten. Die Maske wollte, dass ich komme, und ließ mich durch. Vielleicht gilt für die Harfe das Gleiche. Was zusammengehört, findet zusammen, wie ihr alle immer sagt.«

»Ich lasse dich nicht allein in diesen Raum gehen. Nicht, wenn dieses Ding *spielen* will.«

»Ich fürchte, uns bleibt keine andere Wahl.«

Er drückte ihre Hand. »Du gehst voran und ich folge dir.«

574

»Was wäre, wenn meine Gegenwart nicht auffällt, aber deine eine Falle auslöst? Das können wir nicht riskieren.«

Er schluckte heftig. »Ich kann dich nicht riskieren.«

Die Worte schlugen geradezu in ihr Herz ein. »Ich ... Du kannst. Du *musst*.« Und bevor er noch weitere Einwände erheben konnte, fügte sie hinzu: »Du bildest mich zu einer Kriegerin aus. Und trotzdem bewahrst du mich vor Gefahr? Wo ist da der Unterschied zu einem Tier im Käfig?«

Die Worte mussten etwas in ihm berührt haben. »Okay.« Cassian schnallte das Langschwert ab, das er für sie getragen hatte, und befestigte es an ihrer Taille. Es war sehr schwer und sie musste ihr Gleichgewicht verlagern. »Wir versuchen es auf deine Art. Aber beim ersten Anzeichen, dass irgendetwas nicht stimmt, kehren wir um.«

»Gut.« Sie schluckte gegen das trockene Gefühl in ihrem Mund.

Seine Augen glitzerten, bemerkten ihr Zögern. »Du kannst deine Meinung noch immer ändern.«

»Ich gestatte niemandem außer uns, die Harfe zu berühren«, entgegnete Nesta entschieden.

Mit diesen Worten trat sie an die Grenzlinie zwischen Gang und Höhle. Dann wappnete sie sich und schob vorsichtig einen Fuß vorwärts.

Im nächsten Moment hatte sie das Gefühl, als würde sie durch Schlamm waten. Aber die Schutzschilde ließen sie passieren. Nesta machte noch einen Schritt, den Arm nach Cassian ausgestreckt, um seine Hand festzuhalten. Der Druck der Zauber drückte gegen ihre Waden, ihre Hüften, ihren ganzen Körper, presste ihre Lungen zusammen. »Solche Schutzschilde habe ich noch nie gespürt«, flüsterte sie und blieb stehen, um abzuwarten, ob sie womöglich eine Falle ausgelöst hatte. »Sie fühlen sich alt an. Unglaublich alt.«

»Sie waren vermutlich schon da, bevor dieser Ort als Gefängnis genutzt wurde.«

»Was war hier denn vorher?«

»Das weiß niemand. Diesen Ort gab es schon immer. Aber diese Höhle ...« Cassian schaute sich um. »Ich wusste nicht, dass es hier so etwas gibt. Vielleicht ...« Er runzelte die Stirn. »Ich frage mich, ob das Gefängnis gerade deswegen errichtet und mit Insassen besetzt wurde, um die Anwesenheit der Harfe zu verbergen. Hier gibt es so viele furchtbare Kräfte, und dazu die Schutzzauber, mit denen der Berg selbst belegt ist ... Kann es sein, dass jemand die Harfe versteckt hat, der wusste, dass sie umgeben von so viel schrecklicher Magie nicht zu entdecken ist?«

Ihr Mund war erneut ausgetrocknet. »Aber wer hat sie hierhergebracht?«

»Ich kann auch nur raten. Vermutlich jemand, der vor der Herrschaft der High Lords existierte. Rhys hat mir mal erzählt, dass diese Insel ein achter Hof gewesen sein könnte.«

»Dann kennst du diese Zeichen auf dem Boden nicht?«

»Nein.«

Nesta holte tief Luft. »Ich glaube nicht, dass irgendwelche Fallen ausgelöst wurden.«

Cassian nickte. »Mach schnell.«

Einen Moment lang sahen sie einander an. Und dann wandte Nesta den Blick von der unverhohlenen Sorge in seinen Augen ab, löste ihre Hand aus seiner und betrat die Höhle.

Bei jedem Schritt in Richtung der glänzenden Harfe lasteten die Schutzzauber schwer auf Nestas Haut.

»Sie sieht wie frisch poliert aus«, berichtete sie Cassian, der alles vom Torbogen aus verfolgte. »Wie ist das möglich?«

»Sie existiert außerhalb der Zeit, genau wie der Kessel.«

Nesta musterte die Einkerbungen im Boden. Sie schienen alle spiralförmig auf einen Punkt zuzulaufen. »Ich glaube, es sind Sterne«, sagte sie leise. »Konstellationen.« Und die Harfe lag wie eine goldene Sonne im Zentrum des Systems.

»Das hier ist ja auch der Hof der Nacht«, sagte Cassian trocken.

Aber irgendwie fühlte sich die Magie anders an als die des Hofs der Nacht. Vor der Harfe hielt Nesta inne, und die Schutzzauber drückten in ihre Haut, als sie den goldenen Rahmen und die silbernen Saiten betrachtete. Die Harfe stand auf einer großen Darstellung eines achtzackigen Sterns. Die Strahlen der Himmelsrichtungen waren länger als die anderen vier und die Harfe befand sich direkt in der Mitte des Sterns.

Nesta stellten sich die Nackenhaare auf. Sie hätte schwören können, dass das Blut in ihren Adern andersherum floss.

Das unheimliche Gefühl, dass irgendetwas sie hierhergebracht hatte, beschlich sie. Weder der Kessel noch die Große Mutter noch die Harfe. Etwas Größeres. Etwas, das sich bis in die Sterne erstreckte, die um sie herum eingemeißelt waren. Dessen kühle, leichte Hände ihre Handgelenke führten, als sie die Harfe hochhob.

Ihre Finger strichen über das eisige Metall, und die Harfe summte an ihrer Haut, als würde der letzte, auf ihr gespielte Ton noch nachklingen ...

Fae schrien, schlugen gegen Felsen, die gerade eben noch nicht da gewesen waren, flehten um ihrer Kinder willen, bettelten darum, herausgelassen zu werden, heraus, heraus ...

Nesta hatte das Gefühl zu stürzen, durch Luft, Sterne, Zeit zu taumeln ...

Es war eine Falle, aber unser Volk war zu blind, sie zu erkennen ...

Äonen und Sterne und Dunkelheit zogen pfeilschnell an ihr vorbei ...

Die Fae krallten die Hände in den Fels, kratzten mit den Fingernägeln über Gestein, wo vorher eine Tür gewesen war. Aber der Weg zurück war jetzt für immer verschlossen, und sie flehten inständig, während sie versuchten, ihre Kinder durch die massive Wand zu schieben ... wenn nur ihre Kinder verschont würden ...

Blendendes Licht blitzte auf. Und plötzlich befand sich Nesta in einem Palast aus weißem Stein.

Eine große Halle, mit fünf Thronsesseln auf einem Podest. In der Mitte stand ein sechster Thron und darauf saß ein spitzohriges, altes Weib, auf dem Kopf eine goldene, zackige Krone, so glitzernd wie der Hass in ihren schwarzen Augen.

Die alte Fae versteifte sich, und bei der Bewegung warf ihr blaues

Samtgewand Falten. Ihre Augen, die trotz des runzligen Gesichts klar wirkten, fokussierten sich direkt auf Nesta.

»Du hast die Harfe«, sagte die Königin mit einer Stimme wie zerknitterndes Papier. In diesem Moment wusste Nesta, vor wem sie wie erstarrt dastand und welche Krone auf dem dünnen, weißen Haar ruhte. Briallyns knorrige Finger umschlossen die Lehnen ihres Throns. Die Königin kniff die Augen zusammen, und als sie lächelte, entblößte sie halb verfaulte Zähne.

Nesta wich einen Schritt zurück – oder versuchte es zumindest. Sie konnte sich nicht bewegen.

Briallyns schreckliches Lächeln wurde breiter, dann sagte sie im Plauderton: »Meine Spione haben mir verraten, wer deine Freunde sind. Dieses Mischlingskind und die gebrochene Illyrianerin. So reizende Mädchen.«

Nesta spürte, wie ihr Blut zu kochen begann, und sie wusste, dass ihre Kraft in ihren Augen loderte, als sie fauchte: »Wenn du ihnen zu nahe kommst, reiße ich dir die Kehle heraus. Ich werde dich jagen und dann abschlachten.«

Briallyn schnalzte missbilligend mit der Zunge. »Solche Bündnisse sind töricht. So töricht, wie die Harfe zu umklammern ... diese Harfe, die Antworten auf all meine Fragen singt. Ich weiß, wo du bist, Nesta Archeron ...«

In der nächsten Sekunde wurde sie von Dunkelheit erfasst. Von einer unbeweglichen, undurchdringlichen Dunkelheit, die hart wie eine Mauer gegen Nesta prallte.

Noch immer hörte sie die Schreie.

Nein – das hier war ein Mann, der ihren Namen rief.

Und sie war nicht in die Dunkelheit gekracht. Sie war auf den Steinboden gestürzt, wo sie mit der Harfe in den Händen lag.

»*NESTA!*« Rotes Licht flackerte auf, strömte wie eine blutige Flut über das Gestein, ihr Gesicht, die Decke. Aber Cassians Trichtersteine konnten die Schutzzauber nicht durchbrechen. Er konnte sie nicht erreichen.

Nesta presste die Harfe an ihre Brust. Die letzten Töne hallten durch sie hindurch. Sie musste loslassen. Irgendwie hatte sie durch die Berührung der Harfe einen Weg zu Briallyn mit der Krone auf dem Kopf geöffnet, zwischen ihren Köpfen, ihren Augen. Sie konnte Briallyn sehen und Briallyn konnte sie sehen, konnte fühlen, wo sie war. Sie musste loslassen …

Aber es gelang ihr kaum, die Finger zu bewegen. Ein unsichtbares, erdrückendes Gewicht bohrte sich in sie, als wollte es sie auf den Boden pressen und in Staub verwandeln. *Lass los,* bat sie stillschweigend, biss die Zähne zusammen und strich mit einem Finger über die nächste Saite. *Gib mich frei, du verfluchtes Ding.*

Eine schöne, stolze Stimme antwortete, in der eine solch anmutige Musik mitschwang, dass es Nesta das Herz brach. *Dein Ton gefällt mir nicht.*

Mit diesen Worten drückte die Harfe noch fester auf ihren Körper und Nesta brüllte innerlich.

Erneut schlug ihr Finger die Saite an. *Lass mich gehen!*

Soll ich eine Tür für dich öffnen? Das Wesen freilassen, das dahinter gefangen ist?

Ja, verdammt noch mal! Ja!

Es ist lange her, seit ich gespielt habe, Schwester. Ich werde etwas Zeit brauchen, um mich an die richtigen Kombinationen zu erinnern …

Spiel keine Spielchen. Nesta fröstelte bei dem Wort, das die Harfe benutzt hatte. *Schwester.* Als wären sie und dieses Ding ein und dasselbe.

Die kurzen Saiten sind für Spiele – leichte Bewegungen und Sprünge. Aber die längeren, die am anderen Ende … So große Wunder und Schrecken, die wir mit den Saiten ins Leben rufen könnten. Eine so große und monströse Magie, die ich mit meinem letzten Spielmann gewirkt habe. Soll ich es dir zeigen?

Nein. Löse einfach nur diese Schutzzauber.

Wie du willst. Zupf die erste Saite.

Nesta zögerte keine Sekunde, umfasste die erste Saite mit den Fingerspitzen, zog daran und ließ los. Ein musikalisches Lachen erfüllte ihren Geist, aber das Gewicht wurde leichter und verschwand schließlich.

Nesta holte tief Luft, kam auf die Füße und stellte fest, dass sie sich frei bewegen konnte. Die Harfe lag still in ihren Händen. Sogar die Luft schien jetzt leichter und lockerer zu sein. So als wäre durch das Öffnen einer anderen Tür die Tür zu Briallyn geschlossen worden.

»NESTA!«, brüllte Cassian durch die Höhle.

»Alles in Ordnung«, rief sie und schüttelte ihr Zittern ab. »Aber ich glaube, ein sehr bösartiges Wesen hat die Harfe zuletzt benutzt.« Sie starrte nach oben in die Dunkelheit. »Ich glaube, irgendwer hat damit seine Feinde und deren Kinder in den Fels eingesperrt.« War ihr das gerade widerfahren? Hatte die Harfe sie in den Fels gedrückt und versucht, ihre Seele mit dem Gestein zu verschmelzen? Sie schauderte.

»Bist du verletzt? Was ist passiert?«, rief Cassian besorgt.

Ächzend rappelte sie sich auf. »Nein, mir geht's gut. Ich … Ich habe die Harfe berührt, aber sie enthielt eine Erinnerung. Eine schlimme.« Eine, die sie nie vergessen würde. »Und wir müssen hier weg. Die Harfe hat mir Briallyn mit der Krone auf dem Kopf gezeigt. Briallyn hat mich hier gesehen.« Ihre Worte überschlugen sich, als sie durch die mit den schweren Schutzzaubern belegte Höhle zurückwatete und diesen zentralen Punkt, diesen Stern in der Mitte wie eine körperliche Präsenz in ihrem Rücken spürte. Die riesigen, leichten Hände schienen an ihr zu ziehen, damit sie zurückkehrte. Doch Nesta ignorierte sie und berichtete Cassian, was sie von der Harfe erfahren und in der Vision mit Briallyn gesehen hatte.

Cassians Atem ging noch immer unregelmäßig, und er stand angespannt da, bis sie den Gang erreichte. Bis er erneut ihre Hand umfasste. Er machte sich nicht einmal die Mühe, einen Blick auf die Harfe zu werfen oder etwas über Briallyn zu sagen. Stattdessen taxierte er sie von Kopf bis Fuß, ob ihr auch nichts fehlte. Ein Blick, der intimer war als jeder andere, mit dem er sie bisher bedacht hatte. Selbst in den Momenten, als er tief in sie eingedrungen war, war sein Blick nie so unglaublich offen gewesen.

Nesta drückte die Harfe an ihre Seite und konnte ihre Hand nicht daran hindern, seine Wange zu umfassen. »Es geht mir gut.«

Er drückte einen Kuss in die Innenfläche ihrer Hand. »Ich weiß nicht, warum ich an dir gezweifelt habe.« Behutsam gab er sie frei. »Lass uns von hier verschwinden.« Ein dunkles Versprechen lag in seinen Worten, und sie wusste, was sie beide tun würden, sobald sie die Harfe an Rhysand übergeben hatten und das Instrument zu seinem Problem wurde.

Ihre Wangen begannen zu glühen und so etwas wie Freude durchströmte sie. Dass er sich für sie entschieden hatte, für sie beide, dass er die Bestätigung ihres Körpers so sehr wollte ... Sie verschränkte ihre Finger mit seinen und drückte so fest zu, wie Hände nur zusammengedrückt werden konnten. Er erwiderte den Druck und zog sie durch den Gang, fort von diesem Ort des Schmerzes und der lange vergessenen Erinnerungen.

Das Schwert schlug gegen ihren Oberschenkel. »Ich habe es Ataraxia genannt«, sagte sie in die Stille hinein.

Er warf ihr über die Schulter einen Blick zu. »Das Schwert? Was bedeutet Ataraxia?«

»Der Name stammt aus der Alten Sprache. Ich habe ihn neulich in einem Buch in der Bibliothek gefunden, und mir gefiel sein Klang.«

»Ataraxia«, sagte er, als würde er die Waffe testen. »Das klingt gut. Deutlich besser als Killer oder Silberpracht.« Sein Grinsen strahlte heller als der leuchtende Trichterstein auf seiner Hand.

Ihr Puls raste vor Freude.

»Ataraxia«, sagte er erneut, und Nesta hätte schwören können, dass die Klinge an ihrem Gürtel mit einem Summen darauf reagierte – als würde sie den Klang seiner Stimme genauso sehr mögen wie sie.

Sie näherten sich dem Ende des Tunnels. Doch Nesta zog an seiner Hand, damit er stehen blieb. »Was ist?«, fragte er und sondierte die Umgebung. Aber sie stellte sich auf die Zehenspitzen und gab ihm einen leichten Kuss. Cassian blinzelte, auf fast schon komische Weise schockiert. »Wofür war das denn?«, fragte er.

Nesta zuckte die Schultern und ihre Wangen begannen wieder zu glühen. »Gwyn und Emerie sind meine Freundinnen«, sagte sie leise. Sie verdrängte den schrecklichen Gedanken, dass Briallyn wusste, wo sie waren. »Aber ...« Sie schluckte. »Ich glaube, du könntest ebenfalls mein Freund sein, Cassian.«

Cassians Schweigen war förmlich greifbar, während sie sich selbst dafür verfluchte, dass sie diesen Wunsch, diese Erkenntnis offenbart hatte. Sie hätte die Worte am liebsten zurückgenommen, diese Dummheit ausgelöscht ...

»Ich war schon immer dein Freund, Nesta«, sagte er heiser. »Schon immer.«

Sie ertrug den Ausdruck in seinen Augen nicht. »Ich weiß.«

Cassians Lippen streiften ihre Schläfe. Und dann verließen sie endlich den Tunnel und erreichten wieder den Hauptweg zum Gefängnis.

Nesta flüsterte, traute sich endlich, es zu sagen: »Und ich war schon immer ...«

Im nächsten Moment riss Cassian sie so schnell hinter sich, dass die restlichen Worte in ihrer Kehle erstarben.

»Lauf.« Sein Herzschlag – sein nacktes Entsetzen – erfüllte die Luft. »*Lauf*, Nesta.«

Sie wirbelte herum, in die Richtung, in die er blickte. Sein illyrianisches Schwert funkelte rubinrot im Licht seines Trichtersteins. Als ob eine Klinge irgendetwas ausrichten könnte.

Die Tür zu Lanthys' Zelle stand offen.

54

Cassian sah die offene Tür von Lanthys' Zelle und wusste sofort, dass zwei Dinge passieren würden. Erstens und ganz offensichtlich: Er würde sterben. Und zweitens: Er würde alles in seiner Macht Stehende tun, um Nesta das gleiche Schicksal zu ersparen.

Dieser zweite Gedanke sorgte dafür, dass sein Geist klar wurde und sich seine Angst in eine scharfe Waffe verwandelte. Und so war er bereit, als die Stimme aus der Dunkelheit zu ihnen drang.

»Ich habe mich schon gefragt, wann wir uns wiedersehen würden, Prinz der Bastarde.«

Cassian hatte das Timbre und die Eiseskälte dieser Stimme keine Sekunde vergessen ... dieser Stimme, die ihm das Blut in den Adern gefrieren ließ. Doch er erwiderte spöttisch: »Hast du dir nach all den Jahrhunderten hier unten noch immer keinen besseren Namen für mich ausgedacht?«

Lanthys' Lachen wand sich um sie wie eine Schlange. Cassian packte Nestas Hand, obwohl sein Befehl zur Flucht noch immer zwischen ihnen hing. Doch es war zu spät, um wegzulaufen. Zumindest für ihn. Ihm blieb nur noch, ihr genug Zeit zu verschaffen, damit sie entkam.

»Du hast dich für so schlau gehalten, mit diesem Eschenspiegel«, zischte Lanthys, und die Stimme hallte aus allen Richtungen wider. Das Licht von Cassians linkem Trichterstein enthüllte nur eine rot getönte, nebulöse Dunkelheit. »Hast gedacht, du könntest *mich* besiegen.« Ein weiteres Lachen. »Ich bin unsterblich, Junge. Ein wahrhaft Unsterblicher, worauf du vermutlich nie hoffen kannst. Zwei Jahrhunderte hier unten sind nichts. Ich wusste, dass ich nur den richtigen Moment abwarten musste, um einen Weg nach draußen zu finden.«

»*Du* hast einen Weg gefunden?«, sagte Cassian abschätzig in den Nebel hinein, der Lanthys war. »Sieht eher so aus, als hätte dir jemand geholfen.« Er musste nur warten ... warten, bis der Angriff kam. Dann konnte Nesta weglaufen. Aber sie stand wie versteinert neben ihm. Cassian stupste sie mit dem Fuß an, um sie aus ihrer Erstarrung zu wecken. Sie musste zur Flucht bereit sein und nicht wie ein Reh verschreckt und angewurzelt dastehen.

»Die Tür hat sich allein durch meinen Willen geöffnet«, säuselte Lanthys.

»Lügner. Jemand hat sie für dich geöffnet.«

Lanthys' Nebel verdichtete sich vor Zorn.

Nesta schluckte hörbar und in dem Moment erkannte auch Cassian es: Als Nesta der Harfe befohlen hatte, sie loszulassen ... hatte die Harfe auch Lanthys befreit. *Löse einfach nur diese Schutzzauber*, hatte sie gefordert. Und genau das hatte die Harfe getan: Nestas Schutzzauber aufgehoben – und dazu alle Zauber in der Nähe, auch den, der Lanthys' Zelle sicherte. Die Harfe hatte gesagt, sie wolle spielen, und das tat sie jetzt: Sie spielte mit Nestas und seinem Leben.

Und was wäre, wenn die Harfe nicht nur Lanthys' Zelle, sondern auch die aller anderen geöffnet hatte?

Verdammt.

Trotzdem wandte er sich mit bemüht ruhiger Stimme an das Ungeheuer, vor dem er sich am meisten fürchtete: »Dann hast du also vor, wie eine Regenwolke um mich herumzuwirbeln? Was ist denn mit dieser hübschen Gestalt, die ich im Spiegel gesehen habe?«

»Mag deine Freundin die am liebsten?«, flüsterte Lanthys ganz nah. Viel zu nah. Nesta duckte sich weg. Lanthys sog die Luft ein. »Was bist du?«

»Eine Hexe«, flüsterte sie. »Aus dem dunklen Herzen von Oorid.«

»Das ist ein Name, den ich schon sehr lange nicht mehr gehört habe.« Lanthys' Stimme klang, als wäre er nur ein paar Schritte von Nesta entfernt. Cassian biss die Zähne zusammen. Er musste das Monster auf ihre andere Seite locken, damit der Weg nach oben frei war. »Aber du riechst nicht nach der Schwere des Oorid-Moors, seiner Verzweiflung.« Ein Atemzug, noch immer hinter ihr. »Dein Duft …« Er seufzte. »Eine Schande, dass du einen solchen Duft mit Cassians Gestank verdorben hast. Ich kann kaum etwas an dir wahrnehmen, außer seiner Essenz.«

Das allein verhinderte, dass Lanthys erkannte, was sie wirklich war, und dass er sich so wie der Knochenschnitzer für sie interessierte, dachte Cassian. Aber es enthüllte auch eine weitere gefährliche Wahrheit: wo er zuerst zuschlagen musste.

»Was versteckst du da hinter deinem Rücken?«, fragte Lanthys, und Nesta drehte den Kopf, als würde sie seiner Blickrichtung folgen, sodass die Harfe verborgen blieb. Doch Lanthys lachte leise. »Ah, jetzt sehe ich es. Ich habe mich viele Jahre gefragt, wer wohl kommt, um sie zu holen. Ich konnte ihre Musik hören, ihren letzten Ton. Wie ein Echo im Gestein. Es hat mich überrascht, sie nach all der Zeit hier zu finden, unter dem Gefängnis versteckt.«

Der Nebel begann zu wirbeln, und Lanthys fuhr fort: »Sie macht so herrliche Musik. Und welche Wunder sie wirkt. Alles schwört dieser Harfe Treue: Jahreszeiten, Königreiche, die Ordnung der Zeit und der Welten. Das alles hat für sie keine Bedeutung. Und ihre letzte Saite …« Er lachte. »Selbst der Tod verbeugt sich vor dieser Saite.«

Erneut schluckte Nesta. Cassian drückte ihre Hand noch fester. »Ihr wahrhaft Unsterblichen seid doch alle gleich«, sagte er beiläufig. »Arrogante Windbeutel, die sich selbst gern reden hören.«

»Und ihr Fae seid alle blind, was euch selbst betrifft.« Lanthys summte leise und umkreiste sie wieder. Cassian hielt sein Schwert bereit. »Nach dem Duft zu urteilen, würde ich sagen, dass ihr beiden …«

Cassian gab Nestas Hand frei, machte einen Satz vorwärts und rammte seine Klinge in den Nebel, bevor Lanthys auch nur ein verdammtes Wort sagen konnte.

Lanthys schrie auf vor Wut. Cassians Trichtersteine flackerten. »*LAUF!*«, brüllte er und stieß ein weiteres Mal zu. Lanthys wich zurück. Cassian nutzte den Moment, um den leuchtenden Trichterstein an seiner linken Hand zu lösen. »*Lauf!*«, befahl er erneut und warf Nesta den Stein zu, dessen rotes Licht ihr angsterfülltes Gesicht erhellte. Cassian war bereits zu Lanthys herumgewirbelt.

Die knirschenden, verhallenden Schritte sagten ihm, dass Nesta seiner Aufforderung folgte.

Gut.

Lanthys sammelte sich in der Dunkelheit wie eine angriffsbereite Kobra.

Cassian betete nur, dass Nesta es durch das Tor schaffte, bevor er starb.

Nesta rannte vor der Stimme davon, die Hass, Grausamkeit und Hunger vereinte. Vor der Stimme, die ihr alle Freude und Wärme raubte, ihr nur ursprüngliche, nackte Angst ließ.

Ihre Oberschenkel protestierten gegen den steilen Weg, aber sie sprintete hinauf zum Tor, gehorchte Cassians Befehl, während das Brüllen des Kriegers und des Monsters von den Felsen widerhallte. Rotes Licht blitzte hinter ihr auf. Die Türen der Gefängniszellen rasselten. Dahinter schrien Monster, als hätten sie bemerkt, dass eins von ihnen entkommen war, und wollten nun ebenfalls hinaus.

Nesta hielt die Harfe in der einen und Cassians Trichterstein in der anderen Hand. Sie musste das Tor erreichen und dann den Berg hinunterstürmen, nach Rhysand rufen, in der Hoffnung, dass Wind und Magie seinen Namen zu ihm trugen. Dann musste er den Berg hinauf- und den Pfad hinunterrennen und …

Aber Cassian war vermutlich schon tot, noch bevor sie das Tor erreichte. Starb womöglich gerade in diesem Moment.

Der Gedanke versetzte ihr einen eisigen Stoß. Sie war weggelaufen. Hatte ihn *allein* zurückgelassen.

Die Harfe in ihrer Hand wurde warm und begann zu summen. Das Gold schimmerte, als würde es schmelzen.

Wir werden Türen und Wege öffnen. Wir werden zusammen durch Raum und Zeit gehen, hatte die Harfe während Nestas unfreiwilliger Vision gesungen. *Unsere Musik wird uns von irdischen Regeln und Grenzen befreien.*

Türen öffnen ... Sie hatte eine Tür mit ihr geöffnet: die Tür zu Lanthys' Zelle. Die Harfe hatte sie geöffnet, indem sie Nesta mit ihrer Kraft auf den Boden presste. Aber die Vorstellung, sich durch Raum und Zeit zu bewegen ...

Die kurzen Saiten sind für Spiele – leichte Bewegungen und Sprünge. Aber die längeren, die am Schluss ... So große Wunder und Schrecken, die wir mit den Saiten ins Leben rufen könnten.

Nesta zählte die Saiten. Sechsundzwanzig. Sie hatte die erste, die dünnste berührt, um sich von der Macht der Harfe zu befreien. Aber was bewirkten die anderen?

Sechsundzwanzig, sechsundzwanzig, sechsundzwanzig ...

Gwyns Stimme schwebte aus der Ferne heran, erzählte von Merrills Forschung über Dimensionen ... von ihrer Theorie, dass möglicherweise sechsundzwanzig verschiedene existierten.

Wir werden zusammen durch Raum und Zeit gehen ... Die kurzen Saiten sind für Spiele – leichte Bewegungen und Sprünge ... Konnte die Harfe ... Nesta stockte der Atem. Konnte die Harfe sie von einem Ort an einen anderen versetzen? Nicht nur eine Tür öffnen, sondern eine erschaffen, durch die sie hindurchgehen könnte?

Uns von irdischen Regeln und Grenzen befreien ...

Sie musste es versuchen. Für Cassian.

In der Finsternis über ihr bewegte sich etwas, Schritte liefen auf sie zu. Jemand war durch das Tor ins Gefängnis gekommen. Nesta drehte Cassians Trichterstein in Richtung des Geräuschs und wappnete sich gegen das Monster, das angestürmt kam ...

Fae in zerschlissenen, dunklen Rüstungen preschten auf sie zu. Mindestens zehn Soldaten des Herbsthofs. Nesta wusste, wer sie geschickt und dank Koscheis Macht hierherbefördert hatte. Wer sie steuerte, sogar von der anderen Seite des Meeres aus.

Ich weiß, wo du bist, Nesta Archeron.

Und da Rhys die Schutzschilde rund um das Gefängnis gesenkt hatte ... waren sie geradewegs hineinmarschiert.

Nesta zögerte keine Sekunde, packte das silberne Feuer in ihr und wand es um ihre Hände. »Bring mich zu Cassian«, flüsterte sie und zupfte die erste silberne Saite der Harfe.

Die Welt der heranstürmenden Soldaten verschwand, und sie hatte das Gefühl, als würde sie geworfen, obwohl sie vollkommen still dastand. Sie betete und betete ...

Metall blitzte auf, rotes Licht flackerte, und sie sah Cassian. Er lag blutend auf dem Boden, seine Trichtersteine leuchteten, im Kampf gegen den Nebel vor ihm. Aber er konnte nirgends einen tödlichen Schlag landen, der Nebel stob bei jedem Schwerthieb auseinander. Lanthys schrie zwar jedes Mal auf, konnte aber nicht getötet, sondern nur in Schach gehalten werden, das hatte Cassian selbst gesagt.

Und die Harfe konnte Türen öffnen – aber niemanden töten. Nesta rannte zu Cassian, den Finger auf der Harfensaite, um sie von hier wegzubringen.

Doch Cassians Augen blitzten auf, und er schrie: »*VER-SCHWINDE ...*«

Der Nebel schlang sich um seinen Hals und schleuderte ihn durch die Luft.

Ihr Schrei gellte durch den Tunnel, als er mit knirschenden Schwingen gegen die Felswand krachte. Zu Boden sackte. Und sich nicht mehr rührte.

Ein Lachen wie eine Messerklinge, die über Stein kratzte, erfüllte den Tunnel. Und dann krachte auch Nesta so fest gegen die Wand, dass ihr die Zähne klapperten, ihr Kopf sich drehte und der Atem aus ihr herausgepresst wurde. Ihre Finger spreizten sich über die Harfe, bevor sie auf dem Boden aufschlug.

Aber sie landete neben Cassian und beeilte sich, ihn umzudrehen. Betete, dass sein Genick nicht gebrochen war. Dass sie ihn nicht verdammt hatte, weil sie zurückgekommen war ... Doch Cassians Brust hob und senkte sich, und eine mächtige, ursprüngliche Erleichterung erfasste ihren Körper. Die aber nur von kurzer Dauer war, denn Lanthys lachte erneut.

»Du wirst dir noch wünschen, der Schlag hätte ihn getötet, bevor ich mit euch beiden fertig bin«, sagte das Monster. »Du wirst dir noch wünschen, du wärst weggerannt.« Aber sie wollte kein Wort mehr hören, als sie sich über Cassian beugte – die einzige Barriere zwischen ihm und Lanthys.

Sie war schon einmal hier gewesen. In genau der gleichen Position, seinen Kopf auf ihrem Schoß, während der Tod sich bereits die Hände gerieben hatte.

Damals hatte sie sich über ihn gerollt und darauf gewartet zu sterben. Hatte nicht länger gekämpft. Doch dieses Mal würde sie nicht versagen. Der Nebel drängte heran, und sie hätte schwören können, dass sich eine Hand nach ihr ausstreckte.

Das reichte ihr.

Sie zog ihr Schwert, sprang zugleich auf und stieß mit einer perfekten Kombination zu.

Lanthys schrie, aber nicht so wie zuvor – es war ein ohrenbetäubendes Geräusch, purer Schock und Wut.

Nesta hob Ataraxia und verteilte ihr Gewicht auf beide Füße, für einen sicheren, unerschütterlichen Stand. Die Klinge begann zu glühen.

Der Nebel verzerrte sich, schrumpfte, wand sich, so als kämpfte er gegen einen unsichtbaren Feind, und dann verdichtete er sich und erstrahlte in allen Farben.

Ein nackter Mann mit goldenem Haar stand vor ihr. Er war mittelgroß, seine goldene Haut von Muskeln durchzogen. Sein markantes Gesicht glühte vor Hass. Erstaunlicherweise kein abstoßendes, schreckliches Wesen, sondern eine attraktive Erscheinung.

Seine schwarzen Augen waren zusammengekniffen und auf das Schwert gerichtet, als er zischte: »*Das ist nicht Narben.*« Der Name sagte ihr nichts.

Nesta stürzte vorwärts und stieß Ataraxia in die achte Position. Lanthys sprang zurück.

Cassian kam stöhnend wieder zu sich, während sie die Stellung hielt.

»Welcher Todesgott bist du?«, fragte Lanthys fordernd und schaute von ihr zum Schwert und wieder zurück. Zu dem silbernen Feuer, das in ihren Augen flammte.

Nesta schwang Ataraxia erneut und Lanthys wich ängstlich zurück. Das, was nicht getötet werden konnte, hatte Angst vor ihrer Klinge. Nicht vor ihr, sondern vor Ataraxia. Vor der Waffe, die sie erschaffen hatte.

»Geh in deine Zelle.« Nesta machte einen Schritt vorwärts, Ataraxia kampfbereit in den Händen. Langsam wich Lanthys zu seiner Zelle zurück.

»Was für ein Schwert ist das?« Sein goldenes Haar schwang ihm um die Taille, als er sich weiter zurückzog.

»Sein Name ist Ataraxia«, knurrte Nesta. »Und es wird das Letzte sein, was du zu sehen bekommst.«

Lanthys brach in ein Gelächter aus, das wie das Krächzen einer Krähe klang. Grässlich, verglichen mit der Schönheit seiner Gestalt. »Du hast ein Todesschwert *Ataraxia* genannt?« Er johlte und der ganze Berg bebte.

»Es wird dich töten, ob dir sein Name gefällt oder nicht.«

»Das glaube ich eher nicht«, konterte Lanthys. »Ich bin schon mit der Wilden Jagd geritten, noch bevor du überhaupt existiert hast, *Hexe von Oorid*. Ich habe die Hunde herbeigerufen, vor deren Bellen die Welt erzitterte. Ich bin an der Spitze der Jagd galoppiert und Fae und Tier haben sich vor uns verneigt.«

Nesta drehte Ataraxia in den Händen – eine Bewegung, die sie während des Trainings mit den illyrianischen Klingen gelegentlich geübt hatte. Sie hatte sie oft bei Cassian gesehen und festgestellt, dass sie überschüssige Energie vertrieb. Aber sie hatte nicht gewusst, dass sie eine so effektive Einschüchterungstechnik darstellte. Lanthys wich weiter zurück.

Nesta betete, dass die Soldaten des Herbsthofs, die jeden Moment den Pfad herunterkommen mussten, ebenfalls vor dem Schwert zurückschreckten. Doch sie wusste, dass das nicht passieren würde. Nicht, solange sie von Briallyn und der Krone gesteuert wurden.

»Welcher Todesgott bist du?«, fragte Lanthys erneut. »*Wer bist du unter diesem Fleisch?*«

»Ich bin niemand«, zischte sie.

»Wessen Feuer brennt silbern in deinem Blick?«

»Du weißt, wessen Feuer es ist«, antwortete sie, um ihn hinzuhalten.

Aber irgendwie traf es zu. Lanthys erbleichte. »Das ist nicht möglich.« Er warf einen Blick auf die Harfe neben dem sich regenden Cassian und seine Augen weiteten sich erneut. »Wir haben hier unten von dir gehört. Du bist die, von der das Meer, der Wind und die Erde geflüstert haben.« Er schauderte. »*Nesta.*« Er grinste und entblößte Zähne, die ein wenig zu lang waren. »Du hast vom Kessel genommen.«

Lanthys hielt inne und streckte anmutig eine breite Hand aus. »Du weißt nicht einmal, wozu du fähig bist. Komm. Ich zeige es dir.« Erneut lächelte er mit diesen zu langen Zähnen, die der Schönheit seines Gesichts mit einem Zucken der Lippen einen grausamen Zug verliehen. »Komm mit mir, Königin der Königinnen, und wir bringen zurück, was einst verloren ging.« Die Worte glichen einem Wiegenlied, klangen wie ein honigsüßes Versprechen. »Wir werden wieder zu dem, was wir waren, bevor die goldenen Legionen der Fae ihre Ketten abwarfen und uns stürzten. Wir lassen die Wilde Jagd wieder auferstehen und reiten zügellos durch die Nacht. Wir errichten Paläste aus Eis und Flammen, Paläste aus Finsternis und Sternenlicht. Magie soll wieder ungehindert fließen.«

Nesta sah das Porträt, das Lanthys in die Luft um sie herumwebte. Sah sich selbst auf einem schwarzen Thron, eine passende Krone im offenen Haar. Riesige, onyxschwarze, geschuppte Tiere – wie die, die sie an den Säulen der Höhlenstadt gesehen hatte – lagen zu Füßen des Podiums. Ataraxia lehnte gegen den Thron und auf der anderen Seite saß ... Lanthys, seine Hand mit ihrer verschränkt. Ihr Königreich war endlos, ihr Palast aus reiner Magie errichtet, und diese wuchs um sie herum und gedieh. Hinter ihnen auf einem Altar stand die Harfe und daneben lag die Maske, aber die goldene Krone fehlte.

Sie ruhte auf Lanthys' Kopf.

Und genau das war der verdrehte Faden, der das Bild trübte – der nackte Glanz seiner Gier. Er hatte die Harfe gesehen. Er wusste, dass Nesta nach der Truhe suchte, und hatte verraten, was er damit machen würde. Die Krone würde er für sich beanspruchen. Sie würde zwar keinen Einfluss auf Nesta haben, aber ihrer beider Herrschaft würde von Zwang und Sklaverei geprägt sein.

Ein viertes Objekt lag auf dem Altar, in Schatten gehüllt. Aber sie konnte nicht mehr davon erkennen als den Schimmer eines uralten Knochens ...

Die Vision veränderte sich und sie wälzten sich auf einem großen, schwarzen Bett. Die goldene Haut von Lanthys' Rücken schimmerte, als er sich in ihr bewegte. Solche Lust – nie zuvor hatte sie solche Lust mit jemandem empfunden. Nur er konnte sie so vögeln, so tief in sie eindringen – ihr Körper war warm, geschmeidig und feucht für ihn –, und sehr bald würde sich sein Samen in ihrem Schoß einnisten, und das Kind, das sie gebären würde, sollte das ganze Universum beherrschen ...

Ein weiterer verdrehter Faden, der die Illusion zunichtemachte. Ihr Körper war für ihn tabu. Sie ließ nicht zu, dass er sie mit Leben erfüllte. Und sie hatte definitiv Lust erlebt, die stärker war als das, was er ihr gezeigt hatte.

Nesta blinzelte und das Bild verschwand.

Lanthys knurrte. Er stand jetzt in ihrer Reichweite. In Ataraxias Reichweite. »Um *dieses* Problem kann ich mich kümmern«, knurrte er in Cassians Richtung. »Und du wirst diese Bande schon bald vergessen.«

Nesta hob Ataraxia. »Geh in deine Zelle zurück und schließ die Tür.«

»Ich werde einfach erneut fliehen«, lachte Lanthys leise. »Und dann werde ich dich finden, Nesta Archeron, und du wirst meine Königin sein.«

»Nein, das glaube ich nicht.« Nesta ließ ihre Kraft über die Klinge perlen. Ataraxia sang und funkelte wie der Mond.

Lanthys wurde blass. »Was tust du da?«

»Ich bringe alles zu Ende.«

Seine Augen waren so auf die funkelnde Klinge fixiert, dass er keinen Blick zu Cassian warf. Und den gezogenen Dolch nicht sah, den Cassian mit tadelloser Präzision schleuderte.

Er drang bis zum Heft in Lanthys' Brust ein.

Lanthys schrie auf, krümmte sich, und Nesta sprang vorwärts. Mit einer Zwei-Drei-Kombination schlug sie einen Bogen und ließ die Klinge von der Kraft ihres Atems, ihrer Beine und ihres Körpers führen.

Ataraxia peitschte durch die Luft und sang dabei das Herzenslied des Windes.

Lanthys' Kopf und Körper stoben in verschiedene Richtungen und landeten mit einem dumpfen Aufprall auf dem Stein. Seltsam schwarzes Blut spritzte aus seiner Gestalt.

Dann war Cassian neben ihr, stöhnend, und griff erneut nach ihrer Hand. »Die Harfe«, keuchte er mit schmerzverzerrtem Gesicht. Blut lief an seiner Schläfe hinunter. »Nimm sie und lass uns gehen. Wir müssen hier weg.«

»Kannst du überhaupt stehen?«

Er wankte auf den Beinen, schaffte nicht einmal drei Schritte. »Ja«, ächzte er trotzdem.

Nesta wusste, dass er es versuchen würde, um sie hier herauszubringen. Genau wie sie wusste, dass Lanthys tot war. Hatte es an ihrem Schwert oder ihrer Kraft gelegen? Da sie das Schwert erschaffen hatte, zählte es vermutlich als ihre Kraft, aber … Das, was nicht getötet werden konnte, war niedergestreckt worden. Irgendwie. Tief in ihrem Inneren freute sie sich darüber, auch wenn sie dennoch zitterte.

Jetzt eilte das Scharren und Stampfen von Schritten auf sie zu. »Soldaten des Herbsthofs«, flüsterte sie und zeigte auf den dunklen Pfad nach oben. »Noch mehr als im Moor. Briallyn hat sie geschickt, um die Harfe zu holen.«

»*Mehr* …«

Schreie drangen durch den Berg. Verängstigte, flehende Schreie und hämmernde Fäuste. Nicht gegen den Fels oder die Türen, die sie einsperrten, sondern gegen die Wände ihrer Zellen. So als würden sie das Gefängnis anflehen, sie vor ihr und diesem Schwert zu verschonen.

Lanthys war gefallen. Und die Insassen des Gefängnisses hatten es gespürt. Selbst die Schritte der Soldaten schienen bei dem Geräusch langsamer zu werden.

Nesta lächelte finster und hob die Harfe auf. »Wir werden nicht von hier weglaufen. Und wir rühren auch die Soldaten nicht an.« Und sei es nur, um zu beweisen, dass Eris unrecht hatte. Aber Cassians Wunden ... Ja, sie mussten weg. Und zwar schnell. »Halt dich an mir fest«, befahl sie und flüsterte dann: »Der Rasen von Feyres Haus am Ufer des Sidra in Velaris.«

Cassian brüllte eine Warnung, doch sie zupfte jetzt drei Saiten auf einmal. Durch das Zupfen einer Saite war sie hierhergelangt, also nahm sie an, dass zwei Saiten sie ein wenig weiter wegbringen würden. Und Velaris ... Ihr Gefühl sagte ihr, dass dafür drei Saiten nötig seien. Sie wollte gar nicht wissen, wohin alle sechsundzwanzig Saiten sie bringen würden. Oder was passieren würde, wenn jemand eine Melodie darauf spielte.

Die Welt verschwand, und erneut hatte sie das Gefühl, zu stürzen, obwohl sie eigentlich still dastand. Und dann ...

Sonne und Gras und eine frische Herbstbrise. Ein gewaltiges, schönes Anwesen hinter ihnen. Der Fluss vor ihnen. Und keine Spur mehr vom Gefängnis oder von Lanthys. Nesta gab Cassian frei, als Rhysand durch die Glastüren des Hauses stürmte. Bestürzt starrte er auf seinen Freund. Und als Nesta Cassian jetzt bei Tageslicht sah ... Blut rann aus seinen Haaren, über seine Wange, seine Lippen waren aufgeplatzt, ein Arm hing in seltsamem Winkel herab ...

Mehr nahm Nesta nicht mehr wahr, bevor Cassian auf dem Rasen zusammenbrach.

55

»Es ist nur eine kleine Wunde. Mach nicht so ein Theater.«
»Dein Schädel und dein Arm waren gebrochen. Du bleibst ein paar Tage hier.«
»Das kann nicht dein Ernst sein.«
»Oh doch, das ist mein voller Ernst.«

Nesta hätte über die Kabbelei zwischen Cassian und Rhysand gelächelt, wäre sie nicht mit dem High Lord einer Meinung gewesen. Feyre stand mit sorgenvollem Ausdruck in den Augen neben ihrem Gefährten.

Ataraxia lag noch immer schwer in Nestas rechter Hand, die Harfe in der anderen.

Die Augen ihrer Schwester wanderten zu ihr. Nesta schluckte und erwiderte ihren Blick. Sie betete, dass Feyre die stummen Worte auf ihrem Gesicht lesen konnte. *Es tut mir leid, was ich in Amrens Wohnung zu dir gesagt habe. Wirklich aufrichtig leid.*

Feyres Miene entspannte sich etwas. Und zu Nestas Erstaunen antwortete sie dann in ihrem Geist: *Mach dir deswegen keine Sorgen.*

Nesta stählte sich und schüttelte die Überraschung ab. Sie hatte ganz vergessen, dass ihre Schwester ... Wie war noch gleich das Wort? Sie war Daemati und konnte in den Geist anderer eindringen, genau wie Rhys. Mit wild schlagendem Herzen sagte Nesta: *Ich war wütend. Es tut mir so leid.*

Feyre schwieg eine Weile. Doch ihre anschließende Antwort erschien Nesta wie das Licht der ersten Sonnenstrahlen am Morgen: *Ich verzeihe dir.*

Nesta bemühte sich, nicht zusammenzusacken vor Erleichterung. Sie wollte nach dem Baby fragen, doch Rhys wandte sich ihr zu: »Leg die Harfe auf den Schreibtisch, Nesta.«

Nesta folgte seiner Aufforderung und achtete sorgfältig darauf, keine der sechsundzwanzig silbernen Saiten zu berühren.

»Sie hat dir ermöglicht, dich ungehindert durch das Gefängnis zu bewegen«, sinnierte Feyre, als sie das Instrument betrachtete. »Vermutlich weil sie erschaffen ist und jenseits der Regeln gewöhnlicher Magie existiert, oder?« Sie schaute zu Rhys, der die Schultern zuckte.

Feyre schürzte die Lippen. »Wenn einer unserer Feinde sie in die Hände bekäme, würde er sie sofort gegen uns verwenden. Keine Schutzschilde würden mehr halten, weder die um dieses Haus herum noch die um das Haus der Winde oder um unsere geheimen Depots und Verstecke. Ganz zu schweigen davon, dass die Harfe einen eigenen Willen zu haben scheint: den Wunsch, Unruhe zu stiften. Wir können sie nicht wieder zurück ins Gefängnis bringen, denn jetzt ist sie erweckt.«

Rhys rieb sich das Kinn. »Also werden wir sie zusammen mit der Maske wegschließen, sichern und mit Schutzzaubern versehen, damit sie nicht wieder zuschlagen kann.«

»Ich würde sie getrennt voneinander aufbewahren«, empfahl Feyre. »Weißt du noch, was passiert ist, als die beiden Buchhälften beieinander waren? Außerdem: Warum sollten wir es einem Feind erleichtern, beide Objekte in die Hände zu bekommen?«

»Ein gutes Argument«, fand Cassian und zuckte zusammen, als würden die Worte einen Stich durch seinen Schädel jagen. Madja hatte den Haarriss direkt über seiner Schläfe geheilt, doch er würde noch ein paar Tage Schmerzen haben. Sein gebrochener Arm war ebenfalls wiederhergestellt, aber noch immer empfindlich. Der Anblick all dieser Verbände reichte aus, um in Nesta den Wunsch zu wecken, sie könnte Lanthys noch einmal töten.

Rhys trommelte mit den Fingern auf den Schreibtisch und betrachtete die Harfe. Dann fragte er Nesta: »Hast du nicht gesagt, du hättest bei der ersten Berührung der Harfe nicht nur Briallyn gesehen, sondern auch noch etwas anderes?«

Nesta hatte es nach ihrer Ankunft kurz erklärt. »Ich glaube, wer auch immer die Harfe als Letzter benutzt hat, hat etwas Entsetzliches damit angerichtet. Vielleicht die Bewohner der Gefängnisinsel irgendwie in die Mauern eingeschlossen. Wäre das möglich?«

Zweifel sprach aus Rhys' Augen.

»Was ist die Wilde Jagd?«, fragte Nesta. Sie hatte ihm auch von ihrer Begegnung mit Lanthys und von den Soldaten des Herbsthofs berichtet. Cassian hatte Rhys überzeugt, es sei besser, sich nicht mit ihnen auf einen Kampf einzulassen, zumindest nicht, bevor sie sich um Briallyn kümmern konnten. Doch als Rhys den Schutzschild um das Gefängnis wieder hochgezogen hatte, waren sie ohnehin bereits verschwunden.

Rhys seufzte und lehnte sich in seinem Sessel zurück. »Ehrlich gesagt habe ich das Ganze für einen Mythos gehalten. Die Tatsache, dass Lanthys sich an so etwas erinnert ... Na ja, es besteht immer die Möglichkeit, dass er gelogen hat. Aber für den unwahrscheinlichen Fall, dass es der Wahrheit entspricht: Dann wäre er über fünfzehntausend Jahre alt.«

»Was also ist die Wilde Jagd?«, fragte Feyre.

Rhys hob eine Hand und aus einem Regal hinter ihm schwebte ein Buch über Legenden heran. Er legte es auf den Schreibtisch und schlug eine Seite auf, die die Abbildung einer Gruppe von großen, seltsam aussehenden Wesen mit Kronen auf den Köpfen zeigte.

»Die Fae waren nicht die ersten Herren dieser Welt. Unseren ältesten Legenden zufolge, die kaum noch jemand kennt, wurden wir von Wesen erschaffen, die beinahe Götter waren – und Monster. Von den Daglan. Sie herrschten jahrtausendelang und versklavten uns und die Menschen. Engherzige und grausame Wesen, die die Magie des Landes tranken wie Wein.«

Rhys schaute zu Ataraxia und dann zu Cassian. »In einigen Auslegungen der Mythen heißt es, Fionn sei einer der Fae-Helden gewesen, die sich erhoben, um die Daglan zu stürzen. Die Hohepriesterin Oleanna gab ihm das Langschwert Gwydion, das sie in den Kessel getaucht hatte, und damit brachte Fionn die Daglan zu Fall. Es folgte ein Jahrtausend des Friedens und das Land wurde grob in Gebiete eingeteilt – die Vorläufer der heutigen Höfe. Doch am Ende dieser tausend Jahre gingen die Fae sich gegenseitig an die Kehle und es drohte ein Krieg.« Seine Züge verhärteten sich. »Fionn einte sie und regierte als ihr Hochkönig. Der erste und einzige Hochkönig, den dieses Land je gehabt hat.«

Nesta hätte schwören können, dass diese letzten Worte mit einem scharfen Seitenblick an Cassian gerichtet waren. Aber Cassian zwinkerte Rhys nur zu.

»Was geschah mit dem Hochkönig?«, fragte Feyre.

Rhys strich mit der Hand über eine Seite des Buchs. »Fionn wurde von seiner Königin, die über ihr eigenes Gebiet herrschte, und von seinem besten Freund und General betrogen. Sie töteten ihn und brachten einige der mächtigsten und kostbarsten Waffen seiner Ahnenreihe an sich. Aus dem darauffolgenden Chaos erhoben sich die sieben High Lords, deren Höfe bis heute Bestand haben.«

»Erinnert sich Amren daran?«, fragte Feyre weiter.

Rhys schüttelte den Kopf. »Nur noch vage. Soweit ich weiß, kam sie in den Jahren, bevor sich Fionn mit Gwydion erhob, und wurde im Zeitalter der Legenden ins Gefängnis gesteckt – eine Zeit, als das Land voller heldenhafter Gestalten war, die die letzten Angehörigen des einstigen Herrschergeschlechts zur Strecke bringen wollten. Sie fürchteten Amren, weil sie in ihr eine Feindin sahen, und warfen sie ins Verlies. Als sie wieder ans Tageslicht zurückkehrte, hatte sie Fionns Fall und Gwydions Verlust verpasst. Zu dem Zeitpunkt herrschten bereits die High Lords.«

Nesta überdachte Lanthys Worte. »Und was ist *Narben*?«

»Hat Lanthys danach gefragt?«

»Er sagte, mein Schwert sei nicht Narben. Dabei klang er überrascht.«

Rhys taxierte die Klinge. »Narben ist ein Todesschwert. Es ging verloren und wurde vermutlich zerstört. Aber es heißt, es konnte sogar Monster wie Lanthys töten.«

»Das kann Nestas Schwert offenbar auch«, bemerkte Feyre und betrachtete die Waffe ebenfalls.

»Ja, dadurch, dass du ihn damit enthauptet hast, hast du ihn getötet«, sagte Rhys.

»Ein Hieb mit dem Schwert hat ihn irgendwie in eine physische Form gebunden«, berichtigte Nesta. »Cassians Dolch traf Lanthys erst, als er gezwungen war, seine Nebelgestalt aufzugeben.«

»Interessant«, murmelte Rhys.

»Du hast noch immer nicht erklärt, was die Wilde Jagd ist«, erinnerte ihn Cassian.

Rhys blätterte in dem Buch und schlug die Abbildung einer Schar von Reitern auf Pferden und allen möglichen anderen Tieren auf. »Die Daglan erfreuten sich daran, die Fae und die Menschen zu terrorisieren. Die Wilde Jagd diente dazu, uns alle in Schach zu halten. Sie versammelten ihre wildesten und erbarmungslosesten Krieger und ließen sie nach Lust und Laune töten. Die Daglan besaßen mächtige, monströse Tiere, die sie Jagdhunde nannten, obwohl sie nicht aussahen wie die Hunde, die wir kennen. Sie hetzten sie auf ihre Beute, die sie dann folterten und töteten. Es ist eine schreckliche Geschichte, und vieles davon dürfte bloße Legende sein.«

»Die Jagdhunde erinnern mich an die Monster in der Höhlenstadt«, sagte Nesta leise.

Sofort schauten alle sie an.

»Lanthys hat mir eine Vision gezeigt«, erzählte sie. »Von dem … was er und ich sein könnten. Als Paar. Wir herrschten als König und Königin mit der Truhe in einem Palast, und zu unseren Füßen saßen diese Hunde. Sie sahen aus wie die schuppigen Monster an den Säulen der Höhlenstadt.«

Selbst Rhys hatte darauf keine Antwort.

An Cassians Kiefer zuckte ein Muskel. »Er wollte dich töten und hat dabei noch versucht, dich zu verführen?«

Nesta drehte sich der Magen, aber sie erwähnte lieber nicht, wie plastisch diese Vision gewesen war. »In der Vision gab es ein viertes Objekt, aber es lag im Schatten. Hat die Truhe je ein viertes Objekt enthalten? Ich konnte nur ein Stück von einem alten Knochen erkennen.«

Rhys fuhr sich mit der Hand durch die dunklen Haare. »Soweit wir wissen, gibt es nur drei Objekte.«

»Was wäre, wenn das vierte Objekt durch einen Zauber geschützt ist? Wie der, der alle Gedanken an die Truhe abschirmt. Um zu verhindern, dass jemand überhaupt von diesem vierten Objekt erfährt.« Rhys' Augen verdüsterten sich. »In dem Fall möge uns die Große Mutter beistehen, denn selbst Amren erinnert sich nur vage an ein solches Gerücht.«

Die Worte hingen in der Luft. »Dann suche ich also jetzt nach der Krone?«, fragte Nesta.

»Nein«, sagte Cassian, trotz der Schmerzen mit einem scharfen Blick in den Augen.

Feyre nickte. »Briallyn weiß, dass wir die anderen beiden Objekte haben. Sie hat ihre Soldaten ausgesandt, um die Harfe zu holen.«

Cassian knurrte. »Ich habe in Eris nur das Arschloch gesehen. Doch als ich ihm von den zwei Dutzend Soldaten im Oorid-Moor erzählt habe, meinte er, es seien noch mehr Männer aus der Einheit verschwunden.« Er rieb sich das Kinn. »Ich hätte zuhören sollen. Hätte dem nachgehen sollen. Denn Briallyn hatte ein weiteres Dutzend zum Angriff bereit gehalten.« Selbsthass zeichnete sich auf seinem Gesicht ab, und Nesta unterdrückte das Verlangen, nach seiner Hand zu greifen.

»Eris verbreitet jeden Tag so viel Blödsinn, dass jeder einen unüberlegten Kommentar wie diesen überhören könnte, Cass«, entgegnete Feyre. »Zumindest können wir Eris jetzt sagen, wo der Rest seiner Soldaten steckt.« Nesta hätte ihre Schwester umarmen können, als sie an Cassians Körperhaltung sah, welche Erleichterung ihn bei diesen Worten erfasste. Trotz all seines Hochmuts war ihm die Meinung seiner Freunde und seiner Familie äußerst wichtig. Keiner von ihnen würde ihm jemals ein Versagen ankreiden, doch er würde sich selbst dafür Vorwürfe machen.

Nesta strich ihm über die Finger, um ihm zu zeigen, dass sie ihn verstand. Er erwiderte ihre Berührung und fing ihren Blick auf, als wollte er sagen: *Siehst du? Letztendlich sind wir gleich.*

»Wenn Briallyn die Maske und die Harfe so dringend will, dass sie heute derart rasch gehandelt hat, wird sie es erneut versuchen«, fuhr Feyre fort. »Und wir werden schon auf sie warten.« Ihre Augen funkelten grimmig.

Rhys runzelte die Stirn. »Allein mit der Krone kann Briallyn ungeheuren Schaden anrichten. Soweit wir wissen, hat sie Beron in ihrer Gewalt. Er ist ihr genauso hörig wie Eris' Soldaten. Wir müssen ihr Einhalt gebieten und die Krone holen. Bevor wirklich ein Krieg ausbricht.«

»Es ist zu riskant«, wandte Feyre ein. »Wir haben den Kessel in Hybern verfolgt, mit schrecklichen Konsequenzen.«

»Dann lernen wir eben aus unseren Fehlern«, forderte Rhys.

»Briallyn wird eine Falle ausgelegt haben«, mahnte Feyre. »Wir werden nicht nach der Krone suchen.«

Einen Moment herrschte Schweigen, bis Rhysand sagte: »Dann müssen wir wieder Kriegsbündnisse schmieden, und zwar schnell. Und Schadensbegrenzung bei den Bündnissen betreiben, die möglicherweise auseinanderbrechen könnten.«

Cassian zog eine Augenbraue hoch. Aus seinen Augen sprach Sorge. »Das klingt danach, als hättest du eine Idee.«

»Eris kommt zur Feier der Wintersonnenwende in die Höhlenstadt«, antwortete Rhys. Das Fest stand kurz bevor, erinnerte Nesta sich. »Er ist besorgt, weil Tamlin euch drei bei einem Treffen überrascht hat, und er fragt sich, ob wir das Bündnis mit ihm auflösen wollen – jetzt, da das Risiko besteht, dass Tamlin es aufdecken könnte. Oder ob wir uns entschließen, ihn ans Messer zu liefern. Wir müssen Eris unsere Treue versichern und ihn daran erinnern, dass er ... wichtig ist für uns. Dass wir ihm den Rücken freihalten.«

Cassian knurrte angewidert, genau wie Feyre.

»Dann kauf ihm ein Geschenk«, sagte sie mit einer abschätzigen Handbewegung, »und richte ihm schöne Grüße von uns aus.«

»Er wird mehr wollen als nur das«, meinte Rhys. Seine Mundwinkel zuckten, als er Nesta ansah.

Sofort richtete Cassian sich auf, noch bevor Rhys etwas sagen konnte. »Du wirst sie nicht dafür benutzen.«

Feyre schaute von Rhys zu Cassian und wieder zurück. Allem Anschein nach hatte ihr Seelengefährte in Gedanken mit ihr gesprochen, denn sie fragte kurz darauf: »Wirklich, Rhys?«

Rhys lehnte sich zurück und Nesta runzelte die Stirn. Offenbar war sie die Einzige, die nicht verstand, was das bedeutete. Rhys wandte sich ihr zu: »Du musst nichts tun, was du nicht willst. Aber Elain erwähnte, dass du eine besondere Begabung auf dem Tanzparkett hast. Dank dieser Begabung hast du einst einen Herzog mit einem einzigen Walzer dazu gebracht, um deine Hand anzuhalten.«

Eine längst vergessene Nacht, von der nur noch ein verschwommenes Bild aus Juwelen, Seide und dem hübschen Gesicht dieses Herzogs übrig war. Damals hatte sie wilden Triumph empfunden.

»Nur über meine Leiche«, knurrte Cassian.

»Ich soll mit Eris tanzen?« Nestas Herz begann zu pochen, aber nicht nur vor Angst.

»Ich möchte, dass du ihn verführst«, sagte Rhys. »Du musst nicht mit ihm ins Bett gehen, sondern ihm nur klarmachen, was er erreichen könnte – sobald er begreift, dass wir dieses Bündnis nicht auflösen wollen. Er soll erkennen, dass der Nutzen weitaus größer ist als das Risiko.«

Nesta verschränkte die Arme vor der Brust und ignorierte Cassians scharfen Blick, der sie stumm dazu aufforderte, nicht einmal daran zu denken. »Glaubst du wirklich, es wird Eris' Loyalität stärken, wenn ich mit ihm *tanze*?«

»Ich glaube, Eris ist unser Verbündeter, und er wird auf jeden Fall erwarten, beim Ball mit einer Lady dieses Hofes zu tanzen. Ich werde Feyre nicht in seine Nähe lassen, Mor könnte versucht sein, ihn zu töten, und Amren würde ihn wahrscheinlich eher verschrecken als überzeugen. Also bleiben nur noch du und Elain.«

»Elain hält sich von ihm fern«, sagte Feyre. »Und du *lässt* mich nicht in seine Nähe?«

Rhys schenkte ihr ein charmantes Lächeln. »Du weißt, was ich meine.«

Feyre verdrehte die Augen. »Du wirst langsam unerträglich.« Dann drehte sie sich zu Nesta um. »Eris ist nicht ... Er ist nicht gut. Nicht ganz so schlimm wie Beron, aber ...«

»Ich weiß, was er Morrigan angetan hat«, sagte Nesta. Oder eher, was er *nicht* getan hatte: Er hatte ihr nicht geholfen, als ihre Familie sie misshandelte und über die Grenze des Herbsthofs schaffte – zur Strafe dafür, dass sie ihr Ehebündnis ruiniert hatte. Eris hatte sie gefunden und einfach liegen lassen. »Ich hatte neulich mit ihm zu tun. Ich weiß, worauf ich mich bei ihm einlassen würde.«

»Mor kann dir die Tänze zeigen«, fuhr Rhys fort. »Sie musste sie alle lernen, und da sie noch immer dem Hof der Albträume vorsteht, kann sie dich am besten unterweisen.«

»Nesta hat nicht zugestimmt«, sagte Cassian gereizt. »Selbst ein Tanz mit diesem Angeber ist schon zu viel ...«

»Ich mache es«, unterbrach ihn Nesta, wenn auch nur, um Cassian zu ärgern, weil er ... Besitzansprüche stellte. Sie betrachtete das Schwert, das sie noch immer in der Hand hielt. »Ich habe gerade ein unsterbliches Wesen getötet. Eris ist ein Nichts. Und wenn der Tanz ihn daran erinnert, warum er mit uns verbündet sein will ... wenn er denkt, er könnte mich bekommen, falls er seinen Teil der Vereinbarung einhält, umso besser.«

»Er ist bereits unser Verbündeter«, entgegnete Cassian. »Ein Tanz soll dafür sorgen, dass er weiterhin mit uns zusammenarbeitet?«

»Wir müssen Eris zeigen, dass wir ihn respektieren und ihm vertrauen«, räumte Feyre mit einem resignierten Seufzen ein. »Auch wenn das eigentlich nicht der Fall ist. Und das erreichen wir, indem wir ihn mit jemandem aus unserer Familie tanzen lassen. Zumindest für einen Angehörigen des Herbsthofs ist das Beweis genug. Sollte er Nesta danach aus der Hand fressen – fantastisch. Und sollte er sich einfach nur daran erinnern, dass wir auf seiner Seite sind, auch gut. Aber diese Bündnisse müssen aufrechterhalten werden.«

»Das gefällt mir nicht«, knurrte Cassian.

»Es muss dir nicht gefallen«, entgegnete Feyre und hob den Kopf mit der ganzen Autorität einer High Lady. »Du musst einfach nur dabei zuschauen – ohne allerdings den Eindruck zu erwecken, als wolltest du ihm den Kopf abreißen.«

»Sag Morrigan, dass ich mich mit ihr zum Tanzunterricht treffe, wann immer sie Zeit hat«, bat Nesta.

Feyre und Cassian, die einander noch immer zornig musterten, wandten sich ihr schweigend zu.

Nesta trat vor und legte Ataraxia auf den Schreibtisch. »Hier, du kannst es zurückhaben«, teilte sie Rhys mit.

Rhys schwieg, aber Feyre zog die Augenbrauen hoch. »Warum willst du es nicht behalten?«

Cassians neugieriger Blick war wie ein Brandzeichen, doch sie erwiderte nur: »Ich habe kein Interesse an weiterem Tod.«

Nesta atmete durch die Nase ein und zählte bis sechs, hielt den Atem an und atmete dann durch den Mund aus, wobei sie erneut bis sechs zählte. Sie saß in der nächtlichen Stille ihres Zimmers auf einem Stuhl, konzentrierte sich ganz auf ihre Atmung und registrierte alle Gedanken, die aufstiegen, und ließ sie vorüberziehen. Auch wenn einige immer wiederkehrten.

Es war ihr egal, wo Rhys und die anderen die Harfe versteckten. Wenn sie ihr Blut brauchten, um sie zu sichern – so wie bei der Maske –, würden sie es ihr sagen. Aber der Gedanke an das, was als Nächstes kam …

Atmen. Zählen.

Nesta atmete erneut ein, richtete ihre Aufmerksamkeit auf ihren sich ausdehnenden Brustkorb, das Gefühl des Atems in ihrem Körper. Auch nach etlichen Wochen fielen ihr die Kontemplationsübungen an manchen Tagen schwerer als an anderen. Aber sie machte weiter, zehn Minuten jeden Morgen und zehn Minuten jeden Abend.

Sie atmete aus und zählte, machte weiter.

Vermutlich konnte sie ohnehin nichts anderes tun, als einfach weiterzumachen. Tag um Tag, Atemzug um Atemzug.

Sie ließ auch diesen Gedanken ziehen. Und atmete und atmete und zählte irgendwann nicht mehr. Ließ ihren Geist wandern. Doch ihr Geist schoss nicht in alle Richtungen davon. Er blieb ruhig und gelassen. Zufrieden, genau dort zu sein, wo er sich befand.

Der Krieg hatte die Hütte unversehrt gelassen. Aber die harten Winter waren nicht so freundlich mit ihr umgegangen.

Azriel hatte Nesta und Cassian nach dem Training hierhergebracht, war aber nicht lange geblieben. Gwyn hatte ihn offenbar gebeten, mit ihnen Dolch-Übungen durchzuführen, und er hatte Nesta und Cassian versprochen, sie in einer Stunde wieder abzuholen. Nesta hatte keine Ahnung, ob eine Stunde zu lang oder zu kurz sein würde. Hatte keine Ahnung, warum sie Cassian eigentlich gebeten hatte, sie zu begleiten. Aber sie hatte es sich in den Kopf gesetzt, hierherzukommen und diesen Ort sehen zu wollen.

Die herbstliche Mittagssonne machte den Verfall noch deutlicher: das strohgedeckte Dach, das an einigen Stellen verschimmelt oder kahl war; das wuchernde Unkraut, das schon vor dem Winter braun wurde und bis hinauf zu den kleinen Fenstern in den Steinmauern reichte. Nesta schnürte es die Kehle zu, doch sie zwang sich, auf den Eingang zuzugehen.

Cassian folgte ihr schweigend. Seine Schritte waren so leise, dass er der kräftige Wind im zu hohen Gras hätte sein können. Sein Kopf und sein Arm waren inzwischen vollkommen verheilt, nur zwei Tage, nachdem Nesta sich einverstanden erklärt hatte, Eris zu bezirzen. Cassian hatte sogar am Morgen mit ihr trainiert, wenn auch nicht so schnell wie sonst. Als würde er tatsächlich den Ratschlag von Rhys und Madja beherzigen, es ruhig angehen zu lassen. Die Tatsache, dass er die Übungen absolviert hatte, ohne das Gesicht vor Schmerz zu verziehen, hatte sie innerlich erleichtert aufatmen lassen. Deshalb hatte sie sich auch getraut, ihn zu bitten, sie zu begleiten. Was sie niemals getan hätte, wenn er noch verletzt gewesen wäre.

Nicht, dass sie hier mit gefährlichen Feinden rechnen musste: Auf der von Blättern übersäten Straße hinter der Hütte war keine Menschenseele zu sehen, und nur ein paar Vögel zwitscherten halbherzig eine Melodie in den fast kahlen Bäumen. Mutlos, trist und leer – so fühlte sich dieses Land an, obwohl der Herbst gerade erst begonnen hatte. Als würde sich nicht einmal die Sonne die Mühe machen, hier richtig zu scheinen.

Nestas Herz hämmerte, als sie eine Hand auf die kalte Holztür legte, die noch immer Kratzspuren zeigte.

»Tamlins Werk, nehme ich an?«, fragte Cassian hinter ihr.

Nesta zuckte die Schultern, denn sie fand keine Worte. Elain und sie hatten die Tür wieder eingehängt, nachdem Tamlin sie aufgebrochen hatte. Ihr Vater, dessen zertrümmertes Bein sein Gewicht nicht tragen konnte, hatte ihnen zugesehen und wenig hilfreiche Ratschläge gegeben.

Ihre Hände ballten sich zur Faust und sie stemmte die Tür mit der Schulter auf. Die verrosteten Angeln knarrten protestierend und ein staubiger, modriger Geruch stieg ihr in die Nase. Ihre Wangen wurden heiß. Die Tatsache, dass Cassian hier war und das alles sah ...

»Nur ein Rohling, erinnerst du dich?« Er trat an ihre Seite. »Ich habe in viel schlimmeren Behausungen gelebt. Wenigstens hattet ihr Wände und ein Dach über dem Kopf.«

Nesta war nicht bewusst gewesen, wie sehr sie diese Worte hatte hören müssen, und ihre Schultern entspannten sich, als sie die Hütte betrat. Im kühlen Halbdunkel, das nur von wenigen Sonnenstrahlen durchbrochen wurde, blickte sie stirnrunzelnd zur Decke. »Dieses Haus hatte jedenfalls mal ein Dach.« Die Schäden hatten jedes Wetter und allerlei Kreaturen hineingelassen, die es sich – den Nestern und Ausscheidungen nach – hier gemütlich gemacht hatten.

Nesta bekam einen trockenen Mund. Dieser furchtbare, schreckliche, dunkle Ort. Sie konnte das Zittern, das sie erfasste, nicht unterdrücken.

Cassian legte ihr eine Hand auf die Schulter. »Führ mich herum.«

Aber sie konnte nicht. Konnte die Worte nicht finden.

Er zeigte auf einen langen Holztisch. Ein Bein war zerbrochen, sodass er schief stand. »Habt ihr hier gegessen?«

Sie nickte. Hier hatten sie ihre Mahlzeiten eingenommen, meistens schweigend. Gelegentlich hatten Elain und sie versucht, die Stille mit müßigem Geschwätz zu vertreiben. Aber es hatte auch Mahlzeiten gegeben, bei denen Feyre und sie sich gegenseitig an die Gurgel gegangen waren. Wie in den letzten Tagen, die sie mit ihr in diesem Haus verbracht hatten.

Nesta schaute vom Tisch zu der Farbe, die von den Wänden abblätterte, den filigranen, kleinen Mustern. Cassian folgte ihrem Blick und fragte: »Hat Feyre das gemalt?«

Sie schluckte und erwiderte mühsam: »Sie hat bei jeder Gelegenheit gemalt und jede Münze, die sie erübrigen konnte, für Farben ausgegeben.«

»Hast du schon mal gesehen, was sie mit der Hütte oben in den Bergen gemacht hat?«

»Nein.« Nesta war nie dort gewesen.

»Feyre hat alles bemalt. Genau wie hier. Einmal hat sie mir erzählt, dass es hier eine Kommode gibt ...«

Nesta ging ins Schlafzimmer. »Diese hier?« Cassian folgte ihr. Verdammt, dieser Raum war so eng und dunkel und muffig. Das Bett war noch immer mit der alten, fleckigen Bettwäsche bezogen. Hier hatten sie jahrelang zu dritt geschlafen.

Cassian fuhr bewundernd mit der Hand über die bemalte Kommode. »Feyre hat schon Sterne gemalt, noch bevor sie wusste, dass Rhys ihr Seelengefährte ist. Bevor sie wusste, dass er existiert.« Seine Finger zeichneten die verschlungenen Blumenranken auf der zweiten Schublade nach. »Elains Schublade.« Sie wanderten tiefer, über eine züngelnde Flamme. »Und deine.«

Nesta brachte einen bestätigenden Laut hervor, aber ihre Brust fühlte sich so eng an, dass es fast schmerzte. Dort in der Ecke stand ein Paar ausgetretene, halb verrottete Schuhe. Ihre Schuhe. Einer davon war vorn an der Naht aufgeplatzt. Diese Schuhe hatte sie in der

Öffentlichkeit getragen, und sie konnte sich noch erinnern, wie Schlamm und Steine eingedrungen waren.

Ihr Herz schlug wie wild, und sie verließ das Zimmer wieder, kehrte in den Hauptraum zurück. Obwohl es nicht ihre Absicht war, wanderte ihr Blick unwillkürlich zum dunklen Kamin, zum Sims. Dort standen die Holzfiguren ihres Vaters, dick mit Staub und Spinnweben bedeckt. Einige waren umgestoßen worden, vermutlich von den Kreaturen, die jetzt hier hausten.

Das vertraute Dröhnen rauschte wieder in ihren Ohren, und ihre Schritte stampften zu laut über die staubigen Holzdielen, als sie sich dem Kamin näherte. Die geschnitzte Figur eines aufgerichteten Bären, nicht größer als ihre Faust, stand in der Mitte. Nestas Finger zitterten, als sie ihn hochnahm und den Staub wegblies.

»Er hatte Geschick«, sagte Cassian leise.

»Nicht genug«, antwortete Nesta und stellte den Bären zurück auf das Steinsims. Sie musste sich gleich übergeben.

Nein. Sie hatte das im Griff. Hatte sich selbst im Griff und konnte sich der Situation stellen. Sie atmete durch die Nase ein und durch den Mund wieder aus, zählte ihre Atemzüge.

Cassian stand die ganze Zeit neben ihr, ohne etwas zu sagen und ohne sie zu berühren. Er war einfach nur da, falls sie ihn brauchte. Ihr Freund – den sie gebeten hatte, sie hierherzubegleiten. Nicht weil er mit ihr ins Bett ging, sondern weil sie ihn hier bei sich haben *wollte*. Seine Zuverlässigkeit, seine Freundlichkeit und sein Verständnis.

Nesta nahm eine weitere Figur vom Kaminsims, eine aus dunklem Holz geschnitzte Rose. Sie hielt sie in der Hand, überrascht von ihrem Gewicht, und fuhr mit dem Finger über eines der Blütenblätter. »Diese hier hat er für Elain geschnitzt. Weil sie die Blumen im Winter so sehr vermisste.«

»Hat er auch etwas für dich angefertigt?«

»Er hat sich gehütet!« Sie holte gequält Luft, hielt sie kurz in ihren Lungen und atmete dann wieder aus. Ließ ihren Geist ruhig werden. »Vermutlich hätte er eine Figur für mich geschnitzt, wenn ich ihn nur ein kleines bisschen dazu ermutigt hätte, aber ... das habe ich nie getan. Ich war zu wütend.«

»Dein ganzes Leben war auf den Kopf gestellt worden. Du hattest das Recht, wütend zu sein.«

»Bei unserer ersten Begegnung hast du mir aber etwas anderes gesagt.« Sie drehte sich um und sah, dass er eine Augenbraue hochgezogen hatte. »Du hast gesagt, ich sei der letzte Dreck, weil ich meine jüngere Schwester zur Jagd in den Wald gehen ließ und selbst nichts tat.«

»So habe ich es nicht formuliert.«

»Die Botschaft war die gleiche.« Nesta straffte die Schultern und wandte sich der kleinen, zerbrochenen Pritsche im Schatten des Kamins zu. »Und du hattest recht.« Cassian schwieg, während sie zu der Pritsche ging. »Hier hat mein Vater all die Jahre geschlafen und uns das Schlafzimmer überlassen. Das Bett da drinnen ... darin bin ich auf die Welt gekommen. Darin ist meine Mutter gestorben. Ich hasse dieses Bett.« Sie strich mit der Hand über das geborstene Holz der Pritsche, spürte die Splitter unter ihren Fingerspitzen. »Aber diese Pritsche hasse ich noch viel mehr. Mein Vater zog das Ding jeden Abend vor das Feuer, rollte sich darauf zusammen und krümmte sich unter die Decken. Ich hatte immer den Eindruck, dass er so ... so *schwach* aussah. Wie ein kauerndes Tier. Die Vorstellung hat mich furchtbar wütend gemacht.«

»Macht sie dich auch jetzt noch wütend?« Eine beiläufige, aber wohlbedachte Frage.

»Es ...« Sie schluckte. »Dass er hier schlief, habe ich immer für eine angemessene Bestrafung gehalten, während wir das Bett für uns hatten. Es ist mir nie in den Sinn gekommen, dass er uns das Bett überlassen *wollte*, damit wir es so warm wie möglich hatten. Oder dass wir nur ein paar Möbel aus unserem alten Haus mitnehmen konnten und er dieses Bett bewusst ausgewählt hatte. Damit wir es bequem hatten und nicht auf Pritschen oder auf dem Boden schlafen mussten.« Sie rieb sich über die Brust. »Ich wollte ihn nicht mal in dem Bett schlafen lassen, als die Gläubiger sein Bein zertrümmerten.

Ich war so verloren in meinem Kummer, meiner Wut ... und meiner Trauer. Und ich wollte, dass er einen Bruchteil von dem fühlte, was ich empfand.« Ihr Magen rebellierte.

Cassian drückte ihre Schulter, schwieg jedoch.

»Er muss es gewusst haben«, sagte sie heiser. »Er muss doch *gewusst* haben, wie schrecklich ich war, und dennoch ... hat er nie gebrüllt. Auch das hat mich wütend gemacht. Und dann benannte er ein Schiff nach mir. Segelte damit in die Schlacht. Ich ... ich verstehe einfach nicht, warum.«

»Du warst seine Tochter.«

»Und das ist eine Erklärung?« Sie musterte ihn, sah die Trauer in seinem Gesicht. Trauer – für sie. Für den Schmerz in ihrer Brust und das Brennen in ihren Augen.

»Liebe ist kompliziert.«

Bei diesen Worten senkte sie den Blick. Sie war ein Feigling, weil sie ihm nicht in die Augen schauen konnte. Doch dann hob sie das Kinn. »Ich habe kein einziges Mal darüber nachgedacht, wie es für ihn gewesen sein muss. Ein Mann, der ein Vermögen gemacht hatte und als Fürst der Kaufleute bekannt war, aber dann alles verlor. Ich glaube, der Tod meiner Mutter hat ihn nicht so hart getroffen wie der Verlust seiner Flotte. Er war sich so sicher, dass die Unternehmung ihm noch mehr Reichtum einbringen würde – einen obszön großen Reichtum. Die Leute sagten ihm, er sei verrückt, aber er wollte nicht hören. Und als sich dann herausstellte, dass sie recht gehabt hatten ... Diese Demütigung hat ihn wohl genauso gebrochen wie der finanzielle Verlust.«

Sie betrachtete ihre Hände. »Die Gläubiger wirkten schadenfroh, als sie herkamen – als hätten sie sich all die Jahre über ihn geärgert und konnten es gar nicht erwarten, ihre Wut an seinem Bein auszulassen. In diesen schrecklichen Momenten habe ich furchtbare Angst gehabt, was sie mit Elain und mir machen würden. Feyre ... Sie hat versucht, die Gläubiger aufzuhalten, blieb hier bei ihm, während wir uns im Schlafzimmer versteckten.« Nesta zwang sich, Cassian wieder in die Augen zu schauen. »Ich habe Feyre nicht nur enttäuscht, als ich sie in den Wald gehen ließ. Da waren noch viel mehr Situationen.«

»Hast du ihr das je gesagt?«

Nesta schnaubte. »Nein. Ich weiß nicht, wie.«

Er musterte sie, und sie widerstand dem Drang, sich diesem Blick zu entziehen. »Du wirst es lernen. Wenn du dazu bereit bist.«

»Wie weise.«

Cassian deutete eine Verbeugung an.

Trotz der Hütte und all der Erinnerungen um sie herum musste Nesta lächeln. Sie schob die geschnitzte Rose in ihre Tasche. »Ich habe genug gesehen.«

Er zog eine Augenbraue hoch. »Wirklich?«

Sie umfasste die hölzerne Rose in ihrer Tasche fester. »Ich glaube, ich musste diesen Ort nur noch mal sehen. Ein letztes Mal. Um mich zu vergewissern, dass das alles hinter uns liegt … dass es hier nichts mehr gibt außer Staub und schlechten Erinnerungen.«

Cassian legte einen Arm um sie, als sie zur Tür gingen, und betrachtete erneut all die kleinen Malereien, mit denen Feyre jede Oberfläche versehen hatte. »Es dauert noch eine Weile, bis Az zurückkommt. Lass uns fliegen.«

»Was ist mit den Menschen?« Sie würden schreiend vor Angst davonrennen.

Cassian schenkte ihr ein verschmitztes Lächeln, öffnete die halb zerbrochene Tür für sie und führte sie hinaus ins Sonnenlicht und an die klare Luft. »Es wird ihrem Tag ein wenig Würze verleihen.«

56

Ein Monat verging und der Winter legte sich über Velaris wie Raureif über eine Fensterscheibe.

Das morgendliche Training wurde zu einer kalten Angelegenheit, bei der ihr Atem weiße Wolken bildete und das eisige Metall der Schwerter und Messer in ihre Handflächen zu schneiden schien. Selbst ihre Schilde waren manchmal mit Frost überzogen. Walküren lernten, bei jedem Wetter zu kämpfen, erzählte Gwyn ihnen. Insbesondere bei Kälte. Und deshalb trainierten Nesta und die anderen auch dann, wenn es schneite.

Inzwischen brauchte Nesta eine neue Lederkluft, die eine Nummer größer war. Und wenn sie morgens in den Spiegel sah, um ihre Haare zu flechten, hatte das Gesicht, das ihr entgegenblickte, seine Hagerkeit und die dunklen Augenringe verloren. Obwohl Cassian sie überall im Haus manchmal bis in die frühen Morgenstunden vögelte, waren die Erschöpfung und die violetten Schatten unter ihren Augen verschwunden.

Sie sagte sich, es sei nicht wichtig, dass er anschließend nie in ihrem Bett blieb, um sie in den Armen zu halten, und fragte sich, wann er genug davon bekommen würde – von ihr. Bestimmt würde er sich bald langweilen und weiterziehen, selbst wenn er sich jede Nacht an ihr labte, als wäre er völlig ausgehungert. Wenn er ihre Schenkel mit seinen kräftigen Händen packte und sie leckte, bis sie sich krümmte. Manchmal setzte sie sich rittlings auf sein Gesicht, manchmal leckte ihre Zunge ihn. Sie konnte sich nicht vorstellen, seiner jemals überdrüssig zu werden. Dadurch, dass sie ihn wieder und wieder vögelte, wurde ihr Verlangen nur noch stärker.

Zweimal wöchentlich übte sie mit Morrigan Hoftänze. Aber die beiden wechselten kaum mehr als ein paar Worte, während Nesta einen Walzer nach dem anderen lernte, von denen einige speziell in der Höhlenstadt, andere nur am Herbsthof und wieder andere bei den Fae im Allgemeinen getanzt wurden.

Rhys hatte ihnen den Veritas gegeben, damit Morrigan ihre Erinnerungen an die Tänze sowie die dazugehörige Musik mit Nesta teilen konnte. In der Kugel hatte Nesta die Schritte, die Bälle und die Feste gesehen, die manchmal voller Licht, manchmal von Dunkelheit und Kummer erfüllt waren. Morrigan hatte ihr keine Erklärung dafür gegeben, nur ab und zu die Technik eines Tänzers kommentiert.

Aber die Musik ... war einfach großartig. So voller Leben und Bewegung, dass sie jedes Mal wünschte, sie hätte noch eine oder zwei Tanzstunden mehr, nur um sie wieder und wieder hören zu können. Bei den Tanzstunden schaute niemand vorbei, um ihnen zuzusehen, nicht einmal Cassian. Falls Morrigan über Nestas Fortschritte Bericht erstattete, ließ sie sich zumindest nichts anmerken.

Jetzt, drei Tage vor der Wintersonnenwende, beendete Morrigan gerade die Lektion, als Schneeflocken an der Fensterfront vorbeitrieben. Plötzlich fragte sie Nesta: »Was wirst du eigentlich zum Ball anziehen?«

Nesta, die keuchend an einem Tisch lehnte und den Klängen der Geige durch die schimmernde Illusion der Kugel lauschte, zuckte die Schultern. »Eins meiner Kleider.«

»Oh, nein.« Schweißperlen standen auf Morrigans Stirn und ihr goldener Zopf kräuselte sich leicht durch die Feuchtigkeit. »Eris ...« Sie suchte nach den richtigen Worten. »Er legt großen Wert aufs Äußere. Du musst das Richtige tragen.«

Nesta überlegte, was Morrigan normalerweise trug, und runzelte die Stirn. »So etwas Freizügiges kann ich nicht anziehen.« Sowohl Morrigan als auch Feyre verfuhren nach dem Motto: »weniger ist mehr«, wenn es darum ging, was sie in der Höhlenstadt trugen. Nesta hatte kein Problem mit Nacktheit vor Bettgenossen, aber in der Öffentlichkeit ... Anscheinend steckte noch immer ein wenig Mensch in ihr.

»Ich werde mich darum kümmern«, sagte Morrigan und stieß sich von der Fensterbank ab. »Mal sehen, was wir dahaben.«

»Danke, Morrigan.«

Es war die erste normale Unterhaltung, die sie führten. Das erste Mal, dass Nesta solche Worte Morrigan gegenüber äußerte. Das erste Mal, dass sie überhaupt ihren Namen aussprach.

Morrigan blinzelte, denn auch ihr wurde es offenbar bewusst. »Einfach nur Mor. Amren ist die Einzige an diesem Hof, die mich Morrigan nennt. Weil sie ein schrulliges, altes Miststück ist.«

Nestas Mundwinkel zuckten. »Okay.« Um es auszuprobieren, fügte sie hinzu: »Mor.«

Die Uhr schlug eins, und Nesta lief Richtung Tür, fort von der Kugel und der mitreißenden Musik. »Ich muss zur Bibliothek.« Sie war ohnehin spät dran, aber die Musik war so fesselnd gewesen, dass sie sich nicht hatte losreißen können.

»Ich auch«, sagte Morrigan – Mor –, und so gingen sie gemeinsam durch den Gang. »Die Arbeit, die ich für Rhys und Feyre in Vallahan erledige, erfordert ein paar Recherchen, und Clotho hat einiges für mich herausgesucht.«

»Ah.«

Unbehagliches Schweigen breitete sich aus, während sie die Treppe hinuntergingen und dann in einen anderen Gang einbogen.

Als die hohen Türen der Bibliothek in Sichtweite kamen, fragte Nesta: »Macht es dir etwas aus, dass ich mit Eris tanzen werde?«

Mor überlegte. »Nein. Weil ich weiß, dass er am Ende vor dir kriechen wird.«

Was nicht wirklich ein Kompliment war.

Sie fanden Clotho an ihrem Schreibtisch vor. Die Hohepriesterin erhob sich und begrüßte Mor mit einer Umarmung, die Nesta sprachlos machte.

»Meine alte Freundin«, sagte Mor, und ihr Gesicht strahlte vor Wärme. Das Gesicht, das sie jedem am Hof zeigte. Außer Nesta. Und den Bewohnern der Höhlenstadt.

Nestas Magen krampfte sich vor Scham zusammen. Aber sie

schwieg, als Clothos Zauberfeder schrieb: *Du siehst gut aus, Mor.*

»Nun ja.« Mor zuckte eine Schulter. »Nesta hat mich mit Tanzstunden auf Trab gehalten, aber es geht mir gut.«

Ich habe die Bücher gefunden, nach denen du gefragt hast. Clotho legte eine vernarbte Hand auf einen Bücherstapel auf ihrem Schreibtisch.

Nesta nahm dies als ihr Stichwort, nickte den beiden Frauen zu, die eine Diskussion über die Recherchen begannen, und ging. Gwyn wartete ein Geschoss tiefer und beobachtete sie. Emerie stand hinter ihr zwischen den Regalreihen.

»Was machst du denn hier?«, wandte Nesta sich an Emerie. Sie hatte sich noch auf dem Trainingsplatz aufgehalten, als Nesta zum Tanzunterricht gehastet war. Aber das lag schon Stunden zurück.

»Ich wollte mal sehen, wo ihr beide arbeitet«, antwortete Emerie, den Blick auf Clotho und Mor eine Ebene über ihnen gerichtet. Sie seufzte und deutete mit dem Kinn auf Mor. »Ich vergesse immer, wie schön sie ist. In letzter Zeit kommt sie gar nicht mehr nach Windhaven.« Nesta hätte schwören können, dass Emeries braune Wangen kurz erröteten.

Aber sie hatte recht: Im Dämmerlicht der Bibliothek leuchtete Mor wie ein Sonnenstrahl. Sogar die Dunkelheit am Grund schien sich zu verflüchtigen.

»Ich habe Emerie die Wunder von Merrills Büro gezeigt, während sie in einer Besprechung ist«, sagte Gwyn. »Ich muss wieder an die Arbeit. Aber ich dachte, du könntest sie mitnehmen, wenn du Bücher einsortierst.« Gwyn warf ihr einen ironischen Blick zu. »Und tanzt.«

Nesta verdrehte die Augen. Sie mochte ein- oder zweimal dabei erwischt worden sein, wie sie zwischen den Regalen Walzerschritte übte. Oder auch zehnmal.

Nesta nickte Emerie zu und lenkte damit deren Blick von Mors lebhaften Handbewegungen ab. »Komm.«

Aber Gwyn warf ein: »Bevor ihr beiden geht, wollte ich euch noch etwas geben. Weil wir uns heute vermutlich zum letzten Mal vorm Ende der Wintersonnenwende sehen.«

Nesta und Emerie tauschten verwirrte Blicke. »Du hast ein Geschenk für uns?«, fragte Emerie.

»Ich treffe euch unten am Bücherwagen«, erwiderte Gwyn lediglich und verschwand im Dunkel.

Emerie und Nesta gingen zu Ebene fünf, wo Nestas Wagen stand – erneut voller Bücher, die einsortiert werden mussten. Sie erklärte Emerie ihre Aufgabe, doch die Illyrianerin schien nur mit halbem Ohr zuzuhören. Aus ihrem Gesicht war jede Farbe gewichen.

»Was ist?«, fragte Nesta.

Emerie runzelte die Stirn. »Ich ... ich glaube, ich habe beim Training nicht genug Wasser getrunken.« Sie hatten zwei neue Walküren-Techniken ausprobiert, die Gwyn am Abend zuvor in den Büchern entdeckt hatte. Beide ziemlich hart. Dabei wurden Schilde als Sprungbretter benutzt, um eine andere Kriegerin in die Luft zu katapultieren. Und außerdem hatten sie ihre üblichen Bauchmuskelübungen mit dem Gewicht der Schilde ausführen müssen.

Keiner von ihnen war es bisher gelungen, das Band zu durchtrennen. Aber Emerie hatte es vor zwei Tagen immerhin geschafft, es einzuritzen.

»Was ist los?«, drängte Nesta.

Emeries Augen wurden trüb. »Es ist ... Ich schwöre, ich kann meinen Vater dort unten brüllen hören.« Ihre Hand zitterte, als sie sich eine Strähne hinters Ohr strich. »Ich kann hören, wie er mich anschreit, wie die Möbel zersplittern ...«

Nesta gefror das Blut in den Adern. Ruckartig drehte sie den Kopf zu der Rampe neben ihr. Dort lauerte zwar keine Dunkelheit, aber sie waren weit genug unten ... »Dieser Ort ist uralt und seltsam«, sagte sie, während sie Emeries Worte verarbeitete. Bisher hatte Emerie noch nie von ihrem Vater gesprochen, sondern nur erzählt, dass er ihr die Schwingen gestutzt hatte. Aber Nesta wusste genug: Der Mann war ein Ungeheuer gewesen, genau wie Tomas Mandrays Vater.

»Komm, wir gehen eine Ebene höher ... wo die Dunkelheit nicht so laut flüstert. Gwyn wird uns schon finden.« Sie hakte sich bei Emerie unter, zog sie dicht an sich und gab ihrer Freundin ein wenig von ihrer Wärme ab.

Emerie nickte, wirkte aber noch immer blass. Nesta fragte sich, ob Emerie ihren Vater die ganze Zeit brüllen hörte.

Kurz darauf gesellte Gwyn sich zu ihnen, außer Atem und mit geröteten Wangen, und reichte jeder von ihnen ein rechteckiges Päckchen, das ungefähr die Größe eines dünnen Hefts hatte. »Hier, für euch.«

Nesta öffnete das braune Papier und entdeckte einen Stapel zusammengehefteter, beschriebener Seiten.

Auf der ersten Seite stand lediglich *Kapitel einundzwanzig*. Rasch las sie die ersten Zeilen und ließ das Heft dann fast fallen. »Es ... es handelt von *uns*.«

Gwyn strahlte. »Ich habe Merrill überredet, uns in das vorletzte Kapitel aufzunehmen. Sie hat es mich sogar verfassen lassen – natürlich mit ihren eigenen Anmerkungen versehen. Aber es geht um die Wiedergeburt der Walküren, um das, was wir tun.«

Nesta fehlten die Worte. Emeries Hände zitterten erneut, als sie die Seiten durchblätterte. »Du hast *so viel* über uns zu berichten?«, fragte sie mit einem unterdrückten Lachen.

Gwyn rieb sich die Hände. »Da kommt noch mehr.«

Nesta las eine Zeile auf der fünften Seite, die sie wahllos aufgeschlagen hatte. *Ob die Sonne heiß auf ihre Stirn brannte oder bitterkalter Regen ihre Knochen in Eis verwandelte, Nesta, Emerie und Gwyneth erschienen jeden Morgen zum Training, bereit zu ...* Sie spürte einen Kloß in der Kehle und ihre Augen brannten. »Wir stehen in einem Buch.«

Gwyns Finger verschränkten sich mit ihren und drückten sie. Nesta blickte auf und sah, dass sie auch Emeries Hand hielt. Gwyn lächelte ein weiteres Mal und ihre Augen funkelten. »Unsere Geschichten sind es wert, erzählt zu werden.«

Noch immer überwältigt von der Großzügigkeit von Gwyns Geschenk fand Nesta am Abend eine Nachricht von Cassian vor. Er teilte ihr mit, dass er über Nacht in einem der illyrianischen Außenposten bleiben müsse, um irgendeinen dummen Streit zwischen Kriegerbanden zu schlichten. So wenige Monate vor dem Blutritual gab es immer Spannungen, aber dieses Jahr schien es besonders schlimm zu sein, schrieb er. Alle paar Tage entstanden neue Fehden und alte Streitigkeiten flammten wieder auf ... Trotz des Inhalts der Nachricht musste Nesta im Stillen lächeln, als sie sich Cassians strenges Gesicht vorstellte, während er ein Machtwort sprach.

Aber ihre Belustigung war schon bald verflogen, und obwohl sie nach dem Abendessen zweimal Kontemplationsübungen durchführte, kam sie nicht zur Ruhe. Sie musste an Gwyns Geschenk und an Emeries entsetztes Gesicht denken, als sie das gespürt hatte, was dort in der Dunkelheit lauerte – was auch immer das sein mochte.

Nesta saß an ihrem Schreibtisch, starrte vor sich hin und stützte den Kopf in eine Hand.

Plötzlich tauchte neben ihr ein Becher mit warmem Kakao und ein kleiner Teller mit Butterkeksen auf. Nesta lachte leise. »Danke.« Sie nahm einen Schluck und hätte vor Wonne über das köstliche Getränk fast geseufzt. »Ich würde es gern mit einem Feuer probieren«, sagte sie leise. »Mit einem kleinen.«

Sofort entzündete das Haus ein kleines Feuer im Kamin. Ein Scheit knackte und Nesta richtete sich auf. Ihr wurde übel.

Es war nur ein Feuer. Nicht das Genick ihres Vaters. Ihr Blick wanderte zu der geschnitzten Rose, die sie auf das Sims gelegt hatte, halb verdeckt vom Schatten einer anmutigen, weiblichen Statue, die eine Mondscheibe zwischen den nach oben ausgestreckten Händen hielt – vermutlich die Große Mutter. Nesta hatte nicht lange darüber nachgedacht, warum sie das Bedürfnis verspürt hatte, die Rose dort zu platzieren. Warum sie sie nicht einfach in eine Schublade gelegt hatte.

Ein weiterer Scheit knackte und Nesta zuckte zusammen. Aber sie blieb sitzen, die Augen auf die geschnitzte Rose geheftet.

Würde sie den Rest ihres Lebens so verbringen wie Emerie, immer mit einem Blick über die Schulter, weil die Schatten der Vergangenheit sie verfolgten? Wirkte sie genauso verängstigt und gequält wie Emerie heute Nachmittag? Sie war sich selbst mehr schuldig ... mehr als diese Furcht. Auch Emerie hatte mehr verdient. Die Chance, ein Leben ohne Angst und Schrecken zu führen.

Nesta konnte es versuchen. Jetzt sofort. Sie würde sich diesem Feuer stellen.

Erneut knackte ein Scheit. Nesta biss die Zähne zusammen. *Atme. Einatmen und bis sechs zählen. Atem anhalten. Ausatmen und wieder bis sechs zählen.*

Genau das tat sie.

Das ist ein Feuer. Es erinnert dich an deinen Vater, an etwas Schreckliches, das passiert ist. Aber das ist nicht er, und auch wenn du dich unbehaglich fühlen magst, kannst du es durchstehen.

Nesta konzentrierte sich auf ihren Atem und entspannte jeden einzelnen ihrer zu harten Muskeln, angefangen im Gesicht bis hinab zu ihren Zehen. Und dabei sagte sie sich immer wieder: *Das ist nur ein Feuer. Es bereitet dir Unbehagen. Deshalb reagierst du so. Aber du kannst weiteratmen und es durchstehen. Du kannst es hinter dir lassen.*

Ihr Körper entspannte sich zwar nicht, aber es gelang ihr, sitzen zu bleiben. Das Feuer auszuhalten, bis es zu Glut heruntergebrannt war und langsam verglomm.

Sie wusste nicht, warum sie den Tränen nahe war, als die Glut erlosch. Wusste nicht, warum ein solcher Stolz ihre Brust erfüllte, dass sie am liebsten gelacht und gejubelt hätte und durchs Zimmer getanzt wäre. Sie hatte doch nur an einem Feuer gesessen, aber ... sie war geblieben.

Sie hatte nicht versagt. Sie hatte sich ihm gestellt und überlebt. Und auch wenn sie nicht gerade die Welt gerettet oder Armeen angeführt hatte: Es war ein erster, kleiner Schritt gewesen.

Nesta rieb sich die Augen, und als sie sich in dem stillen Raum umschaute, stellte sie überrascht fest, dass eine Spur aus Tannenzweigen zu der inzwischen offenen Tür führte. Sie zog eine Augenbraue hoch und stand auf. »Was hat das zu bedeuten?«, fragte sie das Haus und folgte der Spur, die es für sie ausgelegt hatte. Durch den Gang, die Treppe hinunter und bis in die Bibliothek. »Wo gehen wir hin?«, fragte Nesta. Glücklicherweise waren inzwischen auch die Nachteulen unter den Priesterinnen ins Bett gegangen, sodass niemand sah, wie sie der Spur der Zweige folgte. Sie wanden sich die Geschosse der Bibliothek hinab, immer weiter nach unten, bis sie die siebte Ebene erreichte.

Abrupt hielt Nesta inne, als die Spur am Rand der Mauer aus Dunkelheit endete.

Dahinter flackerte ein Licht auf, dann mehrere. Als wollten sie sagen: *Komm. Hab keine Angst.*

Nesta holte tief Luft und betrat die Finsternis.

Kleine Teelichter schlängelten sich in eine vertraute Dunkelheit. Feyre und sie hatten sich einst hierhergewagt, hatten hier Schreckliches erlebt. An einem Tag, auf den jetzt nichts mehr hindeutete. Sie sah nur das schummrige Halbdunkel und die Kerzen, die sie in die untersten Geschosse der Bibliothek führten.

Direkt in die Grube.

Nesta folgte der Spirale der Kerzen bis hinab zum Grund, wo eine kleine Laterne brannte und schwach die Reihen der Bücher beleuchtete, die im permanenten Schatten um sie herumstanden. Mit wild schlagendem Herzen nahm sie die Laterne in die Hand und schaute in die Dunkelheit, wohin kein Licht aus der Bibliothek hoch über ihr drang. Das Herz der Welt, der Existenz. Des Selbst.

Das Herz des Hauses.

»Diese ...« Ihre Finger schlossen sich fester um die Laterne. »Diese Finsternis ist *dein* Herz.«

Wie als Antwort legte das Haus einen kleinen Tannenzweig vor ihre Füße.

»Ein Geschenk zur Wintersonnenwende. Für mich.«

Sie hätte schwören können, dass ihr zur Bestätigung eine warme Hand über den Hals strich. »Aber deine Dunkelheit ...« Staunen verlieh ihrer Stimme einen sanften Ton. »Du wolltest es mir zeigen. Wolltest es den anderen zeigen. Wer du tief im Inneren bist und was dich plagt. Du hast versucht, allen diese dunklen, zerbrochenen Aspekte von dir zu zeigen, denn die Priesterinnen und Emerie und ich ... wir sind wie du.«

Ihre Kehle schnürte sich zusammen, als sie erkannte, welches Geschenk ihr das Haus gemacht hatte: dieses Wissen.

Sie hob die Laterne höher und blies sie aus. Ließ die Dunkelheit kommen, begrüßte sie.

»Ich habe keine Angst«, flüsterte sie in die Finsternis hinein. »Du bist mein Freund und mein Zuhause. Danke, dass du mich daran teilhaben lässt.«

Erneut hätte Nesta schwören können, dass etwas ihren Hals, ihre Wange und ihre Stirn streichelte.

»Frohe Sonnenwende«, sagte sie in die wunderschöne, gebrochene Dunkelheit hinein.

57

Normalerweise freute sich Cassian aus zahlreichen Gründen auf die Wintersonnenwende, angefangen von dem üblichen dreitägigen Gelage mit der ganzen Familie bis zur ausgelassenen Schneeballschlacht mit seinen Brüdern. Darauf folgten ein Besuch in der Schwitzhütte und noch mehr Alkohol – meistens so lange, bis sie alle drei in unterschiedlich absurden Positionen einschliefen. Einmal war er mit einer blonden Perücke auf dem Kopf und einem Lendenschurz aus Tannenzweigen aufgewacht. Das Ding hatte furchtbar gejuckt und gepikst, war aber im Vergleich zu seinem heftigen Kater noch immer harmlos gewesen.

Er liebte die Wintersonnenwende vermutlich deshalb so sehr, dachte er, weil er dann viel Zeit mit den Personen verbringen konnte, die er wirklich mochte. Doch in diesem Jahr, genau wie im letzten, bereitete ihm das Fest ein mulmiges Gefühl.

Der Hof der Albträume war für die drei Tage dauernde Feier rund um die längste Nacht des Jahres wie immer festlich geschmückt. An jedem Abend wurde ein anderer Ball veranstaltet, und beim ersten würde Nesta mit Eris tanzen.

Heute. In wenigen Augenblicken.

Er hatte einen Monat gehabt, um sich darauf vorzubereiten. Einen Monat in Nestas Bett – zumindest hatte er sie darin gevögelt. Der Kessel allein wusste, dass sie ihn noch nie aufgefordert hatte, die ganze Nacht zu bleiben.

Jetzt stand er vor dem schwarzen Podium und starrte über die glitzernde Menge, mit einer Miene, die einen grausamen Tod verhieß. Az flankierte die andere Seite, mit einem ähnlichen Ausdruck in den Augen. Wenn es nach ihm ging, konnte jeder einzelne der versammelten Gäste in der Hölle schmoren. Angefangen von Keir bis zu

Eris, der mit hocherhobenem Kopf neben ihm stand und das Schwarz des Hofs der Nacht trug.

Mor hatte sich bei den Thronsesseln von Feyre und Rhysand postiert und vertrat die beiden bis zu ihrer Ankunft.

Der gesamte Saal war mit schwarzen Kerzen, Girlanden und Kränzen aus Tannenzweigen und roten Stechpalmenbeeren geschmückt. Die beiden Banketttische, die den riesigen Raum flankierten, bogen sich förmlich unter den aufgefahrenen Speisen. Aber die Gäste durften sich erst bedienen, sobald Feyre und Rhys es erlaubten.

Cassian hatte in letzter Zeit sein triumphierendes Gebaren gegenüber den Leuten der Höhlenstadt etwas gemildert, wenn auch nicht viel. Und er beneidete Rhys nicht um diesen Balanceakt. Sie konnten Keir nicht isolieren, für den Fall, dass sie seine Dunkelbringer noch einmal brauchten. Daher der freundlichere Ton. Aber sie mussten auch dafür sorgen, dass er nicht vergaß, was ihn erwartete, wenn er aus der Reihe tanzte. Daher der nur *etwas* freundlichere Ton. Über die Krone und Briallyn hatten sie nichts Neues gehört. Die Königin schien nicht nach der Truhe gesucht zu haben. Cassian war jedoch nicht so dumm zu glauben, dass das Problem sich damit gelöst hatte. Keiner von ihnen war so dumm.

Endlich öffneten sich die mächtigen Türen zum Thronsaal.

Dunkle Macht grollte durch den Berg und kündigte ihre Ankunft an. Der Berg sang förmlich. Alle Gäste drehten sich um, als der High Lord und die High Lady erschienen, gekrönt und ganz in Schwarz gekleidet.

Rhys sah wie immer gut aus, aber Feyre ...

Ein Raunen ging durch den Saal.

Der heutige Abend diente noch einem anderen Zweck: der Verkündung von Feyres Schwangerschaft. Sie trug ein Gewand aus glitzerndem, schwarzem Stoff, ganz ähnlich dem, das sie beim ersten Mal am Hof getragen hatte –, das ihren gewölbten Bauch nicht verbarg. Im Gegenteil, es brachte ihn sogar zur Geltung, denn er schimmerte im Kerzenlicht.

Rhys' Gesicht war ein Porträt selbstgefälligen, männlichen Stolzes. Cassian wusste, dass er jeden, der Feyre auch nur falsch anblinzelte, in der Luft zerreißen würde. Tatsächlich strahlte Rhys kalte Gewalt aus, während sie auf das Podium zugingen und Feyres Duft den Saal erfüllte. Eine zusätzliche Bestätigung ihrer Schwangerschaft. Feyre hätte ebenso gut eine Göttin aus uralten Zeiten sein können, gekrönt und strahlend, mit einem von Leben erfüllten Bauch. Ihr heiteres Gesicht war wunderschön, und ihre vollen, roten Lippen umspielte ein Lächeln, als sie Rhys ansah und mit ihm zu den Thronsesseln schritt. Keir schien zwischen Wut und Schock hin- und hergerissen. Eris' Gesichtsausdruck war betont neutral.

Eine Bewegung im hinteren Teil des Saals zog Cassians Blick von seinen Feinden fort, und dann ...

Beide Schwestern trugen Schwarz. Sie gingen hinter Rhys und Feyre – ein stummer Hinweis darauf, dass sie zur königlichen Familie gehörten und selbst mächtige Kräfte besaßen. Dieser Moment war extra so geplant worden, damit Eris mit eigenen Augen sah, wie hoch im Rang Nesta stand. Cassian fragte sich, ob Elain und Nesta ihr eisiges Schweigen gebrochen hatten, während sie auf ihren großen Auftritt warteten. Inzwischen redeten sie schon seit Monaten nicht mehr miteinander.

Elain wirkte in Schwarz einfach nur lächerlich. Natürlich war sie schön, aber die Farbe ihres langärmeligen, schlichten Abendkleides übertönte ihre klaren Züge. Das Gewand schien sie zu tragen, nicht umgekehrt. Und Cassian wusste, dass die Grausamkeit der Höhlenstadt ihr zu schaffen machte. Aber sie hatte nicht gezögert zu kommen. Als Feyre ihr anbot, zu Hause zu bleiben, hatte Elain die Schultern gestrafft und verkündet, sie sei Mitglied dieses Hofes – und werde das Erforderliche tun. Und so trug Elain ihr goldbraunes Haar heute Abend offen, nur an den Seiten mit zwei Perlmuttkämmen zurückgesteckt. In den zwei Jahren, die er sie nun kannte, hatte er sie nie als unscheinbar empfunden, aber in Schwarz gekleidet ... Ganz gleich, wie sehr sie behauptete, Teil dieses Hofes zu sein: Diese Farbe saugte alles Leben aus ihr heraus.

Nestas Anblick im Schwarz des Hofes der Nacht ließ Cassian dagegen fast auf die Knie sinken. Sie trug ihr Haar im üblichen Stil um den Kopf geflochten, aber heute war es von einem zarten Diadem aus schwarzem Stein gekrönt. Schlanke, mit einem winzigen Saphir besetzte Spitzen ragten in einem Kranz nach oben – so scharf, dass sie den Eindruck erweckten, als würden sie den Himmel durchbohren und kobaltblaues Blut fließen lassen.

Und dieses Gewand ...

Das hautenge Samtmieder war mit Silberfäden bestickt, die Träger so schmal, dass sie auf ihrer mondweißen Haut kaum auffielen. Das Dekolleté reichte fast bis zum Bauchnabel, wo die Silberfäden zusammenliefen und einen kleinen Saphir einfassten, der zu denen des Diadems passte. Die ausladenden Röcke streiften über den dunklen Boden und raschelten in der knisternden Stille.

Nestas Kinn war hocherhoben und betonte ihren langen, schönen Hals. Auf ihren rot geschminkten Lippen lag ein katzenartiges Lächeln, während ihre mit Kajal umrandeten Augen die im Saal Anwesenden in sich aufnahmen, die jeden ihrer Atemzüge verfolgten. Die Aufmerksamkeit schien Nesta zum Leuchten zu bringen. Sie genoss es. Beherrschte den Saal.

Feyre und Rhys nahmen auf ihren Thronsesseln Platz, als Nesta und Elain vor dem Podium, zwischen Azriel und ihm, innehielten. Cassian wagte es nicht, Nesta etwas zuzuraunen oder sie auch nur kurz anzusehen, ihren zur Schau gestellten Körper – den Körper, den er so oft gekostet hatte, dass es an ein Wunder grenzte, dass seine Lippen keinen Abdruck auf ihrem Hals hinterlassen hatten. Und er wagte es auch nicht, zu Eris zu schauen. Ein Blick, und er würde ihren gesamten Plan verraten. Selbst Nestas Duft – *sein* Duft, wie Cassian zu seiner großen Genugtuung wusste – war sorgfältig mit einem Zauber kaschiert worden, um jede Spur von ihm zu verbergen.

Feyre sprach zu der versammelten Menge. »Mögen die Segnungen der Wintersonnenwende mit euch sein.«

Keir trat vor und verneigte sich tief. »Erlaubt mir, meine Glückwünsche auszusprechen.« Cassian wusste, dass der Mistkerl nicht ein Wort davon ernst meinte.

Eris, ihr Ehrengast, stolzierte neben ihn. »Und gestattet mir, auch im Namen meines Vaters und des gesamten Herbsthofes zu gratulieren.« Er schenkte Feyre ein hübsches, kultiviertes Lächeln. »Diese Nachricht wird ihn sehr erfreuen.«

Rhys' Mund verzog sich zu einem grausamen, matten Lächeln und die Sterne in seinen Augen glitzerten. »Dessen bin ich mir sicher.«

An diesem Abend gab es keine Zurückhaltung: Rhys war der High Lord des Hofs der Albträume, mit Feyre und ihrem gemeinsamen Baby an seiner Seite. Er würde jeden abschlachten, der sie bedrohte. Und es genießen.

»Musik«, befahl Rhys.

Ein Orchester, versteckt in einem abgeschirmten Zwischengeschoss, begann zu spielen.

Feyre erhob die Stimme und sagte: »Greift zu und esst.« Die Menge zerstreute sich, als die Leute auf die Tische zustrebten.

Nur Eris und Keir blieben vor ihnen stehen. Keiner von beiden würdigte Mor eines Blickes, obwohl sie spöttisch grinsend auf sie herabblickte und ihr rotes Kleid wie eine Flamme in dem dunklen Saal leuchtete.

Cassian in seiner schwarzen Rüstung fühlte sich eher wie eines der Tiere, die in die hoch aufragenden Säulen unter diesem Berg gemeißelt waren. Sein Haar war gebürstet und er trug es offen, mehr Aufwand hatte er für den heutigen Abend nicht betrieben. Eris hätte er am liebsten die Haut in kleinen Streifen abgezogen, und er fragte sich, warum Rhys und Feyre diese Grenze überschritten und diesen Tanz von Nesta verlangt hatten. Er liebte die beiden, aber sie hätten einen anderen Weg finden können, um sich Eris' Loyalität zu versichern. Nicht, dass Cassian eine bessere Möglichkeit eingefallen wäre.

Wenigstens hatten Briallyn und Koschei bis jetzt keine weiteren Aktionen unternommen. Allerdings war er sich sicher, dass sie schon bald den nächsten Schritt machen würden.

»Tanzt«, befahl Feyre der Menge, mit einer Stimme wie Donner in der Nacht.

Die Leute fanden sich zu Paaren zusammen und überließen sich der Musik. Dieses Mal schloss sich Keir ihnen an.

»Bevor du dich ins Vergnügen stürzt, Eris, möchte ich dir dein Geschenk zur Sonnenwende überreichen«, sagte Rhys, und eine schwarze Schachtel erschien in seiner Hand.

Cassian verzog keine Miene. Rhys hatte ein *Geschenk* für den Mistkerl?

Rhys ließ die Schachtel auf einem nachtschwarzen Wind zu Eris schweben und vereinte den Wind hinter ihm. Cassian wusste, dass Eris dadurch nicht mehr zu sehen war. Vor allem nicht für Keir.

Eris zog die Augenbrauen hoch und klappte den geschnitzten Deckel der Schachtel auf. Er versteifte sich und fragte dann mit leiser Stimme: »Was ist das?«

»Ein Geschenk«, antwortete Rhys, und Cassian erhaschte einen Blick auf ein vertrautes Heft in der Schachtel.

Der Dolch, den Nesta geschmiedet hatte. Cassian musste sich zurückhalten, um nicht zu Rhys und Feyre herumzuwirbeln und sie zu fragen, was zum Teufel sie sich dabei dachten.

Eris sog die Luft ein.

»Man kann seine Kraft spüren«, sagte Feyre.

»Er enthält ein Feuer«, sagte Eris, ohne den Dolch zu berühren – als würde ihn seine eigene Magie davor warnen. Mit bleichem Gesicht klappte er den Deckel wieder zu. »Warum macht ihr mir dieses Geschenk?«

»Du bist unser Verbündeter«, antwortete Feyre, eine Hand auf ihren Bauch gelegt. »Du hast es mit Feinden zu tun, die außerhalb der üblichen Regeln der Magie existieren. Es erschien uns daher nur angemessen, dir eine Waffe zu geben, die ebenfalls außerhalb dieser Regeln funktioniert.«

»Dann ist der Dolch also wahrhaftig erschaffen.«

Cassian machte sich darauf gefasst, dass sein Bruder im nächsten Moment die verdammte, gefährliche Wahrheit über Nesta enthüllen würde. Doch Rhys sagte nur: »Aus meiner Privatsammlung. Ein Familienerbstück.«

»Du besitzt ein erschaffenes Objekt und hast es all die Jahre versteckt? Während des Kriegs?«

»Du solltest unsere Großzügigkeit nicht für selbstverständlich halten«, warnte Feyre ihn leise.

Eris verstummte, nickte aber. Dann gab er Rhys die Schachtel zurück. »Ich lasse den Dolch lieber in deiner Obhut, während ich tanze.« Cassian hätte schwören können, dass es aufrichtig gemeint war, als er hinzufügte: »Danke.«

Feyre nickte, während Rhys die Schachtel an sich nahm und sie neben seinen Thron legte. »Nutze ihn weise.« Sie schenkte Eris ein sanftes Lächeln. »Normalerweise hätte ich dich zum Tanz aufgefordert, aber in meinem Zustand mache ich mir Sorgen, was all die Drehungen mit meinem Magen anstellen würden.« Es entsprach der Wahrheit. Noch vor drei Tagen war Feyre beim Abendessen aufgesprungen und zur nächsten Toilette gerannt. Jetzt schaute sie demonstrativ zwischen ihren beiden Schwestern hin und her. Elain machte den einigermaßen glaubhaften Eindruck, als wäre sie interessiert. Nesta wirkte nur gelangweilt. Als hätten Feyre und Rhys nicht gerade eben den Dolch verschenkt, den sie erschaffen hatte.

Vielleicht lag es daran, dass Nestas Augen zu der tanzenden, schimmernden Menge gewandert waren. So als könnte sie nicht anders – als müsste sie der Musik einfach lauschen. Sie schien dem Gespräch mit Eris nur mit halbem Ohr zuzuhören. Vielleicht bedeutete ihr die Musik mehr als der Dolch – mehr als Magie und Macht.

Feyre bemerkte die Richtung von Nestas Blick. »Meine älteste Schwester wird mich vertreten.«

Nesta sah Eris kaum an, der seinen prüfenden Blick von Elain abwandte und die älteste Archeron-Schwester mit einer Mischung aus Misstrauen und Zielstrebigkeit musterte, die Cassian mit den Zähnen knirschen ließ. Oder zumindest hätte knirschen lassen, wenn er sich nicht noch rechtzeitig zusammengerissen und seine ausdruckslose Miene beibehalten hätte, als Nesta auf Eris zuging.

Eris bot ihr einen Arm an und Nesta hakte sich unter, das Gesicht undurchdringlich, das Kinn erhoben, jeder Schritt wie ein Gleiten.

Sie blieben am Rand der Tanzfläche stehen und lösten sich, um einander gegenüberzutreten.

Andere im Saal schauten zu, als der erste Tanz endete und die lieblichen Töne einer hohen, anmutigen Harfe erklangen und den nächsten Tanz ankündigten. Eris streckte eine Hand aus und ein vages Lächeln umspielte seinen Mund. Und so als würden diese Harfensaiten Nestas Arm wie den einer Marionette führen, legte sie ihre Hand genau in dem Moment in Erins Hand, als das letzte, schnelle Zupfen des Instruments verhallte.

Schlagwerk und Bläser schmetterten, tiefe Saiteninstrumente wurden angeschlagen. Eine Aufforderung zum Tanz, mit einem Auftakt für die Tanzenden. Cassian ermahnte sich, tief durchzuatmen, als Eris seine breite Hand über Nestas Hüfte schob und sie an sich zog. Sie hob ihr Kinn und sah ihm ins Gesicht, während die dumpfen Schläge einer großen Trommel ertönten. Und als die Geigen ihre schwungvolle Melodie begannen, ein lockendes Hin und Her, bewegte sich Nesta, als wäre ihr Atem auf die Musik abgestimmt. Eris folgte ihr, und es war offensichtlich, dass er alle Nuancen und Töne des Tanzes kannte, aber Nesta …

Sie raffte ihre Röcke mit der anderen Hand, und als Eris sie zu den einleitenden Walzerklängen führte, entspannte und straffte sich ihr Körper, dass Cassian gar nicht wusste, wohin er schauen sollte: Sie ließ sich von der Musik biegen, formen, lenken.

Selbst Eris' Augen wurden größer angesichts des Geschicks und der Anmut ihrer Bewegungen – jede einzelne abgestimmt auf die Töne und Schwingungen der Musik, von ihren Fingerspitzen bis zur Verlängerung ihres Halses, sobald sie sich drehte oder den Rücken zu einem gehaltenen Ton wölbte. Cassian riskierte einen Blick zu Feyre und Rhys auf dem Podium und stellte fest, dass ihre normalerweise beherrschten Mienen Erstaunen verrieten.

Als Nesta und Eris ihre erste Runde über die Tanzfläche beendet hatten, konnte Cassian sich des Eindrucks nicht erwehren, dass Elain die Fähigkeiten ihrer Schwester noch deutlich untertrieben hatte.

Die Musik glühte in Nestas Körper.

Hatte die Welt jemals einen so perfekten, halbwilden Klang gehört? Mors Erinnerungen in der Veritas-Kugel waren nichts im Vergleich dazu, die Musik unmittelbar zu hören und dazu zu tanzen. Die Klänge strömten um sie herum, erfüllten ihr Blut, und wenn sie gekonnt hätte, wäre sie mit der Melodie verschmolzen, wäre zu den wirbelnden Trommeln geworden, den emporstrebenden Geigen, den scheppernden Becken mit dem Gegentakt, den Blech- und den Holzbläsern mit ihren hoch aufsteigenden Melodien.

In ihr war nicht genügend Raum für all diese Töne, für all die Gefühle, die sie auslösten – nicht genügend Raum in ihrem Geist, ihrem Herzen, ihrem Körper. Und um diese Musik zu ehren und ihr zu dienen, konnte sie nichts anderes tun, als zu tanzen.

Eris war ihr ein ebenbürtiger Tanzpartner, das musste man ihm lassen. Sie hielt seinen Blick bei jedem Schritt, ließ ihn ihren geschmeidigen Körper spüren – wie biegsam er war, wenn sie sich zu einer Kombination aus Tönen bewegte. Und als seine Hand sie fester umfasste und sich seine Finger in ihren Rücken gruben, umspielte ein kleines Lächeln ihre rot geschminkten Lippen.

Nie zuvor hatte sie eine solche Farbe auf ihren Lippen getragen. Ein Anblick wie die personifizierte Sünde. Aber Mor hatte ihr den Lippenstift und den Eyeliner aufgetragen. Und als Nesta schließlich in den Spiegel schaute, hatte sie sich selbst kaum wiedererkannt. Sie sah eine Königin der Nacht darin. So gnadenlos und kalt und schön wie die Göttin, die Lanthys aus ihr hatte machen wollen. Die Gemahlin des Todes.

Der Tod in Person.

Eris gab ihre Taille frei, um Nesta zu drehen. Und sie stimmte diese Drehung mühelos auf den Rhythmus der Musik ab und schaute ihn genau in dem Moment wieder an, als die Melodie erneut einsetzte. Ein Feuer loderte in seinen Augen und er drehte sie ein weiteres Mal – keine vom Tanz vorgeschriebene Bewegung, aber sie führte sie mit wirbelnden Röcken aus und riss den Kopf herum, um seinem Blick wieder zu begegnen.

Eris' Lippen kräuselten sich anerkennend. Sie hatte seinen Test bestanden.

Nesta erwiderte das Lächeln und ließ ihre Augen funkeln. *Lass ihn kriechen*, hatte Mor gesagt. Und genau das würde sie.

Aber zuerst würde sie tanzen.

Cassian kannte den Walzer, hatte ihn im Laufe der Jahrhunderte immer wieder gesehen und getanzt. Er wusste, dass die letzte halbe Minute aus einem schnellen Rausch von Tönen und anschwellenden, prächtigen Klängen bestand. Die meisten Tänzer tanzten dann weiter Walzer, doch die Mutigen, die Geschickten vollführten die zwölf Drehungen, bei denen die Frau blind, einen Arm über dem Kopf, wieder und wieder von ihrem Partner im Kreis herumgewirbelt wurde, während sie sich zusammen über das Parkett bewegten. Dabei riskierte man bestenfalls, dumm dazustehen, und schlimmstenfalls, sich auf die Nase zu legen.

Nesta probierte es.

Und Eris ging mit. Seine Augen loderten vor wilder Freude.

Die Musik erreichte ihr gewaltiges Finale. Trommeln schlugen, Geigen sangen – und der ganze Saal hatte nur noch Augen für Nesta. Für Nesta, diese einst menschliche Frau, die den Tod besiegt hatte und die jetzt leuchtete, als hätte sie den Mond verschlungen.

Zwischen einem Takt und dem nächsten hob Eris Nestas Arm über ihren Kopf und wirbelte sie mit solcher Kraft herum, dass ihre Absätze vom Boden abhoben. Sie hatte ihre Drehung kaum beendet, als er sie erneut herumwirbelte und ihr Kopf der Bewegung mit einer solchen Präzision folgte, dass es Cassian den Atem verschlug.

Und ihre Füße ...

Mit einer Drehung nach der anderen fegte sie wie ein nächtlicher Sturm über die inzwischen leere Tanzfläche, und ihre Füße bewegten sich so schnell, dass sie kaum noch zu erkennen waren. Cassian wusste, dass Eris ihren Arm drehte, aber ihre Füße hielten sie und trieben sie beide an. Sie führte diesen Tanz. Bei der siebten Drehung wirbelte sie so schnell herum, dass nur noch ihre Zehenspitzen den Boden berührten.

Bei der neunten Drehung gab Eris ihre Hand frei. Und Nesta, den Arm weiter über dem Kopf ausgestreckt, drehte sich noch weitere drei Male. Jeder Saphir auf ihrem Diadem schimmerte, als würde er von einem inneren Feuer erleuchtet. In Cassians Nähe rang jemand hörbar nach Luft. Möglicherweise Feyre.

Und während Nesta sich ganz allein drehte, auf den Zehenspitzen eines Fußes, lächelte sie. Kein aalglattes, höfisches Lächeln. Kein schüchternes Lächeln. Sondern ein Lächeln, hervorgerufen von reiner, wilder Freude über die Musik, den Tanz und ihre vollkommene Hingabe.

Cassian hatte den Eindruck, dabei zuzusehen, wie jemand geboren wurde, wie jemand zum Leben erwachte.

Als Nesta die letzte Drehung beendet hatte, diese absurde Missachtung aller Grundgesetze von Bewegung und Raum, fasste Eris sie wieder bei der Hand und wirbelte sie noch dreimal herum. Sein rotes Haar glitzerte wie Feuer, wie ein Echo auf die ungezügelte, dunkle Freude, die aus Nesta herausbrach.

Nestas Mutter hatte einen Prinzen für sie gewollt. Wie sehr sie ihre Tochter doch unterschätzt hatte, dachte Cassian: Nur ein König oder ein Kaiser war für jemanden mit solchen Fähigkeiten angemessen.

Sie verführte Eris nach allen Regeln der Kunst. Und das Raunen der Höhlenstadt bestätigte, dass Cassian nicht der Einzige war, der es bemerkte.

Eris' Augen funkelten vor Begierde, während er Nestas Lächeln aufsog, das Glühen, das sie ausstrahlte. Er wusste, was mit ein wenig Ehrgeiz und der richtigen Führung aus Nesta werden konnte. Und wenn er erst erfuhr, dass die Schreckenstruhe ihr gehorchte, dass *sie* seinen neuen Dolch erschaffen hatte ...

Es war ein Fehler gewesen, sie hierherzubringen, erkannte Cassian plötzlich. Ein Fehler, sie Eris und der Welt unter die Nase zu halten. Jetzt, da sie aus ihrem Kokon von Trauer und Wut geschlüpft war, könnte diese neue Nesta ganze Höfe, ganze Königreiche in die Knie zwingen.

Die Musik stieg immer weiter an, wurde schneller und schneller, und als die letzten Töne erklangen, gab Eris sie erneut frei. Noch einmal wirbelte Nesta allein übers Parkett und vollführte drei weitere perfekte Drehungen, während Eris vor ihr auf ein Knie sank und eine Hand hob. Und beim letzten Ton hielt Nesta mit übernatürlicher Leichtigkeit inne, ergriff noch in derselben Bewegung Eris' Hand und reckte mit sich wölbendem Rücken den anderen Arm triumphierend in die Luft.

Das Orchester stimmte das nächste Stück an, und Nesta zögerte keine Sekunde, als Eris ihre Taille umfasste und sie führte. Dieser Tanz war leichter, einfacher als der erste, dessen Musik in ihrem Blut gesungen hatte.

Ihr Partner mochte ein Monster sein, aber er konnte tanzen. Er hatte gewusst, wie sehr ihr Körper förmlich danach schrie, diese zusätzlichen Solodrehungen zu vollführen, und sie nicht nur einmal, sondern zweimal freigegeben. Aber selbst das war noch nicht genug gewesen. Hätte sie nicht dieses schwere Gewand getragen, hätte sie die Musiker vermutlich gebeten, das Stück noch einmal zu spielen, nur damit sie jede einzelne Drehung allein vollführen konnte.

Sie war regelrecht trunken von der Musik. Aber der zweite Tanz erforderte keine wilden Drehungen oder besonderen Emotionen. Als wollte der Dirigent des Orchesters ihr eine Atempause verschaffen. Oder ihr zumindest Gelegenheit zu einer Unterhaltung mit ihrem Tanzpartner geben.

Eris' bernsteinfarbene Augen schauten prüfend in ihre. »Rhysand hat dich gut versteckt gehalten.«

Richtig. Sie sollte ihm schmeicheln, dafür sorgen, dass er ihr Verbündeter blieb. »Wir haben uns doch erst letzte Woche gesehen.«

Eris lachte leise. »So sehr mich dein Anblick auch gefesselt hat, als du Tamlin mit eingezogenem Schwanz nach Hause geschickt hast –

diese Seite von dir habe ich noch nicht gesehen. Die Jahre seit Kriegsende haben dich verändert.«

Nesta schaute ihm direkt in die Augen, als sie mit ernster Miene erwiderte: »Zum Besseren, hoffe ich.«

»Gewiss zum Interessanteren. Zumindest bist du heute Abend hier und bereit, nach den Regeln des Hofs zu spielen.« Eris drehte sie im Kreis, und als sie ihm wieder zugewandt war, flüsterte er ihr ins Ohr: »Die Lügen, die sie über mich verbreiten, solltest du nicht glauben.«

Sie lehnte sich gerade so weit zurück, dass sie ihn ansehen konnte. »Tatsächlich?«

Eris deutete auf Mor, die neben Feyre und Rhys stand, mit neutraler und unnahbarer Miene. »Sie kennt die Wahrheit, aber sie hat sie nie offenbart.«

»Warum nicht?«

»Weil sie Angst davor hat.«

»Du tust dir mit deinem Verhalten keinen Gefallen.«

»Ach ja? Habe ich mich nicht mit diesem Hof verbündet trotz der permanenten Gefahr, entdeckt und von meinem Vater getötet zu werden? Biete ich nicht meine Hilfe an, wann immer Rhysand es wünscht?« Erneut wirbelte er sie herum. »Sie glauben eine Version der Ereignisse, die leichter zu verdauen ist. Ich habe Rhysand immer für klüger gehalten, aber er neigt zur Blindheit, wenn es um die geht, die er liebt.«

Nestas Mundwinkel zuckte leicht nach oben. »Und du? Wen liebst du?«

Sein Lächeln wurde schärfer. »Erkundigst du dich nach meiner Verfügbarkeit?«

»Ich sage nur, dass es heutzutage schwer ist, einen guten Tanzpartner zu finden.«

Eris lachte und der Klang streifte ihre Haut wie Seide. Sie schauderte. »Das ist wahr. Besonders einen, der sowohl tanzen als auch dem König von Hybern den Kopf abreißen kann.«

Nesta ließ ihn ein wenig von dieser Person sehen – die wilde Wut und das silberne Feuer, das er schon an ihr beobachtet hatte, als sie Tamlin zurechtwies. Dann blinzelte sie und es war verschwunden. Ein Muskel an Eris' Kiefer zuckte, doch nicht vor Angst.

Erneut drehte er sie, während sich der Walzer dem Ende zuneigte. »Man sagt, deine Schwester Elain sei die Schönheit, aber heute Abend stellst du sie in den Schatten«, flüsterte er ihr ins Ohr. Seine Hand strich über die nackte Haut an ihrem Rücken und sie wölbte sich leicht in die Bewegung.

Dann tat sie so, als müsste sie schlucken, und ließ etwas Farbe in ihre Wangen aufsteigen.

Der Walzer endete, und sie gingen nahtlos zum nächsten Tanz über, der ein wenig anspruchsvoller war. Nesta kannte ihn von Mors Tanzunterricht – er war wunderschön, mitreißend, wie ein Traum, bis er in der letzten Minute so prächtig und gewaltig wurde, dass es ihr den Atem raubte. Vorfreude durchströmte sie und ließ ihre Augen leuchten.

»Du bist am Hof der Nacht vergeudet«, murmelte Eris, während er sie herumwirbelte und ihre Röcke sie beide umhüllten. »Vollkommen vergeudet.«

»Ich bin mir nicht sicher, ob das ein Kompliment ist.«

Erneut lachte Eris. Aus den Augenwinkeln nahm sie eine Bewegung wahr, aber sie hielt den Blick auf Eris gerichtet, tanzte weiter, bis ...

»Verschwinde.«

Cassians kalte Stimme durchbrach den Bann der Musik und ließ sie abrupt innehalten. Er stand vor ihnen, inmitten eines Meers von Tänzern, die sich um sie drehten, und obwohl die meisten von ihnen Schwarz trugen, wirkte er mit seiner Rüstung und seinen Waffen irgendwie ... anders. Wie ein echter Teil der Nacht.

Eris musterte Cassian von oben herab. »Ich nehme keine Befehle von Rohlingen entgegen.«

Nesta unterdrückte ein Knurren und sagte gelassen: »Verstehe ich das richtig, dass du gern mit mir tanzen würdest?«

»Ja.« Seine haselnussbraunen Augen glühten vor Zorn. Hatte er die Schau wirklich geglaubt, die sie auf diesem Parkett präsentiert hatte?

»Geh und setz dich zu Füßen deines Herrn, Hund«, stieß Eris zwischen zusammengebissenen Zähnen hervor.

Nesta musste sämtliche Konzentration und alle Kontemplation aufbieten, um Eris nicht an die Kehle zu gehen. Aber sie unterdrückte ihre Wut, schob sie an jenen Ort tief in ihrem Inneren, an dem sie ihre Kraft unter Verschluss hielt. »Niemand mag einen egoistischen Tanzpartner, Eris.« Dabei schaute sie Cassian nicht an. Denn sie wusste nicht, was sie tun würde, wenn sie den Schmerz über Eris' Beleidigung in seinen Augen sah. Feyre und Rhysand hatten Eris nur deshalb eine ihrer Waffen gegeben, um sich seine fortgesetzte Loyalität zu sichern. Das würde sie nicht gefährden. Daher fügte sie säuselnd hinzu: »Zeit zu teilen.«

Eris schenkte ihr ein spöttisches Lächeln. »Wir spielen später weiter, Nesta Archeron«, erwiderte er, ignorierte dann Cassian und marschierte zum Podium.

Erst als sie mit Cassian allein war, umringt von zahllosen Tanzpaaren, fragte sie: »Bist du jetzt zufrieden?«

Sein Gesicht wirkte versteinert. »Nein.«

Nesta warf einen Blick über Cassians Schulter und bemerkte Rhys' und Feyres angespannte Mienen, die ihn zweifellos im Geiste anschrien. Aber wenn Cassian und sie zu lange einfach so dastanden, könnte der Zauber, mit dem sie Eris eingewickelt hatte, zerbrechen und ...

Cassian bot ihr seine Hand an. Schluckte einmal.

Er war *nervös*. Dieser Mann, der sich feindlichen Armeen entgegengestellt und bis an den Rand des Todes auf dem Schlachtfeld gekämpft hatte, der so viele Gefahren überwunden hatte, dass es an ein Wunder grenzte, dass er noch lebte ... dieser Mann war nervös. Der Gedanke löste eine Verhärtung in ihr, und sie schob ihre Hand in seine, während seine andere Hand um ihre Taille glitt.

Nesta raffte ihre Röcke, sah ihn an, und dann trat sie einen Schritt zurück und führte ihn, führte sie beide in den Tanz. Und Cassian folgte ihr.

Er war nicht so elegant wie Eris und bewegte sich nicht instinktiv zu jedem Takt. Doch er hielt sich gut, war bereit, ihr in die Musik, in den Klang, in die Bewegung zu folgen, die Augen unbeirrbar auf ihr Gesicht geheftet.

Ihre Schritte wurden schneller und Cassian fand in seinen Rhythmus. Er drehte sie, und sie wirbelte herum, während seine Arme darauf warteten, sie aufzufangen.

Die Hand auf ihrer Taille umfasste sie fester, seine einzige Vorwarnung, als er sie weiter und schneller in die Musik hineinführte. Cassian lächelte sie an und die Welt verblasste. Die Musik war nicht länger das Schönste, was um sie herum existierte. *Er* war das Schönste.

Und dann konnte Nesta es nicht länger unterdrücken – das erwidernde Lächeln, das endlich in ihr erblühte und sich auf ihrem Gesicht ausbreitete, so strahlend wie die Morgenröte.

Cassian trat Nesta nur an Azriel ab, der sie mit müheloser Eleganz in einem Walzer über das Parkett führte.

Als er sich am Tisch mit den Weinkrügen einen Becher einschenkte, fing Cassian die Blicke einiger Höflinge auf, die Nesta anglotzten, und ließ sie erkennen, was passieren würde, wenn sie ihr zu nahe kamen. Rasch zogen sich die Höflinge zurück, und er lehnte sich an eine Säule und schaute zufrieden zu, wie Nesta mit seinem Bruder tanzte.

Kurz darauf trat Mor an seine Seite und lächelte. »Scheint, als hätten sich unsere Tanzstunden ausgezahlt.«

Cassian küsste sie auf die Wange. »Ich schulde dir was.« Sie hatten in den vergangenen Wochen heimlich geübt. Mor war ganz aus dem Häuschen gewesen, als er sie um Hilfe bat.

Aber jetzt waren ihre Augen umwölkt, ihr Gesicht blass.

»Wie geht es dir?«, fragte er neutral, da er sich der vielen Leute um sie herum bewusst war. Und der Tatsache, welchen Stellenwert Mor für sie einst hatte und jetzt noch besaß.

Mor zuckte mit einer Schulter. »Mir geht's gut.« Sie deutete auf Nesta. »Es hat mir gefallen, sie tanzen zu sehen.« Sie stieß ihn freundschaftlich mit dem Ellbogen in die Rippen. »Dir wohl eher nicht. Du *musstest* dich einfach einmischen, oder?«

Cassian verschränkte die Arme vor der Brust. »Rhys kann damit umgehen.«

»Sieht ganz so aus«, bestätigte Mor.

Cassian folgte ihrem Blick zum Podium, wo Eris neben den Thronsesseln stand und mit Rhys und Feyre sprach. Rhys schaute nicht in seine Richtung, doch Cassian stellte fest, dass sein Bruder ihn an der Unterhaltung teilhaben ließ – so als stünde er direkt neben ihm. Und da auch Mor plötzlich still geworden war, wusste er, dass Rhys sie ebenfalls einbezogen hatte.

»Also gut«, sagte Eris zu Rhys und schob die Hände in die Taschen. »Du hast mir gezeigt, was ich haben kann, Rhysand. Meine Neugier ist hinreichend geweckt, um zu fragen, was du als Gegenleistung verlangst.«

Feyre platzte in Rhys' Gedanken. *Was?!*

Cassian wollte die gleiche Frage stellen. Sein ganzer Körper versteifte sich. Aber Rhys zuckte nicht mit der Wimper. »Was meinst du damit?«, fragte er von seinem Thron herab.

Lust glänzte in Eris' Augen. Begehrliche, berechnende Lust. Cassian unterdrückte ein Knurren. »Ich meine damit: Ganz gleich, was du von mir verlangst, ich gebe es dir im Tausch für sie. Als meine Braut.« Dann deutete er mit dem Kinn auf die Schachtel mit dem Dolch zu Rhys' Füßen. »Ich hätte lieber sie als das da.«

Er hat kaum dreimal mit ihr getanzt!, protestierte Feyre. Rhys' Lippen schienen einen aussichtslosen Kampf zu führen, ein Lächeln zu unterdrücken.

Cassian konnte nur auf Eris' Kehle starren, während er überlegte, ob er sie zudrücken oder aufschlitzen sollte.

»Das habe nicht ich zu entscheiden«, beantwortete Rhys Eris' Forderung ruhig. »Außerdem erscheint es mir töricht, dass du mir im Tausch für sie alles Erdenkliche anbietest.«

Eris presste die Kiefer aufeinander. »Ich habe meine Gründe.«

Die Schatten in seinen Augen verrieten Cassian, dass sich hinter diesem vorschnellen Angebot mehr verbarg – etwas, das selbst Az' Spionen am Herbsthof entgangen war. Rhys brauchte eigentlich nur kurz in Eris' Geist einzudringen, um es herauszufinden, aber … das widersprach allem, wofür sie standen, zumindest unter Verbündeten. Rhys forderte Vertrauen von ihnen ein, deshalb musste er es ihnen auch entgegenbringen. Das konnte Cassian seinem Bruder nicht verübeln.

»Es wäre natürlich ein Bonus, wenn ich mich auf diese Weise bei Cassian dafür revanchieren könnte, dass er meine Verlobung mit Morrigan ruiniert hat«, fügte Eris jetzt hinzu.

Arschloch. Cassians Hände ballten sich zu Fäusten, aber Morrigans Finger berührten seinen Arm, sanft und beruhigend.

Können wir nicht kurzen Prozess machen und ihn den Bestien in den Zellen unten vorwerfen?, fragte Feyre ihren Seelengefährten aufgebracht.

Erneut zuckten Rhys' Lippen. *So blutrünstig*, hörte Cassian seinen High Lord entgegnen. Dann wandte er sich wieder an Eris: »Du würdest mir also alles geben – seien es die Armeen des Herbsthofs oder deinen Erstgeborenen –, wenn du Nesta Archeron zur Frau bekommst?«

Cassian knurrte tief in seiner Kehle. Sein Bruder trieb das Ganze zu weit.

Eris funkelte ihn zornig an. »Nicht meinen Erstgeborenen, aber sonst alles, Rhysand. Wenn du Armeen gegen Briallyn und meinen Vater aufstellen willst, dann sollst du sie bekommen.« Seine Lippen verzogen sich zu einem spöttischen Lächeln. »Ich könnte doch nicht zulassen, dass die Schwester meiner Frau ohne Unterstützung in die Schlacht zieht, nicht wahr?«

Du kannst jedes Geschenk zur Sonnenwende zurückhaben, wenn ich ihn dafür in Stücke reißen darf, sagte Feyre.

Cassian presste die Lippen zusammen, um seine Zustimmung nicht laut herauszuschreien.

Doch Rhys, der Mistkerl, lachte leise. Seine Miene blieb eiskalt, als er verkündete: »Ich werde darüber nachdenken und mit Nesta reden. Aber behalte den Dolch. Du könntest ihn brauchen.«

Cassian schaute zu Azriel und Nesta hinüber, die noch immer Walzer tanzten. Der Anblick der beiden entfachte die Glut seines Temperaments nicht im Geringsten.

Aber Eris ... Verbündeter oder nicht, er würde dafür sorgen, dass das Schwein bekam, was es verdiente.

∽ 58 ∾

Nesta hatte sich schon zuvor in dieser Situation befunden. Vor einem Jahr, um genau zu sein. Ein anderes Haus, in einem anderen Teil dieser Stadt. Doch während alle die Wintersonnenwende feierten, hatte sie draußen gestanden und sich wie ein Gespenst gefühlt, das durch ein Fenster hineinschaute.

Eis überzog den Sidra hinter dem Haus und die abschüssige Rasenfläche war winterlich weiß. Aber Girlanden und Kränze aus Tannenzweigen zierten das Flusshaus – der Inbegriff von Wärme und Behaglichkeit.

»Mach doch nicht so ein mürrisches Gesicht«, sagte Cassian. »Das hier ist ein Fest, keine Beerdigung.«

Nesta funkelte ihn an, doch er öffnete die Tür und eine laute Mischung aus Musik und Lachen schallte ihnen entgegen.

Seit dem Ball hatte sie nicht mehr mit ihm geschlafen. Bei ihrer Rückkehr zum Haus der Winde hatte er zwar den Eindruck gemacht, als wäre er nicht abgeneigt. Aber sie hatte nur gesagt, sie sei müde, und war in ihr Zimmer gegangen. Denn sobald die Musik verklungen war und der Tanz aufhörte, war ihr klar geworden, wie dumm sie sich verhalten hatte, ihn so anzulächeln … die Mauern in ihrem Kopf so weit herunterzulassen. Eris hatte nach Azriel noch zweimal mit ihr getanzt, und aus seinen Augen hatte eine Entschlossenheit gesprochen, die ihr verriet, wie sehr er in ihrem Bann stand. Er hatte um sie geworben, wie sie später, nicht ohne einen gewissen Stolz, erfuhr.

Nesta hatte Rhysand und Feyre die Entscheidung überlassen, wie sie mit diesem Angebot umgehen wollten, und sich ganz und gar auf ihr Training konzentriert. Während der Feiertage fand zwar kein Unterricht statt, aber sie war gleich am nächsten Morgen zum Trainingsplatz gegangen und hatte energisch auf den Holzbalken eingeschlagen, um ihre stürmischen Gedanken zu verarbeiten.

Jetzt folgte sie Cassian ins Flusshaus, wo er direkt auf das Familienzimmer zusteuerte, nachdem er seinen schneebedeckten Mantel ausgeschüttelt und in der Eingangshalle auf eine Bank geworfen hatte. Stirnrunzelnd betrachtete Nesta den tauenden Schnee auf der brokatbezogenen Bank und hob den Mantel auf, weil sie irgendetwas tun musste, um das Betreten des Wohnraums hinauszuzögern. Sie löste die Schnalle ihres eigenen Mantels und schaute sich nach einer Garderobe oder einem Wandschrank um, den sie schließlich unter der geschwungenen Treppe fand. Bedächtig hängte sie beide Mäntel hinein und schloss seufzend die Tür.

»Da bist du ja«, sagte Elain hinter ihr. Nesta fuhr zusammen, weil sie ihre Schwester nicht hatte kommen hören. Sie musterte Elain von Kopf bis Fuß und fragte sich, ob sie von Azriel oder den beiden Halbgespenstern, die sie ihre Freunde nannte, Unterricht im Anschleichen erhalten hatte. Elains unvorteilhaftes schwarzes Ballkleid war einem aus amethystfarbenem Samt gewichen und ein Teil ihrer Locken, die ihr bis auf die Taille fielen, war kunstvoll hochgesteckt. Sie strahlte vor Gesundheit. Bis auf ...

Ihre braunen Augen wirkten wachsam. Dieser Blick war normalerweise Lucien vorbehalten, der sich *mit Sicherheit* im Familienzimmer befand. Nesta wusste, dass Feyre und Rhys ihn eingeladen hatten. Aber dass dieser Blick jetzt auf sie gerichtet war ...

In den wenigen Minuten vor Betreten des Ballsaals hatten sie nicht über ihren Streit gesprochen, und danach war sie Elain bis zum Ende des Fests aus dem Weg gegangen. Sie hatte einfach nicht gewusst, was sie sagen sollte. Wie sie es wiedergutmachen sollte.

Nesta räusperte sich. »Cassian meinte, es wäre vielleicht ... gut, wenn ich käme.«

Elains Augen flackerten. »Hat Feyre dich bezahlt, so wie letztes Jahr?«

»Nein.« Scham raste durch ihre Adern.

Elain seufzte und schaute über Nestas Schulter hinweg zu der offenen Tür gegenüber dem Eingang ... zu den Gästen, allesamt aus ihrem innersten Kreis. »Bitte reg Feyre nicht auf. Es ist ihr Geburtstag. Und in ihrem Zustand ...«

»Ach, *leck mich*«, fauchte Nesta und erschrak im nächsten Moment.

Elain blinzelte. Nesta blinzelte ebenfalls und Entsetzen erfasste sie.

Doch dann begann Elain zu lachen. Ein schrilles, halb schluchzendes Lachen, das dafür sorgte, dass sie vornübergebeugt nach Luft schnappen musste.

Nesta starrte sie nur an, hin- und hergerissen zwischen Fragen und dem Drang, sich in den eisigen Sidra zu stürzen. »Es ... Es tut mir so leid ...«

Elain hielt eine Hand hoch und wischte sich mit der anderen die Augen. »So etwas hast du noch *nie* zu mir gesagt!« Sie lachte erneut. »Ich glaube, das ist ein gutes Zeichen, meinst du nicht?«

Nesta schüttelte langsam, verständnislos den Kopf. Elain hakte sich jedoch bei ihr unter und führte sie zum Familienzimmer, wo Azriel im Türrahmen stand und die beiden beobachtete. Als hätte er Elains schrilles Lachen gehört und sich gefragt, was es wohl ausgelöst hatte.

»Ich habe nur nach dem Dessert gesehen«, erklärte Elain, während sie sich der Tür und Azriel näherten. Nesta fing den Blick des Schattensängers auf und nickte ihm zu. Dann wanderten seine Augen zu Elain, und obwohl sein Blick vollkommen neutral wirkte, lag eine gewisse Spannung darin. Die von ihm zu Elain übersprang. Elains Atem stockte kurz, und sie nickte ihm zur Begrüßung zu, bevor sie an ihm vorbeiging und Nesta in den Raum führte.

Mor lümmelte auf einer grünen Samtcouch vor dem Kamin. Amren saß auf Varians Schoß auf der gleichen Couch gegenüber, und daneben Feyre, eine Hand auf dem Bauch. Rhys hatte sich in einem Sessel ausgestreckt und Cassian in einem weiteren, an dem Lucien lehnte. Die drei diskutierten irgendetwas im Zusammenhang mit einem Sportereignis.

Nesta hatte versucht, Emerie und Gwyn zum Mitkommen zu überreden. Doch sie hatten abgelehnt. Emerie hatte erklärt, sie müsse ihre schreckliche Familie besuchen, und Gwyn hatte nur gesagt, sie sei noch nicht bereit, sich von der Bibliothek weiter zu entfernen als bis zum Trainingsplatz. Also war Nesta jetzt allein mit denselben Leuten wie vor einem Jahr. Damals, als alle gesehen hatten, wie sie schmollend wie ein Kind im Wohnzimmer des Stadthauses gesessen hatte und dann hinausgestürmt war.

Feyre lächelte ihr zu, strotzend vor Gesundheit und Leben. Aber Nestas Blick blieb an Amren hängen.

Amren schaute nicht einmal in ihre Richtung.

Varian fing Nestas Blick auf und der Ausdruck in seinen Augen verriet ihr genug: Nein, Amren würde nicht mit ihr reden.

Ihre Brust wurde eng. Aber Cassian winkte sie zu sich herüber. Er stand auf und bot ihr seinen Platz an, obwohl noch ungefähr ein Dutzend Sessel im Zimmer verteilt waren. »Setz dich«, sagte er. »Möchtest du einen Pfefferminztee?«

Nesta wusste, dass alle sie ansahen. Sie hasste es und verstand dennoch die Gründe. Aber sie nickte Cassian zu, nahm Platz und wandte sich an Feyre: »Herzlichen Glückwunsch zum Geburtstag.«

Erneut lächelte Feyre. »Danke.«

Und das war's dann auch schon. Nesta ignorierte das kollektive Aufatmen, das durch den Raum ging, drehte sich um und schaute zu Lucien hoch, der sie mit einem kurzen Kopfnicken begrüßte. Elain, die Ärmste, hatte zwischen Feyre und Varian Platz genommen, möglichst weit von Lucien entfernt. Azriel blieb an der Tür stehen. »Wie läuft es am Frühlingshof?«, fragte Nesta. Das Feuer prasselte fröhlich zu ihrer Rechten und sie ließ das Geräusch durch sich hindurch- und an sich vorbeiperlen. Registrierte das Knacken und was es in ihr auslöste. Konzentrierte sich auf den Mann, dem sie diese Frage gestellt hatte.

Ein Muskel an Luciens Kiefer zuckte. »Wie man es erwarten würde.«

Anspannung breitete sich im Raum aus. Die Bestätigung dafür, dass Tamlin von Feyres Schwangerschaft erfahren hatte. Nach Luciens Miene zu urteilen, hatte der High Lord des Frühlingshofs nicht erfreut reagiert. »Und Jurian und Vassa?«, fragte Nesta.

»Gehen sich gegenseitig an die Gurgel, wie immer«, antwortete er ein wenig spitz. Sie fragte sich, was das zu bedeuten hatte – und konnte es sich beim besten Willen nicht erklären. Lucien trank einen Schluck Tee und fragte: »Und wie läuft das Training?«

Nesta schenkte ihm ein Lächeln – ein aufrichtiges. »Gut. Wir lernen gerade, wie man einen Mann ausweidet.«

Bei diesen Worten verschluckte Lucien sich an seinem Tee und prustete ihr das Getränk fast über den Kopf. Cassian trat mit einer dampfenden Tasse neben sie und reichte sie ihr, bevor er Lucien stolz erklärte: »Wie zu erwarten, übertrifft Nesta sich dabei selbst.«

Mor hob ihr Glas zu einem spöttischen Salut. »Mein liebster Teil des Trainings.«

Nesta runzelte die Stirn. »Allerdings ist es noch keiner von uns gelungen, das Seidenband zu durchtrennen.«

Mors Brauen zogen sich zusammen. »Dann lernt ihr also wirklich Walküren-Techniken.«

Nesta nickte. Sie waren bei ihren Tanzstunden so beschäftigt gewesen, dass die Einzelheiten des Trainings gar nicht zur Sprache gekommen waren.

Mor grinste. »Habt ihr etwas dagegen, wenn ich mich euch anschließe, sobald die Sache mit Vallahan erledigt ist? Ich hatte vor dem ersten Krieg keine Gelegenheit, mit den Walküren zu trainieren, und danach waren sie alle tot oder verschwunden.«

»Ich glaube, die Priesterinnen würden sich freuen, dich zu sehen«, erwiderte Nesta und schaute zu Cassian, um sich zu vergewissern, dass er einverstanden war. Er winkte zustimmend.

Mors Grinsen bekam etwas Teuflisches. »Gut. Denn ich möchte auch sichergehen, dass Cassian dann tatsächlich sein Geschenk trägt.«

»Die Götter mögen mich verschonen«, stöhnte Cassian, und Nesta drehte sich der Magen um. Sie hatte nichts für die anderen – und auch nicht für *ihn*. Als er mit ihr hergeflogen war, hatte sie es erwähnt, und es hatte ihn nicht gekümmert, aber ... sie kümmerte es.

Sie umklammerte ihre Teetasse mit beiden Händen, während die Unterhaltung um sie herum fortgesetzt wurde. Doch schließlich schaffte sie es, ihre Furcht zu verdrängen, zumindest für den Moment. Schaffte es, am Gespräch teilzunehmen.

Azriel blieb in der Nähe der Tür und wirkte so still, dass Nesta zu ihm ging, als Feyre und Mor eine Unterhaltung über einige ihrer Bilder begannen.

»Warum setzt du dich nicht?« Sie lehnte sich an die andere Seite des Türrahmens.

»Meine Schatten mögen die Flammen nicht besonders.« Das war glatt gelogen, denn sie hatte Azriel schon sehr oft am Feuer gesehen. Aber sie blickte zum Kamin, entdeckte, wer dort saß, und kannte die Antwort.

»Warum bist du dann gekommen, wenn es dich so sehr quält?«

»Weil Rhys es wollte. Es hätte ihn verletzt, wenn ich nicht gekommen wäre.«

»Ich finde Feiertage sowieso dämlich.«

»Ich nicht.«

Fragend zog sie eine Augenbraue hoch.

»Sie bringen die Leute zusammen«, erklärte Azriel. »Und sie bringen Freude. Es ist eine Zeit, um innezuhalten, nachzudenken, zusammenzukommen, und das ist nie verkehrt.« Schatten verdunkelten seine Augen, in denen so großer Schmerz stand, dass Nesta ihm unwillkürlich eine Hand auf die Schulter legte. Um ihn wissen zu lassen, dass sie begriff, warum er an der Tür stand und nicht in die Nähe des Feuers treten wollte.

Allerdings war es sein Geheimnis. Er würde es als Erster ansprechen müssen, nicht sie.

Azriels Gesichtsausdruck blieb neutral.

Nesta nickte ihm kurz zu, kehrte zu den anderen zurück und setzte sich auf die Lehne der nächsten Couch.

Eine Stunde verging, bis Mor darauf drängte, die Geschenke auszupacken. Rhys schnippte mit den Fingern und ein Haufen von Paketen erschien.

Cassian wappnete sich für Mors vermutlich grauenhaftes Geschenk und schaute zu Nesta hinüber. Er würde das Geschenk für sie in der Tasche behalten und es ihr später geben, wenn sie allein waren. Das hatte er auch letztes Jahr getan, und dann war das verdammte Ding auf dem Grund des Sidra gelandet. Wahrscheinlich ins Meer gespült.

Damals hatte er Monate damit verbracht, das Buch aufzuspüren. Dieses Buch, das so winzig war, dass es in die Hände einer Puppe gepasst hätte, und zugleich so kostbar, dass es ihn unanständig viel Geld gekostet hatte. Eine Bilderhandschrift im Miniaturformat, angefertigt von den geschickten Händen der kleinsten der gewöhnlichen Fae. Es war nicht zum Lesen gedacht – aber er hatte angenommen, dass jemandem, der Bücher so sehr liebte wie Nesta, dieses historische Artefakt gefallen würde. Selbst wenn sie alles verabscheute, was mit den Fae zu tun hatte. Er hatte seine überstürzte Reaktion in dem Moment bereut, als die Miniatur zwischen den Eisschollen des Flusses verschwand, aber ... in jener Nacht war er vollkommen verrückt gewesen.

Er hoffte inständig, dass es dieses Jahr anders laufen würde. Zumindest fühlte es sich anders an.

Nesta hatte sich besser verhalten als im letzten Jahr. Sie war eine völlig andere Person. Zwar lachte sie nicht so ungezwungen wie Mor und Feyre und lächelte auch nicht so lieblich wie Elain, aber sie unterhielt sich interessiert und schmunzelte manchmal. Sie sah und hörte alles. Sogar das Feuer, das sie zu ignorieren schien. Es erfüllte seine Brust mit Stolz – und mit Erleichterung. Umso mehr, als er gesehen hatte, dass sie Az' Distanziertheit ernst genug nahm, um zu ihm zu gehen und mit ihm zu plaudern.

Nur Amren ignorierte sie und Nesta ignorierte Amren. Die Spannung zwischen den beiden war wie ein knisterndes Band aus Blitzen. Aber niemand sagte etwas, und die beiden schienen damit zufrieden, so zu tun, als würde die andere nicht existieren.

Niemand hatte ein Geschenk für das Baby, da es Fae-Tradition war, vor der Geburt keine Geschenke zu überreichen – aus Angst, man könnte sonst ein Unglück heraufbeschwören. Aber Feyres Geburtstagsgeschenke waren üppig – vielleicht zu üppig.

Cassian bekam die üblichen Geschenke: ein altes Manuskript über Kriegsführung von Rhys; einen Beutel Dörrfleisch von Azriel – *Mir ist wirklich nichts anderes eingefallen, worüber du dich mehr freuen würdest*, sagte Az, als Cassian lachte; einen unglaublich hässlichen, grünen Pullover von Mor, der seine Haut gelblich wirken ließ; ein Reiseset mit Gewürzen von Amren – *Damit du nicht leiden musst, wenn du in Illyrien bist*; und einen Keramikbecher mit Deckel für unterwegs von Elain, der dank eines Zaubers nicht zerbrechen konnte und Tee stundenlang warm hielt.

Feyre schenkte ihm ein Bild, das er in einem unbeobachteten Moment auspackte, und er musste mit den Tränen kämpfen: ein Porträt von Azriel, Rhys und ihm auf dem Ramiel, nachdem sie das Blutritual absolviert hatten. Blutig, zerschunden und dreckig, die Gesichter von grimmigem Triumph erfüllt, hatten sie die Hände aneinandergelegt und gemeinsam den Monolithen auf dem Gipfel des Bergs berührt. Feyre musste das Bild in Rhys' Geist gesehen haben.

Cassian hatte sie auf die Wange geküsst, als ihr Schutzschild für einen Moment deaktiviert gewesen war, und seinen Dank gemurmelt – als ob das jemals reichen würde. Er würde das Bild bis ans Ende seines Lebens in Ehren halten.

Lucien und er schenkten einander nichts. Allerdings hatte Lucien etwas für Feyre und für seine Gefährtin, die ihm kaum dankte, nachdem sie das Päckchen mit den Perlenohrringen geöffnet hatte. Es versetzte Cassian einen Stich ins Herz, als er in Luciens Gesicht sah, wie sehr dieser versuchte, seine Enttäuschung und seine Sehnsucht zu verbergen. Elain zog sich nur noch weiter in sich zurück, von ihrer neu gewonnenen Unerschrockenheit war nichts mehr wahrzunehmen.

Cassian spürte, dass Nesta ihn beobachtete, doch als er zu ihr blickte, wirkte ihr Gesicht undurchdringlich. Niemand hatte etwas für sie gehabt, außer Feyre und Elain, die ihr gemeinsam einen Jahresgutschein für ihren Lieblingsbuchladen in der Stadt schenkten. Er war auf dreihundert Bücher beschränkt, da sie annahmen, das sei mehr, als sie in einem Jahr lesen konnte. Cassian wusste jedoch, dass fünfhundert Bücher der Sache näher gekommen wären.

Aber dann trat Azriel zu Nesta. Sie schaute auf das Geschenk, das der Schattensänger ihr in den Schoß legte, und blinzelte. »Ich habe nichts für dich«, murmelte sie mit geröteten Wangen.

»Ich weiß«, sagte Azriel lächelnd. »Das macht nichts.«

Cassian versuchte, sich auf das Geschenk in seiner Hand zu konzentrieren – den silbernen Kamm und die Bürste, die er für Mor besorgt hatte, graviert mit ihrem Namen. Doch sein Blick blieb an Nestas Fingern hängen, die das kleine Paket öffneten. Sie schaute hinein und sah Az dann verwirrt an. »Was ist das?«

Azriel nahm den kleinen, zusammengefalteten Silberstab heraus und klappte ihn auf. An einem Ende befand sich eine Klammer, am anderen eine kleine Glaskugel. »Wenn du das Ding an einem Buch festklemmst, spendet die kleine Feenlicht-Kugel dir Licht. Damit du nachts beim Lesen nicht angestrengt blinzeln musst.«

Nesta berührte die Glaskugel, die nicht größer war als ihr Daumennagel. Sofort flackerte das Feenlicht darin auf und warf einen hellen Schein auf ihren Schoß. Sie tippte erneut dagegen, das Licht erlosch. Und dann sprang sie auf und schlang die Arme um Azriel.

Im Zimmer wurde es für einen Moment still.

Aber Azriel lachte leise und drückte sie sanft. Cassian lächelte, als er es sah – als er die beiden sah. »Danke«, sagte Nesta und löste sich aus der Umarmung, um die Leuchte zu bewundern. »Das ist genial.«

Azriel errötete und trat zurück, während seine Schatten ihn umwirbelten.

Nesta schaute zu Cassian hinüber und dieses Leuchten war in ihre Augen zurückgekehrt. So stark, dass er ihr fast auf der Stelle sein Geschenk gegeben hätte. Doch bei dem Gedanken daran, wie sein Versuch im letzten Jahr verlaufen war und dass sie ihn seit dem Ball nicht mehr in seinem Bett aufgesucht hatte ... hielt er sich zurück.

Für den Fall, dass sie ihm wieder das Herz brechen würde.

Um ein Uhr morgens brannten Nesta die Augen vor Erschöpfung. Die anderen tranken noch, aber da man ihr keinen Wein angeboten hatte – sie hätte auch gar keinen gewollt –, hatte sie nicht mit ihnen gesungen und getanzt. Sie hatte allerdings drei Stücke von Feyres übertrieben großer, rosa Geburtstagstorte gegessen.

Cassian hatte gesagt, sie würden über Nacht hierbleiben, da er bestimmt zu betrunken sein werde, um mit ihr zurück zum Haus der Winde zu fliegen. Genau wie Mor und Azriel, die in dem Zustand den Wind sicher nicht mehr teilen wollten. Und Rhys und Feyre würden sich dann wahrscheinlich schon miteinander vergnügen.

Die Tür, zu der Feyre sie geschickt hatte, stand bereits offen. Feenlichter leuchteten in dem opulenten, in Weiß, Creme und Hellbraun gehaltenen Schlafzimmer. Auf dem Marmorsims des Kamins flackerten Kerzen in Gläsern. Die langen Vorhänge aus schwerem, blauem Samt waren für die Nacht bereits zugezogen – der einzige Farbtupfer, zusammen mit ein paar blauen Accessoires. Der Raum wirkte beruhigend und duftete nach Jasmin, genau so, als hätte sie selbst die Chance gehabt, ihn einzurichten.

Aber sie *hatte* die Chance gehabt, erkannte sie plötzlich. Feyre hatte es ihr angeboten und sie hatte abgelehnt. Offenbar hatte Feyre das Zimmer selbst eingerichtet und irgendwie gewusst, was Nesta gefiel.

Nesta saß an dem kleinen Frisiertisch und betrachtete in der Stille ihr Spiegelbild.

Die Tür öffnete sich knarrend, und dann stand Cassian da, lehnte sich an den Türrahmen und sah sie im Spiegel an. »Wolltest du nicht Gute Nacht sagen?«

Ihr Herz pochte. »Ich war müde.«

»Du bist jetzt schon ein paar Abende lang müde.« Er verschränkte die Arme vor der Brust. »Was ist los?«

»Nichts.« Sie drehte sich auf dem gepolsterten Stuhl des Frisiertischs um. »Warum bist du nicht unten?«

»Du hast gar nicht nach deinem Geschenk gefragt.«

»Ich dachte nicht, dass ich eins von dir bekomme.«

Cassian stieß sich vom Türrahmen ab und schloss die Tür hinter sich. Er erfüllte den gesamten Raum, nur durch seine Anwesenheit.

»Warum nicht?«

Sie zuckte die Schultern. »Einfach so.«

Langsam holte er eine kleine Schachtel aus seiner Jacke und legte sie auf das Bett. »Überraschung.« Er schluckte, als sie näher kam – das einzige Anzeichen dafür, dass es ihm etwas bedeutete.

Nesta bekam feuchte Hände, als sie die Schachtel nahm und sie betrachtete. Aber sie öffnete sie noch nicht. »Es tut mir leid, wie ich mich bei der letzten Sonnenwende benommen habe. Dass ich so schrecklich war.«

Damals hatte er auch ein Geschenk für sie gehabt. Aber es war ihr egal gewesen. Sie war so unglücklich zu jener Zeit, dass sie ihm hatte wehtun wollen. Einfach nur, weil sie ihm etwas bedeutete.

»Ich weiß«, sagte er mit belegter Stimme. »Ich habe dir schon lange verziehen.« Sie konnte ihn noch immer nicht ansehen, selbst als er sie bat: »Mach es auf.«

Ihre Hände zitterten leicht, als sie seiner Aufforderung folgte und schließlich eine silberne Kugel in der mit schwarzem Samt ausgekleideten Schachtel fand. Sie hatte die Größe eines Hühnereis und war rund, bis auf eine abgeflachte Stelle, damit sie nicht wegrollte.

»Was ist das?«

»Du musst sie oben berühren. Nur leicht.«

Sie warf ihm einen verwunderten Blick zu und folgte seiner Anweisung.

Sofort ertönte Musik im Zimmer.

Nesta zuckte zusammen, eine Hand auf der Brust, und er musste lachen.

Aber ... aus der Silberkugel strömte *Musik*. Und nicht irgendeine Musik, sondern die Walzer der letzten Ballnacht, klar und ohne die störenden Stimmen der Leute – als säße sie in einem Konzertsaal.

»Das ist keine Veritas-Kugel«, stammelte sie, während der Walzer aus dem Musik-Ei perlte, so klar und perfekt, dass ihr Blut wieder zu singen begann.

»Nein, es ist eine Symphonia, ein seltenes Objekt von Helions Hof. Es kann Musik einfangen und dann abspielen. Ursprünglich wurde es als Unterstützung für die Komposition von Musik erfunden, aber aus irgendeinem Grund hat es sich nicht durchgesetzt.«

»Wie hast du die Geräusche der anderen entfernt, nachdem du an dem Abend die Musik eingefangen hattest?«, fragte sie verwundert.

Seine Wangen liefen rot an. »Ich bin am nächsten Tag wieder in die Höhlenstadt geflogen und habe die Musiker gebeten, alles noch einmal zu spielen, plus einige ihrer Lieblingsstücke.« Er deutete auf die Kugel. »Und danach bin ich noch in ein paar deiner liebsten Schenken gegangen und habe die Musiker dort gebeten, ihre Musik zu spielen …«

Er verstummte, als sie den Kopf senkte. Als er die Tränen sah, die sie nicht aufhalten konnte. Sie versuchte erst gar nicht, sich dagegen zu wehren, während die Musik den Raum erfüllte.

All das hatte er für sie getan. Hatte eine Möglichkeit gefunden, dass sie Musik hören konnte – zu jeder Zeit.

»Nesta«, flüsterte er.

Sie verschloss die Augen gegen die Erkenntnis, die wie eine Flutwelle in ihr aufstieg. Denn diese Erkenntnis würde alles fortreißen, was ihr im Weg stand, wenn Nesta es zuließ. Sie würde sie vollkommen verschlingen. Der Gedanke reichte aus, dass sie sich aufrichtete und die Tränen abwischte. »Das kann ich nicht annehmen.«

»Es ist wie für dich geschaffen.« Er lächelte sanft.

Sie ertrug dieses Lächeln nicht, seine Freundlichkeit, seine Freude. »Das *werde* ich nicht annehmen«, berichtigte sie sich, legte die Kugel wieder in die Schachtel und reichte sie ihm. »Gib sie zurück.«

Seine Lider flatterten. »Es ist ein Geschenk und kein verdammter Verlobungsring.«

Sie versteifte sich. »Nein, den erwarte ich von Eris.«

Cassian erstarrte. »Sag das noch mal.«

Sie setzte ein kaltes Gesicht auf – der einzige Schutzschild, den sie gegen ihn besaß. »Rhys hat gesagt, dass Eris mich zur Frau will. Er wird alles tun, was wir von ihm wollen, wenn er dafür meine Hand bekommt.«

Die Trichtersteine auf Cassians Handrücken begannen zu flackern. »Du denkst doch nicht ernsthaft darüber nach, einzuwilligen?«

Sie schwieg. Ließ ihn das Schlimmste annehmen.

»Ich verstehe«, knurrte er. »Kaum komme ich dir ein bisschen zu nahe, schon stößt du mich wieder weg. Wieder dahin, wo es sicher ist. Du würdest lieber eine Schlange heiraten, als mit mir zusammen zu sein.«

»Ich bin nicht mit dir *zusammen*«, fauchte sie. »Ich *vögle* mit dir.«

»Das Einzige, wozu ein Bastard und Rohling gut ist, richtig?«

»Das habe ich nicht gesagt.«

»Das brauchst du auch nicht. Du hast es schon tausend Mal gesagt.«

»Warum hast du dich dann auf dem Ball eingemischt?«

»Weil ich verdammt noch mal eifersüchtig war!«, brüllte er, und seine Schwingen spreizten sich. »Du hast ausgesehen wie eine *Königin*, und es war nur allzu offensichtlich, dass du mit einem Prinzen wie Eris und nicht mit einem niedrigen Nichts wie mir zusammen sein solltest! Ich habe mich eingemischt, weil ich den Anblick nicht ertragen konnte – er ging mir durch Mark und Bein! Aber nur zu, Nesta: *Heirate* ihn! Viel Glück!«

»*Eris* ist der Rohling«, konterte sie. »Er ist ein Rohling und ein Dreckskerl. Und ich *würde* ihn heiraten, weil ich *exakt* so bin wie er!«

Die Worte hallten durch das Zimmer.

Sein schmerzverzerrtes Gesicht zerriss ihr das Herz. »Ich verdiene Eris.« Ihre Stimme brach.

Cassian keuchte. Seine Augen funkelten noch immer vor Zorn – und jetzt auch vor Schock.

Heiser fuhr Nesta fort: »Du bist gut, Cassian. Und du bist *mutig* und brillant und freundlich. Ich könnte jeden umbringen, der dir jemals das Gefühl gegeben hat, du wärst weniger wert – weniger als der, der du bist. Und ich weiß, dass ich ebenfalls zu diesen Leuten gehöre, und ich hasse mich dafür.« Ihre Augen brannten, aber sie kämpfte dagegen an. »Du bist *alles*, was ich nie gewesen bin, und ich werde niemals gut genug für dich sein. Deine Freunde wissen es, und ich habe es die ganze Zeit mit mir herumgeschleppt – die Tatsache, dass ich dich nicht verdiene.«

Der Zorn wich aus seinem Gesicht.

Nesta hielt die Tränen jetzt nicht länger zurück – und auch nicht die Worte, die aus ihr hervorsprudelten. »Ich habe dich vor dem Krieg nicht verdient, danach nicht und auch jetzt nicht.« Sie stieß ein leises, gebrochenes Lachen aus. »Warum, glaubst du, habe ich dich weggestoßen? Warum wollte ich wohl nicht mit dir reden?« Sie legte eine Hand auf ihre schmerzende Brust. »Nach dem Tod meines Vaters, nachdem ich auf so viele Arten versagt hatte … Auf dich zu verzichten …« Sie schluchzte. »… war meine Strafe. Verstehst du das nicht?« Durch den Tränenschleier konnte sie ihn kaum sehen. »Von dem Moment an, als ich dir zum ersten Mal begegnet bin, habe ich dich mehr als alles andere gewollt. Ich konnte an nichts anderes mehr denken. Und das hat mir *Angst* gemacht. Niemand hatte je eine solche Macht über mich. Und ich habe noch immer Angst, dass ich mich auf dich einlasse und es mir dann … weggenommen wird. Jemand wird es wegnehmen, und wenn du tot bist …« Sie schlug die Hände vors Gesicht. »Es spielt keine Rolle«, flüsterte sie. »Ich verdiene dich nicht. Ich werde dich nie verdienen.«

Vollkommene Stille erfüllte den Raum. Eine solche Stille, dass sie sich fragte, ob er gegangen war. Sie nahm die Hände herunter, um nachzusehen, ob er noch da war.

Cassian stand vor ihr. Tränen liefen über sein schönes, perfektes Gesicht.

Sie schreckte nicht davor zurück, dass er sie so sah: ihr vollkommen rohes, gemeines Selbst. Er hatte ohnehin schon alles von ihr gesehen.

Er öffnete den Mund und versuchte, etwas zu sagen. Musste schlucken und es noch einmal versuchen.

Nesta sah alle Worte in seinen Augen. Sie wusste, dass die gleichen Worte auch in ihren Augen standen.

Also gab er den Versuch auf und schloss mit zwei Schritten die Lücke zwischen ihnen. Er schob eine Hand in ihre Haare, legte die andere an ihre Taille und zog sie an sich. Schweigend neigte er den Kopf und sein Mund strich über die Tränen, die ihre Wangen hinabliefen.

Nesta schloss die Augen, gab sich dem Gefühl seiner Lippen auf ihrer überhitzten Haut hin, der Art, wie sein Atem ihre Wangen streichelte. Jeder sanfte Kuss war ein Echo der Worte, die sie in seinen Augen gesehen hatte.

Cassian zog sich leicht zurück und verharrte so, bis sie die Augen wieder öffnete und sein Gesicht nur wenige Zentimeter von ihrem entfernt fand. »Du wirst Eris nicht heiraten«, sagte er bestimmt.

»Nein«, flüsterte sie.

Seine Augen leuchteten. »Es wird niemand anderes geben. Für keinen von uns.«

»Nein.«

»Niemals«, versprach er.

Nesta legte eine Hand auf seine muskulöse Brust, spürte seinen donnernden Herzschlag unter ihrer Handfläche. »Niemals«, schwor sie.

Mehr brauchte er nicht. Mehr brauchte sie nicht.

Cassians Lippen trafen ihre und die Welt hörte auf zu existieren.

Der Kuss war strafend und ermutigend, ernst und wild, ein Fordern und ein Geben. Sie hatte keine Worte dafür. Schlang nur die Arme um ihn, presste sich an ihn und begegnete seiner Zunge.

Er knurrte und schob sie rückwärts zum Bett, während sein Mund sie verschlang und kostete und all das sagte, was sie noch nicht aussprechen konnte. Aber eines Tages, vielleicht schon bald, würde sie dazu in der Lage sein. Für ihn würde sie kämpfen und den Mut aufbringen, die Worte auszusprechen.

Ihre Beine berührten die Matratze, und er unterbrach den Kuss, um sich um ihre Kleidung zu kümmern.

Nesta erwartete ein ungeduldiges Herunterreißen. Doch er zog ihr sanft das Gewand aus, und seine Finger zitterten, als er die Knöpfe am Rücken öffnete. Auch ihre Finger zitterten, als sie sein Hemd entfernte.

Dann waren sie beide nackt, sahen einander wieder mit diesen unausgesprochenen Worten in den Augen an, und sie ließ ihn gewähren, als er sie auf das Bett legte. Und auf sie stieg.

Was dann folgte, hatte nichts Ungestümes oder Wildes an sich.

Sie wollte seinen Kopf nicht zwischen ihren Schenkeln. Nicht einmal seine Finger. Als er mit dem Daumen durch ihre Mitte fuhr, ließ sie ihn spüren, dass sie bereit war, nahm dann jedoch seine Hand, verschränkte ihre Finger mit seinen und umfasste mit der anderen seinen Schwanz, um ihn zu sich zu führen.

Sein Schwanz berührte ihre Scheide, hielt dann aber inne. Seine Augen trafen sich mit ihren. Und dann küsste Cassian sie leidenschaftlich, als er in sie eindrang.

Sie keuchte. Nicht, weil er sie ausfüllte – sondern wegen dieses Dings in ihrer Brust. Das Ding, das wie wild hämmerte und pochte, als er sie erneut ansah, sich fast bis zur Spitze zurückzog und dann wieder zustieß.

Beim zweiten Stoß reagierte das Ding … ihr Herz. Bei diesem zweiten Stoß erlag es ihm vollkommen.

Beim dritten küsste er sie wieder.

Beim vierten schlang Nesta die Arme um seinen Hals und hielt ihn so, während sie ihn küsste und küsste und küsste.

Beim fünften Stoß stürzten die Mauern dieser inneren Festung aus uraltem Eisen ein. Cassian zog sich zurück, als spürte er es, und seine Augen flackerten, als er ihren Blick traf.

Aber er bewegte sich weiter in ihr, liebte sie vollkommen und ohne Hast. Und so ließ Nesta alles, was hinter diesen eisernen Mauern lag, auf ihn zurollen. Faden für Faden reinen goldenen Lichts strömte in ihn hinein und traf auf sein eigenes Licht. Und dort, wo sich diese Fäden miteinander verwoben, leuchtete Leben wie Sternenfeuer. Nie zuvor hatte sie etwas Schöneres gesehen, etwas Schöneres gefühlt.

Tränen strömten über ihr Gesicht, aber sie wusste nicht, warum.

Wusste nur, dass sie nie aufhören wollte – diese Verbindung zwischen ihnen, dieses Gefühl, ihn so tief in sich zu spüren, dass sie ihn unter ihre Haut prägen wollte. Seine Tränen tropften auf ihr Gesicht, und sie streckte die Hand aus, um sie fortzuwischen. Er lehnte den Kopf gegen ihre Hand, strich mit der Nasenspitze über ihre Handfläche.

»Sag es«, flüsterte Cassian.

Sie wusste, was er meinte. Irgendwie wusste sie es.

Nesta wartete, bis er wieder zustieß und so tief in sie eindrang wie nie zuvor. Dann flüsterte sie: »Du gehörst mir.«

Er stöhnte und stieß erneut zu.

»Und ich gehöre dir«, hauchte sie. Bei diesen Worten leuchteten die goldenen Fäden zwischen ihren Seelen, als bildeten sie eine Harfe, angeschlagen von einer himmlischen Hand. Denn zwischen ihren Seelen war Musik. War dort schon immer gewesen. Und seine Stimme war ihre Lieblingsmelodie.

»Nesta.« Sie hörte die Bitte in ihrem Namen. Er war kurz vor dem Höhepunkt und wollte, dass sie mit ihm kam. Wollte mit ihr zusammen in die Ekstase stürzen. Aus irgendeinem Grund war es ihm wichtig, dass sie diese Verbindung, diesen Moment als eine Einheit erlebten.

Cassian senkte den Kopf zu ihrer Brust, nahm eine Brustwarze zwischen die Zähne und schlug mit der Zunge dagegen.

Mehr brauchte es nicht, um Nesta zum Höhepunkt zu treiben. Sie stöhnte, und er wiederholte die Berührung, stimmte die Bewegung seiner Zunge auf jeden harten Stoß seines Schwanzes ab. Wieder und wieder.

Die goldenen Fäden schimmerten und sangen, und sie hielt es nicht mehr aus, die Musik zwischen ihren Seelen, das Gefühl seines Körpers auf ihr, in ihr und ... Eine Explosion jagte durch ihre Adern, löschte jeden Rest dieser inneren Mauer aus, verwüstete Berge und Wälder und fegte die Welt mit Licht und Lust leer, während Sterne in einem nicht enden wollenden Regen vom Himmel fielen.

Cassian brüllte, als er kam, und der Laut war wie der Ruf einer

Jagd, eine Sinfonie, ein einziges klares Horn in der Morgendämmerung.
Es gab nur diesen Moment, diese Verbindung zwischen ihnen ... und sie hielt eine Ewigkeit an. Die Zeit hatte jede Bedeutung verloren. Hatte in seiner Gegenwart immer stillgestanden.
Für immer, für immer, für immer.
Die Worte hallten in jedem ihrer Atemzüge wider, in jedem Pochen ihrer Herzen, so synchron, dass sie wie eins zu schlagen schienen.

Dann senkte sich Stille herab, erlesen und heiter, und Cassian blieb in ihr, schaute voller Staunen und Freude in den Augen auf sie herab. Nesta wölbte sich ihm entgegen, um ihn zu küssen. Ein Kuss führte zum nächsten, und Verlangen stieg wie eine Woge in ihr auf, in ihnen beiden. Und dann bewegte sich Cassian ein weiteres Mal in ihr, schneller und härter, und wieder hörte die Zeit auf zu existieren.

Stunden später, Tage und Wochen später, Monate und Jahrtausende später, als sie endlich beide erschöpft waren, als ihre Seelen sich vollkommen miteinander verwoben hatten, ließ Cassian sich neben ihr auf das Bett fallen.

Nesta hatte kaum noch Worte. Aber sie fand sie, als sie in die Dunkelheit flüsterte: »Bleib bei mir.«

Ein Schauer ging durch seinen Körper, doch er lächelte nur und zog sie an sich.

Warm und geborgen und endlich in Cassians Armen schlief Nesta erfüllt ein.

59

Nesta öffnete die Augen.

Sie wusste, dass sie warm und wohlig in ihrem Bett lag, aber sie brauchte einen Moment, bis sie sich an den Grund dafür erinnerte. Bis sie erkannte, dass sie sich noch immer in Cassians Armen befand. Sie schwelgte in diesem Gefühl, genoss jeden seiner Atemzüge an ihrer Schläfe, spürte den Druck seiner Finger tief in ihrem Rücken. Eine Ruhe breitete sich in ihr aus, die auffallende Ähnlichkeit mit dem Gefühl nach ihren täglichen Kontemplationsübungen hatte.

Cassian wachte kurz danach auf und schenkte ihr ein schläfriges, breites Grinsen, das sich in ein zärtliches Lächeln verwandelte, während sie mehrere Minuten einfach nur dalagen, einander ansahen und Cassian ihren Rücken streichelte. Aus dem Streicheln wurde schon bald eine leidenschaftlichere Berührung, und als der Morgen anbrach, umfingen sie einander wieder und liebten sich ausgiebig und ohne Hast.

»Guten Morgen«, murmelte Nesta, als sie schließlich schwitzend und keuchend neben ihm lag und mit einem Finger über seinen muskelbepackten Bauch fuhr.

Cassian strich ihr zärtlich übers Haar. »Guten Morgen.« Er warf einen Blick zum Kaminsims, auf die kleine, in Holz gefasste Uhr, und sprang auf. »Mist.«

Nesta runzelte die Stirn. »Musst du irgendwohin?« Doch er war bereits in seine Hose gesprungen und sondierte den Fußboden nach dem Rest seiner Kleidung. Schweigend zeigte Nesta auf die andere Seite des Betts, wo sein Hemd auf ihrem Gewand lag.

»Schneeballschlacht. Ich komme zu spät.«

Nesta musste jedes Wort seiner Antwort verarbeiten, konnte aber nur fragen: »*Was?*«

»Alljährliche Tradition mit Rhys und Az. Wir wandern hinauf zur Berghütte – erinnere mich daran, dass wir sie bald mal zusammen besuchen – und … Es ist eine lange Geschichte, aber wir machen das seit Jahrhunderten fast jedes Jahr, und ich habe schon lange nicht mehr gewonnen. Wenn es mir dieses Jahr nicht gelingt, werde ich mir das noch *ewig* anhören müssen.« All das sagte er, während er Hemd, Lederjacke und Stiefel überstreifte.

Nesta lachte nur. »Ihr drei … die am meisten gefürchteten Krieger im ganzen Land … ihr macht eine *Schneeballschlacht*?«

Cassian erreichte die Tür und schenkte ihr ein freches Grinsen. »Hatte ich schon erwähnt, dass wir anschließend ein Dampfbad in der angrenzenden Schwitzhütte nehmen?«

Aus diesem Grinsen schloss sie, dass er *vollkommen nackt* meinte. Nesta setzte sich auf, ihre Haare glitten über ihre Brüste. Seine Augen wanderten tiefer und an seinem Hals zuckte ein Muskel. Für einen kurzen Moment hoffte sie, er würde sich wieder auf sie stürzen. Und tatsächlich witterte er mit sich weitenden Nasenlöchern das Verlangen, das in ihr aufstieg, als er nur seinen Blick über ihren Körper schweifen ließ und sich jeder Teil von ihm versteifte.

Aber Cassian schluckte, und das freche Grinsen verschwand, als er sich räusperte. »Danach muss ich für ein paar Tage nach Illyrien, um eine gründliche Inspektion der Legionen durchzuführen. Sobald das erledigt ist, komme ich zurück.«

Und dann verschwand er, ohne sie zum Abschied noch einmal zu küssen.

Drei Tage vergingen ohne ein Wort von Cassian. Azriel, der stattdessen mit versteinerter Miene das Training leitete, war noch distanzierter als sonst und schenkte nicht mal *ihr* ein Lächeln. Aber er hatte nichts dagegen, dass sie jeden Morgen ihre Symphonia zum Training mitbrachte, um bei den Übungen für zusätzliche Motivation zu sorgen. Die Priesterinnen hatten das Geschenk bestaunt, ein paar von ihnen sogar zu der Musik getanzt, aber Nesta konnte immer nur daran denken, wie viel Zeit und Mühe Cassian darauf verwendet hatte.

Dass er gewusst hatte, wie viel ihr ein solches Geschenk bedeuten würde.

Ihr ganzer Körper schmerzte vor Verlangen, was sie ungewöhnlich nervös machte. Drei Tage ohne ihn erschienen ihr wie drei Monate. Ihre Sehnsucht war so groß geworden, dass ihre Hand inzwischen schon im Bad, im Bett und selbst beim Mittagessen in ihrem Zimmer zwischen ihre Schenkel wanderte. Aber auch das verschaffte ihr nicht wirklich Erleichterung. Hinterher fühlte sie sich leer, als wüsste ihr Körper, dass er Cassian in sich brauchte. Sie fragte Azriel jeden Tag, wann Cassian zurückkommen würde, aber er sagte immer nur *bald* und begann mit dem Training.

Vielleicht war sie verrückt geworden. Vielleicht war diese eiserne Mauer in ihrem Inneren dazu da gewesen, ihre geistige Gesundheit zu gewährleisten. Es war bestimmt nicht normal, so viel an eine Person zu denken, sie *so sehr* zu vermissen.

Diese Sorge verfolgte sie, als sie das Training beendeten, trotz der eisigen Morgenluft keuchend und schwitzend, dank der Walküren-Sprints: zehn Sekunden so schnell wie möglich sprinten, dreißig Sekunden traben, dann wieder zehn Sekunden sprinten … Insgesamt fünfzehn Minuten lang. Danach hatten sie ihre Schilde dazugenommen. Und anschließend die Schwerter. All das diente der Förderung von Ausdauer und Konzentration zwischen plötzlichem Angriff und Rückzug. Doch selbst dieses völlig wahnwitzige Training konnte nichts gegen Nestas Sorgen ausrichten, und deshalb fragte sie Emerie und Gwyn: »Wollt ihr heute nicht mal bei mir im Haus übernachten?« Sie deutete auf den Bogengang. »Wir könnten einen Leseabend machen oder so was.«

Gwyn überlegte blinzelnd. Sie hatte die Bibliothek bisher nur verlassen, um zum Training zu kommen oder zu versuchen, das Seidenband zu durchtrennen. »Ich werde Clotho fragen«, sagte sie schließlich.

Emerie grinste Nesta an, als wüsste sie genau, warum sie Gesellschaft brauchte. »Klar.«

An diesem Abend lasen Nesta und Emerie in geselliger Stille in der privaten Bibliothek, wo sie auf Gwyn warteten. Emerie hatte sich im Sessel ausgestreckt und ihre Beine baumelten über der Lehne. Ohne von dem Buch in ihrem Schoß aufzublicken, sagte sie: »Cassian muss *wirklich* gut sein im Bett, wenn du während seiner Abwesenheit so neben dir stehst.«

Nesta räusperte sich und vertrieb die Erinnerungen an seinen Mund, seinen starken Körper, die Art, wie sein seidiges, schwarzes Haar sein Gesicht rahmte, wenn er auf ihr lag ... wie es sich hin und her bewegte, wenn er seinen Schwanz in sie stieß. »Er ist ...« Sie machte einen leisen, brummenden Laut in ihrer Kehle.

»Dachte ich mir«, sagte Emerie und lachte. »Er hat den Gang.«

»Den Gang?«

Emerie grinste vielsagend. »Du weißt schon, wenn ein Mann seinen Schwanz gut einzusetzen weiß und mit diesem wiegenden Gang herumstolziert. Das sagt eigentlich schon alles.«

Nesta verdrehte die Augen. »Na, das weiß er nach fünfhundert Jahren hoffentlich.« Sie schnaubte. »Obwohl ich schon vielen begegnet bin, bei denen das nicht der Fall war.«

Emerie zog fragend eine Augenbraue hoch und wartete darauf, dass sie fortfuhr, doch im nächsten Moment klopfte es an der Tür der Bibliothek. Dann schwang sie auf. Gwyn steckte den Kopf herein und ließ den Blick durch den Raum schweifen, bevor sie eintrat, in der Hand eine kleine Tasche mit dem, was sie für die Nacht brauchte. Nesta hatte das Haus gebeten, ein gemeinsames Schlafzimmer für sie drei vorzubereiten, und als sie in die Privatbibliothek gekommen war, hatte sie diese verändert vorgefunden: Ein Tisch mit Stühlen am Fenster war durch drei Pritschen ersetzt worden, jede mit Decken und Kissen beladen.

Gwyn lächelte, obwohl ihr schneller Puls deutlich an ihrem Hals hervortrat. »Entschuldigt, dass ich so spät komme. Merrill hat darauf bestanden, einen Absatz *zehnmal* mit mir durchzugehen.« Gwyn seufzte. »Bitte sagt mir, dass all die Schokolade für uns ist.«

Das Haus hatte den Tisch zwischen den Sesseln mit Trüffeln, Konfekt und Schokoladentafeln bestückt. Dazu Kekse und kleine Kuchen, eine Platte mit Käse und Obst sowie Karaffen mit Wasser und verschiedenen Fruchtsäften.

Gwyn begutachtete den Tisch. »Hast du dir so viel Mühe gemacht?«

»Oh, nein«, antwortete Emerie mit leuchtenden Augen. »Nesta hat uns das bisher verschwiegen.«

Nesta schnaubte, doch Emerie erklärte: »Dieses Haus bringt einem *alles, was man will*. Man braucht es nur laut zu sagen.« Als Gwyn verwundert die Stirn runzelte, fuhr Emerie fort: »Ich möchte bitte ein Stück Pistazienkuchen.«

Sofort erschienen ein Teller mit dem gewünschten Kuchen sowie eine Schüssel Schlagsahne, verziert mit Himbeeren.

Gwyn blinzelte. »Du wohnst in einem magischen Haus.«

»Es liest gern«, verriet Nesta und klopfte auf einen Stapel Liebesromane. »Das hat uns zusammengebracht.«

»Welches ist dein Lieblingsbuch?«, flüsterte Gwyn in den Raum.

Mit einem dumpfen Aufprall landete ein Buch auf dem Tisch neben Emeries Kuchen, und Gwyn quietschte überrascht, rieb sich dann aber erfreut die Hände. »Oh, das ist wunderbar.«

»Dieses Lächeln verheißt Ärger«, sagte Emerie.

Doch Gwyns Grinsen wurde nur noch breiter.

Zwei Stunden später fand sich Nesta vollständig bekleidet in einer Badewanne wieder, die bis zum Rand mit Schaum gefüllt war. Kein Wasser, nur Badeschaum. Rechts und links von ihr saßen Emerie und Gwyn ebenfalls in einer Wanne und kicherten. »Das ist doch einfach albern«, meinte Nesta, obwohl ihre Mundwinkel ebenfalls zuckten.

Ihre Bitten waren immer absurder geworden, und Nesta hätte das Gefühl gehabt, das Haus auszunutzen, wäre es ihren Wünschen nicht so ... überschwänglich nachgekommen, mit eigenen, kreativen Extras. So flatterte beispielsweise in jeder Schaumblase ein winzig kleiner Vogel.

Weiter hinten im Raum explodierte noch immer ein stilles Feuerwerk, und ein Pegasus in Miniaturformat – von Nesta nur auf Drängen ihrer Freundinnen bestellt – graste völlig unbeeindruckt auf einer kleinen Wiese beim Regal. In der Mitte der Privatbibliothek stand ein mannshoher Kuchen, erleuchtet von tausend Kerzen. Und sechs Frösche tanzten zur Musik von Nestas Symphonia um einen Fliegenpilz herum.

Emerie trug eine Diamantenkrone und sechs Perlenketten. Gwyn hatte keck einen breitkrempigen Hut aufgesetzt, der jeder feinen Dame zur Ehre gereicht hätte. Ein spitzenbesetzter Sonnenschirm lehnte an ihrer Schulter, den sie gedankenverloren drehte, während sie die Welt hinter den Fenstern betrachtete und mit gedämpfter Stimme meinte: »Manchmal frage ich mich, ob ich jemals den Mut haben werde, wieder dort hinauszugehen. Ich fürchte jeden Tag, dass das nicht der Fall sein wird.«

Nestas Lächeln verblasste. Sie überlegte eine Weile, bevor sie erwiderte: »Mir geht es genauso.«

Denn diese Existenz, der Alltag im Haus, das Training, die Arbeit in der Bibliothek ... das war nicht das echte Leben. Nicht ganz. Wenn sie in die Stadt zurückkehren durfte, würde sie sich dem richtigen Leben wieder stellen müssen. Herausfinden, ob sie dessen würdig war. Bei diesem Gedanken drehte sich ihr der Magen um.

Um die Trübsal zu vertreiben, sprang Gwyn aus ihrer Wanne, und die Schaumblasen wirbelten durch die Luft, als sie zu ihrer Tasche stapfte. »Wehe ihr lacht, aber ich habe etwas für uns mitgebracht. Ich wusste ja nicht, dass das Haus uns so gut unterhält.« Sie zog ein Bündel bunter Fäden aus der Tasche. »Meine Schwester und ich haben früher immer Armbänder geflochten und diese kleinen Glücksbringer eingearbeitet.« Sie hob einen Beutel hoch und schüttete ein paar Silbermünzen in ihre Hand. Sie waren nicht größer als der Nagel ihres kleinen Fingers und so dünn wie eine Oblate. Gwyn senkte die Stimme. »Wir glaubten, dass der Wunsch in Erfüllung geht, sobald das Armband abfällt.«

»Wie war ihr Name?«, fragte Emerie sanft.

»Catrin.« In Gwyns Stimme schwang unendlich viel Schmerz und

Sehnsucht mit. »Wir waren zweieiige Zwillinge. Ihr Haar schimmerte so dunkel wie Onyx, ihre Haut so hell wie der Mond. Und sie war launisch wie das Meer.« Sie lachte leise. »Trotz ihrer Fehler – und meiner – hatten wir einander sehr lieb. In unserer Kindheit hatten wir nur uns. Sie war die Einzige, auf die ich mich wirklich verlassen konnte, und ich vermisse sie jeden Tag.«

Nesta musste unwillkürlich an Feyre denken.

»Wenn ich doch nur noch einen Moment mit ihr verbringen könnte«, sagte Gwyn. »Nur einen Moment, um ihr zu sagen, dass ich sie liebe, und um mich von ihr zu verabschieden.« Sie wischte sich über die Augen, hob dann den Kopf und sah Nesta an. »Das ist das Einzige, was am Ende wirklich gezählt hat. Nicht unsere belanglosen Streitereien und Meinungsverschiedenheiten. All das habe ich in dem Moment vergessen, als sie …« Gwyn schüttelte kurz den Kopf. »Es ist das Einzige, was zählt.«

Nesta nickte nachdenklich. Also verhielt es sich vermutlich nicht nur bei Feyre und ihr so, es gab bei *allen* Schwestern Meinungsverschiedenheiten, Streitereien und Zerwürfnisse. Natürlich war sie nicht perfekt, aber … das Gleiche galt für Feyre. Sie beide hatten Fehler gemacht. Und ein sehr, sehr langes Leben vor sich. Das, was in der Vergangenheit geschehen war, musste nicht die Zukunft bestimmen.

Erneut nickte Nesta und zeigte Gwyn damit, dass sie verstanden hatte. »Ja, das ist das Einzige, was zählt.«

Gwyn lächelte, richtete sich auf und räusperte sich. »Ich hatte die Fäden und die Glücksbringer vor der Sonnenwende bestellt und wollte kleine Geschenke für euch daraus machen, aber die Bestellung traf viel später ein als gedacht. Deshalb habe ich mir überlegt, dass wir die Armbänder heute Abend gemeinsam flechten könnten.« Sie breitete die erforderlichen Utensilien sorgfältig auf dem Tisch vor ihnen aus.

Nesta und Emerie standen auf und betrachteten die bunten Fäden, die sorgfältig zu einem Strang zusammengebunden waren. »Zeig mir, wie es geht«, bat Emerie. Nesta fragte sich, ob Gwyns Worte auch in ihr etwas berührt hatten. Welchen Schmerz und welche Hoffnung Emerie wohl in sich verbarg?

Gwyn lächelte und begann ihre Vorführung damit, dass sie drei Farben aussuchte, die Emeries Temperament entsprachen, wie sie behauptete. Grün, Violett und Gold. Nesta verkniff sich ein Kichern und wählte Farben für Gwyn aus: Blau, Weiß und Türkisgrün. Emerie wiederum bestimmte Marineblau, Purpurrot und Silber als Nestas Farben. Nesta und Emerie versuchten, Gwyns »einfache« Schritte nachzumachen: den Faden doppelt legen, verknoten, die verschlungenen Teile abschneiden und dann den oberen Teil des Bands unter ein schweres Buch legen, um die Fäden nach Farben zu sortieren. Danach wurde geflochten, geknotet und zurechtgezogen, vor und zurück. Emeries Knoten waren makellos. Nestas dagegen ...

»Dein Armband wird leider verboten aussehen, Gwyn.« Stirnrunzelnd betrachtete Nesta das windschiefe, knubbelige Chaos ihrer ersten zehn Reihen.

»Mach einfach weiter«, sagte Gwyn, die mit ihrer Arbeit schon viel weiter fortgeschritten war und kleine Muster in die Reihen wirkte. »Die Knoten werden besser, je mehr Übung man hat. Sagt Bescheid, wenn ihr die Hälfte des Bands fertig habt, dann flechten wir den Glücksbringer ein.«

Sie arbeiteten einträchtig zur Begleitung der Musik, plauderten munter, und Emerie und Gwyn lachten gelegentlich über Nestas fürchterliche Handarbeit. »Und jetzt«, sagte Gwyn, als sie die Hälfte geschafft hatten, »wünschen wir einander etwas.« Sie streckte die Finger nach einer der winzigen Münzen aus. »Ich nehme die jetzt einfach in die Hand, denke an etwas für Emerie und ...«

»Warte«, sagte Nesta und packte Gwyns Hand, noch bevor sie die Münze berühren konnte. »Lass mich, bitte.«

Als ihre Freundinnen sie neugierig musterten, musste Nesta schlucken. »Lasst mich einen Wunsch für uns alle aussprechen«, bat sie und nahm drei Münzen. Ein kleines Geschenk – für ihre Freundinnen, die für sie inzwischen wie Schwestern waren.

Eine Wahlfamilie. Wie die, die Feyre für sich gefunden hatte.

Nesta umschloss die Glücksbringer mit der Hand, schloss die Augen und verkündete: »Ich wünsche uns, dass wir den Mut haben, hinaus in die Welt zu gehen, wenn wir dazu bereit sind. Aber dass wir immer wieder den Weg zueinanderfinden. Ganz gleich, was auch passiert.«

Gwyn und Emerie bejubelten diesen Wunsch. Und als Nesta die Augen und die Hand öffnete, hätte sie schwören können, dass die Glücksbringer leicht leuchteten.

∾ 60 ∾

Cassian war fünf Tage fort gewesen. Fünf Tage, in denen er jede einzelne der illyrianischen Legionen inspiziert und sich ermahnt hatte, sich wie ein normaler, geistig gesunder Mann zu verhalten, und nicht wie ein liebeskranker Jüngling. Doch bei seiner Rückkehr stellte er fest, dass sich irgendetwas verändert hatte. Und damit meinte er nicht nur diese weltbewegende Veränderung, zu der es zwischen Nesta und ihm in der Nacht der Wintersonnenwende gekommen war: Auch zwischen Nesta, Emerie und Gwyn hatte sich etwas verändert.

Als er an diesem eiskalten Morgen den Trainingsplatz betrat, waren die drei schon da. Sie standen um den Balken herum und das Band flatterte anmutig im schneidenden Wind. Gwyn hielt ein Schwert in der Hand und Emerie und Nesta standen ein paar Meter abseits. Alle drei trugen bunte Armbänder, an denen silberne Glücksbringer hingen.

Cassian blieb am Torbogen stehen, als Nesta Gwyn ermutigte: »Du kannst das.« Azriel gesellte sich zu ihm, so leise wie die Schatten, die seine Schwingen umkränzten.

Gwyn taxierte das Band wie einen Feind auf dem Schlachtfeld. Es kräuselte sich im Wind und tanzte hin und her – so unberechenbar wie jeder Gegner.

»Tu es für den Minipegasus«, sagte Emerie.

Cassian hatte keine Ahnung, was sie meinte, aber Gwyns Lippen zuckten.

Und Nesta lachte.

Der Klang hätte ebenso gut ein Blitzeinschlag in seinem Kopf sein können – so sehr erschütterte ihn dieses Lachen. Frei und leicht und ganz anders als alles, was er je von ihr gehört hatte. Sogar Azriel blinzelte verblüfft. Ein aufrichtiges, herzhaftes Lachen.

»Der Minipegasus war eine Illusion und steht jetzt wieder auf seiner Fantasieweide«, erwiderte Nesta.

»Gwyn mochte er am liebsten«, stichelte Emerie. »Trotz deiner Bemühungen, ihn für dich einzunehmen.«

Sie schwiegen erneut, als Gwyn die Füße bewegte und das Schwert anwinkelte. Wieder ließ der Wind das Band flattern, als wollte er sie verhöhnen.

Cassian schaute zu Az, aber dessen Aufmerksamkeit galt der jungen Priesterin. Bewunderung und stille Ermutigung leuchteten in seinem Gesicht.

»Ich bin der Fels, an dem die Brandung zerschellt«, flüsterte Gwyn. Bei diesen Worten straffte Nesta die Schultern, als handelte es sich um ein Gebet, einen Schlachtruf. Gwyn hob die Klinge. »Nichts kann mich brechen.«

Der Anblick schnürte Cassian die Kehle zu, und selbst von der anderen Seite des Trainingsplatzes aus konnte er sehen, wie Nestas Augen vor Stolz und Schmerz funkelten.

»Nichts kann *uns* brechen«, sagte Emerie.

Die Welt schien stillzustehen bei diesen Worten. Als wäre sie einem Weg gefolgt und würde nun in eine andere Richtung abzweigen, dachte Cassian. In hundert, in tausend Jahren würde dieser Moment noch immer in sein Gedächtnis eingebrannt sein. Er würde seinen Kindern und seinen Enkelkindern erzählen: *Dort, in diesem Moment, hat sich alles verändert.*

Azriel erstarrte neben ihm, als hätte auch er die Veränderung gespürt. Als wäre auch ihm bewusst, dass weitaus größere Kräfte auf diesen Trainingsplatz hinabblickten, als Gwyn sich in Bewegung setzte.

Gleichmäßig wie der Sidra, schnell wie der Wind aus den illyrianischen Bergen, arbeitete ihr ganzer Körper in harmonischem Einklang, als sie sich auf das Band stürzte und herumwirbelte ... als sie den Arm öffnete und mit der Rückhand einen perfekten Schnitt vollführte, der den Wintermorgen zu teilen schien.

Eine Hälfte des Bands segelte auf den roten Stein.

Ein makelloser, präziser Schnitt. Nicht ein einziger ausgefranster Faden kräuselte sich, während das restliche Band, das noch am Balken hing, im Wind flatterte.

Nesta bückte sich, hob die herabgefallene Hälfte auf und band sie feierlich um Gwyns Stirn. Eine provisorische Version dessen, woran die Steine befestigt waren, die die Priesterinnen am Kopf trugen. Aber Cassian hatte noch nie gesehen, dass Gwyn ihren Beschwörungsstein angelegt hatte.

Mit zitternden Fingern berührte Gwyn das Band an ihrer Stirn, mit dem Nesta sie gekrönt hatte.

»Walküre«, verkündete Nesta dann mit belegter Stimme.

Es wurde zu einem Ritual: das Band zu durchtrennen und mit der abgeschnittenen Hälfte gekrönt und zur Walküre erklärt zu werden.

Gwyn war die Erste. Emerie die Zweite. Und als sich das Training an diesem Morgen dem Ende zuneigte, wurde Nesta die Dritte.

Das machte es wenigstens etwas leichter, Cassian gegenüberzutreten. Selbst wenn das Verlangen in ihr noch größer geworden war und unbedingt hinauswollte. Zu ihm. Jedes Mal, wenn sie seinen Blick auffing oder in seine Nähe kam, drängte es sie danach, sich die Kleider vom Leib zu reißen und sich ihm hinzugeben. Doch sie konzentrierte sich auf das weiße Band um ihre Stirn, auf das, was sie drei erreicht hatten.

Die Lektion endete, und sie hätte Cassian vermutlich sofort in ihr Schlafzimmer gezerrt, wenn er nicht einfach in die Luft aufgestiegen und verschwunden wäre. Um erst am nächsten Morgen zurückzukehren.

Er ging ihr aus dem Weg.

Aber am nächsten Morgen verstand sie, warum – oder zumindest, welchen Grund er für sein Verschwinden gehabt hatte. Der Trainingsplatz war wieder verändert: Ein Hindernisparcours schlängelte sich über das Gelände.

Nesta stieg als eine der Letzten die Stufen hinauf und gesellte sich zu der Gruppe von Frauen, die am Torbogen warteten und verwundert miteinander tuschelten, als Cassian und Azriel sich ihnen zuwandten. »Jede einzelne der Walküren war eine furchtlose und brillante Kriegerin. Aber ihre wahre Stärke lag darin, dass sie eine gut ausgebildete Einheit darstellten.« Er deutete auf den Hindernisparcours. »Allein wird keine von euch diesen Parcours schaffen. Nur gemeinsam findet ihr einen Weg, ihn zu überwinden.«

Emerie schnaubte.

Cassian grinste sie an. »Sieht einfach aus, oder?«

Emerie war so klug, eine nervöse Miene zu ziehen.

Dann klatschte Azriel in die Hände und sämtliche Frauen strafften die Schultern. »Ihr werdet in Dreiergruppen arbeiten.«

»Was bekommen wir, wenn wir den Parcours schaffen?«, fragte Gwyn mit leuchtenden, blaugrünen Augen.

Az' Schatten tanzten um ihn herum. »Da es völlig ausgeschlossen ist, dass das einer von euch gelingt, haben wir gar nicht erst über einen Preis nachgedacht.«

Buhrufe ertönten. Gwyn hob herausfordernd das Kinn. »Wir freuen uns darauf, euch beide eines Besseren zu belehren.«

Wie sich herausstellte, würde es eine ganze Weile dauern, bis sie Azriel und Cassian eines Besseren belehren konnten.

Gwyn, Emerie und Nesta schafften es in drei Stunden am weitesten und legten sage und schreibe die Hälfte des Parcours zurück. Roslin, Deirdre und Ananke erreichten vor Ablauf der Zeit das Hindernis hinter ihnen, wobei in Anankes goldenen Haaren Blut klebte – von einem Schlag gegen den Kopf, den ihr ein sich drehendes, vielarmiges *Ding* verpasst hatte.

»Sadistische Monster«, zischte Gwyn, als die drei Freundinnen zur Wasserkaraffe humpelten und die Niederlage schwer auf ihren Schultern lastete.

»Wir versuchen es morgen wieder«, beteuerte Emerie, die ein blaues Auge hatte, weil sie von einem hin- und herschwingenden Balken mit voller Wucht getroffen worden war, bevor Nesta sie festhalten konnte. »Wir versuchen es so lange, bis wir diesen selbstgefälligen Blick aus ihren dämlichen perfekten Gesichtern vertrieben haben.«

Azriel und Cassian hatten tatsächlich die ganze Zeit an der Mauer gelehnt, die Arme vor der Brust verschränkt, und gegrinst.

Gwyn warf Azriel im Vorbeigehen einen vernichtenden Blick zu.

»Bis morgen, Schattensänger«, sagte sie über die Schulter hinweg.

Az starrte ihr nach, die Brauen belustigt hochgezogen. Als er sich wieder umdrehte, grinste Nesta ihn an. »Du hast keine Ahnung, was du da losgetreten hast«, sagte sie. Az neigte den Kopf und kniff die Augen zusammen, als Gwyn den Bogengang erreichte.

»Erinnerst du dich, wie Gwyn auf das Seidenband reagiert hat?« Nesta zwinkerte dem Schattensänger zu und schlug ihm auf die Schulter. »Jetzt bist du das neue Band, Az.«

Der Hindernisparcours blieb unüberwindlich.

Die Mistkerle änderten ihn jeden Abend, sodass sie am nächsten Morgen eine neue, härtere Aufgabe erwartete. Allerdings verlief jeder Parcours nach einem ähnlichen Muster: Er begann meist mit Beinarbeit, wobei sie entweder mit angezogenen Knien in kurzen Schritten durch die Sprossen einer Leiter auf dem Boden laufen oder über einen Schwebebalken balancieren mussten. Dann folgten Denksportaufgaben – Rätsel, bei denen sie gemeinsam nachdenken und sich aufeinander verlassen mussten, um sie zu lösen. Und wenn sie vollkommen erschöpft waren, kamen die Kraftproben.

In den nächsten zwei Wochen schafften es die drei nur bis zur dritten Etappe. Roslin, Ananke und Deirdre waren ihnen dicht auf den Fersen und trieben Gwyn an, ihre Gruppe noch mehr zu fordern. Sie wollte die Erste sein. Wollte, dass Nesta, Emerie und sie diejenigen waren, die Azriel und Cassian das süffisante Grinsen aus dem Gesicht wischten. Vor allem Azriel.

Hinzu kam, dass sie nach dem ersten Tag nur noch eine Stunde für den Parcours hatten. Die anderen beiden Stunden verbrachten sie als Gruppe mit militärischem Training: Sie marschierten in Formation (was schwerer und langweiliger war, als es aussah), kämpften Seite an Seite (gefährlicher, als es den Anschein hatte) und lernten, sich als Einheit zu bewegen, zu denken und zu atmen.

Aber sie hielten durch, marschierten in Walküren-Phalanx und kämpften als Einheit, wobei Cassian und Azriel die Rolle ihrer Gegner übernahmen. Sie lernten, ihre Schilde gegen den Angriff der illyrianischen Trichtersteine und deren hochgewachsene, männliche Träger in Position zu bringen. Und all das Ausdauertraining nach dem Vorbild der Walküren zahlte sich endlich aus: Jede infernalische Hocke und jeder Ausfallschritt erlaubte es ihnen jetzt, ihre Schilde mit wenig Aufwand einzusetzen und einem feindlichen Angriff zu trotzen.

Sie trainierten als Einheit und in gerader Linie, wenn sie ihre Bauchmuskelübungen und Liegestütze im selben Takt ausführten. Falls eine zusammenbrach, mussten alle noch einmal von vorn beginnen. Aber sie machten weiter. Durch Schweiß und Atem und Blut schmiedeten sie ihre Einheit zusammen. Und manchmal trafen sich die drei nach der Abendmesse erneut in der Bibliothek und lasen gemeinsam über militärische Strategien. Über die Lehren der Walküren und die Techniken der Alten.

Weitere Priesterinnen durchtrennten das Band: Roslin. Deirdre. Ananke. Ilana. Lorelei. Jedes Hindernis, das Azriel und Cassian ihnen zu Trainingszwecken in den Weg warfen, fingen sie auf und warfen es direkt zurück.

Und jeden Abend lief Nesta die Wendeltreppe hinunter und wieder hinauf. Weiter und weiter. Nach dem Streit mit Amren hatte sie es nicht erneut bis ganz nach unten geschafft, aber sie versuchte es wieder und wieder. Und statt von Erinnerungen und Worten wurde sie jetzt von einem klaren, unverrückbaren Ziel angetrieben.

Nesta, Gwyn und Emerie absolvierten den Hindernisparcours auf den Tag genau zwei Monate nach dessen Errichtung. Natürlich an einem Tag, an dem alle Priesterinnen von Clotho zu einer speziellen Zeremonie gerufen worden waren, sodass es außer Cassian und Azriel keine Zeugen gab. Nur Gwyn war offenbar von der Zeremonie ausgenommen. Und als Gwyn die Ziellinie erreichte, blutend und so heftig keuchend und grinsend, dass ihre blaugrünen Augen leuchteten wie das sonnenbeschienene Meer, streckte sie Azriel lediglich ihre zerschundene Hand entgegen und meinte: »Und, was ist jetzt?«

»Ihr habt euren Preis schon«, sagte Azriel. »Ihr habt euch gerade für das Blutritual qualifiziert. Glückwunsch.«

Gwyn keuchte auf und Nesta und Emerie hielten abrupt inne. Doch dann hakte Gwyn nach: »Habt ihr sie *deshalb* eingeladen?«

Nesta hatte keine Ahnung, wovon die Priesterin sprach, folgte ihrem Blick jedoch zum oberen Rand der Grube, wo Lord Devlon und ein weiterer Mann mit finsterer Miene auf sie herabschauten. Das also war der Grund, warum die restlichen Priesterinnen heute mit anderen Dingen beschäftigt waren.

»Ich hatte so ein Gefühl, dass es heute passieren würde«, murmelte Cassian neben Nesta.

Devlon schien jeden Moment zu explodieren – sein Gesicht war rot vor Zorn. Doch er sah Cassian nur an und nickte kurz.

»Ihr habt den Priesterinnen gesagt, dass sie nicht kommen sollen?«, fragte Nesta Cassian und Azriel.

»Wir haben Clotho informiert, dass wir heute möglicherweise Beobachter beim Training haben werden«, antwortete Azriel, den eisigen, tödlichen Blick starr auf Devlon gerichtet. Der Heerführer wandte die Augen von dem Schattensänger ab, knurrte seinem Kumpan etwas zu und flog dann mit ihm ostwärts Richtung Illyrien davon. Azriel sah ihnen nach und fuhr fort: »Clotho hat es den anderen erklärt, und sie haben sich dafür entschieden, den Tag mit anderen Dingen zu verbringen.«

»Und du hast den Eindruck erweckt, als wüsstest du nicht, was hier los ist«, wandte Nesta sich verwundert an Gwyn.

»Cassian und Azriel haben mich gewarnt, dass wir heute von ein paar Männern beobachtet werden würden, mir aber nicht verraten, warum. Ich hatte keine Ahnung, dass es um die Qualifikation für das Blutritual ging.« Ihre Augen leuchteten hell in ihrem dreckverschmierten Gesicht.

Emerie jedoch war kreidebleich geworden. »Wir nehmen doch nicht etwa am Blutritual teil, oder?«, fragte sie Cassian.

»Nur, wenn ihr wollt«, versicherte Cassian ihr. Nesta wusste, dass von allen Frauen hier Emerie die Einzige war, die die wahren Schrecken des Blutrituals kannte. »Aber wir wollten, dass Devlon – und jeder, dem er es erzählt – weiß, dass ihr genauso begabt seid wie jede illyrianische Einheit. Diese Prüfung war die einzige Möglichkeit, es ihnen verständlich zu machen. Das Dasein als Walküre sagt ihnen nichts. Und ihr braucht auch definitiv nicht ihre Zustimmung, aber ...« Er schaute wieder zu Emerie. »Ich wollte, dass sie wissen, was ihr erreicht habt. Auch wenn es bei den Walküren nichts mit dem Blutritual Vergleichbares gab, seid ihr so gut ausgebildet wie jeder Krieger in Illyrien.«

»Und die verschiedenen Parcours?«, fragte Gwyn.

»Unterschiedliche Etappen aus den Qualifikationsprüfungen, die im Laufe der Jahrhunderte absolviert wurden«, antwortete Azriel.

Cassian grinste. »Abgesehen von der Teilnahme am Blutritual seid ihr jetzt so gut wie illyrianische Krieger.«

Stille breitete sich aus. Dann wischte Nesta sich das Blut aus dem Mundwinkel und verkündete: »Ich bin lieber eine Walküre.« Emerie und Gwyn murmelten zustimmend.

Cassian lachte. »Die Götter stehen uns bei!«

61

Eine Prüfung stand noch aus. Allerdings keine, die Cassian ihr auferlegt hatte, und auch keine, die Illyrianer oder Walküren vorschrieben, sondern eine Prüfung, die sie sich selbst gestellt hatte. Nesta fand, der heutige Tag sei so gut wie jeder andere, um die letzten paar Hundert Stufen zu überwinden.

Hinab, immer weiter hinab.

Im Kreis, immer weiter im Kreis.

Sie hatten das Walküren-Band durchtrennt und sich für das Blutritual qualifiziert. Aber sie würden weiter trainieren. Es gab noch immer so viel zu lernen, und sie freute sich darauf, gemeinsam mit den anderen dazuzulernen. Mit ihren Freundinnen.

Mit Cassian.

Sie wechselten jetzt von Zimmer zu Zimmer und schliefen dort, wo sie sich liebten. Oder vögelten. Denn zwischen diesen beiden Dingen bestand ein Unterschied, erkannte Nesta. Sie liebten sich meist spät in der Nacht oder gleich nach dem Aufwachen, wenn Cassian sie träge und lächelnd zum Höhepunkt brachte. Dagegen vögelten sie eher um die Mittagszeit herum oder auch zu jeder anderen Zeit, wenn er sie gegen eine Wand gelehnt nahm oder über einen Schreibtisch gebeugt oder wenn sie sich rittlings auf seinen Schoß setzte. Manchmal fing es als Vögeln an und entwickelte sich zu dieser zärtlichen, intensiven Angelegenheit, die sie Liebemachen nannte. Bei anderen Gelegenheiten verwandelte sich das Liebemachen aber auch zu wildem Vögeln. Sie konnte nie sagen, was passieren würde, und das war einer der Gründe, warum sie nie genug bekommen konnte.

Jetzt überwand sie einhundert Stufen. Zweihundert. Tausend.

Ihr Kopf war klar, glühte vor Zielstrebigkeit und Konzentration.

Jeden Morgen wachte sie auf und war froh, am Leben zu sein – bereit, sich der Welt entgegenzuwerfen und abzuwarten, wie diese reagierte. Jeden Abend hörte sie bei den Messen Musik, kannte inzwischen die meisten Lieder und sang mit den Priesterinnen, ließ ihre Stimme mit der von Gwyn erschallen. Und jeden Tag hörte sie die Musik aus Cassians Symphonia, die sie so oft abspielte, wie ihr danach war.

Dazu kam die Musik in ihrem Herzen. Ein Lied, das aus Cassians Stimme, dem Lachen von Gwyn und Emerie und aus ihrem eigenen Atem bestand, während sie immer weiter die Treppe hinablief.

Zweitausend. Dreitausend.

Nestas Füße flogen über die Stufen, und ihr Tritt war sicher, auch wenn ihre Muskeln brannten. Sie kämpfte sich voran, die Zähne in einem wilden Grinsen zusammengebissen. Gab sich dem Brennen hin, der Erschöpfung und dem Schmerz. Ließ sich allerdings nicht davon verzehren oder aufhalten, sondern wie von einer Woge überspülen und durchströmen, ohne sich zu beugen.

Sie war der Fels, an dem solche Dinge zerschellten. Mit jedem Schritt, jedem Atemzug folgte sie den Gesetzen der Kontemplation. Das war die nächste Phase des mentalen Trainings der Walküren, der Übergang von gelassener Ruhe zu aktiver Beruhigung. Um in der Lage zu sein, den Geist inmitten von Chaos zu stabilisieren und zu fokussieren.

Viertausend. Fünftausend. Sechstausend. Kontemplation wurde so einfach wie das Atmen.

Sie würde nie wieder von irgendetwas beherrscht werden. Sie war ihre eigene Herrin.

Siebentausend. Achttausend. Neuntausend.

Und diese Person, zu der sie sich entwickelte, von Tag zu Tag … Vielleicht mochte sie diese Person ja sogar.

Die Treppenstufen endeten, und plötzlich stand sie vor einer Tür.

Nesta taumelte, denn ihr Körper schien noch immer zu glauben, er müsse weiter und weiter im Kreis nach unten. Doch dann legte sie eine Hand auf die Klinke und öffnete die Tür in die Abenddämmerung über der Stadt.

Die Lichter waren fast überall abgedunkelt, aber fröhliche Stimmen hallten durch die Straßen. Niemand würde sie davon abhalten, sich in die Stadt zu wagen, in eine Schenke zu gehen und sich volllaufen zu lassen. Niemand würde kommen, um sie nach Hause zu schleifen. Sie hatte es bis ganz nach unten geschafft. Das Leben wartete auf sie.

Aber sie schaute nach oben, zum Haus der Winde, wo in einer Stunde eine Party zur Nacht der fallenden Sterne gefeiert würde. Der Mann, der sie ermutigt hatte, daran teilzunehmen, würde da sein.

Erneut schaute sie in Richtung der Stadt – der wunderbaren, lebendigen Stadt. Aber nichts von alldem schien ihr so lebendig wie das, was dort oben auf sie wartete. Der Weg zurück würde brutal werden, ihr endlos erscheinen, aber einmal oben angekommen ... Cassian würde dort auf sie warten, so wie er viele Jahre lang auf sie gewartet hatte.

Nesta lächelte. Und machte sich an den Aufstieg.

Als sie das obere Ende der Wendeltreppe erreichte, stand Cassian an der Tür, in seine höfische Kleidung gehüllt. Er wirkte so eindrucksvoll, dass Nesta der Atem gestockt hätte, wäre sie nicht bereits vom Aufstieg völlig atemlos gewesen.

Fünf Schritte über den Gang, und Nesta schlang die Arme um seinen Hals, presste ihre Lippen auf seinen Mund. Küsste ihn, und er öffnete sich ihr, tauschte mit ihr diese stummen Worte aus, und drückte sie so fest an sich, dass ihr beider Herzschlag wie ein Echo klang.

Als sie sich zurückzog, atemlos vom Kuss und allem, was ihr Herz erfüllte, lächelte Cassian. »Die Party hat bereits angefangen«, sagte er, küsste sie auf die Stirn und trat einen Schritt zurück. »Aber sie hat noch nicht ihren Höhepunkt erreicht.« Tatsächlich drangen aus den oberen Geschossen Musik und Lachen zu ihnen.

Cassian streckte eine Hand aus. Nesta ergriff sie schweigend und ließ sich von ihm durch den Gang führen. Als sie die Treppe hinaufschaute und ihre Knie nachgaben, hob er sie hoch und trug sie hinauf. Sie schmiegte sich an seine Brust, schloss die Augen und genoss das Geräusch seines Herzschlags. Die ganze Welt war ein Lied und dieser Herzschlag war ihre Melodie.

Frische Luft und Musik strömten ihr entgegen. Gläser klirrten und Gewänder raschelten, und Nesta öffnete die Augen wieder in dem Moment, als Cassian sie absetzte. Über ihnen schwebten die Sterne. Tausende und Abertausende von Sternen. Sie konnte sich kaum an die letzte Nacht der fallenden Sterne erinnern. Damals war sie zu betrunken gewesen, um darauf zu achten.

Aber das hier, so hoch oben ...

Nesta kümmerte es nicht, dass sie schweißbedeckt war und in dieser juwelengeschmückten Gesellschaft ihre Lederkluft trug. Schon gar nicht, als sie auf die Veranda taumelte und die Sterne bestaunte, die vom Himmelsrund herabregneten. Sie sausten so dicht vorbei, dass einige an den Steinen Funken schlugen und leuchtende Staubpartikel hinter sich herzogen.

Vage nahm sie wahr, dass Cassian, Mor und Azriel in der Nähe waren, genau wie Feyre, Rhys, Lucien, Elain, Varian und Helion. Dazu Kallias und Viviane, die ebenfalls ein Kind unter dem Herzen trug und vor Freude und Kraft glühte. Nesta lächelte ihnen zur Begrüßung zu und entlockte ihnen damit ein verwundertes Blinzeln. Aber im nächsten Moment hatte sie sie bereits vergessen, denn die Sterne, die Sterne, die Sterne ...

Sie hatte nicht gewusst, dass solche Schönheit in der Welt existierte. Dass sie so von Staunen erfüllt sein konnte, dass es wehtat – als könnte ihr Körper gar nicht alles erfassen. Und sie wusste nicht, warum sie weinte, aber Tränen liefen ihr über die Wangen. Die Welt war schön, und sie war so dankbar, auf dieser Welt zu sein. Lebendig zu sein, hier zu sein und dies alles zu sehen. Sie streckte eine Hand über die Brüstung, um einen vorbeirauschenden Stern zu berühren, und ihre Finger glitzerten vor blauen und grünen Staubpartikeln. Sie lachte, ein Laut purer Freude, und brach erneut in Tränen aus, weil diese Freude ein Wunder war.

»Ich hätte nie gedacht, ein solches Geräusch noch einmal von dir zu hören, Mädchen«, sagte Amren neben ihr.

Die zierliche Frau wirkte königlich in ihrem hellgrauen Gewand. Ihr Hals und ihre Handgelenke waren mit Diamanten geschmückt, und ihr sonst schwarzer Bob schimmerte silbern im Sternenlicht.

Nesta wischte sich die Tränen ab und verschmierte dabei Sternenstaub auf ihren Wangen. Aber es war ihr egal. Einen Moment lang musste sie mehrfach schlucken, während sie versuchte, all das zu sortieren, was in ihrer Brust aufstieg. Amren erwiderte einfach ihren Blick und wartete.

Und dann sank Nesta auf ein Knie und neigte den Kopf. »Es tut mir leid.«

Amren brachte einen überraschten Laut hervor, und Nesta wusste, dass andere Gäste sie beide beobachteten. Aber auch das war ihr egal. Sie hielt den Kopf gesenkt und ließ die Worte aus ihrem Herzen strömen. »Du bist mir mit Freundlichkeit und Respekt begegnet, hast mir deine Zeit geschenkt, aber ich habe das alles wie Dreck behandelt. Du hast mir die Wahrheit gesagt, aber ich wollte sie nicht hören. Ich war eifersüchtig, ängstlich und zu stolz, um es zuzugeben. Aber den Verlust deiner Freundschaft ertrage ich einfach nicht.«

Amren schwieg, und als Nesta den Kopf hob, sah sie, dass die ältere Frau lächelte und so etwas wie Erstaunen in ihrem Gesicht stand. Dann zeichnete sich ein silbernes Glitzern in Amrens Augen ab – ein Hinweis auf frühere Zeiten. »Ich habe mich nach unserer Ankunft vor einer Stunde ein wenig im Haus umgesehen und bemerkt, was du mit ihm gemacht hast.«

Nesta runzelte die Stirn. Sie hatte nichts verändert.

Amren fasste Nesta an der Schulter und zog sie auf die Beine. »Das Haus singt. Ich kann es in den Steinen hören. Und als ich zu ihm gesprochen habe, hat es geantwortet. Zugegeben, am Ende hat es mir einen Stapel Liebesromane gegeben, aber ... du hast dieses Haus zum Leben erweckt, Mädchen.«

»Ich habe nichts gemacht.«

»Du hast das Haus erschaffen«, sagte Amren und lächelte erneut, ein Blitz aus Rot und Weiß in der glühenden Dunkelheit. »Was hast du dir damals bei deiner Ankunft am meisten gewünscht?«

Nesta überlegte und beobachtete, wie ein paar Sterne vorbeisausten. »Einen Freund. Tief in meinen Inneren wünschte ich mir einen Freund.«

»Also hast du einen erschaffen. Deine Kraft hat das Haus zum Leben erweckt, mit einem stummen Wunsch – geboren aus Einsamkeit und verzweifelter Not.«

»Aber meine Kraft erschafft nur schreckliche Dinge. Das Haus ist gut«, flüsterte Nesta.

»Tatsächlich?«

Wieder überlegte Nesta. »Die Dunkelheit in der Grube der Bibliothek ... sie ist das Herz des Hauses.«

Amren nickte. »Und wo ist sie jetzt?«

»Sie hat sich seit Wochen nicht mehr blicken lassen. Aber sie ist noch immer da. Ich glaube, sie wird einfach ... verwaltet. Vielleicht lässt sie sich in dem Wissen, dass ich sie wahrnehme, das Haus aber nicht dafür verurteilt habe, leichter in Schach halten.«

Amren legte eine Hand auf Nestas Herz. »Das ist der Schlüssel, nicht wahr? Das Wissen, dass die Dunkelheit immer da sein wird, aber dass man selbst entscheiden kann, wie man sich ihr stellen und mit ihr umgehen will ... Darauf kommt es an: sich nicht von ihr verzehren zu lassen, sich auf die guten Dinge zu konzentrieren, die einen mit Staunen erfüllen.« Sie deutete auf die Sternschnuppen. »Es lohnt sich, gegen diese Dunkelheit anzukämpfen, um solche Dinge wie diese zu sehen.«

Doch Nesta hatte den Blick von den Sternen abgewandt und ein vertrautes Gesicht in der Menge entdeckt. Cassian tanzte mit Mor, lachte und warf den Kopf in den Nacken. So wunderschön, dass ihr die Worte fehlten.

Amren lachte leise. »Und natürlich auch dafür.«

Nesta wandte sich wieder ihrer Freundin zu. Amren lächelte, und dabei wurde ihr Gesicht so schön wie Cassians, so schön wie die vorbeirauschenden Sterne. »Noch einmal willkommen am Hof der Nacht, Nesta Archeron.«

62

Frühling hielt Einzug in Velaris. Nesta ließ die Sonne in ihr Herz eindringen und ihre Knochen wärmen.

Sie hatten den Winter überstanden, ohne irgendwelche kriegerischen Aktivitäten von Briallyn oder Beron. Aber Cassian gab zu bedenken, dass die wenigsten Armeen im Winter angriffen und Briallyn vermutlich heimlich weitere Truppen versammelt hatte. Rhys hatte Azriel wegen der von der Krone ausgehenden Gefahr verboten, sich ihr bis auf ein paar Kilometer zu nähern, und sämtliche Berichte mussten durch mehrere Quellen bestätigt werden. Mit anderen Worten: Sie wussten nichts und konnten nur abwarten.

Die Stimmungslage verschlechterte sich, als eines Tages ein seltener roter Stern über den Himmel schoss. Ein schlechtes Omen, hörte Nesta die Priesterinnen flüstern. Cassian berichtete, dass sogar Rhys deswegen beunruhigt gewesen schien und danach ungewöhnlich nachdenklich gewirkt hatte. Aber Nesta vermutete, dass das Omen nicht der einzige Grund für Rhys' ernste Miene war: Feyre blieben nur noch zwei Monate bis zur Geburt, und sie hatten noch immer nicht herausgefunden, wie sie sie retten konnten.

Nesta lenkte diese Sorgen in ihr Training mit den Priesterinnen. Azriel und Cassian entwickelten weitere Übungen und Schlachtsimulationen, und sie absolvierten sie alle gemeinsam, dachten und kämpften als Einheit. Manchmal fragte sie sich, ob sie jemals in eine Schlacht ziehen, ob die Priesterinnen jemals bereit sein würden, diesen Ort zu verlassen, um zu kämpfen und sich der Gewalt zu stellen, die die Dämonen ihrer Vergangenheit heraufbeschwören konnte. Wollte sie selbst über Simulationen hinausgehen und tatsächlich kämpfen? Was würde mit ihr geschehen, wenn sie miterleben musste, wie ihre Freundinnen töteten oder getötet wurden?

Es war eine letzte Prüfung, dachte sie. Eine, die sie vielleicht nie ablegen würden.

Vielleicht hatte das Blutritual, das laut Cassian in ein paar Tagen beginnen würde, genauso angefangen: als Möglichkeit, junge illyrianische Krieger in einer sicheren Umgebung an das Töten heranzuführen, als ein erster Schritt zur brutalen Gnadenlosigkeit der Schlacht.

Aber Nestas erster Vorstoß in die Gnadenlosigkeit des Kampfs erfolgte in Gestalt eines Briefs. Ein ungeduldiger, fordernder Brief, der ihre sofortige Anwesenheit verlangte. Und die von Cassian.

Eris wartete in der Mitte einer Waldlichtung auf sie. Aber Nesta würdigte den Sohn des High Lords kaum eines Blickes, als sie sah, was sich hinter den Bäumen erhob: der heilige Berg – der Berg, unter dem Feyre, Rhys und all die anderen High Lords von Amarantha gefangen gehalten worden waren. Er ragte wie eine Woge am Horizont auf, kahl und karg und so präsent, dass er zu pulsieren schien.

»Hast du ihn noch nie gesehen?«, fragte Eris zur Begrüßung und folgte ihrem Blick.

»Nein.« Sie wandte sich ihm zu, weg von dem aufwühlenden Gipfel. »Warum ist er euch heilig?«

Eris zuckte die Schultern, und Nesta wusste, dass Cassian jeden seiner Atemzüge genau beobachtete. »Es gibt drei verwandte Gipfel. Diesen hier, dann den Berg namens Gefängnis und den, den die illyrianischen Rohlinge Ramiel nennen. Allesamt kahle und karge Berge, die nicht zu dem Gebirge um sie herum passen.«

»Wir sind nicht zu einer Geschichtsstunde hier«, murmelte Cassian.

Nesta warf ihm einen scharfen Blick zu. »Ich habe danach gefragt. Ich will es wissen.«

Cassian schnaubte und reckte das Kinn in Eris' Richtung – eine stumme Aufforderung, fortzufahren.

»Wir wissen nicht, warum es sie gibt. Aber findest du es nicht merkwürdig, dass zwei von ihnen einen unterirdischen Palast haben?«

»Ich würde das Gefängnis kaum als Palast bezeichnen«, meinte Cassian. »Frag nur mal die Insassen.«

Eris schenkte ihm ein spöttisches Lächeln, fuhr dann aber fort: »Es überrascht wohl kaum, dass die Illyrianer nie den Wissensdrang verspürten, herauszufinden, welche Geheimnisse sich unter dem Ramiel verbergen. Ob auch er durch die Hände der Alten unterhöhlt wurde.«

»Ich dachte, Amarantha hätte den Hof unter dem Berg selbst angelegt«, sagte Nesta.

»Nun ja, sie hat ihn ausgestattet und uns dazu gezwungen, eine traurige Version eures Hofs der Albträume nachzuspielen. Aber die Tunnel und Gänge wurden schon viel früher angelegt. Von wem, wissen wir allerdings nicht.«

»Mehr Geschichtsunterricht ertrage ich heute nicht«, verkündete Cassian, was ihm einen vernichtenden Blick von Eris einhandelte. Nesta folgte seinem Beispiel. Cassian zwinkerte ihr nur belustigt zu und kam dann zur Sache. »Dein Brief schien anzudeuten, dass dein Vater etwas plant. Heraus mit der Sprache.«

»Mein Vater war letzte Woche auf dem Kontinent. Bei seiner Rückkehr wirkte er normal, ohne den glasigen Blick meiner Soldaten. Er hatte mich nicht gebeten, ihn zu begleiten, und mir auch nicht verraten, was er mit Briallyn besprochen hat. Ich kann nur vermuten, dass sie ihre Pläne bald in die Tat umsetzen werden, und wollte euch warnen. Allerdings konnte ich euch diese Warnung nicht schriftlich mitteilen. Aber im Moment … im Moment sieht es so aus, als würde die Welt den Atem anhalten und warten.«

»Worauf?«, fragte Nesta.

»Darauf, dass ihr die Harfe findet.«

Nesta blinzelte. Und begriff zu spät, zu langsam, dass sie Eris über den Fund der Harfe nicht informiert hatten. Und ihr Blinzeln hatte sie verraten.

»Ihr habt sie schon?«, fragte Eris empört.

»Spielt das eine Rolle?«, erwiderte Cassian beiläufig.

»Der Hof der Nacht besitzt zwei Objekte aus der Truhe. Ich würde sagen: Ja, das spielt durchaus eine Rolle.« Eris richtete sich auf. »Ist das der Grund für all diese Verzögerungen? Damit ihr Zeit schinden könnt, um die Geheimnisse der Truhe herauszufinden und die Macht zu eurem eigenen Vorteil zu nutzen?«

»Das ist absurd«, entgegnete Nesta. »Welche Vorteile sollten wir davon haben?«

Rote Flammen flackerten in Eris' Augen. »Was hatte der König von Hybern davon, den Kessel an sich zu reißen und in unsere Gebiete einzufallen?«

»Wir haben kein Interesse an einer Eroberung, Eris«, stellte Cassian klar und verschränkte die Arme vor der Brust. »Das weißt du. Und wir werden die Truhe nicht benutzen.«

Eris lachte freudlos. Nesta sah, dass er ihnen nicht glaubte – dass er so sehr an die hinterhältige Politik und die Intrigen an seinem Hof gewöhnt war, dass er die einfache Wahrheit selbst dann nicht erkennen konnte, wenn man sie ihm unter die Nase hielt. »Ich fühle mich nicht ganz wohl damit, dass euer Hof zwei Objekte aus der Truhe besitzt.« Sein Blick wanderte zu Nesta. »Zumal ihr so viele andere Waffen in eurem Arsenal habt.«

Nesta versteifte sich, aber Cassian zeigte nicht die geringste Regung. »Rhys hat eigene Pläne, Eris. Du kannst nicht so dumm sein anzunehmen, dass wir sie dir *alle* verraten. Aber ich kann dir versichern, sie sehen nicht vor, die Truhe zu benutzen.«

Nesta versuchte, ihr Erstaunen über Cassians kühle, belustigte Stimme zu verbergen. Die Stimme eines Höflings. Als hätte er Rhysand und ihr zugehört und diese Kombination aus Langeweile und Grausamkeit perfekt kopiert. Und sie konnte nichts gegen das Gefühl der Erregung tun, das ihr über den Rücken lief. Sie wollte, dass er diese Stimme im Bett benutzte. Wollte, dass er ihr auf diese Weise ins Ohr flüsterte, während er …

»Das behauptest du«, sagte Eris. »Ich nehme an, jetzt habt ihr es auf die Krone abgesehen.« Sein Haar leuchtete im gedämpften Licht wie Glut.

Cassian grinste süffisant. »Wir werden dich informieren, sobald du davon erfahren musst. Und dieses Mal werden wir versuchen, es nicht zu vergessen.«

Eris zupfte sich eine Fluse von der Jacke. An seiner Seite hing der Dolch, den Rhys und Feyre ihm geschenkt hatten, schlicht und einfach, verglichen mit dem Schmuck, den er trug. *Ihr* Dolch. »Ihr wärt wirklich dumm, wenn ihr Briallyn direkt angreift.«

»Überlass die Heldentaten den Rohlingen, Eris«, sagte Cassian. »Du willst doch nicht riskieren, dir diese hübschen Hände mit Schnittwunden zu ruinieren.«

Eris hatte die Arme vor der Brust verschränkt und jetzt verkrampften sich die Finger an seinem Bizeps kaum merklich. Nesta verkniff sich ein Lächeln. Cassians Worte hatten ins Schwarze getroffen.

»Und was macht ihr, wenn ihr alle drei Objekte aus der Truhe zusammenhabt?« Eris' Stirn glättete sich. »Ihr könnt sie nicht zerstören, und ich bezweifle, dass sie sich verstecken lassen. In Anbetracht der Gefahr um uns herum leuchtet es mir nicht ein, warum ihr sie nicht benutzen solltet.«

Nesta schwieg weiter und überließ Cassian die Führung.

Cassian stieß ein leises Lachen aus und Nestas Blut begann bei dieser Demonstration seiner Überlegenheit erneut zu singen. Er würde noch ein wenig länger mit Eris spielen. »Und was willst du tun, um uns aufzuhalten?«, fragte er gelassen.

»Wenn es euch nicht gelingt, die Krone in euren Besitz zu bringen, riskiert ihr, dass Briallyn sie gegen euch einsetzt. Sie könnte euch gegeneinander aufhetzen, dafür sorgen, dass ihr unsägliche Dinge tut und ihr sogar verratet, wo die anderen beiden Objekte sind. Und euch bliebe keine andere Wahl, als es ihr zu sagen.« Er hatte Angst, dass sie ihr gemeinsames Bündnis preisgaben. »Ihr riskiert, uns alle bloßzustellen. Versucht *auf keinen Fall,* euch die Krone anzueignen.«

»Wir werden sehen«, sagte Cassian völlig gelassen. Nesta hätte fast gelacht, als er auf den Dolch an Eris' Seite deutete. »Wir haben unsere eigenen Methoden, uns vor der Krone zu schützen.« Nesta verbarg ihre Überraschung. Die Waffen, die sie erschaffen hatte, schützten vor der Truhe? Das hatte ihr niemand gesagt.

Eris musterte ihn finster. »War das schon die ganze Zeit der Plan? Mich hinzuhalten und zum Feind meines Vaters zu machen, damit ihr dann die Truhe gegen uns alle einsetzen könnt?«

»Du hast dich selbst zum Feind deines Vaters gemacht«, konterte Cassian mit einem matten Lächeln. »Ich frage mich, ob er dich von deinen Hunden in Stücke reißen lässt oder ob er das eigenhändig übernimmt, wenn er davon erfährt.«

Eris wurde ein wenig blass. »Du meinst, *falls* er davon erfährt?«

Cassian schwieg und betrachtete ihn mit undurchdringlicher Miene. Nesta verkniff sich ein selbstzufriedenes Grinsen und folgte seinem Beispiel.

Eris musterte die beiden. Und zum ersten Mal entdeckte sie Unsicherheit in seinen Augen, die das Feuer darin dämpfte.

Doch dann wandte er sich Nesta zu, und damit dem anderen Thema seines Briefs: »Und mein Angebot an dich?« Nicht die geringste Zuneigung oder Sehnsucht klang aus seinen Worten.

Nesta hob das Kinn und grinste jetzt doch. »Ich nehme an, sobald wir die Krone in Händen halten, wird der Hof der Nacht dich nicht mehr brauchen. Und ich auch nicht.«

Sie hätte schwören können, dass Cassian ein Lachen unterdrückte. Aber sie hielt den Blick auf Eris geheftet, der sich versteifte und vor Wut kochte. »Ich mag es nicht, wenn man mit mir spielt, Nesta Archeron. Mein Angebot war aufrichtig. Wenn du am Hof der Nacht bleibst, riskierst du deinen eigenen Untergang.«

»Und wenn du versuchst, uns zu verarschen, ist dir dein Untergang sicher«, warf Cassian spöttisch ein.

Eris' Oberlippe kräuselte sich. »Mach, was du willst.« Er richtete sich auf, als würde er sämtliche Emotionen abschütteln, und sein Gesicht bekam wieder diesen kalten und grausamen Ausdruck. »Es ist schließlich dein Leben, mit dem du spielst, nicht meins.« Und an Cassian gewandt fügte er höhnisch hinzu: »Was macht es schon, wenn die Welt einen weiteren Rohling im Krieg verliert. Fahr zur Hölle.«

Cassian lächelte nur. »Danke für deine Segenswünsche, Eris.«

Und mit diesen Worten nahm Cassian Nesta in seine Arme und schoss mit ihr in den Himmel. Die Bäume verschwammen zu einer grünen Fläche, nur der heilige Berg lauerte noch in ihrem Rücken.

Nesta schaute ihm ins Gesicht, als sie nach Norden flogen, und sah, dass er grinste. »Du warst gut«, sagte sie und strich ihm mit der Hand über den Hals.

»Ich hab so getan, als wäre ich du«, räumte er ein. »Ich glaube, ich habe diesen Ich-werde-meine-Feinde-töten-Blick ganz gut hinbekommen, oder?«

Nesta lachte und lehnte den Kopf an seine Brust. »Das hast du definitiv.«

Sie flogen viele Stunden über das Land, zufrieden und glücklich in ihrer Zweisamkeit. Weiter und weiter. Cassian war unermüdlich und unbeirrbar, und Nesta überließ sich dem Gefühl, einfach bei ihm zu sein, in seinen Armen. Und obwohl die Kälte durch ihre Haut drang, bedauerte sie es, als schließlich die Lichter von Velaris am dämmrigen Horizont erschienen.

Cassian brachte sie ins Zentrum der Stadt und landete auf einer der Brücken, die den Sidra überspannten. »Ich dachte, wir machen einen kleinen Spaziergang«, sagte er und verschränkte seine Finger mit ihren.

Nach der langen Zeit am leeren Himmel erschienen Nesta die vielen Leute um sie herum viel zu nah. Doch sie nickte, lief neben ihm her und genoss es, seine raue Haut zu spüren, das Reiben des Lederbands, das den Trichterstein auf seinem Handrücken festhielt, und die Wärme, die er ausstrahlte.

»Was glaubst du? Was wird Eris tun?« Sie hatten während des Flugs nicht darüber gesprochen.

»Schmollen und dann nach der nächstbesten Gelegenheit suchen, mich zu beleidigen«, antwortete Cassian. Nesta musste lachen. Er warf ihr einen Seitenblick zu. »Hat es dir gefallen, wie ich den Höfling gespielt habe?«

Nestas Mundwinkel zuckten. »Es würde mir nicht gefallen, wenn du immer so wärst, aber es war ... verführerisch. Es hat mich auf ein paar Ideen gebracht.«

Seine Augen leuchteten, und obwohl die ganze Stadt sie sehen konnte, legte er ihr eine Hand an die Wange. Streifte ihren Mund mit den Lippen. »Mich ebenfalls, Nes.« Er drückte sie an sich, und sie verstand genau, was er meinte.

Sie lachte, löste sich dann von ihm und steuerte auf das Ende der Brücke zu. »Die Leute gucken schon.«

»Das ist mir egal.« Er legte ihr den Arm um die Schulter, als sie weitergingen, um seinen Worten Nachdruck zu verleihen. »Ich habe nichts zu verbergen. Alle sollen wissen, dass wir ein Bett teilen.« Er küsste ihre Schläfe und zog sie eng an sich.

So eine einfache, liebevolle Aussage, und dennoch ... Sie hörte sich fragen: »Untergräbt es mein Ansehen als Kriegerin, mit dir zusammen zu sein?«

»Nein. Untergräbt es denn Feyres Ansehen, wenn man sie mit Rhys zusammen sieht?«

Ihr Herz pochte ihr bis in die Eingeweide. »Bei den beiden ist das etwas anderes«, sagte sie, nachdem sie die Brücke überquert hatten und die Promenade am Flussufer entlangschlenderten.

»Warum?«, fragte Cassian vorsichtig.

Nesta hielt den Blick auf den glitzernden Fluss geheftet, in dem sich die Farben des Sonnenuntergangs spiegelten. »Weil sie Seelengefährten sind.«

Sein Schweigen verriet ihr, was er als Nächstes sagen würde. Sie blieb erneut stehen und wappnete sich.

Cassians Gesicht war vollkommen ausdruckslos, als er fragte: »Und das sind wir nicht?«

Nesta schwieg.

Er lachte leise. »Weil sie Gefährten sind und du nicht willst, dass das auch für uns gilt.«

»Das Wort bedeutet mir nichts, Cassian«, sagte sie mit gesenkter Stimme, damit die anderen Spaziergänger sie nicht hörten. »Für euch alle bedeutet es etwas. Aber den größten Teil meines Lebens hieß es immer ›Eheleute‹. *Gefährten* – das ist nur ein Wort.«

»Das ist Unsinn.«

Als sie nichts darauf erwiderte und einfach nur weiterging, fragte er: »Wovor hast du Angst?«

»Ich habe keine Angst.«

»Was erschreckt dich? Dass du so mit mir in der Öffentlichkeit gesehen wirst?«

Ja. Und dass er sie geküsst und sie begriffen hatte, dass sie bald in diese Welt zurückkehren musste, die um sie herum existierte. Dass sie das Haus verlassen musste und nicht wusste, was sie dann tun sollte. Was es für sie beide bedeuten würde. Ob sie wieder in diese tiefe Grube fallen würde, in der sie vorher dahinvegitiert hatte.

Und ihn mit sich in die Tiefe ziehen würde.

»Nesta. Rede mit mir.«

Sie schaute ihm in die Augen, weigerte sich aber, den Mund zu öffnen.

Cassians Augen funkelten. »Sag es.«

Sie weigerte sich.

»*Sag es, Nesta.*«

»Ich weiß nicht, wovon du redest.«

»Frag mich, warum ich nach der Wintersonnenwende für fast eine Woche verschwunden war. Warum ich plötzlich eine Inspektion durchführen musste, *direkt* nach den Feiertagen?«

Nesta schwieg weiter.

»Weil ich am nächsten Morgen aufgewacht bin und nichts anderes wollte, als dich eine Woche ohne Unterbrechung zu vögeln. Und ich wusste, was das bedeutet … was passiert war, obwohl du es nicht gewusst hast, und ich wollte dich nicht erschrecken. Du warst nicht bereit für die Wahrheit – noch nicht.«

Ihr Mund fühlte sich wie ausgetrocknet an.

»*Sag es*«, knurrte Cassian. Die anderen Spaziergänger machten jetzt einen weiten Bogen um sie. Einige drehten sogar auf dem Absatz um und gingen in die Richtung zurück, aus der sie gekommen waren.

»Nein.«

Sein Gesicht bebte vor Wut, aber seine Stimme klang inzwischen ruhig. »Sag es.«

Sie konnte einfach nicht. Hatte es vor seiner Aufforderung nicht gekonnt – und jetzt schon gar nicht. Sie würde ihn nicht die Oberhand gewinnen lassen.

»Sag, was ich vom ersten Moment an geahnt habe«, flüsterte er. »Was ich seit unserem ersten Kuss weiß. Was in der Nacht der Sonnenwende zwischen uns entstanden ist und nicht zerstört werden kann.«

Nein, auf keinen Fall.

»Ich bin dein *Seelengefährte*, verdammt noch mal!«, schrie Cassian so laut, dass es bestimmt noch am anderen Flussufer zu hören war. »Und du bist *meine* Seelengefährtin! Warum wehrst du dich noch immer dagegen?«

Sie ließ die Wahrheit, die endlich ausgesprochen war, über sich ergehen.

»Für immer – das hast du mir zur Sonnenwende versprochen«, sagte er mit brüchiger Stimme. »Warum regt dich ein einziges Wort so auf?«

»Weil mit diesem Wort der letzte Rest meines menschlichen Daseins verschwindet!« Es war ihr egal, wer sie sah und wer sie hörte. »Durch dieses eine dämliche Wort bin ich in keiner Hinsicht mehr menschlich. Ich bin eine von *euch*!«

Er blinzelte. »Ich dachte, du wolltest eine von uns sein.«

»Ich weiß nicht, was ich will. Ich hatte keine *Wahl*.«

»Und ich hatte keine Wahl, als ich an dich gefesselt wurde.«

Diese Erklärung traf sie wie ein Hammerschlag. *Gefesselt*.

Er sog zischend die Luft durch die Zähne ein. »Das war eine sehr schlechte Wortwahl.«

»Aber es ist die Wahrheit, oder?«

»Nein. Ich war wütend ... Es ist nicht wahr.«

»Wieso? Deine Freunde haben gesehen, was ich gewesen bin. Was ich noch immer bin. Die Seelenverbindung hat dich blind dafür gemacht. Wie oft haben sie dich vor mir gewarnt, Cassian?« Sie stieß ein kaltes Lachen aus.

Gefesselt.

Worte lockten, scharf wie Messer, und warteten nur darauf, dass sie sich eines griff und es ihm in die Brust stieß. Damit er so verletzt wurde, wie dieses eine Wort sie verletzte. Damit er blutete.

Aber wenn sie das tat, wenn sie auf ihn losging ... Sie konnte nicht, würde es sich nicht erlauben.

»Ich habe es nicht so gemeint ...«, wiederholte er flehend.

»Ich will meinen Gefallen einlösen«, entgegnete sie.

Er verstummte, runzelte die Stirn. Dann starrte er sie mit großen Augen an. »Was auch immer du ...«

»Lass mich allein. Flieg für die Nacht hinauf ins Haus der Winde. Sprich nicht mit mir, bis ich mit dir spreche oder bis eine Woche vergangen ist. Was auch immer zuerst eintritt. Mir egal.« Bis sie sich selbst so weit im Griff hatte, dass sie ihn nicht verletzte. Bis sie nicht mehr den alten Drang verspürte, zuzuschlagen und zu verletzen, bevor sie selbst verletzt werden konnte.

Cassian wankte auf sie zu, zuckte dann aber zusammen und krümmte sich. Als hätte die Tätowierung auf seinem Rücken, die ihren Handel besiegelte, ihm die Haut verbrannt.

»Geh weg«, befahl sie.

Er schluckte heftig, starrte sie weiter an. Kämpfte mit jedem Atemzug gegen die Macht dieses Handels.

Doch dann wirbelte er herum und schwang sich mit dröhnenden Flügelschlägen in den Himmel über dem Fluss.

Nesta blieb am Uferweg stehen, und als ihre Wirbelsäule kribbelte, wusste sie im nächsten Moment, dass ihre Tätowierung verschwunden war.

Emerie saß in ihrer Küche am Tisch, als Nesta an der Hintertür erschien. Mor hatte sie hergebracht, ohne Fragen zu stellen oder sie missbilligend zu mustern. Aber Nesta hätte es ohnehin nicht gekümmert. Sie war nur dankbar gewesen, dass Mor erschienen war, vermutlich von Cassian geschickt. Aber auch das kümmerte sie nicht.

Nesta machte zwei Schritte in Emeries Küche, bevor sie zusammensackte und in Tränen ausbrach. Sie registrierte kaum, was passierte. Nahm kaum wahr, dass Emerie ihr auf einen Stuhl half. Dass die Worte aus ihr hervorsprudelten, als sie erklärte, was Cassian und sie einander an den Kopf geworfen hatten ... was sie ihm angetan hatte.

Eine Stunde später klopfte es an der Tür, und Nestas Tränenstrom versiegte, als sie sah, wer dort stand.

Gwyn schlang die Arme um sie. »Ich hab gehört, dass du uns vielleicht brauchst.« Nesta war so verblüfft, die Priesterin zu sehen, dass sie ihre Umarmung erwiderte.

Mor, die einen Schritt hinter Gwyn stand, nickte ihr besorgt zu und verschwand dann.

Schließlich wandte Emerie sich an Gwyn: »Ich kann kaum glauben, dass du die Bibliothek verlassen hast.«

Gwyn strich Nesta über den Kopf. »Manche Dinge sind wichtiger als die Angst.« Sie räusperte sich. »Aber bitte erinnert mich nicht zu oft daran. Ich bin so nervös, dass ich mich wirklich jeden Moment übergeben könnte.«

Darüber musste selbst Nesta lächeln.

Ihre beiden Freundinnen kümmerten sich rührend um sie, saßen mit ihr am Küchentisch und tranken heißen Kakao – ein verspätetes Geschenk zur Sonnenwende von Nesta, das sie aus der Speisekammer des Hauses stibitzt hatte. Sie aßen ausgiebig zu Abend, sprachen über die Bücher, die sie gerade lasen, und redeten bis tief in die Nacht über alles und nichts.

Erst als Nestas Augen vor Müdigkeit brannten und ihr Körper schwer wie Blei war, gingen sie nach oben. Über dem Laden befanden sich drei Schlafzimmer, alle sehr sauber und schlicht, und Nesta streifte das Nachthemd über, das Emerie ihr ohne Zögern gab.

Sie würde morgen mit ihm reden. Jetzt würde sie schlafen, mit ihren Freundinnen um sie herum. Und morgen dann mit ihm reden, ihm alles erklären: warum sie sich gesträubt hatte, warum ihr dieser nächste Schritt ins Ungewisse Angst machte. Das Leben danach. Sie würde sich dafür entschuldigen, dass sie ihren Handel eingefordert und ihn fortgeschickt hatte. Und sie würde erst aufhören, ihn um Verzeihung zu bitten, wenn er wieder lächelte.

Vielleicht musste die Zukunft nicht unbedingt geplant werden – sie konnte einfach von einem Tag auf den anderen leben. Solange sie Cassian an ihrer Seite hatte und ihre Freundinnen bei ihr waren, würde sie es schaffen und sich dem Leben stellen. Sie würden sie nicht wieder in diese Grube fallen lassen. Cassian würde sie nie wieder fallen lassen.

Und falls sie doch fiel ... dann würde er oben auf sie warten. Mit ausgestreckter Hand. Sie verdiente es nicht, aber sie würde sich bemühen, seiner würdig zu sein.

Mit diesem Gedanken schlief Nesta ein und ein Gewicht löste sich von ihrer Brust.

Morgen würde sie Cassian alles sagen. Morgen würde ihr Leben beginnen.

Ein männlicher Geruch erfüllte ihr Zimmer. Aber nicht Cassians. Auch nicht der von Rhys oder Azriel.

Dieser Geruch war von Hass durchtränkt, und Nesta setzte sich ruckartig auf, als ein raues Lachen ertönte. Im nächsten Zimmer stieß Gwyn einen Schrei aus – und verstummte dann.

In der Dunkelheit konnte Nesta nichts sehen. Fieberhaft tastete sie nach der Kraft in ihrem Inneren, nach dem Messer neben dem Bett ...

Etwas Kaltes und Nasses wurde auf ihr Gesicht gepresst.

Es brannte in ihrer Nase, misshandelte ihren Geist.

Dunkelheit überkam sie, und dann versank sie auch schon darin.

~ 63 ~

Nesta hatte verlangt, dass er die Nacht im Haus der Winde verbrachte. Und dass er erst wieder mit ihr sprach, wenn sie mit ihm gesprochen hatte oder wenn eine Woche vergangen war. Anweisungen, die sich mit Leichtigkeit umgehen ließen. Er musste ihr zeigen, wie sie ihre Forderungen ein bisschen klüger formulieren konnte.

Cassian wartete bis zur Morgendämmerung und wandte sich dann an Rhys, um seinen Bruder zu bitten, ihn durch den geteilten Wind nach Windhaven zu bringen. Mor hatte ihm widerstrebend mitgeteilt, dass sie Nesta am Abend zuvor dorthin transportiert hatte. Er würde seinen Streit mit Nesta beenden, so oder so. Das Ganze hatte ihm nie Angst gemacht: weder die Seelenverbindung noch dass Nesta zu ihm gehörte. Er hatte es schon lange geahnt, noch bevor der Kessel sie verwandelt hatte.

Er fürchtete nur, sie könnte es ablehnen. Ihn dafür hassen. Sich dagegen sträuben. In der Nacht der Sonnenwende hatte er die Wahrheit in ihren Augen gesehen, als die Verbindung wie ein goldener Faden zwischen ihren Seelen geleuchtet hatte. Aber sie hatte noch immer gezögert. Und gestern war sein Temperament mit ihm durchgegangen, und ... er würde die zweite Runde einläuten, indem er sie dazu brachte, nur ein Wort zu ihm zu sagen, damit er sich den ganzen Rest von der Seele reden konnte.

Die Entschuldigung, die Erklärung, die er ihr noch schuldete – alles.

Beim Anklopfen an Emeries Hintertür witterte er sowohl Nestas Duft als auch den von Gwyn. Es berührte ihn über alle Maßen, dass Gwyn sich in die Welt außerhalb der Bibliothek gewagt hatte, um Nesta zu trösten. Auch wenn es ihn beschämte, dass er der Grund dafür war.

Doch plötzlich erstarrte Rhys an seiner Seite. »Sie sind nicht hier.«
Cassian wartete nicht, bis Rhys ihnen in den Laden verhalf, und brach Emeries Tür auf. Wenn jemand ihnen etwas angetan oder sie verschleppt hatte …

In dem gemütlichen Hinterzimmer war niemand. Aber … plötzlich nahm er den Geruch von *Männern* im Raum wahr, als wären sie direkt über den geteilten Wind eingedrungen.

Illyrianer besaßen keine derartige Magie. Bis auf eine Nacht im Jahr, wenn sie über eine uralte, wilde Kraft verfügten.

»Nein.« Cassian stürmte die Treppe hinauf, deren Stufen förmlich nach diesen Männern stanken, und nach dem Angstgeruch der Frauen.

Er fand Nestas Zimmer als Erstes. Sie hatte gekämpft. Das Bett war durch den Raum geschoben worden, der Nachttisch umgeworfen, und Blut – männliches Blut, dem Geruch nach – bildete eine Lache auf dem Boden. Aber vor allem nahm er den beißenden Geruch der Schlafsalbe wahr, stark genug, um ein Pferd zu betäuben.

Stille breitete sich in seinem Kopf aus. Emeries und Gwyns Zimmer boten den gleichen Anblick: Anzeichen eines Kampfes, aber keine Spur von den Frauen.

Angst stieg in ihm auf, so gewaltig, dass er kaum atmen konnte. Das hier war eine Botschaft – an die Frauen, weil sie sich für Kriegerinnen hielten, und an *ihn*, weil er sie trainierte und sich über die archaischen Hierarchien und Gesetze der Illyrianer hinwegsetzte.

Rhys trat neben ihn, sein Gesicht von derselben Angst gezeichnet. »Devlon hat gerade alles bestätigt. Das Blutritual hat um Mitternacht begonnen.«

Und Gwyn, Emerie und Nesta waren aus ihren Betten geraubt worden, um daran teilzunehmen.

Teil 4
Ἀταραχia

~ 64 ~

Jemand hatte ihr Sand in den Mund geschüttet. Und ihr mit einem Hammer auf den Kopf geschlagen.
Und hämmerte offenbar noch immer darauf herum.
Nesta löste mit Mühe die Zunge von ihren Zähnen und schluckte ein paarmal, um ihren Mund wieder zu befeuchten. Ihr Kopf dröhnte ... Gerüche drangen an ihre Nase. Männlich, unterschiedlich, so viele ...
Harter, kalter Boden befand sich unter ihren nackten Beinen, Kiefernnadeln bohrten sich durch das dünne Material ihres Nachthemds. Ein eisiger Wind, der bis ins Mark drang, trug all diese männlichen Gerüche über einen Strom aus Schnee und Kiefern und Dreck ...
Nesta riss die Augen auf. Ein breiter männlicher Rücken füllte ihr Sichtfeld aus, fast vollständig von Schwingen verdeckt. Gefesselte Schwingen.
Bilder der letzten Nacht prasselten auf sie ein: die Männer, die sie packten; ihre verzweifelten Versuche, sich zu wehren, bis man ihr etwas ins Gesicht drückte, das sie ohnmächtig werden ließ; die Schreie von Gwyn und Emerie ...
Nesta setzte sich ruckartig auf. Der Anblick war noch schlimmer, als sie erwartet hatte. Viel schlimmer.
Langsam und lautlos drehte sie sich um. Bewusstlose illyrianische Krieger lagen um sie herum. Hinter ihr, vor ihr, zu ihren nackten Füßen. Zwischen den hohen Kiefern. In allen Richtungen. Mindestens zweihundert.
Das Blutritual.
Sie musste vor den anderen aufgewacht sein, weil sie erschaffen war. Anders war.

Nesta wandte sich nach innen, suchte den Ort, wo die alte, schreckliche Kraft ruhte, und fand nichts. Als wäre die Quelle trockengelegt worden, als hätte sich das Meer zurückgezogen.

Die Zauber des Blutrituals banden alle andere Magie, machten Nestas Kräfte unbrauchbar.

Sie wusste, dass sie nicht nur wegen der Kälte zitterte. Und ihr blieb nicht viel Zeit. Schon bald würden sich die anderen regen. Und sie entdecken, nur mit einem Nachthemd bekleidet. Ohne Waffen.

Sie musste sich in Bewegung setzen. Musste Emerie und Gwyn in diesem endlosen Gewirr von Körpern suchen. Falls man sie nicht woanders ausgesetzt hatte.

Sie erinnerte sich, dass Cassian, Rhysand und Azriel an verschiedene Orte verfrachtet worden waren. Sie hatten Tage gebraucht, um sich inmitten der blutrünstigen Krieger und Bestien, die durch diese Gebiete streiften, tötend einen Weg zueinander zu bahnen. Aber irgendwie hatten sie es geschafft und den Ramiel erklommen, den heiligen Berg, und das Ritual als Sieger beendet. Sie dagegen würde von Glück sagen können, wenn es ihr gelang, diesen Ort hier hinter sich zu lassen.

Mit stockendem Atem rappelte Nesta sich auf. Ohne den Schutz der Körper um sie herum traf sie die Kälte wie ein Schlag und raubte ihr fast den Atem. Ihr Zittern nahm zu. Sie brauchte etwas Wärmeres zum Anziehen. Brauchte Schuhe. Musste sich eine Waffe fertigen.

Nesta spähte zu der fahlen Sonne hinauf, als könnte sie ihr sagen, in welche Richtung sie gehen musste, um ihre Freundinnen zu finden. Aber das Licht brannte ihr in den Augen und machte das Hämmern in ihrem Kopf noch schlimmer. Bäume – sie sollte auf die moosbewachsene Seite der Bäume achten, hatte Cassian gesagt. Denn das Moos deutete nach Norden.

Der nächste Baum war etwa sechs Meter und zehn Körper entfernt. Soweit sie erkennen konnte, wuchs kein Moos an seinem Stamm. Also musste sie auf höheres Terrain gelangen, um das Gelände überblicken und sehen zu können, wo der Ramiel aufragte und wo die anderen Plätze waren, an denen man die Teilnehmer ausgesetzt hatte.

Aber sie brauchte Kleidung, Waffen und Proviant, um Gwyn und Emerie zu finden, und ... bei den Göttern ... Nesta presste eine Hand gegen ihren Mund, um ihren zittrigen Atem zu dämpfen. Sie musste sich in Bewegung setzen.

Aber jemand anderes war ihr zuvorgekommen. Das Rascheln seiner Schwingen verriet ihn. Nesta wirbelte herum.

Etwa dreißig Meter entfernt, durch ein Meer schlafender Krieger von ihr getrennt, stand ein Riese von einem Mann. Sie kannte ihn nicht, aber sie erkannte diesen Glanz in seinen Augen. Die raubtierhafte Zielstrebigkeit und die grausame Belustigung. Und sie wusste, was es bedeutete, als sein Blick zu ihrem Nachthemd wanderte, zu ihren Brustwarzen, die sich wegen der schneidenden Kälte deutlich abzeichneten, zu ihren nackten Beinen.

Angst fraß sich wie Säure durch ihren ganzen Körper.

Von den Kriegern auf dem Boden regte sich niemand. Wenigstens etwas. Aber dieser Mann ... Er schaute nach links – nur für den Bruchteil einer Sekunde. Nesta folgte seinem Blick und ihr stockte der Atem. Im Stamm eines Baums steckte ein schwach schimmerndes Messer.

Das konnte nicht sein! Der Besitz einer Waffe verstieß gegen die Vorschriften des Blutrituals. Hatte der Mann gewusst, dass das Messer dort stecken würde? Oder hatte er es einfach nur vor ihr entdeckt? Es spielte keine Rolle. Wichtig war nur, dass das Messer existierte. Die einzige Waffe weit und breit.

Sie konnte fliehen. Sollte er sich doch auf das Messer stürzen, während sie in die entgegengesetzte Richtung davonlief und betete, dass er ihr nicht folgte.

Oder sie konnte selbst versuchen, an das Messer zu kommen. Schneller zu sein als er und dann ... sie hatte keine Ahnung, was sie danach tun würde. Aber sie stand in einem Meer von schlafenden Kriegern, die alle bald aufwachen würden, und wenn sie feststellten, dass sie keine Waffe hatte und wehrlos war ...

Nesta stürmte los.

Cassian bekam kaum noch Luft.

Er hatte inzwischen schon einige Minuten nicht atmen und sprechen können. Seine Familie war eingetroffen und jetzt standen alle mit ihm zusammen in dem verwüsteten Schlafzimmer in Emeries Haus. Sie redeten, Azriel mit einer gewissen Dringlichkeit in der Stimme. Aber Cassian hörte ihn nicht, hörte nichts außer dem Tosen in seinem Kopf, bevor er verkündete: »Ich werde sie suchen.«

Stille breitete sich aus, und als er sich umdrehte, starrten ihn alle mit blassen Gesichtern und großen Augen an.

Cassian tippte gegen die Trichtersteine auf seinen Handrücken, woraufhin die übrigen Trichtersteine an seinen Schultern, auf seinen Knien und seiner Brust erschienen. Er nickte Rhys zu. »Bring mich durch den Wind zu ihr. Az, du suchst Emerie und Gwyn.«

Rhys rührte sich nicht vom Fleck. »Du kennst das Gesetz, Cass.«

»Scheiß auf das Gesetz.«

»Welches Gesetz?«, fragte Feyre.

»Sag es ihr«, befahl Rhys ihm, und Nacht umwirbelte seine Schwingen. Cassian spürte, wie Zorn in ihm hochstieg. »*Sag es ihr, Cassian.*«

Das Arschloch hatte ihm gegenüber seine natürliche Dominanz ausgespielt. »Wer einen Krieger aus dem Blutritual heraushölt, wird gejagt und hingerichtet. Zusammen mit dem Krieger, der unehrenhaft aus dem Ritual entfernt wurde«, stieß er zwischen zusammengebissenen Zähnen hervor.

Feyre fuhr sich mit den Händen übers Gesicht. »Also müssen Nesta, Emerie und Gwyn weiter teilnehmen.«

»Selbst ich kann dieses Gesetz nicht umgehen«, sagte Rhys etwas sanfter. »So gern ich es auch tun würde«, fügte er hinzu und umfasste Cassians Schulter.

Cassian drehte sich der Magen um. Nesta und ihre Freundinnen – *seine* Freundinnen – waren gezwungen, am Ritual teilzunehmen. Und er konnte nichts tun, ohne sie alle zu verdammen. Seine Hände zitterten. »Und was jetzt? Sollen wir einfach eine Woche herumsitzen und warten?« Die Vorstellung war entsetzlich.

Feyre nahm seine zitternde Hand und drückte sie. »Hast du ... Cassian, hast du überhaupt zugehört, was wir eben bei unserer Ankunft gesagt haben?«

Nein. Er hatte so gut wie nichts gehört.

»Meine Spione haben herausgefunden, dass Eris von Briallyn geschnappt wurde«, sagte Azriel knapp. »Sie hat ihm seine restlichen Soldaten auf den Hals gehetzt, als er mit seinen Hunden auf der Jagd war. Die Soldaten haben ihn gepackt und wurden anschließend alle zusammen durch den geteilten Wind zu Briallyns Palast befördert. Vermutlich mithilfe von Koscheis Magie.«

»Das ist mir egal.« Cassian stürmte zur Tür. Selbst wenn ... Verdammt. War er es nicht gewesen, der Rhys aufgefordert hatte, diese Soldaten nicht zu verfolgen? Sie stattdessen in Ruhe zu lassen? Was war er nur für ein Idiot! Er hatte einen bewaffneten Feind außerhalb seines Gesichtsfelds belassen und nicht mehr daran gedacht. Aber wenn es nach ihm ging, konnte Eris verrotten.

»Wir müssen ihn befreien«, sagte Az.

Cassian hielt abrupt inne. »*Wir*?«

Rhys und Feyre postierten sich neben Azriel. Eine mächtige Mauer. »Wir können nicht weg«, sagte Feyre und deutete mit dem Kopf auf Rhys. Es bedurfte keiner Erklärung: Da es bis zur Geburt nur noch knapp zwei Monate waren, würde Feyre nichts riskieren. Aber Rhys ...

»Du kannst es in einer Stunde hin und zurück schaffen«, wandte Cassian sich herausfordernd an seinen High Lord.

»Ich kann nicht weg.« Mitternachtsstürme tobten in Rhys' Augen.

»Doch, du kannst«, entgegnete Cassian, und Wut stieg wie eine Flutwelle in ihm auf, die alles mitreißen würde, was sich ihr in den Weg stellte. »Du ...«

»Ich kann nicht.«

Schmerz – reiner, unverfälschter Schmerz erfüllte Rhys' Gesicht. Und Angst. Feyre verschränkte ihre tätowierten Finger mit seinen.

»Warum nicht?«, fragte Amren scharf.

Rhys starrte auf die Tätowierung auf Feyres Fingern. Sein Kehlkopf hüpfte auf und ab. Feyre antwortete für ihn: »Wir haben eine Abmachung getroffen. Nach dem Krieg. Dass wir ... diese Welt nur gemeinsam verlassen werden.«

Amren massierte sich die Schläfen und murmelte ein Gebet, sie möge die Nerven behalten.

»Ihr habt vereinbart, zusammen zu sterben?«, hakte Azriel nach.

»Narren«, zischte Amren. »Romantische, idealistische *Narren*.«

Rhys sah sie mit trostlosem Blick an.

Cassian konnte kaum atmen, während Az still wie eine Statue dastand.

»Wenn Rhys stirbt«, sagte Feyre mit belegter Stimme und angsterfüllten Augen, »dann sterbe ich auch.« Ihre Finger fuhren über ihren gewölbten Bauch. Das Baby würde ebenfalls sterben.

»Und wenn *du* stirbst, Feyre«, sagte Azriel sanft, »dann stirbt Rhys.«

Die Worte klangen hohl und kalt wie eine Totenglocke. Wenn Feyre die Wehen nicht überlebte ...

Cassians Knie drohten nachzugeben. Rhys' Gesicht wirkte fast verzerrt vor Schmerz. »Ich hätte nie gedacht, dass es so kommen würde«, sagte er leise.

Amren massierte erneut ihre Schläfen. »Wir können später über die Idiotie dieser Abmachung sprechen.« Feyre funkelte sie wütend an, doch Amren funkelte nur wütend zurück, bevor sie sich Cassian zuwandte. »Du und Azriel, ihr müsst Eris befreien.«

»Warum machst du das nicht?«

Feyre rieb sich den Nasenrücken. »Weil Amren keine ...«

»... keine Kräfte hat«, fauchte Amren. »Du kannst es ruhig sagen, Mädchen.«

Feyre zuckte zusammen. »Mor ist heute Morgen nach Vallahan geflogen und befindet sich außerhalb der Reichweite unserer Daemati-Magie. Az kann diese Aufgabe nicht allein übernehmen. Wir brauchen dich, Cassian.«

Cassian schwieg. Die anderen warteten einfach ab.

Nesta nahm am Blutritual teil, riskierte es, jeden Schrecken und alle Qualen zu erleiden, während er sich aufmachte, diesen verfluchten Eris zu retten ...»Lasst ihn sterben.«

»Das klingt zwar verlockend«, setzte Feyre an, »aber in Briallyns Gewalt stellt er eine große Gefahr für uns dar. Wenn er unter dem Einfluss der Krone steht, wird er alles verraten, was er weiß.« Sie sah Cassian an. »Was genau weiß er über uns?«

»Zu viel.« Cassian räusperte sich. Durch seinen Streit mit Eris, durch den Drang, ihn aufzustacheln, hatte er zu viel preisgegeben. »Eris hat sich Sorgen gemacht, was wir mit Nesta als Kraft des Hofs der Nacht und mit allen drei Objekten der Schreckenstruhe anfangen würden. Er glaubte, der Hof der Nacht könnte versuchen, nach der Macht zu greifen.«

»Vielleicht ist er durch den erschaffenen Dolch, den wir ihm geschenkt haben, gegen die Macht der Krone immun«, sagte Feyre hoffnungsvoll. »Wenn er ihn bei sich trägt und die Soldaten ihn nicht entwaffnet haben, schützt er ihn vielleicht gegen ein anderes erschaffenes Objekt.«

»Aber das wissen wir nicht mit Sicherheit«, entgegnete Rhys. »Und selbst wenn, dann hat Briallyn ihn noch immer in ihren Fängen. Sie könnte die Präsenz des Dolches spüren – und er könnte auf sie reagieren.«

»Außerdem gibt es zahlreiche andere Methoden, ihn zum Reden zu bringen«, fügte Az düster hinzu.

»Ihr müsst jetzt aufbrechen«, drängte Amren und wandte sich dann Feyre und Rhys zu. »Und wir drei kehren nach Velaris zurück und unterhalten uns mal ausführlich über eure Abmachung.«

Cassian interessierte sich nicht für Feyres und Rhys' Mienen, sondern schaute aus dem kleinen Fenster und auf die Wildnis dahinter, so als könnte er Nesta dort sehen. Er rief seine Rüstung herbei und die ledernen Panzerplättchen legten sich mit beruhigender Vertrautheit um seinen Körper. »Ich habe Nesta gut ausgebildet. Sie alle«, sagte er und musste schlucken. Als auch Az seine Trichtersteine antippte und seine eigene Rüstung hervorholte, fügte er hinzu: »Wenn irgendwer das Blutritual überleben kann, dann die drei.«

Falls sie zueinanderfanden.

Nesta sprintete mit aller Kraft auf den Baum mit dem Messer zu und der Mann stürmte nur einen Herzschlag später los.

Er stolperte über die Körper, aber Nesta zog ihre Knie hoch. Genau wie bei den zahlreichen Übungen, die sie mit der Strickleiter am Boden gemacht hatten – als wären diese Körper die Sprossen, die es zu meiden galt. Ihr motorisches Gedächtnis setzte ein und sie blickte kaum auf das Wirrwarr aus Gliedmaßen, als sie auf den Baum zusteuerte. Aber auch der Mann hatte jetzt seinen Rhythmus gefunden und kam rasch näher.

Irgendwer musste die Waffe dort platziert haben, entweder letzte Nacht im Schutz der Dunkelheit oder bereits vor einigen Wochen. Das Blutritual war auch ohne echte Waffen schon grausam genug – es gab nur die Waffen, die die Teilnehmer selbst anfertigten –, aber mit richtigem Stahl im Spiel …

Der Mann war gut fünfzehn Zentimeter größer und etwa fünfzig Kilo schwerer als sie. Im Nahkampf wäre er ihr haushoch überlegen. Aber wenn sie dieses Messer in ihren Besitz bringen konnte … Nesta ließ die Körper auf dem Boden hinter sich und rannte mit fliegenden Beinen und ausgestreckten Händen auf den Baumstamm zu. Sie berührte das Heft des Messers …

Der Mann krachte mit der ganzen Kraft eines ausgewachsenen illyrianischen Kriegers in sie hinein. Die Wucht des Aufpralls raubte ihr den Atem, während er sie mit sich zu Boden riss und dann über den Hügelkamm jenseits des Baums.

Sie überschlugen sich und stürzten auf das Flussbett dreißig Meter weiter unten am Fuß des Hügels zu. Steine und Büsche knirschten und schrammten vorbei, Schwingen schnappten über und unter ihr, ihre Haare peitschen ihr ins Gesicht, ihre Hände schlugen um sich …

Nesta krachte so heftig in das Flussbett, dass ihre Wirbelsäule ächzte. Der Mann landete auf ihr und presste sämtliche Luft aus ihren Lungen. Seine Schwingen zuckten, aber er bewegte sich nicht.

Nesta schlug die Lider auf und blickte in seine starren Augen. Ihre Hand umklammerte den Dolch, den sie ihm in den Hals gerammt hatte und von dem warmes Blut herabtropfte.

Ächzend schob Nesta ihn von sich, ließ aber die Klinge in seinem Hals, den sie ganz durchbohrt hatte. Sie spuckte Blut auf die trockenen Steine. Ihr Nachthemd war mit Blut und Dreck beschmiert, ihre Haut war aufgeschürft und brannte. Aber sie lebte noch. Und der Mann nicht mehr.

Nesta atmete langsam durch die Nase ein und zählte dabei bis sechs, hielt den Atem an und atmete erst dann wieder aus. Sie wiederholte die Übung zweimal. Begutachtete den Zustand ihres Körpers, von ihrem hämmernden Kopf bis zu den zerschrammten Füßen. Atmete wieder ein.

Als sie ihren Geist ein wenig beruhigt hatte, zog sie den Dolch aus dem Hals des Illyrianers. Dann schälte sie ihn Stück für Stück aus seiner Kleidung und zog ihm die Stiefel aus. Mit kalter Effizienz riss sie sich das blutige Nachthemd herunter, streifte die Sachen über und ließ ihr Nachthemd wie ein Leichentuch auf das Gesicht des Mannes fallen. Sie schnallte den Gürtel so eng wie möglich und steckte das Messer hinein. Trotzdem hing die Kleidung an ihr herab, und auch die zu großen Stiefel konnten zu einer Belastung werden – doch alles war besser als das Nachthemd.

Und dann machte sie sich auf die Suche nach ihren Freundinnen.

65

Nesta kletterte die andere Seite des Tals hinauf und stellte fest, dass in dem vor ihr liegenden Gebiet keine Krieger waren. Hinter ihr, jenseits der kleinen Schlucht, lagen die anderen noch immer bewusstlos auf dem Boden. Emerie und Gwyn waren nicht darunter, aber sie hatte auch keinen Hinweis darauf, wo sie sein könnten.

Eines Nachts, als Cassian und sie verschwitzt und erschöpft im Bett lagen, hatte er ihr von den Plätzen erzählt, an denen die Krieger für das Blutritual ausgesetzt wurden – einer im Norden, einer im Westen, einer im Süden. Dort mussten ihre Freundinnen sein, entweder zusammen an einem Ort oder auf zwei verteilt. Sie würden außer sich sein vor Angst, wenn sie aufwachten.

Gwyn ...

Nesta schob den Gedanken fort, während sie durch den Kiefernwald lief und den Abstand zwischen sich und den schlafenden Kriegern vergrößerte, bis sie einen besonders hohen Baum fand. Sie kletterte hinauf, die Finger schon bald mit Harz verklebt, und als sie die Krone erreichte ...

Der Ramiel hätte genauso gut auf der anderen Seite eines Ozeans liegen können. Er ragte in der Ferne auf, dazwischen zwei weitere Berge und ein Meer aus Wald und ... nur die Götter wussten, was sich sonst noch zwischen ihr und seinen kargen Hängen befand. Er sah genauso aus wie auf Feyres Gemälde. Nesta spähte zur Sonne hinauf und dann auf den Baumstamm unter sich, suchte nach Moos. Da – direkt unter ihrem linken Fuß.

Der Ramiel lag im Osten. Also hatte man sie im Westen ausgesetzt, und die anderen ... Sie musste sich zwischen Norden und Süden entscheiden. Oder sollte sie besser den heiligen Berg ansteuern und hoffen, Gwyn und Emerie unterwegs zu finden?

Nesta durchforstete ihr Gedächtnis nach irgendeinem Hinweis, den Cassian ihr vielleicht nebenbei gegeben hatte. Cassian … Vielleicht war er bereits unterwegs, um sie zu retten.

Doch diese Hoffnung zerplatzte schnell. Cassian konnte sie nicht retten. Er hatte ihr selbst von dem Gesetz erzählt, das es verbot. Man würde ihn hinrichten, zusammen mit ihr, und nicht einmal Rhysand und Feyre könnten das verhindern. Cassian würde nicht kommen, niemand würde kommen, um Emerie, Gwyn und sie zu retten.

Nesta bewegte ihre Finger ein wenig, nachdem sie so lange still dagesessen hatte. Sie fluchte leise, als sie das Blut sah, das von den kleinen Schnittwunden in ihren Händen tropfte. Die hätten eigentlich längst verheilt sein sollen. Aber die Magie, die während des Rituals wirkte, band offenbar auch sämtliche Heilkräfte im Blut eines Fae, also auch ihre eigenen. Jede Verletzung konnte tödlich sein. Würde nur in menschlichem, sterblichem Tempo heilen.

Nesta erlaubte es sich, noch ein paarmal langsam und beruhigend ein- und auszuatmen. Sie konnte es schaffen. *Würde* es schaffen.

Sie würde ihre Freundinnen retten. Und sich selbst.

In der Ferne hinter ihr ertönten Rufe. Die anderen wachten auf. Fluchend kletterte Nesta am Stamm hinab, so schnell, dass Rinde und Kiefernnadeln an ihren harzbeschmierten Händen kleben blieben. Sie musste sich für eine Richtung entscheiden und sofort losrennen.

Jetzt mischten sich Schreie unter die Rufe.

Sie hielt inne, warf einen Blick über die Schulter, um sicherzugehen, dass niemand sie verfolgte. Und dabei fing sie einen Lichtblitz von dem geknüpften Armband an ihrem linken Handgelenk auf. Von dem kleinen, silbernen Glücksbringer, der in der Sonne glitzerte.

Nein, nicht glitzerte – er *glühte* förmlich.

Nesta fuhr mit der Fingerspitze über die Münze. Sie summte an ihrer Haut. Furcht durchströmte sie – ein Kribbeln im Nacken, als würde ihr eine leise Stimme zuflüstern: *Beeil dich.* Sie drehte sich zur Sonne, um besser sehen zu können, doch das Glühen des Glücksbringers erlosch. Erst als sie sich nach Norden wandte, begann er sofort wieder zu leuchten.

Mit hochgezogenen Augenbrauen streckte sie den Arm nach Osten aus: nichts. Nach Süden: nur ein schwacher Schimmer. Nicht dieses Gefühl von Dringlichkeit und nackter Panik. Aber Richtung Norden … Die Münze leuchtete wieder hell auf und ein weiteres Mal wurde Nesta von dieser Furcht erfüllt.

Sie sog die Luft ein und erinnerte sich an jenen Abend im Haus der Winde, als sie die Armbänder geknüpft hatten. Erinnerte sich an ihren Wunsch für sie alle: *Ich wünsche uns, dass wir den Mut haben, hinaus in die Welt zu gehen, wenn wir dazu bereit sind. Aber dass wir immer wieder den Weg zueinanderfinden. Ganz gleich, was auch passiert.*

Sie hatte die Glücksbringer erschaffen. Als Wegweiser. Und welche ihrer Freundinnen auch immer sich im Süden befand, sie schwebte nicht in so großer Gefahr wie die im Norden.

Das Gelände in diese Richtung stieg an. Immerhin ein kleiner Vorteil, denn die anderen Krieger würden bestimmt den schnellsten und einfachsten Weg zum Ramiel wählen und nicht eine Route, die bergauf führte.

Aber wie konnte es sein, dass die Glücksbringer hier funktionierten? Das Ritual unterband sämtliche Magie, sowohl die der Träger als auch die Magie von Objekten. Es sei denn, die rund um das Blutritual wirkende Kraft hatte keinen Einfluss auf erschaffene Dinge, überlegte sie. Fae-Zauber mussten mit Bedacht formuliert werden – wer auch immer diesen Zauber für die Illyrianer gewirkt hatte, hatte vielleicht nie die Möglichkeit in Betracht gezogen, dass beim Blutritual ein erschaffenes Objekt auftauchen könnte.

Ihre eigene Kraft schlummerte. Nesta spürte in sich hinein und suchte danach, stieß aber auf völlige Leere. Ihr stockte der Atem. Sie war selbst ein erschaffenes Objekt – aber auch eine Person. Die Magie erkannte sie als *Person*, nicht als Objekt. Ihr war gar nicht bewusst gewesen, wie wichtig es war, dass sie diesen Unterschied begriff. Sie atmete den Duft der Kiefern und das ferne Versprechen von Schnee ein. *Lebendig*. Selbst in dieser Höllenlandschaft war sie lebendig.

Und sie würde dafür sorgen, dass ihre Freundinnen ebenfalls überlebten.

Nesta atmete langsam aus, kontrollierte ihren Atem, senkte den Arm und kletterte weiter hinunter. Als ihre zu großen Stiefel auf dem Boden auftrafen, rutschten ihre Zehen darin hin und her. Doch als sie sich aufrichtete und das Messer in ihrem Gürtel überprüfte, sprintete sie bereits nach Norden.

Nachdem sie zehn Minuten in diesen höllisch rutschigen Stiefeln bergauf gerannt war, noch immer geleitet von ihrem leuchtenden Glücksbringer, erkannte sie, dass sie Wasser brauchte. Und Proviant. Und einen Unterschlupf, bevor die Sonne unterging. Und dass sie die Entscheidung treffen musste, ob sie ein Feuer machen oder es lieber riskieren sollte, zu erfrieren, nur damit man sie nicht entdeckte.

Die Kleidung, die sie dem Mann genommen hatte, war nicht dick genug, um darin die Nacht zu überstehen. Und dem grauen Himmel nach würden Regen oder Schnee nicht mehr lange auf sich warten lassen. Aber ihr waren keine Krieger auf den Fersen. Zumindest etwas. Es sei denn, sie bewegten sich so lautlos wie Cassian und Azriel, schoss es ihr durch den Kopf. Ein Gedanke, der dazu führte, dass sie ihre hektischen Schritte kontrollierte, leiser auftrat und das Armband mit dem leuchtenden Glücksbringer unter dem Ärmel ihrer Jacke verbarg.

Sie versuchte, so wenige Spuren wie möglich zu hinterlassen, als sie einen besonders steilen Hügel erklomm und dann das dahinterliegende Gelände sondierte.

Weitere Bäume und Felsen und ...

Nesta warf sich auf den Boden, als ein Pfeil an ihr vorbeizischte. Ein verdammter *Pfeil* ...

Also war das Messer kein Zufall gewesen. Jemand hatte Waffen auf dem Gelände des Blutrituals deponiert. Nesta schaute sich um, wo der Pfeil gelandet war. Dort – er steckte im unteren Bereich eines Baumstamms.

Sie rutschte ein Stück den Hang hinunter, bis sie den Baum erreichte, zog den Pfeil heraus und schob ihn in ihren Gürtel. Dann kletterte sie wieder nach oben und duckte sich, als sie erneut über die Kuppe spähte ...

... und direkt auf eine messerscharfe Pfeilspitze.

»Steh auf«, knurrte der Krieger.

Mit jeder Runde, die Cassian um den Palast flog, den die Königinnen einst gemeinsam bewohnt hatten, verfluchte er Eris, weil er so dumm gewesen war, sich schnappen zu lassen. Dieser Palast war vermutlich jetzt Briallyns Festung. Das hügelige, offene Land war noch immer stellenweise mit Schnee bedeckt, obwohl bereits die ersten Knospen und Triebe des Frühlings hervorschauten. In dieser Flughöhe fiel ihm das Atmen schwer, und für die Menschen am Boden sah er wahrscheinlich nur wie ein sehr großer Vogel aus. Aber dank seiner Fae-Augen konnte er deutlich erkennen, was dort unten vor sich ging.

Allerdings entdeckte er nicht die geringste Spur von Eris. Kein rotes Haar, keine züngelnden Flammen, kein einziger seiner Soldaten. Azriel, der in der entgegengesetzten Richtung kreiste, signalisierte, dass er ebenfalls nichts entdeckt hatte.

Es war anstrengend, die Konzentration zu bewahren, sich in der Luft zu halten und wie ein Geier zu kreisen, während sein Geist ständig nach Nordwesten driftete. Zu den illyrianischen Bergen und dem Blutritual und Nesta. Hatte sie die erste Welle überlebt? Die Krieger mussten inzwischen aufgewacht sein.

Verdammter Eris. Wie hatte er nur so leichtsinnig sein können, diese Soldaten so nahe an sich heranzulassen?

Erneut suchte Cassian das Terrain unter sich ab und hatte Mühe, in der dünnen Luft gleichmäßig zu atmen. Er würde Eris bald finden. Ihm in den Hintern treten. Doch was dann? Er konnte nichts tun, um

Nesta zu helfen. Nur sich dem Geschehen des Rituals nähern. Sollte das Schlimmste passieren …

Er verdrängte den Gedanken. Nesta würde überleben. Genau wie Gwyn und Emerie.

Etwas anderes würde er nicht zulassen.

66

Der illyrianische Krieger war kleiner als der, den Nesta getötet hatte, aber dieser hier hatte Pfeil und Bogen in seine Finger bekommen.

»Gib mir deine Waffen«, befahl er. Seine Augen zuckten über ihr Gesicht, das genau wie ihr Hals mit verkrustetem Blut bedeckt war.

Nesta bewegte sich nicht. Senkte nicht einmal das Kinn.

»Gib mir deine *verdammten* Waffen«, wiederholte der Mann in scharfem Ton.

»Aus welcher Richtung bist du gekommen?«, fragte sie fordernd, als würde er nicht mit einem Pfeil auf ihr Gesicht zielen. Und bevor er antworten konnte, hakte sie nach: »War dort noch eine Frau?«

Der Krieger blinzelte – die einzige Bestätigung, die Nesta brauchte –, während sie den Pfeil aushändigte. Und millimeterweise die Finger Richtung Dolch schob. »Hast du sie getötet?« Ihre Stimme klang selbst in ihren eigenen Ohren wie pures Eis.

»Die verkrüppelte Schlampe? Die habe ich den anderen überlassen.« Er grinste. »Du bist sowieso die bessere Beute.«

Emerie. Sie konnte nicht weit entfernt sein, wenn dieser Mann sie gesehen hatte. Nesta zog den Dolch aus dem Gürtel.

Der Mann hielt den Pfeil auf sie gerichtet. »Lass das Ding fallen und geh zehn Schritte zurück.«

Emerie lebte. Sie war in der Nähe. Und in Gefahr. Dieser Dreckskerl würde Nesta nicht davon abhalten, sie zu retten.

Nesta neigte den Kopf und ließ die Schultern hängen, um den Mann in dem Glauben zu wiegen, sie würde aufgeben. Und tatsächlich: Er lächelte.

Er hatte nicht die geringste Chance.

Nesta senkte das Messer. Drehte das Handgelenk und spreizte die Finger, als sie es in Richtung des Mannes warf. Direkt in seine Genitalien.

Er schrie auf, und sie sprang vorwärts, als sich seine Finger um den Bogen lockerten. Krachend rammte sie ihn mit der Schulter, wobei die Bogensehne so heftig in ihr Gesicht schnellte, dass ihr Tränen in die Augen schossen. Aber sie stürzten gemeinsam zu Boden und er schrie erneut auf ...

Niemand würde sich zwischen ihre Freundinnen und sie stellen.

Ihr Geist wanderte an einen kalten, ruhigen Ort. Sie packte den Bogen, schleuderte ihn weg, und als der Mann sich auf dem Boden windend versuchte, das Messer herauszuziehen, stürzte sie sich auf ihn und rammte es noch tiefer hinein. Sein Schrei schreckte zahlreiche Vögel in den Kiefern auf.

Nesta drehte die Klinge heraus und ließ den Mann liegen. Sie nahm die beiden Pfeile, kümmerte sich aber nicht um den Köcher, auf dem er lag. Dann schnappte sie sich den illyrianischen Bogen, steckte ihren Dolch ein und sprintete in die Richtung, aus der er gekommen war.

Sein Heulen folgte ihr noch meilenweit.

Der Fluss war schon lange zu hören, bevor Nesta ihn erreichte. Genau wie die Krieger am nahen Ufer, die zögerlich miteinander sprachen – einander taxierten, vermutete sie –, während sie offenbar ihre Feldflaschen füllten. Als hätte auch die jemand hier bewusst zurückgelassen.

Keine Spur von Emerie.

Nesta hielt sich windabwärts hinter einem Baum und lauschte.

Die Männer tauschten kein Wort über Emerie oder eine andere Frau. Verhandelten nur angespannt über die Bündnisse, die sie schlossen, und darüber, wie sie den Ramiel erreichen wollten und wer die Waffen und Feldflaschen für sie deponiert hatte ...

Nesta wollte gerade nach einer Stelle zum Überqueren des Flusses suchen – weit abseits der Männer –, als sie hörte: »Schade, dass diese

Schlampe entkommen ist. Sie hätte in den kalten Nächten für gute Unterhaltung gesorgt.«

Alles in Nestas Körper erstarrte. Emerie hatte es bis zu diesem Fluss geschafft. Lebendig.

Ein anderer Krieger trank von dem rauschenden Wasser und erwiderte dann: »Sie ist wahrscheinlich den halben Berg hinuntergeschwemmt worden. Wenn die Stromschnellen sie nicht umbringen, werden die Bestien sie vor dem Morgengrauen holen.«

Emerie musste in den Fluss gesprungen sein, um diesen Männern zu entkommen.

Nesta fuhr mit den Fingern über den Bogen, der über ihrer Schulter hing. Die Pfeile steckten schwer wie Gewichte in ihrem Gürtel. Sie sollte die Kerle umbringen. Diese beiden Pfeile in zweien von ihnen versenken und sie dafür töten, dass sie ihre Freundin verletzt hatten ...

Aber wenn Emerie noch lebte ...

Nesta stieß sich vom Baum ab. Schlüpfte hinter den nächsten. Und den nächsten. Folgte dem Fluss, ihre Schritte kaum lauter als das Wispern des Wassers auf den Steinen. Durch die Kiefern, den Hügel hinab. Die Stromschnellen nahmen zu und die Felsen ragten wie schwarze Speere empor. Vor ihr toste ein Wasserfall. Wenn Emerie da hinuntergespült worden war ...

Die Stromschnellen stürzten über den Rand und dreißig Meter in die Tiefe. Das konnte niemand überleben.

Nestas Kehle fühlte sich wie ausgetrocknet an.

Und war plötzlich staubtrocken, als sie sah, was auf der anderen Seite des Flusses an einem umgestürzten Baum lag, der aus dem felsigen Ufer direkt vor dem Wasserfall herausragte.

Emerie.

Nesta stürmte ans Ufer, zog ihren Fuß aber hastig aus dem eisigen Zugriff des Wassers zurück. Emerie schien bewusstlos zu sein, und Nesta wagte es nicht, ihren Namen zu rufen. Ein Blick zum Himmel verriet ihr, dass es etwa drei Uhr sein musste, aber die Sonne spendete keine Wärme, keine Erleichterung.

Wie lange mochte Emerie schon in dem eiskalten Wasser liegen?
»Denk nach«, murmelte Nesta. »Denk nach, denk nach.«
Jede Minute im Wasser brachte Emerie dem Tod näher. Sie war zu weit weg, als dass Nesta irgendwelche Verletzungen erkennen konnte, regte sich aber nicht. Nur ihre zuckenden Schwingen deuteten darauf hin, dass sie noch lebte.

Nesta schälte sich aus ihrer Kleidung. Wünschte, sie hätte ihr Nachthemd mitgenommen, um sich das Messer und die beiden Pfeile an den Oberschenkel zu binden, statt sie am Ufer liegen zu lassen. Aber ihr blieb keine andere Wahl. Den illyrianischen Bogen schnallte sie sich allerdings über die Brust. Die Sehne grub sich in ihre Haut.

Inzwischen vollkommen nackt, taxierte Nesta die Entfernung zwischen dem Wasserfall, den Stromschnellen, den Felsbrocken und Emerie.

»Von Fels zu Fels«, sagte sie sich und wappnete sich gegen die Kälte.

Dann sprang sie ins Wasser.

Sie prustete keuchend angesichts des eisigen Schocks, und ihre Hände zitterten so heftig, dass sie fürchtete, den Halt an den glitschigen Steinen zu verlieren und über den Rand des Wasserfalls gespült zu werden. Aber sie bewegte sich weiter, steuerte auf Emerie zu. Kam immer näher und schwamm schließlich das Stück zwischen dem letzten Felsbrocken und dem Ufer, wo Emerie über dem halb im Wasser versenkten Baumstamm hing.

Zitternd und mit klappernden Zähnen zog sie Emerie aus den Ästen heraus und dann weiter hinauf ans Ufer, wo sie sich über sie beugte.

Emeries Gesicht war zerschunden und über ihren Arm floss Blut aus einer Schnittwunde am Bizeps. Aber sie atmete.

Nesta unterdrückte ein erleichtertes Schluchzen und schüttelte ihre Freundin sanft. »Emerie, wach auf.«

Doch Emerie stöhnte nur leise vor Schmerz. Nesta untersuchte ihr dunkles Haar und hatte dann Blut an den Fingern.

Sie musste Emerie ans andere Ufer bringen. Einen Unterschlupf finden, Feuer machen und sie wärmen. Der Bogen, den sie bei sich trug, reichte nicht, um sie beide zu beschützen. Nicht annähernd.

»Also gut, Emerie.« Nestas Zähne klapperten so heftig, dass ihr Gesicht schmerzte. »Tut mir leid.«

Sie packte das Nachthemd ihrer Freundin, riss es auf und entblößte Emeries dünnen, durchtrainierten Körper vor den Elementen. Dann zog sie es ihr aus, drehte es zu einem langen Seil und legte den Bogen ab.

»Was jetzt kommt, wird dir nicht gefallen«, stieß Nesta zwischen klappernden Zähnen hervor und schleppte Emerie wieder ins Wasser. »Und mir auch nicht«, murmelte sie, während das eiskalte Wasser in ihre fast tauben Füße schnitt.

Kalt wie der Kessel. Kalt wie …

Nesta ließ den Gedanken vorbeiziehen wie eine Wolke. Konzentrierte sich.

Es gelang ihr, mit Emerie bis zur Taille ins Wasser zu gehen, wo sie sie festhielt – so fest, wie ihre zitternden Hände erlaubten. Dann hievte sie sich ihre Freundin auf den Rücken und spannte den illyrianischen Bogen um sie beide, ließ die fast unzerreißbare Sehne in ihre eigene Brust schneiden, sodass das Holz an Emeries Wirbelsäule anlag und sie beide zusammenhielt.

»Besser als nichts.« Sie legte Emeries schlaffe Arme um ihre Schultern, nahm dann das Nachthemd und band es um ihre Handgelenke. »Halt dich fest«, mahnte sie, obwohl Emerie ein regloses Gewicht auf ihrem Rücken blieb.

Von Fels zu Fels. Genau wie vorhin. Von Fels zu Fels und zurück zum anderen Ufer.

Von Fels zu Fels. Schritt für Schritt.

Sie hatte die zehntausend Stufen im Haus der Winde überwunden, im Laufe der Monate sogar noch viel mehr. Sie konnte auch das hier schaffen.

Nesta ging tiefer ins Wasser hinein, unterdrückte einen Aufschrei angesichts der Kälte.

Emerie trieb hin und her und schlug gegen sie, wobei sich die Sehne des illyrianischen Bogens derart tief in Nestas Brust drückte, dass sie ihr die Haut aufschnitt. Aber die Konstruktion hielt.

Schritt für Schritt.

Als Nesta zitternd und fast schluchzend das andere Ufer erreichte, hatte die Bogensehne eine blutende Wunde verursacht. Aber sie waren an Land und ihre Kleidung und Waffen waren hier und … und jetzt brauchten sie Wärme und Schutz.

Nesta legte Emerie auf die Kiefernnadeln, deckte sie mit den zurückgelassenen trockenen Sachen zu und sammelte dann so viele Stöcke, wie sie tragen konnte. Nackt und am ganzen Leib zitternd konnte sie das Holz kaum auf den Armen halten, bevor sie es neben Emerie aufstapelte. Mit ihren eiskalten, steifen Fingern hatte sie Mühe, zwei Stöcke lange genug aneinanderzureiben, um einen Funken zu erzeugen, aber dann … Feuer. Sie suchte das Ufer nach größeren Holzstücken ab und betete, dass diese vom Sprühregen der Stromschnellen nicht zu nass waren, um zu brennen.

Als das Feuer schließlich gleichmäßig prasselte, glitt Nesta unter ihren Kleiderstapel neben Emerie, schlang die Arme um ihre Freundin und drückte sie fest an sich. Sie waren beide völlig durchgefroren, aber das Feuer spendete Wärme, und unter der großen Kleidung des Mannes wich die Kälte allmählich aus ihren Knochen.

Aber sie waren hier völlig schutzlos. Wenn jemand vorbeikam, würde das ihren Tod bedeuten.

Nesta hielt Emerie und nahm wahr, wie sich ihr Körper nach und nach erwärmte. Wie sich ihr Atem beruhigte. Wie ihre Zähne nicht länger klapperten.

Schon bald würde die Nacht anbrechen. Und was dann aus der Dunkelheit auftauchte …

Nesta erinnerte sich an Cassians Geschichten von den Monstern, die durch diese Wälder streiften. Sie schluckte und schlang die Arme noch fester um Emerie. Als ihr Blick auf das Armband fiel, sah sie, dass der Glücksbringer noch immer schwach leuchtete, aber jetzt nach Süden wies. Ein Hoffnungsschimmer, eine Richtung. Was war

Gwyn zugestoßen? Durchlebte sie erneut ihre schlimmsten Albträume? War sie ...

Nesta konzentrierte sich auf ihre Atmung. Beruhigte ihren Geist. Sie würde die Nacht überleben. Emerie helfen. Und dann Gwyn suchen.

In der Umgebung eines Flusses existierten häufig vom Wasser ausgespülte Höhlensysteme – das hatte sie bei ihrer Wanderung mit Cassian gelernt. Aber um eine solche Höhle zu finden, müsste sie Emerie allein lassen ...

Nesta spähte in Richtung der untergehenden Sonne und schlüpfte dann unter dem Kleiderhaufen hervor. Sie deckte Emerie mit Blättern und Zweigen zu, legte noch ein Stück Holz auf das Feuer und streifte die Jacke des Mannes über. Dann stieg sie in die Stiefel, obwohl ihre wunden Füße protestierten, und umrundete vorsichtig den Lagerplatz, lauschte auf jedes Geräusch. Sondierte jeden Fels und jede Felsspalte.

Nichts.

Der Himmel wurde allmählich dunkel. Es musste hier irgendwo Höhlen geben. *Verdammt*, wo waren sie? Wo ...

»Der Eingang ist hier.«

Nesta wirbelte herum und zog den Dolch aus dem Gürtel. Etwa drei Meter von ihr entfernt stand ein Illyrianer. Wie hatte er sich angeschlichen? Wie hatte er mit der klaffenden Wunde in seinem Gesicht überlebt?

Er registrierte ihre Wunden, ihren nackten Körper unter der Jacke, ihre nackten Beine und die Stiefel. Den Dolch. Aber in seinen braunen Augen stand weder Lust noch Hass.

Vorsichtig deutete er auf das, was sie irrtümlich für einen mit Blättern bedeckten Felsblock gehalten hatte. »Das ist eine Höhle. Groß genug, um aufrecht hineinzugehen.«

Nesta richtete sich zu ihrer ganzen Größe auf. Ließ ihn die kalte Gewalt in ihren Augen sehen.

»Du wirst nach Anbruch der Nacht hier unten keine Stunde überleben«, sagte der Mann, mit einem neutralen Ausdruck auf dem charmanten, jungenhaften Gesicht. »Und weil du noch nicht Schutz auf einem Baum gesucht hast, vermute ich, dass du jemanden bei dir hast, der verletzt ist.«

Sie ließ sich nichts anmerken.

Er hob die Hände. Keine Waffen, kein Blut an ihm, bis auf die klaffende Wunde in seinem Gesicht. »Ich hab mich von Westen her durchgeschlagen.« Genau wie sie selbst. »Und Novius' Leiche in der Schlucht gesehen – das warst du, stimmt's? Er war nackt. Du trägst Männerkleidung. Und das da muss der Dolch sein, der seine Kehle durchbohrt hat. Weißt du, wer hier Waffen deponiert hat?«

Nesta schwieg weiter. Um sie herum wurde es immer dunkler.

Der Mann zuckte die Schultern, als sie nicht antwortete. »Ich hab beschlossen, nach Norden zu gehen, um den Ramiel so hoffentlich auf einem weniger stark benutzten Weg zu erreichen und Konflikte mit den anderen möglichst zu vermeiden. Mit dir hab ich kein Problem. Aber ich werde jetzt in diese Höhle hineingehen, und wenn du schlau bist, holst du die verletzte Person, und ihr kommt ebenfalls rein.«

»Damit du meine Waffen stiehlst und mich im Schlaf tötest?«

Die braunen Augen des Mannes flackerten. »Ich weiß, wer du bist. Und ich bin nicht so dumm, dir etwas anzutun.«

»Wir befinden uns im Blutritual. Man würde dir vergeben.«

»Feyre Fluchbrecher wird mir nicht vergeben, wenn ich ihre Schwester töte.«

»Dann hoffst du also, auf diese Weise ihre Gunst zu gewinnen?«

»Ist das wichtig? Ich schwöre beim Enalius, weder dich noch die verletzte Person zu töten. Aber mach, was du willst.«

»Schwöre, dass weder du selbst noch ein anderer, den du kennst, uns tötet oder uns ein Leid zufügt.«

Ein angedeutetes Lächeln breitete sich auf seinem Gesicht aus. »Du hast dich schnell an die Regeln der Fae angepasst. Aber ich schwöre auch das.«

Nesta schluckte, während sie die Miene des Mannes abschätzte.

Und dann einen Blick auf den verborgenen Höhleneingang hinter ihm warf.

»Ich brauche Hilfe, um sie hierherzutragen.«

Sie riskierten es lieber nicht, ein Feuer in der Höhle zu entfachen, aber der Krieger, der Balthazar hieß, bot seinen dicken Wollmantel an, um Emerie zuzudecken. Nesta streifte Emerie die Kleidung des toten Mannes über und trug selbst nur die Lederjacke. Und auch wenn es jedem Instinkt widersprach, gestattete sie Balthazar, sich auf ihre andere Seite zu setzen und seine Wärme in ihren durchgefrorenen Körper dringen zu lassen.

»Wenn der Morgen anbricht, verschwindest du«, sagte sie in die Dunkelheit der modrigen, mit Blättern angefüllten Höhle hinein.

»Wenn wir diese Nacht überleben, geh ich nur zu gern«, erwiderte Balthazar. »Die Bestien des Walds könnten das Blut deiner Freundin wittern und uns direkt in dieser Höhle aufspüren.«

Nesta warf dem jungen Krieger einen Seitenblick zu. »Warum bist du nicht da draußen und tötest alle?«

»Weil ich den Berg erreichen und Oristianer werden will. Aber wenn mir jemand begegnet, den ich gern töten würde, werde ich nicht zögern.«

Stille senkte sich über die Höhle.

Doch nach wenigen Minuten ertönte das Knacken von Ästen.

Balthazars Körper versteifte sich und sein Atem wurde unfassbar leise. In der stockfinsteren Höhle war nur das Rascheln ihrer Kleidung und der Blätter unter ihnen zu hören.

Ein Heulen zerriss die Stille der Nacht. Nesta zuckte zusammen und zog Emerie noch dichter an sich.

Aber die knackenden Äste und das Heulen verhallten und Balthazars Körper entspannte sich wieder. »Das war nur die erste Bestie«, flüsterte er in die Finsternis. »Sie streifen bis zum Morgengrauen umher.« Nesta wollte lieber nicht wissen, was da draußen geschah – erst recht nicht, als in der Ferne Schreie ertönten. »Manche können sogar auf Bäume klettern«, murmelte Balthazar. »Die dummen Krieger vergessen das.«

Nesta schwieg.

»Ich übernehm die erste Wache«, sagte der Krieger. »Ruh dich aus.«

»Okay.« Aber sie wagte es nicht, die Augen zu schließen.

Nesta blieb die ganze Nacht wach. Falls Balthazar wusste, dass sie während seiner Wache nicht geschlafen hatte, sagte er nichts. Sie hatte die Zeit für ihre Kontemplationsübungen genutzt, die sie etwas beruhigt hatten, wenn auch nicht vollständig.

Das Knistern des Gestrüpps unter den Pfoten und Krallen der pirschenden Bestien und die Schreie der Illyrianer dauerten stundenlang an.

Als Balthazar sie mit dem Knie anstupste und sie so tat, als würde sie aufwachen, murmelte er nur, er würde jetzt schlafen, und lehnte sich an sie. Nesta sog seine Wärme in der eisigen Luft der Höhle auf. Es war ihr egal, ob seine tiefen Atemzüge wirklich auf Schlaf hindeuteten oder diesen, so wie ihre, nur vortäuschten.

Nesta hielt die Augen auf, selbst als sie unerträglich brannten und schwer wurden. Selbst als die Wärme ihrer beiden Begleiter drohte, sie einzulullen.

Sie würde nicht schlafen. Würde wachsam bleiben.

Endlich drang die Dämmerung durch das Gitterwerk der Äste und die Schreie und das Heulen verhallten. Eine kurze Inspektion im schummrigen Licht zeigte, dass Emerie zwar noch immer bewusstlos war, die Wunde an ihrem Kopf jedoch nicht mehr blutete. Aber ...

»Heute werdet ihr jede Menge Kleidung finden«, sagte Balthazar, der offenbar ihre Gedanken las. Er trat ans Tageslicht, schaute sich um und fluchte leise. »Jede Menge.«

Bei diesen Worten krabbelte Nesta aus der Höhle. Überall lagen Leichen mit Schwingen, viele angefressen.

Ein frischer Wind zerzauste Balthazars dunkles Haar, als er davonging. »Viel Glück, Archeron.«

Eris war nirgends zu finden, nirgendwo im Gebiet rund um den Palast der Königin. Aber Azriel war auf der Straße einem menschlichen Kaufmann begegnet, der auf die Frage, ob vor Kurzem ein Fae-Mann eingetroffen sei, nicht gezögert hatte. Bereitwillig erzählte er, dass in der vorletzten Nacht ein rothaariger Fae in den Palast geschleift worden sei. Und in der Schenke habe er gehört, dass der Mann schon bald an einen anderen Ort gebracht werden solle.

»Wir warten hier, bis sie den Palast verlassen. Dann verfolgen wir sie im Schutz der Wolken«, sagte Azriel mit finsterer Miene.

Cassian grunzte zustimmend und fuhr sich mit der Hand durch die Haare. Er hatte kaum geschlafen und die ganze Zeit nur an Nesta, an Feyre und Rhys gedacht.

Azriel und er hatten nicht über Rhys' Abmachung gesprochen, die Rhys zum Verhängnis werden würde, sollte Feyre die Geburt nicht überleben. Sie zu verlieren, wäre unerträglich, aber dazu auch noch Rhys ... Cassian konnte nicht daran denken, ohne dass ihm schlecht wurde. Vielleicht arbeitete Amren an einer Möglichkeit, die Abmachung aufzuheben – wenn jemand dazu in der Lage war, dann sie. Oder Helion.

Da Azriel und er sich außerhalb der Reichweite von Rhys' und Feyres Daemati-Kraft befanden, würden sie vorläufig keinerlei Neuigkeiten erfahren. Aber er würde es wissen, wenn Nesta tot war. In seinem Herzen, in seiner Seele würde er es spüren. Würde es fühlen.

Ein Seelengefährte spürte so etwas immer.

Selbst wenn Nesta diese Verbindung zurückgewiesen hatte.

Nesta hatte die Nacht nur durch pures Glück überlebt, und dank eines Illyrianers, der mehr an Stammespolitik als am Töten interessiert war.

Erschöpfung machte jede Bewegung zur Qual, während Nesta sich einen Weg durch die zerstückelten Körper bahnte und alle Kleidungsstücke an sich nahm, die nicht mit Blut oder anderen Körperflüssigkeiten befleckt waren. Viele der Krieger hatten sich in die Hose gepinkelt oder geschissen, als die Bestien des Walds sie aufgespürt hatten. Es fiel nicht leicht, eine saubere Hose zu finden.

Aber Nesta sammelte genug Sachen zusammen, auch ein kleineres Paar Stiefel für sich und eines für Emerie, dazu einen weiteren Dolch, zwei Feldflaschen und ein halb aufgegessenes Kaninchen, das sich jemand zum Abendessen über dem Feuer gebraten hatte.

Als sie in die Höhle zurückkehrte – vollständig bekleidet, den Durst gelöscht und in der Hand ein Kaninchenbein –, stellte sie fest, dass Emerie wach war. Geschwächt, aber bei Bewusstsein. Sie schwieg, als Nesta ihr Fleisch und Wasser reichte und ihr dann beim Anziehen half.

Erst als Nesta einen Arm um Emeries Taille legte, sie aus der Höhle führte und Emerie das Blutbad sah, krächzte sie: »Gwyn?«

Nesta hob ihre freie Hand, an deren Gelenk sie das Armband trug. Langsam bewegte sie die Hand in alle Richtungen. »Im Süden«, sagte sie, als der Glücksbringer leuchtete. Gwyns Position hatte sich seit gestern nicht verändert.

Emerie schnappte nach Luft und hielt ihr Armband ebenfalls nach Süden. Der Glücksbringer funkelte jetzt fast fieberhaft und vermittelte das Gefühl, dass sie sich dringend in Bewegung setzen und schnell handeln mussten.

Verwunderung blitzte in Emeries Augen auf, bevor sich ein grimmiger Ausdruck auf ihrem Gesicht abzeichnete. »Wir müssen uns beeilen.«

67

Emerie bestätigte, dass sie von den Männern angegriffen und gejagt worden war, die Nesta am Fluss gesehen hatte. Im verzweifelten Versuch, sich zu retten, war sie ins Wasser gesprungen und mit dem Kopf gegen einen Felsbrocken geschlagen. Sie erinnerte sich nur daran, dass sie in der Höhle aufgewacht war.

Nesta gab ihr eine kurze, schonungslose Zusammenfassung ihrer eigenen Erlebnisse, während sie nach Süden marschierten, die meiste Zeit schweigend, um auf Illyrianer in der Nähe zu lauschen. Ein paar einzelne Krieger, die blutverschmiert und auf dem Weg nach Osten an ihnen vorbeistapften, ignorierten sie; ein paar Gruppen bekämpften sich und viele weitere Leichen lagen auf der kalten Erde. Sie hielten nach einem Schimmer von kupferfarbenem Haar Ausschau. Aber von Gwyn war nichts zu hören und zu sehen. Die Möglichkeit, dass ihre Glücksbringer sie zu einer Toten führten, sprachen sie jedoch mit keinem Wort an.

Der Tag verging, und als die Nacht anbrach, fanden sie eine weitere Höhle, in der sie sich aneinanderdrängten, um sich gegenseitig zu wärmen.

Emerie bestand darauf, die erste Wache zu übernehmen, und Nesta konnte endlich die Augen schließen. Als ihre Freundin sie weckte, hatte sie das Gefühl, dass Emerie sie länger hatte schlafen lassen als vereinbart.

Am Morgen fanden sie Blutspuren im Schnee vor der Höhle. Die Fußabdrücke der Tiere rund um den Höhleneingang waren groß genug, um Nesta den Magen umzudrehen.

Schon bald setzte schwerer Schneefall ein, und die Welt vor und hinter ihnen wurde ebenso verhüllt wie alle Feinde. Sie zitterten bei jedem Schritt vor Kälte, obwohl sie zusätzliche Jacken von gefallenen

Kriegern übergestreift hatten. Und als es auf Mittag zuging, bewegte Nesta unablässig ihre Finger, damit sie nicht erfroren. Sollte sie das hier überleben, würde sie sich nie wieder über die Sommerhitze beschweren und nie wieder Mantel, Mütze oder Handschuhe für selbstverständlich halten – nicht einmal den dämlichen Schal, den Cassian ihr vor Monaten beim Verlassen ihrer Wohnung aufgedrängt hatte.

»Ich rieche Feuer«, murmelte Emerie. Sie hatten vor Stunden das letzte Mal miteinander gesprochen und sich stattdessen darauf konzentriert, die Kälte abzuwehren, die so heftig war, dass ihre Zähne schmerzten.

Hinter zwei Kiefern blieben sie stehen, um das Gelände und den schneeverhangenen Himmel zu sondieren. Nesta schaute auf ihren Glücksbringer. »Hier entlang«, sagte sie und deutete mit dem Kopf nach links. »Das Feuer ist auch in dieser Richtung – der Wind trägt den Rauch vom Bergrücken herunter.«

»Das könnte Gwyns Feuer sein«, sagte Emerie hoffnungsvoll.

Nesta nickte und beruhigte ihr hämmerndes Herz. Sie huschten von Baum zu Baum, horchten auf mögliche Gefahren um sie herum, auf einen Hinweis auf Gwyn. Auf diese Weise hatten sie sich ein paar Minuten vorwärtsbewegt, als ein Lachen an ihre Ohren drang. Männliches Lachen.

Emerie wurde blass, als sie ihr Armband in die Richtung hielt, aus der das Lachen kam. Der Glücksbringer leuchtete, glitzerte sogar im schwachen Licht der Wintersonne.

»Bleib im Windschatten«, sagte Nesta finster. »Wir nehmen den Hang von der Südseite aus.«

An einem Ast am Rand des Lagers hing ein Nachthemd.

Nestas Magen rebellierte und ihr mageres Frühstück brannte ihr in der Kehle. Ein sanftes Einatmen war das einzige Anzeichen von Emeries Angst und Schmerz, als sie das letzte Stück des Bergrückens zum Lager der Krieger oben auf der Kuppe hinaufkletterten. Die Illyrianer prahlten damit, wie viele Männer sie getötet hatten, und sprachen über den verbleibenden Weg bis zum Ramiel. Nesta spitzte die Ohren, um irgendeinen Hinweis auf eine Frau im Lager aufzuschnappen. Wenn Gwyns Nachthemd an einem Baum hing, dann ... Zum Teufel mit dem Ramiel. Sie würde den Rest der Woche hier verbringen und jeden einzelnen dieser Männer umbringen.

Der Kamm des Bergrückens war noch etwa drei Meter entfernt. Nesta kontrollierte ihren Atem, hielt ihn leise und flach, genau wie die Walküren. Ein Blick zu Emerie verriet ihr, dass ihre Freundin ihrem Beispiel folgte, selbst als Wut in ihren dunklen Augen aufflackerte.

Wortlos vereinbarten sie, dass Nesta überprüfen sollte, was hinter dem Kamm lag, da Emeries Flügel zu hoch über ihren Kopf aufragten. Emerie hatte zwei Messer, Nesta den Dolch, den illyrianischen Bogen und zwei Pfeile. Nesta würde auch herausfinden müssen, welche Waffen die Männer hatten. Sie tauschten einen letzten Blick, gerade in dem Moment, als die Männer in Gelächter ausbrachen, und Nesta erhob sich. Hoch genug, um über die Kante des Bergrückens zu blicken.

Zehn Männer saßen um das Feuer und aßen. Einige hatten eine Axt, andere Schwerter und Messer. Nesta konzentrierte sich auf den Mann in der Mitte, der am lautesten lachte und redete, als wäre er der Anführer. Sein Gesicht – dieses Gesicht hatte sie schon einmal gesehen. Irgendwo.

Keine Spur von Gwyn. Nesta duckte sich wieder und drehte sich zu Emerie um.

Aber Emerie war verschwunden. Die Hälfte des Hangs hinuntergeschleift und festgehalten von zwei grinsenden Männern.

Niemand betrat oder verließ die hoch aufragende, graue Burg. Azriel und Cassian wechselten sich bei ihren Aufklärungsflügen ab. Sie warteten auf irgendein Anzeichen dafür, dass eine Gruppe das Gemäuer verließ. Aber die Tore öffneten sich nicht. Nicht einmal in der befestigten Stadt um die Burg herum regte sich irgendjemand. Als wären die Tore geschlossen und die Bewohner eingesperrt worden.

Und auf den umliegenden Hügeln befanden sich keine weiteren Dörfer.

Die Burg schien sich aus der Erde erhoben und dort niedergelassen zu haben wie ein gewaltiges Tier, das über dem Land hockte.

»Briallyn muss wissen, dass wir hier sind«, sagte Cassian, als er nach seinem letzten Aufklärungsflug landete. »Glaubst du, sie wartet ab, bis wir etwas unternehmen?«

»Ich glaube, die Frage lautet eher, ob Eris noch lebt«, murmelte Azriel, während seine Schatten ihm etwas ins Ohr flüsterten. »Ich werde nicht schlau daraus.«

»Abwarten ist sinnlos. Wir sollten uns hineinschleichen. Darauf achten, dass wir nicht gesehen werden und sie nicht mal ahnt, dass wir da sind. Sonst gerät sie in Versuchung, die Krone gegen uns zu benutzen.«

»Ich hab dir doch gesagt, dass die Burg genauso mit Schutzschilden gesichert ist wie das Haus der Winde. Es wäre besser, Eris erst dann zu befreien, wenn Briallyn ihn von hier wegbringt.«

»Vielleicht hat sich der Kaufmann geirrt.«

»Vielleicht. Wir setzen die Überwachung bis morgen fort.« Azriel verschränkte die Arme vor der Brust. »Ich weiß, dass du Nesta helfen willst. Vielleicht kann Amren eine Lücke im Gesetz …«

Cassian schluckte heftig. »Es gibt keine Lücke. Wenn ich eingreife, sind wir beide tot. Und selbst wenn ich versuchte, sie zu retten, würde Nesta mich umbringen. Das würde sie mir nie verzeihen.«

Er hatte in den letzten Tagen nichts anderes zu tun gehabt, als immer wieder darüber nachzugrübeln. Es war Nestas Schicksal. Sie war stark genug, um ihren eigenen Weg zu gehen, selbst inmitten der Schrecken des Blutrituals. Er hatte ihr die Fertigkeiten dazu persönlich beigebracht.

Und selbst wenn die Regeln es erlaubt hätten, würde er ihr niemals die Chance nehmen, sich selbst zu retten.

»Ich hätte nicht gedacht, dass ihr so dumm seid, auf das Nachthemd reinzufallen. Aber das ist vermutlich der Unterschied zwischen einer

Frau, die sich für eine Kriegerin hält, und einem echten Krieger«, sagte der Anführer kaltschnäuzig, als Nesta und Emerie vor seine gestiefelten Füße gestoßen wurden. Er lachte leise, und seine Augen waren so glasig, dass Nesta sich fragte, ob jemand nicht nur Waffen, sondern auch eine Kiste Wein eingeschmuggelt hatte. »Hallo, Emerie.«

Jetzt erkannte Nesta ihn. Bellius, Emeries widerwärtiger Cousin.

»Wo ist sie?«, knurrte Emerie.

Bellius zuckte die Schultern. »Wir haben das Nachthemd ein paar Meilen weiter gefunden. Vielleicht hat irgendein anderer Krieger sie gevögelt und getötet.« Sein Lächeln war durch und durch böse. »Du hättest nicht herkommen sollen, Cousine.«

Emerie schnaubte. »Ich wurde gegen meinen Willen hierhergebracht, *Cousin*. Aber jetzt wird es mir eine Freude sein, dir und deinem Vater zu beweisen, dass ihr euch irrt.«

Seine Zähne blitzten in dem trüben, schneeverhangenen Licht, das durch das Blätterdach des Walds fiel. »Du hast Schande über deinen Vater und unsere Familie gebracht.«

Nesta warf einen Blick auf ihre Waffen vor Bellius' Füßen, die man ihnen nach Emeries Gefangennahme abgenommen hatte.

»Hast *du* das Ritual mit diesen Waffen sabotiert?«, fragte sie wütend.

Bellius lachte erneut, obwohl seine Augen trüb blieben. Schneeflocken sammelten sich auf seinen dunklen Haaren. »Ich würde es nicht Sabotage nennen. Und das hat sie auch nicht getan.«

Nesta erstarrte. Sie hatte diesen glasigen Blick schon einmal gesehen – in den Gesichtern von Eris' Soldaten.

Und dieses Wort – *sie*. Hatte Briallyn Bellius irgendwie mit der Krone verzaubert? Diesen Blick hatte er bereits gehabt, als sie ihn vor Monaten in Emeries Laden gesehen hatte. Als er gerade von einer Erkundung auf dem Kontinent zurückgekommen war. Briallyn musste ihn damals abgefangen haben. Vielleicht hatte sie die Krone dazu benutzt, die Illyrianer dahingehend zu beeinflussen, dass sie die heiligen Regeln des Ritus gebrochen und Waffen hier deponiert hatten. Aber warum?

Bellius wandte sich wieder an Emerie, die förmlich vor Wut zitterte. »Du weißt, dass ich dich nicht am Leben lassen kann. Von dieser Schande würde sich unsere Familie nie mehr erholen.«

»Fick dich«, zischte Emerie. »Fick deine ganze Familie.«

Statt einer Antwort musterte ihr Cousin nur Nesta grinsend von Kopf bis Fuß und wischte sich den Schnee von den Schultern. »Ich darf bei der High-Fae-Schlampe als Erster ran«, teilte er seinen Kriegern mit.

Nesta drehte sich der Magen um. Säure brannte in ihrem Körper. Sie musste einen Ausweg finden, auch wenn sie und Emerie zahlenmäßig unterlegen waren, unbewaffnet und ohne Magie ... Die nackte Panik und Wut im Gesicht ihrer Freundin verrieten Nesta, dass auch sie keine Lösung hatte.

Bellius trat auf sie beide zu.

Und dann spritzte Blut über eine Hälfte seines Gesichts, als die Eingeweide eines seiner Spießgesellen vor ihm in den Schnee flogen.

Die Kreatur, die über den Kamm kroch, war einem Albtraum entsprungen: eine Mischung aus Raubkatze und Schlange, mit schwarzem Fell, scharfen Krallen und hakenförmigen Zähnen. Sie verharrte einen Moment am Rand des Lagers. Kümmerte sich aber nicht um den toten Krieger, dessen Bauch sie mit einem einzigen Krallenhieb aufgeschlitzt hatte. Blut befleckte den Schnee in einem weiten Kreis um die Leiche herum.

Bellius und seine Krieger zogen ihre Schwerter.

Die Kreatur machte einen Satz vorwärts. Krieger brüllten und Waffen blitzten auf in dem darauffolgenden, blutigen Schlachtgetümmel.

»*Lauf*«, rief Nesta Emerie zu und sprang auf. Sie schnappte sich ihre Waffen, und Emerie griff nach einem Schwert, das aus der Hand eines Kriegers in den Schnee geflogen war.

Von der anderen Seite des Bergrückens ertönte eine weibliche Stimme: »*Hierher!*«

Nesta hätte fast geschluchzt, als sie die Stimme erkannte, als sie den kupferfarbenen Haarschopf auftauchen sah und Gwyn ihnen zuwinkte, während Bellius und seine Männer sich dem Wesen entgegenstellten, das sich auf sie stürzte. Nesta und Emerie erreichten den Rand der Kuppe und rutschten durch den aufgewirbelten Schnee hinunter. Gwyn wartete auf der anderen Seite, blutverschmiert und in der Kleidung eines Kriegers, das Gesicht dreckig und zerschrammt, aber mit klaren Augen.

»Folgt mir«, flüsterte Gwyn, und sie verschwendeten keine Zeit mit irgendwelchen Diskussionen, während sie den Hang weiter hinunterrutschten und dann durch die Bäume Richtung Südosten sprinteten. Sie liefen und liefen, bis die Schreie der Krieger und das Brüllen des Monsters schwächer wurden. Und schließlich ganz verhallt waren.

In der Nähe eines Bachs, der sich durch den Schnee schlängelte, hielten sie inne, so sehr außer Atem, dass Nesta sich an einem Baum abstützen musste.

»Wie?«, stieß Emerie keuchend hervor.

»Ich bin vor den anderen aufgewacht«, antwortete Gwyn schwer atmend, eine Hand auf der Brust.

»Ich auch«, sagte Nesta. »Ich dachte, es liegt daran, dass ich erschaffen bin. Aber vielleicht hängt es eher damit zusammen, dass wir beide keine Illyrianerinnen sind.«

Gwyn nickte. »Nach dem Aufwachen bin ich losgerannt und hab fast sofort ein Waffenversteck gefunden.« Sie deutete auf das Blut an ihrer illyrianischen Lederkluft. »Das Nachthemd hab ich gegen die Kleidung eines anderen getauscht. Eines Leichnams, meine ich.« Sie hielt ihr Handgelenk hoch. »Wisst ihr übrigens, dass das Ding leuchtet? Als ich das sah, hab ich mich an deinen Wunsch erinnert: dass wir immer wieder den Weg zueinanderfinden mögen. Ganz gleich, was auch passiert. Und da dachte ich, es wird mich schon zu euch führen. Der Glücksbringer muss irgendwie immun sein gegen die Magieblockade während des Rituals.«

Sie schenkte Nesta ein schiefes Lächeln. »Die ersten beiden Nächten hab ich in den Bäumen verbracht und die Bestien beobachtet. Und heute Morgen bin ich auf diesen grässlichen Typ und seine Kumpane gestoßen. Als ich sah, dass sie mein Nachthemd gefunden und aufgehängt hatten, war mir klar, dass sie Jagd auf euch machten. Und so habe ich versucht, sie auszuschalten, bevor sie euch finden.«

»*Du* hast ihnen die Bestie auf den Hals gehetzt.«

»Ja. Ich habe herausgefunden, wo die Viecher tagsüber schlafen«, berichtete Gwyn. »Und dass sie *sehr* wütend werden, wenn man sie weckt.« Sie zeigte auf ihre Schnittwunden an Gesicht und Händen. »Das da hätte mich fast erwischt, als ich es zum Lager lockte. Mein Timing war allerdings pures Glück.«

Emerie schauderte. »Die Große Mutter hat uns beschützt.«

Nesta hätte schwören können, dass die Glücksbringer an ihren Armbändern bei diesen Worten leise melodisch summten.

Aber Gwyn zuckte zusammen. »Ist er wirklich dein Cousin?«

»Ich hoffe, dass diese traurige Tatsache jetzt der Vergangenheit angehört«, meinte Emerie kühl.

Nesta schenkte ihr ein wildes Lächeln. »Wir müssen weiter. Wenn Bellius oder einer seiner Kumpane überlebt, werden sie noch mehr darauf aus sein, uns zu töten.«

Noch vier Tage. Sie mussten noch vier Tage überstehen.

»Ihr habt nach mir gesucht«, sagte Gwyn heiser, als sie in die Wildnis vordrangen und der Schnee zum Glück nachließ.

»Natürlich«, sagte Emerie, nahm zuerst Gwyns und dann Nestas Hand und drückte sie fest. »Das tun Schwestern nun mal.«

68

Nesta waren Höhlen wesentlich lieber als Bäume. Doch als die Nacht anbrach und keine Höhle zu finden war, blieb ihr nichts anderes übrig, als hinter Emerie und Gwyn einen Stamm hinaufzuklettern. Gwyn zeigte ihnen, wie sie es mithilfe eines langen Seils geschafft hatte, in den Ästen zu schlafen. Das Seil musste eins der Dinge sein, die Königin Briallyn in diesem Gebiet hatte deponieren lassen – vermutlich um Gefangene zu fesseln, aufzuknüpfen oder zu erdrosseln. Gwyn hatte es benutzt, um sich in den Nächten an einen Baumstamm zu binden. Es war lang genug, dass sie es um ihre Taillen winden und sich alle drei am Stamm sichern konnten.

»Aber wie hast du verhindert, dass die Bestien hochklettern und dich fressen?«, wollte Emerie von Gwyn wissen, die eingekeilt zwischen ihr und Nesta saß. »Diese Monster haben die Illyrianer wie Äpfel von den Ästen gepflückt.«

»Vielleicht lag es daran, dass ich nicht wie ein Illyrianer rieche«, sagte Gwyn und schaute stirnrunzelnd auf ihre Kleidung. »Trotz der Sachen.« Sie nickte Nesta zu. »Du auch nicht. Wenn wir Glück haben, verdeckt unser Duft den von Emerie.«

»Hoffentlich«, sagte Nesta mit leiser Stimme, während es immer dunkler wurde. Vor einigen Stunden hatte es endlich aufgehört zu schneien und selbst der peitschende Wind hatte sich gelegt. Ein kleines Wunder.

Gwyn beugte sich leicht vor und sah Emerie an. »Was weißt du über das Ritual?«

Emerie schob die Hände in ihre Achselhöhlen, um sie zu wärmen. »Eine ganze Menge. Mein Vater und mein Bruder – und meine schrecklichen Cousins – haben von nichts anderem gesprochen. Bei jeder Familienfeier erzählten die Männer wieder und wieder die Geschichten ihres eigenen, ach so ruhmreichen Blutrituals. Wie viele Mitstreiter sie getötet hatten, welchen Bestien sie entkommen waren. Aber keiner von ihnen hat es je bis zum Ramiel geschafft.« Emerie wandte sich Nesta zu. »Das haben sie immer an Cassian verabscheut. Und an Rhysand und Azriel. Sie hassten es regelrecht, dass die drei den Gipfel erklommen und das Ganze gewonnen haben.«

»Ist der Berg wirklich so schwer zu besteigen?«, fragte Gwyn mit gedämpfter Stimme.

Emerie schnaubte. »Schwer zu erreichen und noch schwerer zu erklimmen. Er besteht aus schroffen, zerklüfteten Felsen, die einen aufschlitzen wie eine Käsereibe.«

Nesta schauderte.

»Und weil die Heilung wegen der Regeln des Rituals bei uns so lange dauert wie bei den Menschen«, fuhr Emerie fort, »können wir von Glück sagen, wenn wir es unversehrt bis zum Enalius-Pass schaffen.«

»Was ist das?«, fragte Nesta.

Emeries Augen leuchteten. »Vor langer Zeit – vor so langer Zeit, dass man nicht einmal das genaue Datum kennt – kam es zu einem gewaltigen Krieg zwischen den Fae und den sehr alten Wesen, die sie unterdrückten. Eine der wichtigsten Schlachten fand hier in diesen Bergen statt. Unsere Truppen waren angeschlagen und zahlenmäßig unterlegen, und aus irgendeinem Grund wollte der Feind unbedingt den Stein auf dem Gipfel des Ramiel in seine Gewalt bringen. Den Grund haben wir nie erfahren. Ich glaube, er ist in Vergessenheit geraten. Aber ein junger illyrianischer Krieger namens Enalius hielt tagelang die Stellung gegen die feindlichen Soldaten. Er fand einen natürlichen Torbogen in dem Gewirr aus Felsbrocken – einen Engpass, von dem aus er sich verteidigte. Letztendlich starb er, doch er hielt den Feind lange genug auf, dass unsere Verbündeten zu uns stoßen konnten. Das Ritual dient dazu, ihn zu ehren. So vieles aus der Vergangenheit ist verloren gegangen, aber die Erinnerung an seine Tapferkeit bleibt.«

Genau wie Cassians Name in die Geschichte eingehen würde,

dachte Nesta. Und ihrer? Tief in ihrem Inneren wünschte sie es sich.

»Es führen verschiedene Routen zum Gipfel«, erzählte Emerie weiter. »Aber die härteste und berüchtigtste ist die Route durch den Enalius-Pass. Die durch den steinernen Torbogen. Auch Knochen-Route genannt.«

»Warum überrascht es mich nicht, dass Cassian und seine Brüder genau die gewählt haben?«, knurrte Nesta.

Emerie und Gwyn lachten leise, doch als eine Bestie in der Ferne brüllte, verstummten sie sofort.

»Wir sollten abwechselnd Wache halten«, murmelte Nesta.

Schnell legten sie die Reihenfolge fest: Nesta würde die erste, Emerie die zweite und Gwyn die dritte Wache übernehmen. Als das entschieden war, saßen sie eine Weile schweigend da. Sie hatten ein mageres Mahl aus gebratenem Eichhörnchen gegessen, das Gwyn einem ahnungslosen Illyrianer abgenommen hatte. Aber der Hunger brodelte lautstark in ihren Bäuchen.

Nesta schmiegte sich an Gwyn und ließ ihre Wärme in ihre Knochen dringen. Und sie betete: Möge irgendein Gott sie erhören und verhindern, dass das Knurren ihrer Mägen die Aufmerksamkeit der Bestien erregte.

Der vierte Tag brachte Sonne, so grell, dass der Schnee blendete, selbst im Schatten der Kiefern. Gwyn war den Schlafbaum bis in die Krone hinaufgeklettert und hatte geschätzt, dass der im Nordosten liegende Ramiel einige Tagesmärsche entfernt war. Wenn sie es bis zu dem heiligen Berg schafften, blieb ihnen ein Tag, um seine karge Felswand zu erklimmen.

»Ich konnte nicht sehen, ob irgendwer vor uns ist«, erklärte sie, »aber nicht weit von hier befindet sich eine gewaltige Schlucht, über die eine kleine Hängebrücke führt. Wir sind offenbar die Ersten, die sie entdecken. Denn wenn jemand uns zuvorgekommen wäre, hätte er die Brücke zerstört, damit niemand sie mehr benutzen kann. Wir müssen sie vor den anderen erreichen.«

»Wie weit?«, fragte Nesta und überprüfte den Dolch an ihrer Seite, das Seil, das sie sich um die Schulter geschlungen hatte, und den illyrianischen Bogen. Emerie hatte das Schwert aus Bellius' Lager und Gwyn ein eigenes Schild und ein Messer.

»Ein paar Stunden, wenn wir laufen«, sagte Gwyn.

»Wenn wir laufen, riskieren wir aufzufallen«, mahnte Emerie.

»Wenn wir normal gehen, riskieren wir, die Brücke zu verlieren«, entgegnete Nesta.

Die drei schauten einander an. »Also laufen«, sagte Gwyn, und die anderen nickten.

Sie legten ein gemäßigtes Tempo vor, damit ihre Schritte trotz des Schnees unter ihren Füßen leicht und leise blieben. Aber das Laufen nach Tagen der Erschöpfung, mit steifen Gliedmaßen von der Kälte und einem ziemlich leeren Magen, bereitete Nesta Kopfschmerzen.

»Wir bekommen Gesellschaft«, keuchte Emerie, und die drei hielten abrupt inne. Keine fünfhundert Meter entfernt standen sechs Männer.

»Glaubt ihr, sie wissen von der Brücke?«, fragte Gwyn außer Atem.

Sie hatte es kaum ausgesprochen, als die Männer auch schon lossprinteten. Nicht in ihre Richtung, sondern auf die Schlucht zu.

Fluchend setzte Nesta sich in Bewegung, dicht gefolgt von Gwyn und Emerie. »Schnell!«, rief sie.

Durch die Bäume vor ihnen schien die Welt heller zu werden – als würde der Wald dort plötzlich aufhören. Und so war es auch. Sie näherten sich dem Rand der Schlucht, von der sie und die Männer jetzt gleich weit entfernt waren. Wer auch immer es zuerst dorthin schaffte, würde die Brücke hinter sich zerstören.

Und wenn beide Gruppen sie gleichzeitig erreichten ...

»Wir müssen sie abfangen«, keuchte Nesta. »Noch bevor sie die Brücke erreichen.« Abrupt änderte sie die Richtung, Emerie und Gwyn direkt hinter ihr. Die Männer, die auf die Hängebrücke zusteuerten, schienen zu begreifen, dass ihre Gegnerinnen jetzt direkt auf sie zukamen. Sie wurden langsamer und griffen zu ihren Waffen.

Nesta wählte ihr Ziel – ein Krieger, gut dreißig Zentimeter größer als sie – und holte mit dem Dolch aus, während sie auf ihn zurannte. Er war so schnell gelaufen, dass er das Gleichgewicht verlor, als er ihrem Schlag ausweichen wollte, und genau dort stürzte, wo Nesta ihn haben wollte: direkt vor Emeries Füßen. Nesta wirbelte bereits zum nächsten Illyrianer herum, als ihre Freundin dem zu Boden gegangenen Krieger das Schwert in die Brust rammte.

Nestas nächster Gegner war bereit und schwenkte ein Kurzschwert. Sie duckte sich, wich zur Seite aus – und erlaubte ihm einen Schlag auf Gwyns Schild. Genau in dem Moment, als Gwyn in die Hocke ging und ihm mit einem Dolch die Schienbeine aufschlitzte.

Die vier anderen ...

Nesta drehte sich um und stellte sich dem nächsten Krieger, Dolch an Dolch. Jede Bewegung war perfekt auf ihre Atmung abgestimmt, jede Drehung ihres Körpers und ihrer Gliedmaßen Teil einer Sinfonie.

Der Mann machte eine weite Ausholbewegung mit seiner Waffe und Nesta erkannte seine Blöße. Sie ließ ihn ins Leere schlagen und rammte ihm dann den Ellbogen gegen die Nase. Mit einem Knirschen, das in ihr widerhallte, traf Knochen auf Knochen. Er ging grunzend zu Boden und Nestas Klinge schlitzte silbern und rot seine Kehle auf. Das warme Blut, das über ihre Hand spritzte, ignorierte sie.

Ein weiterer Krieger griff sie an. Gwyn rief Nesta beim Namen und erregte ihre Aufmerksamkeit gerade noch rechtzeitig, um ihr einen Schild zuzuwerfen.

Nesta fing ihn auf, sich im Schnee auf einem Knie um die eigene Achse drehend, um den Aufprall abzufedern. Mit einem mächtigen Ausatmen riss sie den Schild hoch, als der Mann ein Schwert herabfahren ließ, das für ihren Kopf bestimmt war. Sie parierte den Schlag so gut, dass der Mann aus dem Gleichgewicht geriet, und dann rammte sie ihm ihren Dolch in den Fuß.

Er schrie, stürzte, und Nesta sprang auf und schwang den Schild mit einer solchen Wucht, dass er eine Delle bekam, als er auf den

Kopf des Mannes krachte. Die Vibration dröhnte ihr schmerzhaft durch Hand und Arm, doch sie hielt den Schild fest umklammert.

Dann wirbelte sie zu ihrem nächsten Gegner herum, aber ihre Freundinnen hatten innegehalten. Sämtliche Männer um sie herum lagen am Boden. Vollkommene Stille erfüllte den verschneiten Wald. Sogar die Vögel in den Kiefern zwitscherten nicht länger.

»Walküren«, sagte Emerie mit leuchtenden Augen.

Nesta grinste durch das Blut, das ihr ins Gesicht gespritzt war. »Und ob!«

»Vier verdammte Tage«, zischte Cassian, während Azriel und er die Burg weiter beobachteten. »Wir sitzen seit vier verdammten Tagen auf unserem Hintern.«

Azriel schärfte den Wahr-Sager. Die schwarze Klinge schluckte das schwache Sonnenlicht, das durch das Blätterdach des Waldes drang. »Du hast anscheinend vergessen, dass Spionieren größtenteils darin besteht, auf den richtigen Moment zu warten. Die Leute begehen ihre Schandtaten nicht dann, wenn es dir gerade passt.«

Cassian verdrehte die Augen. »Ich habe mit Spionieren aufgehört, weil es mich zu Tode gelangweilt hat. Keine Ahnung, wie du das die ganze Zeit aushältst.«

»Es kommt mir entgegen.« Azriel schärfte die Klinge weiter, obwohl sich Schatten um seine Füße herum sammelten.

Cassian atmete hörbar aus. »Ich weiß, dass ich ungeduldig bin. *Ich weiß es.* Aber warum sollten wir nicht in diese verdammte Burg eindringen und uns umsehen?«

»Ich habe es dir doch gesagt: Briallyns Palast ist zu stark gesichert und voll mit magischen Fallen, über die selbst Helion stolpern würde. Davon abgesehen hat Briallyn die Krone. Ich habe kein Interesse daran, Rhys und Feyre zu erklären, warum du gestorben bist, während ich auf dich aufpassen sollte. Und noch weniger Interesse, es Nesta zu erklären.«

Cassian starrte Richtung Burg. »Glaubst du, sie lebt noch?« Die Frage verfolgte ihn in den letzten Tagen bei jedem Atemzug.

»Du würdest es wissen, wenn sie gestorben wäre«, antwortete Azriel, hielt in seiner Arbeit inne, sah Cassian an und schlug ihm mit einer vernarbten Faust gegen die Brust. »Genau da würdest du es wissen, Cass.«

»Es gibt jede Menge anderer unaussprechlicher Dinge, die ihr zustoßen könnten«, meinte Cassian mit belegter Stimme. »Das Gleiche gilt für Emerie und Gwyn.«

Die Schatten rund um Azriel wurden dunkler und seine Trichtersteine funkelten wie kobaltblaues Feuer. »Du ... wir ... haben sie gut ausgebildet, Cassian. Vertrau darauf. Mehr können wir nicht tun.«

Die Vorstellung schnürte Cassian die Kehle zu, doch eine Bewegung lenkte Azriel ab. Cassian sprang auf. »Jemand verlässt die Burg.« Wortlos schossen die beiden in den Himmel und verschwanden kurz darauf in der Wolkendecke. In der kalten, dünnen Luft konnte Cassian nur das sehen, was die Lücken zwischen den Wolken preisgaben.

Aber das reichte.

Eine kleine Karawane hatte die Stadt durch das östliche Tor verlassen und bewegte sich über die kahle Straße den Hügel hinunter.

»Ich sehe keinen Gefängniswagen«, sagte Cassian über den Wind hinweg.

Azriels Blick blieb nach unten gerichtet. »Sie brauchen keinen«, sagte er leise und mit unterdrückter Wut.

Cassian musste bis zur nächsten Wolkenlücke warten, um sich selbst einen Eindruck zu verschaffen.

Nein, Briallyns Leute brauchten tatsächlich keinen Gefängniswagen. Denn an der Spitze der Karawane, auf einem weißen Pferd und Seite an Seite mit einer buckligen, kleinen Gestalt, ritt Eris.

»Das dämliche Arschloch«, knurrte Cassian. »Sie hat ihn mit der Krone in eine Falle gelockt.«

»Nein«, widersprach Az leise. »Sieh mal, links an seinem Gürtel hängt noch immer der Dolch. Wenn er unter Briallyns Bann stünde, hätte er ihn längst ausgehändigt.«

»Dann schützt ihn also der Besitz eines anderen erschaffenen Objekts vor der Krone.« Und das bedeutete ... »Verräter«, stieß Cassian angewidert hervor. »Warum überrascht mich das eigentlich?« Er ballte die Hände zu Fäusten. »Schnappen wir ihn uns und schleifen ihn nach Hause, damit wir ihn auseinandernehmen können.« Hierfür hatte man ihn von Nesta abgezogen? Für Eris' Spielchen?

Azriels Stimme durchschnitt den heulenden Wind. »Wir folgen ihnen. Wenn wir Eris jetzt gefangen nehmen, bekommen wir vielleicht nicht alles aus ihm heraus. Zumindest nicht so bald. Wir verfolgen sie und werden mal sehen, wie weit dieser Verrat geht. Mit wem sie sich treffen. Es muss wichtig sein, sonst würden sie den Schutz der Burg nicht verlassen.«

Diese Logik ließ sich nicht bestreiten – selbst wenn Cassians Herz ihn mit jedem Schlag seiner Schwingen anschrie, er solle nach Hause fliegen.

Nesta, Emerie und Gwyn hatten die Hängebrücke noch nicht erreicht, als sich eine neue Gruppe von Männern näherte, bewaffnet mit Pfeil und Bogen.

»Wir können es schaffen«, keuchte Emerie. Sie sprintete vorneweg auf die Brücke zu, die jetzt durch die schneebedeckten Bäume in Sicht kam. »Wir können sie abhängen.«

Pfeile zischten an ihnen vorbei.

Emerie erreichte als Erste die Brücke, deren wacklige Konstruktion auf- und abwippte, während sie förmlich darüberflog. Pfeile bohrten sich in Baumstämme, in den Boden, in die Brückenpfeiler. Nesta zögerte keine Sekunde und raste über die Latten, blickte nicht nach unten, sondern nur zu Emerie, die bereits die andere Seite erreicht hatte ...

Ein schriller Schmerzensschrei zerriss die Luft. Nesta wirbelte zu Gwyn herum. Ein Pfeil hatte ihren Oberschenkel durchbohrt. Sie lag am Boden, noch immer auf der anderen Seite der Brücke. Die Männer kamen rasch näher ...

»KAPPT DIE BRÜCKE!«, brüllte Gwyn.

»Steh auf«, schrie Nesta ihr zu. »*Steh auf!*«

Die Priesterin versuchte es. Sie rappelte sich auf, würde die Brücke aber nicht schnell genug überqueren können.

Also nahm Nesta den illyrianischen Bogen von ihrer Schulter, und auch das aufgewickelte Seil, das sie, ohne einen Blick darauf zu verschwenden, Emerie reichte. »Binde ein Ende um den Baum dort und dann um dich selbst.« Sie vertraute darauf, dass Emerie tat, was sie sagte, und befestigte das andere Ende des Seils an einem Pfeil. Dann legte sie den Pfeil an den Bogen.

»Bogenschießen haben wir nicht gelernt«, sagte Emerie.

Aber Nesta zielte. Direkt auf Gwyn, die das Seil an dem Pfeil sah, und das andere Ende um den Baum und um Emerie gebunden, und verstand.

»Meine Schwester hat es mir beigebracht.« Nestas Arme zitterten, als sie die Sehne spannte. »Vor langer Zeit.«

Ächzend und mit zusammengebissenen Zähnen kämpfte Nesta um jeden Zentimeter. Zielte auf Gwyn, während ihre Freundin humpelnd und mit schmerzverzerrtem Gesicht auf die Brücke zulief und eine Blutspur im Schnee hinterließ.

Nesta schoss den Pfeil ab, als die ersten Krieger durch die Bäume brachen. Er flog schnurgerade und landete direkt vor Gwyns Füßen im Schnee. Die Priesterin packte ihn und wickelte sich das Seil mehrmals um die Taille, während sie auf die Brücke zustolperte ...

Nesta warf den Bogen beiseite. Gwyn hatte die Brücke erreicht und schrie: »*KAPPT SIE, KAPPT SIE!*«

Die Männer ließen die Bäume hinter sich und rannten auf die Brücke und die humpelnde Gwyn zu, kamen ihr rasch näher. Nesta brauchte nur eine Hand auszustrecken und Emerie warf ihr sofort das Schwert zu.

Gwyn humpelte weiter, befand sich jetzt in der Mitte der Hängebrücke. Die Männer waren ihr dicht auf den Fersen und drängten sich auf die wacklige Konstruktion.

Nesta ließ das Schwert auf die Taue der Brücke herabfahren. Gwyn schien noch zu laufen, selbst als das Holz unter ihr in die Tiefe stürzte. Sie sprang in die Luft, nur mit dem Seil um ihre Taille, um sich vor dem sicheren Tod durch den Sturz in die Tiefe zu bewahren ...

Doch Nesta hatte das Seil gepackt, sich vor den Brückenpfeiler geworfen und die Beine darum geschlungen. Sie klammerte sich so fest daran, wie sie nur konnte, während die grobe Faser Zentimeter um Zentimeter in ihre Hände schnitt. Hinter ihr, an den Baum gebunden, hielt sich Emerie ebenfalls mit aller Kraft fest.

Gwyn stürzte in die Schlucht, und die illyrianischen Krieger brüllten panisch, als sie mit ihr zusammen in den Abgrund fielen – allerdings ohne rettendes Seil.

Nesta schrie, ihre Hände brannten. Das Seil färbte sich rot. Doch sie umfasste es noch fester mit ihren aufgeschürften Händen und atmete gegen den beißenden Schmerz an.

Bis Gwyns Sturz abrupt gebremst wurde. Die ganze Welt schien den Atem anzuhalten, und Nesta wartete darauf, dass das Seil sich zu sehr spannte, dass es riss. Doch Gwyn wurde nur gegen die Felswand geschleudert und ächzte vor Schmerz, als sie dagegenprallte.

Die Illyrianer, die abgestürzt waren, hatten zum Glück als Einzige des Trupps Bögen gehabt, und die Männer auf der anderen Seite der Schlucht fluchten und spuckten.

Aber Nesta und Emerie beachteten sie nicht, während sie Gwyn in die Höhe zogen und ihre blutigen Hände das Seil noch roter färbten. Bei jedem Hieven keuchten sie vor Schmerz, bis Gwyn über der Felskante auftauchte und das Gesicht verzog, als der Pfeil in ihrem Bein den Boden berührte. Ein sauberer Durchschuss, aber ihr Bein war blutüberströmt und ihr Gesicht bereits sehr blass.

»Verdammte Schlampen!«, rief einer der Männer.

»Halt's Maul!«, brüllte Emerie über die Schlucht hinweg und half Nesta, die Gwyn schwer atmend zwischen die schneebedeckten Bäume führte. »Lass dir mal ein neues Schimpfwort einfallen!«

Es gelang ihnen, den Pfeil aus Gwyns Bein zu ziehen und es mit einem Hemd zu verbinden, das sie einem toten Krieger abgenommen hatten. Aber die Priesterin humpelte noch immer. Ihr Gesicht war inzwischen aschfahl, und obwohl sie sich auf Nesta und Emerie stützte, kamen sie nur sehr langsam voran.

Dennoch steuerten sie weiter auf den Ramiel zu, der jetzt vor ihnen in Sicht kam.

Sie begegneten niemandem mehr. Gegen Mittag setzte erneut Schneefall ein und Gwyns Schritte wurden immer wackliger. Sie hatte Mühe zu atmen. Schon bald trugen Nesta und Emerie sie mehr oder weniger zwischen sich.

Als es Abend wurde, gelang es ihnen mit letzter Kraft, Gwyn auf einen Baum zu befördern. Sie banden sich mit dem blutigen Seil am Baumstamm fest, und Nesta und Emerie machten sich daran, winzige Seilfasern aus ihren zerschundenen Händen zu pflücken. Sie hatten keinerlei Proviant mehr, nur noch Wasser.

Der nächste Tag verlief genauso: langsames Vorankommen, Schneegestöber, die Ohren auf jedes Geräusch gespitzt, zu viele Pausen, nur Wasser im Bauch und bei Anbruch der Nacht ein neuer Baum. Aber dieser Baum war der letzte, den sie erkletterten, denn über ihnen erhob sich nur noch ein karger Hang, wie eine schwarze Bestie.

Sie hatten es bis zum Fuß des Ramiel geschafft.

Nesta erwachte vor Tagesanbruch, vergewisserte sich, dass Gwyn atmete und ihr Bein sich nicht entzündet hatte, und starrte den schwarzgrauen Berghang hinauf.

Weit oben, zu weit, lag der Gipfel mit dem heiligen, schwarzen Stein. Drei Sterne funkelten über dem Berg: Arktos und Oristes links und rechts und Carynth in der Mitte. Ihr Licht flackerte, wurde heller und wieder schwächer, als wäre es Einladung und Herausforderung zugleich.

»Cassian meinte, nur zwölf hätten es jemals so weit geschafft«, sagte Nesta leise zu ihren Freundinnen. »Allein dadurch, dass wir den Fuß des Bergs erreicht haben, ist uns der Titel ›Oristianer‹ bereits sicher.«

Emerie regte sich. »Wir könnten den ganzen Tag hier oben auf dem Baum bleiben, die Nacht abwarten und morgen früh in der Dämmerung alles hinter uns haben. Zum Teufel mit irgendwelchen Titeln.« Das wäre die klügste und sicherste Vorgehensweise.

»Dieser Weg dort«, sagte Nesta und zeigte auf einen schmalen Pfad, der am Fuß des Ramiel entlangführte, »könnte uns auch nach Süden bringen. Niemand würde ihn wählen, weil er vom Berg wegführt.«

»Dann haben wir die ganze Strecke nur zurückgelegt, um uns zu verstecken?«, fragte Gwyn mit heiserer Stimme.

»Du bist verletzt«, entgegnete Nesta. »Und das da vor uns ist ein *Berg*.«

»Statt es zu versuchen und zu scheitern, würdest du also lieber den sicheren Weg einschlagen?«, fragte Gwyn aufgebracht.

»Wir würden leben«, sagte Emerie vorsichtig. »Mir wäre nichts lieber, als den Männern in meinem Dorf das Grinsen aus dem Gesicht zu wischen – aber nicht um diesen Preis. Nicht, wenn es dein Leben kostet, Gwyn. Wir brauchen dich.«

Gwyn betrachtete den zerklüfteten, gnadenlosen Hang des Ramiel, auf dem nicht sonderlich viel Schnee lag. Als hätte der Wind ihn fortgepeitscht. Vielleicht hatten die Stürme diesen Gipfel aber auch ganz gemieden. »Ist das denn ein Leben? Den sicheren Weg einzuschlagen?«

»Du bist diejenige, die die Bibliothek seit zwei Jahren nicht verlassen hat«, bemerkte Emerie.

Gwyn zuckte nicht mit der Wimper. »Das stimmt. Und ich bin es leid.« Sie schaute auf das blutdurchtränkte Leder an ihrem Oberschenkel. »Ich will nicht länger den sicheren Weg gehen.« Sie zeigte auf den Berg, auf den schmalen Pfad nach oben. »Ich will *diesen* Weg gehen.« Ihre Stimme wurde eindringlicher. »Den Weg, auf den sich keiner wagt, und ich will ihn mit euch gehen. Ganz gleich, was uns widerfahren mag. Nicht als Illyrianer, nicht wegen ihrer Titel, sondern als etwas *Neues*. Um ihnen und allen anderen zu beweisen, dass etwas Neues, etwas anderes über ihre Regeln und Beschränkungen triumphieren kann.«

Ein kalter Wind blies von den Hängen des Ramiel. Wispernd und murmelnd.

»Man nennt diesen Weg nicht umsonst die Knochen-Route«, gab Emerie mit ernster Miene zu bedenken.

»Wir haben seit Tagen nichts gegessen«, fügte Nesta hinzu. »Wir haben kaum noch Wasser. Um diesen Berg zu besteigen ...«

»Ich bin schon einmal gebrochen worden«, sagte Gwyn mit klarer Stimme. »Ich habe es überlebt. Und ich lasse mich nicht noch einmal brechen – nicht einmal von diesem Berg.«

Nesta und Emerie schwiegen, als Gwyn hörbar die Luft ausstieß. »Ein Kommandant aus Hybern hat mich vor zwei Jahren vergewaltigt. Seine Soldaten hielten mich fest und drückten mich auf einen Tisch. Er hat die ganze Zeit gelacht.«

Tränen schimmerten in ihren Augen. »Hybern griff uns mitten in der Nacht an. Wir schliefen alle, als sie in den Tempel eindrangen und das Gemetzel begann. Damals teilte ich mir ein Zimmer mit meiner Zwillingsschwester, Catrin. Wir wachten bei den ersten Schreien auf, die von den Mauern widerhallten. Sie war ... Catrin war immer die Starke. Die Schlaue, die Charmante. Nach dem Tod unserer Mutter hatte sie sich um mich gekümmert. Und in dieser Nacht befahl sie mir, die Kinder in Sangravah zu beschützen, während sie direkt zu den Tempelmauern lief.«

Gwyns Stimme begann zu zittern. »Als ich den Schlafsaal der Kinder erreichte, war das Gemetzel nur noch ein paar Gänge entfernt. Ich versammelte die Kinder und wir rannten zu einem der Tunnel in den Katakomben. Der Tunnelgang war über eine Falltür in der Küche zu erreichen, und ich hatte gerade das letzte Kind nach unten befördert, als ich die Soldaten kommen hörte. Ich ... ich wusste, dass sie uns finden würden, wenn ich hinunterstiege und die Tür nicht verdeckte. Also warf ich einen Läufer darüber und schob den Tisch darauf. Ich war gerade fertig, als die Soldaten mich entdeckten.«

Nesta konnte nicht atmen. Gwyn starrte auf den hoch aufragenden Berg. Selbst der Wind schien sich gelegt zu haben, um ihre Worte zu hören.

»Die Schreie hatten aufgehört, die Soldaten hatten die anderen Priesterinnen bei sich. Auch Catrin. Aber dann kam ihr Kommandant in die Küche und fragte mich, wo der Rest von uns sei. Sie wollten auch die Kinder. Die Mädchen.«

Nesta konnte Emeries Herz hören, dessen wildes Schlagen ein Echo ihres eigenen, rasenden Pulses bildete.

Gwyn schluckte. »Ich sagte ihm, die Kinder seien über die Bergstraße fort, um Hilfe zu holen. Aber er glaubte mir nicht. Also packte er Catrin, weil unsere Düfte fast identisch waren, und sagte, er werde sie umbringen, wenn ich ihm nicht verriet, wo die Kinder waren. Und als ich schwieg ...« Ihre Lippen zitterten. »Er enthauptete Catrin vor meinen Augen, genau wie zwei andere Priesterinnen. Dann befahl er seinen Soldaten, sich bei den Priesterinnen *an die Arbeit zu machen*. Während er mich für sich beanspruchte. Ich spuckte ihm ins Gesicht.« Tränen liefen ihr über die Wangen. »Und dann ... machte er sich an die Arbeit.«

Nesta brach das Herz.

»Ich hatte noch nicht am Großen Ritus teilgenommen, und wir waren im Tempel so weit von allem entfernt, dass ich nie Gelegenheit hatte, mit einem Mann zu schlafen. Das nahm er mir ebenfalls. Danach rief er drei seiner Soldaten und befahl ihnen, weiterzumachen, bis ich ihnen verriet, wo die Kinder waren.«

Übelkeit breitete sich in Nestas Magen aus. Sie hätte sich nicht bewegen können, selbst wenn sie gewollt hätte.

»Der erste hatte gerade seinen Gürtel gelöst, als Azriel kam.« Stumme, nicht enden wollende Tränen strömten über Gwyns Gesicht.

»Azriel schlachtete sie alle innerhalb weniger Minuten ab. Er zögerte keine Sekunde. Aber ich konnte mich kaum bewegen, und als ich versuchte aufzustehen ... Er gab mir seinen Mantel und hüllte mich darin ein. Ein paar Minuten später kam Morrigan und dann Rhysand, und es wurde klar, dass einige der Soldaten mit einem Stück des Kessels verschwunden waren. Also nahm Azriel die Verfolgung auf. Mor heilte mich, so gut sie konnte, und brachte mich dann in die Bibliothek. Ich konnte ... ich konnte es nicht ertragen, im Tempel zu sein, mit den anderen. Catrins Grab zu sehen und zu wissen, dass ich sie im Stich gelassen hatte. Die Vorstellung, für den Rest meines Lebens jeden Tag diese Küche zu sehen. In den ersten fünf Monaten in der Bibliothek habe ich kaum ein Wort gesagt. Und auch nicht gesungen. Aber ich ging zu der Priesterin, die uns alle berät. Manchmal saß ich nur da und weinte, oder ich schrie, oder ich schwieg die ganze Zeit. Und dann begann ich, für Merrill zu arbeiten, auf Clothos Bitte hin, und die Arbeit gab mir ein Ziel, einen Grund, morgens aus dem Bett aufzustehen. Ich nahm an der Abendmesse teil und sang schließlich mit. Und dann bist du aufgetaucht, Nesta.«

Gwyns Augen suchten ihre, liefen über von Tränen, Schmerz und ... Hoffnung. Kostbare, wunderschöne Hoffnung. »Und ich sah, dass auch dir etwas Schlimmes widerfahren war. Aber du hast dich dagegen gewehrt, hast dich nicht davon beherrschen lassen. Ich wusste, dass Catrin die Erste gewesen wäre, die sich zum Training angemeldet hätte, also ... habe ich mich eingetragen. Aber selbst das Training in den letzten Monaten hat nichts daran ändern können, dass ich meine Schwester sterben ließ. Du hast mich mal gefragt, warum ich die Kapuze und den Beschwörungsstein nicht trage. Dieser Stein ist ein Zeichen der Heiligkeit. Wie kann jemand wie ich ihn tragen?«

Schließlich verstummte Gwyn, als wartete sie darauf, dass ihre Freundinnen sie verurteilten.

Doch über Emeries Gesicht liefen Tränen, als sie Gwyns Hand nahm und versicherte: »Du bist nicht allein, Gwyn. Verstehst du? *Du bist nicht allein.*«

Nesta nahm Emeries andere Hand, während ihre Freundin erklärte: »Wir haben auf andere Art gelitten, aber ... Mein Vater hat mich einmal so heftig geschlagen, dass er mir das Rückgrat brach. Er hielt mich wochenlang im Bett, während es verheilte, und erzählte den Leuten, ich sei krank, aber das stimmte nicht. Und das war noch eine seiner weniger schlimmen Taten.« Sie schwieg einen Moment und fuhr dann fort: »Davor hat er meine Mutter geschlagen. Und sie ... ich glaube, sie hat mich vor ihm beschützt, denn als sie noch lebte, hat er nie die Hand gegen mich erhoben. Bis zu jenem Tag, an dem er sie so brutal zurichtete, dass sie sich nicht mehr davon erholte. Er zwang mich, in einer Neumondnacht ihr Grab auszuheben, und erzählte den Leuten, sie habe eine Fehlgeburt erlitten und sei an dem Blutverlust gestorben.«

Wütend wischte sie sich eine Träne weg. »Alle haben ihm geglaubt. Sie glaubten ihm immer – er war so charmant, so geschickt. Jedes Mal, wenn die Leute mir sagten, wie glücklich ich mich doch schätzen könne, einen solchen Vater zu haben, fragte ich mich, ob ich mir all die schlimmen Dinge vielleicht nur einbildete. Nur meine Narben, meine Schwingen erinnerten mich an die Wahrheit. Und als er starb, war ich so glücklich, und doch erwartete man von mir, dass ich um ihn trauerte. Ich hätte ihnen allen sagen sollen, was für ein Monster er war. Doch ich verzichtete darauf. Sie hatten meine gestutzten Schwingen ignoriert, als er noch lebte. Warum sollten sie jetzt die Wahrheit glauben, da er unter den verehrten Toten war?«

Emerie rümpfte die Nase. »Ich spüre seine Fäuste noch immer. Spüre noch immer den Aufprall, als er meinen Kopf gegen eine Wand schlug, das Knirschen, als er meine Finger in einer Tür einklemmte oder einfach so lange auf mich einprügelte, bis ich ohnmächtig wurde.« Sie zitterte und Nesta drückte ihre Hand fester. »Er hat mir nie Geld gegeben oder mir erlaubt, selbst welches zu verdienen. Ließ mich nie mehr essen, als er für angemessen hielt. Und er hat sich so sehr in meinem Kopf festgesetzt, dass ich ihn *noch immer* höre, wenn ich in den Spiegel schaue oder einen Fehler mache.«

Sie schluckte. »Ich kam zum Training, weil ich wusste, dass er es mir verboten hätte. Ich kam, um seine Stimme aus meinem Kopf zu verbannen. Und um zu lernen, wie ich einen Mann aufhalten kann, wenn es jemals wieder einer wagen sollte, mich anzufassen. Aber nichts davon wird meine Mutter zurückbringen oder etwas daran ändern, dass ich mich versteckt habe, als mein Vater seine Wut an ihr ausließ. Nichts wird das jemals wiedergutmachen. Aber dieser

Berg ...« Emerie zeigte auf den kleinen Pfad unterhalb des Gipfels. »Ich werde ihn für meine Mutter besteigen. Für sie werde ich die Knochen-Route in Angriff nehmen und so weit gehen, wie ich kann.«

Ihre beiden Freundinnen sahen jetzt Nesta an. Doch sie blickte zum Berg. Zum Gipfel und zu der Route, die dort hinaufführte. Die härteste von allen.

Schließlich sagte Nesta: »Ich wurde in das Haus der Winde geschickt, weil ich zu einem erbärmlichen Wesen geworden war, weil ich gesoffen und alles gevögelt habe, was mir über den Weg lief. Meine ... Familie konnte es nicht ertragen. Über ein Jahr lang habe ich ihre Freundlichkeit und Großzügigkeit ausgenutzt, weil ... weil ...« Sie atmete zitternd aus. »Mein Vater starb während des Kriegs. Vor meinen Augen, aber ich habe nichts getan, um es zu verhindern.« Und dann sprudelte alles aus ihr heraus. Sie erzählte den beiden all die schrecklichen Dinge, die sie getan und gedacht und ausgekostet hatte. Erzählte ihnen vom Kessel und seinem Schrecken, vom Schmerz und seiner Macht. Erzählte ihnen das Schlimmste von sich, damit sie über sie Bescheid wussten, falls sie es wirklich riskierten, mit ihr zusammen diesen Berg zu besteigen. Damit sie jetzt noch die Möglichkeit hatten, einen Rückzieher zu machen. Und als Nesta ihren Bericht beendete, wappnete sie sich gegen die Enttäuschung in ihren Gesichtern, gegen die Abscheu.

Aber Gwyns Hand schob sich in ihre und Emerie drückte Nestas andere Hand noch fester.

»Keine von euch ist schuld an dem, was passiert ist«, flüsterte Nesta. »Keine von euch hat jemanden im Stich gelassen.«

»Du auch nicht«, sagte Emerie sanft.

Nesta betrachtete ihre Freundinnen. Und erkannte den Schmerz und den Kummer in ihren tränenüberströmten Gesichtern, aber auch die Bereitschaft, einander die Verletzungen tief in ihrem Inneren sehen zu lassen. Die Gewissheit, dass sie sich nicht abwenden würden.

Nestas Augen brannten, als Gwyn sagte: »Also besteigen wir den Ramiel. Wir gehen über die Knochen-Route. Wir gewinnen, um allen zu beweisen, dass etwas Neues genauso mächtig und unumstößlich sein kann wie die alten Gesetze. Dass dieses Etwas, das noch niemand gesehen hat – nicht ganz Walküre, nicht ganz Illyrianer –, das Blutritual gewinnen kann.«

»Nein«, sagte Nesta schließlich. »Wir gewinnen, um *uns selbst* zu beweisen, dass wir es schaffen können.« Sie taxierte den Berg mit einem wilden Grinsen. »Wir werden das verdammte Ritual gewinnen.«

༄ 69 ༄

Eris und die kleine Karawane ritten drei Tage lang ostwärts und hielten nur an, um zu essen und zu schlafen. Ihr Tempo war gemäßigt, und den kurzen Einblicken nach, die Cassian und Azriel durch die Wolkenlücken erhielten, hatte man Eris nicht gefesselt. Briallyns kleine, zusammengekrümmte Gestalt ritt jeden Tag neben ihm her. Aber sie entdeckten keinen Hinweis auf die Krone – nirgends ein goldener Schimmer in der Sonne.

Das Blutritual würde am nächsten Tag enden. Cassian hatte nichts von Nesta gehört, nichts gespürt. Aber er hatte kaum geschlafen, sich kaum auf die Gruppe vor ihnen konzentrieren können, als sie jenseits des Hügels in einen tiefer gelegenen Wald eintauchte, mit uralten knorrigen Bäumen und herabhängendem Moos und Flechten.

»Hier bin ich noch nie gewesen«, murmelte Azriel über den Wind hinweg. »Es fühlt sich an wie ein sehr alter Ort. Erinnert mich an das Niemandsland in der Mitte.«

Cassian schwieg weiter. Auch als die Gruppe tiefer in den Wald eindrang und auf einen kleinen See zusteuerte. Erst als die Pferde an dessen dunklem Ufer anhielten, landeten Azriel und Cassian in der Nähe und verfolgten sie zu Fuß weiter.

Die Gruppe schien sich keine Sorgen zu machen, dass sie belauscht werden könnte, denn Cassian konnte bereits weit von ihrem Lagerplatz am Seeufer entfernt jedes Wort verstehen. Es waren insgesamt zwanzig Personen, eine Mischung aus menschlichen Adligen und Soldaten offenbar. Eris' weißer Hengst war an einem Ast festgebunden. Aber der Mann ...

»Ich bin hier, Cassian«, säuselte Eris.

Cassian wirbelte herum und musste feststellen, dass der Sohn des High Lords ihm ein Messer gegen die Rippen presste.

Gegen Mittag bekam Nesta kaum noch Luft. Gwyn schleppte sich vorwärts, Emerie keuchte, und sie begannen, ihr Wasser zu rationieren. Ganz gleich, wie hoch sie auch kletterten und wie viele Felsbrocken sie auf dem schmalen Pfad überwanden, der Gipfel rückte nicht näher.

Sie sahen und hörten niemanden.

Wenigstens etwas.

Nestas Lungen brannten. Ihre Beine zitterten. Es gab nur die Schmerzen in ihrem Körper und das unerbittliche Kreisen ihrer Gedanken, wie Geier, die sich zum Fressen versammelten.

Sie hätte ihren Verstand am liebsten ausgeschaltet ... War die Knochen-Route womöglich nicht nur eine körperliche, sondern auch eine mentale Herausforderung? Brachte dieser Berg all ihre Ängste ans Licht und zerrte sie ins Bewusstsein?

Zum Mittagessen hielten sie an, falls man Wasser als Mittagessen bezeichnen konnte. Aus Gwyns Wunde am Bein sickerte erneut Blut und ihr Gesicht war gespenstisch weiß. Keine von ihnen sagte etwas. Aber Nesta bemerkte ihre gequälten Blicke – wusste, dass jede mit ihren eigenen Schrecken zu kämpfen hatte.

Sie rasteten so lange, wie sie sich trauten, und dann setzten sie sich wieder in Bewegung.

Weiter den Hang hinauf. Die einzige Richtung. Schritt für Schritt für Schritt.

»Sieht so aus, als hätten wir zwei Drittel des Aufstiegs geschafft«, krächzte Emerie.

Die Nacht war weit vorangeschritten, der Mond hell genug, um den Verlauf der Knochen-Route zu beleuchten. Um die drei Sterne über dem Gipfel des Ramiel zu zeigen, die blinkten, die warteten. Falls sie den Stein bei Tagesanbruch erreichten, wäre das ein Wunder.

»Ich brauche eine Pause«, sagte Gwyn mit schwacher Stimme. »Nur ... nur eine Minute.« Ihr Gesicht war grau, das Bein ihrer Lederhose blutdurchtränkt, und ihre Haare hingen in schlaffen Strähnen herab.

Emerie war zwei Stunden zuvor über einen losen Stein gestolpert und hatte sich den Knöchel verstaucht. Auch sie hinkte jetzt.

Sie kamen zu langsam voran.

»Bis zum Enalius-Pass ist es nicht mehr weit«, beharrte Emerie. »Wenn wir es durch den Torbogen schaffen, ist der Weg nach oben frei.«

»Ich weiß nicht, ob ich das schaffe«, sagte Gwyn leise.

»Lass sie ausruhen, Emerie«, bat Nesta und setzte sich auf einen kleinen Felsblock neben Gwyn. Bis Sonnenaufgang mussten es noch vier Stunden sein. Und dann war dieses Blutritual vorbei. Würde es eine Rolle spielen, ob sie bis dahin den Gipfel erreicht, ob sie gewonnen hatten? Sie waren so weit gekommen. Sie waren …

»Wie sind die denn hierhergekommen?«, fragte Gwyn und fluchte leise.

Nesta erstarrte. Von ihrem Felsblock aus konnte auch sie direkt nach unten schauen. Dorthin, wo ein Strahl des Mondlichts einen vertraut aussehenden Mann und sechs weitere Krieger beleuchtete, die den Berg hinaufstiegen. Ein gutes Stück weiter unten, aber sie kamen näher.

»Bellius«, flüsterte Emerie.

»Wir müssen weiter«, sagte Nesta und sprang auf. Gwyn stand ebenfalls auf, das Gesicht schmerzverzerrt.

Nesta schätzte ihre Lage ab. Emerie und Gwyn waren zu angeschlagen, um zu kämpfen, zu erschöpft, und …

»Leg deine Arme um meinen Hals«, sagte Nesta und drehte Gwyn den Rücken zu.

»Was?«

Nesta nahm die Hände ihrer Freundin und schlang sie sich um den Hals. Sie hatte die zehntausend Stufen im Haus des Windes überwunden, hinab und hinauf, wieder und wieder. Vielleicht für diese Situation hier. Für genau diesen Moment.

»Wir werden dieses verdammte Ding gewinnen«, verkündete Nesta und beugte sich hinunter, um Gwyns Beine zu packen. Mit zusammengebissenen Zähnen hievte sie Gwyn auf ihren Rücken. Die

Muskeln ihrer Oberschenkel spannten sich an, aber es klappte. Ihre Knie gaben nicht nach.

Sie richtete den Blick auf das Terrain vor ihr. Sie würde sich nicht umdrehen.

Und so begann Nesta den Aufstieg. Emerie hinkte neben ihr her.

Mit dem Wind als ihrem Lied fanden sie ihren Rhythmus. Sie kletterten, quetschten sich durch Felsen, rutschten und schleppten sich vorwärts. Und die Männer fielen zurück, als würde der Berg flüstern: *Weiter, weiter, weiter.*

»Ich wusste, dass du ein elender Lügner bist«, stieß Cassian zwischen zusammengebissenen Zähnen hervor. Azriel, der einen Schritt entfernt stand, konnte nichts tun. Nicht, solange Eris dieses Messer – Nestas Dolch – gegen Cassians Rippen drückte. Er hätte schwören können, dass sich Flammen in ihn brannten, wo das Messer seine Lederkluft berührte. »Aber das hier ist erbärmlich, selbst für deine Verhältnisse.«

»Ehrlich gesagt, bin ich von Rhysand enttäuscht«, erwiderte Eris und bohrte die Spitze seines Dolches in Cassians Lederkluft hinein, ließ ihn das Stechen und die sengende Flamme spüren. Es kümmerte Cassian nicht, ob das Brennen an Eris' Kraft lag, die durch diese Klinge drang, oder daran, dass Nesta sie erschaffen hatte. Er musste nur verhindern, dass sie seine Haut durchbohrte. »Rhysand ist in letzter Zeit so langweilig geworden. Er hat nicht mal versucht, in meinen Geist einzudringen«, höhnte Eris.

»Du kannst nicht gewinnen«, sagte Azriel mit einem leisen Drohen in der Stimme. »Du bist ein Todeskandidat, Eris. Schon lange.«

»Ja, ja, all die alten Geschichten mit dieser Morrigan. Wie ermüdend, dass ihr euch so daran klammert.«

Cassian blinzelte. *Diese* Morrigan.

So hatte Eris noch nie von ihr gesprochen.

»Lass ihn gehen, Briallyn«, knurrte Cassian. »Komm und spiel stattdessen selbst mit uns.«

Der erschaffene Dolch glitt von seinen Rippen, und eine brüchige, dünne Stimme drang aus nicht allzu weiter Ferne an sein Ohr: »Ich spiele bereits mit dir, Prinz der Bastarde.«

Nestas Beine wankten. Ihre Arme zitterten. Gwyn war ein halb totes Gewicht auf ihrem Rücken. Der Blutverlust hatte sie so sehr geschwächt, dass sie sich kaum noch festhalten konnte.

Die Knochen-Route verlief durch einen Torbogen aus schwarzem Stein, wo der Pfad breiter und einfacher wurde. Der Enalius-Pass. Emerie hatte nur kurz pausiert, um mit einer blutenden Hand über den Stein zu fahren. Auf ihrem schmutzigen Gesicht zeichnete sich eine Mischung aus Staunen und Stolz ab. »Diesen Ort, an dem ich jetzt stehe, hat keiner meiner Vorfahren je erreicht«, flüsterte sie mit erstickter Stimme.

Nesta wünschte, sie könnte sich neben ihre Freundin stellen und mit ihr zusammen staunen. Aber wenn sie auch nur einen Atemzug lang stehen blieb ... Sie wusste nur zu gut, dass sie sich dann nicht mehr bewegen konnte.

Der Weg durch den Torbogen flachte zwar ab, verschaffte ihnen aber nur vorübergehend Erleichterung. Schon bald standen sie vor einer Ansammlung von Felsen – die letzten auf diesem mörderischen Anstieg, bevor der Pfad direkt zum Gipfel zu führen schien. Bis zur Morgendämmerung waren es noch gut zwei Stunden. Das Licht des Vollmondes nahm allmählich ab, während er sich gen Westen neigte.

Die Männer würden sie vor dem Gipfel einholen.

Nestas Finger verkrampften sich, als sie nach der ausgestreckten Hand ihrer Freundin Emerie griff, die auf einem der scharfkantigen Felsblöcke kniete. Wenn sie diesen Abschnitt hinter sich lassen könnten ...

Im nächsten Moment gaben Nestas Knie nach, und sie schlug mit dem Kopf so heftig gegen einen Felsen, dass sie Sternchen sah. Aber sie hielt Gwyn fest. Und dann stürzten sie gemeinsam ab, trafen auf Steine und Geröll und rollten immer weiter abwärts. Emeries Schreie hallten in ihren Ohren und dann ...

Nesta kollidierte mit jemandem.

Nein – nicht mit einer Person, obwohl sie hätte schwören können, Wärme und Atem zu spüren. Sie war gegen den steinernen Torbogen geprallt. Gwyn und sie waren den ganzen Weg bis hinunter zum Enalius-Pass gerutscht und den Männern gefährlich nahe.

»Gwyn ...«

»Am Leben«, stöhnte ihre Freundin.

Emerie kam zu ihnen und ließ sich auf die Knie fallen. »Seid ihr verletzt?«

Nesta konnte sich nicht bewegen, als Gwyn sich von ihr löste. Sie waren beide mit Dreck, Geröll und Blut bedeckt. »Ich kann nicht mehr ...«, keuchte Nesta. »Ich kann dich nicht mehr tragen.«

Sie schwiegen.

»Dann ruhen wir uns jetzt aus«, brachte Gwyn mühsam heraus, »und gehen danach weiter.«

»Wir werden es niemals rechtzeitig schaffen«, sagte Nesta. »Zumindest nicht, bevor die Männer uns einholen.«

Emerie schluckte. »Wir versuchen es trotzdem.« Gwyn nickte. »Aber erst mal machen wir eine kleine Pause. Vielleicht erreicht uns die Morgendämmerung noch vor den Männern.«

»Nein.« Nesta spähte den Pfad hinunter. »Sie sind zu schnell.«

Erneut breitete sich Stille aus.

»Was willst du uns sagen?«, fragte Emerie vorsichtig.

Nesta staunte über die Hoffnung und die Tapferkeit in den Gesichtern ihrer Freundinnen. »Ich kann sie aufhalten.«

»Nein«, widersprach Gwyn in scharfem Ton.

Nesta zog bewusst eine kalte Miene. »Ihr seid beide verletzt. Ihr werdet den Kampf nicht überleben. Aber ihr könnt den Aufstieg schaffen. Emerie kann dir helfen ...«

»Nein.«

»Ich kann den Engpass dort drüben nutzen«, fuhr Nesta unbeirrt fort und zeigte auf den Torbogen, »um sie so lange aufzuhalten, bis ihr beiden den Gipfel erreicht habt. Oder der Morgen anbricht. Was auch immer zuerst geschieht.«

Gwyn knurrte. »*Ich weigere mich, dich hier zurückzulassen.*«

Emeries schmerzverzerrtes Gesicht verriet Nesta genug: Sie verstand, erkannte die Logik.

»Es ist die einzige Möglichkeit«, wandte Nesta sich erneut an Gwyn.

»*ES IST NICHT DIE EINZIGE MÖGLICHKEIT!*«, schrie Gwyn. Und dann schluchzte sie. »Ich werde dich denen nicht überlassen. Sie werden dich *töten*.«

»Ihr müsst gehen«, sagte Nesta, obwohl ihre Hände zitterten. »Jetzt sofort.«

»Nein«, weinte Gwyn. »Nein, ich gehe nicht. Ich kämpfe an deiner Seite.«

Etwas tief in Nestas Brust zerbarst. Ihr Herz öffnete sich voll und ganz, und was sich darin verborgen hatte, erblühte jetzt hell und klar.

Sie schlang die Arme um Gwyn, ließ ihre Freundin an ihrer Brust schluchzen. »Ich kämpfe an deiner Seite«, flüsterte Gwyn wieder und wieder. »Versprich mir, dass wir uns ihnen gemeinsam entgegenstellen.«

Nesta konnte ihre Tränen nicht mehr aufhalten, die der eisige Wind umgehend auf ihren Wangen gefrieren ließ. »Ich verspreche es«, sagte sie leise und strich über Gwyns verfilztes Haar. »Ich verspreche es.«

Gwyn schluchzte, und Nesta schluchzte mit ihr, drückte sie fest an sich und strich mit der Hand langsam von Gwyns Kopf zu ihrem Hals. Ein Kniff an der richtigen Stelle, genau auf diesen Druckpunkt, den Cassian ihr gezeigt hatte – und es war vorbei.

Gwyn sackte zusammen. Bewusstlos.

Ächzend legte Nesta Gwyn vorsichtig auf den Boden und schaute dann zu Emerie hinauf. Das Gesicht ihrer Freundin war ernst, wirkte aber nicht überrascht.

Nesta räusperte sich. »Kannst du sie den Rest des Wegs tragen?« Es würde alles andere als leicht werden. »Oder zumindest so lange, bis es hell wird?«

»Ja.« Nesta wusste, dass Emerie die nötige Kraft finden würde. Sie besaß eine Seele aus Stahl. Emerie legte ihr Schwert vor Nesta. Ihren Dolch. Den Schild.

»Behalt die Wasserflasche«, sagte Nesta und klopfte auf ihre eigene. »Ich hab genug Wasser.« Noch eine Lüge.

»Das wird sie dir nie verzeihen«, sagte Emerie.

»Ich weiß.« Die Männer waren näher gekommen. Sie wartete Emeries Antwort nicht ab, sondern half ihr, Gwyn auf die Schultern zu hieven. Emerie zischte, als sich Gwyns Gewicht auf ihre Schwingen legte und sie dabei schmerzhaft spreizte. Nesta band das blutige Seil um ihre beiden Freundinnen und verknotete es. Emerie gelang es, ein paar Schritte zu gehen.

»Komm mit uns«, bat Emerie, ein silbernes Glitzern in den Augen.

Nesta schüttelte den Kopf. »Betrachte es als Begleichung einer Schuld.«

Eine Träne rann Emerie über die Wange. »Wofür?«

»Dafür, dass ihr meine Freundinnen gewesen seid. Selbst, als ich es nicht verdiente.«

Emeries Gesicht verzog sich gequält. »Es gibt keine Schuld, Nesta.«

Aber Nesta lächelte sanft. »Doch. Lass sie mich begleichen.«

Emerie schluckte ihre Tränen hinunter und nickte. Sie hievte Gwyn höher auf ihre Schultern und zuckte zusammen, schaffte es aber, durch den Torbogen zu humpeln. Auf die Felsen und das letzte Stück der Knochen-Route zu, die hinauf zum Gipfel führte.

Nesta verabschiedete sich nicht. Sie atmete nur langsam durch die Nase ein, hielt den Atem an und atmete dann aus. Wiederholte diese Kontemplationsübung ein ums andere Mal, bis ihr Atem zum gleichmäßigen Rauschen der Wellen und ihr Herz zu hartem Stein wurde, bis sie jede Faser ihres Körpers unter Kontrolle hatte.

Sie war der Fels, an dem die Brandung zerschellte. Diese Männer würden ebenfalls an ihr zerschellen.

Ihnen blieb keine andere Wahl. Da Briallyn Eris in ihrer Gewalt hatte, mussten Cassian und Azriel der gebeugten, verhüllten Gestalt zum See folgen. Cassian wagte es nicht, darüber nachzudenken, ob die Krone auch bei ihm und bei Azriel eingesetzt werden würde.

Die Karawane, in der Eris und Briallyn geritten waren, hatte sich aufgelöst und war nirgends mehr zu sehen. War sie überhaupt real gewesen? Oder nur eine Illusion?

Cassian blickte zu Az. Das Gesicht seines Bruders wirkte versteinert, in seinen Augen stand kalte Wut.

Die gebeugte, verhüllte Gestalt hielt vor den Steinen des Sees inne. Eris kam neben ihr zum Stehen.

»Also, heraus damit«, forderte Cassian.

Briallyn schlug die Kapuze ihres Mantels zurück.

Darunter war ... nichts. Der Stoff fiel in sich zusammen und landete in einem Haufen auf den Steinen. Eris' Gesicht blieb ausdruckslos. Leer.

»Nur ein belebter Kern Magie«, sagte eine schleichende, schleppende Stimme vom See her.

Etwa zehn Meter vom Ufer entfernt schwebte ein Schatten auf der Wasseroberfläche, verschob und verformte sich. Seine Konturen verschwammen, aber er besaß die vage Form eines großen Mannes.

»Wer bist du?«, fragte Azriel.

Cassian wusste es. »Koschei«, flüsterte er.

Nesta stand eine Weile unter dem Enalius-Pass. Dann holte sie ihre Wasserflasche hervor, trank die letzten Tropfen und warf sie weg.

Sie schob den Dolch in ihren Gürtel, nahm das Schwert und zog vor dem Torbogen eine Linie in den Dreck.

Ihr letzter Widerstand. Ihre letzte Verteidigungslinie.

Nesta hob ihren Schild hoch. Spähte über die Schulter zu Emerie, die inzwischen die letzten Felsbrocken hinter sich gelassen hatte und sich den langen, geraden Pfad zum Gipfel hinaufkämpfte.

Ein kleines, stilles Lächeln huschte über Nestas Gesicht.

Dann brachte sie Schild und Schwert in Position. Und trat über die Linie, um sich ihrem Feind entgegenzustellen.

70

Bellius schickte seine Krieger zuerst durch den Engpass. Ein kluger Schachzug, mit dem er Nesta zermürben wollte.

Ihr blieb keine andere Wahl, als sich ihnen entgegenzustellen.

In ihrem Kopf waren keine hasserfüllten Stimmen. Nur das Wissen, dass ihre Freundinnen sich längst jenseits der Linie befanden, die sie gezogen hatte und die sie nicht an diese Männer abtreten würde. Sie würde ihre Freundinnen nicht im Stich lassen. In ihrem Herzen war kein Platz für Angst.

Nur Ruhe. Entschlossenheit.

Und Liebe.

Nestas Lippen kräuselten sich zu einem Lächeln, als der erste Krieger mit erhobenem Schwert auf sie zurannte. Und sie lächelte noch immer, als sie ihren Schild hob, um die ganze Wucht seines Schlags abzufangen.

Nesta ließ ihren Schild auf den ersten Krieger herabfahren, schlitzte die Schienbeine des zweiten auf und erledigte den dritten mit einer Parade, die ihn gegen den vierten Krieger schleuderte, sodass beide zu Boden gingen. Einen für jeden Atemzug – eine Bewegung für jedes Einatmen und Ausatmen. Sie beruhigte ihren Geist wieder, damit er sie erdete.

Einen Moment lang fragte sie sich, was sie mit Ataraxia in der Hand getan hätte. Was sie mit diesem Körper, mit diesen Fertigkeiten bewirken könnte, die sie bis ins Mark verinnerlicht hatte. Und ob sie des Schwertes endlich würdig war.

Sie hatte sich für einen Namen aus der alten Sprache entschieden, die seit fünfzehntausend Jahren niemand mehr sprach. Für einen Namen, über den Lanthys gelacht hatte.

Nesta nahm es mit vier der Illyrianer gleichzeitig auf, dann fünf, dann sechs, und einer nach dem anderen ging zu Boden. Nesta hielt die Linie in einem Sturm von Unbeirrbarkeit und Tod, beschützte die Freundinnen in ihrem Rücken.

Ataraxia, so hatte sie dieses magische Schwert genannt.

Innerer Frieden.

71

Die Gestalt, die über dem See schwebte, war nur ein Schatten. Es musste eine Spiegelung sein, dachte Cassian. Lug und Trug.

»Wo ist Briallyn?«, fragte Azriel fordernd, dessen Trichtersteine wie kobaltblaue Flammen flackerten.

»Ich habe so viele Monate damit verbracht, mich auf euch vorzubereiten«, säuselte Koschei, »und ihr wollt nicht einmal mit mir reden?«

Cassian verschränkte die Arme vor der Brust. »Lass Eris gehen, dann reden wir.« Er betete, dass Koschei nichts von dem erschaffenen Dolch wusste, den Eris wieder in der Scheide an seinem Gürtel trug ... dass die von der Krone ausgehende Aura der Macht auch Briallyns Blick für den Dolch geblendet hatte. Aber wenn der Todesgott ihn in die Finger bekam ... Verdammt. Cassian hütete sich, die Klinge auch nur anzusehen.

»Ihr seid ziemlich schnell auf meine Illusion hereingefallen«, fuhr Koschei fort, »obwohl ihr euch Zeit gelassen habt, Kontakt aufzunehmen. Ich hätte gedacht, dass ihr brutalen Illyrianer euch direkt ins Gemetzel stürzt.« Hinter den Schatten seiner Gestalt konnten sie nichts erkennen. Selbst Azriels eigene Schatten blieben unter seinen Schwingen verborgen. Koschei lachte und Azriel versteifte sich. Als hätten seine Schatten ihm eine Warnung zugeflüstert.

Erneut flackerten seine Trichtersteine auf. »Flieh«, flüsterte Az, und das blanke Entsetzen im Gesicht seines Bruders ließ Cassian die Schwingen ausbreiten, bereit abzuheben ...

Aber seine Schwingen sperrten sich. Sein ganzer Körper sperrte sich.

Azriel packte Eris, schoss in den Himmel, und mit ihnen der erschaffene Dolch. Sie mussten ihn weit von Koschei fortbringen. Aber

Cassian konnte sich noch immer nicht bewegen. Seine Trichtersteine leuchteten wie frisches Blut und erloschen dann allmählich. Azriel rief seinen Namen von hoch oben.

Koschei driftete näher ans Ufer. »Du kannst ihn jetzt haben, Briallyn. Dir bleibt jede Menge Zeit bis zur Morgendämmerung.«

Hinter einem Baum tauchte eine kleine, gebeugte Gestalt auf. Eine alte Vettel, mit einer goldenen Krone auf dem Kopf, direkt über ihren spitzen Ohren. Hass brannte in ihren Augen.

»Sag meiner Vassa, dass ich warte«, forderte Koschei. Seine Schatten wirbelten um ihn herum.

Azriels Trichersteine bildeten eine blaue Kraftkugel, als er in Richtung Boden zurückrauschte. Aber Briallyn hatte Cassian schon erreicht.

»Ich brauche dich, Prinz der Bastarde«, zischte die uralt aussehende Königin. Cassian konnte nicht sprechen. Konnte sich nicht bewegen. Die Krone glühte wie geschmolzenes Eisen. Briallyn wandte sich an Koschei: »Teil den Wind und bring uns fort.«

Der Todesgott zeigte mit der Hand auf Briallyn und Cassian und schnippte einmal mit den langen Fingern.

Und die Welt verschwand, wirbelte davon in Finsternis und Wind.

Nestas Schild war zu einem Mühlstein geworden. Ihr blutverschmiertes Schwert hing wie ein bleiernes Gewicht in ihrer Hand. Jede Faser ihres Körpers brannte. Vor Erschöpfung, von ihren Verletzungen, von dem Wissen, dass hinter dieser Linie, die sie in den Dreck gezogen hatte, durch den Torbogen in ihrem Rücken, Gwyn und Emerie noch atmeten, noch immer dieses letzte Stück der Knochen-Route hinauf zum Gipfel erklommen.

Und so hatte sie die Krieger ausgeschaltet, die sich durch diese zerklüfteten Felsen gequetscht hatten. Die geglaubt hatten, sie hätten es mit einer untrainierten, hilflosen Frau zu tun, und auf die vor dem Torbogen der Tod gewartet hatte.

Nur einer war noch übrig.

Etwas in ihrem Inneren erbebte beim Anblick der erstarrten,

zerschlagenen Gesichter. Bei dem Blut, das aus ihren Körpern strömte.

Walküre, flüsterte sie sich selbst zu. *Du bist eine Walküre und ein weiteres Mal hältst du den Pass. Wenn du fällst, dann nur, um deine Freundinnen zu retten, die dich gerettet haben, auch wenn sie es nicht einmal wussten.*

Ein Blick über die Schulter verriet ihr, dass Emerie noch immer das letzte Stück bis zum Gipfel vor sich hatte ... so nah, aber so langsam. Bald würde der Morgen anbrechen ... doch sie konnten es schaffen. Konnten dieses Ritual für sich entscheiden.

Nesta wandte sich wieder dem Torbogen zu. Sie wusste, wen sie dort sehen würde.

Bellius lehnte an einem Felsblock, in der einen Hand sein Schwert, in der anderen sein Schild. »Beeindruckende Leistung für eine High-Fae-Hure.«

Er stieß sich vom Felsen ab, ohne die Krieger, die er für sich hatte sterben lassen, eines Blickes zu würdigen. »Unser Gott – der erste Illyrianer – hielt diese Stellung gegen feindliche Horden genau dort, wo du jetzt stehst.«

Er hatte nicht einen Kratzer am Leib. Zeigte kein Anzeichen von Erschöpfung, trotz des schwierigen Aufstiegs.

Bellius grinste. »Auch er zog eine Linie in den Dreck.« Er deutete mit dem Kinn darauf. »Nette kleine Geste.«

Nesta hatte dieses Detail aus der Geschichte der Illyrianer nicht gekannt. Aber sie ließ sich nichts anmerken. Wurde zu Blut und Dreck und purer Entschlossenheit.

»Für Enalius ging es nicht gut aus«, fuhr Bellius fort. »Er starb, nachdem er diese Stelle drei Tage lang verteidigt hatte. Kletterte mit heraushängenden Eingeweiden hinauf zum heiligen Stein und starb dort. Deshalb machen wir diesen Blödsinn. Um ihn zu ehren.«

Nesta schwieg weiter.

Aber Bellius' Blick schweifte zum Gipfel hinauf. Missmutig kniff er die Augen zusammen. »Meine verkrüppelte Schlampe von Cousine und diese Mischlingshure bringen Schande über den heiligen Ort.«

Ein Lichtschimmer vom Gipfel strich über Bellius' Gesicht.

Nesta verzog die Lippen zu einem breiten Grinsen, als Bellius knurrte.

Gwyn und Emerie hatten den heiligen Stein berührt und waren von seiner Magie durch den geteilten Wind davongetragen worden.

»Sieht so aus, als hättest du nicht gewonnen«, teilte Nesta Bellius schließlich spöttisch mit.

Hass verdüsterte Bellius' glasige Augen. Wie als Antwort begann es zu schneien und schwere Wolken wanden sich grollend um den Berg. Dieses Mal blieb der Schnee an den Felsen haften.

»Ich wollte nie gewinnen.« Bellius' Mundwinkel zuckten. »Ich wollte nur das hier.«

Und dann stürzte er sich auf sie.

72

Emerie und Gwyn hatten gewonnen. Sie hatten es über die Knochen-Route bis zum Gipfel geschafft. Das reichte.

Nesta musste dieses Arschloch nur noch für ein paar Minuten in Schach halten – bis zur Morgendämmerung. Dann war es vorbei. Ihre Kraft würde zurückkehren, und sie könnte ... Nesta wusste nicht, was sie tun würde. Aber sie würde ja noch immer diese Waffe haben.

Bellius stürzte sich auf sie, schneller und sicherer als die anderen Krieger.

Nesta blieb kaum Zeit, ihren Schild zu heben. Der Aufprall erschütterte sie bis ins Mark, und Bellius drehte sich bereits, holte mit seinem Schild gegen ihr Gesicht aus ...

Sie taumelte zurück. Bei den Göttern, sie war müde. So unglaublich müde und ...

Er hörte nicht auf. Gönnte ihr keine Atempause, als er angriff, parierte und zustieß, sie zurück zu der Linie trieb, zum Torbogen. Hass brannte in seinem Gesicht. Ein völlig blinder, besessener Hass. Ohne Grund. Ohne Ende.

Der Schnee wurde dichter, der Wind heulte und der Himmel grollte. Erneut schlug Bellius zu, und Nesta hob ihren Schild, um den Schlag abzuwehren.

Blitze zuckten, gefolgt von Donnerschlägen.

Ein Schneegewitter war um den Berg herum aufgezogen und verdeckte den Mond und die Sterne. Nur die Blitze am Himmel warfen etwas Licht auf Bellius' Angriff.

Sie war in der Defensive, und wenn sie überleben wollte, musste sie einen Weg finden, das zu ändern ...

Aber der Schnee machte die Steine und den Dreck rutschig, und als weitere Blitze über den Himmel zuckten und sie beide blendeten, dachte er schneller. Handelte schneller. Nutzte ihr Blinzeln, um seinen Schild auf ihren herabfahren zu lassen und ihn ihr aus der Hand zu schlagen.

Scheppernd prallte er auf einen Stein. Als sie überrascht in die Richtung sah, schlug er ihr auch noch das Schwert aus der Hand.

Entwaffnet wie eine Anfängerin stand sie da.

Wieder donnerte es und Bellius lachte. »Enttäuschend.« Er hielt inne und taxierte sie. Und lächelte, bevor er erneut attackierte.

Nesta wich einem Angriff nach dem anderen aus, aber nicht schnell genug, um den präzisen Schnitten zu entgehen, die Belius ihren Armen, ihren Beinen und ihrem Gesicht zufügte. Sie wurde langsamer, rutschte auf dem glitschigen Berghang aus, während Donner und Schnee um sie herum wüteten.

Ein weiterer Schlag, und ihre Füße verloren den Halt. Die Luft wurde aus ihren Lungen gepresst, als sie mit dem Rücken auf etwas Hartes auftraf. Einen Felsbrocken. Nesta keuchte, ihr Körper versagte ihr den Dienst. Warmes Blut sickerte ihr aus der Nase.

Bellius kam näher, warf seine Waffen weg. »Es wird mir ein Vergnügen sein, dich mit bloßen Händen zu erledigen.«

Beweg dich.

Die Worte hallten durch Nesta. Sie musste sich in Bewegung setzen.

Mit zitternden Händen, umgeben von krachendem Donner und dichtem Schnee, stieß sich Nesta von dem Felsen ab. Ihre Beine wankten, flehten sie an, sich hinzusetzen, aufzuhören, einfach zu sterben.

Bellius war fast bei ihr. Sein kraftvoller Körper nahm Kampfhaltung an. Der wilde Hass in seinen Augen verbrannte sie förmlich.

Ihre Freundinnen hatten es geschafft ... aber sie wollte nicht sterben.

Sie wollte leben, und gut leben, und glücklich leben.

Wollte leben mit ...

Nesta stellte die Füße hüftbreit auseinander. Richtete ihren schmerzenden, zerschundenen Körper auf.

»Glaubst du wirklich, du kannst mich im Nahkampf besiegen?«, schnaubte Bellius.

Blut floss ihr aus Mund und Nase. Nesta hatte seinen metallischen Geschmack auf der Zunge, aber sie lächelte unverdrossen. »Ja.«

Bellius legte die ganze Kraft seines mächtigen Körpers in seinen ersten Schlag. Nesta blockte ihn ab und rammte ihm die Faust gegen die Nase. Knochen knirschten. Bellius heulte auf und stolperte einen Schritt zurück.

Und Nesta zischte: »Weil mein Seelengefährte mich gut ausgebildet hat.«

73

Seelengefährte.

Das Wort raste wie eine Sternschnuppe durch Nesta, während Bellius und sie aufeinander losgingen, schlugen, traten und sich wegduckten. Als hätte das Aussprechen des Wortes ihr diesen letzten Kraftschub gegeben ...

Bellius schlug mit der Faust so hart gegen Nestas Kiefer, dass sie ein paar Schritte rückwärts wankte.

Seinem nächsten Angriff wich sie aus und landete einen Schlag gegen seine Rippen. Aber er drängte sie weiter zurück zum Torbogen und zu der Linie. Um sie zu zermürben. Bis ihre Kräfte endgültig versagten.

Aber Nesta würde weitermachen. Bis zum bitteren Ende weiterkämpfen.

Bellius' Faust krachte gegen ihre linke Wange. Peitschender Schmerz durchfuhr sie. Zog ihr den Boden unter den Füßen weg. Sie flog nach hinten und die Zeit verlangsamte sich. Als sie jenseits der Linie mit dem Hintern auf dem Boden landete, hätte sie schwören können, dass der Berg schauderte.

Nesta kroch. Es war ihr egal, wie erbärmlich sie aussehen mochte. Sie kroch von Bellius weg, unter dem Torbogen hindurch, die Linie zerstörend, die sie gezogen hatte.

Blutüberströmt und mit höhnischem Gesichtsausdruck kam er näher. »Ich werde es genießen.«

Sie hatte behauptet, es sei in Ordnung, für ihre Freundinnen zu sterben, weil sie es geschafft hatten, weil sie gewonnen hatten. Aber von diesem *Niemand* getötet zu werden ...

Nesta knurrte. Sie hatte keine Reserven mehr. Ihr Körper hatte sie aufgegeben. Wie so viele andere auch.

Bellius zog ein Messer aus seinem Stiefel. »Ich glaube, ich schneide dir lieber die Kehle durch.«

Sie war allein.

Sie war allein auf die Welt gekommen und sie würde allein sterben, und dieser Scheißkerl würde derjenige sein, der sie tötete ...

Ein Donnerschlag krachte ohrenbetäubend, brachte den gesamten Berg zum Beben. Bellius machte einen Schritt auf sie zu und hob das Messer.

Blut spritzte.

Zuerst dachte sie, es sei ein Blitz, der über seine Kehle zuckte und sie so weit aufschlitzte, dass sein Blut die verschneite Luft erfüllte.

Doch dann sah sie die Schwingen. Die *anderen* Schwingen.

Und als Bellius auf den Boden sackte, an seinem Lebenssaft erstickte und den Blick auf Cassian freigab, der mit gebleckten Zähnen und dem Schwert in der Hand dastand, fragte sie sich, ob der Donner, der den Berg erschüttert hatte, Cassians Zorn gewesen war.

Cassian trat über Bellius' sterbenden Körper hinweg und streckte ihr die Hand entgegen. Nicht, um sie in seine Arme zu reißen, sondern um ihr beim Aufstehen zu helfen. Wie er es immer getan hatte.

Nesta packte seine Hand und stand auf, obwohl ihr Körper lautstark protestierte.

Aber sie vergaß ihre Schmerzen und den Tod um sie herum, als er sie an seine Brust drückte, sie festhielt und zärtlich in ihr blutverklebtes Haar flüsterte: »Und jetzt werde ich *deine* hübsche, kleine Kehle aufschlitzen.«

Cassian hatte keine Macht über seine Worte. Keine Macht über seine Hände, als Nesta – seine *Seelengefährtin* – versuchte, sich aus seiner Umarmung zu lösen. Er hielt sie so fest umklammert, dass sich ihre Knochen unter seinen Fingern verschoben.

Er schrie. Stumm, unaufhörlich. Schrie sie an, sie solle sich wehren, solle weglaufen. Schrie sich selbst an, er solle aufhören.

Aber er konnte nicht. Ganz gleich, wie sehr er sich auch bemühte, er konnte nichts dagegen tun.

»Cassian«, sagte Nesta und wehrte sich nach Kräften.

Töte mich, flehte er sie stumm an. *Töte mich, bevor ich das hier tun muss.*

»*Cassian.*« Nesta drückte gegen seine Brust. Aber seine Arme hielten sie noch fester umklammert.

»Er kann dir nicht gehorchen, Nesta Archeron«, krächzte eine alte, verwelkte Stimme hinter Nesta. »Er gehört jetzt mir.«

Cassian konnte nicht einmal die Augen aufreißen, um sie zu warnen. Auf den stummen Befehl der Königin hin entspannte er seine Muskeln etwas, sodass sich Nesta in seinem Griff umdrehen konnte.

Und dann präsentierte er sie Briallyn, die die Krone in ihrem schütteren, weißen Haar trug.

74

Genugtuung blitzte in Briallyns dunklen Augen auf, und die drei einfachen Spitzen der goldenen Krone glänzten, als sie die Hand hob.

Der Sturm legte sich. Verschwand, um einen hellgrauen Himmel vor Tagesanbruch freizugeben, an dem der letzte Stern erlosch. Selbst die Natur konnte von der Krone beeinflusst werden.

Entsetzen packte Nesta, als Cassians Arme erschlafften. Rasch entfernte sie sich ein paar Schritte und wirbelte herum, aber sie wusste, was sie vorfinden würde. Cassian stand so reglos da wie eine Statue. Als wäre er zu Stein verwandelt worden. Seine Augen, sonst so leuchtend und lebendig, waren glasig. Leer.

Briallyn hatte ihm ihren Willen aufgezwungen. Sie hatte Leute wie Schachfiguren bewegt, um sicherzustellen, dass Nesta hierherkam. »Warum?«, fragte Nesta.

Briallyns dicker Pelzmantel blähte sich im Wind. »Deine Kraft ist zu stark – aber die unfreiwillige Teilnahme an diesem primitiven Spektakel hat dich zermürbt.«

»*Du* hast dafür gesorgt, dass die Illyrianer mich hierhergebracht haben?«

»Eigentlich wollte ich mir die Verkrüppelte schnappen.« Nestas Blut kochte bei der Erwähnung von Emerie. »Bellius gab mir die Information, dass ihr befreundet seid, und ich habe gesehen, wie viel sie dir bedeutet, als wir durch die Harfe und die Krone miteinander verbunden waren. Ich wusste, dass du ihr folgen würdest, wenn ich sie gefangen nehme – Gesetz hin oder her. Du bist leichtsinnig und eingebildet genug, um zu glauben, du könntest sie retten. Aber du hast es mir leicht gemacht: Du hast dich direkt zu ihrem Haus in Windhaven transportieren lassen. Ich musste mir gar nicht erst die Mühe machen, dich zu locken. Also befahl ich diesen hirnlosen Illyrianern, die Verkrüppelte zu holen ... und die Mischlingsschlampe war eine amüsante Zugabe.«

Nesta wagte es nicht, in Cassians Richtung zu schauen. »All das, nur um mich zu zermürben?«

»Ja. Und ohne deine Magie ...«

Nesta ließ sie nicht ausreden. »Ich war schon vor Tagen mit meinen Kräften am Ende. Warum hast du bis jetzt gewartet?«

Briallyn zog eine finstere Miene, verärgert über die Unterbrechung. »Ich habe auf *ihn* gewartet.« Sie deutete mit dem Kinn auf Cassian, der vor Wut kochte – so etwas wie Abscheu und Angst drängte sich jetzt in seine glasigen Augen. »Endlose Tage lang habe ich darauf gewartet, dass er mir nahe genug kommt, um ihn mithilfe der Krone einzufangen. Ich musste diesen dreisten Prinz Eris benutzen, um ihn anzulocken.« Sie lachte leise. »Eris hat versucht, seinen Soldaten zu helfen, als sie ihn während seiner Jagd umzingelten. Er wollte diesen Elenden *helfen*. Und ritt direkt zu ihnen, statt das Weite zu suchen, wie es jeder getan hätte, der bei Verstand ist. Als sie ihn packten, hat er sich kaum gewehrt. Selbst seine infernalischen Hunde konnten nichts ausrichten, als Koschei ihn durch den geteilten Wind fortbrachte.«

War Eris tot? Oder jetzt ihr Sklave? An Cassians Gesicht ließ sich nichts ablesen.

Aber Briallyn schenkte ihm ein Lächeln. »Ich fürchtete schon, du würdest nie kommen. Der arme Eris hätte ein *sehr* trauriges Ende gefunden, wenn das der Fall gewesen wäre. Sein Feuer hätte Koscheis See wohl nicht standgehalten.«

Sie warf einen Blick auf den toten Bellius. »Er war ein abscheulicher Rohling – genau wie du, Cassian. Arrogant und dreist. Er hat sich von seinem Spähtrupp entfernt, um in meinen Gebieten *Spaß* zu haben. Also habe ich ihm gezeigt, was ich unter Spaß verstehe.« Ihre dünnen Lippen verzogen sich zu einem spöttischen Lächeln.

»Ich sagte ihm, er solle dich jagen, nicht töten. Aber da war ich bei meiner Wortwahl wohl nicht präzise genug. Und es ist ja auch ziemlich befriedigend, jemandem beim Töten zuzusehen, zumal dann, wenn man demjenigen die Mittel dafür selbst zur Verfügung gestellt hat. Ich wusste, dass das Blutritual mit Waffen sehr viel unterhaltsamer sein würde. Bellius hätte ich natürlich befehlen können, sich zurückzuhalten, aber ich habe den Anblick genossen.«

»Warum tust du das? Warum willst du keinen Frieden?«, fragte Nesta fordernd.

»Frieden?«, lachte Briallyn. »Welchen Frieden könnte ich noch finden?« Sie deutete mit der Hand auf ihren Körper. »Was ich will, ist Vergeltung. Ich will *Macht*. Ich will die Truhe. Also habe ich dafür gesorgt, dass du davon erfährst. Dass du zu meiner ahnungslosen Verbündeten wirst und die Objekte der Macht in diesem elenden Gebiet einsammelst. Und ich weiß, dass es nur einen Grund gibt, weshalb du sie mir überlassen wirst. Nur eine Person, für die du es tun würdest.« Lächelnd sah sie in Cassians Richtung. »Deinen Seelengefährten.«

»Ich habe die Truhe nicht bei mir.«

»Du kannst sie herbeirufen. Die Objekte werden dir antworten, auch wenn sie mit Schutzschilden versehen sind. Und du wirst sie mir aushändigen.«

»Und dann tötest du uns beide?«

»Und dann werde ich mich selbst wieder *verjüngen*. Euch beide werde ich nicht anrühren.«

Nesta witterte die Lüge.

»*Nicht*«, stieß Cassian ächzend hervor.

Briallyn warf ihm einen überraschten Blick zu und sein Mund schloss sich wieder. Er zitterte am ganzen Körper, blieb aber stehen. Der glasige Ausdruck in seinen Augen war jetzt jedoch vollständig verschwunden.

»Also«, sagte Briallyn, »du gibst mir die Truhe im Tausch für das Leben deines Gefährten. Du bist inzwischen durch und durch eine Fae, Nesta Archeron. Du würdest eher zusehen, wie die Welt in Schutt und Asche zerfällt, als deinen Seelengefährten sterben zu lassen.« Sie runzelte angewidert die Stirn beim Anblick der Leichen und des Bluts um sie herum.« Ruf die Truhe herbei und lass uns diese schmutzige Angelegenheit hinter uns bringen.«

Nesta konnte nicht aufhören zu zittern. Wenn sie Briallyn die Truhe gab ... selbst wenn sie sie herbeirufen könnte ...»Nein.«

»Dann werde ich versuchen müssen, dich zu überzeugen.« Briallyn schaute zu Cassian und schnippte mit den Fingern. Nesta blieb nur eine halbe Sekunde, um sich umzudrehen, bevor er auf sie zustürmte.

Panik und Wut blitzten in seinen Augen auf, aber Nesta konnte absolut nichts tun, als er sich auf sie stürzte und sie zu Boden warf, einen Arm an ihre Kehle gedrückt. Sein Gewicht, einst so liebevoll und so intim, gehörte jetzt einem Wesen, das sie festhalten ... sie verletzen würde.

Ein Flehen zeichnete sich auf seinem Gesicht ab – und dazu schreckliche Qual, als er gegen die Krone ankämpfte. Kämpfte und verlor.

»Es wird ihn natürlich zerstören, wenn er seine eigene Seelengefährtin tötet«, sagte Briallyn. »Du wirst in dem Wissen sterben, dass du ihn zu einem Leben in Kummer und Leid verdammst.«

Cassians freier Arm zitterte, als er das Messer, mit dem er Bellius getötet hatte, aus seinem Gürtel zog und es gegen sie richtete.

»Wenn du mich tötest«, keuchte Nesta, »wirst du die Truhe nie bekommen. Du wirst sie niemals finden.«

»Es gibt andere an deinem Hof, die genauso verblendet sind wie du. Sie werden mir die Truhe auf die ein oder andere Art beschaffen, wenn sie den richtigen Anreiz erhalten. Zugegeben, ich brauche dein Blut, um die Schutzschilde rund um die Truhe aufzuheben. Denn auch das habe ich gesehen, als du im Gefängnis so dumm warst, die Harfe an dich zu nehmen. Aber wenn du getötet wirst, bekomme ich genug von dem Blut, das ich brauche.« Briallyn nickte Cassian zu. »Zieh sie auf die Beine.«

Nesta wehrte sich nicht, als er sie hochhievte, ihr das Messer an die Kehle hielt. Der flehentliche Ausdruck leuchtete noch immer in seinen Augen. Flehen und Angst und ... Liebe.

Liebe, die sie nicht verdiente, nie verdient hatte. Aber da war sie. So wie sie seit dem Moment ihrer ersten Begegnung in seinen Augen gestanden hatte.

Was war die Welt schon wert, verglichen mit ihm? Verglichen mit dieser Liebe?

»Das wird allmählich langweilig«, fand Briallyn.

Nesta zeigte ihrem Seelengefährten ihre Liebe, ließ sie auf ihrem Gesicht leuchten.

Der Himmel erstrahlte in einem weichen, sanften Licht.

»Töte«, befahl Briallyn Cassian.

Nesta hatte Cassian vom ersten Moment an geliebt. Hatte ihn selbst dann geliebt, als sie es nicht wollte, als sie von Verzweiflung und Angst und Hass verzehrt wurde. Hatte ihn geliebt und sich selbst zerstört, weil er so gütig, so tapfer, so freundlich war. Und sie liebte ihn, sie liebte ihn, sie liebte ihn …

Cassians Arm zitterte, und Nesta wappnete sich gegen den tödlichen Stoß, zeigte ihm ihre Vergebung, ihre unendliche, unzerstörbare Liebe …

Aber Cassian brüllte. Und dann drehte sich das Messer in seiner Hand. Richtete sich nicht mehr auf sie, sondern auf sein eigenes Herz.

Aus seinem eigenen, freien Willen.

Gegen die Macht der Krone, gegen eine keuchende Briallyn beschloss er, das Messer in sein eigenes Herz zu stoßen. *Töte*, hatte sie gesagt. Aber nicht, wen er töten sollte.

Und als die Sonne am Horizont aufging, als Cassians Messer seine Brust berührte, explodierte Nesta mit der ganzen Kraft des Kessels.

In Nestas Kopf war nichts als Schreien. In ihrem Herzen nichts als Liebe und Hass und Zorn, als sie alles in sich losließ und die ganze Welt explodierte.

Das Brüllen ihrer Magie war eine namenlose Bestie. Ein Meer aus glitzernd weißen Lawinen ergoss sich über die Klippen. Bäume knickten um und zerbrachen im Sog ihrer gewaltigen Kraft. In der Ferne zogen sich Meere von ihren Ufern zurück und rasten dann in hohen Wellen wieder auf sie zu. Gläser zitterten und zersprangen in Velaris, Bücher fielen aus den Regalen in Helions tausend Bibliotheken, und die Überreste einer verfallenen Hütte im Land der Menschen brach zu einem Trümmerhaufen zusammen.

Aber Nesta nahm nur Briallyn wahr. Nur die alte Vettel, die mit offenem Mund dastand, als Nesta sich auf sie stürzte und ihren gebrechlichen Körper zu Boden riss. Nur die Schreie, als sie Briallyns Gesicht packte und die Krone blendend weiß aufleuchtete. Sie brüllte ihre Wut hinaus in die Berge, in die Sterne und die dunklen Räume dazwischen.

Knotige Hände wurden jung. Ein faltiges Gesicht wurde glatt und schön. Weißes Haar färbte sich rabenschwarz.

Aber Nesta brüllte und brüllte, ließ ihre Magie wüten, entfesselte sämtliche Glut. Sie löschte die Existenz der Königin unter sich aus.

Die jungen Hände zerfielen zu Asche. Das hübsche Gesicht löste sich in nichts auf. Das dunkle Haar zerfiel zu Staub.

Bis von der Königin nur noch die Krone auf dem Boden übrig war.

75

Cassian lag mit dem Gesicht nach unten auf dem Boden.

Nesta hastete zu ihm, betete und schluchzte, während ihre Magie noch durch die Welt hallte.

Sie drehte ihn um, suchte nach dem Messer, der Wunde, aber ...

Das Messer lag unter ihm. Ohne einen Tropfen Blut.

Er stöhnte, öffnete langsam die Augen. »Ich dachte mir, ich sollte mich vielleicht besser flach auf den Boden werfen, während du wütest«, krächzte er.

Nesta sah ihn verblüfft an. Und brach in Tränen aus.

Cassian setzte sich auf, brachte beruhigende Laute hervor und nahm ihr Gesicht in die Hände. »Du hast sie zerstört.«

Nesta warf einen Blick auf die Krone – auf den schwarzen Fleck, wo Briallyn eben noch gestanden hatte. »Sie hatte es verdient.«

Er lachte leise, drückte seine Stirn an ihre. Nesta schloss die Augen und atmete seinen Duft ein.

»Du bist mein Seelengefährte, Cassian«, sagte sie an seinen Lippen und küsste ihn sanft.

»Und du bist meine Seelengefährtin«, erwiderte er und küsste sie ebenfalls.

Und dann glitten seine Hände in ihre Haare. Und der Kuss ...

Nichts spielte eine Rolle – nicht die Welt um sie herum und auch nicht die Krone zu ihren Füßen, als er sie küsste. Ein Kuss, der ihre Seelen verband und zum Leuchten brachte.

Nesta löste sich etwas von ihm, ließ ihn die Freude in ihren Augen sehen, ihr Lächeln. Seine Ehrfurcht, seine eigene Freude schnürten ihr die Kehle zu.

»Cassian, ich ...«

Doch im nächsten Moment landeten zwei Gestalten so heftig neben ihnen, dass der Berg erbebte. Und als sie herumwirbelten, sahen sie Mor und Azriel, mit todernsten Gesichtern.

»Eris?«, fragte Cassian.

»In Sicherheit, und der erschaffene Dolch ist wieder in unserem Besitz«, antwortete Azriel. »Obwohl Eris stinksauer ist und verwirrt. Er ist in der Höhlenstadt. Aber ...«

»Es geht um Feyre«, sagte Mor.

76

Im Flusshaus herrschte Stille. Grabesstille.

»Die Blutungen haben vor ein paar Stunden eingesetzt«, berichtete Mor, als sie Nesta, Cassian und Azriel durchs Haus führte.

»Aber bis zum Geburtstermin sind es doch noch Monate«, wandte Nesta ein und folgte ihr dicht auf den Fersen zu Feyres Schlafzimmer.

Beim Betreten des Raums schlug ihr der Geruch von Blut entgegen. So viel Blut, auf dem gesamten Bett, auf Feyres Oberschenkeln. Aber keine Spur von dem Baby. Und Feyres Gesicht ... Es war leichenblass. Sie lag mit geschlossenen Augen da und ihr Atem ging flach, zu flach.

Rhys saß an ihrer Seite und umklammerte ihre Hand. Panik, Entsetzen und Schmerz kämpften in seinem Gesicht.

Madja, die zwischen Feyres Beinen auf dem Bett kniete, die Arme bis zu den Ellbogen mit Blut bedeckt, sagte, ohne Nesta oder die anderen anzusehen: »Ich habe das Baby gedreht, aber es kommt nicht heraus. Der Kleine ist im Geburtskanal eingeklemmt.«

Ein leises Keuchen in der Ecke des Raums verriet, dass Amren dort saß. Ihr ohnehin schon blasses Gesicht war jetzt völlig farblos.

»Sie verliert zu viel Blut, und ich kann spüren, dass das Herz des Babys unter großer Belastung steht«, erklärte Madja.

»Was sollen wir tun?«, fragte Mor, als Cassian und Azriel sich hinter Rhys stellten und ihm die Hände auf die Schultern legten.

»Wir können nichts tun«, antwortete Madja. »Wenn wir das Baby aus ihr herausschneiden, töten wir sie.«

»Herausschneiden?«, hakte Nesta in einem Ton nach, der ihr einen scharfen Blick von Rhys einhandelte.

Madja ignorierte den Ton. »Ein Schnitt den Unterleib entlang ist selbst bei vorsichtiger Durchführung ein enormes Risiko. Bisher konnte er kein einziges Mal erfolgreich durchgeführt werden. Und trotz Feyres Heilkräften hat der Blutverlust sie geschwächt ...«

»Tu es«, brachte Feyre hervor, die Worte schwer vor Schmerz.

»Feyre«, widersprach Rhys.

»Das Baby wird höchstwahrscheinlich nicht überleben«, sagte Madja sanft, aber bestimmt. »Es ist noch zu klein. Wir riskieren das Leben von euch beiden.«

»Von euch allen«, sagte Cassian leise, die Augen auf Rhys gerichtet.

»*Tu es*«, befahl Feyre mit der Stimme der High Lady. Ohne Angst. Nur voller Entschlossenheit für das Leben des Babys in ihrem Bauch. Feyre schaute zu Rhys. »Wir *müssen* es tun.«

Der High Lord nickte langsam, ein silbernes Glänzen in den Augen.

Finger schoben sich in Nestas Hand, und sie entdeckte Elain neben sich, zitternd und mit großen Augen. Nesta drückte die Hand ihrer Schwester. Gemeinsam traten sie an die andere Seite des Betts.

Und als Elain begann, zu den fremden Göttern der Fae zu beten, zur Großen Mutter, neigte auch Nesta den Kopf.

Feyre lag im Sterben. Das Baby lag im Sterben.

Und Rhys würde mit ihnen sterben.

Aber Cassian wusste, dass es nicht die Angst vor dem eigenen Tod war, die seinen Bruder zittern ließ. Cassians Hand legte sich fester um Rhys' Schulter. Von der Nacht durchdrungene Kraft strahlte von seinem High Lord aus und versuchte Feyre zu heilen, genau wie Madja. Aber das Blut strömte weiter, schneller als jede Kraft es stillen konnte.

Wie war es so weit gekommen? Eine Vereinbarung, die zwei Seelenverwandte aus Liebe getroffen hatten, würde nun mit dem Verlust von drei Leben enden.

Cassians Geist driftete an einen weit entfernten Ort, als Madja das Bett verließ und mit einem Satz Messer und anderen Instrumenten, Decken und Handtüchern zurückkehrte.

»Dring in ihren Geist ein, um ihr die Schmerzen zu nehmen«, forderte Madja Rhys auf, der zustimmend blinzelte und dann fluchte, als würde er sich dafür beschimpfen, dass er nicht schon früher daran gedacht hatte. Cassian schaute über das Bett zu Elain, die Feyres Hand hielt und mit der anderen Nestas fest drückte.
»Feyre, Liebste ...«, setzte Rhys an.
»Keine Abschiedsworte«, keuchte Feyre. »Keine Abschiedsworte, Rhys.«
Was auch immer Rhys tat, um ihr die Schmerzen zu nehmen: Feyre schloss die Augen. Und Cassians Geist wurde vollkommen still und leer, als Madja Feyres Nachthemd hochschob und dann eine Klinge aufblitzte.
Im Raum herrschte völlige Stille, als das winzige Baby mit den kleinen Schwingen hervorkam. Als Mor mit den Decken in der Hand dastand und den reglosen Jungen aus Madjas blutigen Händen entgegennahm.
Aber Rhys schluchzte, und Tränen liefen Mor über das Gesicht, als sie den stummen Säugling in ihren Armen betrachtete.
Und dann fluchte Madja, und Rhys ...
Rhys begann zu schreien.
Als Rhys über Feyre zusammenbrach, wusste Cassian, was gleich geschehen würde.
Und keine Macht der Welt konnte es verhindern.

Die Welt wurde langsamer. Wurde kalt.
Da war das stille, zu kleine Baby in Mors Armen.
Da war Feyre, aufgeschnitten und blutend auf dem Bett.
Da war Rhysand, der schrie, als würde seine Seele in Stücke gerissen. Aber Cassian und Azriel zogen ihn vom Bett weg, während Madja versuchte, Feyre zu retten ...
Der Tod schwebte in der Nähe. Nesta spürte ihn, sah ihn – ein Schatten, dichter und beständiger als irgendeiner von Azriels Schatten. Elain schluchzte, drückte Feyres Hand, flehte sie an, durchzuhalten. Und Nesta stand inmitten von alldem. Der Tod wirbelte um sie

herum, und nichts und niemand konnte ihn aufhalten, als Feyres Atem flacher wurde, als Madja sie anschrie, sie solle dagegen ankämpfen ...

Feyre.

Feyre, die für sie in den Wald gegangen war. Die sie so viele Male gerettet hatte.

Feyre. Ihre Schwester.

Der Tod schlich um Feyre und ihren Gefährten herum, wartete darauf, über sie herzufallen und sie beide zu verschlingen. Nesta löste ihre Hand aus Elains Griff. Trat zurück.

Und dann schloss sie die Augen und öffnete diesen Platz in ihrer Seele, der sich auf dem Ramiel losgerissen hatte.

Cassian konnte Rhys kaum zurückhalten, obwohl seine sieben Trichtersteine neben denen von Azriel grell leuchteten.

Eigentlich sollte er Rhys zu ihr lassen. Wenn sie beide sterben mussten, sollte er Rhys wenigstens zu seiner Seelengefährtin lassen. Damit er in den letzten Sekunden, den letzten Atemzügen bei ihr sein konnte ...

Goldenes Licht flackerte am anderen Ende des Raums auf und Amren sog hörbar die Luft ein. Cassian blieb vor Entsetzen fast das Herz stehen.

Nesta stand nicht mehr neben dem Bett, sondern ein paar Meter davon entfernt. Und trug die Maske. Und die Krone auf dem Kopf. Und wiegte die Harfe in den Armen.

Niemand hatte je alle drei Objekte eingesetzt und überlebt. Niemand konnte ihre Kraft in Schach halten, sie beherrschen ...

Silbernes Feuer loderte in Nestas Augen hinter der Maske. Und Cassian wusste, das Wesen, das da hindurchschaute, war weder Fae noch Mensch noch sonst irgendetwas von dieser Welt.

Sie bewegte sich auf das Bett zu und Rhys wollte sich auf sie stürzen.

Nesta hob eine Hand und Rhys erstarrte. Erstarrte wie Cassian unter der Herrschaft der Krone.

Feyres Brust hob sich, ein flüsterndes Todesröcheln auf den fahlen Lippen, und Cassian konnte nur Nestas Finger betrachten, die – noch immer blutig und dreckig vom Ritual – zu der letzten Saite der Harfe drifteten. Zur sechsundzwanzigsten Saite.

Und sie zupften.

77

Zeit.

Die sechsundzwanzigste Saite der Harfe herrschte über die Zeit, und Nesta hielt sie an, als Feyre ihren letzten Atemzug tat.

Lanthys hatte es ihr verraten. Dass selbst der Tod sich vor der letzten Saite verbeuge. Dass für die Harfe Zeit keine Bedeutung habe.

Als Nesta die Saite zupfte, erzeugte diese keinen Ton. Raubte nur der Welt jeden Klang.

Und der Tod, den Nesta um ihre Schwester, um Rhysand und um das Baby in Mors Armen herum spürte – sie bat die Maske, auch ihn fernzuhalten.

Am Anfang
Und am Ende
War Dunkelheit
Und sonst nichts

Eine sanfte, vertraute Stimme flüsterte ihr diese Worte zu. Wie schon vor langer Zeit. Die gleiche Stimme, die sie im Oorid-Moor gewarnt hatte. Eine liebliche, freundliche Frauenstimme, weise und warm, die die ganze Zeit auf sie gewartet hatte.

Der Raum erschien ihr wie ein dreidimensionales Stillleben: erstarrte Bewegungen, schockierte und verängstigte Gesichter, die ihr, Feyre und all dem Blut zugewandt waren. Nesta ging durch das hindurch. Vorbei an Rhys' schreiendem, zerrendem Körper, dessen Verzweiflung, Entsetzen und Schmerz sich auf seinem Gesicht spiegelten. Vorbei an dem ernst blickenden Azriel. Vorbei an Cassian, der die Zähne zusammenbiss, während er Rhys festhielt. Vorbei an Amren, deren graue Augen auf die Stelle geheftet waren, wo Nesta gerade noch gestanden hatte, blanke Angst und so etwas wie Ehrfurcht im Gesicht. Vorbei an Mor und dem zu kleinen Bündel in ihren Armen, Elain an ihrer Seite, im Schluchzen erstarrt.

Nesta ging durch all das hindurch, durch die Zeit. Zu ihrer Schwester.

Siehst du, wie es sein könnte?, flüsterte die sanfte Frauenstimme, die durch ihre Augen sah. *Was du tun könntest?*

Ich fühle nichts, sagte Nesta stumm. Nur der Anblick von Feyre an der Schwelle des Todes verhinderte, dass sie vergaß, warum sie hier war, was sie tun musste.

Wolltest du nicht genau das? Nichts fühlen?

Ich dachte, dass ich das wollte. Nesta betrachtete die anderen um sie herum. Ihre Schwestern. Cassian, der bereit gewesen war, sich lieber einen Dolch ins Herz zu stoßen, als sie zu verletzen. *Aber jetzt nicht mehr.* Als die Frauenstimme schwieg, fuhr Nesta fort: *Ich will alles fühlen. Ich will es von ganzem Herzen.*

Auch die Dinge, die dich verletzen und verfolgen? Eine Frage, in der nur Neugier mitschwang.

Nesta ließ sich einen Atemzug lang Zeit, um darüber nachzudenken, und beruhigte ein weiteres Mal ihren Geist. *Wir brauchen diese Dinge, um das Gute zu würdigen. Es gibt vielleicht Tage, die schwerer sind als andere, aber ... ich will alles erfahren, alles erleben. Gemeinsam mit ihnen.*

Und die weise, sanfte Stimme flüsterte: *Also lebe, Nesta Archeron.*

Mehr brauchte Nesta nicht, als sie die schlaffe Hand ihrer Schwester nahm und sich auf den Boden kniete. Die Harfe neben sich abstellte, deren stummer Ton noch nachhallte und die Zeit fest im Griff behielt.

Sie wusste nicht, was sie sonst noch anbieten konnte.

Nesta streichelte Feyres kalte Hand und sprach in den erstarrten zeitlosen Raum: »Du hast mich geliebt, als mich alle anderen gehasst haben. Du hast nie aufgehört, mich zu lieben. Selbst als ich es nicht verdient hatte, hast du mich geliebt, für mich gekämpft und ...« Nesta blickte in Feyres Gesicht. Der Tod war nur einen Atemzug entfernt. Sie hielt die Tränen nicht länger zurück und drückte Feyres schlanke Hand noch fester. »Ich liebe dich, Feyre.«

Sie hatte die Worte noch nie zuvor laut gesagt. Zu niemandem.

»Ich liebe dich«, flüsterte Nesta wieder. »Ich liebe dich.«

Und als die letzte Saite der Harfe vibrierte wie ein Donnerflüstern in der Luft, bedeckte Nesta Feyres Körper mit ihrem eigenen. Die Zeit würde bald wieder einsetzen. Ihr blieb nicht mehr lange.

Sie wandte sich nach innen, zu der Kraft, die unsterbliche Monster erzittern lassen und boshafte Könige in die Knie zwingen konnte, aber ... sie wusste nicht, wie sie diese Kraft nutzen sollte. Tod floss durch ihre Adern, doch sie verfügte nicht über das Wissen, ihn zu beherrschen.

Ein falscher Schritt, ein Fehler, und Feyre wäre verloren.

Also hielt Nesta ihre Schwester fest im Arm, während die Zeit um sie herum stillstand, und flüsterte: »Wenn du mir zeigst, was ich tun muss, um sie zu retten, kannst du es zurückhaben.«

Die Welt hielt inne. Welten jenseits ihrer eigenen hielten inne.

Nesta vergrub ihr Gesicht im kalten Schweiß an Feyres Hals. Sie öffnete diesen Ort tief in ihrem Inneren und gelobte der Großen Mutter, dem Kessel: »Ich gebe zurück, was ich dir genommen habe. Aber zeig mir bitte, wie ich sie retten kann – sie und Rhysand und das Baby.« Rhysand – ihr Bruder. Denn das war er doch, oder? Ihr Bruder, der ihr Freundlichkeit entgegenbrachte, selbst in Momenten, wenn er sie am liebsten erwürgen würde. Und sie ihn. Und das Baby ... ihr Neffe. Blut von ihrem Blut. Sie würde ihn retten, würde sie alle retten, selbst wenn es sie alles kostete. »Zeig es mir«, flehte sie.

Keine Antwort. Das Echo der Harfe erstarb.

Als die Zeit wieder einsetzte und Lärm und Bewegung in den Raum zurückkehrten, flüsterte Nesta dem Kessel zu: »Ich gebe alles zurück.« Ein Versprechen, das sich über die Stimmen der anderen erhob.

Und als Antwort strich ihr eine weiche, unsichtbare Hand über die Wange.

Als Cassian blinzelte, war Nesta vom anderen Ende des Raums zum Bett gegangen. Hatte die Harfe gezupft und lag jetzt halb auf Feyre und flüsterte etwas. Kein silbernes Feuer brannte in ihren Augen. Nicht einmal eine kalte Glut. Und auch keine Spur des Wesens, das durch ihren Blick herausgespäht hatte.

Rhys wehrte sich gegen Cassians Griff, aber Amren trat zu ihnen beiden und zischte: »*Hört zu.*«

Nesta flüsterte: »Ich gebe alles zurück.« Ihre Schultern zuckten, während sie weinte.

Rhys schüttelte den Kopf. Seine Kraft war wie eine spürbare, ansteigende Woge, die sie alle, die Welt zerstören konnte, wenn Feyre nicht mehr in ihr weilte – auch wenn ihm selbst nach ihrem Tod nur noch wenige Sekunden blieben. Doch Amren packte ihn am Nacken, grub ihre roten Fingernägel in seine goldene Haut. »*Schau auf das Licht.*«

Schillerndes Licht strömte aus Nestas Körper. In Feyre hinein.

Nesta hielt ihre Schwester fest in den Armen. »Ich gebe es zurück. Ich gebe es zurück. Ich gebe es zurück.«

Selbst Rhys wehrte sich nicht länger. Niemand rührte sich.

Das Licht flimmerte durch Feyres Arme. Ihre Beine. Es erfüllte ihr aschfahles Gesicht. Durchdrang den Raum.

Cassians Trichtersteine flackerten, als spürten sie eine Kraft weit jenseits seiner eigenen – jenseits der Kräfte jedes Einzelnen von ihnen.

Ranken aus Licht schwebten zwischen den Schwestern. Und eine zarte und liebevolle Ranke schwebte zu Mor, zu dem Bündel in ihren Armen. Und ließen das stumme Baby darin so hell erstrahlen wie die Sonne.

Und Nesta flüsterte wieder und wieder: »Ich gebe es zurück. Ich gebe alles zurück.«

Das schillernde Licht erfüllte sie, erfüllte Feyre, erfüllte das Bündel in Mors Armen. Es brachte das Gesicht seiner Freundin zum Leuchten und der Schock darin trat deutlich hervor.

»Ich gebe es zurück«, sagte Nesta ein weiteres Mal, und Maske und Krone fielen von ihrem Kopf. Das Licht explodierte, war blendend und warm. Ein Wind rauschte an ihnen vorbei, als würde er jede Scherbe von sich im Raum einsammeln.

Und als er nachließ, spritzte dunkle Tinte auf Nestas Rücken, sichtbar durch ihr halb zerrissenes Hemd, wie eine Welle, die ans Ufer brandete.

Eine Abmachung. Mit dem Kessel.

Dennoch hätte Cassian schwören können, dass eine schillernde, sanfte Hand das Licht davon abhielt, Nestas Körper vollständig zu verlassen.

Dieses Mal hielt Cassian Rhys nicht auf, als er zum Bett stürmte. Wo Feyre lag und wieder Farbe im Gesicht hatte. Und wo nicht länger Blut zwischen ihren Beinen hervorströmte. Sie öffnete die Augen.

Blinzelnd sah sie Rhys an, und dann wandte sie sich Nesta zu.

»Ich liebe dich auch«, flüsterte Feyre und lächelte. Nesta unterdrückte ihr Schluchzen nicht, als sie sich auf Feyre stürzte und sie umarmte.

Aber die Geste war nur von kurzer Dauer, währte nur so lange wie ein Wimpernschlag, denn in diesem Moment erklang am anderen Ende des Raums auch schon ein gesundes Schreien und ...

Mor stammelte und weinte, und das Baby, das sie zum Bett brachte, war nicht mehr das winzige, stumme Ding, das sie gehalten hatte, sondern ein voll ausgetragener Junge mit Schwingen. Sein dichtes, schwarzes Haar klebte ihm am Schopf, während er nach seiner Mutter verlangte.

In dem Moment begann auch Feyre zu schluchzen – als sie ihren Sohn von Mor entgegennahm und dabei Madja kaum bemerkte, die sich zwischen ihre Beine hinabbeugte und untersuchte, was dort geschehen war: die Heilung. »Wenn ich es nicht besser wüsste, würde ich sagen, du hast die Anatomie einer Illyrianerin entwickelt«, murmelte die Heilerin. Aber niemand hörte ihr zu.

Nicht, während Rhys den Arm um Feyre legte und sie zusammen den Jungen betrachteten – ihren Sohn. Sie lachten und weinten. Und als Madja sagte: »Lass ihn trinken«, folgte Feyre ihrer Aufforderung und legte ihn mit staunenden Augen an ihre Brust, die jetzt mit Milch gefüllt war.

Rhys sah einen Moment lang ehrfürchtig zu, dann drehte er sich zu Nesta herum, die vom Bett aufgestanden war und jetzt neben der Maske stand. Hinter ihr auf dem Boden lagen die Krone und die Harfe. Cassian hielt den Atem an, als die beiden einander musterten.

Einen Augenblick später fiel Rhys auf die Knie, nahm Nestas Hände und drückte seinen Mund darauf. »Danke«, weinte er, den Kopf gesenkt. Cassian wusste, dass er nicht aus Dankbarkeit für sein eigenes Leben auf den heiligen Tätowierungen kniete, die seine Kniescheiben bedeckten.

Nesta sank auf den Teppich. Nahm Rhys Gesicht in die Hände und betrachtete es. Und dann schlang sie die Arme um den High Lord des Hofs der Nacht und drückte ihn fest an sich.

78

Gwyn und Emerie warteten in einem der Empfangszimmer mit Blick über den Fluss, geheilt, aber noch immer in ihrer zerrissenen, blutbefleckten Kleidung. Sie saßen auf einem Sofa mit vielen bunten Kissen. Aus den Tassen, die vor ihnen auf einem niedrigen Tisch standen, stieg Dampf auf.

Als Nesta zu ihrem Sofa trat, setzte Emerie mit belegter Stimme an: »Zwei Geisterwesen haben uns Tee gebracht …«

Aber Gwyn fiel ihr ins Wort und zischte Nesta an: »Eigentlich sollte ich dir *niemals* vergeben.«

Statt einer Antwort hüpfte Nesta einfach aufs Sofa und nahm Gwyn fest in den Arm. Dann streckte sie den anderen Arm nach Emerie aus, die sich ihrer Umarmung anschloss. »Lasst uns ein anderes Mal über Vergebung reden«, sagte Nesta mit tränenerstickter Stimme und zog die beiden eng an sich. »Ihr habt das ganze verdammte Ding gewonnen!«

»Dank deiner Hilfe«, meinte Emerie.

»Mach dir deshalb keine Sorgen, ich habe meine eigene Krone«, sagte Nesta, auch wenn sie wusste, dass Mor den Wind teilen und alle drei Objekte der Schreckenstruhe an den Ort zurückbringen würde, von dem Nesta sie geholt hatte. Sie hatte sie herbeigerufen und damit Helions Magie umgangen. Kein Zauberspruch würde Nesta je von ihnen fernhalten können – was das betraf, hatte Briallyn die Wahrheit gesagt.

»Wer hat euch geheilt?« Nesta lehnte sich ein wenig zurück und musterte die beiden prüfend. »Und wie seid ihr überhaupt hierhergekommen?«

»Der Stein«, erklärte Emerie, deren Gesichtszüge vor Staunen ganz weich wirkten. »In dem Moment, als wir ihn berührten, hat er all unsere Wunden geheilt und uns ausgerechnet hierhingebracht, in dieses Haus.«

»Er wusste wohl, wo wir am dringendsten gebraucht werden«, sagte Gwyn leise, und Nesta musste lächeln.

Ihr Lächeln verblasste jedoch, als sie sich an Emerie wandte: »Wird deine Familie dich für das bestrafen, was Bellius widerfahren ist?« Wenn sie auch nur im Traum daran dachten, würde Nesta ihnen einen kleinen Besuch abstatten. Mit Maske, Harfe und Krone.

Was einer der Gründe dafür war, die Truhe so weit wie möglich von ihr fernzuhalten.

Emerie zuckte eine Schulter. »Beim Blutritual kommt es immer wieder zu Todesfällen. Bellius starb im Kampf, als einer seiner Kriegskameraden sich ihm beim Aufstieg an den Felshängen des Ramiel entgegenstellte. Mehr braucht die Familie nicht zu wissen.« Ihre Augen blitzten.

Irgendetwas sagte Nesta, dass die Wahrheit über die Ereignisse am Berg nur ihnen dreien vorbehalten bleiben würde – ihnen und dem innersten Kreis von Feyres Hof. Und Cassian war eindeutig gegen seinen Willen zur Teilnahme an diesem Blutritual gezwungen worden – was hoffentlich niemand anzweifeln würde.

Gwyn lachte heiser. »Die Illyrianer werden über unseren Sieg fuchsteufelswild sein. Zumal ich nicht die Absicht habe, mich als Carynthianer bezeichnen zu lassen. Ich bin vollkommen zufrieden damit, eine Walküre zu sein.«

»Ja, darüber werden sie sich noch jahrzehntelang aufregen«, pflichtete Emerie ihr grinsend bei.

Nesta grinste ebenfalls, schlang erneut die Arme um ihre Freundinnen und ließ sich mit ihnen gemeinsam in die weichen Kissen des Sofas zurücksinken. »Ich freu mich schon darauf!«

Und zum ersten Mal – mit zwei Freundinnen an der Seite und einem Seelengefährten, der auf sie wartete –, zum ersten Mal entsprach das der Wahrheit.

Nesta freute sich schon auf das, was die Zukunft für sie bereithielt. In jeder Hinsicht.

Das Baby, dem Rhys und Feyre den Namen Nyx gegeben hatten, war so wunderschön, wie man sich einen Säugling nur vorstellen konnte. Dunkle Haare und blaue Augen, in denen bereits jetzt das Sternenlicht seiner Eltern schimmerte, bildeten einen umwerfenden Kontrast zur leichten Tönung seiner Haut.

Und dazu kamen die winzigen Schwingen ... Cassian hatte gar nicht gewusst, wie zart und perfekt sie waren, bis er zum ersten Mal ihre samtige Weichheit unter den Fingern spürte. Die Klauen an der Oberkante würden erst viel später ausgebildet werden, gemeinsam mit der Fähigkeit, die Schwingen zum Fliegen einzusetzen, aber ...

Er starrte auf das Bündel in seinen Armen, während sein Herz vor Liebe fast platzte, und wandte sich an Feyre und Rhys, die auf dem mit frischen Leinentüchern bezogenen Bett saßen: »Ihr macht euch überhaupt keine Vorstellung, in welche Schwierigkeiten er noch geraten wird.«

Feyre lachte leise. »Und diese hübschen Augen werden wahrscheinlich die Hauptschuld daran tragen, da bin ich mir sicher.«

Rhys, der noch immer blass und mitgenommen wirkte, lächelte nur.

Die Tür schwang auf, und dann stand Nesta im Raum, noch immer in ihrer zerrissenen, blutigen, gestohlenen Kleidung. Sie hatte das Baby bereits im Arm gehalten, und als sie lächelnd auf Nyx blickte, hatte Cassians Brust sich vor Sehnsucht fast schon schmerzhaft zusammengezogen. Doch jetzt richtete Nesta ihren Blick auf ihn und er sah die stumme Aufforderung in ihren Augen.

Schweigend reichte er Nyx an Azriel weiter, der bei der Übergabe dieses zarten, kleinen Wesens in seine vernarbten Hände sichtlich zusammenfuhr, und folgte Nesta aus dem Raum, durch die Eingangshalle, die Stufen hinunter. Dabei wechselten sie kein Wort, bis sie auf dem Rasen hinter dem Haus standen und im morgendlichen Frühjahrssonnenschein auf den Fluss hinabblickten.

Das, was Nesta getan hatte, sowohl während des Blutrituals als auch danach ... Sie hatte ihnen allen das Nötigste erzählt. Er wusste, dass das nicht alles gewesen sein konnte. Aber vermutlich blieben manche Dinge am besten auf ewig ein Geheimnis, zwischen ihr und ihren Freundinnen. Ihren Waffenschwestern.

Also fragte Cassian nur: »Ist deine Magie … Sind deine Kräfte wirklich verschwunden?«

Der raue Frühlingswind peitschte ihr goldbraunes Haar quer über ihr Gesicht. »Ich habe sie dem Kessel zurückgegeben, im Tausch für die Rettung von Feyre, Rhys und Nyx.« Sie schluckte. »Aber ein wenig dieser Kraft ist mir geblieben. Ich glaube, irgendetwas – oder irgendjemand – hat den Kessel davon abgehalten, mir alles zu nehmen. Und ich habe selbst einige Änderungen vorgenommen.«

Die Große Mutter. Das einzige Wesen, das Nestas Opfer erkannt und ihr ein wenig ihrer Kraft zurückgegeben haben konnte. Vielleicht war sie es ja gewesen, die Cassian durch die Maske hindurch angesehen hatte. »Was hast du verändert?«

Nesta legte eine Hand auf ihren Unterleib. »Ich habe mich selbst auch ein wenig verändert. Damit keiner von uns das hier jemals wieder durchmachen muss.«

Für den Bruchteil einer Sekunde fehlten Cassian die Worte. »Du hast … Du bist bereit für ein *Kind*?«

Nesta stieß ein Lachen hervor. »Nein. Große Mutter, nein. Ich werde auch weiter meinen Verhütungstee trinken.« Sie lachte erneut. »Aber ich habe mich selbst auf die gleiche Weise angepasst, wie der Kessel es bei Feyre getan hat. Für den Tag, an dem wir beide so weit sind.«

Er konnte sich vom Anblick der stillen Freude auf ihrem Gesicht einfach nicht lösen. Und schenkte ihr ein sanftes Lächeln. Ja, wenn sie beide so weit waren, würden sie gemeinsam diese Reise antreten.

Aber das, was Nesta heute getan, was sie aufgegeben hatte …

»Du hättest mit deiner Kraft die Welt regieren können«, sagte er vorsichtig.

»Ich will die Welt aber nicht regieren.« Ihre Augen schauten ihn so offen an, wie er es noch nie erlebt hatte. Und sie hatte ihn *Seelengefährte* genannt.

»Was willst du dann?«, brachte Cassian mit rauer Stimme hervor.

Sie lächelte, und es war das wunderschönste Lächeln, das er in seinem langen, langen Leben je gesehen hatte. »Dich.«

»Ich gehöre dir schon seit dem Moment, als wir uns zum ersten Mal begegnet sind.«

Sie schob sich eine Haarsträhne hinter ein spitzes Ohr. »Ich weiß.« Er streifte ihren Mund mit seinen Lippen.

Aber dann verkündete Nesta: »Ich will eine schrecklich überladene Seelenverbindungszeremonie.«

Er lachte, löste sich etwas von ihr und sah sie an. »Wirklich?«

»Warum nicht?«

»Weil sich Azriel und Mor dann bis ans Ende meiner Tage über mich lustig machen werden.« Oder die Illyrianer.

Nesta überlegte. Schließlich zog sie etwas aus ihrer Tasche – einen kleinen Keks, den sie von einem Tablett im Geburtszimmer hatte mitgehen lassen. »Dann also hier und jetzt. Speisen. Von mir für dich, meinen Seelengefährten. Das ist doch das offizielle Ritual, oder nicht? Das Teilen von Speisen, von Seelengefährte zu Seelengefährte?«

Cassian verschluckte sich fast. »Das sind meine beiden Wahlmöglichkeiten? Eine aufgedonnerte Seelenverbindungszeremonie oder ein altbackener Keks?«

Ihr strahlendes Lächeln raubte ihm förmlich den Atem. »Genau.«

Cassian musste erneut lachen. Dann schloss er ihre Finger um den armseligen Keks, beugte sich zu ihr hinab und flüsterte ihr ins Ohr: »Wir machen eine Krönungszeremonie daraus, Nes.«

»Ich hab schon eine Krone«, erwiderte sie. »Ich will nur dich.«

Nachdenklich presste er die Lippen zusammen. Richtig, sie würden sich damit beschäftigen müssen, was mit der vollständigen Schreckenstruhe geschehen sollte, jetzt, da sich alle drei Objekte in ihrem Besitz befanden. Damit, wie Nesta sie herbeigerufen hatte, trotz der Magie, mit der Helion die ersten beiden Objekte belegt hatte ... Er würde ein anderes Mal darüber nachdenken. Und auch darüber, dass sie mithilfe der Harfe die Zeit angehalten hatte. Und dass sie irgendeine Art von Verbindung – oder Abmachung – mit der Großen Mutter hatte. *Mit der Großen Mutter.*

Nesta glättete seine grüblerisch zusammengezogenen Augenbrauen, als ob sie seine Sorgen dort lesen konnte. »Später«, versprach sie. »Um all das kümmern wir uns später.« Wie auch um die übrigen Königinnen, Koschei und den noch immer drohenden Krieg.

»Später«, pflichtete er ihr bei, und sie schlang die Arme um seinen Hals.

Danach gab es keine weiteren Worte mehr – nur noch sie beide, am Flussufer im Schein der Sonne, die sie mit ihren Strahlen bis tief ins Innerste wärmte.

Nesta löste sich von ihm und flüsterte: »Ich liebe dich.« Und das war alles, was Cassian hören musste, bevor er sie erneut küsste. Mit einer Kraft, die stärker und unerschöpflicher war als der Kessel.

79

Ein Treffen mit Eris war das Letzte, was Cassian sich jetzt wünschte, aber irgendjemand musste nach ihm sehen. Zwei Tage nach Nyx' Geburt machte Cassian sich also auf den Weg. Eris war in einer Suite in der Höhlenstadt untergebracht, und als Cassian bei seiner Ankunft Keirs düstere Miene sah, beschlich ihn das Gefühl, dass Eris dem Truchsess am Hof der Albträume nur wenig erzählt hatte.

Eris saß am knisternden Feuer, ein Knöchel über das andere Knie gelegt, und las ein Buch. So als stellte seine Anwesenheit hier keine Besonderheit dar. So als wäre er nicht von einer rachsüchtigen Königin und einem Todesgott verschleppt, verzaubert und manipuliert worden.

Als Cassian die Tür schloss, hob Eris den Kopf und schaute ihn aus seinen bernsteinfarbenen Augen an. »Ich kann nicht lange bleiben«, sagte Cassian.

»Gut.«

Eris schloss sein Buch und beobachtete, wie Cassian sich ihm gegenüber in einen Sessel fallen ließ. »Vermutlich willst du wissen, was ich Briallyn erzählt habe.«

»Rhys hat bereits in deinen Geist gesehen. Wie sich herausstellte, hast du nicht allzu viel gewusst«, sagte Cassian mit einem breiten Grinsen.

Eris verdrehte die Augen. »Und warum bin ich dann hier?«

Cassian musterte den Mann. Eris' Kleidung saß wie immer tadellos, aber an seinem Kiefer zuckte ein Muskel. »Wir wollen wissen, was du Beron erzählt hast. Da du hier in einem Stück vor mir sitzt, gehe ich davon aus, dass er von unserer Beteiligung an deiner Rettung nichts weiß.«

»Doch, doch, er weiß, dass ihr mich ... unterstützt habt.«

Cassian setzte sich verblüfft auf, wobei seine Schwingen sich verschoben.

»Man muss seine Lügen immer mit einem Körnchen Wahrheit mischen, General«, fuhr Eris fort. »Haben dir deine hirnlosen Kampfausbilder nicht beigebracht, wie man einer feindlichen Folter standhält?«

Das wusste Cassian nur zu gut: Er war schon oft gefoltert und verhört worden und nicht ein einziges Mal zusammengebrochen. »Beron hat dich gefoltert?«

Eris stand auf und klemmte sich das Buch unter den Arm. »Wen interessiert es, was mein Vater mit mir gemacht hat? Er hat mir meine Geschichte abgenommen ... über die Spione des Schattensängers, die ihn darüber informierten, dass Briallyn jemand Wertvolles entführt hatte. Und dass ihr, du und deinesgleichen, bei eurer Ankunft angewidert festgestellt habt, dass es sich dabei um mich handelte, und nicht um jemanden vom Sommer- oder Winterhof, oder wer sich sonst dazu herablässt, mit euch gemeinsame Sache zu machen.«

Cassian ließ sich diese Worte durch den Kopf gehen. Beron hatte also seinen eigenen Sohn gefoltert, um an Informationen zu kommen, statt der Großen Mutter für dessen Rückkehr zu danken. Aber Eris hatte dem Verhör widerstanden und Beron eine weitere Lüge aufgetischt.

Und dann war da noch diese Art, wie Eris über die anderen Höfe gesprochen hatte. Irgendetwas an seinen Worten, in seinem angespannten Gesichtsausdruck stimmte nicht. War er etwa eifersüchtig?

Cassian öffnete den Mund, nur zu gern bereit, diese Frage auf ihn abzufeuern und damit einen schmerzhaften Tiefschlag zu landen.

Doch dann zögerte er. Blickte Eris in die Augen.

Der Prinz des Herbsthofs war mit jeder Art von Luxus und allen erdenklichen Privilegien aufgewachsen – auf dem Papier. Aber wer wusste schon, welche Gräueltaten Beron an ihm begangen hatte? Cassian wusste, dass Beron Luciens Geliebte ermordet hatte. Wenn der High Lord des Herbsthofs zu einer solchen Tat bereit war ... Gab es irgendetwas, vor dem er *nicht* zurückschreckte?

»Wisch dir den mitleidigen Blick aus dem Gesicht«, knurrte Eris leise. »Ich weiß, was für ein Monster mein Vater ist. Spar dir dein Mitgefühl.«

Cassian musterte ihn erneut. »Warum hast du Mor an jenem Tag allein im Wald zurückgelassen?« Das war die Frage, die er sich auf ewig stellen würde. »Wolltest du damit etwa deinen Vater beeindrucken?«

Eris stieß ein raues, hohles Lachen hervor. »Warum ist das für euch alle noch immer so wichtig?«

»Weil sie meine Schwester ist und ich sie liebe.«

»Ich wusste gar nicht, dass es bei den Illyrianern üblich ist, die eigene Schwester zu vögeln.«

»Es ist deshalb so wichtig«, knurrte Cassian wütend, »weil das Ganze keinen Sinn ergibt. Du weißt, was dein Vater für ein Monster ist, und willst ihn vom Thron stoßen; du stellst dich gegen ihn, nicht nur im Interesse des Herbsthofs, sondern im Interesse aller Länder der Fae; du riskierst dein Leben, dadurch dass du dich mit uns verbündest … und doch lässt du sie allein im Wald zurück. Hat dich dein Schuldgefühl zu diesen Taten getrieben? Weil du sie alleingelassen hast, damit sie qualvoll stirbt?«

Goldene Flammen flackerten in Eris' Augen. »Ich hätte nicht gedacht, dass man mich so schnell einem weiteren Verhör unterziehen würde.«

»Beantworte meine Frage, verdammt noch mal.«

Eris verschränkte die Arme vor der Brust und zuckte dabei zusammen – so als würde ihm unter seiner tadellos sitzenden Kleidung irgendeine Verletzung Schmerzen bereiten. »Du bist nicht die Person, der gegenüber ich meine Handlungen erklären werde.«

»Ich bezweifle, dass Mor dir zuhören wird.«

»Vermutlich nicht.« Eris änderte seine Haltung und zog erneut eine Grimasse. »Aber du und deinesgleichen, ihr habt Wichtigeres zu tun, als irgendwelche alten Geschichten aufzuwärmen. Mein Vater tobt vor Wut darüber, dass seine Verbündete tot ist, aber das wird ihn nicht zurückhalten. Koschei ist nach wie vor im Spiel, und Beron dürfte vermutlich dumm genug sein, sich sogar mit ihm zu verbünden. Was auch immer Morrigan in Vallahan unternehmen mag: Ich hoffe, es wird reichen, um die Schäden auszugleichen, die mein Vater anrichten wird.«

Cassian hatte genug gehört. Er wollte nur noch nach Hause, zu Nesta. Seiner wilden und wunderschönen Seelengefährtin, die seinen High Lord, seine High Lady und deren Sohn gerettet hatte. Sie würde ihn auf ewig mit Ehrfurcht erfüllen – für alles, was sie getan hatte. Wie weit sie es gebracht hatte. Und eines Tages, wenn die Zeit gekommen war ... würden sie den nächsten Schritt tun. Und den Weg, der vor ihnen lag, gemeinsam gehen.

Cassian wandte sich um und marschierte in Richtung der Tür – und des Lebens, das ihn in Velaris erwartete.

Eris war noch immer ihr Verbündeter. Bereit, sich lieber foltern zu lassen, als ihre Geheimnisse zu verraten. Und Cassian brauchte keinen Höfling, um zu wissen, dass seine nächsten Worte ihn tief in seinem Inneren verletzen würden. Doch diese Wunde war nötig, und vielleicht würde sie ja dafür sorgen, die Dinge in die richtige Richtung zu bewegen.

»Weißt du, Eris«, setzte er an, eine Hand bereits auf dem Türknauf, »ich glaube, dass du ein anständiger Kerl bist, tief in deinem Inneren, nur gefangen in einer schrecklichen Situation.« Er warf einen Blick über die Schulter und sah Eris' glühenden Blick auf sich gerichtet. Aber in seiner Brust regte sich nur Mitleid – Mitleid für jemanden, der in unermesslichem Reichtum aufgewachsen war, aber nichts von den Dingen besaß, auf die es im Leben wirklich ankam. Dinge, mit denen Cassian wahrhaft gesegnet war und die er jetzt im Überfluss genoss.

»Ich bin von Monstern umgeben aufgewachsen«, fuhr er fort. »Ich habe mein ganzes Leben dem Kampf gegen sie gewidmet. Aber du, Eris, du bist kein Monster. Nicht mal ansatzweise. Ich glaube, du könntest sogar ein guter Mann sein.« Cassian öffnete die Tür und wandte seinen Blick von Eris' verächtlich verzogenen Lippen ab. »Du bist nur ein viel zu großer Feigling, um dich auch so zu verhalten.«

∽ 80 ∾

Rund um Velaris stand der Frühling in voller Blüte, und Feyre und Nyx hatten sich endlich weit genug erholt, um jeden Tag das Haus verlassen und einen Spaziergang machen zu können. Diese Ausflüge konnten oft Stunden dauern, weil sich so viele Gratulanten um die beiden drängten und das Kind sehen wollten. Also musste immer jemand sie begleiten – meistens Rhys oder Mor, die einen ähnlich starken Beschützerinstinkt entwickelt hatte wie die Eltern. Cassian und Azriel benahmen sich auch nicht viel besser.

Aber ein paar Wochen später war keiner der anderen dabei, als Nesta an einem warmen Tag Feyre und Elain auf einen Spaziergang außerhalb der Stadt begleitete. Auch von Cassian war nichts zu sehen, wie ihr ein Blick hinauf zum Himmel verriet – obwohl er Nesta bis zum Morgengrauen mit Liebesspielen wach gehalten hatte und aus irgendwelchen albernen Gründen darauf bestand, sie bei jeder Gelegenheit als *Gefährtin* zu bezeichnen. Nur bei den nach wie vor stattfindenden morgendlichen Trainingsstunden mit den Priesterinnen verzichtete er darauf.

Das erfolgreich absolvierte Blutritual bedeutete nicht, dass das Training damit beendet war. Ganz im Gegenteil: Nachdem Nesta und ihre Freundinnen Cassian und Azriel in allen Einzelheiten von ihren Prüfungen berichtet hatten, erstellten die beiden eine lange Liste ihrer Fehler, die unbedingt korrigiert werden mussten, und auch die anderen Priesterinnen wollten aus diesen Erfahrungen lernen. Also würde das Training fortgesetzt werden, bis sie alle sich mit Fug und Recht als Walküren bezeichnen konnten. Und Gwyn war trotz des Blutrituals zu ihrem Leben in der Bibliothek zurückgekehrt.

Gwyn würde *vielleicht* zu der Seelenverbindungszeremonie für Nesta und Cassian erscheinen, die in drei Tagen in dem kleinen Tempel auf dem Gelände des Flusshauses stattfinden sollte – das hatte sie zumindest gesagt. Auch wenn Nesta sich eine prunkvolle Zeremonie gewünscht hatte, wollte sie auf große Menschenmengen verzichten. Der Tempel war bereits mit Blumen aller Art geschmückt, die man durch Magie vor dem Verwelken bewahrt hatte. Dazu kamen Seidenstoffe, Spitze, Kerzen und Girlanden, allesamt bezahlt von Rhys. Er hatte sie förmlich mit Geschenken überhäuft – Gewänder, Juwelen, Sofakissen und lauter Kleinigkeiten –, bis Nesta ihm befahl, damit aufzuhören, und ihm versicherte, dass eine prunkvolle Seelenverbindungszeremonie ausreichen würde, um seine Schuld zu begleichen.

Also hatte Rhys dafür gesorgt, dass die Zeremonie so extravagant ausfallen würde wie möglich. Nesta war überzeugt davon, dass er den Tempel so prunkvoll ausstattete, dass es ans Lächerliche grenzte.

Dabei zählte letztendlich nur eins, dachte sie: der Mann, der bei dieser Zeremonie neben ihr stehen würde – beim Ablegen der Gelübde, wenn sie einander gegenseitig Speisen anboten und wenn Freunde und Familienmitglieder die Hände des Paares mit einem schwarzen Band zusammenbanden, das bis zum Vollzug der Seelenverbindung an seinem Platz bleiben musste.

Auch wenn diese Verbindung seit Wochen zwei- oder dreimal täglich vollzogen wurde.

Aber das spielte keine Rolle. Nesta konnte es kaum erwarten: die Zeremonie, das … was auch immer danach auf sie wartete. Nichts davon jagte ihr Angst ein. Nichts davon ließ ein Gefühl der Verzweiflung in ihr aufkommen. Nicht mit Cassian an ihrer Seite, umgeben von ihren Freunden, dem Haus der Winde …

Das war Rhys' letztes Geschenk vor der Zeremonie gewesen: Das Haus gehörte jetzt ihnen. Ihr.

Da das Haus entschieden hatte, dass es Nesta lieber mochte als jeden anderen, hatte Rhys es ihr und Cassian zugesprochen – mit der Auflage, dass die Bibliothek nach wie vor den Priesterinnen gehörte und dass der Hof das Haus weiter für offizielle Veranstaltungen nutzen konnte. Ein Arrangement, mit dem Nesta gut leben konnte – besser als gut.

Als sie eines Abends ins Flusshaus kam, fand sie an der Wand der Eingangshalle das Geschenk vor, das Feyre ihr zur Feier ihrer Seelenverbindung überreichen wollte.

Ein Porträt von Nesta, die am Enalius-Pass die Stellung hielt. Sie hatte Rhys einige Teile des Rituals sehen lassen – dabei allerdings nicht geahnt, dass er sie nicht aus Neugier darum gebeten hatte, sondern weil er seiner Gefährtin Ideen für ein Gemälde übermitteln wollte.

Nesta starrte ihr Porträt, das zwischen Bildern von Feyre und Elain hing, eine ganze Weile lang sprachlos an. Und erst als Feyre sie fest umarmte, bemerkte sie, dass ihr Tränen über die Wangen liefen.

Ein Zuhause. Das Haus der Winde, Velaris, dieser Hof ... das alles war ihr Zuhause. Der Gedanke brachte ein Licht in ihrem Inneren zum Strahlen – ein Licht, das nie völlig erloschen war, nicht einmal in den Tagen nach dem Blutritual.

Und dieses Licht leuchtete noch immer, als Nesta sich an die wichtigste Aufgabe dieses Tages machte. Eine Aufgabe, die sie längst hätte erledigen sollen.

Feyre ließ die prunkvolle, schwarze Kutsche am Fuß des grasüberwachsenen Hügels zurück und trug Nyx in ihren Armen, während sie zu dritt den sanften Hang hinaufstiegen. Hinter ihnen breitete sich die Stadt aus, strahlend im Frühjahrssonnenschein, aber Nesta hielt den Blick auf den einsamen Gedenkstein auf der Kuppe des Hügels gerichtet.

Ihr Herz pochte wie wild, als sie einen Schritt hinter Feyre zurückblieb, die vor dem Grab niederkniete und Nyx dem Grabstein entgegenstreckte. »Dein Enkel, Vater«, flüsterte sie erstickt. Und dann neigte Feyre den Kopf und sprach weiter – zu leise, als dass Nesta oder Elain, die neben Nesta stand, ihre Worte verstehen konnten.

Nach ein paar Minuten erhob Feyre sich. Sie ließ ihren Tränen freien Lauf, während ihre Hände das Kind hielten. Elain trat vor, flüsterte dem Grab ihres Vaters ein paar Worte zu, und dann sahen beide Schwestern zu Nesta und schenkten ihr ein zaghaftes Lächeln.

Feyre hatte an diesem Morgen gefragt, ob Nesta sie begleiten wollte. Um ihrem Vater das Kind zu zeigen.

Nestas Herz hatte nur eine Antwort gekannt. Und so bedeutete sie ihren Schwestern jetzt mit einem Kopfnicken, schon einmal vorauszugehen, und die beiden folgten ihrer Bitte und schlenderten den grasbedeckten Hügel hinab, bis Nesta allein am Grabstein zurückblieb.

Sie suchte nach Worten, nach irgendeiner Erklärung oder Entschuldigung, doch vergeblich.

Die Strahlen der Sonne lagen wie eine warme Hand auf ihrer Schulter – wie die Hand, die den letzten Rest ihrer Kraft vor dem Verschwinden bewahrt hatte – und schienen ihr mitzuteilen, dass ihre Entschuldigung, ihre Bitte um Vergebung ... nicht länger nötig war.

Ihr Vater war für sie gestorben, mit Liebe im Herzen. Und obwohl sie diese Liebe damals nicht verdient haben mochte, würde sie alles tun, um sie sich jetzt zu verdienen. Um nicht nur dieser Liebe würdig zu sein, sondern auch der Liebe aller anderen um sie herum. Cassians Liebe.

Manche Tage würden sicher nicht einfach werden, aber sie würde sie überstehen. Darum kämpfen.

Ihr Vater war für sie gestorben, mit Liebe im Herzen. Und Nesta spürte diese Liebe tief in ihrem eigenen Herzen, als sie die kleine, geschnitzte Rose aus der Tasche zog und auf den Grabstein legte. Eine dauerhafte Erinnerung an die Schönheit und die Güte, die er in diese Welt zu bringen versucht hatte.

Nesta führte zwei Finger an die Lippen, hauchte einen Kuss darauf und legte dann ihre Hand auf den Grabstein.

»Danke«, sagte sie und blinzelte gegen die Tränen an, die ihr in den Augen brannten. »Danke für alles.«

Ein Schatten glitt über ihr dahin, gefolgt vom Rauschen von Schwingen, und Nesta brauchte nicht in die Höhe zu schauen, um zu wissen, wer dort hoch über ihr schwebte und prüfte, ob alles in Ordnung war. Ob sie in Sicherheit war.

Wichtigtuer. Doch dann warf sie auch Cassian einen Kuss zu.
Ihr Seelengefährte. Ihr Liebhaber. Ihr Freund. Das Licht in ihrer Brust begann so strahlend zu leuchten wie die Sonne.

Feyre und Elain erwarteten sie auf der Hälfte des Wegs den Hügel hinunter. Nyx schlief inzwischen friedlich in Elains Armen. Ihre Schwestern strahlten und bedeuteten ihr, sich zu ihnen zu gesellen.

Und Nesta erwiderte ihr Lächeln und lief leichtfüßig den Hügel hinab, geradewegs zu ihnen.

Danksagung

Die Fertigstellung dieses Buchs markiert in vielfacher Hinsicht den Endpunkt einer jahrelangen Reise – angefangen von den ersten Seiten, die ich während der Arbeit an *Das Reich der sieben Höfe – Sterne und Schwerter* flüchtig niederschrieb, bis heute, viele Jahre später, die ich mit Rohfassung, Überarbeitung und Verfeinerung verbrachte.

Viel wichtiger ist jedoch, dass dieses Buch mich auf meinem persönlichen Weg durch die Höhen und Tiefen meiner geistigen und seelischen Entwicklung begleitet hat und an meiner Seite war, als ich mich mit den vielen scharfen Kanten meines Inneren auseinandersetzen musste. Auch wenn Nestas Geschichte keinesfalls ein direktes Spiegelbild meiner eigenen Erfahrungen darstellt, gab es Abschnitte in diesem Buch, die ich förmlich zu schreiben gezwungen war – nicht nur um der Charaktere willen, sondern um meiner selbst willen. Ich hoffe, dass einige dieser Fragmente bei euch, liebe Leserinnen und Leser, ähnliche Reaktionen auslösen, und möchte euch daran erinnern, dass ihr geliebt werdet und dass ihr dieser Liebe *würdig* seid – unter allen Umständen.

Ich bin ungeheuer dankbar für die Menschen, die mich unbeirrt während der Höhen und Tiefen meines beruflichen und privaten Wegs begleitet haben, vor allem während einer derart turbulenten Zeit für unsere gesamte Welt.

Für meinen Sohn Taran: Du schenkst mir Freude und Kraft und so viel Liebe, dass mein Herz davon jeden einzelnen Tag erfüllt ist. Dein Lachen ist die schönste Musik der Welt. (Und ich stehe dazu, auch wenn du eben versucht hast, Styroporflocken zu futtern, als ich gerade nicht hingesehen habe.) Ich fühle mich geehrt, deine Mutter zu sein, und ich bin sehr stolz auf dich. Ich liebe dich, Baby Bunny.

Für meinen Mann Josh: Quer über all meine Bücher verstreut finden sich viele Bruchstücke unserer gemeinsamen Geschichte – und doch scheint es, als ob dieses Buch den Löwenanteil davon enthält. Seit dem Moment vor sechzehn Jahren, als ich dich zum ersten Mal im Gemeinschaftsraum unseres Studentenwohnheims sah, wusste ich, dass du *der einzige Wahre* bist. Frag mich nicht nach dem Wie und Warum, doch als du zur Tür hereinkamst, wusste ich es einfach. Aber ich hätte mir damals nie vorstellen können, was für einen außerordentlichen und wunderbaren Lebensweg wir gemeinsam beschreiten würden – die Orte, die wir sehen, das Leben, das wir uns aufbauen, und die Familie, die wir gemeinsam gründen würden. Ich danke dir dafür, dass du mich auf jedem Meter dieses Wegs geliebt hast.

Für Annie, mein Pelz-Baby und treueste Begleiterin: Du bist die beste Schwester, die man sich für Taran vorstellen kann, die beste Co-Pilotin beim Schreiben dieser Bücher und das beste Kuschelkissen nach einem langen Arbeitstag. Ich liebe deinen buschigen Schwanz, deine Fledermausohren, deine unerschöpfliche Aufsässigkeit – und deine herzensgute, liebenswerte Seele.

Für meine Freundin und Schwester Jenn Kelly: Wenn du dieses Buch endlich in Händen hältst, wirst du hoffentlich verstehen, welchen Einfluss deine Freundschaft auf mich hat und wie viel Gutes du in mein Leben gebracht hast. Du warst immer für mich da und ich werde dir auf ewig dankbar sein.

Für meine Lektorin und gemeinschaftliche *New York Times*-Kreuzworträtselfanatikerin Noa Wheeler: Du bist ein Genie. Ein echtes Genie. Und eine Lebensretterin. Und die verdammt beste Lektorin, mit der ich je zusammenarbeiten durfte. Danke, danke und nochmals danke für deine unglaublich harte Arbeit, deine cleveren und durchdachten Einfälle und dafür, dass du mich zu einer besseren Autorin gemacht hast. Ich freue mich jeden Morgen schon beim Aufstehen darauf, mit dir zusammenzuarbeiten und von dir zu lernen, und ich kann nicht einmal annähernd in Worte fassen, wie dankbar ich dafür bin.

Für meine Agentin Robin Rue: Ein einfaches Dankeschön ist nicht einmal ansatzweise genug für all das, was du für mich getan hast – und es beschreibt auch nicht die Freude, die ich bei der Zusammenarbeit mit dir empfinde. Du bist genau zum richtigen Zeitpunkt in mein Leben getreten – nämlich als ich dich und dein Fachwissen am dringendsten brauchte –, und ich danke dem Universum jeden Tag dafür, dass ich die Ehre habe, dich als meine Agentin bezeichnen zu dürfen. Auch wenn wir inzwischen eine gefühlte Million von Zoom-Konferenzen hinter uns haben, kann ich es kaum erwarten, eines Tages mit dir gemeinsam ein Fläschchen Champagner zu köpfen!

Für Jill Gillett: Du bist meine gute Fee. Vielen Dank dafür, dass du dir von niemandem etwas gefallen lässt (auch nicht von mir), dass du unermüdlich dafür arbeitest, meine Träume wahr werden zu lassen – und dafür, dass du so ein brillanter, liebenswerter Mensch bist.

Für Victoria Cook: Du bist die Härteste der Harten, und ich bin einfach nur glücklich, dich an meiner Seite zu haben.

Für Maura Wogan: Danke, danke und nochmals danke für deine Weisheit, deine harte Arbeit und deine Großzügigkeit.

Für Cecilia de la Campa: Du bist eine der coolsten und unermüdlichsten Persönlichkeiten in dieser Branche. Vielen Dank dafür, dass du dich so für mich und meine Bücher einsetzt.

Für Beth Miller: Du bist ein wahrer Sonnenstrahl und die am besten organisierte Person, die ich kenne. Ich verneige mich in Ehrfurcht vor deinen Fähigkeiten als Mitschreiberin. Ein großes Dankeschön für alles, was du für mich tust.

Für das Team bei Writers House: Auch wenn wir noch nicht sehr lange zusammenarbeiten, habt ihr bereits jetzt all meine Erwartungen übertroffen. Ich könnte mir nicht vorstellen, meine Bücher in besseren Händen zu wissen – oder betreut von besseren Leuten. Ich bin stolz darauf, Teil eurer Familie zu sein.

Für Laura Keefe: Vielen Dank für deine harte Arbeit und für die Spielzeugtipps für Taran. Die Arbeit mit dir macht einfach Spaß – danke für alles.

Für das ganze internationale Team bei Bloomsbury: Nigel Newton,

Emma Hopkin, Kathleen Farrar, Rebecca McNally, Cindy Loh, Valentina Rice, Nicola Hill, Amanda Shipp, Marie Coolman, Lucy Mackay-Sim, Nicole Jarvis, Emily Fisher, Emilie Chambeyron, Patti Ratchford, Emma Ewbank, John Candell, Donna Gauthier, Melissa Kavonic, Diane Aronson, Nick Sweeney, Claire Henry, Nicholas Church, Fabia Ma, Daniel O'Connor, Brigid Nelson, Sarah McLean, Sarah Knight, Liz Bray, Genevieve Nelsson, Adam Kirkman, Jennifer Gonzalez, Laura Pennock, Elizabeth Tzetzo und Valerie Esposito: Vielen Dank für eure unglaublich harte Arbeit.

Für Kaitlin Severini: Vielen, vielen Dank für deine akribische Textredaktion.

Für Christine Ma: Vielen Dank für dein Adlerauge beim Korrekturlesen.

Für meine Verleger in aller Welt: Ich bin euch zutiefst dankbar für eure Unterstützung und für die Anstrengungen, die ihr unternommen habt, um diese Bücher den Leserinnen und Lesern in aller Welt zukommen zu lassen.

Für Jillian Stein: Die Arbeit mit dir macht einfach nur Spaß, und du bist einer der tollsten Menschen, die ich kenne. Vielen Dank für deine harte Arbeit – und dafür, dass du so bist, wie du bist!

Für Tamar Rydzinski: Vielen Dank für dein großes Engagement und deine Liebenswürdigkeit.

Für Nick Odorisio, den wahren Jedi-Meister: Vielen Dank für alles, was du mich gelehrt hast – vom richtigen Gleichgewicht bis zur Bedeutung der Fußstellung für die Grundlagen der Jedi-Meisterschaft. So viele deiner Weisheiten haben ihren Weg in dieses Buch gefunden (gemeinsam mit meinen Klagen über Bauchpressen, Unterarmstützen und mein mangelhaftes Gleichgewicht).

Für Jason Chen: Ein großes Dankeschön für deinen Artikel über den perfekten Faustschlag – und an Aiman Farooq, Keith Horan, Chris Waguespack und Pete Carvill für ihre darin enthaltenen, unschätzbaren Einsichten und Tipps. Falls ich je in eine Kneipenschlägerei gerate, hoffe ich, dass ich mich zumindest an *ein paar* eurer Tricks erinnern kann. Sollten irgendwelche eurer Informationen in diesem Buch falsch wiedergegeben worden sein, liegt der Fehler einzig und allein bei mir.

Ein Dankeschön geht auch an Anna Victoria, deren Trainings-App (Fit Body) mir dabei geholfen hat, vieles von Nestas körperlicher Verwandlung aus erster Hand nachzuempfinden. Ich hätte mir nie träumen lassen, wie viel es mir bedeuten würde, einen einzigen Liegestütz auszuführen (auch wenn ich gut und gern auf die Bulgarischen Kniebeugen verzichtet hätte). Danke auch an Headspace, für die Ruhe und den Frieden, die ich mithilfe von Meditation gefunden habe.

Für Dr. C.: Es gibt so vieles, das ich gern sagen würde, aber ich weiß, dass nichts davon den Grad meiner Dankbarkeit wirklich übermitteln könnte. Daher begnüge ich mich mit einem Dankeschön für die unendlich große Hilfe. Meine tief empfundene Dankbarkeit gilt darüber hinaus Mahu Whenua in Neuseeland. Die Wanderungen auf den Bergpfaden, das Rauschen des Flusses, der Weg der Sonne über den Himmel – all das hat Nestas und Cassians Wanderung inspiriert. (Auch wenn ich mir fast den Knöchel gebrochen hätte, als ich beim Wandern versuchte, mir ein paar Notizen zu machen.) Euer Anwesen ist für mich der schönste Platz auf dieser Erde, denn ich habe dort einen Frieden und eine Klarheit gefunden, die ich mir bis heute nicht erklären kann. Ich danke euch und dem Volk der Maori für dieses Land, das meiner müden Seele Heilung und Kraft geschenkt hat.

Für Lynette Noni: Danke für deine Freundschaft, die meine Tage erhellt, und dafür, dass du die cleverste Kritikpartnerin auf diesem Planeten bist. Ich wüsste nicht, was ich ohne dich tun sollte.

Für meine Freundin Steph Brown: Ich liebe dich. Das ist auch schon alles. (Okay, das ist nicht *wirklich* schon alles, aber du weißt inzwischen genau, was ich für dich empfinde!)

Für Louisse Ang und Laura Ashforth: Ich habe es euch bestimmt schon tausend Mal gesagt – aber ich möchte, dass ihr wisst, wie sehr ich euch bewundere und wie glücklich ich mich schätze, euch beide zu kennen.

Für meine wunderbaren Eltern und meine Familie: Es ist inzwischen schon sehr lange her, dass wir uns persönlich getroffen haben, aber ich habe eure Liebe auch über viele Hunderte Kilometer Entfernung gespürt. Ich weiß nicht, was ich ohne euch tun würde. Und für meine Schwiegereltern Linda und Dennis: Vielen Dank für die Schokolade (auch wenn ich behauptet habe, dass ich gar keine wollte) und dafür, dass ihr so wunderbare Großeltern seid – und für eure bedingungslose Liebe.

Und schließlich für meine Leserinnen und Leser: Eure Güte, Großzügigkeit und Unterstützung bedeuten mir unendlich viel. Ich danke euch allen dafür, dass ihr diese Charaktere in eure Herzen aufgenommen habt. Ihr macht es möglich, dass ich mit meiner Lieblingsbeschäftigung meinen Lebensunterhalt verdienen kann – und dafür bin ich euch auf ewig dankbar.

Sarah J. Maas

DAS REICH DER SIEBEN HÖFE

SILBERNES FEUER

BONUSGESCHICHTE
Azriel

Roman

Aus dem amerikanischen Englisch
von Franca Fritz und Heinrich Koop

dtv

Azriel

Nach der ausgelassenen Wintersonnenwendfeier war im Flusshaus endlich Ruhe eingekehrt, und die gedämpften Feenlichter warfen kleine, goldene Lichtkegel in den tiefen Schatten der längsten Nacht des Jahres.

Amren, Mor und Varian waren schon vor einer Weile zu Bett gegangen, doch Azriel zog noch nichts in sein Zimmer im Obergeschoss.

Er wusste, dass er versuchen sollte, ein paar Stunden zu schlafen. Am Morgen würde er all seine Kraft für die Schneeballschlacht vor der Hütte in den Bergen benötigen. Cassian hatte im Laufe des Abends nicht weniger als sechsmal darauf hingewiesen, dass er einen *Geheimplan* für seinen sogenannten »unumgänglichen Sieg« habe. Doch Az ließ seinen Bruder ungerührt prahlen. Zumal er selbst ein Jahr lang sorgfältige Pläne für seinen eigenen Sieg geschmiedet hatte.

Cassian würde nicht wissen, wie ihm geschah. Außerdem wollte Az es sich zunutze machen, dass Nesta Cassian in der Nacht vermutlich nicht viel Schlaf gönnen würde.

Er lachte leise vor sich hin, in Richtung seiner lauschenden Schatten um ihn herum.

Schlaf, schienen sie ihm ins Ohr zu flüstern. *Versuch zu schlafen.*

Wenn ich nur könnte, antwortete er stumm. Aber der Schlaf erwies sich in letzter Zeit als ein äußerst unwilliger Bettgeselle.

Zu viele messerscharfe Gedanken durchfuhren ihn jedes Mal, wenn er lange genug zur Ruhe kam, dass sie zuschlagen konnten. Zu viele Wünsche und Bedürfnisse, die seine Haut heiß glühen ließen und zu straff über den Knochen spannten. Und so schlief er nur dann, wenn sein Körper sein Recht einforderte – und selbst dann nur wenige Stunden.

Azriel warf einen Blick durch das leere Familienzimmer, mit den auf Sitzgelegenheiten und Möbeln verstreuten Geschenkverpackungen und Bändern. Cassian und Nesta waren nicht wieder ins Erdgeschoss zurückgekehrt, was ihn nicht allzu sehr überraschte. Natürlich freute er sich für seinen Bruder, aber ...

Er konnte einfach nichts dagegen machen. Gegen die Eifersucht in seiner Brust. Neid und Eifersucht auf Cassian und Rhys. Und da er wusste, dass ihn dieses Gefühl überwältigen würde, sobald er hinauf in sein Zimmer ging, blieb er lieber hier unten, vor dem langsam erlöschenden Licht des Kaminfeuers.

Doch auch die Stille lastete zu schwer auf ihm. Und obwohl ihm seine Schatten Gesellschaft leisteten – wie seit eh und je –, führten ihn seine Füße aus dem Raum hinaus. In die Eingangshalle.

Im nächsten Moment hörte er leise Schritte im Durchgang unter der hohen Treppe – und dann stand sie vor ihm.

Die Feenlichter verliehen Elains offenen Haaren einen goldenen Schimmer, der ihn an die Sonne in der Morgendämmerung erinnerte. Sie hielt abrupt inne, und ihr Atem schien zu stocken.

»Ich ...« Er sah, wie sie schluckte. Ihre Hände umklammerten ein kleines Geschenk. »Ich wollte das hier noch auf deinen Geschenkstapel legen. Ich hatte ganz vergessen, es dir zu geben.«

Eine Lüge. Okay, der zweite Teil war eine Lüge. Er brauchte seine Schatten nicht, um ihren Tonfall zu deuten, die leichte Anspannung ihrer Miene. Sie hatte gewartet, bis alle im Bett waren, bevor sie sich wieder ins Erdgeschoss traute, um ihr Geschenk zwischen all seine anderen, bereits geöffneten Präsente zu schmuggeln – unauffällig und unbemerkt.

Elain kam näher und ihr Atem ging schnell, als sie erneut innehielt, kaum einen Schritt von ihm entfernt. Mit zitternder Hand streckte sie ihm das verpackte Geschenk entgegen. »Hier.«

Az bemühte sich, den Blick von seinen vernarbten Fingern abzuwenden, als er das Geschenk entgegennahm. Elain hatte ihrem Seelengefährten kein Geschenk gemacht. Aber für ihn hatte sie bereits im letzten Jahr eins gehabt – ein Pulver gegen Kopfschmerzen. Er bewahrte das Glasfläschchen auf seinem Nachttisch im Haus der Winde. Nicht, um davon Gebrauch zu machen. Sondern nur, um es anzusehen. Und zwar jeden Abend, seitdem er dort oben schlief. Oder es zumindest versuchte.

Jetzt packte er ihr Präsent aus, warf einen Blick auf die Geschenkkarte – auf der nur stand: *Das hier könnte sich im Haus der Winde als nützlich erweisen* – und öffnete die Schachtel. Darin lagen zwei kleine, bohnenförmige Stoffknubbel.

»Wenn man sie in die Ohren steckt, blockieren sie jedes Geräusch«, murmelte Elain. »Und da Nesta und Cassian ja jetzt mit dir zusammenwohnen ...«

Azriel musste lachen, unfähig, den Impuls zu unterdrücken. »Kein Wunder, dass du nicht wolltest, dass ich es vor den anderen auspacke.«

Ein feines Lächeln umspielte Elains Mundwinkel. »Nesta würde diesen Scherz gar nicht zu schätzen wissen.«

Er erwiderte ihr Lächeln. »Ich war mir nicht sicher, ob ich dir dein Geschenk geben sollte.«

Den Rest ließ er unausgesprochen. Weil ihr Seelengefährte hier war und im Geschoss über ihnen schlief. Weil sich ihr Seelengefährte im Familienzimmer aufgehalten hatte und Azriel die ganze Zeit in der Nähe der Tür hatte verbringen müssen. Weil er es nicht ertragen konnte. Den Anblick. Den Geruch ihrer Seelenverbindung. Deshalb hatte er sich die Option offengehalten, jederzeit den Raum zu verlassen, falls ihm alles zu viel wurde.

Elains große, braune Augen flackerten – wohlwissend, was ihn beschäftigte. Und sie kannte auch den Grund, warum Azriel sich in letzter Zeit bei den Abendessen im Kreis der Familien so selten blicken ließ.

Aber heute Nacht, hier in der Dunkelheit und Stille, mit niemandem weit und breit, der sie beobachten konnte ... Az holte die kleine Samtschachtel aus den Schatten um ihn herum. Und öffnete sie für Elain.

Beim Anblick des Geschenks sog sie keuchend die Luft ein – ein

Laut, der über seine Haut strich. Sofort wichen seine Schatten zurück. In Elains Gegenwart neigten sie seit jeher dazu, sich dünn zu machen.

Die goldene Halskette schien nichts Besonderes zu sein: Die Kettenglieder waren nicht weiter bemerkenswert und das Amulett wirkte so winzig, dass man es mit einem ganz gewöhnlichen Anhänger hätte verwechseln können. Es handelte sich um eine kleine, flache Rose aus Buntglas, die im richtigen Licht die wahre Intensität der Farben zur Geltung brachte. Ein Objekt von subtiler, lieblicher Schönheit.

»Sie ist wunderschön«, flüsterte Elain und nahm die Kette aus der Schachtel. Das goldene Feenlicht fiel durch die winzigen Glasfacetten und ließ das Amulett in Schattierungen von Rot, Rosa und Weiß erstrahlen. Azriel erteilte seinen Schatten den Auftrag, die Schachtel verschwinden zu lassen, als Elain ihn leise fragte: »Würdest du sie mir anlegen?«

Plötzlich breitete sich in seinem Kopf völlige Stille aus. Doch er nahm die Kette und öffnete den Verschluss, als Elain ihm den Rücken zuwandte, ihre Haare mit einer Hand zur Seite wischte und ihren langen, cremeweißen Hals entblößte.

Er wusste, dass es ein Fehler war. Aber hier stand er nun und legte die Kette um ihren Hals. Ließ seine vernarbten Finger über ihre makellose Haut streifen, über die Seite ihres Halses wandern und dessen samtweiche Oberfläche genießen. Elain schauderte. Und er brauchte verdammt lange, um den Verschluss zu schließen.

Azriels Finger verweilten an ihrem Nacken, auf ihrem ersten Wirbel. Langsam drehte Elain sich zu ihm um. Bis seine Handfläche an ihrem Hals lag.

So weit waren sie noch nie gegangen. Sie hatten Blicke getauscht, einander gelegentlich mit den Fingerspitzen gestreift, aber das hier hatten sie nicht gewagt. Diese offensichtliche, uneingeschränkte Berührung.

Falsch – das hier war so falsch.

Aber es interessierte ihn nicht.

Er musste unbedingt herausfinden, wie die Haut an ihrem Hals schmeckte. Wie ihre perfekten Lippen schmeckten. Ihre Brüste. Ihr Geschlecht. Er wollte es spüren, wie sie unter seiner Zunge den Höhepunkt erreichte …

Sein Schwanz drückte gegen seine Hose, schmerzte so sehr, dass er kaum einen klaren Gedanken fassen konnte. Hoffentlich blickte Elain nicht nach unten. Hoffentlich nahm sie die Veränderung in seinem Geruch nicht wahr.

Er hatte sich diese Fantasien immer nur in der Nacht gestattet, wenn selbst seine Schatten schliefen. Hatte seiner Hand nur zu dieser mitternächtlichen Stunde erlaubt, seinen Schwanz zu umfassen – während er sich vorstellte, welchen Anblick ihr wunderschönes Gesicht bieten würde, wenn er in sie eindrang. Welche Laute sie dabei hervorbringen würde.

Elain biss sich auf die Unterlippe. Und es kostete Azriel seine gesamte Kraft, um seine eigenen Zähne von diesen Lippen fernzuhalten.

»Ich sollte besser gehen«, sagte Elain, machte aber keine Anstalten, die Eingangshalle zu verlassen.

»Ja«, bestätigte er, während er mit dem Daumen über ihren Hals strich.

Der süße Duft ihrer Erregung schwebte ihm entgegen, und er musste die Augen schließen. Er würde auf Knien darum betteln, sie kosten zu dürfen. Doch er streichelte nur weiter ihren Hals.

Elain erschauderte, kam näher. So nah, dass nur ein tiefer Atemzug ihre Brüste von seinem Brustkorb trennte. Sie schaute zu ihm hoch, mit einem solch vertrauensvollen, hoffnungsvollen und offenen Ausdruck in den Augen, dass er wusste: Sie hatte keine Ahnung, dass er so unaussprechliche Dinge getan hatte, dass seine Hände weit über seine Narben hinaus befleckt waren. So grauenhafte Dinge, dass die Berührung ihrer Haut einem Sakrileg gleichkam und seine Anwesenheit einen tiefen Schatten auf sie warf.

Aber er konnte das hier haben. Diesen einen Moment … und vielleicht eine Kostprobe. Mehr nicht.

»Ja«, hauchte Elain, als hätte sie seine Gedanken gelesen. Nur diese eine Kostprobe in der längsten Nacht des Jahres, wo nur die Große Mutter Zeuge sein würde.

Azriel schob eine Hand in ihren Nacken, vergrub sie in ihrem dichten Haar. Dann hob er ihr Gesicht an. Elains Mund öffnete sich leicht, und sie suchte seinen Blick, bevor sie die Lider senkte.

Angebot und Erlaubnis.

Er stöhnte fast vor Erleichterung und Verlangen, als er den Kopf zu ihr hinabsenkte.

Azriel!

Rhys' Stimme donnerte durch seinen Kopf, ließ ihn wenige Zentimeter vor Elains süßem Mund innehalten.

Azriel!

Ein unnachgiebiger Befehl schwang in der Stimme mit und ließ Azriel aufschauen.

Rhysand stand am oberen Ende der Treppe. Und starrte wütend auf ihn hinunter.

Komm sofort in mein Büro!

Dann verschwand er. Und Azriel stand reglos vor Elain, die noch immer seinen Kuss erwartete. Sein Magen ballte sich zusammen, als er die Hand aus ihren Haaren nahm, einen Schritt zurückwich und mühsam die Worte herauspresste: »Das hier war ein Fehler.«

Elain öffnete die Augen. Kränkung und Verwirrung spiegelten sich darin, bevor sie schließlich flüsterte: »Es tut mir leid.«

»Du musst nicht … Du brauchst dich nicht zu entschuldigen«, brachte er hervor. »Ich bin derjenige, der …« Er schüttelte den Kopf, unfähig, den trostlosen Ausdruck in ihrem Gesicht zu ertragen. »Gute Nacht.«

Dann hüllte er sich in die Schatten, noch bevor sie etwas darauf antworten konnte, und erschien einen Sekundenbruchteil später an Rhys' Bürotür. Seine Schatten flüsterten ihm zu, dass Elain wieder ins Obergeschoss zurückgekehrt war.

Rhys saß an seinem Schreibtisch, mit vor Wut verzerrter Miene, finster wie eine mondlose Nacht. »Hast du völlig den Verstand verloren?«, fragte er leise.

Azriel setzte die erstarrte Maske auf, die er während seiner Zeit im Verlies seines Vaters perfektioniert hatte. »Ich weiß nicht, wovon du redest.«

Rhys' Kraft breitete sich wie eine dunkle Wolke im Raum aus. »Ich rede von *dir*. Davon, dass du Elain fast geküsst hättest. Mitten in der Eingangshalle, wo *jeder euch hätte sehen können*«, knurrte er. »*Auch ihr Seelengefährte.*«

Azriel versteifte sich. Ließ die kalte Wut in sich hochsteigen. Jene Wut, die er ausschließlich Rhys sehen ließ, weil er wusste, dass sein Bruder ihm darin in nichts nachstand. »Was wäre, wenn der Kessel sich geirrt hat?«

Rhysand blinzelte. »Was ist mit Mor, Az?«

Azriel ignorierte die Frage. »Der Kessel hat drei Schwestern ausgewählt. Verrate mir mal, wie es sein kann, dass meine beiden Brüder mit zwei von diesen Schwestern zusammen sind, aber die dritte einem anderen zugesprochen wurde.« Nie zuvor hatte er es gewagt, diese Worte laut auszusprechen.

Jegliche Farbe wich aus Rhys' Gesicht. »Du glaubst, du *verdienst* es, ihr Seelengefährte zu sein?«

Azriel zog eine finstere Miene. »Ich denke, Lucien wird für sie niemals gut genug sein. Außerdem hat sie nicht das geringste Interesse an ihm.«

»Und deshalb planst du *was*?« Rhys' Stimme klang kalt wie Eis. »Willst du sie verführen und von ihm weglocken?«

Azriel schwieg. So weit voraus hatte er noch nicht gedacht – definitiv nicht über die Fantasien hinaus, mit denen er sich in der Nacht vergnügte.

»Gestatte mir, dir eines klarzumachen: Du hast dich von ihr fernzuhalten«, knurrte Rhys.

»Das kannst du mir nicht vorschreiben.«

»Und ob ich das kann. Wenn Lucien herausfindet, dass du ihr den Hof machst, hat er das Recht, seine Seelenverbindung mit ihr so zu verteidigen, wie er es will. Und dazu zählt auch das Blutduell.«

»Das ist eine Tradition des Herbsthofs.« Dieser Kampf auf Leben und Tod war so brutal, dass er nur in den seltensten Fällen durchgeführt wurde. Und obwohl Azriel ein Außenseiter an diesem Hof war, hatte er sowohl Beron als auch Eris zu einem Blutduell herausfordern und beide töten wollen für das, was sie Mor damals angetan hatten. Nur Mors Anspruch auf ihre eigene Rache an den beiden hatte ihn daran gehindert.

»Als Berons Sohn hat Lucien das Recht, dich zu diesem Duell herauszufordern.«

»Und ich würde ihn ohne die geringste Mühe erledigen.« Aus jedem seiner Worte sprach pure Arroganz, aber es entsprach der Wahrheit.

»Ich weiß.« Rhys' Augen blitzten. »Und genau dadurch würdest du den zerbrechlichen Frieden und das fragile Bündnis zerstören – nicht nur mit dem Herbsthof, sondern auch unsere Bündnisse mit dem Frühlingshof *und* mit Jurian und Vassa.« Rhys fletschte die Zähne. »Also wirst du Elain in Ruhe lassen. Wenn du unbedingt jemanden vögeln musst, dann geh in ein Freudenhaus und zahl dafür. Aber halt dich von ihr fern!«

Azriel knurrte leise.

»Knurr, so viel du willst.« Rhys lehnte sich auf seinem Stuhl zurück. »Aber wenn ich dich noch einmal nach ihr gieren sehe, sorge ich dafür, dass du es bereust.«

Bisher hatte Rhys nur selten mit Strafe gedroht oder seine Autorität spielen lassen. Aber jetzt stieß er Azriel damit derart vor den Kopf, dass er seine Wut einen Moment vergaß.

Ruckartig deutete Rhys mit dem Kinn auf die Tür. »Raus.«

Azriel legte die Schwingen an und verließ das Büro ohne jedes weitere Wort. Aufgebracht stapfte er durch das Haus und hinaus bis auf den Rasen vor dem Eingang, wo er sich im eisigen Gras unter dem funkelnden Sternenhimmel niederließ. Damit der Frost in seinen Adern der Temperatur der Luft um ihn herum entsprach.

Bis er nichts mehr spürte. Bis er wieder einmal nichts und niemand war.

Dann kehrte er zum Haus der Winde zurück. Denn er wusste,

wenn er im Flusshaus übernachtete, würde er etwas tun, was er später bereute. Er hatte so sehr darauf geachtet, sich von Elain möglichst fernzuhalten. Genau aus diesem Grund hatte er sein Domizil hier oben hin verlegt. Um ihr aus dem Weg zu gehen. Und die heutige Nacht ... hatte ihm bewiesen, dass es richtig gewesen war.

Er steuerte auf den Trainingsplatz zu, um die Versuchung, die Wut, die Enttäuschung und sein schreckliches Verlangen durch hartes Training abzubauen. Doch er musste feststellen, dass sich dort bereits jemand anderes aufhielt – obwohl seine Schatten ihn nicht gewarnt hatten.

Jetzt war es zu spät für einen Rückzieher, ohne dabei den Eindruck zu erwecken, als würde er fliehen. Azriel landete wenige Schritte von Gwyn entfernt, die in der kalten Nacht mit ihrem Schwert trainierte, das im Mondlicht glitzerte wie Eis.

Abrupt hielt sie mitten in der Bewegung inne und wirbelte zu ihm herum. »Tut mir leid. Ich dachte, ihr würdet alle im Flusshaus übernachten, sodass ich niemanden störe, wenn ich hier trainiere, und ...«

»Kein Problem. Ich bin nur kurz zurückgekommen, weil ich etwas vergessen habe.« Die Lüge kam ihm glatt und kühl über die Lippen. So glatt und kühl wie ihr Gesicht sich anfühlen musste. Seine Schatten spähten über seine Schwingen hinweg in ihre Richtung.

Die junge Priesterin lächelte. Und Azriel nahm an, dass ihr Lächeln seinen neugierigen Schatten galt. Doch dann schob sie ihre kupferroten Haare hinter die spitzen Ohren. »Ich versuche schon die ganze Zeit, das Seidenband zu durchtrennen.« Sie zeigte mit dem Schwert auf das weiße Band, das wie Silber zu leuchten schien.

»Ist dir denn nicht kalt?« Sein Atem stieg als weiße Wolke in die Luft.

Gwyn zuckte die Schultern. »Wenn man sich erst mal eine Weile bewegt hat, merkt man die Kälte nicht mehr.«

Er nickte, und Stille breitete sich zwischen ihnen aus. Für den Bruchteil einer Sekunde trafen sich ihre Blicke. Azriel verdrängte die blutige Erinnerung an ihre erste Begegnung, an die junge Frau von damals – so fern der Gwyn, die er jetzt vor sich sah.

Sie senkte den Kopf, als würde auch sie sich daran erinnern. Daran, dass er sie an jenem Tag im Sangravah-Tempel gefunden hatte. »Frohe Sonnenwende«, sagte sie. In ihrer Stimme schwang eine Mischung aus Ablehnung und Festtagswünschen mit.

Azriel schnaubte. »Willst du mich etwa wegschicken?«

Gwyns blaugrüne Augen blitzten beunruhigt auf. »Nein! Ich meine, es macht mir nichts aus, den Trainingsplatz mit dir zu teilen. Ich wollte nur ... Ich weiß, dass du gern allein sein willst.« Ein Lächeln umspielte ihre Mundwinkel und kräuselte die Sommersprossen auf ihrer Nase. »Bist du deshalb hierhergekommen?«

Mehr oder weniger. »Ich habe etwas vergessen«, erinnerte er sie.

»Um zwei Uhr morgens?«

In ihrem Blick glitzerte Belustigung. Besser als der Schmerz und der Kummer, den er noch kurz zuvor darin gesehen hatte. Also schenkte er ihr ein schiefes Grinsen. »Ohne meinen Lieblingsdolch kann ich nicht einschlafen.«

»Ein Trostspender für jedes heranwachsende Kind.«

Azriels Lippen zuckten. Doch er verzichtete darauf zu erwähnen, dass er tatsächlich nicht ohne Dolch schlief. Ohne viele Dolche. Samt dem Exemplar unter seinem Kopfkissen.

»Wie war die Feier?« Ihr Atem kräuselte sich in der Luft vor ihrem Mund, und einer seiner Schatten schoss vor, um ein paar Sekunden damit zu tanzen. Als hätte er eine stumme Melodie gehört.

»Okay«, sagte er und erkannte im nächsten Moment, dass das keine höfliche Antwort war. »Die Feier war nett.«

Auch nicht viel besser. Also fragte er: »Habt ihr Priesterinnen auch gefeiert?«

»Ja, obwohl die Messe natürlich der Höhepunkt war.«

»Verstehe.«

Sie legte den Kopf auf die Seite. Ihre Haare glänzten wie geschmolzenes Metall. »Kannst du singen?«

Azriel blinzelte. Es kam nicht jeden Tag vor, dass ihn jemand mit einer Frage überraschte, aber ... »Warum willst du das wissen?«

»Man nennt dich den Schattensänger. Weil du singst?«

»Ich *bin* ein Schattensänger. Das ist kein Titel, den sich jemand einfach ausgedacht hat.«

Unbeeindruckt zuckte Gwyn erneut die Schultern. Az kniff die Augen zusammen und musterte sie. »Aber was ist denn jetzt? Kannst du nun singen?«, hakte sie nach.

Azriel musste leise lachen. »Ja.«

Sie öffnete den Mund, um weitere Fragen zu stellen. Aber er hatte keine Lust auf irgendwelche Erklärungen. Oder Demonstrationen seiner Gesangskünste. Denn darum würde sie garantiert als Nächstes bitten. Deshalb deutete er mit dem Kinn auf das Schwert in ihrer Hand. »Versuch noch mal, das Band zu durchtrennen.«

»Was, *jetzt*? Während du zusiehst?«

Az nickte.

Gwyn schien einen Moment zu überlegen, und er fragte sich, ob sie ablehnen würde. Doch dann blies sie die Luft aus, platzierte ihre Füße für einen sicheren Stand und ließ das Schwert herabfahren. Ein wunderschöner, präziser Bogen – der das Band jedoch nicht durchtrennte.

»Noch mal«, befahl er und rieb sich die kalten Hände, dankbar für die Ablenkung, die die schneidende Kälte und die Stegreiflektion boten.

Gwyn führte das Schwert erneut, aber das Band flatterte weiter unversehrt im Wind.

»Du drehst die Klinge minimal, sobald sie sich parallel zum Boden befindet«, erklärte Azriel und zog sein illyrianisches Schwert aus der Lederscheide auf seinem Rücken. »Hier, ich zeig's dir.« Langsam demonstrierte er die Bewegung und drehte sein Handgelenk genau wie sie. »Siehst du, wie du deinen Schwertarm hier öffnest?« Er korrigierte seine Handstellung. »Halt dein Gelenk besser so. Die Klinge ist eine Verlängerung deines Arms.«

Gwyn führte den Bewegungsablauf so langsam aus wie er. Und er konnte beobachten, wie sie sich selbst korrigierte und gegen den Drang ankämpfte, ihr Handgelenk zu öffnen und die Klinge zu drehen. Nach drei Durchgängen gelang es ihr, die alte, schlechte Angewohnheit abzulegen. »Das ist Cassians Schuld. Er ist zu sehr damit beschäftigt, Nesta schöne Augen zu machen, um solche Fehlhaltungen zu bemerken.«

Azriel lachte. »Du hast recht, das muss ich dir lassen.«

Gwyn grinste breit. »Danke.«

Azriel neigte den Kopf zu einer angedeuteten Verbeugung, und irgendetwas tief in seinem Inneren kam zur Ruhe. Selbst seine Schatten entspannten sich. Als wären sie damit zufrieden, auf seinen Schultern zu liegen und zuzusehen.

Aber ... Schlaf. Er musste zumindest versuchen, ein paar Stunden zu schlafen.

»Frohe Sonnenwende«, wünschte er Gwyn und steuerte dann auf den Bogengang zum Haus zu. »Bleib nicht zu lange hier draußen. Sonst holst du dir noch Erfrierungen.«

Gwyn nickte kurz zum Abschied und richtete ihre Aufmerksamkeit wieder auf das Seidenband. Wie ein Krieger, der seinen Gegner taxierte – ohne die geringste Spur ihrer charmanten Respektlosigkeit.

Azriel betrat die Wärme des Treppenhauses und hätte schwören können, dass ihm ein leiser, wunderschöner Gesang die Stufen hinunter folgte. Und dass seine Schatten mit ihrem eigenen Gesang reagierten.

Er schlief so gut, wie es unter den Umständen zu erwarten war. Doch als er vor Anbruch der Morgendämmerung zum Flusshaus zurückkehrte, um seine Geschenke an sich zu nehmen, fand er Elains Halskette inmitten des Stapels. Schweigend steckte er sie ein, fest entschlossen, sie zum Juweliergeschäft im Palast von Faden und Kristall zurückzubringen.

Nach seiner Rückkehr von der Schneeballschlacht suchte er den Markt jedoch nicht auf, sondern stieg die Stufen zur Bibliothek unter dem Haus der Winde hinunter und stand vor Clothos Schreibtisch, als die Uhr sieben schlug.

Er schob die kleine Schachtel über den Schreibtisch auf die Hohepriesterin zu. »Wenn du Gwyn siehst, könntest du ihr das hier bitte geben?«

Clotho neigte das Haupt unter der Kapuze, und ihre Zauberfeder schrieb ein paar Worte auf einen Zettel: *Ein Sonnenwendgeschenk von dir?*

Azriel zuckte die Schultern. »Aber sag ihr nicht, dass es von mir stammt.«

Warum nicht?

»Muss sie es denn unbedingt erfahren? Sag ihr einfach, es wäre ein Geschenk von Rhys.«

Das wäre eine Lüge.

Er unterdrückte den Drang, die Arme vor der Brust zu verschränken, weil er nicht bedrohlich wirken wollte. Rasch verdrängte er eine unerwünschte Erinnerung: an seine Mutter, die vor seinem Vater kauerte, der mit verschränkten Armen vor ihr aufragte und seine Unzufriedenheit schon durch seine Haltung demonstrierte, noch bevor er den hasserfüllten Mund öffnete.

»Hör zu, ich ...« Az suchte nach Worten. »Wenn es unter den Priesterinnen eine andere gibt, die sich über das Geschenk freuen würde, dann gib es ihr. Aber ich werde diese Halskette nicht wieder mitnehmen«, sagte er leise.

Dann wartete er, bis Clothos Zauberfeder ihre Antwort fertiggestellt hatte. *Deine Augen wirken traurig, Schattensänger.*

Er schenkte ihr ein grimmiges Lächeln. »Ich habe heute bei der Schneeballschlacht verloren.«

Clotho war schlau genug, sein Ablenkungsmanöver zu durchschauen. *Ich werde Gwyn die Halskette geben. Und ihr sagen, ein Freund habe sie für sie hinterlassen*, schrieb sie.

Er hätte sich zwar nicht direkt als Gwyns Freund bezeichnet, aber ... »Okay. Danke.«

Clothos Zauberfeder bewegte sich erneut über das Papier. *Sie verdient etwas so Schönes. Ich danke dir für die Freude, die die Kette ihr schenken wird.*

Irgendein Funke regte sich in Azriels Brust, doch er nickte nur dankbar und ging. Er konnte es sich auf dem Weg zum Haus hinauf allerdings gut vorstellen: Gwyns blaugrüne Augen, die beim Anblick der Kette aufleuchteten. Aus irgendeinem, ihm unbekannten Grund konnte er es sich ausmalen.

Doch er verdrängte das Bild rasch und wischte ganz bewusst das leise Lächeln fort, das es auf sein Gesicht zauberte. Vergrub das Bild tief in seinem Inneren, wo es sanft leuchtete.

Ein Objekt von subtiler, lieblicher Schönheiten.

Sarah J. Maas

DAS REICH DER SIEBEN HÖFE
SILBERNES FEUER

BONUSGESCHICHTE
Feyre und Rhys

Roman

Aus dem amerikanischen Englisch
von Franca Fritz und Heinrich Koop

dtv

Feyre und Rhys

»Na, das ist ja besser gelaufen als erwartet«, sagte Rhys, als alle gegangen waren, und ließ seinen Kopf gegen die Seitenlehne des großen Sofas im Arbeitszimmer sinken. Nesta und Cassian waren zum Haus der Winde aufgebrochen, nachdem meine Schwester versprochen hatte, darüber nachzudenken, wie man die Schreckenstruhe finden könnte. »Trotz des Desasters mit Elain und Nesta«, fügte mein Gefährte trocken hinzu.

Ich hatte mich mit meiner Schwester vor ihrem Aufbruch noch über das Baby – den *Jungen* – unterhalten, und als ich zurückkam, hatte Rhys auf der Couch gelegen, einen Arm über den Augen. Er hatte offenbar einen Moment Ruhe gebraucht, nachdem er Cassians und Azriels stürmische Begeisterung über sich hatte ergehen lassen.

Ich ließ mich neben ihn auf das Sofa fallen, nahm seine muskulösen Beine auf den Schoß und machte es mir bequem. »Elain hat heute ganz schön Zähne gezeigt«, stellte ich fest. »Das hätte ich nicht erwartet.« Genauso wenig wie ihre Worte über ihr noch immer vorhandenes Trauma. Dabei hatte ich das, was ich mit Nesta besprochen hatte, durchaus ernst gemeint – wie oft hatte ich mich während Elains Leidensweg einzig und allein auf *meine* Ängste konzentriert?

Rhys betrachtete mich unter halb geschlossenen Lidern – ein Abbild träger Anmut. Dann fragte er vorsichtig: »Und wie fühlst du dich dabei?«

Ich zuckte die Schultern, ließ meinen Kopf gegen die Polster sinken. »Schuldig. Sie hat ihre Wut an Nesta ausgelassen, aber ich hätte auch einiges davon verdient gehabt.«

Elain und ich waren uns nach dem Krieg mit Hybern wieder etwas näher gekommen. Ich würde mit ihr zwar wohl nie etwas trinken gehen, so wie mit Mor und gelegentlich mit Amren, aber … nun ja, mit einem Baby im Bauch kam Alkohol sowieso nicht infrage. Doch auch wenn Elain nie meine erste Wahl gewesen wäre, wenn ich Probleme hatte oder einen Rat brauchte, gingen wir im Allgemeinen friedlich und freundschaftlich miteinander um. Sie war eine angenehme Mitbewohnerin.

Hätte sie mir dieses Urteil übel genommen, fragte ich mich. Ich an ihrer Stelle wäre definitiv verärgert.

»Hat Elain sich schon jemals so verhalten?«, fragte Rhys.

»Nein.« Ich kaute auf meiner Unterlippe. Rhys' Blick ruhte auf mir. »Sie hat sich zwar immer als tapfer erwiesen, wenn es sein musste, aber ich habe sie noch nie unverhohlen provokativ erlebt.«

»Vielleicht hat man ihr nie zuvor die Chance dazu gegeben.«

Ruckartig drehte ich den Kopf in seine Richtung. »Soll das etwa heißen, dass ich sie unterdrücke?«

Rhys hob abwehrend beide Hände. »Nicht du allein.« Nachdenklich ließ er seinen Blick durch das Arbeitszimmer schweifen. »Aber eins frage ich mich: Wenn ihr alle Elain immer nur für süß und unschuldig gehalten habt, hat sie dann vielleicht geglaubt, dass sie sich so benehmen muss, um euch nicht zu enttäuschen?« Seufzend schaute er zur Decke. »Wer weiß – wenn genug Zeit verstrichen ist und sie sich wieder sicher fühlt, bekommen wir womöglich eine ganz neue Seite von ihr zu Gesicht.«

»Das klingt gefährlich nach dem, was Nesta über Elain gesagt hat: Vielleicht wird sie ja endlich interessant.«

»Nesta liegt nicht immer falsch.«

Ich warf Rhys einen finsteren Blick zu. »Du hältst Elain also für langweilig?«

»Ich halte sie für liebenswürdig, und ich schätze Liebenswürdigkeit sehr viel mehr als Boshaftigkeit. Aber ich bin auch davon überzeugt, dass wir noch längst nicht alles gesehen haben, was in ihr steckt.« Einer seiner Mundwinkel zuckte. »Vergiss nicht: Die Arbeit im Garten bringt häufig wunderschöne Blumen hervor – aber dazu gehört immer, dass man sich die Hände schmutzig macht.«

»Und sie von Dornen zerkratzen lässt«, murmelte ich und dachte dabei an jenen Morgen im letzten Sommer, als Elain mit blutigen Händen ins Haus kam, weil ein widerspenstiger Rosenbusch ihre Handschuhe an mehreren Stellen durchstochen hatte. Die Dornen waren in ihrer Handfläche abgebrochen und hatten scharfe Splitter hinterlassen, die ich herausziehen musste.

Damals traute ich mich nicht, sie darauf hinzuweisen, dass so etwas mit den verzauberten Handschuhen, die Lucien ihr bei der letzten Wintersonnenwende geschenkt hatte, nicht passiert wäre.

Ich seufzte und rieb unbewusst über meinen noch immer flachen Bauch. »Wir sollten uns besser darauf konzentrieren, erst der einen Schwester zu helfen, bevor wir uns um die andere kümmern.«

»Abgemacht«, sagte Rhys.

Ich musterte ihn scharf. »Musstest du Nesta vorhin wirklich deinen Todesblick zuwerfen?«

Er setzte sich auf, ein Bild der Unschuld. »Ich weiß nicht, wovon du redest, liebste Feyre.« Dann lehnte er sich zu mir, und die Luft flimmerte kurz, als der Schutzschild um mich herum verschwand. Seine Lippen streiften meine Wange. »So etwas würde ich nie tun. Du musst mich mit deinem anderen Seelengefährten verwechseln.«

»Ja, richtig – mit dem grausamen, überfürsorglichen Halbverrückten.« Ich lächelte, als er mein Kinn, dann meinen Hals mit Küssen bedeckte, die ich bis in die Zehenspitzen spürte.

»Grausam?« Rhys schnurrte das Wort an meiner Haut. »Das trifft mich zutiefst.«

Ich ließ mich von ihm auf die Kissen legen und genoss sein Gewicht auf meinem Körper, während er sich auf die Ellbogen stützte.

»Du siehst glücklich aus«, sagte er mit einem sanften, liebevollen Lächeln – das nur die wenigsten außerhalb von Velaris jemals zu Gesicht bekamen.

»Das bin ich auch«, erwiderte ich. »Ich freue mich darüber, dass unsere Familie an unserem Glück teilhaben kann.« So anstrengend und kompliziert meine Beziehung zu Nesta auch sein mochte, irgendetwas in meiner Brust hatte sich vor Erleichterung gelöst, als sie uns gratulierte.

»Wenn du *mich* schon für überfürsorglich hältst«, setzte Rhys an, dem seine dunklen Haare ins Gesicht fielen, »dann warte nur ab, was passiert, wenn Mor aus Vallahan zurückkommt. Du wirst das Haus nie wieder ohne persönliche Eskorte verlassen.«

»Und ich dachte, ich müsste mir wegen Azriel und Cassian Sorgen machen.«

»Definitiv. Die beiden sind schlimm. Aber Mor wird vermutlich einen zweiten Schild um dich errichten *und* sechs Mal am Tag überprüfen, ob du auch genug isst und schläfst.«

Ich stöhnte. »Die Große Mutter möge mich verschonen!«

»Hmmm«, erwiderte Rhys, und seine Augen begannen zu funkeln, während er mit dem Ende meines Zopfs spielte.

Eine Weile lächelten wir einander nur an. Ich betrachtete die eleganten Züge seines Gesichts und badete förmlich in der Wärme und Zufriedenheit, die er ausstrahlte. »Cassian meinte, du wärst in letzter Zeit launisch. Warum?«

Ich glaubte Cassian natürlich, aber in meiner Gegenwart hatte Rhys sich alles andere als launisch gezeigt: Bei jedem Blick in meine Richtung hatten seine Augen vor Liebe gestrahlt.

Den Moment, in dem wir erfuhren, dass ich unser Kind unter dem Herzen trug – den wunderschönen Jungen, den der Knochenschnitzer mir einst gezeigt hatte –, diesen Moment würde ich nie vergessen. An jenem Abend hatte ich noch spät im Atelier an der Staffelei gestanden und einen Albtraum aus der Nacht zuvor gemalt.

Die Kinder waren nach Hause gegangen, und ich war als Einzige zurückgeblieben – was damals relativ selten vorkam –, da ich nach dem Ende des Unterrichts noch etwas kreative Energie übrighatte. Die Dinge, die die Kinder malten, rühren mich oft zu Tränen, obwohl ich natürlich immer sorgfältig darauf achtete, sie vor ihnen zu verbergen. Denn auch wenn meine tägliche Arbeit einen komplizierten Gefühlscocktail in mir auslöste, schenkte sie mir mehr Freude und Befriedigung, als ich je geahnt hätte – und mehr als meine beträchtlichen magischen Fähigkeiten es je vermocht hatten.

Doch all diese Gefühle ließen sich nur auf eine Art und Weise verarbeiten: Ich musste sie auf die Leinwand bringen.

Der Albtraum hatte mich den ganzen Tag über beschäftigt – wie eine Last, die auf meinen Geist drückte. In diesem Traum war ich wieder unter dem Berg, stand erneut vor meiner zweiten Aufgabe und sah jene mit Spitzen gespickten Gitter, die sich herabsenkten und mich zu durchbohren drohten, wenn ich nicht rechtzeitig den richtigen Hebel umlegte. Irgendwie war ich wieder eine Analphabetin, nicht in der Lage, die Inschrift an der Wand zu entziffern, und gezwungen, meine Rettung oder mein Ende dem Zufall zu überlassen. Damals hatte Rhys mich gerettet, doch in meinem Albtraum war von ihm keine Spur.

Stattdessen war nur Amarantha dort und der König von Hybern als Schatten hinter ihr. Und niemand sonst schien zu wissen, wo ich war und dass man mich wieder hierher zurückgeschleift hatte, weil Amarantha inzwischen wusste, dass ich mich beim ersten Mal irgendwie durch die Prüfung gemogelt hatte. Und ich würde nie mehr fliehen können, nie mehr, nie mehr …

Das waren meine letzten Gedanken gewesen, bevor ich mich dazu gezwungen hatte aufzuwachen – schweißgebadet, während mir das Herz wie wild in der Brust schlug. Rhys hatte sich geregt, mich enger an sich gezogen und eine Schwinge schützend über uns gelegt. Doch obwohl ich mich an seinen warmen, kraftvollen Körper schmiegte, fand ich danach keinen Schlaf mehr.

Und so hatte ich gewartet, bis die Kinder nach Unterrichtsschluss das Atelier verließen, und eine neue Leinwand und meine Palette hervorgeholt. Dann machte ich mir eine heiße Tasse Tee mit Pfefferminz und Süßholz und griff nach dem Pinsel.

Ich hatte gut zwei Stunden lang meinen Albtraum aus mir herausgemalt, mit dem Rücken zur Tür, als Rhys den Raum betrat. Er sagte kein Wort, und Stille breitete sich im Raum aus. Es war allerdings nicht jene zufriedene Stille, in die er manchmal verfiel, wenn er mir beim Malen zusah – sondern ein verblüfftes, schockiertes Schweigen.

Ich drehte mich genau in dem Moment zu ihm um, als er plötzlich auf die Knie sank.

Und dann brach er in Tränen aus und lachte gleichzeitig, und ich konnte seinem ekstatischen Stammeln nur ein einziges Wort entnehmen: *Baby*. Ruckartig sprang ich von meinem Schemel auf und warf mich – ebenfalls mit Tränen in den Augen – in seine Arme. Der Aufprall riss uns beide zu Boden, und Rhys legte voller Staunen eine Hand auf meinen Bauch.

Irgendetwas hatte sich an meinem Geruch verändert, seit ich mich an jenem Morgen von ihm verabschiedet hatte – vielleicht sogar erst, seit ich den Kindern nach Unterrichtsschluss nachgewunken hatte. Ein neues Leben hatte in mir Wurzeln geschlagen. Endlich.

Wir lagen gemeinsam auf dem Boden des Ateliers. Unser Lachen und unsere Tränen vermischten sich miteinander, und erst als wir langsam zur Ruhe kamen, küsste ich ihn. Irgendwann danach verschwanden unsere Kleidungsstücke und ich ritt ihn auf dem Boden und ließ das Licht in mir hell genug leuchten, um Schatten durch den Raum zu werfen. Rhys betrachtete mich, wie ich mich auf ihm bewegte, und brach erneut in Tränen aus – stumme Tränen, die ihm übers Gesicht liefen und die sternengeküsste Nacht um ihn herum teilten. Und als ich mich zu ihm hinunterbeugte, um sie abzulecken, kam er so heftig, dass er mich damit auch zum Höhepunkt brachte.

Und auch jetzt – so wie damals, als wir uns im Atelier liebten – zogen seine Finger träge Kreise über meinen Bauch, hinauf zu meinen Brüsten, die auf eine Weise schwer und überempfindlich waren, die nichts mit dem Verlangen zu tun hatte, das sich zwischen meinen Schenkeln regte. Das war eins der ersten Anzeichen meiner Schwangerschaft gewesen, abgesehen von den Übelkeitsanfällen, die mich inzwischen fast rund um die Uhr heimsuchten: Meine Brüste schwollen an und schmerzten.

Rhys umkreiste eine meiner Brustwarzen, die unter der Berührung hart wurde. Er beobachtete, wie der Nippel durch den Stoff drückte, und bekam Augen wie eine Katze, die eine Maus beobachtete.

»Rhys, warum hat Cassian gemeint, du wärst launisch?«, fragte ich erneut, da ich noch keine Antwort erhalten hatte.

Er schloss seine Lippen um meine Brust, spielte mit den Zähnen durch den Stoff am Nippel. »Ach, ist nichts Besonderes.«

»Lügner.« Ich nahm ein Büschel seiner Haare und zog seinen Kopf hoch. »Erzähl's mir.«

Er schüttelte meinen Griff ab und drückte seine Nase in meine Halsgrube. Dann senkte er seinen Körper gerade so weit, dass ich sehen konnte, wie das Ganze enden würde. Meine Hüften hoben sich instinktiv, seinen entgegen. Ein weiteres Anzeichen: Ich fühlte mich ständig wie ausgehungert, nicht nur nach Nahrung.

In manchen Nächten hatte ich es kaum ausgehalten, bis Rhys ins Schlafzimmer kam, bevor ich ihm die Kleidung vom Leib zerrte, auf die Knie ging und seinen Schwanz in den Mund nahm oder ihn förmlich anflehte, mich im Stehen an der Wand zu vögeln. Und an anderen Tagen war mein Verlangen, ihn in mir zu spüren, so groß, dass ich meine Daemati-Kräfte nutzte und ihn bat, mich in der Mittagspause im Stadthaus zu treffen, weil das näher beim Atelier lag als unser neues Haus.

Dieses wunderbare, perfekte Heim, das wir uns gebaut hatten, mit einem Kinderzimmer, das – so der Kessel wollte – irgendwann im späten Frühling bezogen werden würde.

Rhys hatte sich meiner unnachgiebigen Gier angepasst. Manchmal ließen wir uns Zeit, genossen jede Faser des anderen und machten im wahrsten Sinne des Wortes Liebe. In anderen Momenten war es pure, unverfälschte Lust. Erst heute Morgen hatte ich kaum das Frühstück in unseren Privatgemächern abwarten können, als ich ihm auch schon auf den Schoß kletterte und ihn ritt, bis wir beide vor Lust fast das Bewusstsein verloren.

Gestern hatte ich Madja gefragt, ob es ... *normal* wäre, ihn so sehr zu begehren.

Aber ja, hatte sie mit einem Funkeln in den Augen geantwortet. *Viele werdende Mütter sprechen nicht gern darüber, aber es hängt mit der sich verändernden Natur deines Körpers zusammen. Ich* kann dir den Grund dafür nicht nennen, aber es ist vollkommen normal. Genieße es einfach.«

Jetzt raunte Rhys an meinem Hals: »Ich bin nur launisch, weil ich kaum noch Schlaf bekomme.« Er leckte meinen Hals und ließ seine Hand in meinen Slip gleiten. Ich hielt ihn nicht zurück – zumal seine Finger sofort die Feuchtigkeit fanden, die dort auf ihn wartete. Er stieß ein zufriedenes Knurren aus. »Siehst du, was ich meine?«

Ich wusste, dass er meiner Frage auswich, aber ich ließ ihn gewähren. Inzwischen hatte ich gelernt, dass Rhys mir alles erzählen würde, was ihn beschäftigte – wenn die Zeit dafür gekommen war. Vielleicht hatte Cassian etwas falsch verstanden, vielleicht hatten sich seine Worte auf meine Schwester bezogen.

Obwohl ich wusste, dass das eher unwahrscheinlich war.

Doch als Rhys seine Finger in mich schob und sie in einem aufreizend langsamen Rhythmus zu bewegen begann, ließ ich diesen Gedanken fallen. Es war seit jeher Teil unserer Freundschaft, einander nicht zum Reden zu drängen.

Und dann war da noch unsere ultimative Vereinbarung, auf unsere Körper tätowiert nach dem Sieg gegen Hybern ... Ich küsste ihn voll Verlangen, und unsere Zungen spielten miteinander. Wir würden keinen Moment auf dieser Welt voneinander getrennt verbringen, und ich konnte nur beten, dass unser Kind eines Tages ebenfalls eine solche Liebe fand.

Rhys brachte mich bis kurz vor den Höhepunkt, dann zog er seine Hand zurück und meine Kleidungsstücke verschwanden. Aufreizend langsam knöpfte er sich die Hose auf und beobachtete mich, während er seinen beachtlichen Schwanz herausholte. Er schaute mir die ganze Zeit ins Gesicht, als er mit einem einzigen, mächtigen Stoß in mich eindrang, genoss mein Aufstöhnen und mein atemloses Flehen, während er sich tief in mir bewegte.

So als ob er sich all das genau einprägen wollte. Jede einzelne Sekunde.

Als wir beide nur noch keuchend dalagen – Rhys' Gesicht noch immer in meiner Halsbeuge vergraben, während meine Finger träge mit seinem verschwitzten Hemd spielten –, sagte ich: »Jetzt, da die anderen davon wissen, fühlt es sich real an.«

Er wusste, was ich meinte. »Es gibt nur noch eine Person, der wir davon erzählen müssen.«

Lächelnd zog ich seinen Kopf an den Haaren hoch, damit er mich ansah. Rhys fügte sich und blickte von oben auf mein Gesicht herab. »Möchtest du Mor die guten Neuigkeiten überbringen oder darf ich?« Er kannte sie zwar länger als ich, aber ich betrachtete sie als meine beste Freundin. Eine Schwester, mehr noch als meine leiblichen Schwestern.

»Ich denke, dass *er* es ihr erzählen sollte«, antwortete Rhys und deutete mit dem Kopf in Richtung meines Bauchs.

Ich runzelte die Stirn. »Aber wie?«

Er lächelte belustigt. »Wenn Mor nach Hause kommt, lassen wir den Schutzschild um dich herab. Mal sehen, wie lange sie braucht, um deinen Geruch wahrzunehmen. Und seinen.«

»Das gefällt mir«, sagte ich und erwiderte sein Lächeln. Ich hätte gern eine Möglichkeit gehabt, Mors Gesicht in diesem Moment festzuhalten. Sanft fuhr ich mit den Fingern durch Rhys' seidenweiches Haar. »Hast du dir schon irgendwelche Namen überlegt?«

Rhys grinste. »Und ob.«

»Ich traue diesem Grinsen keinen Meter weit.«

»Warum nicht?« Er zog sich aus mir zurück und säuberte uns beide mit einer Woge seiner Magie. Ich unterdrückte die neu aufkommende Lust beim Anblick seines Schwanzes, den er wieder in die Hose schob. »Ich würde ihm nie irgendeinen albernen Namen verpassen.«

»Das glaube ich dir nicht.« Ich tippte ihm mit dem Zeigefinger auf die Nase. »Dein Familienname ...«

»Lass uns bitte nicht über meinen Familiennamen reden«, entgegnete er und knabberte an meinen Fingerspitzen.

Ich musste lachen. »Also gut.«

Doch dann trübten sich seine Augen. »Wie wäre es, wenn wir ihn nach deinem Vater nennen?«

Mein Herz verkrampfte sich. »Damit wärst du einverstanden?«

»Aber natürlich.«

Ich musste gegen die plötzliche Enge in meiner Kehle ankämpfen, setzte mich auf und sah ihn an. »Vielleicht als zweiten Vornamen, aber … Nein, ich möchte, dass unser Sohn seinen eigenen Namen bekommt.«

Unser Sohn. Diese Worte hörten sich fremdartig an – und zugleich wunderschön.

Rhys nickte und seine Gesichtszüge wurden weich, als würden ihn diese Worte ebenfalls zutiefst rühren.

Ich konnte ihn förmlich vor mir sehen, wie er als Vater sein würde: wie er unser Kind lachend hoch in die Luft warf, wie er mit seinem Jungen auf demselben Sofa, auf dem wir jetzt saßen, ein Nickerchen machte, beide mit aufgeschlagenen Büchern auf dem Schoß. Unser Sohn würde niemals, nicht für den Bruchteil einer Sekunde daran zweifeln müssen, dass er geliebt wurde. Und Rhys würde bis ans Ende aller Welten gehen, um ihn zu beschützen.

Meine Tagträume ließen mich lächeln, und meine Hände brannten förmlich darauf, sie zu malen.

Rhys brummte nachdenklich. »Wie wäre es mit Nyx?«

Ich blinzelte. »Nyx?«

Rhys deutete auf eine der Bücherwände im Arbeitszimmer, und ein ledergebundener Wälzer schwebte auf seine geöffnete Hand zu. Wortlos blätterte er zu einer bestimmten Seite und reichte mir den Band.

Ich überflog den Text. »Eine antike Göttin der Nacht?«

»Eigentlich aus der Zeit der Entstehung der Truhe«, sagte Rhys. »Sie ist heute weitgehend in Vergessenheit geraten, aber mir gefällt der Klang des Namens. Warum sollten wir ihn nicht für einen Jungen verwenden?«

»Nyx«, wiederholte ich nachdenklich, und der Name hallte durch die Stille des Arbeitszimmers. Ich strich mit meinen tätowierten Händen über meinen Bauch. Rhys' Hände legten sich auf meine, und wir beide schauten lächelnd auf das kleine Lebewesen, das in meinem Körper heranwuchs.

»Nyx«, sagte ich ein letztes Mal. Und ich hätte schwören können, dass sich in mir kurz eine nachtgeküsste Kraft regte.

Rhys sog scharf die Luft ein, so als hätte auch er diese winzige Kraft gespürt.

Gemeinsam betrachteten wir unsere verschränkten Hände auf meinem Bauch.

Gemeinsam betrachteten wir unseren Sohn, und ich dankte der Großen Mutter stumm für die wundervolle Zukunft, die vor uns lag.

Magie, Musik – und tödliche Gefahren

ALLE LIEFERBAREN TITEL, INFORMATIONEN UND SPECIALS
FINDEN SIE ONLINE

Auch als eBook   www.dtv.de dtv

Du kannst nicht genug bekommen von

SARAH J. MAAS?

Wann erscheint wieder ein neuer Fantasy-Roman von
Sarah J. Maas auf Deutsch?
Bleib mit unserem Newsletter auf dem Laufenden
über Neuerscheinungen, Gewinnspiele und
exklusiven Fan-Content!

Jetzt anmelden unter
www.dtv.de/newsletter-maas

Von Sarah J. Maas ist bei dtv außerdem lieferbar:
Throne of Glass 1 – Die Erwählte
Throne of Glass 2 – Kriegerin im Schatten
Throne of Glass 3 – Erbin des Feuers
Throne of Glass 4 – Königin der Finsternis
Throne of Glass 5 – Die Sturmbezwingerin
Throne of Glass 6 – Der verwundete Krieger
Throne of Glass 7 – Herrscherin über Asche und Zorn
Throne of Glass – Celaenas Geschichte
Das große *Throne of Glass*-Fanbuch
Das Reich der sieben Höfe 1 – Dornen und Rosen
Das Reich der sieben Höfe 2 – Flammen und Finsternis
Das Reich der sieben Höfe 3 – Sterne und Schwerter
Das Reich der sieben Höfe 4 – Frost und Mondlicht
Das große *Reich der sieben Höfe*-Fanbuch
Catwoman – Diebin von Gotham City
Crescent City 1 – Wenn das Dunkel erwacht
Crescent City 2 – Wenn ein Stern erstrahlt
Crescent City 3 – Wenn die Schatten sich erheben